Barcelone PARIS

de Gaudí à Miró

Galeries nationales du Grand Palais, Paris
9 octobre 2001 – 14 janvier 2002

Museu Picasso, Barcelone
28 février – 26 mai 2002

Barcelone PARIS
de Gaudí à Miró

Réunion
des Musées
Nationaux

L'exposition est organisée
par la Réunion des musées nationaux, Paris,
et le Museu Picasso-Institut de Cultura, de la Mairie
de Barcelone, avec la collaboration du Museu nacional
d'Art de Catalunya, Barcelone.

Scénographie : Renaud Piérard, architecte

Coordination du projet à Paris :
Agnès Takahashi, et
pour le mouvement des œuvres,
Isabelle Mancarella.

Couverture : Joan Miró, *Baigneuse* (détail), 1924
Paris, Centre Georges Pompidou
Musée national d'art moderne,
Donation Louise et Michel Leiris

© Réunion des musées nationaux, Paris, 2001
© Museu Picasso, Barcelona, 2001
© ADAGP, Paris, 2001
© Succession Picasso, Paris, 2001
© Estate Brassaï, Paris, 2001

ISBN : 2-7118-4280-0

COMMISSAIRES GÉNÉRAUX

Brigitte Léal,
conservateur en chef,
Musée national d'art moderne-
Centre Georges Pompidou, Paris

Maria Teresa Ocaña,
directeur,
Museu Picasso, Barcelone

COMMISSAIRES

Caroline Mathieu,
conservateur en chef,
musée d'Orsay, Paris

Cristina Mendoza,
directeur des collections des XIXe et XXe siècles
Museu nacional d'Art de Catalunya, Barcelone

François Fontaine,
photographe, historien de l'art, Madrid

COLLABORATION SCIENTIFIQUE

Isabelle Monod-Fontaine,
directeur adjoint,
Musée national d'art moderne-
Centre Georges Pompidou, Paris

Claude Laugier,
conservateur,
Musée national d'art moderne-
Centre Georges Pompidou, Paris

Juan José Lahuerta,
professeur
d'histoire de l'art, École d'architecture de Barcelone

Mercè Doñate et Mariàngels Fondevila,
conservateurs au Museu nacional d'Art de Catalunya,
Barcelone

Administrateur des Galeries nationales du Grand Palais :
David Guillet

Les organisateurs expriment tout particulièrement
leur reconnaissance à :

Eduard Carbonell,
directeur du Museu nacional d'Art de Catalunya,
Maria Teresa Ocaña,
directeur du Museu Picasso,
Jean-Jacques Aillagon,
président du Centre Georges Pompidou
Alfred Pacquement,
directeur du MNAM/CCI, Centre Georges Pompidou
Henri Loyrette,
ancien directeur du musée d'Orsay, président-directeur
du musée du Louvre,

qui ont accepté de mettre à leur disposition
des œuvres exceptionnelles.

Leur gratitude s'adresse également aux responsables
des collections publiques et privées suivantes,
sans omettre ceux qui ont préféré garder l'anonymat.

Collection Jean Anguera, Paris
Ancienne collection André Breton, Paris
Collection Coromines Rodríguez, Barcelone
Collection Raymond Creuze, Paris
Collection François Fontaine, Madrid
Collection Emmanuel Guigon, Strasbourg
Collection Kowasa Gallery, Barcelone
Collection galerie Louise Leiris, Paris
Collection Paule et Adrien Maeght, Paris
Collection Masaveu, Oviedo
Collection Juan Naranjo, Barcelone
Collection galerie Joan Prats, Barcelone
Collection R. et M. Santos Torroella, Barcelone
Collection Lucien Treillard, Paris
Collection Kiki et Pedro Uhart, Paris
Collection galerie 1900-2000, Marcel et David Fleiss, Paris
Collection privée, New York, courtesy Galerie 1900-2000, Paris
Collection privée, Paris, courtesy Galerie 1900-2000, Paris
Courtesy galerie Cazeau-Béraudière, Paris
Fonds Albert-Birot, Paris
Fonds Viollet-le-Duc, Neuilly-sur-Seine
Fondo artístico Myrurgia, Barcelone
Succession Gargallo, Issy-les-Moulineaux

BRÉSIL
Rio de Janeiro Museus Castro Maya/IPHAN-MinC

ESPAGNE
Barcelone Arxiu Historic de la Ciutat de Barcelona
Arxiu Historic del Col.legi d'Arquitectes de Catalunya
Arxiu Joan Maragall
Arxiu Municipal Administratiu
Biblioteca de Catalunya
Casa-Museu Gaudí
Colección Patrimonio « la Caixa »
Filmoteca de Catalunya
Fundacio Caixa Catalunya, Espai Gaudí
Fundacio J. V. Foix
Fundacio Joan Miró
Institut Amatller d'Art Hispanic
Institut del Teatre

Junta Constructora Temple Sagrada Familia
Museu nacional d'Art de Catalunya
Museu de ceràmica
Museu Picasso
Real Catedra Gaudí
Caldes de Montbui
Museu Thermalia
Canet de Mar Casa-Museu Lluis Domènech i Montaner
Figueras Fundació Gala-Salvador Dalí
L'Hospitalet Museu d'Historia de L'Hospitalet
Madrid Fundación Federico García Lorca
Museo Nacional Centro de Arte Reina Sofia
Museo Thyssen-Bornemisza
Montserrat Museu de Montserrat
Sant Cugat del Vallès Arxiu Nacional de Catalunya/Lucien Roisin
Sant Feliu de Llobregat Consorci Colonia Güell
Sitges Museu Cau Ferrat (Consorci del Patrimoni de Sitges)
Valence IVAM, Instituto Valenciano de Arte Moderno
Vistabella (Tarragone) Iglesia del Sagrado Corazón de Vistabella

ÉTATS-UNIS
New York Solomon R. Guggenheim Museum
The Museum of Modern Art
Philadelphie Philadelphia Museum of Art
St. Petersburg Salvador Dalí Museum
Washington National Gallery of Art
The Phillips Collection

FRANCE
Albi Musée Toulouse-Lautrec
Cambrai Musée de Cambrai
Castres Musée Goya
Céret Musée d'Art moderne
Menton Musée des Beaux-Arts
Montargis Musée Girodet
Nancy Musée de l'École de Nancy
Orléans Bibliothèque municipale
Paris Archives *Cahiers d'art*
Archives Louis Lumière
Archives Erik Satie
Archives RATP
Bibliothèque des Arts décoratifs
Bibliothèque centrale des musées nationaux
Bibliothèque historique de la Ville de Paris, fonds Apollinaire
Bibliothèque littéraire Jacques Doucet
Bibliothèque nationale de France, département des Arts du spectacle
Cathédrale Notre-Dame
DRAC Île-de-France
École nationale supérieure des beaux-arts
Fondation Albert Gleizes
Fondation Le Corbusier
Médiathèque de l'architecture et du patrimoine
Musée d'Art moderne de la Ville de Paris
Musée des Arts décoratifs
Musée Carnavalet
Musée d'Histoire contemporaine-BDIC
Musée national d'art moderne, Centre Georges Pompidou
Musée de l'Orangerie
Musée d'Orsay
Musée Picasso
Musée de la Publicité, UCAD
Musée Rodin
Petit Palais, Musée des beaux-arts de la Ville de Paris

Saint-Denis Musée d'Art et d'Histoire
Villeneuve-d'Ascq Musée d'Art moderne de Lille Métropole

GRANDE-BRETAGNE
Londres Tate Gallery
Oxford
Ashmolean Museum of Art and Archaeology

PAYS-BAS
Amsterdam Stedelijk Museum
Van Gogh Museum

PORTUGAL
Lisbonne
Museu Calouste Gulbenkian

SUÈDE
Stockholm Moderna Museet

Remerciements

Tout au long des mois de préparation de cette exposition, nombre de personnes nous ont aidés et soutenus et notamment :

Cristina Agostinelli, Montse Aguer, Rosa Aguer Teixidor, Michelle Aittouares, Arlette Albert –Birot, Mossèn Joan Aragonés Llebaria, Michelle Aubert, Valéric Arial, Mercedes Arnús, Montse Arraut, Michèle Aubert, Jean–Paul Avice, David Balsells, Gilles Barabant, Réjane Bargiel, Marc Bascou, Irène Bizot, Alain Beausire, Elisabeth Belarbi, Blandine Benoit, Jean–Luc Berthommier, Anne–Catherine Biedermann, Pierre Bonhomme, Jean-Michel Bouhours, Jean-Claude Boulet, Monique Bourlet, Claire Both, Agnés de Bretagne, Mariona Bruzzo, Françoise Cachin, Isabelle Cahn , Laurence Camous, Marta Canals, Andreu Carrascal, Claude Carrout, Maria Antonia Casanovas, Philippe Cazeau, Carmen Cervera, Philippe Chabert, Anne–Marie Charron Zucharelli, Yannick Château, Olivier Cinqualbre, Concetta Collura, Victoria Combalia Dexeus, Lionelle Courbet-Viron, Elizabeth Cowling, Marie–Laure Crosnier-Leconte, Lucia Daniel, Evelyne David, Francine Delaigle, Marie-Pierre Delclaux, Jacques Demay, François Dittesheim, Françoise Docquiert, Miquel Domènech, Silvia Domènech, Fabienne Dumont, Dominique Dupuis-Labbé, Catherine Duruel, Patrick Elliot, Marie Christine Enshaian, Nathalie Ernoult, madame Fenestre, Mercè Fernández, Victoria Fernández, David Ferrer, Sophie Fiblec, Montserrat Fonoll, Ramon Lluís Fossat, Françoise de Franclieu, Sylvie Fresnault, François Fur, Pascale Gardes, Mercè Garriz, Laurent Gervereau, Noémie Giard, Anton Giménez, Francesc Giol, Daniel Giralt Miracle, Gema Grino, Teresa Guasch, Viviane Grimminger, Robert Groborne, Stéphane Guégan, André Guttierez, Ignacio Herrera, Jacques Hourrière, Catherine Hutin, Grial Ibáñez de la Peña, William Jeffet, Angels Jubert, Jordi Juncosa, Fritz Keers (†), Agnès Angliviel de La Beaumelle, Philippe Laborde, Michel Lefebvre, Antoinette Le Normand–Romain, Annick Lionel–Marie, Dominique Lobstein, Fernando López Penamil, Oriol Llongueres, Astrid Lorenzen, Catherine Louison, François Loyer, Laurence Madeline, Jordi Madern, Françoise Magny, Teresa Martí, Guite et Diego Masson, Catherine Mathon, Yannick Mercoyrol, Emili Moliné, Estíbaliz Molinos, Josep Vicent Monzo, Rosa Maria Montserrat, Nathalie Morena, Jacqueline Munck, Ingrid Novion, Joan Naranjo, Hervé Odermatt, Joan Oliveras, Montserrat Pagès, Imma Parada, Fina Parés, María Peña, Monsieur. Petri, Marie-Odile Peynet, Pierre Piglalio, Antonio Pitxot, Jean-Claude Planchet, Jordi Pons, Gloria Porrini, Eduardo Porta, Jean-Louis Prat, Montserrat Prudhon, Chantal Quirot, Rosa Reixats, Mercè Rodríguez Prat, Christiane Rojouan, Anna Ruiz, France Sabary, Blaise Saint Maurice, María José Salazar, Philippe Saman, Josiane Sartre, Nicole Savy, Alain Sayag, Eloïsa Sendra, Véronique Serrano, Mossèn Sorder, Stéphanie Sotteau, Werner Spies, Carme Subirana López, Pierrette Quintard, Hervé Thiriet, Araxie Toutghalian, Teresa Valentí, Ana Vasconcelos, Anna Vázquez, Brigitte Vincens, Ornella Volta, Hector Zerkowitz, Josep. M. Xarrié.

PRÉFACE

Cette exposition présente pour la première fois, à Paris, un ensemble
d'œuvres significatives d'une des périodes les plus fastes de l'art catalan.
C'est là, incontestablement, une occasion unique de rapprocher
plus étroitement les deux villes et d'offrir au public français la possibilité
de mieux connaître une série d'artistes qui importèrent de Paris les semences
favorables à la floraison artistique et culturelle de la Barcelone de la fin
du XIXe siècle et du premier quart du XXe siècle.
L'exposition met en lumière des moments importants de l'histoire des deux
villes et montre comment des figures aussi marquantes que Picasso, Miró
et Dalí s'inscrivent dans les courants les plus avant-gardistes de la première
moitié du XXe siècle.
Le fil conducteur de l'exposition nous donne une vision rétrospective
de ce que furent les relations entre les deux villes qui, enracinées
dans la tradition, s'ouvrent vers le présent et vers l'avenir par des chemins
qui tracent, au début du XXIe siècle, la trajectoire de Paris et de Barcelone
sous le trait d'union d'une Europe commune.

(Traduit du castillan par Marie-France Eslin)

Joan Clos
Maire de Barcelone

PRÉFACE

Les relations artistiques que Paris a entretenues avec d'autres grandes capitales culturelles du monde, à la fin du XIXe siècle et dans les premières décennies du XXe siècle, ont été brillamment évoquées par la série d'expositions présentées au Centre Georges Pompidou dans les années soixante-dix (*Paris-New York* en 1977, *Paris-Berlin* en 1978, *Paris-Moscou* en 1979) et plus récemment aux Galeries nationales du Grand Palais (*Paris-Bruxelles/ Bruxelles-Paris* en 1997). De toute évidence, il manquait à cette série une manifestation consacrée à Barcelone, d'où sont issus plusieurs très grands artistes qui jouèrent un rôle capital dans l'histoire de l'art français – et, au-delà, dans l'histoire de l'art moderne. C'est cette lacune que vient combler opportunément la présente exposition.

Mais celle-ci ne s'attache pas simplement aux œuvres des personnalités les plus marquantes ou les plus célèbres, – Picasso, Miró et Dali pour les Catalans, Maillol et Masson pour les Français : elle met en évidence des rencontres stylistiques singulières, qu'aucun fait n'explique entièrement, entre les créations de Gaudí ou de Puig par exemple et celles de Guimard et de l'école de Nancy ; elle montre l'influence profonde exercée sur les artistes catalans par des maîtres comme Viollet-le-Duc ou Rodin, qui ne firent pas le voyage de Barcelone ; elle révèle l'importance de la composante catalane dans le développement du surréalisme… Aussi bien s'agira-t-il souvent, pour le public français, de véritables découvertes qui lui permettront de mesurer à quel point les liens historiques entre la capitale de la Catalogne et la France se sont resserrés et intensifiés au moment où Paris devenait la capitale mondiale des arts.

Notre reconnaissance et nos remerciements vont à tous les organisateurs de cette exposition et, en particulier, aux responsables de l'Institut culturel de la Mairie de Barcelone et du musée Picasso, qui lui est rattaché, à ceux du Musée national d'Art de Catalogne ainsi qu'aux deux commissaires généraux, Brigitte Léal et Maria Teresa Ocaña : le projet qu'elles ont conçu et mené à bien, au-delà de son apport à l'histoire de l'art moderne, est une belle et émouvante évocation des affinités profondes et de l'amitié existant depuis longtemps entre deux peuples.

Francine Mariani-Ducray
Directrice des musées de France
Président de la Réunion des musées nationaux

HISTOIRE D'UN PUZZLE
Brigitte Léal

New York, Moscou, Berlin, Bruxelles : ces vingt dernières années, le Centre Georges Pompidou, puis le musée
d'Orsay ont analysé les liens culturels qui, au XXᵉ siècle et, dans le dernier cas, au tournant des deux
siècles précédents, ont uni ces villes à Paris. Le choix de Barcelone comme « ville sœur » de notre
capitale ne pouvait manquer au cortège, étant donné la richesse extraordinaire des échanges noués
entre elles au cours du siècle.

Les dates d'ouverture et de fermeture de notre présentation – 1888-1937 – s'imposaient d'elles-mêmes.
1888 marque l'inauguration à Barcelone de l'Exposition universelle (relayée un an plus tard
par le Paris de la tour Eiffel) qui la consacre en « ville des prodiges » pour reprendre le titre du livre
d'Eduardo Mendoza qui en narre l'épopée. Une ville moderne, calquée sur le raide modèle
d'urbanisme haussmannien mais foisonnante d'une architecture éclectique vénérant l'historicisme
de Viollet-le-Duc bien qu'authentiquement espagnole et catalane par ses sources d'inspiration.

1937 renvoie à l'Exposition internationale des arts et techniques de Paris restée célèbre comme terrain
de confrontation esthético-politique des deux blocs – l'Allemagne nazie et l'U.R.S.S. stalinienne –,
à la veille du second conflit mondial, mais aussi pour la présence, au sein du Pavillon espagnol de la
République assiégée, de l'une des œuvres fondamentales de notre temps, *Guernica* de Pablo Picasso.

Édifié par l'un des meilleurs architectes catalans, José Luis Sert, émule de Le Corbusier, et truffé de chefs-d'œuvre
allégoriques de la situation politique, comme *Le Faucheur* de Miró et la *Montserrat* de Julio González,
le pavillon apparaît comme le chant du cygne de l'art catalan international, avant que la *Chute de
Barcelone* (titre du tableau de Le Corbusier qui clôt le parcours) ne le condamne au silence et à l'exil.

Chute qui précéda de peu celle de Paris ainsi que, dès 1940, Harold Rosenberg le prédisait : « On a fermé
le laboratoire du vingtième siècle [1] », brisé par la guerre, étouffé par l'Occupation et le régime
de Vichy qui ponctionnent le cosmopolitisme qui faisait sa force, abattu, enfin, après la Libération,
par le triomphe de l'hégémonie américaine.

« La peinture au XIXᵉ siècle, en France, était faite entièrement par les Français. À l'étranger, la peinture n'existait pas.
Au XXᵉ siècle, la peinture est faite en France, mais par les Espagnols [2] » : la formule excessivement
lapidaire de Gertrude Stein pourrait s'inscrire en exergue de notre parcours, déroulé en deux
grands volets, au mouvement antagoniste, rappelant, pour la fin du XIXᵉ siècle l'inéluctable montée
à Paris des artistes européens, dont les Catalans, venant chercher dans la « capitale du monde »
(Walter Benjamin) des leçons de style dans les ateliers du « juste milieu », comme celui de
Carolus-Duran, mais dans l'orbite des grands peintres de la vie moderne, les Manet, Degas et
Monet, ou pour les sculpteurs, dans l'atelier de Rodin, véritable ruche d'où sortaient praticiens
et élèves du monde entier. Dès le tournant du siècle, avec Picasso, le phénomène s'inverse et
ce sont les jeunes Catalans, totalement assimilés et biculturels, à l'instar de leurs pairs de l'École
de Paris, qui imposent leurs lois, celles d'un art international et transculturel.

En dépassant l'écueil, aujourd'hui éventé, de la « longue querelle de la tradition et de l'invention, de l'Ordre
et de l'Aventure » traversant le siècle annoncée par Apollinaire, notre idée était de dérouler,
chronologiquement, le tapis rouge de la modernité pour dégager les temps forts que ce « boomerang »
(pour reprendre la formule percutante de Georges Sebbag) d'idées lancées entre Paris et
Barcelone a suscité de l'art nouveau au surréalisme.

On retrouve dans cette dialectique le même type de personnalités et de phénomènes historiques qui ont
permis à New York, Moscou, Berlin et Bruxelles, agissant, selon les cas et les périodes, en villes
liges ou moteurs, de former des duos avec Paris.

Quelques marchands ont joué le rôle de passerelles des mouvements modernes de part et d'autre des Pyrénées.
À Paris, en 1907, un jeune Allemand, Daniel-Henry Kahnweiler, découvre Picasso qui amène dans son
écurie ses compatriotes, Juan Gris, Manolo et Togores. Pierre Loeb restera le mentor de Miró à Paris
dès 1925 jusqu'à son départ pour les États-Unis, en 1947, où le relais sera pris par Pierre Matisse.
À Miró et à bien d'autres artistes catalans dont le grand Tàpies, reste liée l'action déterminante d'Aimé
Maeght dont la fondation de Saint-Paul-de-Vence, érigée en 1964 par José Luis Sert et peuplée
par le monde sculpté du fils de Montroig est, aujourd'hui, le dernier symbole de la vivacité
des échanges franco-catalans.

Du côté de Barcelone, après la Sala Parès, un seul pionnier défend l'art contemporain en la personne de Josep
Dalmau, l'équivalent du Berlinois Herwarth Walden par son flair à dénicher les jeunes talents locaux

– il lance Joan Miró en 1918 et Salvador Dalí en 1925 –, à accueillir, dans l'indifférence générale faute d'amateur sur place, les groupes d'avant-garde français, du cubisme (dès 1912 avec rien moins que le *Nu descendant un escalier* de Marcel Duchamp) à l'abstraction, dans les années vingt et trente, et à apporter un soutien sans faille à toute publication d'avant-garde, comme les revues *391* de Picabia [3] et *Troços* de Junoy en 1917.

En revanche, peu de collectionneurs furent spécifiquement liés à cette relation à l'exception notable de Charles de Noailles qui, en 1930, propose son mécénat à Dalí, moins d'un an après que la galerie Goemans lui ait ouvert ses portes à Paris, le présente au tout-puissant directeur du Museum of Modern Art de New York, Alfred H. Barr, et finance le scandaleux *Âge d'or*.

La riche documentation ponctuant le parcours de l'exposition en dit long sur le rôle majeur joué par poètes, critiques, revues et manifestes, du modernisme au surréalisme, dans la diffusion de la vie artistique parisienne à Barcelone puis, dans un second temps, dans la réussite des artistes catalans de Paris.

On y vérifie le prestige de deux figures pivots : Guillaume Apollinaire et André Breton. Grâce à Pierre Caizergues [4], notamment, on connaît bien la fortune catalane d'Apollinaire reflétée par les textes, libelles et calligrammes de J. M. Junoy, J. Salvat-Papasseit, J. Folguera, Joan Pérez-Jorba et Feliu Elias, jusqu'aux *Poèmes expérimentaux* de Joan Brossa. Renforcée par l'alliophilie liée à la guerre de 1914-1918, l'acculturation des milieux littéraires catalans atteignit son comble avec la création de revues franco-catalanes comme *L'Instant* de Pérez-Jorba (dont Miró réalisa la célèbre affiche en 1919) ou *Plançons* dont le siège et la rédaction étaient même parisiens !

On ne reviendra pas ici sur la place d'André Breton dont la force d'attraction – de Prague à Mexico – était internationale sauf à rappeler, comme indice significatif de l'« impérialisme » culturel français de l'époque, que si le pape du surréalisme fut l'astre qui attira dans la capitale Miró et Dalí, et leur offrit les pages de ses revues, comme *Minotaure*, au point d'en faire des organes franco-catalans, il demeurera, comme il l'avoue en préambule à sa fameuse conférence d'ouverture de l'exposition Picabia à l'Ateneo barcelonés le 17 novembre 1922, totalement fermé à la culture, probablement jugée provinciale, catalane et espagnole de ses ouailles [5].

L'Histoire alimente largement le rapprochement des deux peuples : celle des conflits d'abord et, au premier rang, celui de la Première Guerre mondiale où l'Espagne reste neutre et la Catalogne, par intérêt bien compris, se range du côté français. En 1917, une manifestation politico-culturelle d'envergure scelle l'union sacrée : l'« Exposition d'art français » qui au palais des Beaux-Arts de Barcelone déploie quelque mille cinq cents œuvres. Entre autres morceaux de choix, les Barcelonais furent sensibles à la découverte du *Pauvre Pêcheur* (1881) de Puvis de Chavannes, une des figures de référence majeures des artistes catalans, de Picasso aux noucentistes, ainsi qu'à un ensemble exceptionnel de sculptures de Rodin, autre monument phare pour toute une génération de sculpteurs catalans formés dans son atelier.

Le clan francophile, partisan d'un engagement actif sur le terrain, marque un point et le critique Folch i Torres peut écrite dans *La Veu de Catalunya* : « La France nous envoie des chefs-d'œuvre. Qu'attendons-nous pour prendre parti [6] ? »

En février-mars 1936, à l'aube de la guerre civile espagnole, une autre manifestation de ce type, dédiée à « L'Art espagnol contemporain » et affichant le soutien du Front populaire au *Frente popular* espagnol, est présentée au musée des écoles étrangères du Jeu de Paume sous le patronage du Comité France-Espagne de Jean Cassou qui, de concert avec le directeur du musée d'Art moderne de Madrid, Juan de la Encina, rappelle que nombre d'artistes espagnols « sont familiers au public parisien puisqu'ils vivent à Paris ou y ont vécu de longues années » et regrette le temps « des caractères nettement nationaux » remplacés par l'École de Paris.

Paul Aubert nous rappelle plus loin que les idéologies feront régulièrement monter la température entre Paris « la bourgeoise » et Barcelone « la rouge », fief d'un anarchisme dont Francisco Ferrer sera un martyr vénéré des deux côtés des Pyrénées et dont la virulence et l'anticléricalisme, fouettés par la guerre civile, feront les délices de nos surréalistes parisiens.

L'idéologie nationaliste catalane fait la spécificité du mouvement classicisant – le noucentisme –, dont le grand francophile Eugeni d'Ors est le brillant représentant à Barcelone. La salle de l'exposition où nous avons regroupé les tenants du « rappel à l'ordre » français et catalans reflète la complexité du phénomène. Deux fers de lance repentis de la modernité, Pablo Picasso et André Derain, dans leur phase nostalgique, nullement nationaliste mais au contraire stimulée par l'Italie et le milieu cosmopolite des Ballets russes, y côtoient deux futurs avant-gardistes, Joaquim Torres-García et Julio

González, encore sous la coupe des fresques hellénisantes et élégiaques de Puvis de Chavannes et la *Pastorale* de Joaquim Sunyer, de la collection du poète Joan Maragall, œuvre exemplaire du déroutant mouvement de balancier entre Cézanne et Puvis qui régit le noucentisme. Immédiatement postérieurs à son *Autoportrait à « L'Humanité »* cubiste de 1923, trois portraits des années vingt, formant un triptyque proprement freudien, de son père, de sa sœur Ana María et de son complice Luis Buñuel, reflètent l'itinéraire intellectuel du jeune Salvador Dalí, formé et fasciné par la culture française. Dans son *Journal d'un génie adolescent*, l'iconoclaste par excellence de l'art moderne, proclame, en 1919, son admiration pour les « grands impressionnistes français, Manet, Degas, Renoir. J'espère qu'ils me guideront avec fermeté sur la voie » et pleure la disparition de Renoir « qui a restitué la France telle qu'elle est, douce, noble », tout en se grisant de la « saveur hellénique exquise » des fêtes de Figueras [7]. Il place sa première exposition personnelle chez Dalmau en 1925 sous l'égide d'Ingres, la caution historique du mouvement du « rappel à l'ordre », rêve, à la suite de Cézanne, de « faire du Poussin sur nature » et puise ses formes classiques dans la lecture de *L'Esprit nouveau* et le purisme d'Ozenfant et Jeanneret [8] (Le Corbusier), suivant un éclectisme « classique/moderne » caractéristique du puzzle [9] d'idées contradictoires ayant nourri la relation Paris-Barcelone.

Présente aussi la face maudite, ou en tout cas controversée, de la tradition, à travers celui qui se revendiquait « Catalan avant tout [10] » : Aristide Maillol, le sculpteur de Banyuls. En dépit de sa froideur nordique, typiquement néo-classique, sa colossale *Méditerranée*, dont une version en bronze orne les jardins du Palais des Rois de Majorque à Perpignan, va servir de prototype aux versions plus humaines, plus souples, de ses disciples catalans, les Casanovas, Manolo et Clarà. Josep Clarà dont la carrière s'achève, à l'image de celle d'Eugeni d'Ors, sous les auspices du régime franquiste, frappée par le syndrome de *L'Art de l'éternité* [11] où Maillol, en dépit de ses dérapages pro-allemands, ne sombra jamais, sauvé par sa sincérité et son génie [12].

Miró, d'abord marqué, grâce à Junoy, par la poésie d'Apollinaire, de Reverdy (*Nord-Sud*, 1917), puis de Cocteau (*Cheval, pipe et fleur rouge*, 1920), arrive à Paris en 1919 en se plaçant sous le « patronage de saint-Cézanne », en confiant à Picasso « d'accord avec vous que pour être peintre, il faut rester à Paris », mais demeure farouchement enraciné dans sa microculture catalane et conçoit en 1920 sa *Masia* – sa ferme de Montroig – comme le « résumé de sa vie en Catalogne », tout en se proclamant « Catalan international » dans une formidable formule fusionnant nationalisme et cosmopolitisme, isolationnisme et acculturation, incompréhensible pour la culture jacobine française, viscéralement fermée aux particularismes locaux.

Miró savait, pour avoir bâti son œuvre, un pied à Montroig, un pied rue Blomet auprès de la fine fleur de l'intelligentsia parisienne, l'importance particulière des petits lieux isolés des deux capitales et de leurs Salons, dont les artistes modernes étaient exclus, dans l'échange franco-catalan : Gósol, Horta, Céret, Figueras, Cadaqués, Tossa de Mar. Tous ces villages ont été entre 1906 et 1936 les royaumes des avant-gardes.

Le choix des deux premiers par Picasso n'est pas étranger à la revalorisation de leurs sources nationales et, notamment, de l'art roman catalan (également ressuscité par Miró dans son *Intérieur* de 1922-1923, puis par Picabia dans ses transparences de 1927-1928 comme *Barcelone* ou *Vierge de Montserrat*) par les cercles nationalistes et les sociétés savantes de la Renaixença et, au premier chef, par des architectes comme Puig i Cadafalch, président de la Mancomunitat entre 1917 et 1923, ou Antoni Gaudí qui y puisent leurs répertoires de formes et de matériaux.

Gósol est en quelque sorte le Pont-Aven de Picasso où, immergé dans une culture archaïque, il conçoit un ensemble de sculptures en bois taillé dont le primitivisme rejoint le modèle des Bois tahitiens de Gauguin. Le cycle de peintures dont nous présentons un des plus beaux exemples, le *Nu rouge* du musée de l'Orangerie, en combinant classicisme et prégnance de l'art ibérique, annonce le *Portrait de Gertrude Stein* et *Les Demoiselles d'Avignon*.

On rappellera ici que, si Picasso peignit le tableau dans l'enceinte du Bateau-Lavoir, scène parisienne s'il en fut, et sous les auspices d'Ingres de Cézanne et sa découverte, rapportée à Malraux, des « poupées peaux-rouges » du musée du Trocadéro débouchant sur une sorte de « melting-pot » culturel, il n'oublie pas en le baptisant de rendre hommage à la ville de sa formation artistique.

Les témoignages, correspondances et photographies sur la vie communautaire des cubistes à Céret et des surréalistes sur les terres de Dalí à Figueras et Cadaqués, ou encore à Tossa de Mar, consacrée « Babel des arts » par Rafael Benet, où se croisent Masson et Chagall, confirment la nature de phalanstères strictement intellectuels (nécessaires au caractère souvent collectif de la création surréaliste comme le tournage de *L'Âge d'or* au cap de Creus en 1930 ou la réalisation des jeux exquis en 1936 à Cadaqués), clos sur eux-mêmes pour des artistes (comme la mythique «cordée» Braque-Picasso) individualistes et réfractaires, dans la tradition de la bohème baudelairienne, déjà cultivée dans les milieux du Chat Noir et d'Els Quatre Gats. À l'instar d'un Picabia qui se voulait intellectuel nomade et apatride «pour traverser les idées comme on traverse les pays et les villes», les surréalistes, prolongeant l'idée d'expatriation de la bohème romantique, pouvaient y mener en «anachorètes», selon le vœu de Dalí et Crevel, leur idéal de fusion entre l'art et la vie, ainsi coupés du monde bourgeois comme de la société et de la culture environnantes.

Le destin de ces lieux frontières, traditionnellement perméables et accueillants (Dalí décrit Figueras comme une «ville ouverte, lumineuse, libérale, extravertie et seigneuriale avec une inquiétude intellectuelle qui l'honorait»), va basculer dans la tragédie avec la victoire de Franco en 1939 et le déclenchement de la Seconde Guerre mondiale. Même si, comme le rappelle Arnau Puig, la longue fermeture de la frontière franco-espagnole sera compensée à Barcelone par un Institut français bravant la censure, afin que Paris continue d'incarner en Catalogne la liberté d'expression et de création, on n'oubliera pas ici que la lumineuse Collioure de Matisse sera le tombeau d'Antonio Machado et Port-Bou, en 1940, celui du plus grand historien du Paris moderne, Walter Benjamin. Sans omettre, comme le rappelle Antonio Muñoz Molina dans son dernier et si beau livre *Sefardi*, que la Catalogne française, où les colonnes de réfugiés républicains, immortalisées par les photographies de Robert Capa, cherchaient refuge, les accueillit dans des camps de concentration.

Enfin, dans les années cinquante, la gare de Perpignan, étape obligatoire de ses allers-retours constants entre les deux pays, sera désignée par Dalí comme le «Miroir de l'Univers» et son ultime «cathédrale d'inspiration», symbolique d'une carrière partagée, comme pour beaucoup d'artistes catalans depuis un demi-siècle, entre Paris et Barcelone.

Notes

1 Harold Rosenberg, «La chute de Paris», *Partisan Review*, 1940, repris dans *La Tradition du nouveau*, Paris, Les éditions de Minuit, 1962, p. 207-218.

2 Gertrude Stein, *Picasso*, Paris, Librairie Floury, 1938.

3 Selon R. Santos Toroella, Picabia se plaignit à Alfred Stieglietz, en lui envoyant *391*, qu'à Barcelone, «réellement, il n'y a rien, rien de rien», «Francis Picabia et Barcelone», dans le catalogue *Francis Picabia*, Barcelone, Fundacio Caixa de Pensions, 1985.

4 Pierre Caizergues, «Apollinaire et l'avant-garde catalane (1912-1918)», *Apollinaire e l'Avanguardia*, Rome, Bulzoni Editore, 1984.

5 Breton y avoue son «ignorance parfaite de la culture espagnole», cité par Jean-Jacques Lebel, «Picabia 1922, ready made empêché», dans le catalogue *Francis Picabia, galerie Dalmau 1922*, Paris, Centre Georges Pompidou, 1996, p. 21-31.

6 Joaquim Folch i Torres, «L'exposicio d'art francés – Rodin», *La Veu de Catalunya*, 28 mai 1917, Paris, Archives du musée Rodin. Le quotidien francophile *La Publicidad* consacra un numéro spécial à l'exposition avec des contributions de Pierre Reverdy, André Salmon, Max Jacob et un article de Guillaume Apollinaire sur le cubisme «Mouvement franco-espagnol?».

7 Salvador Dalí, *Journal d'un génie adolescent*, Éditions Anatolia/ Le Rocher, Monaco, 2000, p. 104, 48 et 57.

8 Sur les influences subies par Salvador Dalí dans ses années de formation, voir les articles de Juan José Lahuerta recueillis dans *Decir ANTI es decir PRO, Escenas de la vanguardia en España*, Museo de Teruel, 1999.

9 Nous empruntons cette idée de «puzzle» à la théorie de l'Histoire récemment formulée par Jean-Luc Godard cherchant «des traces […] qui appartiendraient à un puzzle, mais lequel?» et pensant que «dans la jungle des signes, il faut inscrire un jardin à la française qui est l'Histoire, grâce à laquelle on ne s'égare pas», dans un entretien au journal *Le Monde*, 17 mai 2001.

10 Selon le témoignage du sculpteur Osouf recueilli par Laurence Bertrand-Dorléac, *Histoire de l'art, Paris, 1940-1944*, Paris, Les publications de la Sorbonne, 1986, p. 403.

11 Titre de l'ouvrage capital d'Éric Michaud consacré à l'art national-socialiste, Paris, Éditions Gallimard, 1996.

12 Sur les rapports entre l'art de Maillol et la tradition méditerranéenne et ses ambiguïtés, voir les articles éclairants de Pierre Vaisse, «Portrait de Maillol en Hellène», et de Jean-Paul Bouillon «Maillol et Denis», dans le catalogue *Maillol*, Paris, Flammarion, 1996.

HISTOIRE D'UNE SÉDUCTION
Maria Teresa Ocaña

Cette exposition a pour fin de confronter les relations artistiques évidentes qui se sont établies entre Paris et Barcelone entre 1888 et 1937. Le dialogue qui s'engage entre les deux villes, ou plutôt le miroir que devient Paris pour les artistes et les intellectuels catalans, constitue l'axe autour duquel elle se déroule.

La complexité d'une telle exposition, la pluralité des aspects qui entrent en jeu et la nature des relations que les deux villes ont entretenues tracent le fil directeur. Barcelone commence à entrer en phase avec l'Europe et la naissance de l'architecture moderniste avec l'Exposition universelle de 1888. Très peu de temps après, l'année suivante, l'Exposition universelle de Paris de 1889 marque le triomphe de l'architecture de fer avec la tour Eiffel, emblématique et controversée. La partie finale de l'exposition est centrée autour de l'Exposition internationale de 1937 de Paris, plus précisément autour du pavillon de la République espagnole qui synthétisa la relation entre l'architecture de José Luis Sert et de Luis Lacasa et les figures de Pablo Picasso, Joan Miró et Julio González. Par leurs apports novateurs, ces artistes allaient contribuer à renforcer les liens entre Barcelone et Paris, au moment où la guerre civile espagnole marquait la fin de la liberté dans une Espagne en proie au massacre et, pour l'Europe, le risque de perdre son identité.

L'Exposition universelle de 1888 fut le détonateur qui provoqua la transformation d'une société devenue riche, qui voulait faire de sa ville – Barcelone – une cité belle et dynamique bénéficiant à la fois de «la majesté des siècles ainsi que de l'énorme industrialisation moderne», selon les mots de Joan Maragall pour définir une capitale du XXᵉ siècle. Barcelone, éloignée de la capitale administrative, prend les moyens d'assumer l'image d'une ville moderne et industrialisée, et tourne ses regards vers Paris, ville qu'elle admire au plan artistique. Paris est une référence qui permet à une bourgeoisie florissante de structurer ses inquiétudes culturelles et artistiques en tentant de fuir l'introspection dans laquelle l'Espagne s'enlise alors et en misant sur une nouvelle sensibilité artistique. Dans les années de transition entre le XIXᵉ et le XXᵉ siècle, Barcelone est séduite par Paris qui remplace Rome comme source du modèle artistique. Un vernis français coexiste avec des sentiments nationalistes enracinés et exaltés, ce qui n'empêche pas la culture et les mœurs anglo-saxonnes d'être également bien accueillies dans la bourgeoisie catalane. Dans ce goût pour ce qui est français, dans le fait même que des établissements prennent des noms français, se reconnaît une minorité non dénuée de snobisme, qui vise à transplanter dans notre ville certains aspects de la bohème de Montmartre et qui va être au point de départ de l'avant-garde culturelle en Catalogne. Ce petit monde qui se réunit à la taverne Els Quatre Gats – réplique du Chat Noir – s'efforce de défendre les valeurs propres de la culture catalane, mais révère tout ce qui est en gestation à Paris. Un profond sentiment d'admiration palpite chez les artistes et les intellectuels les plus novateurs qui établissent un pont entre Montmartre et Barcelone. À la tête de ces migrations temporaires des artistes catalans à Paris, qui culminent au moment de l'Exposition universelle de 1900, se trouvent les vétérans qui ont établi leurs quartiers dans la capitale française, Ramon Casas et Santiago Rusiñol. Ils sont non seulement les patriarches de l'avant-garde catalane de l'époque, ils sont aussi les principaux vecteurs de la passion pour Paris chez les plus jeunes, parmi lesquels le très jeune Pablo Ruiz Picasso. Barcelone – en particulier la tension vers la nouveauté que l'on y ressent – est la ville qui ouvre les fenêtres de la modernité à Picasso et facilite de façon naturelle son insertion dans la culture française d'avant-garde.

Il serait absurde d'établir un parallélisme dans le dialogue qui s'engage entre les deux villes, de mesurer ce dialogue en termes d'égalité ou de rivalité, précisément parce que cela ne s'est pas passé ainsi, mais il est sûr que Paris est devenu un point de référence pour Barcelone et que tout au long de la période que traite l'exposition, ces références connurent des intensités et des lectures diverses et inégales.

Tout cela est en outre perturbé par l'apparition d'individualités qui intensifient ce dialogue, mais qui en même temps provoquent des distorsions. Gaudí, par exemple, surgit comme une figure d'une force créatrice unique, qui rend difficile la comparaison avec les autres figures du modernisme catalan ou de l'art nouveau français. Le mouvement de «retour à l'ordre» et la reconsidération du classicisme, apparue en Europe dans les années vingt, avaient déjà commencé quelques années auparavant en Catalogne, qui par contre était restée éloignée du cubisme régnant alors dans l'avant-garde artistique française. Ce mouvement est un projet de modernité de grande envergure, de nature politique même, qui s'appuie essentiellement sur la tradition et sur un idéal national et civil, afin de créer une société avancée et cosmopolite selon des canons esthétiques incluant des considérations sociales et civiques, et des paramètres artistiques renouvelés. Dans le domaine artistique, ce mouvement se définit comme un classicisme méditerranéen catalan qui s'inspire de l'art de Puvis de Chavannes et de Paul Cézanne, peintres qui donnent une vision novatrice de la tradition classique, fondée sur un idéal de modernité esthétique et équilibré.

Pendant les années de la Première Guerre mondiale, c'est au tour de Barcelone de devenir un havre pour de nombreux artistes français qui s'y réfugient, connaissant les bonnes dispositions de la ville envers tout ce qui vient de France. C'est ainsi que Barcelone accueille, en 1917, une Exposition d'art français, regroupant les différents salons qui n'avaient pas pu se dérouler en France à cause de la guerre. La galerie de Josep Dalmau devient le refuge idéal pour diffuser l'art français d'avant-garde.

L'ambition de cette exposition est de faire connaître les points les plus remarquables et les plus significatifs de la relation qui s'est établie entre les deux villes. La grandeur, l'amplitude de l'influence de Paris dans la vie et la culture catalanes à cette époque furent si vastes et si complexes qu'il est impossible d'en cerner tous les aspects dans les limites d'une exposition.

C'est une grande satisfaction pour moi de pouvoir présenter un projet cohérent et équilibré, centré sur les moments et les personnages les plus significatifs de l'histoire que les deux villes ont bâtie conjointement. C'est ainsi que les Catalans qui se sont abreuvés aux sources parisiennes reviennent aujourd'hui dans la ville des bords de Seine pour rencontrer de nouvelles générations qui pourront les apprécier à leur juste mesure.

(Traduit du castillan par Marie-France Eslin)

SOMMAIRE

Joan Miró
Aviat L'Instant, Barcelone, 1919
Projet d'affiche pour la revue
créée en 1918
par Joan Pérez Jorba,
Valence, Instituto Valenciano
de Arte Moderno (IVAM),
Generalitat Valenciana

Les deux villes

Eduardo Mendoza

Quoique situées à une distance relativement courte l'une de l'autre, possédant les mêmes coordonnées géopolitiques et appartenant au même cadre culturel, Barcelone et Paris ne se sont rencontrées qu'au terme d'une longue trajectoire.

Pendant des siècles, l'existence de ces deux villes s'est déroulée sous le signe d'une orientation politique radicalement opposée dans le cours de l'histoire de l'Europe : alors que Paris se tournait vers le nord et que ses alliances ou ses affrontements oscillaient entre l'Angleterre et l'Espagne, Barcelone luttait contre les dangers venus par mer du sud et de l'est, la flotte turque et les corsaires. À peu près au même moment où les trois mousquetaires traversent la Manche pour bouleverser les plans du roublard Richelieu, don Quichotte assiste à Barcelone à la capture d'un vaisseau pirate en provenance d'Alger et commandé par une femme chrétienne déguisée en homme, dont le père, par un de ces hasards comme il s'en trouve toujours dans les romans d'aventures, n'est autre que le vice-roi de Catalogne qui venait de la capturer. Aventure aussi invraisemblable que celle des mousquetaires, mais non moins invraisemblable que la vie de son auteur, Miguel de Cervantès, qui bien des années plus tôt avait été capturé par les corsaires, avait connu la captivité pendant cinq ans à Alger, de septembre 1575 à septembre 1580, avait en vain tenté quatre fois de s'évader et se consolait des longues heures d'enfermement les fers aux pieds en lisant des romans de chevalerie et en caressant des rêves point trop différents de ceux qui peuplèrent les longues heures de captivité d'Edmond Dantès avant qu'il ne devînt le comte de Monte-Cristo.

C'est sur ces histoires, vraies ou fausses, que les villes jettent les fondations de leur mémoire collective. Mais en marge des mythes, la réalité impose parfois une image toute différente.

Alors que Paris, depuis le déclin du Moyen Âge et au cours des siècles suivants, s'affirmait comme la capitale indiscutable du monde occidental, Barcelone se morfondait dans un coin du turbulent empire espagnol, dont elle devait contribuer à financer les dépenses de jour en jour plus importantes, mais dont elle ne pouvait en revanche avoir, ni directement, ni indirectement, sa part des bénéfices, en raison de la relation particulière qu'elle entretenait avec la couronne d'Espagne.

Privée de ressources naturelles, tenue à l'écart des grandes voies commerciales de la Méditerranée par les républiques italiennes de Gênes et de Venise, isolée du reste de l'Europe, entourée de montagnes infestées de bandits, Barcelone vivait renfermée dans ses remparts médiévaux, devenue un simple point de passage et le refuge des malfaiteurs.

Paradoxalement, les choses allaient changer pour la Catalogne au début du XVIIIe siècle, à la suite d'une erreur tactique et d'une défaite humiliante. La perte de ses privilèges historiques et son assimilation aux autres territoires de la Couronne ouvrirent aux Catalans les portes de l'Amérique. Les qualités – ardeur au travail, austérité, sens de l'économie – acquises au cours de siècles de pauvreté, un complexe et solide tissu familial assez proche de celui qui a rendu célèbres les Siciliens, permirent la totale mise à profit de cette nouvelle possibilité. En quelques décennies, la Catalogne, et tout particulièrement Barcelone, purent amasser le capital requis pour la réalisation d'une transformation en profondeur dans les domaines de l'économie et de la culture.

L'individu – ou la société – qui décide de repartir de zéro doit avoir en vue une référence, non tant un modèle qu'un idéal. Et à cette époque-là, l'idéal de Barcelone ne pouvait être que Paris.

Le choix d'un tel idéal est plus facile à comprendre qu'à justifier selon la logique. En effet, d'autres villes auraient mieux répondu à cet objectif. Barcelone étant en train de devenir une ville industrielle, il aurait donc été normal qu'elle se tourne vers Manchester ou vers Hambourg. Elle aurait aussi bien pu se tourner vers Naples, jumelle de Barcelone par tant de choses, ville méditerranéenne par excellence, gaie et tragique capitale d'un royaume inexistant. Elle pouvait également choisir comme point de référence Genève, Barcelone ayant toujours eu une vocation septentrionale, austère et calviniste, et ne s'étant jamais sentie partie intégrante de l'Europe méridionale, catholique et baroque. Pour ce qui est de Madrid, le choix en était écarté d'avance : non seulement Barcelone était victime de la part de la capitale de torts infinis, mais à cette époque, Madrid était un lieu bizarre, à la fois un village, la résidence de la cour et le centre bureaucratique d'un empire colonial qui s'étendait sur les cinq continents.

Mais pourquoi Paris ? Tout d'abord, parce que Paris offrait à Barcelone ce dont à ce moment Barcelone avait besoin ou croyait avoir besoin pour pouvoir mener à bien ses projets de régénération : une forte personnalité artistique et une vocation bien affirmée à la rationalité, autrement dit les caractéristiques préfigurant alors déjà l'ordre bourgeois. Et c'est ainsi que, pendant une partie du XVIIIe siècle et tout au long du XIXe, Barcelone mena lentement àbien la métamorphose qui lui permit d'échapper au marasme dans lequel l'avaient trouvé plongée les voyageurs qui y avaient séjourné auparavant, ou qui y séjournaient alors, en plein processus de transformation, car les changements ne furent ni radicaux ni spectaculaires, mais ils s'opérèrent avec ténacité et toujours conformément au modèle proposé par Paris dans les domaines urbanistique, artistique et intellectuel.

Le résultat d'un tel effort est que Barcelone aurait pu devenir une ville européenne de moyenne importance, construite à la ressemblance de Paris, c'est-à-dire une pitoyable imitation de Paris, si une autre influence imprévue et à peine consciente ne l'avait dotée d'une personnalité différente.

Ce fut l'ouverture de l'Amérique aux Catalans qui, on l'a dit, a permis le redressement économique. Mais un tel redressement ne s'est pas effectué sans sacrifices. Toutes les sociétés qui ont dû avoir recours pour diverses raisons à l'émigration massive, à quelque moment de leur histoire, savent à quel point le phénomène de l'exil, même volontaire, est traumatisant. Et ce déchirement était bien plus important en des périodes antérieures, lorsque les communications étaient rares et qu'en conséquence les séparations étaient en général définitives.

Au XIXe siècle, au moment où l'exode des Catalans vers les colonies d'outre-mer atteint son point culminant, la plus grande partie de l'empire espagnol a déjà conquis son indépendance de la métropole. Et s'il est vrai que les nouvelles nations de l'Amérique latine continuèrent de constituer des points de destination pour bien des Catalans, qui se fixèrent et firent fortune – ou n'y parvinrent pas – au Venezuela, en Colombie ou au Mexique, le plus important contingent d'immigrants catalans s'établit à Cuba, qui dès lors devint une référence obligée pour de nombreuses familles. Aujourd'hui encore, il est très fréquent de trouver dans les histoires de famille de la bourgeoisie catalane des liens avec Cuba.

Il va de soi que la présence des Catalans à Cuba n'avait pas d'autre but que le profit, et effectivement les Catalans établis à Cuba ne reculèrent devant aucun moyen d'exploitation, y compris l'esclavage.

Mais entre les communautés humaines s'établissent des relations personnelles qui en bien des cas n'ont rien à voir avec celles existant entre ces mêmes communautés sur le plan politique ou collectif, voire leur sont même antagoniques, et cela à tel point qu'il n'est pas rare, du moins jusqu'au XX⁰ siècle, que ce fût au cours de périodes de conflit, et même de guerre, que les affinités entre deux communautés se sont révélées les plus étroites.

À Cuba, les Catalans découvrirent un pays caractérisé par la vitalité et l'exubérance, en fort contraste avec la religiosité et l'austérité qu'ils avaient laissées dans leur propre pays. Ils venaient d'une société fermée, laborieuse et économe, et se retrouvaient au sein d'une société métisse et turbulente dans laquelle il était aisé de s'enrichir et d'être heureux.

Dans les anciennes colonies, la société créole éprouvait une profonde hostilité envers les familles espagnoles qui y résidaient, celles-ci représentant toujours le pouvoir de la métropole et tout ce qui demeurait encore de conservateur et de réactionnaire dans les nouvelles nations, et cette inimitié s'exacerbait, comme on pouvait s'y attendre, dans les colonies encore dépendantes de Madrid. Néanmoins, elle ne visait pas les immigrants en provenance de l'Espagne périphérique (Galiciens, Basques, Catalans, Canariens), même dans le cas où ceux-ci défendaient des positions plus proches de celles du gouvernement espagnol que des intérêts des pays d'accueil. Aux yeux des Créoles, ces immigrants-là ne faisaient pas partie du pouvoir colonial, mais étaient de simples individus parmi d'autres. Et ces immigrants avaient beau entretenir à l'égard des habitants des colonies tous les préjugés propres à un Européen, ces préjugés n'étaient fondamentalement pas différents de ceux que les Créoles eux-mêmes entretenaient et soutenaient au sein de leurs propres sociétés.

Or tout cela n'était pas suffisant pour que les Catalans partis faire fortune à Cuba y fassent souche, du moins en règle générale. Une fois enrichis, ils retournaient dans leur pays natal. Mais en emportant Cuba dans leur cœur. Quant à l'argent qu'ils en rapportaient – beaucoup d'argent –, ils en faisaient, conformément à la tradition, trois parts, l'une étant destinée à être placée, l'autre à être mise de côté, la troisième aux dépenses ostentatoires.

Celles-ci ne doivent pas être considérées exclusivement comme une faiblesse de l'esprit, mais bien comme une compensation aux épreuves et aux incertitudes subies, comme une façon de se faire accepter de la société vers laquelle ils retournaient au rang qui à présent leur revenait, et en dernier ressort comme un stimulant matériel et moral pour les membres des générations plus jeunes, dont le tour était maintenant venu de se lancer dans l'aventure. De la sorte, Barcelone fit son entrée dans la période moderne, avec Paris comme idéal conscient et La Havane comme modèle inconscient. L'histoire offrait le premier, la géographie et le caractère, le second.

L'influence créole était acceptée comme un fait vital contre lequel il n'existait pas d'antidote, mais on ne pensait pas que semblable tendance pût conduire à quoi que ce fût de bon.

Et ce fut pourtant cette influence qui conféra à Barcelone son caractère distinctif et qui, à la longue, permit, tant aux Barcelonais qu'aux autres Espagnols, d'apprécier les caractéristiques dont était dotée la ville : la configuration, le climat et la lumière. Lorsque cette nouvelle réalité s'imposa à eux, les artistes barcelonais cessèrent de chercher l'inspiration dans les crépuscules des champs de labour, dans le clair-obscur des forêts et dans la pénombre des églises pour se mettre en quête de l'éclat du soleil sur la mer, de la luminosité des places et des patios, et de la clarté qui à Barcelone envahit l'intérieur des maisons à travers les balcons. Il va de soi qu'un tel changement de perspective n'eût été, dans le meilleur des cas, qu'anecdotique, et dans le pire, qu'un simple prétexte pour revenir à l'aspect le plus commode du phénomène, sans la présence obstinée du modèle parisien, qui donna sa rationalité au mouvement barcelonais et, en attirant son regard vers l'extérieur, lui fit franchir les étroites limites des mœurs et coutumes locales. L'influence de Paris empêcha

Barcelone de succomber à la tentation de se complaire paresseusement dans un confortable bien-être et contraignit les Barcelonais à se tenir informés des nouveaux courants idéologiques, artistiques et technologiques qui allaient servir de fondements à une société moderne et laïque.

Ce fut là une heureuse circonstance, car l'essor artistique de Barcelone à cette époque alla de pair avec la complexe modernisation de la ville, notamment à l'occasion de l'Exposition universelle de 1888, inspirée, comme il se doit, de celle qui s'était tenue à Paris en 1875. De la sorte, l'essor urbanistique et l'essor artistique furent complémentaires.

Grâce aux caractéristiques dont on a parlé, l'élan artistique et intellectuel autochtone permit de faire entrer l'effort économique et la transformation de la cité dans l'imaginaire collectif. À cette activité pratique, les créateurs surent donner une intention et un sens qui évita un essor chaotique et déséquilibré. Pour ce qui est de l'urbanisme, une génération d'architectes sut tendre un pont entre les innombrables éléments économiques et techniques, et les vagues aspirations d'une société à ses débuts. Il suffit de visiter aujourd'hui les œuvres architecturales les plus représentatives d'Antoni Gaudí ou de Lluis Domènech i Montaner, pour ne citer que deux noms, pour mesurer leur capacité de doter d'une symbologie plongeant ses racines dans l'histoire des œuvres d'une rigoureuse modernité, conçue à l'échelle d'une grande ville, dans la double intention manifeste de structurer ce qu'ils imaginaient déjà comme une capitale contemporaine, et d'y servir de point de référence. Simultanément, dans le domaine social, les peintres offrirent à leur clientèle un portrait collectif qui lui permit de reconnaître sa nouvelle identité et de se comporter conformément au modèle que lui proposait le portrait. De cette transformation naquit une ville capable d'entamer un dialogue fructueux avec d'autres centresartistiques dans le monde, non en termes de compétition, mais bien d'égalité. Et, en conséquence, d'attirer et d'héberger des artistes venus d'autres points de l'Espagne, qui pouvaient, à Barcelone, s'initier aux courants contemporains ou poursuivre leur œuvre dans des conditions propres à lui faire atteindre sa maturité.

Cette condition de ville réceptrice prit une importance particulière lors de la Première Guerre mondiale, au cours de laquelle des personnalités du monde des arts et des intellectuels, venus d'autres pays d'Europe mais surtout de Paris, contraints de quitter leur lieu de résidence habituel, cherchèrent refuge à Barcelone, profitant de la neutralité de l'Espagne, justement parce qu'ils avaient préalablement tissé des liens professionnels et personnels avec cette ville, sachant bien qu'à Barcelone, ils ne manqueraient pas de retrouver des amis prêts à les accueillir et un tissu culturel leur offrant la possibilité de poursuivre leur travail de créateurs. L'exposition qui est à l'origine de ce texte présente plusieurs œuvres illustrant ce moment.

Cette exposition ne couvre pas un parcours historique aussi long que celui que l'on a succinctement évoqué plus haut. Elle propose seulement de présenter en parallèle les manifestations et les mouvements intellectuels qui ont vu le jour dans les deux villes à l'époque où leur rapport mutuel fut le plus évident et aussi le plus fécond. Cette mise en parallèle répond à des critères historiques ou simplement conjoncturels, mais aussi à des faits fortuits, ou à l'intervention décisive d'une personnalité clé, ou encore simplement aux capricieuses volte-face de l'imagination de ceux qui ont exercé leur activité au cours de ces années.

Bien entendu, l'exposition ne cherche pas à établir des comparaisons, qui seraient en fin de compte, dans le meilleur des cas, académiques, et dans le pire, banales. Il s'agit – cela oui – d'établir une confrontation, au sens littéral du terme, c'est-à-dire de placer une ville face à l'autre pour les mieux comprendre.

En définitive, l'important pour une œuvre d'art, c'est qu'elle existe, et non pas de savoir qui l'a faite, en quel lieu ou sous quelle influence. Tout au contraire, la mise en parallèle des œuvres produites dans deux milieux limitrophes, mais différents, permet de constater de manière tangible que les courants artistiques, les idées et les sensibilités voyagent sans cesse, et sans cesse retournent à leur point de départ, métamorphosés et enrichis, pour constituer en fin de compte un tissu complexe, sans commencement ni fin, constituant le patrimoine commun de l'humanité.

(traduit du castillan par Robert Marrast)

Portrait de la

littérature catalane

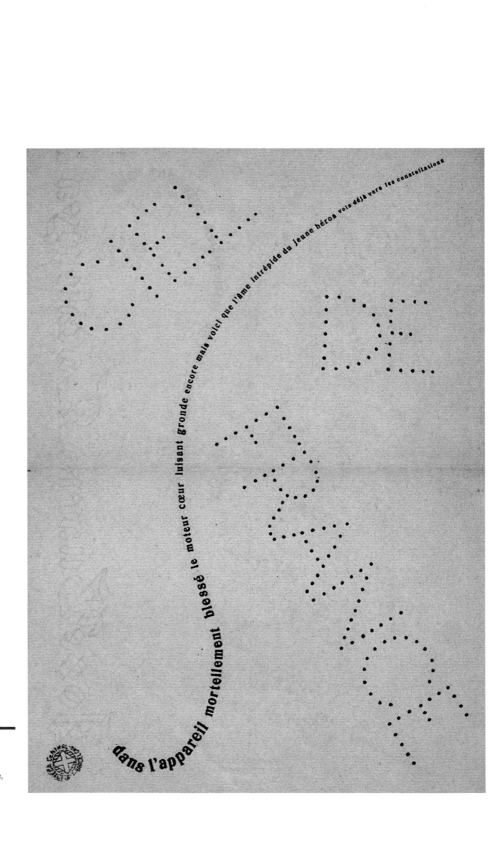

JOSEP MARÍA JUNOY
Calligramme
de l'*Ode à Guynemer*
" Ciel de France ", Barcelone,
Lib. Antonio Lopez, 1918

MARGARIDA CASACUBERTA

Portrait de la littérature catalane

Avec Paris en arrière-plan

1888-1939

La lumière nous vient de Paris

C'est vers le nord, en effet, que se sont tournés les jeunes modernistes catalans quand ils se sont proposé, pendant les quinze dernières années du XIXᵉ siècle, de transformer la culture catalane, qu'ils considéraient comme démodée et provinciale, en une culture moderne et nationale par le biais d'une profonde remise en question de la création artistique, notamment littéraire. Le terme « modernisme » désigne une tendance vers la modernité, et cette signification comporte une nuance importante : celle de la prise de conscience que la culture catalane est une culture arriérée qui n'est pas à la hauteur de celle de l'Europe. Les causes ? Elles sont nombreuses, mais l'une des principales, exposée dans ce que l'on peut appeler la première manifestation du modernisme catalan – l'article « Vivre du passé » de Jaume Brossa –, est le lien qui tient la Catalogne attachée à l'Espagne. C'est la période de création des nationalismes modernes et, en Catalogne, la définition du nationalisme catalan est inséparable de celle du modernisme. La Catalogne sera moderne ou elle ne sera pas, pourrions-nous dire, paraphrasant une expression qui est devenue un lieu commun du catalanisme conservateur. Celui-ci déciderait donc, peu après, de prendre en main le projet de modernisation intégrale de la culture catalane que s'apprêtaient à mettre en œuvre les jeunes loups de la bourgeoisie, qui constituaient la première génération d'artistes et d'intellectuels professionnels, donc modernes. Dans les pages artistiques de *La Vanguardia* à partir de 1888, dans celles de la revue *L'Avenç* (1889-1893) et même dans le caduc *Diario de Barcelona*, des personnages aussi divers que Santiago Rusiñol, Raimon Casellas, Joan Maragall, Jaume Brossa, Jaume Massó i Torrents, Alexandre Cortada, Pompeu Fabra, Miquel Utrillo et d'autres, brandissaient le drapeau de leur propre jeunesse et de l'énergie qu'ensemble ils détenaient, pour renverser une façon de voir et de représenter le monde qu'ils jugeaient anachronique, déphasée et honteuse, tant elle était fausse. Avec le soutien – partiel, il est vrai – de représentants de la génération précédente qui avaient

provoqué un tournant important dans la littérature catalane dès la fin des années soixante-dix (Josep Yxart, Joan Sardà, Narcís Oller, Pompeu Gener), les jeunes modernistes reniaient la tradition culturelle qui les précédait immédiatement et défendaient tout ce qui était moderne pour le seul fait de l'être. Ainsi, ils combattaient violemment le mouvement de la Renaixença [1] et son institution littéraire la plus représentative, les Jeux floraux de Barcelone. Créés en 1859, les Jeux floraux étaient un concours littéraire fondé sur l'idée d'une sélection rigoureuse des genres – poésie –, des thèmes – « Patrie, Foi et Amour » était la devise des Jeux floraux – et de la langue, avec l'« invention » d'une langue littéraire artificieuse et médiévalisante face à la tradition du « catalan tel qu'on le parle actuellement ». Une sélection qui, faut-il le préciser, répondait à l'objectif de construire, à travers la littérature, une image idéale, bucolique, de la Catalogne convulsive et de plus en plus urbaine qui émergeait de la révolution industrielle et des révolutions libérales. Une Catalogne moderne et bourgeoise qui, cependant, semblait incapable d'assumer sa propre modernité et faisait appel à la littérature et au pouvoir des mots au moment d'exercer un certain contrôle sur la réalité. Le résultat de l'ensemble n'est pas difficile à imaginer : l'image bucolique, équilibrée et arcadienne de la Catalogne industrielle se construisait complètement en dehors de tout réalisme. La littérature qui en résultait, loin de refléter les contradictions, les peurs, le déphasage de l'individu moderne dans une société marquée par le changement et le progrès, devenait un mirage. En ce sens, le roman, genre réaliste, commercial et vecteur de socialisation de la langue par excellence, était diabolisé ainsi que les auteurs qui, tels Balzac, Stendhal, Flaubert et Zola, considéraient le roman comme un instrument d'analyse scientifique de la réalité. Le corset moral, et donc extralittéraire que le mouvement de la Renaixença et les Jeux floraux imposaient à la littérature catalane moderne, n'allait éclater que grâce à l'intervention de ceux qui s'appelaient eux-mêmes, avec fierté, les « modernistes ». Ni Yxart, ni Sardà, ni Oller – quoique Sardà et Oller aient été parmi les premiers à se rendre à Paris, à l'occasion de l'Exposition universelle de 1878 qui allait secouer la culture catalane [2] et bien que tous trois aient été les auteurs d'une première et importante tentative de mise à jour des lettres catalanes – n'ont pu ou n'ont su se libérer du joug de la Renaixença. En ce qui concerne, concrètement, l'admiration reconnue que les trois auteurs portaient à l'œuvre de Zola, il faut dire que, bien que celle-ci fût intense, elle n'a pas suffi à leur faire surmonter le rejet d'une conception du monde qu'ils considéraient dangereusement éloignée de la réalité, parce que trop décharnée, froide et pessimiste. Réalité qui, selon Narcís Oller, le romancier du groupe, ne pouvait rester assujettie aux seules lois de l'hérédité et de l'environnement, mais qui devait, forcément, laisser une porte ouverte à une sorte de justice cosmique, pas très éloignée de l'existence de Dieu, qui devait lui donner un sens. C'est ainsi que ce qui a été considéré comme le premier roman catalan moderne, *La Papallona* (1882) – roman qu'Oller écrivit avec les yeux tournés vers l'œuvre narrative de Zola –, bien loin de traduire ce que l'auteur s'était proposé, à savoir les lois qui régissent la conduite et le comportement de l'individu dans la société de masse, tombe à pieds joints dans le piège du feuilleton sentimental. Motif? Le salut de personnages que l'auteur n'ose pas abandonner à leur libre arbitre. C'est pourquoi, quand il fallut traduire le roman en français et qu'Oller et Albert Savine, le traducteur, demandèrent à Zola de parrainer *Le Papillon* (1886), celui-ci répondit par une lettre qui servit de prologue au roman mais qui marquait pourtant l'important et infranchissable fossé qui le séparait de son «disciple» catalan: «J'ai lu – écrivait Émile Zola – qu'il dérivait de nous autres, naturalistes français. Oui, pour le cadre peut-être, pour la coupe des scènes, pour la façon de poser les personnages dans un milieu. Mais non, mille fois non pour l'âme même des œuvres, pour la conception de la vie. Nous sommes des positivistes et des déterministes, du moins nous prétendons ne tenter sur l'homme que des expériences; et lui, avant tout, il est un conteur qui s'émeut de son récit, qui va jusqu'au bout de son attendrissement, quitte à sortir du vrai [3].»

L'important roman de Narcís Oller, *La Febre d'or* (1890-1892), s'écarte, lui aussi, du principe de vérité et de vraisemblance, pour les mêmes raisons déjà évoquées par Zola à propos de *La Papallona*. Ayant commencé l'écriture du manuscrit juste après l'effondrement de la bourse de Paris en 1881, Oller s'achemina vers un grand roman – un roman réaliste – avec l'idée de suivre, à travers la vie des membres d'une famille, le processus de modernisation de la bourgeoisie catalane. Il s'agissait de voir – n'oublions pas que Narcís Oller appartenait pleinement au XIXᵉ siècle – comment la marche inexorable du Progrès, avec

une majuscule, laissait un important sillage de victimes, de petites vies qui perdaient toute valeur au milieu de la force dévastatrice et implacable d'un progrès par ailleurs indiscutablement nécessaire. La prise de distance et l'analyse objective du fonctionnement de la nouvelle société bourgeoise perdent cependant très vite de leur vigueur au profit de l'intérêt croissant que porte l'auteur à l'un des arguments du roman, à savoir la relation amoureuse entre deux des personnages, qui – pour bien enfoncer le clou – représentent les valeurs morales de la Barcelone travailleuse opposées à la frivolité et au manque d'humanité d'une modernité dont le reflet est Paris, ville lumière en même temps que lieu de corruption, de frivolité et de décadence. De cette façon, ce qui avait commencé par suivre le modèle du récit naturaliste, débouche sur un roman à mi-chemin entre le romantisme et le sentimentalisme pur et simple. Narcís Oller se heurte à des limites narratives dues à l'absence de tradition dans ce genre littéraire, mais surtout à des préjugés moraux qui creusent un abîme infranchissable entre *La Febre d'or* et *L'Argent* de Zola, dont la publication, en 1890, accéléra celle du roman d'Oller. Celui-ci en avait débuté l'écriture neuf ans plus tôt.

Il s'agit, n'en doutons pas, d'un problème de professionnalisme et, en dernier ressort, de culture. Narcís Oller, avocat de profession, est un écrivain du dimanche. Le roman, plus encore que d'autres genres littéraires, exige un investissement complet, professionnel, de l'écrivain. Voilà, en tout cas, ce que lui reprochait son ami Santiago Rusiñol depuis Paris en décembre 1890, quand il lui écrivit pour lui annoncer la publication par épisodes de *L'Argent*, dans la revue *Gil Blas*. Rusiñol, quant à lui, était précisément à Paris, car il avait opté clairement pour la professionnalisation. Héritier d'une importante entreprise textile, et alors qu'il avait déjà entamé une vie de bourgeois, Rusiñol décida de suivre sa vocation de peintre et de tout abandonner – sa femme, sa fille de quelques mois et ses responsabilités de chef d'entreprise – pour se lancer dans une vie de bohème. Celui qui, de nombreuses années plus tard, allait, plein de nostalgie, écrire le prologue de la traduction catalane des *Scènes de la vie de bohème*, d'Henry Murger [4], était arrivé à la «Mecque de l'art» poussé par l'ambiance de la Barcelone de l'Exposition universelle de 1888 et ébloui par la splendeur du Paris de l'Exposition de 1889, qu'il visita avec son ami, le sculpteur Enric Clarasó. Il s'installa à Montmartre avec Ramon Casas, Miquel Utrillo et le graveur Ramón Canudas. Il avait pour idée de se mettre à jour en ce qui concernait l'avant-garde artistique, et pourtant il fréquenta d'avantage l'atelier de la Palette de Gervex – que codirigeaient Carrière et, de temps en temps, Puvis de Chavannes –, que les cercles impressionnistes. En cohérence avec la crise du réalisme que connaissaient l'art et la littérature européens, Rusiñol ne s'in-

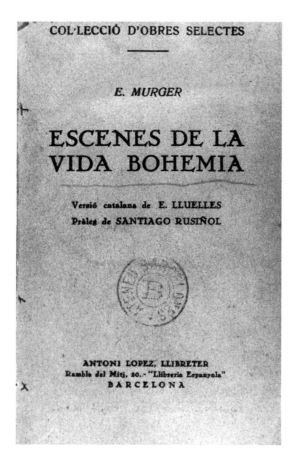

FIG. **E.LLUELLES,**
Traduction catalane
de *Scènes de la vie de bohème*
d' Henry Murger, Barcelone. nd.
Librairie Antoni Lopez

téressait pas tant à l'étude de la perception physique de la nature qu'au choc émotif créé entre l'auteur et une partie quelconque de la réalité, laquelle, grâce à ce choc et au sentiment qu'il transmettait au spectateur ou au lecteur, gagnait sa légitimité artistique. La profondeur du sentiment et l'approfondissement de la technique étaient des conditions *sine qua non* pour justifier le principe d'intégrité qui, par ailleurs, marquait, de manière drastique, les distances entre l'art académique et l'art *tout court* [5], de même qu'il séparait définitivement l'artisan ou l'ouvrier d'art de l'artiste. Nous sommes dans l'orbite du symbolisme. Rusiñol s'y inscrivit en tant que peintre, mais aussi en tant qu'écrivain : c'est à lui que nous devons les premiers essais de poèmes en prose, en Catalogne et en Espagne, et surtout la construction de l'image de l'artiste, apôtre de l'art auquel il sacrifie sa vie. L'un des premiers épisodes du calvaire de l'artiste – être incompris, marginal, rebelle, raffiné, innocent et génial – correspond à son premier séjour à Montmartre, que Rusiñol raconta par le menu détail dans les chroniques qu'il envoyait avec régularité à *La Vanguardia* et qui, en 1894, devinrent son premier livre, *Desde el Molino*. Ces chroniques, parues sous l'épigraphe commune de « Cartas desde el Molino », décrivent la vie de bohème des artistes catalans installés au Moulin-de-la-Galette, au sommet de Montmartre, vue à travers les yeux d'un narrateur *flâneur* [6], disposé à consacrer sa vie à l'art, avec toutes les conséquences que cela peut entraîner. Les ailes du moulin tournent lentement, impassibles, devant la douleur due à tant d'échecs, tant de renoncements, tant de misère et tant d'idéaux perdus. Des aspirants artistes venant du monde entier partagent sous les ailes du Moulin-de-la-Galette les chansons de Montmartre – tristes, sarcastiques, piquantes –, les travaux interminables du Sacré-Cœur, la vue du cimetière, la tristesse du parc d'attractions, l'aspect sordide des petits jardinets qui quadrillent la butte, la solitude des couples qui dansent le dimanche après-midi au Moulin-de-la-Galette, le bonheur résigné de quelques vieilles prostituées qui partagent chaque soir la même table à un bistrot, la disparition d'un modèle, d'une maîtresse, d'un ami. Le véritable artiste préfère finir dans le cimetière, qu'il a si souvent peint dans les tons gris et évanescents, que de se vendre au plus offrant pour une commande honteuse. Erik Satie, l'un des assidus du Moulin, incarne, pour cette raison, le modèle du bohème par excellence. Canudas deviendra, de façon tragique, l'une des victimes du Moulin et des exigences de l'art, maîtresse hautement dangereuse s'il en est. Sa mort sous le soleil de Sitges, due à une tuberculeuse incurable, permit à Santiago Rusiñol de finir son livre sur une note de réalisme, aussi vraisemblable qu'ironiquement réelle.

Vivre pour l'art et de l'art : voilà le choix que fait Santiago Rusiñol et qui le sépare de l'auteur de *La Febre d'or*. Ce choix

– inséparable du comportement intellectuel et culturel que partage un groupe d'écrivains, d'artistes, de critiques, de musiciens et de linguistes qui sont fiers de se donner l'appellation de «modernistes» – est ce qui permet à Rusiñol de devenir le chef de file du modernisme. Et ce qui relègue Oller, malgré l'intérêt indiscutable de son œuvre, au XIXe siècle, à la Barcelone laborieuse qui n'a pas encore trouvé la voie qui lui permettrait de se hausser au niveau de la capitale française, et qui est tout à fait incapable d'accepter – comme le font les rares privilégiés modernistes – le réalisme cru de la littérature de Zola. Le modernisme regarde donc vers Paris. Paris est synonyme de lumière, de civilisation, de culture, de raffinement, d'histoire, de mémoire, de force, de modernité, bien que, paradoxalement, le brouillard soit l'un de ses référents symboliques les plus courants. Tout au moins dans la perspective de Rusiñol qui profite de la référence décadente du symbolisme du brouillard pour exposer sa propre conception de l'art: «En pays de brouillard, l'art est triste, d'une tristesse de rêve éthéré comme une vision, aux formes imprécises, aux silhouettes voilées, confus et gris, mystérieux et plein de symboles nageant dans le vide de la fantaisie, laissant entrevoir la beauté des choses enveloppées dans des glaces de douce transparence. Le rire est triste et le sourire mélancolique, la plaisanterie est aigre et douloureuse, la caricature fait pleurer, le théâtre fait plus penser que sentir, la voix humaine est terne et tout a la beauté d'une douce mélancolie.»

Demi-teintes, paradoxes, synesthésies, paroxysme, intériorisation, introspection, exploration du mystère et des abîmes de l'âme humaine sont inséparables d'une littérature de crise, de dissolution, crépusculaire qui, bientôt, donne lieu à des réactions programmatiques contre le décadentisme. C'est contre la décadence et, surtout, contre la vision dualiste du monde que se positionne le vitalisme générationnel par lequel les nationalismes modernes essaieront de dissiper les brouillards de la civilisation de l'Europe de la fin du siècle qui atténuent la clarté du soleil naissant de la Patrie. L'image de Paris, cependant, ne disparaît pas de l'horizon de la Catalogne qui s'engage sur le chemin du nationalisme: simplement, le brouillard qui voile la malcommode réalité résultant de la détresse de l'individu moderne sera remplacé par une pluie persistante et pénétrante qui deviendra l'un des miroirs imaginaires de la Ville du noucentisme.

Le miroir imaginaire de la Ville du noucentisme

Le 19 octobre 1907, Eugeni d'Ors – sous le pseudonyme de «Xènius» – publia dans sa chronique quotidienne de *La Veu de Catalunya*, intitulée «Glosari», un «Elogi de la pluja» (Éloge de la pluie»). Fidèle au commentaire des «palpitations du temps», le «glossateur» avait pris comme prétexte des inondations qui

avaient frappé Barcelone et quelques villes environnantes, et s'était déclaré, malgré la situation de catastrophe, un partisan déterminé de l'action de ce phénomène météorologique. Il ne s'agissait plus, comme dans le texte que Xènius avait consacré à la pluie un an et demi plus tôt [7], d'une évocation plus ou moins déliquescente d'un des sujets décadents par excellence, mais de créer un symbole étroitement lié à l'idée de culture que le «verbalisateur» du noucentisme prétendait convertir en «miroir imaginaire [8]» et donc, transformateur de la réalité, qui devait aider à construire, sur la base de la fiction, la *Catalunya Ciutat* (la «Ville Catalogne»): «Peut-être que pour établir définitivement notre civilité, il nous faudrait cela: qu'il pleuve – non, pas tant que ça, non – qu'il pleuvote trois ans de suite, ici… Ainsi, nous resterions à la maison, nous irions dans les cercles, dans les salons, au théâtre, mais pas nous promener. Des journées ensoleillées, il nous en faudrait juste quelques-unes: celles des élections, celles des manifestations politiques importantes… Ainsi, nous ferions du bon travail. Et après trois ans, nous commencerions à avoir le droit, sans danger, au bon soleil, et nous ressemblerions suffisamment à Paris pour commencer à songer à ressembler à Athènes.»

La pluie à laquelle se réfère Xènius est évidemment celle de Paris. Eugeni d'Ors, dans ce texte et bien d'autres, se souvient du séjour qu'il y fit pendant l'automne et l'hiver 1906 en tant que correspondant de *La Veu de Catalunya*, journal porte-drapeau de la Lliga regionalista (Ligue régionaliste catalane), un parti politique qui, dès sa création en 1901, pousse les intellectuels à s'engager et à jouer la carte du catalanisme au niveau de l'État espagnol. Ce sont de brefs mais solides coups de pinceau dépeignant le paysage urbain, le climat culturel et les femmes parisiennes qu'Ors introduit, inévitablement, dans des textes destinés à construire le masque de la Catalogne idéale. Et ceci grâce à la création d'une kyrielle de mots clés – Culture, Civilité, Arbitraire, Impérialisme, Méditerranéisme, Classicisme – et à la confiance aveugle dans le pouvoir thaumaturgique du mot. C'est en ce sens que, si la pluie silencieuse et persistante qui constitue un des clichés les plus récurrents sur la capitale française lui permet de parler de l'importance que l'éducation du goût, l'étude et la lecture ont dans la formation d'une société, la référence à la femme parisienne, en général, se rapporte, elle, à la représentation et à la nature de l'idéal qui doit guider les pas de la société catalane moderne. L'auteur de *La Ben Plantada* (1911-1912) – un bréviaire sur la «race» catalane qui présente d'importants rapports, nullement gratuits, avec *Le Jardin de Bérénice* (1891) de Maurice Barrès – était obsédé, depuis quelque temps, par l'idée de créer une «Galerie de portraits des belles Catalanes» en vue de la création d'un musée, «et quel Musée!

Le plus beau d'entre tous. Un régal pour les yeux, les sentiments, l'intelligence, le souvenir, le sens du social, le patriotisme, la vie tout entière [9] ». Il s'agissait de construire un modèle de civilisation – « Civilité », écrit Xènius – sur la base d'une beauté qui devient immortelle par la grâce d'un art qui laisse derrière lui « la laideur [qui] a endeuillé l'œuvre des artistes » – de cette façon, il invalide d'un trait de plume une tradition que Xènius identifie délibérément avec le modernisme – et qui doit dépasser les contours chétifs de l'anecdote grâce à l'aspiration « à la production d'exemplaires éminents, formellement parfaits » : « On revient à la glorification des belles formes. Et tout ce que nous faisons en ce sens, nous donnera plus tard une reconnaissance historique. Reconnaissance moralement exigée par les conditions dans lesquelles nous a placés la nature. Car je suis convaincu que notre situation de méditerranéens nous donne non seulement des droits, mais nous impose également des devoirs. Et, à l'heure actuelle, l'un de nos devoirs capitaux est de participer à cette méditerranéisation de l'art contemporain dans sa totalité [10]. »

Sérénité, harmonie, équilibre, perfection, voilà quelques-uns des attributs de cet art « méditerranéisé », classique, que l'on atteint, non pas par approximation, mais par un acte volontaire, arbitraire. Le poète, l'artiste, le romancier, le dramaturge doivent apprendre à dépasser l'anecdote, le mimétisme, l'impression – toujours vague et fuyante – pour accéder à une catégorie supérieure, à une beauté pure et, par conséquent, éloignée de la réalité, abstraite, pure inspiration. Telle « la belle dame du tramway », exotique – « elle est de Paris ou du Guatemala » – et adorable, par laquelle Josep Carner met en garde les jeunes poètes, suspectés de tomber dans les pièges du romantisme, sur les dangers de s'agripper à l'idéal. Ou encore, comme « la fille aux cheveux d'or » évoquée par Xènius qui transporte à Barcelone l'« accent de Paris » de façon non délibérée, donc décevante [11]. Ce qu'il en reste d'elles et de la Ville, ce qui est immortel, c'est la construction formelle, fictive, artificieuse, rythmique. Ainsi, de même qu'Eugeni d'Ors se sent capable de combler le fossé de quatre siècles qui sépare l'humanisme du XXᵉ siècle grâce à une suite interminable de mots clés – « Allez, vite, vite, à nous les Musées, à nous les Académies, à nous les Expositions, à nous l'Éducation, à nous la Culture, à nous la Vie civique, à nous la Politesse, à nous la Frivolité, à nous la Galerie des Belles Catalanes, à nous le désir de tous, et la valeur de tous, et l'effort de tous, car aujourd'hui, au mois de juin, jour des Vestales, les Catalans, vertueusement ambitieux, nous sommes proposés de conquérir, dans leur route vers l'Humanisme, les vaisseaux de Pantagruel, fils de Gargantua [12] ! » –, il prendra une position pragmatiquement irréaliste au moment de définir l'esthétique correspondant à l'éthique du noucentisme. D'où son rejet de la

« peinture de genre », du « roman prosaïque sur le moule de 1885 », du « théâtre de mœurs », de l'importance excessive donnée à l'argument, de tout ce qu'il considère comme de l'anecdote. D'où, également, son intérêt à interpréter le cubisme en général plutôt d'après Jean Metzinger et Albert Gleizes que d'après Pablo Picasso, dont l'œuvre l'incommodait tout particulièrement, ainsi que sa fidélité, malgré la modernisation, à la tradition française classique – recherche du canon et respect de la norme – et sa satisfaction de constater la crise du roman : « Comme symptôme significatif de l'écroulement de ce qui est anecdotique dans la conscience contemporaine, nous faisions allusion ici, le soir de la Fête-Dieu, à la crise mortelle que traverse aujourd'hui le genre littéraire du roman. Un écrivain français, M. Jules Bois, a expliqué ces derniers jours le sens profond de cette crise, bien que limitant son intervention au roman parisien actuel. "Le nouveau roman parisien – écrit M. Bois –, du moins celui qui me semble appelé à devenir l'expression la plus précise, la plus aiguë, la plus rapide de nos mœurs, se dépouille chaque jour d'avantage de descriptions adventices, de dissertations, d'explications. Balzac, Bourget, Flaubert, Maupassant – sans compter les mineurs – ont épuisé, d'une certaine façon, le répertoire. On n'insiste plus. On le suppose déjà connu dans les volumes précédents et on l'évoque d'un trait de plume. Les hommes laissent aux femmes écrivains la description lente…" Bizarre – remarque en passant le Glossateur –, ce changement radical de point de vue en vingt ans. En 1886, la description détaillée était considérée comme une faculté essentiellement masculine chez les écrivains. "[…] En somme, la méthode littéraire d'Anatole France – nous entendons celui qui a écrit des livres comme *Le Mannequin d'osier* ou *L'Anneau d'améthyste* et non pas l'autre, celui qui fait des discours dans les réunions publiques – a radicalement triomphé du système de Zola (brutalité et naturalisme) et des procédés de Bourget (psychologie nuancée et thèse sociale)…" J'oserais ajouter que la méthode d'A. France elle-même, commence peut-être à devenir désormais un peu anachronique (anachronique, uniquement en tant que méthode, j'entends), devant la platonisation actuelle des esprits. Parce que, à l'intérieur de cette méthode, l'élément essentiel et éternel reste encore très souvent inclus dans l'anecdote, comme dans une fable ou une parabole… Ce qu'Anatole France a réalisé, d'une façon merveilleuse, et en faisant un pas décisif vers la platonisation définitive, c'est de rendre plus spirituels les contours de l'anecdote, de manière analogue – et par un processus, plutôt que de subjectivité, d'arbitraire – à ce qu'ont fait les impressionnistes avec les contours des objets, également anecdote… La formule, donc, qui résume le sens de la crise dont nous parlons, serait celle-ci : le roman contemporain, en retard par rapport à d'autres formes d'art, traverse aujourd'hui le cycle impressionniste, de spiritualisation des contours, qui va de l'aristotélicien au platonicien, de l'anecdote à la musique, de la copie à l'arbitraire [13]... » Une autre «palpitation» d'une époque qui a perdu la confiance dans la réalité et qui cherche, dans le reflet du miroir imaginaire qu'est la création artistique, l'image de la société future, ordonnée et illusoirement heureuse.

Miroir ou mirage ?

Lorsque Josep Maria de Sagarra entreprit, au printemps 1914, son «voyage de découverte» à Paris, il avait vingt ans et un grand désir d'expérimenter en direct le paysage et le climat intellectuel d'une ville qui faisait partie de ses référents culturels les plus proches. Comme, avant lui, Santiago Rusiñol, Eugeni d'Ors et tant d'autres, Sagarra convertit son premier séjour dans la capitale française en une reconnaissance des lieux de mémoire auxquels il avait accédé auparavant à travers la littérature et les revues culturelles, artistiques et littéraires qui étaient devenues courantes dans les cercles intellectuels catalans de la fin du siècle.

Sagarra écrit : «Paris était l'éblouissement des enfants d'alors. Nous respirions tous et nous rêvions à travers les éditions à la couverture jaune – et à deux francs cinquante – du Mercure, de chez Plon, Garnier, ou Hachette. Les poètes que nous citions dans nos dialogues, après les grands morts de la taille de Rimbaud, de Mallarmé et de Laforgue, étaient des personnages en pleine ascension et pleins de vitalité, et ils se nommaient Moréas, Claudel ou Valéry ; des hommes comme Barrès, Loti, Prévost ou Anatole France respiraient encore l'air avec leurs poumons ; le nom de Gide commençait à peine à percer ; et d'autres comme Giraudoux, Duhamel ou Vildrac devaient encore émerger. Le nom de Proust mit encore un certain temps à se faire entendre ; Morand, Maurois, Delteil, Mauriac, Giono, Montherlant, Bernanos et d'autres gloires peaufinaient dans l'ombre leur personnalité. Ils étaient à mi-parcours et l'après-guerre devait leur apporter la célébrité. Dans le monde du théâtre, les patrons prestigieux du boulevard se promenaient dans les rues : Bataille, Bernstein, Wolf, Meré, Porto-Riche ; Courteline, Jules Renard et Tristan Bernard étaient frais comme des gardons, alors qu'aujourd'hui ils me paraissent antédiluviens [...]. Bourdet, Pagnol et Achard n'existaient pas. Bergson était le personnage à la mode. Rostand, celui du *Cyrano*, passait ses étés dans les Pyrénées, et de tous ces personnages je pense qu'aucun n'avait encore toute sa barbe. Ici cela ne faisait pas bien longtemps que nous avions commencé à parler de peinture impressionniste ; de Manet, de Monet, de Renoir, de Degas, de Cézanne. »

Les souvenirs du premier voyage à Paris de l'auteur du proustien *Vida privada* (1932), devenus une partie des *Memòries* (Mémoires) que Sagarra écrivit et publia quarante ans plus tard,

en 1954, restent imprégnés, malgré la prise de distance ironique que distille la prose de Sagarra, d'une tonalité élégiaque étroitement liée à la conscience qu'a l'auteur d'un monde irrémédiablement perdu. Un monde, pour le dire à sa façon, dont le sentimentalisme du XIXe siècle laissait croire qu'il avançait sur la voie du progrès et, avec le concours de la culture, vers le dépassement de l'irrationalité, de l'instinct et de la violence, et auquel la première des «interventions brutales» du XXe siècle mit douloureusement fin. Ni la solidité, ni l'«énormité» du Paris évoqué par Sagarra n'y purent rien : «En dépit des grands changements, peut-être que Paris, pendant ces quarante ans et c'est là le point où réside son efficacité exclusive, est l'entité humaine qui a le moins changé. Parce que le squelette et la musculature de la ville étaient déjà définitifs à ce moment-là, et même bien avant. Ceux qui construisirent les boulevards et la perspective qui va depuis les anciennes Tuileries à l'Arc de triomphe, et ceux qui, à partir de l'Étoile, dessinèrent les douze avenues, savaient tellement bien ce qu'ils faisaient qu'il ne restait plus à la postérité qu'à s'incliner. En plus, le charme de Paris se confit et se décompose dans le fleuve de façon merveilleuse, et les ponts et les quais sont intouchables. Les rajouts changeront et de nouvelles constructions se feront dans des endroits qui n'affectent pas l'essentiel. Le Trocadéro que je vis en 1914 pouvait parfaitement être démoli sans que rien ne change, et pouvait être remplacé par celui d'aujourd'hui, qui a, peut-être, plus de grandeur et qui est plus visible. À Paris, la mode ajoutera des éclairs et des intransigeances ; elle créera les raffinements magiques de l'actualité avec toute la publicité nocturne resplendissante et l'éclairage des édifices au goût américain ou au goût babylonien. Mais Paris est énorme, car elle est vieille, usée et flétrie, parce que l'histoire y cohabite sans stridence, ni aigrie ni offensée par l'actualité. Il y a peu, je me promenais une après-midi dans des endroits aussi diplomatiquement rationnels, aussi peu scénographiques que l'avenue de Villiers et le boulevard Malesherbes et la pérennité des édifices m'émerveillait. Là-bas, la maison la plus moderne était du temps de nos grand-mères et la plupart des autres, du temps de la marine à voile. Autrement dit, tout était plus vieux que notre rue Fernando, ou celle de Portaferrissa. Ce que Paris a de plus tapageusement moderne, c'est peut-être le Sacré-Cœur de Montmartre. Parce que les constructions de dernière heure – et la plus américaine d'entre elles est sans doute l'aérogare des Invalides – n'affectent en rien son profil. Une page de Balzac ou un vers de Baudelaire peuvent être ressentis à Paris comme dans leur environnement naturel ; ils ne sont en rien anachroniques. Ceci est peut-être le plus important de Paris et cette sensation d'objet vétuste et pérenne, d'objet enfumé et glorieux, c'est l'impression que je ressentis en sortant du quai d'Orsay au printemps 1914. »

Le monstre de la guerre, les larves de l'intra-histoire qui, d'après le constat d'Eugeni d'Ors dans *Gualba, la de les mil veus* (*Gualba aux mille voix*, 1915), finissent fatalement par perforer toutes les couches de la culture dont la moderne société européenne s'était recouverte pour se créer le masque de la civilité parfaite, ont brisé le miroir de la Ville, le miroir imaginaire qui, désormais, apparaît sous sa – probablement – véritable nature de mirage.

Et cependant, Josep Maria de Sagarra se lança à la rescousse du mirage culturel face à la barbarie allemande : « Il va sans dire que, sans en avoir parlé avec qui que ce soit, je me suis senti belligérant en faveur de la France. Je venais d'arriver de Paris, j'avais pleuré comme une Madeleine dans la crypte des Invalides et je connaissais par cœur ces mots si émouvants qui y sont inscrits dans le bronze et qui sont les dispositions testamentaires de l'Empereur. » Et il ne fut pas le seul. En Catalogne, entre 1914 et 1918, la francophilie devint un lieu commun, tout particulièrement parmi les intellectuels [14]. Des personnalités aussi éloignées – par tradition et par idéologie – que Santiago Rusiñol, antinoucentiste déclaré à ce moment-là et auteur des *Espurnes de la guerra* (*Étincelles de la guerre*), destinées à entretenir le souvenir de l'ascendant français sur la Catalogne moderne et parues dans *L'Esquella de la Torratxa*, hebdomadaire républicain à grand tirage ; ou encore Agustí Calvet, « Gaziel », jeune journaliste que la guerre surprit à Paris et qui devint un reporter connu et reconnu des lecteurs de *La Vanguardia*, dont il fut plus tard le directeur ; ou encore les rédacteurs de la revue *Iberia*, ainsi que de nombreux jeunes intellectuels noucentistes, qui tous projetèrent sur la France et plus précisément sur sa capitale les valeurs de la culture et de la civilisation qui, depuis l'époque de la Renaissance, étaient inextricablement liées à l'idée de l'Europe. Ce qui montre à quel point cette idée était puissante, c'est la manière particulière qu'ont les auteurs catalans d'envisager le phénomène de l'avant-garde, qui consacre Paris comme centre de confluence de l'art moderne, avec l'établissement, d'après Josep Maria Balaguer [15], d'un « axe coordonnateur et unificateur d'un modèle global d'art qui, malgré sa diversité, l'organise dans une conception qui dépasse les différents "ismes" apparemment déconnectés les uns des autres de la fin de siècle », et la création d'un marché international qui estompe de plus en plus les frontières entre les différents arts nationaux.

L'identification des formules d'avant-garde avec l'art correspondant à la société du xxe siècle entraîna la destruction du mirage. C'est tout à fait logique : si le tournant du siècle avait facilité l'identification entre l'art et la société, et prétendu que l'art pourrait résoudre les dichotomies et les oppositions qui caractérisaient la situation de l'individu dans la société moderne, il revient au xxe siècle – surtout à partir de la guerre – de détruire ce mirage à travers la remise en question des mécanismes linguistiques et formels qui avaient servi à le créer. Entre la voie parodique et corrosive du dadaïsme et la voie expérimentale et intellectualiste que proposent le cubisme et le futurisme, les premiers avant-gardistes, en Catalogne, choisirent cette dernière solution, dans un sens profondément culturaliste : l'identification entre l'art du xxe siècle, les avant-gardes et une France en lutte pour garantir la survivance de la valeur « Culture » dans la nouvelle société qui devait jaillir de l'après-guerre permet de pressentir une possibilité de renaissance de la civilisation européenne. C'est ce qui sert de base à la création en 1918, à Paris, par Joan Pérez-Jorba de la revue *L'Instant. Revue franco-catalane d'art et de littérature*, dont le but était de servir de canal de transmission entre les littératures française et catalane via Apollinaire et Albert-Birot. Quand en 1919 la revue s'installa à Barcelone, Millàs Raurell en assuma la direction et Joan Salvat-Papasseit fut l'un de ses rédacteurs. Ce dernier, auteur d'« El Poema de la rosa als llavis » (« Le Poème de la rose aux lèvres », 1923) – exemple représentatif de la forme que prit la manifestation de la crise avant-gardiste dans la poésie catalane –, se plaça, au contraire, avec ses deux premiers livres, *Poemes en ondes hertzianes* (*Poèmes en ondes hertziennes*, 1919), portant en épigraphe une maxime de Pierre Albert-Birot – « L'art commence où finit l'imitation [16] » – et *L'Irradiador del port i les gavines. Poemes d'avantguarda* (*L'Irradiateur du port et des mouettes. Poèmes d'avant-garde*, 1921), dans l'orbite du futurisme adapté par Joaquim Torres-García et Rafael Barradas, et fasciné par la métropole moderne. Barcelone, mais également Paris, que Salvat visita au printemps 1920 et dont il tira le thème de deux poèmes de *L'Irradiador* – « Passional al metro (Reflex n° 1) » et « La Femme aux oranges [17] (Reflex n° 2 [18]) » –, lui fournirent les images fugaces, fragmentaires et sans rapport entre elles lui permettant de reproduire l'idée de mouvement et de simultanéité qui définissent l'expérience de la modernité.

De son côté, J. M. Junoy, qui avait participé, dès 1912, à la préparation de l'exposition cubiste avec la publication d'*Arte y Artistas* et la coordination d'un supplément de *La Publicidad* pour lequel il avait obtenu l'aide de Max Jacob, est l'auteur de *Poemes & Cal.ligrames* (1920), ouvrage qui inclut la célèbre « Oda a Guynemer », jeune aviateur français mort pendant la guerre, ainsi que la carte postale par laquelle Apollinaire avait répondu à l'envoi que lui avait fait Junoy, en 1918, de la version française de ce calligramme. Créateur, en 1917 – année de l'installation de Francis Picabia, qui fuit la guerre, à Barcelone où il publie la revue dadaïste *391* –, de la revue *Troços* (*Morceaux*), Junoy se situe dans la ligne de défense des valeurs que représente Paris dans le contexte de la Première Guerre mondiale, parmi lesquelles figurent surtout les manifestations cubistes et futuristes de l'avant-garde. Quand, en 1918, et à partir du quatrième numéro, Josep Vicenç Foix en prendra la direction, les deux numéros qu'il dirigera resteront étroitement liés à l'avant-garde française. Liaison que partageait également Joaquim Folguera. Tous deux formés d'après les paramètres culturalistes du noucentisme, collaborateurs de *La Revista* de Josep Maria López-Picó et intéressés par les propositions avant-gardistes qui passent par Apollinaire, Albert-Birot et Reverdy, ils représentent, d'après Balaguer, «deux cas d'assomption des idéaux que le *noucentisme* a aidé à forger, mais aussi l'essai d'adaptation de ces idéaux à un moment différent de celui dans lequel ils sont nés et ont commencé à se développer». C'est ainsi que Folguera essaie, à partir de 1917, avec la traduction en catalan de nombreux textes destinés à créer une anthologie de la poésie d'avant-garde – qui n'arrivera pas à se concrétiser dans un livre – et avec la publication, en 1919, de *Les Noves Valors de la poesia catalana* (*Les Nouvelles Valeurs de la poésie catalane*) d'établir un lien entre la poésie d'avant-garde, représentée par Apollinaire, et la tradition symboliste dans laquelle s'inscrit la poésie catalane moderne. J.V. Foix fait, pour sa part, une lecture du futurisme et du cubisme en tant qu'art de création et recherche d'une discipline qui se propose de trouver ce qui est immuable et éternel à travers ce qu'il appelle la «réalité artistique [19]» et qu'il oppose au réalisme. Dans les deux cas, la composante nationaliste, obligatoirement liée à la langue, finit par s'imposer dans le discours des poètes, surtout chez Foix qui en viendra à remettre en question, à partir de 1921 – année où il crée, avec Josep Carbonell, la revue *Monitor* –, les stratégies qui, depuis la fin du siècle, ont été utilisées pour le renouvellement de la littérature catalane, et surtout la croyance généralisée, qualifiée de «beau topique» par Foix, qu'il fallait impérativement «insérer l'activité spirituelle de la Catalogne dans l'activité spirituelle de l'Europe [20]». Face à une Europe qui sortait de la guerre brisée et exsangue, quel sens pouvait avoir le maintien de stratégies qui, par ailleurs, n'avaient abouti à rien d'autre qu'à faire de la littérature catalane moderne un reflet mimétique d'un Paris qui, de plus, comme le rappelle Sagarra dans ses mémoires, avait définitivement disparu à cause de la guerre et «qui ne reviendrait jamais plus»?

Le miroir de la condition humaine

Et cependant, après la guerre, Paris continua de provoquer la même fascination parmi les intellectuels catalans. Un exemple: Josep Pla. Il y arriva en 1920 pour des raisons professionnelles. Journaliste et correspondant de *La Publicidad*, Pla espérait

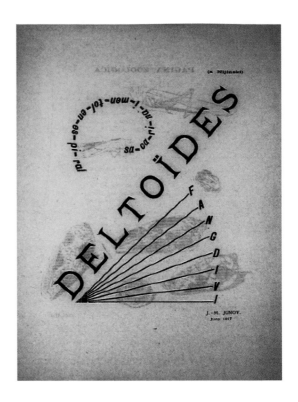

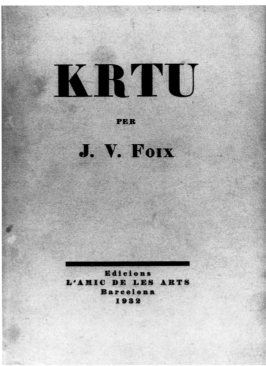

JOSEP MARÍA JUNOY
Calligramme " Deltoïdes ",
Troços n° 1, septembre 1917

J.V FOIX
Krtu, Editions L' Amic de les Arts, Barcelone, 1932
Barcelone, Fundació Foix

trouver dans ce voyage au pays du mythe les conditions les plus favorables pour se consacrer à l'étude et à la littérature : « Paris est une ville qui semble faite exprès pour y mener une vie littéraire. J'entends par vie littéraire : lire. Paris est une ville pour bien lire, je veux dire pour étudier, pour faire des livres – du contenu des livres – une obsession. L'obsession de la lettre imprimée, surtout pour les personnes qui, comme moi, ne savons rien sur rien, fait oublier toutes les autres choses de la vie. Les femmes, l'argent, la vie sociale, la curiosité du moment, même la curiosité politique du moment, passent au second plan vu l'intérêt passionné que j'éprouve pour certains écrivains et certains livres. L'air de Paris, la douceur de ses ciels, le charme apaisant de ses couleurs, la merveille de ses jardins en cette saison, la verte placidité des *marronniers*, actuellement fleuris de leurs fleurs blanches dressées, le calme de certains quartiers, la silencieuse solitude, tellement libre, des *hôtels meublés* 21, l'abondance de librairies, de bibliothèques, le nombre de livres que l'on a à portée de main, à tout moment… tout semble fait exprès pour que Paris soit une ville pour lire » (« L'ascensió de Paul Valéry »).

Il y trouva, en plus, une extraordinaire sensation de solitude et put expérimenter par lui-même cette phrase lapidaire, qui se rapproche dangereusement de la réalité que laissent paraître les notes personnelles de l'auteur : « Le pire dans les difficultés économiques est qu'elles empêchent de travailler » (« L'ascensió de Paul Valéry »). Mais cette réalité reste, au contraire, parfaitement occulte derrière un voile de nostalgie et de mélancolie, dans l'univers de fiction que Pla construisit sur la base de la chronique ou du reportage journalistique.

Ainsi, reprenant le regard du voyageur, de l'étranger, de l'errant qui avait offert tant de possibilités à la littérature moderniste, Pla construira un nouveau point de vue lui permettant de filtrer la réalité du Paris issu de la guerre. Il s'agit du regard du sous-locataire : « Le sous-locataire est probablement différent. Tout d'abord, c'est un homme qui n'est rien. C'est une erreur dès le début, car tout ce qu'il fait ne lui permet pas de sortir du néant. Il ne dispose jamais d'un espace où il puisse exercer sa domination, et il est ainsi un insatisfait car seule la réalité comble. C'est un naïf. Son espace est illusoire et tout à fait incertain. À vingt ans, on transige. À trente, c'est déjà plus difficile. Cette tendance à fuir, à toujours s'évader, lui donne un air d'étranger incertain et permanent. Le sous-locataire a toujours la sensation d'être un homme incomplet » (« Nadal »). Éloignée donc d'une quelconque adhésion affective, l'analyse de la réalité de Pla ne peut être suspectée de sentimentalisme et reste, surtout, concrète. L'image de Paris que dessine le regard du journaliste sous-locataire est loin de symboliser un modèle de civilisation ou un idéal de culture que la guerre s'était déjà chargée d'affaiblir,

mais il n'y a pas de doute qu'elle correspond à celle d'une société dotée d'assises suffisamment solides pour assumer complètement les changements. À la différence, bien sûr – la comparaison est tacite –, de la Catalogne. Le Paris de l'après-guerre a vu changer le goût littéraire des gens, et la réaction des écrivains et, en général, du marché littéraire est immédiate. Les nouvelles circonstances historiques rendaient impossible la continuité d'une littérature « trop artistique » dont Anatole France était la référence indiscutable : « C'est une littérature qui n'a aucune assise, aucune racine, aucune justification claire. C'est une littérature purement verbale. Dans un état facile et agréable de l'existence – comme celui d'avant la guerre – France était lu, beaucoup lu. Il fut un auteur prodigieux d'une époque statique. Dans l'existence d'aujourd'hui, si pleine de difficultés, qui le lira ? Dans son œuvre, tout est littérature, il n'y a rien de vrai. Une fois mort, France est destiné à entrer dans une pure et vague inanité » (« Literatura i immortalitat »). De même que Maurice Barrès, Francis Jammes, Paul Claudel, Rémy de Gourmont et, en général, tous les « poètes d'école » et toute la tradition littéraire représentée par le Mercure de France, ce qui, écrit Pla, « signifie probablement que la bourgeoisie cultivée se trouve dans un état de réticence très forte concernant l'art par trop artistique. On commence à défendre une littérature proche du langage familier, avec le moins d'images possibles (les images affaiblissent tout effort littéraire), mais avec un contenu, et, si c'est possible, des idées, bien sûr » (« L'Acadèmia »). Les nouvelles valeurs de la littérature française se nomment Gide, Renard, Morand, Cocteau, Apollinaire, Proust et, malgré le décalage chronologique, Stendhal, romancier qui commence à peine à être reconnu comme il le mérite. Josep Pla se déclare partisan de l'« intelligence et de la beauté » qui caractérisent le profil éditorial de la Nouvelle Revue française (« El Vieux Colombier »), valeurs qui sont inséparables de ce qui donne sens à la littérature dans le monde contemporain : la vérité. « Les gens, écrit Pla, sont en manque de vérité et ils suivent, pour y parvenir, la seule méthode de travail possible : l'analyse 22. »

Le visage monstrueux de la condition humaine s'étant fait jour pendant la guerre, et les hommes ayant constaté que la culture est parfaitement perméable aux « larves » de l'irrationalité et de l'instinct, ils « se regardent dans la glace avec horreur et dégoût. C'est une époque de malades et de monstres », on ne fait plus confiance aux grandes constructions idéologiques et on recherche le contact avec ce qui est authentique : « Notre époque est semée de désillusions et de morts. Tous les grands idéaux génériques du monde ont échoué. Les hommes en ont assez de rhétorique, de mots et de synthèses absurdes. Chacun a ses problèmes, la douleur a effacé les généralités. Les plus faibles – et donc les plus lucides – retournent à la religion et cultivent leur moi intérieur. Les personnes plus dynamiques, plus biologiques, plus socialement sensibles, s'agrippent à leur paysage et à leur terre avec plus de force que jamais. » Il s'agit de trouver le miroir qui réfléchira le plus fidèlement possible la véritable nature de la condition humaine, dans toute sa complexité et avec toutes ses contradictions. C'est pourquoi Josep Pla prend la défense inconditionnelle, au contact de la littérature française, d'« une tradition d'observation de la constitution humaine, de l'animalité la plus complexe qu'a créée la civili-sation de nos pays, des objectifs et des réactions des hommes et des femmes – de ce qu'on nomme la morale, en définitive. C'est pour cette raison que la littérature française peut donner à lire autant de choses profitables pour se guider dans les méandres de la vie. Peut-être plus que n'importe quelle autre littérature accessible » (« El cafard »). Autant de choses et, apparemment, des choses aussi différentes que la prose stendhalienne, le roman de Proust et la poésie d'Apollinaire, qui partagent avec la peinture cubiste et le monde de Joyce – Pla se fait l'écho de la traduction en français d'Ulysse – un profond respect pour la réalité et, par conséquent, le rejet et l'incompréhension des lecteurs ingénus. De la même manière que Pla explique le refus du cubisme parce que « trop réaliste » – « Le tableau cubiste, en éliminant la perspective, est un phénomène contraire au bonheur humain » (« La independència dels independents. El cubisme ») –, il explique l'incompréhension générale de l'œuvre de Proust parce qu'« il n'est pas un réaliste de la réalité crue et directe et parfois poétisée. C'est un réaliste des souvenirs de la réalité – le temps retrouvé –, ce qui est sensiblement différent et souvent plus compliqué. La réalité des souvenirs lui parvient avec un réalisme beaucoup plus riche que le réalisme direct et immédiat. À la base de l'œuvre de Proust, il y a un onanisme formidable, microphonique, persistant, délibéré, continu, infiniment petit, infiniment grand, transcendantal » (« 1920 literari : l'any de Marcel Proust »).

Pla se sert du commentaire de la littérature française comme prétexte pour présenter son propre projet littéraire, inscrit dans le contexte de la littérature catalane, marquée à ce moment-là par la crise et l'effondrement du noucentisme – qui atteint son paroxysme en 1923 avec le coup d'État de Primo de Rivera –, et pour répondre à la soif de créer une littérature qui corresponde au marché, et donc aux besoins – plutôt qu'au goût – du public catalan qui, comme le public français, aspire plus que jamais à lire (« El que es llegeix. Novel.la d'aventures »). C'est pourquoi, toutes ses observations ont un rapport avec un débat récurrent, pendant les années vingt et trente, sur le fonctionnement interne de la culture catalane. C'est en ce sens

qu'il faut comprendre les observations de Pla sur Valéry et son œuvre, mais également en relation avec l'utilisation qu'ont faite de l'œuvre du poète français les secteurs nommés culturalistes, qui tendaient à transformer le raffinement, l'éloignement et l'intellectualisme en une arme de combat culturel. Valéry, référence inévitable pour Carles Riba et son groupe, aussi bien pour sa conception de la poésie que comme figure du poète sous l'angle de la tradition postsymboliste, qui conçoit la poésie comme un moyen de connaissance intellectuelle et le poète comme un homme de lettres cultivé et raffiné, arriva à Barcelone pour donner une conférence au Conferentia Club, entité créée en 1929, présidée par Isabel Llorach, parrainée par Francesc Cambó, dont le secrétaire était Carles Soldevila, et qui avait pour objectif de faire parvenir à la haute société barcelonaise – aristocratie et bourgeoisie – les questions culturelles de la plus brûlante actualité, et ce, de la main même des intellectuels européens les plus reconnus. L'élitisme de la proposition, qui ne différait pas trop de la façon dont Paul Valéry se produisait dans la société parisienne, aggravait encore le divorce avec le public que provoquait la poésie de l'auteur de Monsieur Teste, une poésie cérébrale et épurée qui prenait la poésie elle-même comme thème et qui alimentait le jugement sceptique de Pla : « Valéry est un versificateur. Apollinaire est un poète. Il ne peut y avoir de poésie sans un moment émotionnel. Ce moment d'émotion n'existe pas dans la poésie de Valéry – pure dialectique, esprit très cultivé, énorme lecteur, prodigieux ébéniste des mots et de la langue. Dans l'œuvre d'Apollinaire, au contraire, il est possible de trouver de l'émotion, parfois offerte avec une grâce aérienne » (« Literatura i immortalitat »). Scepticisme qui s'étend, malgré la distance qui sépare les deux poètes, aux propositions du Manifeste du surréalisme [23] d'André Breton qui, en 1928, devait donner naissance au « Manifest Groc », signé par les membres du groupe L'Amic de les Arts et par Salvador Dalí, Sebastià Gasch et Lluís Montanyà, et qui devait encadrer la production littéraire à travers laquelle Dalí véhicula sa tension créatrice, parallèlement à son activité artistique. Sans se laisser éblouir par le succès de ces propositions – ni même par la renommée internationale d'un Salvador Dalí, lequel n'hésita pas à échanger le catalan contre le français, face aux impératifs du marché européen qui commençait effectivement à s'ouvrir à lui à partir de 1929 –, Josep Pla rappelle que « la littérature a le petit défaut d'être un art de résultats, plus qu'un art de bonnes intentions » et met en garde contre le danger menaçant l'art contemporain, à une époque où la réflexion théorique, véhiculée par les manifestes et les écoles de pensée, tend à se substituer aux réalisations pratiques, capables de toucher « les personnes qui aim[ent] boire et manger tranquillement » et pour lesquelles trouver une voix capable de parler en leur nom dans des moments – dit Pla – de « neurasthénie et de furie » relève de l'exploit.

Passons sur cette *boutade* [24], parfaitement cohérente, par ailleurs, avec le regard de sous-locataire que Josep Pla projette sur la situation de la littérature catalane dans un contexte culturel d'intense productivité, de grandes discussions et de polémiques à tous les niveaux de la création littéraire. Ce climat crée le bouillon de culture qui rend possibles – il ne pourrait pas en aller autrement – des résultats optimaux, tant en qualité qu'en quantité, et jusqu'alors inédits. Résultats que le dénouement de la guerre civile devait cependant tronquer. Tous ces débats, destinés à construire une culture solide, diverse, compétitive et moderne, ont encore Paris en arrière-plan.

Malgré cela, la lutte pour la culture qui pendant cinquante ans, entre 1888 et 1939, caractérise, plus que toute autre chose, l'image d'une Barcelone et par extension d'une Catalogne qui se regardent dans le miroir de Paris, n'est absolument pas recueillie par la littérature française [25] qui s'entête à identifier Barcelone avec les lieux communs de l'« espagnolade », comme dirait Pla, de l'anarchisme et des bas-fonds. Lieux communs contre lesquels les intellectuels catalans avaient employé, surtout pendant les années vingt et trente [26], toutes les armes de propagande possibles et que seule la guerre parviendrait à nuancer un tant soit peu en ajoutant à cette image celle de la lutte antifasciste. C'est ce qui arriva avec *L'Espoir* d'André Malraux.

Il est vrai que l'identification de Barcelone avec les bas-fonds ne provenait pas directement de la tradition littéraire française. Quoique personne ne puisse nier l'influence d'Alfred de Musset et de Prosper Mérimée sur *Avez-vous vu dans Barcelone ?* d'André Bizet, *Nuit catalane* de Paul Morand, *Printemps d'Espagne* de Francis Carco, *La Petite Infante de Castille* d'Henri de Montherlant, *La Bandera* de Pierre Mac Orlan, *Journal du voleur* (1948, mais sur des événements des années trente) de Jean Genet, *Le Bleu du ciel* (1957, écrit en 1935) de Georges Bataille, la littérature catalane elle-même avait particulièrement mis en avant la thématique du « Cinquième district [27] », avec l'immigration andalouse et le monde de la pègre, de la prostitution, et le mouvement de n'importe quelle ville portuaire méditerranéenne, parce qu'elle avait besoin d'un espace plus ou moins bien délimité où situer ces parcelles de réalité. Parcelles de réalité bien dérangeantes pour une culture qui continuait de se construire en marge des problèmes et des inquiétudes de l'homme et de la femme modernes, malgré les efforts, aussi louables que socialement mal assimilés, faits à travers certaines propositions de la littérature et de l'art contemporains pour affronter ouvertement le monstre de la réalité qui, en fin de compte, n'est autre que la condition humaine elle-même.

(traduit du catalan par François Niubo)

Notes

1   Nom donné à un mouvement de renouveau de la langue et de la littérature catalanes. (N.D.T.)

2   Josep Yxart, *La Descoberta de la gran ciutat : Paris, 1878*, Tarragone, Institut d'Estudis Tarraconenses Ramon Berenguer IV, 1995 (édition de Rosa Cabré).

3   En français dans le texte. (N.D.T.)

4   Henry Murger, *Escenes de la vida bohèmia*, Barcelone, Antoni López libraire, s.d. (version catalane d'E. Lluelles et prologue de Santiago Rusiñol).

5   En français dans le texte. (N.D.T.)

6   *Idem.*

7   Xènius, « Glosari. La pluja », *La Veu de Catalunya*, 29 mars 1906.

8   Ce concept – qui donna son titre à un recueil de nouvelles d'Alexandre Plana, *El Mirall imaginari*, Barcelone, Llibreria Catalònia, 1925 – a servi à expliquer la poétique du noucentisme.

9   Xènius, « Glosari. La galeria de Catalanes Hermoses », *La Veu de Catalunya*, 6 avril 1906.

10 Xènius, « Glosari. Metafísiques raons » et « Glosari. Artístiques raons », *La Veu de Catalunya*, 7 et 10 avril 1906.

11 Josep Carner, « La Bella Dama del tramvia », *Auques i ventalls*, Barcelone, 1914 ; Xènius, « Glosari. Imatgeria de l'estiu : la noia dels cabells d'or », *La Veu de Catalunya*, 26 août 1907.

12 Xènius, « Glosari. Vers l'Humanisme », *La Veu de Catalunya*, 26 juin 1906.

13 Xènius, « Glosari. Sobre la novel.la », *La Veu de Catalunya*, 22 juin 1906.

14 Pour une analyse nuancée des différentes positions intellectuelles face à la guerre, se reporter à Josep Murgades, « Estudi introductori a Eugeni d'Ors », *Lletres a Tina*, Barcelone, Quaderns Crema, 1993, p. IX-XCII.

15 Pour une réflexion intelligente sur l'avant-garde et la méthode d'études qu'exige la littérature catalane dans le contexte européen, se reporter à Josep Maria Balaguer, « La literatura catalana i l'avant-guarda », dans Pere Gabriel (dir.), *Història de la Cultura catalana. VIII :*

Primeres avantguardes, 1918-1930, Barcelone, Edicions 62, 1997, p. 125-150. À consulter absolument, le catalogue *Avantguardes a Catalunya, 1906-1939*, Barcelone, Olimpíada Cultural/Fundació Caixa de Catalunya, 1992.

16 En français dans le texte. (N.D.T.)

17 *Idem.*

18 Joan Salvat-Papasseit, *Poesies*, Barcelone, Editorial Ariel, 1978 (édition de Joaquim Molas), p. 30-31.

19 Josep Vicenç Foix, « El Cubisme », *Trossos*, n° 5, avril 1918.

20 Josep Vicenç Foix, « Algunes consideracions preliminars », *Monitor*, n° 1, janvier 1921. Reproduit dans J. V. Foix, *Obres completes. 4 : Sobre literatura i art*, Barcelone, Edicions 62, 1990 (édition de Manel Carbonell), p. 15.

21 Les mots en italique sont en français dans le texte. (N.D.T.)

22 Josep Pla, « Paris. El que la gent llegeix », *La Publicidad*, 20 mars 1924. Pour une analyse fine et nuancée de la pensée littéraire de Josep Pla, se reporter à Marina Gusta, *Els Orígens ideològics i literaris de Josep Pla*, Barcelone, Curial, 1995.

23 Josep Pla, « Paris. Un manifest literari », *La Publicidad*, 25 février 1925.

24 En français dans le texte. (N.D.T.)

25 Voir Àlex Broch, « La mirada estrangera », *Barcelona, metròpolis mediterrània*, Quadern central n° 20, 1991, p. 116-120.

26 Pour une vision d'ensemble de la littérature catalane des années vingt et trente, se reporter à Josep Maria Balaguer, Maria Campillo, Enric Gallén, « Literatura, teatre i institucions literàries », dans Pere Gabriel (dir.), *Història de la Cultura catalana. IX : República, autogovern i guerra, 1931-1939*, Barcelone, Edicions 62, 1998, p. 117-164.

27 Pour une étude approfondie de l'image de Barcelone, se reporter à Jordi Castellanos, « Barcelona : ciutat i literatura », *Literatura, vides, ciutats*, Barcelone, Edicions 62, 1997, p. 137-185.

Paris-Barcelone-Paris

ANDRÉ MASSON
Étude pour *Numance*,
1937
Paris, collection particulière

GEORGES SEBBAG

PARIS-BARCELONE-PARIS

Le boomerang surréaliste

La veille de l'armistice, André Breton, qui vient de confectionner une lettre-collage destinée au soldat Louis Aragon en route vers l'Alsace, a juste le temps d'y glisser un petit carré de papier sur lequel il a griffonné : «mais Guillaume/Apollinaire/vient de/mourir.» À la mort d'André Breton, le communiste Aragon rendra un bref hommage à son ex-ami surréaliste en première page des *Lettres françaises*. Et il réitérera le geste de son ami d'alors en concluant : «mais André/Breton/vient de/mourir.» Les nouvelles, bonnes ou mauvaises, la vie et la mort, s'écrivent sur des bouts de papier.

La mort d'Apollinaire et celle de Breton bornent l'existence du surréalisme. Ou plus exactement, le surréalisme s'est achevé avec la révolte spontanée et généralisée de mai 1968 et a commencé avec l'ultime lettre de Jacques Vaché à André Breton du 12 décembre 1918, où la succession d'Apollinaire était déclarée ouverte : «Apollinaire a fait beaucoup pour nous et n'est certes pas mort ; il a, d'ailleurs, bien fait de s'arrêter à temps – C'est déjà dit, mais il faut répéter : IL MARQUE UNE ÉPOQUE. Les belles choses que nous allons pouvoir faire ; MAINTENANT !» Et où il est affirmé que le complot dada-surréaliste mené par Breton, Vaché et Aragon, est sur le point d'éclater : «Je crois me souvenir que, d'accord, nous avions résolu de laisser le MONDE dans une demi-ignorance étonnée jusqu'à quelque manifestation satisfaisante et peut-être scandaleuse. [...] Comme ce sera drôle, si ce vrai ESPRIT NOUVEAU se déchaîne !»

Breton a beau se sentir proche de l'auteur du *Poète assassiné*, auquel il a consacré une étude publiée dans la revue genevoise *L'Éventail*, il se démarquera d'Apollinaire dont il pense avoir dérobé le secret de la poésie. En avril 1919, détournant un article de journal à la manière d'Isidore Ducasse, il introduira le nom d'Apollinaire dans un fait divers : Guillaume Apollinaire, gardien de travaux, dévoué et héroïque, enseveli sous les décombres d'une maison peu solide.

Durant la Grande Guerre, le lyrisme d'Apollinaire, le dépouillement de la revue *Nord-Sud* de Pierre Reverdy et certaines audaces formelles de la revue *SIC* de Pierre Albert-Birot incarnent la poésie moderne. *SIC* et *Nord-Sud*, se réclamant d'Apollinaire, accueillent à bras ouverts les jeunes Louis Aragon, André Breton et Philippe Soupault. Mais autant *SIC* – où les futuristes Severini et Folgore côtoient le dadaïste zurichois Tristan Tzara ou le poète catalan Joan Pérez-Jorba – semble éclectique, autant *Nord-Sud* défend une poétique stricte. Cela n'empêchera pas Reverdy de se sentir trahi par son faux frère Max Jacob ou plagié par ses «disciples» Paul Dermée et Vicente Huidobro. Notons que Joan Miró a peint en 1917 une étrange nature morte intitulée *Nord-Sud*, où un livre de Goethe et la revue de Reverdy avoisinent un chardonneret en cage.

Mais quand Guillaume Apollinaire meurt et que les canons se taisent, une guerre de succession s'ouvre. Qui remplacera le poète ? Quelle revue prendra la relève de *SIC* et de *Nord-Sud* ? De nombreux prétendants se pressent : Blaise Cendrars, Jean Cocteau, Max Jacob, Pierre Reverdy, Paul Dermée, etc. Picabia, qui a ausculté la situation depuis Barcelone, New York et Zurich, est résolu à jouer les trouble-fête. Mais les plus prompts à bondir seront Aragon, Soupault et Breton, des outsiders, des «jockeys camouflés» qui ont fait leurs classes dans *SIC* et *Nord-Sud*. Ce sera *Littérature*, la revue fondée par le trio dada-surréaliste, qui empochera la mise.

Le triumvirat Aragon-Breton-Soupault retiendra d'Apollinaire la conjonction du merveilleux et du quotidien. En revanche, il substituera à la fantaisie des *Mamelles de Tirésias* l'idée de l'humour noir et remplacera la poétique de la surprise de *Calligrammes* par les précipités de l'écriture automatique. Quant à l'idée apollinarienne d'«esprit nouveau», reprise par Paul Dermée lors de la fondation de la revue du même nom, et qui servira d'étendard à Amédée Ozenfant et à Le Corbusier, elle aura une tout autre acception dans *Littérature* qui, sous le titre «L'Esprit nouveau», proposera à ses lecteurs le premier procès-verbal de hasard objectif. Rappelons-en le propos : Aragon, Breton et Derain qui se retrouvent au café des Deux-

Magots constatent qu'ils viennent, successivement, de manquer leur rencontre avec la même jeune femme, dont chacun avait pu observer la dérive rue Bonaparte ou devant la grille de l'église Saint-Germain-des-Prés. C'est ce non-événement qui fait événement. Car la coïncidence des trois non-rencontres produit une durée significative, une durée automatique. La déconvenue de trois amis face à une jeune fille d'une beauté peu commune, « avec on ne sait quoi dans le maintien d'extraordinairement *perdu* », face à un « véritable sphinx », qui ne les a pourtant pas interrogés, c'est cette déconvenue qui accouchera du premier récit de hasard objectif. Le surréalisme, jusque dans la rue, traque l'automatisme.

Message automatique, écriture automatique, dérive urbaine, scandale dada, hasard objectif, récit de rêve, invention de l'objet, jeu du cadavre exquis, jonction de la poésie et de la révolution, tels sont les pratiques ou les principes du dada-surréalisme, qui tranchent nettement avec l'héritage d'Apollinaire et du cubisme, et même avec le futurisme. La machine de guerre de la revue *Littérature* réussit à disqualifier les gens de lettres grâce à l'enquête « Pourquoi écrivez-vous ? », à requalifier la poésie avec Isidore Ducasse, à obtenir le renfort de Tzara puis de Picabia, et surtout à construire contre vents et marées une association libre d'individualités fortes, à regrouper donc des poètes et des artistes, tels que Paul Éluard, Benjamin Péret, Robert Desnos, Man Ray ou Max Ernst, tout en s'appuyant sur Chirico, Duchamp et Picasso.

Étant donné la percée dada-surréaliste de *Littérature*, puis la forte vague de *La Révolution surréaliste*, que se passe-t-il à Barcelone, à la même époque ? Il est certain qu'à Barcelone, comme à Madrid d'ailleurs, on ne prendra pas la mesure, durant les années vingt, du chambardement surréaliste à Paris, pour la bonne raison qu'on n'y est pas encore sorti de l'auberge apollinarienne et qu'on n'y voit pas très bien ce qui distingue Breton et Compagnie de Cendrars, Cocteau, Max Jacob, Reverdy, Dermée, Ozenfant ou Le Corbusier. Les courants ultraïstes ou avant-gardistes des revues *Ultra* (Oviedo), *Grecia*, *Gran Guignol* (Séville), *Cosmópolis*, *Reflector*, *Perfiles*, *Ultra*, *Tableros*, *Horizonte*, *La Pluma*, *Vértices*, *Tobogán*, *Plural* (Madrid), *Los Raros*, *Prisma*, *Proa* (Buenos Aires), *Casa América-Galicia*, *Alfar* (La Corogne), *Actual* (Mexico), *Andamios*, *Dinamo* (Santiago du Chili) composent une mosaïque où le futurisme le dispute à Dada, Apollinaire au simultané, le construit au moderne, l'extrême au baroque, le vertical au vertige, l'idée au son ou à l'image. Cela rappelle assez l'éclectisme de la revue *SIC* d'Albert-Birot. Tous ces courants ne perçoivent pas, ou ne veulent pas reconnaître, la rupture dada-surréaliste. Ils affichent une attitude avant-gardiste, ils restent pré-dada-surréalistes ou anti-dada-surréalistes. C'est pourquoi, *a contrario*, il faudrait dire en passant que le surréalisme n'est pas une avant-garde.

Pour mieux suivre la démonstration, prenons trois noms qui comptent à Madrid, Barcelone ou Paris : Guillermo de Torre, Vicente Huidobro, Ramón Gómez de la Serna.

Le *Manifeste vertical ultraïste* de Guillermo de Torre exalte la synthèse de tous les « ismes », l'apollinien selon Nietzsche et le lyrisme selon Apollinaire, la négation dada et la création de Huidobro, le sans-fil et le cinéma, le futurisme de Marinetti et le nunisme d'Albert-Birot, etc. Mais à poursuivre cette difficile synthèse, Guillermo de Torre et les ultraïstes manqueront le moment dada-surréaliste. Pour Vicente Huidobro, en dépit de sa profession de foi créativiste et de sa querelle avec Reverdy, il partage avec ce dernier, un mouvement de recul, une certaine défiance vis-à-vis du groupe dada-surréaliste. Quant à Ramón Gómez de la Serna, s'il est intronisé dans *Littérature* de septembre 1919, avec une présentation conséquente de son œuvre par Valery Larbaud et la traduction d'une douzaine de « Criailleries », sa participation au dada-surréalisme ne dépassera pas ce stade. Il sera même épinglé par Paul Éluard dans *La Révolution surréaliste* à propos de Lautréamont.

Ce cadre général ultraïste et avant-gardiste étant fixé, on ne sera pas étonné que Barcelone, en dépit de son particularisme catalan et noucentiste, ne participe pas au premier chef à l'aventure dada-surréaliste. Consultons *Projet d'histoire littéraire contemporaine*, l'historiographie du dada-surréalisme écrite autour de 1922-1923 par Aragon, qui comprend outre un plan détaillé une vingtaine de chapitres, dont l'un est consacré à Albert-Birot : « Pendant toute la guerre la France a eu deux grands hommes : le général Joffre et Pierre Albert-Birot. Ce ne sera pas le moindre étonnement, pour ceux qui se reporteront aux écrits de cette singulière époque, que de voir de quel prestige le directeur de *SIC* a joui si longtemps. Prestige de scandale [...] Et tout naturellement prestige tout court : surtout à l'étranger. C'est une chose particulièrement déconcertante de voir quel rôle on prêtait à P. Albert-Birot, quelle place on lui donnait. En Espagne, particulièrement : on verra dans la revue *L'Instant*, d'abord dirigée par Pérez-Jorba, puis passée en d'autres mains, et devenue alors une sorte de magazine littéraire, avec de nombreuses reproductions de tableaux, combien de fois Pierre Albert s'entendit traiter de génie. Il se faisait des études sur lui ; Reverdy passait pour son disciple. Il collaborait avec toutes les revues d'avant-garde du vieux et du nouveau continent. Je me souviens d'une lettre que m'écrivait un Portugais vers 1918 : votre chef d'école, disait-il, le Grand Birot. Et ainsi de suite. »

En dépit de son ironie, il faut prendre à la lettre l'appréciation d'Aragon. Pendant que le dada-surréalisme triomphe à Paris et balaie l'influence des Reverdy, Huidobro, Dermée ou Albert-Birot, c'est spécialement ce dernier qui alimentera l'avant-gardisme et l'ultraïsme en Espagne et en Amérique latine, et pour une bonne part, via Barcelone, via les revues catalanes, via *L'Instant*, via Pérez-Jorba. Joan Pérez-Jorba, Catalan installé à Paris, collaborateur régulier de *SIC*, fonde en juillet 1918 *L'Instant, Revue franco-catalane d'art et de littérature*. Dès le premier numéro, le ton francophile est donné. Il s'agit de rapprocher «la belle France aux blonds cheveux bouclés et ceux de la brune Catalogne aux bras vigoureux et forts». Ou encore, cette double image futuriste et classique : «Le moment est venu sur les ailes de l'aéroplane du temps qui nous enjoint de nous rassembler sous l'arbre de la culture occidentale.» Signalons que Miró réalisera, en 1919, un projet de couverture pour *L'Instant*, une affiche radieuse et colorée jouant sur les motifs décoratifs et les mentions : «L'INSTANT, AVIAT, *Revista Quinzenal*, Paris/Barcelona».

Zélateur d'Albert-Birot, Pérez-Jorba lui consacre un essai en 1920. Voici quelques indications sur la conquête de l'ancien et du nouveau monde hispanique par Albert-Birot. «La Légende d'Oro», poème narratif entrecoupé de poèmes à crier et à danser, est traduite dans *Grecia* de février 1920 par Jorge Luis Borges. Le *Manifeste vertical* de Guillermo de Torre communie avec le nunisme d'Albert-Birot : «Nunisme : exaltons triomphalement la vibration simultanéiste du moment !» À Mexico, le *Comprimé stridentiste* de Manuel Maples Arce en fait presque autant. Si Albert-Birot participe à *L'Instant* – titre ô combien nuniste –, il cst aussi traduit en catalan, dès 1917, dans *La Revista* et *Troços* – qui deviendra *Trossos* –, puis dans *El Cami* et *Terramar*.

Plaque tournante des revues futuristes puis des revues catalanes, *SIC* engage un dialogue permanent avec l'Italie ou Barcelone. Quand Albert-Birot passe en revue, en juin 1918, *Vell i Nou*, *La Revista, Trossos, El Cami* ou *Iberia*, il distribue les bons ou les mauvais points. Ainsi, après avoir salué le fondateur de *Troços*, J. M. Junoy, l'auteur du calligramme «Guynemer» apprécié par Apollinaire, et avoir noté que «c'est à Barcelone, la ville vivante» que *SIC* «a trouvé le plus d'amis», il avoue que le dernier *Trossos* de J. V. Foix, à quelques illustrations près, est du *SIC* tout craché. En octobre 1919, il recensera trente-six revues, dont seize de Paris, dix de province, deux d'Italie, une d'Écosse, une de Belgique et – cela ne nous étonnera pas – six publications de Catalogne : *L'Instant, Terramar, La Revista, Vell i Nou, Los Estados Unidos, La Publicidad*. À propos de *Terramar*, il félicite Pérez-Jorba et Junoy : «Ces deux têtes-là auront fait beaucoup pour qu'il n'y ait plus de Pyrénées.» Mais il laisse aussi éclater son dépit : «Les Catalans font très bien les choses, ils font ce qu'on ferait en France si on pouvait y faire quelque chose.» En effet, dans cette copieuse revue des revues, pas un mot n'est dit sur *Littérature*, l'organe dada-surréaliste qui défraie la chronique à Paris. Le directeur de *SIC* peut se consoler : il signale que *La Publicidad* lui a consacré toute une page.

Le «Thermomètre littéraire de *SIC*» de mars-avril 1919 est la dernière tentative de diversion d'Albert-Birot face à l'irrésistible ascension des dada-surréalistes. Sur ce thermomètre gradué sont notées une trentaine de revues et une dizaine d'ouvrages, avec ce tiercé de tête : 1er Picabia (*391*), 2e Tzara (*Dada 3*), 3e Reverdy (*Les Jockeys camouflés*). *L'Instant* est bien placé, à la hauteur de revues italiennes comme *Noi* ou *Valori Plastici*. Mais les jeux sont faits à Paris. *SIC* n'est plus dans la course. Reverdy s'éloigne des uns et des autres. En janvier 1920, le dadaïste de Zurich sera accueilli comme un messie par le trio Aragon-Breton-Soupault. Quant à Picabia, c'est le moment de rappeler qu'il fondait, en janvier 1917 à Barcelone, la revue *391*, où il maniait dans ses poèmes et dessins l'insolence et approvisionnait en potins quelques initiés de Barcelone, Paris ou New York.

De retour à New York, Picabia donnera dans *391* une image assez peu ragoûtante de Barcelone et de ses artistes : «Barcelone – À ses pieds, la mer […]. À son chef, Montjuich […]. Et, grouillant par tout son corps de vieille tata qui se sucre la gaufre, des hommes. Des hommes qui pas plus ici qu'à New York, Paris, Petrograd, Londres, Pékin, ailleurs ne sont beaux à regarder ni bons à sentir.» Puis vient une violente charge contre les artistes et pour finir contre les intellectuels, dont il dénonce la duplicité : «Comme toute ville de mauvaise vie, Barcelone est pleine de morpions et d'intellectuels, les intellectuels d'ici sont à sang froid, ils préfèrent au viol l'onanisme ; au bain, la crasse ; à l'affirmation périlleuse, le jeu subtil des insinuations contradictoires.»

En novembre 1922, les deux principaux animateurs de *Littérature*, Picabia et Breton, séjournent à Barcelone. Breton préface l'exposition Picabia chez Dalmau et prononce une conférence à l'Ateneo, «Caractères de l'évolution moderne et ce qui en participe». Mais son séjour à Barcelone est gâché car sa femme Simone, qui l'accompagne, tombe malade. Toutefois, il peut admirer pour la première fois des toiles de Miró, ainsi que la Sagrada Familia de Gaudí, comme en témoigne la carte postale adressée à Picasso : «Connaissez-vous cette merveille ? […] Ici, je vous cherche un peu sans vous trouver.»

Dans les années vingt, ce qui fera événement à Barcelone ce n'est pas la brève équipée de Picabia-Breton de 1922, c'est la venue de Le Corbusier en mai 1928. Si au sortir de la guerre, Albert-Birot est un bon modèle pour les Catalans modernistes et les ultraïstes, un autre modèle plus puriste s'imposera vite à Barcelone et à Madrid, sur un mode majeur, celui des artistes et architectes de *L'Esprit nouveau*, et sur un mode mineur, celui du médecin lyonnais Malespine dont la revue *Manomètre*, «indique la pression sur tous les méridiens». Le Corbusier, accueilli avec ferveur en 1928 par les étudiants en architecture de Barcelone, le leur rendra bien, puisqu'il marquera de son empreinte le centre historique de la ville avec son Plan Macià de 1932-1934. Fin août 1932, André Breton, à l'invitation de Salvador Dalí, se rend à Cadaqués. Mais son séjour sera abrégé par «les mouches, moustiques et cafards de toute espèce», comme il s'en plaint dans des lettres à Thirion et Tzara. Sachant que Breton n'aura franchi les Pyrénées que deux fois dans sa vie, que faut-il penser de ses incursions en Catalogne ?

Remontons à septembre 1918. À cette date, Breton demande à Aragon de ne pas trop écrire dans «les petites revues» comme *SIC* ou *L'Instant*. Il a des préventions contre Albert-Birot et son disciple Pérez-Jorba. En avril 1919, il écrit à Tzara : «Il y a une catégorie de gens que je ne puis voir : ce sont ceux qu'en souvenir de Jarry j'appelle dans l'intimité des "palotins". Tels sont Cocteau, Birot, Dermée.» En ce qui concerne Pérez-Jorba, Breton n'hésite pas à tailler dans deux pages de *L'Instant* de décembre 1918 pour agrémenter la lettre-collage à Jacques Vaché du 13 janvier 1919 d'un pliage en accordéon, lettre-collage confectionnée dans l'ignorance de la mort de son destinataire.

Breton, lors de sa conférence du 17 novembre 1922, donne, comme en passant, son sentiment sur Barcelone, un sentiment où se mêlent l'embarras et la retenue. Le retient de se prononcer, son «ignorance parfaite de la culture espagnole, du désir espagnol». L'attirent et le déconcertent, la Sagrada Familia, le climat et les Barcelonaises. L'évocation de la Sagrada Familia exprime assez bien l'ambivalence de Breton : «[...] une église en construction qui ne me déplaît pas si j'oublie que c'est une église.» Cette note antireligieuse, il la partage avec l'auteur de *Jésus-Christ rastaquouère*. Justement, Breton en profite pour révéler le sentiment de son «grand ami Francis Picabia [pour] l'Irlande du Nord de l'Espagne», Picabia présenté par Dalmau comme «le plus sceptique des peintres» : «[...] Picabia qui se voudrait insensible et dont le cœur est un peu pris par ce pays.» Dernière touche au tableau : Breton «aime à croire aussi» que Pablo Picasso «se souvient» de la Catalogne. Au fond, ni Breton, ni Picabia, ni Picasso ne sont indifférents à Barcelone.

Aux antipodes d'une manifestation dada, la conférence de Barcelone analyse de façon étincelante la sensibilité dada-surréaliste. Breton n'entend pas convaincre l'auditoire mais toucher de rares individus : «Il y a peut-être parmi vous un grand artiste ou, qui sait, un homme comme je les aime qui, à travers le bruit de mes paroles, distinguera un courant d'idées et de sensations pas très différent du sien.» Au bout du compte, il ne sera entendu que par Cassanyes qui publiera, dans *La Publicidad*, un article favorable à Breton et Picabia, article repris dans *Littérature*. L'expédition Picabia-Breton aura donc tourné court. De plus, le projet de publier à Paris la conférence, augmentée de reproductions et de poèmes, et celui d'éditer chez

Dalmau «Le Volubilis et je sais l'hypoténuse», poème écrit par Breton à Barcelone, ces deux projets tomberont à l'eau. À ce propos, relisons la fin de ce long poème :

> «*C'est la Nouvelle Quelque Chose travaillée au socle et à l'archet de l'arche*
> *L'air est taillé comme un diamant*
> *Pour les peignes de l'immense Vierge en proie à des vertiges d'essence alcoolique ou florale*
> *La douce cataracte gronde de parfums sur les travaux*».

La Sagrada Familia de Gaudí ne transparaît-elle pas dans ces vers ? N'est-elle pas «l'immense Vierge en proie à des vertiges d'essence alcoolique ou florale» ? N'est-ce pas «la Nouvelle Quelque Chose» de Barcelone «travaillée au socle et à l'archet de l'arche» ? Une douce cataracte de parfums ne gronde-t-elle pas sur les travaux de Gaudí ? Quoi qu'il en soit, en 1950, Breton n'hésitera pas à déclarer à José Valverde : «Goya était *déjà* surréaliste, au même titre que Dante, ou qu'Uccello, ou que Gaudí.» Gaudí surréaliste ? Breton l'avait-il décrété dès 1922 ou en a-t-il pris conscience au contact de Dalí ? En tout cas, le 5 septembre 1952, Péret reconnaît à son tour le génie de Gaudí dans l'hebdomadaire *Arts* : «Avec Gaudí, pour la première fois, la poésie fait irruption dans l'architecture, l'envahit et la transforme de fond en comble. [...] Au parc Güell, [...] l'architecture de statique devient dynamique, la pierre s'anime et, prise de frénésie, saute, rampe et s'envole. [...] la Sagrada Familia montre le christianisme exalté d'un poète s'exprimant dans la pierre [...] débordant de la passion qui emporte ses édifices comme dans une tempête.»

Le surréalisme ne fait pas de vagues en Catalogne au cours des années vingt. Dans *La Publicidad* du 25 février 1925, Josep Pla présente le *Manifeste du surréalisme* comme un manifeste littéraire, romantique et freudien. Lluís Montanyà s'exprime à deux reprises sur le surréalisme dans *L'Amic de les Arts*. L'article de janvier 1927, illustré d'un dessin de Miró, rend compte du *Paysan de Paris* d'Aragon et de *La Mort difficile* de Crevel, mais à la lumière de Valéry et Cocteau. En juin 1928, le texte plus ample, accompagné de deux reproductions de Miró, se veut un panorama du surréalisme : naissance, principes et développement, résultats effectifs ; toutefois, si le surréalisme «a répondu à une nécessité impérieuse du moment», Montanyà n'est pas prêt à s'abandonner à ce «néo-romantisme frénétique et délirant». Peu avant cet article de fond, Sebastià Gasch publiait dans *La Veu de Catalunya* une recension du *Surréalisme et la Peinture* d'André Breton. On sent toutefois comme un frémissement du surréalisme à Barcelone. En juin 1928, Josep Maria Junoy traduit et publie dans *La Nova Revista* des poèmes d'Éluard. À la même date, J.V. Foix, sous le titre «Magie blanche : *Nadja*», donne dans *La Publicidad* une image assez fidèle du récit de Breton bien que, pour sa part, il qualifierait volontiers le livre de « réaliste ». Enfin, la revue *Hèlix* de février 1929 propose deux passages de *Poisson soluble* avec, on s'en doute, une illustration de Miró.

Revenons à Paris. Mais pour mieux situer l'entrée discrète de Miró dans le groupe surréaliste, avec son exposition à la galerie Pierre de juin 1925 préfacée drôlement par Benjamin Péret, puis l'entrée en scène fracassante à Paris de Dalí et Buñuel en 1929, il ne faut pas oublier que le dada-surréalisme, avant d'être une rencontre, somme toute problématique, avec le public, est la découverte d'une identité plurielle. Sans une association libre et hasardée de poètes et d'artistes, il n'y a ni groupe, ni esprit, ni réalisation surréaliste.

Il faudrait appeler « collagisme » la forme et la pratique de l'identité collective dans le dada-surréalisme. En juin-juillet 1918, Breton monte de toutes pièces le poème « Pour Lafcadio » en empruntant à Rimbaud, Vaché, Fraenkel, des mots, des expressions, légèrement rectifiés, tout en révélant à la fin du poème son métier de collagiste :

> *« Mieux vaut laisser dire*
> *qu'André Breton*
> *receveur de Contributions Indirectes*
> *s'adonne au collage*
> *en attendant la retraite ».*

C'est aussi l'époque où il expédie des lettres-collages-pliages. Il confectionne pour ses amis un pêle-mêle de découpures de journaux ou d'emballages, de citations manuscrites et de brèves nouvelles personnelles. Outre le poème-collage et la lettre-collage, il invente aussi le recueil-collage en intitulant son premier recueil de poèmes *Mont de piété*. Le titre *Mont de piété*, sans traits d'union, condense deux sens : crédit sur gages et pic de dévotion. Dans ce recueil, où Breton se recueille, le collagiste, l'emprunteur sur gages voue un culte à ceux qu'il a eu l'occasion d'admirer et de piller – Mallarmé, Gide, Derain, Valéry, Vaché, et surtout Rimbaud. Se situera dans le droit fil de *Mont de piété*, lors de l'Exposition internationale du surréalisme de 1947, l'installation de douze autels consacrés à des êtres ou des objets mythiques, comme « Léonie Aubois d'Ashby » (émanation du poème « Dévotion » de Rimbaud), le « Soigneur de gravité » (auquel Duchamp a assigné une place dans *Le Grand Verre*), ou la « Chevelure de Falmer » (chevelure sanglante des *Chants de Maldoror*).

Le collagisme dada-surréaliste, dont la lettre-collage représente une forme externe, s'accomplit aussi à l'intérieur de soi, par introjection ou incorporation d'une seconde, d'une troisième, voire d'une quatrième identité. C'est ainsi que peut se constituer, par un processus d'agglomération interne et d'agglutination externe, un duo, un trio, un quatuor, voire un quintette dada-surréaliste. On ne comprendrait rien à l'amitié et à la furie

propres au groupe dada-surréaliste si on ne décelait pas chez chaque participant la faculté de s'agréger des êtres chers, morts ou vifs. Nous ne sommes pas loin de la possession chamanique. Le dada-surréaliste est un être à deux têtes, à trois têtes, à dix têtes, à cent têtes. Breton fera l'aveu, dans le *Manifeste du surréalisme*, de son collage passionnel avec Vaché : « Vaché est surréaliste en moi. » De même le comportement des deux scripteurs des *Champs magnétiques* est manifestement collagiste : Breton et Soupault veulent être les appareils enregistreurs, les sténographes d'une parole intérieure ; ils se comparent eux-mêmes à deux pagures ou bernard-l'ermite, à deux crustacés logeant dans des coquilles abandonnées et échangeant leurs voix ; la raison commerciale « André Breton & Philippe Soupault/Bois & Charbons » qui est affichée à la fin des *Champs magnétiques* désigne des duettistes, deux associés la main dans la main.

Du côté de Cadaqués et de Barcelone, le collagisme passionnel fait d'abord des ravages dans le couple Dalí-Lorca (« Ô Salvador Dalí à la voix olivée ! »). Puis, prenant le relais, le collagisme formel, passionnel et temporel, sévira dans le duo Dalí-Buñuel qui inventera ni plus ni moins le cinéma surréaliste.

Il y a trois sens du mot collage. Premier sens, le plus connu : le collage spatial. C'est le sens formel du collage. Partant d'éléments disparates, on aboutit à une contiguïté artificielle. Deuxième sens, plus argotique : le collage passionnel. C'est le sens intuitif et collectif du collage, c'est l'union libre des corps, l'association libre des esprits, le désir amoureux avec toutes ses variantes fouriéristes. Troisième sens, plus poétique, existentiel et historique : le collage temporel. C'est la survenue de coïncidences. À un moment donné, des micro-événements viennent s'ajuster les uns aux autres, comme s'ils contredisaient le cours habituel des choses. Ainsi se produit une contiguïté de faits inattendus, que les surréalistes nomment « hasard objectif », et qu'on pourrait appeler « magnétisation des durées ou collage des âges ».

Le collagisme surréaliste est à l'œuvre dans les revues, les expositions, les tracts, les interventions publiques, les jeux, les expériences collectives. Ni le temps ni la distance ne sont des obstacles. On ne s'étonnera pas que le surréalisme de Cadaqués ou Barcelone débarque à Paris. C'est là l'effet boomerang, dont Dalí et Buñuel sont porteurs.

En 1929, le collagisme surréaliste craque de toutes parts. Desnos, Leiris, Masson, Limbour, Baron n'adhèrent plus à Breton, Éluard et Aragon. Ils se rapprochent de Bataille et de la revue *Documents*. C'est le moment où l'on peut le mieux apprécier l'apport de Miró et Dalí. À la fin du dernier numéro de *La Révolution surréaliste* de décembre 1929 figure une liste chronologique des publications collectives (tracts, catalogues d'expositions, brochures). Cette liste démarre avec le fameux tract « Un cadavre » saluant la mort d'Anatole France et s'achève avec l'exposition Dalí, préfacée par Breton qui estime avec le peintre de Cadaqués que pour supprimer les arbres qui obturent notre champ de vision, il faut exercer « notre pouvoir d'*hallucination volontaire* ». Or la première des treize expositions surréalistes recensées n'est autre que celle de Miró, préfacée par Péret. Mais autant l'étoile Miró s'évanouira peu à peu dans le paysage surréaliste pour resurgir en 1958 sous forme de *Constellations* dans la poésie de Breton, autant la paire Dalí-Buñuel marquera et ne cessera de tourmenter l'imaginaire surréaliste.

On trouve, dans six livraisons de *La Révolution surréaliste*, huit reproductions de Miró qui illustrent de préférence des textes de Péret. Il n'est pas étonnant qu'un dessin de Miró serve de frontispice au recueil de contes... *Et les seins mouraient...* de Péret. Ce dernier, en mars 1929, depuis le Brésil où il réside, parlera avec entrain de Miró dans un journal de Sao Paulo, en le rapprochant de Félix le Chat et du burlesque américain : « Si je vois un gigot rôti danser et voleter au rythme des éclairs, il m'est impossible de ne pas penser qu'il vient d'une *Ferme* ou d'un *Paysage catalan* de Miró. » Notons tout de suite que Miró adoptera une position de retrait dans la vie du groupe. Il ne signera aucune déclaration collective. D'ailleurs, en mars 1929, estimant qu'il ne pouvait « se soumettre à une discipline de caserne qu'une action commune exige à tout prix », il s'abstiendra de participer à la réunion de la rue du Château, défiant ainsi Breton et ses amis. De plus, n'oublions pas qu'en mai 1926 la participation de Miró et Max Ernst au ballet *Roméo et Juliette* fut violemment contestée par Aragon et Breton, qui signèrent un tract vengeur dans *La Révolution surréaliste*.

Non seulement Miró n'est pas docile mais il est pour ainsi dire annexé par *Documents*. En octobre 1929, Michel Leiris, dans un long article, voit dans Miró un ascète thibétain doublé d'un paysan madré faisant le vide dans son esprit pour dissoudre ou recréer l'espace de sa toile. L'année suivante, Carl Einstein insiste sur le dépouillement et la simplicité de ses papiers collés. Quant à Bataille, rappelant que Miró voulait « tuer la peinture », il observe dans le parcours du peintre un cycle de germinations et de décompositions ou de « traces d'on ne sait quel désastre ». En fait, la revue *Documents*, qui reproduit en moins d'un an quatorze œuvres de Miró, offre une interprétation alternative à celle de burlesque ou d'automatisme avancée par Péret et Breton.

L'adhésion au surréalisme du duo Buñuel-Dalí n'est pas mitigée, comme chez Miró, elle est violente, forcenée, à l'image des deux films surréalistes qu'ils réalisent. Il y a, dans les plans d'*Un chien andalou* et de *L'Âge d'or*, une objectivation du désir, une clinique des durées automatiques, à l'instar des photographies de *Nadja* ou d'un procès-verbal de hasard objectif.

C'est pourquoi Buñuel désavoue solennellement la publication du scénario d'*Un chien andalou* dans *La Revue du cinéma*, dont les collaborateurs comme Georges Ribemont-Dessaignes, Robert Desnos ou Philippe Soupault sont en conflit ouvert avec Breton, et déclare qu'« *Un chien andalou* n'existerait pas si le surréalisme n'existait pas ». C'est pourquoi Dalí n'autorise pas la reproduction dans *Documents* du tableau *Le Jeu lugubre*, dont Bataille fera la psychanalyse en s'appuyant sur un schéma, à défaut de la photo.

Au moment où les surréalistes se tirent dessus, Breton dispose en la personne de Dalí d'un renfort inespéré, d'un fou hors du commun, d'un surréaliste de choc. Paradoxalement, le surréalisme, qui entre dans sa période d'occultation, sera renouvelé sinon perturbé par un peintre obsessionnel, obscène et inventif, un théoricien hypercritique et humoristique, un poète lyrique et provocateur, un adepte de la surenchère, une personnalité secrète et même timide empruntant son costume au plus bouffon des exhibitionnistes. De 1930 à 1937, non seulement Dalí est omniprésent dans *Le Surréalisme ASDLR* et *Minotaure*, mais il illustre plusieurs ouvrages des membres du groupe et publie quatre livres sous le label des « Éditions Surréalistes ». Il peut compter sur le soutien de René Crevel qui lui consacre un essai et, curieusement, sur celui de Paul Éluard dont il a pourtant ravi l'épouse, Gala. Cette dernière, qui est à la fois le modèle et la correctrice, l'imprésario et l'inspiratrice, sert de trait d'union entre l'ancien et le nouveau compagnon, si on en juge par les lettres troublantes et brûlantes qu'Éluard a adressées à Gala. Aussi il paraît bien naturel que le théoricien de la paranoïa critique soit chargé par exemple de dresser le catalogue général des objets surréalistes.

Le surréalisme est réputé pour son régime d'exclusions. Mais avec Dalí, la parodie de l'exclusion évite l'exclusion. Dans une lettre du 23 janvier 1934, Breton accuse Dalí d'antihumanisme, d'académisme et surtout d'hitlérisme. Le peintre répond. Malgré cela, il est convoqué rue Fontaine, plusieurs surréalistes ayant réclamé son exclusion. Le 5 février, l'hypocondriaque Dalí se présente chaudement habillé, un thermomètre à la bouche. Pendant le débat, il se dépouille peu à peu de ses vêtements, vérifie sa température. Il s'agenouille devant Breton en jurant que son obsession hitlérienne est maldororienne et non politique. Breton interrompt le strip-teaseur, le bonimenteur de cirque : « Allez-vous continuer longtemps à nous emmerder avec votre Hitler ? » Face à cette injonction, Dalí ressort l'argument de l'irresponsabilité du poète surréaliste, envisagé dans le *Manifeste* et utilisé lors des poursuites contre « Front rouge », et l'applique à son propre cas : « André Breton, si je rêve cette nuit que je fais l'amour avec vous, demain matin je peindrai nos meilleures positions amoureuses avec le plus grand luxe de détails. » Breton, furieux, grommelle : «Je ne vous le conseille pas, cher ami. » Un éclat de rire général accueille l'ultime pirouette du peintre, mettant les rieurs, jusque-là accusateurs, de son côté.

Mais le génie de Dalí, qui allie un esprit de finesse paranoïaque et un exhibitionnisme ascétique, se corrompra ou se dissoudra dans sa quête de dollars, ce qui le mettra en porte-à-faux avec la morale surréaliste. Quant aux positions artistiques, politiques et religieuses que la vedette internationale Dalí développera pendant et après la guerre civile espagnole, on peut les éclairer en revenant sur son entrée dans le surréalisme tout en posant cette question décisive : pour égaler le génie du Catalan Gaudí, Dalí n'a-t-il pas opéré la synthèse de l'Esprit nouveau et du surréalisme, n'a-t-il pas confectionné le collage ou le cadavre exquis Breton-Le Corbusier ?

Situons-nous en 1927. La revue de Dermée et Seuphor, *Documents internationaux de l'Esprit nouveau*, réclame une fédération des avant-gardes, une internationale de l'Esprit nouveau foncièrement décentralisatrice. Tous les «ismes» sont convoqués et réconciliés : futurisme, expressionnisme, cubisme, dadaïsme, purisme, constructivisme, néoplasticisme, surréalisme, abstractivisme, babilisme, soporifisme, mécanisme, simultanéisme, suprématisme, ultraïsme, panlyrisme, primitivisme, et tous les ismes à venir. Telle phrase de Dalí publiée dans *L'Amic de les Arts* de novembre 1927 a une tonalité dada-surréaliste : «Un matin j'ai peint avec du *ripolin* un nouveau-né que j'ai ensuite laissé sécher sur le court de tennis. » Mais Dalí est aussi un lecteur et admirateur de Le Corbusier, au point qu'il publie, en mai 1928, toujours dans la revue de Sitges, un article expressément dédié à Le Corbusier, «un des plus purs défenseurs du lyrisme de notre temps, un des esprits les plus hygiéniques de notre époque. » En fait, le «Manifeste anti-artistique catalan», où le trio moderniste Dalí-Gasch-Montanyà veut réconcilier les courants les plus divers et composer des couples aussi improbables que Picasso et Maritain, Aragon et Cocteau, Desnos et Stravinsky, Chirico et Miró, Le Corbusier et Breton, ce fameux «Manifest Groc» de mars 1928, n'est pas si éloigné de la plate-forme de Dermée et Seuphor. En ce qui concerne le couple Le Corbusier-Breton, gageons que c'est une obsession de Dalí. D'ailleurs, la synthèse de Breton et Le Corbusier serait tout un programme pour comprendre l'entre-deux-guerres, comme l'a écrit le pénétrant Walter Benjamin dans son livre sur les passages parisiens : «Comprendre ensemble Breton et Le Corbusier, cela voudrait dire tendre l'esprit de la France d'aujourd'hui comme un arc qui permet à la connaissance de frapper l'instant en plein cœur. »

On perçoit dans *L'Amic de les Arts* de mars 1929 un bouillonnement collectif dada-surréaliste. Gasch accepte Miró, Picasso, Dalí quand ils assassinent la peinture et il

accepte Le Corbusier à titre d'ingénieur. Il est contre les Ballets russes et pour les revues de girls, rejoignant en fait Soupault dans son essai *Terpsichore*. Le trio Dalí-Gasch-Montanyà salue la figure scandaleuse de Péret et publie en français la fin, un peu désespérée, de *Dormir dormir dans les pierres*. Le plus étonnant est que l'hommage au documentaire et l'insertion de photos de doigts, de jambes de girls et d'un œil d'éléphant donnent l'impression qu'à Sitges on est en avance sur *Documents*, dont la première livraison n'a encore rien de troublant. Mais le numéro dada-surréaliste de Sitges n'aura pas de suite, Dalí s'agrégera plutôt au groupe de Paris. Ce sera l'effet boomerang Buñuel-Dalí.

À Barcelone, c'est J. V. Foix, dont le numéro de *SIC* en mémoire d'Apollinaire recueillit l'hommage en catalan, qui assurera jusqu'à 1936 la promotion du surréalisme dans *La Publicidad* à travers ses chroniques «Meridians» ou «Itineraris». Ses interventions se compteront par dizaines. Foix puise largement dans la revue ou les Éditions Surréalistes. Il en profite pour traduire en catalan Éluard, Tzara, Aragon, Breton ou Reverdy. D'ailleurs, Foix et Éluard travaillent à une *Anthologie du surréalisme*. Mais le projet n'aboutira pas. Sur un plan personnel, Foix est plus catalan que révolutionnaire. Il met la poésie au-dessus de l'engagement politique. Le 12 juillet 1933, il pose clairement la question : «Y a-t-il une école catalane surréaliste ?» La renommée de Dalí et celle de Miró semblent l'attester. Foix focalise alors tout sur Dalí : la peinture du solitaire du cap de Creus n'est elle pas typiquement locale ? Le «réalisme métaphysique» de Dalí n'est-il pas ancré dans la culture et la terre catalanes ? Foix tendrait à le penser, en dépit des dénégations du «sans-patrie» Dalí.

Il est vrai que l'enfant terrible du surréalisme, le solitaire de Port Lligat se déchaîne dans les colonnes du *Surréalisme ASDLR* contre les intellectuels catalans et la Catalogne : «Je crois absolument impossible qu'il existe sur terre (sauf naturellement l'immonde région valencienne) aucun endroit qui ait produit quelque chose de si abominable que ce qui est appelé vulgairement des intellectuels castillans et catalans ; ces derniers sont une énorme cochonnerie ; ils ont l'habitude de porter des moustaches toutes pleines d'une véritable et authentique merde […]» Passons sur les gracieusetés qui suivent et voyons le finale : «Ils dansent des danses réellement "cojonudas" telles que la sardane, par exemple, qui à elle seule suffirait pour couvrir de honte et d'opprobre une contrée entière à condition qu'il fût impossible, comme il arrive dans la région catalane, d'ajouter une honte de plus à celles que constituent par elles-mêmes le paysage, les villes, le climat, etc., etc. de cet ignoble pays. » Après de tels propos, la critique acerbe des artistes de Barcelone par Picabia et l'allusion de Breton au climat en 1922 paraissent anodines.

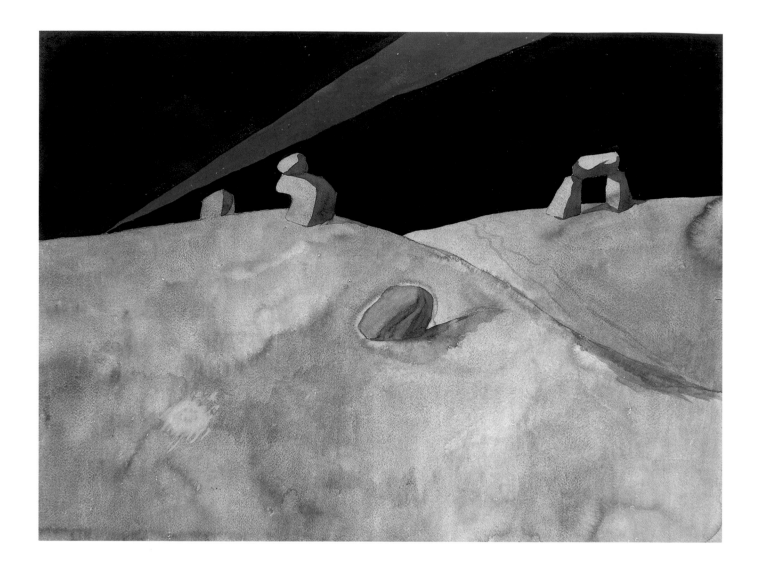

ANDRÉ MASSON
Étude pour *Numance*
(toile de fond),1937
Paris, collection particulière

Mais, on s'en doute, les haines affichées de Dalí sont ambivalentes. Après la mort de Le Corbusier, Dalí en rajoutera dans ses *Entretiens* avec Alain Bosquet : « Le Corbusier a coulé à pic, à cause de son ciment armé et de ses architectures, les plus laides et les plus inacceptables du monde. » Et promettant de fleurir sa tombe tous les ans, il s'écriera : « Plus Le Corbusier est mort et plus je suis vivant ! » Il prétendra même, en 1969, avoir expliqué à Le Corbusier la parenté étymologique du « jouir » de Gaudí et du « désir » de Dalí, jouissance et désir propres au catholicisme et au gothique méditerranéen réinventés et portés aux nues par Gaudí. Il serait d'ailleurs tentant de poursuivre du côté de la « joie » de Freud et du « j'ouïr » de Lacan.

Citons quelques effets du boomerang Buñuel-Dalí : invention du cinéma surréaliste, accent mis sur l'objet, volonté d'automatisme, activité paranoïa-critique, relance du hasard objectif, poursuite des enquêtes et expériences, psychanalyse du politique, complicité Crevel-Dalí, mais aussi surenchère dans la provocation, levée de l'occultation du surréalisme, vente de la « peinture surréaliste ». Chacun de ces points mériterait d'être développé. À Barcelone, dès 1932, l'association ADLAN monte des expositions d'objets dans un esprit ludique. Les imitateurs de Dalí abondent. Miró est à l'honneur dans *D'Ací i d'Allà* en 1934. La revue *Art* de Lérida, à travers Manuel Viola, flirte avec le surréalisme. L'été 1935, les surréalistes Oscar Domínguez et Marcel Jean rencontrent à Barcelone Remedios Varo et Esteban Francés qui participeront à l'Exposition logicophobiste de mai 1936 et envisageront de constituer un groupe surréaliste avec Manuel Viola et A. G. Lamolla. Mais pourquoi Barcelone s'est-elle réveillée surréaliste plus tard que Prague ou Santa Cruz de Tenerife ? Il faut assurément se pencher sur les deux données suivantes. Premièrement, vu la place éminente accordée dans *Le Surréalisme ASDLR* et *Minotaure* au « prince de l'intelligence catalane, colossalement riche » (*Dictionnaire abrégé du surréalisme*, 1938), peut-on parler d'un détournement du surréalisme par Dalí au cours des années trente ? Deuxièmement, la guerre d'Espagne, qui démarre sur un mode libertaire et anticlérical – ce qui réjouit Péret ainsi que le couple surréaliste Mary Low et Juan Breá arrivés à Barcelone en août 1936 –, s'achève dans le cauchemar. Cela pose directement la question de la coexistence de la pensée libertaire et de l'organisation communiste, de la démocratie et du fascisme.

À partir de 1935, le surréalisme s'internationalise. André et Jacqueline Breton se rendent à Prague, puis aux Canaries, en compagnie de Péret. C'est une autre hispanité, totalement inattendue, que Breton découvre en visitant l'île volcanique de Tenerife, en rencontrant les poètes surréalistes canariens et Eduardo Westerdahl, directeur de *Gaceta de Arte*. On peut se demander si, après ce voyage inoubliable décrit dans *L'Amour fou*, la figure vive et familière des Canaries n'a pas supplanté chez Breton l'image plus brouillée de la Catalogne ou de l'Espagne, pourtant associée à Miró, Dalí, Buñuel et Picasso.

En 1930, le trio surréaliste Breton-Buñuel-Dalí s'opposant rudement au trio Bataille-Leiris-Masson de *Documents*, on aurait pu alors parier sur une arrivée en force des surréalistes en Catalogne. Certes, Crevel, en septembre 1931, et Éluard, en janvier 1936, parlent du surréalisme à Barcelone. Mais quel peut être l'apport d'une conférence didactique, comme celle de Crevel, quand Dalí tient surtout à scandaliser le public catalan, conservateur ou anarchiste ? Quant à Éluard, qui accompagne Picasso dont l'exposition s'ouvre à Barcelone, il fait partie du collège mais il adhère un peu moins au collage surréaliste. Tout se passe comme si le solitaire du cap de Creus avait voulu maintenir ses amis surréalistes à Paris et y était parvenu. En revanche, le trio Bataille-Leiris-Masson fait une entrée en force en Catalogne. En juin 1934, André Masson et Rose Maklès s'installent à Tossa de Mar : c'est là que naîtront leurs deux fils. En décembre, ils se marient à Barcelone, avec Miró comme témoin.

Tossa de Mar devient un lieu d'élection et d'expérimentation pour Masson, Bataille, Leiris et Limbour. Tossa, « Babel des arts », selon l'expression de Rafael Benet, accueille beaucoup d'artistes. En mai 1935, Bataille y achève *Bleu du ciel*, où il plante un décor de guerre civile à Barcelone. Ce même mois, Masson entraîne Bataille sur les hauteurs de Montserrat, là où durant une nuit il a éprouvé une extase cosmique. En avril 1936, toujours à Tossa, se produira la naissance d'*Acéphale*.

Rappelons que *Minotaure*, dont Bataille a trouvé le titre, est entre les mains des surréalistes et que Breton et Bataille se réconcilient au moment de Contre-Attaque. Or la seule fois où Bataille intervient dans *Minotaure*, il le fait dans le cadre d'une double contribution Masson-Bataille intitulée « Montserrat » où un texte de Bataille fait écho au poème et aux deux tableaux du peintre retraçant la nuit des prodiges de Montserrat.

Il faut absolument rapprocher « Montserrat » de Bataille-Masson et « Le Château étoilé » de Breton, tous deux publiés dans *Minotaure* de juin 1936, les deux interventions renvoyant à une expérience analogue, extatique et cosmique chez Masson-Bataille, sublime et convulsive chez Breton. Mais l'une se passe en Catalogne et l'autre aux Canaries. Ajoutons que la représentation de *Numance* de Cervantès, qui sera montée à Paris en avril 1937 par Jean-Louis Barrault avec des décors et des costumes de Masson et qui aura une charge mythique, résulte sans doute d'une lettre de Masson à Bataille, écrite depuis Tossa.

Le 22 février 1952, à la salle Wagram, Breton, en compagnie de Sartre, Camus, Char, proteste contre la condamnation à mort de onze syndicalistes espagnols. Il évoque l'atmosphère des grèves de Barcelone de mars 1951 mais aussi, à travers Francisco Ferrer, Goya, *Numance* de Cervantès, Lorca, la «sombre flamme» du génie espagnol. En 1956, *Le Surréalisme, même* publie «Lettre de Barcelone» de Juan Eduardo Cirlot: «Je dois dire qu'en Espagne, le surréalisme est pur néant, secret détesté, mouvement enfermé dans le silence avec les clés de la totale indifférence.» En décembre 1960, un tract du groupe surréaliste conteste le choix par Duchamp d'un tableau de Dalí pour l'Exposition internationale du surréalisme de New York, rappelant que «le peintre fasciste, clérical et raciste», l'ami de Franco, a été exclu du surréalisme «il y a plus de vingt ans».

Il y a un lien secret entre Breton et la Catalogne, qui passe par le peintre catalan Pierre Daura. Comme je l'ai montré dans *L'Imprononçable jour de ma naissance*, André Breton a un double jour de naissance, le 18 et le 19 février 1896. Or Daura, qui avait acquis une maison à Saint-Cirq-Lapopie, dès 1929, et avait pu ainsi côtoyer Breton l'été, de 1950 à 1966, avait le même jour de naissance que le poète. Une lettre de Breton du 28 mars 1956, écrite depuis Saint-Cirq, l'atteste: «[…] j'étais si ému de votre pensée, Pierre Daura, de si loin le premier à élever le verre en l'honneur de notre même anniversaire et de tout ce qui nous unit d'autre, profondément.» Martha, la fille de Pierre Daura, m'a précisé dans une lettre de décembre 1987, que son père était né le 18 ou le 19 février 1896 à Minorque, mais aurait été enregistré, deux ou trois jours après, le 21 février, à Barcelone.

Si tout au long des années trente, le surréalisme transite par New York, Bruxelles, Zurich, Copenhague, Prague, Tenerife, Londres, Tokyo, Santiago du Chili ou Mexico, et évite plutôt l'étape de Barcelone, c'est dû à l'effet boomerang Dalí-Buñuel, à une guerre de positions entre Masson et Dalí, à un curieux chassé-croisé entre Breton qui voyage aux Canaries et Bataille qui passe par Barcelone. Mais l'imaginaire surréaliste reprend ses droits. Il nous fait assister, dans la cité de Gaudí, à une série de combats mythiques entre Jack Johnson et Arthur Cravan, Breton et Bataille, Dalí et Le Corbusier.

ANDRÉ MASSON
Étude pour *Numance*,
1937

la France et la Catalogne :

une histoire culturelle

PAUL AUBERT

LA FRANCE ET LA CATALOGNE :
UNE HISTOIRE CULTURELLE
1888-1937

Les relations franco-catalanes s'intensifient après l'Exposition universelle de Barcelone en 1888 jusqu'à l'importante participation catalane à l'Exposition internationale de Paris en 1937, avant que le dénouement de la guerre civile ne brime, quarante ans durant, le rayonnement politique et culturel de la Catalogne.

À partir de la deuxième décennie du XIXe siècle, Barcelone, qui reçoit initialement l'électricité depuis la France, devient non seulement la ville la plus riche d'Espagne mais encore la plus bourgeoise : elle est tentée de s'affirmer comme l'autre capitale. Elle fait de la Catalogne la région la plus industrialisée, avec le Pays basque. Barcelone est aussi la ville où l'analphabétisme (40 % environ) est moins important que dans le reste de l'Espagne, même s'il est encore deux fois plus élevé qu'en France (18 %). Elle possède aussi le secteur ouvrier le plus développé du pays dont l'expansion constante, au début des années quatre-vingt-dix, se traduit par une plus grande capacité d'organisation et d'action. Ce dynamisme économique et cette tension sociale font de la Catalogne une exception dans l'univers espagnol de la Restauration à un moment où la France est en Espagne à la fois le premier investisseur et le principal intermédiaire culturel (bien que son influence commence à décliner à la veille de la Première Guerre mondiale [1]). C'est alors que Barcelone voulut devenir une métropole et que la Catalogne revendiqua le statut de seule province espagnole qui fût en contact avec l'Europe de son temps, d'autant plus que l'ouverture du canal de Suez lui offrait une projection maritime nouvelle. C'est ainsi que Barcelone, même avant d'être dotée d'une personnalité politique avec la reconnaissance de la Generalitat en 1931, fut la seule ville d'Espagne capable d'organiser des manifestations internationales comme les Expositions universelles de 1888 et de 1929, le Congrès international du PEN Club en 1935 ou les « spartakiades » en 1937.

Ville bourgeoise et ouvrière, ouverte au mouvement anarchiste et au cosmopolitisme, Barcelone est aussi adossée à une région agricole dotée d'une classe dirigeante conservatrice mais entreprenante qui unit politique et esthétique dans son projet identitaire [2].

Le Félibrige et la Renaixença : une fausse analogie

Initialement présenté comme solution « régénérationniste » au blocage de l'État central, le catalanisme fédéraliste de Pi i Margall et de Valentí Almirall, marginalisé par la restauration monarchique de 1875, évolue vers une formulation conservatrice qui, dans les années vingt, sous l'impulsion de ses jeunes intellectuels, devient européanisante. Lorsque la référence fédéraliste du texte fondateur de mai 1883 fut remplacée par la formulation plus conservatrice des Bases de Manresa en 1892, le catalanisme n'était nullement séparatiste mais réclamait la cession de certaines attributions dévolues à l'État central. À la fin du siècle, c'est donc le catalanisme conservateur qui est hégémonique et l'extrême gauche qui devient anticatalaniste en considérant le catalanisme comme l'expression de la bourgeoisie conservatrice.

Il est tentant de comparer l'affirmation du particularisme catalan − qui était apparu à la faveur de la crise du milieu du XIXe siècle et avait produit des écrivains comme Aribau ou Rubio i Ors dont les œuvres touchèrent le peuple − et la renaissance culturelle des pays d'oc qui semble s'inscrire, elle aussi, dans un processus de réaffirmation identitaire des nations latines.

Dans le dernier quart du XIXe siècle, les contacts entre le Félibrige et la Renaixença catalane se multiplient. On échange visites, manifestes, décorations. La présence d'Italiens et de Roumains vient bientôt donner un caractère international au mouvement. Mais l'idée de l'union des peuples latins ne résistera pas au rapprochement germano-italien. L'influence réciproque du courant fédéraliste du Félibrige en Catalogne et du catalanisme en Provence, depuis que Félix Gras a remplacé Joseph Roumanille à la tête du mouvement, est importante. Les relations entre les Provençaux et les Catalans, scellées par l'envoi de la fameuse coupe, en 1867, à laquelle Mistral dédia plus tard un hymne – la «Coupo Santo» qui deviendra le chant symbolique de l'assemblée – ne cesseront de s'intensifier jusqu'à la fondation officielle du Félibrige par Frédéric Mistral en 1877 [3]. Ensuite, les contacts furent réguliers et l'organe des félibres, L'Aïoli, fit l'objet d'une attention particulière outre-Pyrénées.

Le Félibrige répond aux mutations que connaît le Midi de la France à la fin du XIXᵉ siècle dans une nation qui fait de l'unité, politique, culturelle et linguistique [4] une valeur suprême et ne laisse pas d'espace pour un nationalisme d'oc. Toutefois ce mouvement [5], qui entendait régénérer la littérature nationale par la découverte d'une langue vierge, avait cessé d'être conquérant et se contentait de survivre sans déboucher sur l'expression d'un nationalisme agressif mais sans que la nation française sache lui faire une place. En offrant un courant exotique aux élites nationales et un idéal horacien aux éléments populaires occitans, le Félibrige avait fini par engendrer un malentendu : la critique parisienne opposa ses valeurs naturelles aux paradis artificiels et au réalisme des avant-gardes littéraires de la capitale. Mistral demeura, malgré qu'il en ait, «le poète génial surgi des entrailles d'un peuple inculte [6]» et ne put convaincre la critique qu'il était à la tête d'un mouvement littéraire.

Les provinces du Sud constituent une France lointaine, rurale, dont le jargon fit jadis sourire les spectateurs du théâtre classique (le Gascon, M. de Pourceaugnac, etc.), et les valeurs contribuent encore au dépaysement de la capitale. En Espagne, la Catalogne est au contraire la première province industrielle dont la bourgeoisie dote l'expression culturelle nationaliste d'une dimension politique. Les contacts entre les deux régions, fondés sur la volonté de rénover de part et d'autre des Pyrénées un héritage linguistique voisin – et l'illusion d'appartenir, par-delà l'abstraction des frontières étatiques actuelles, à une patrie commune depuis le Moyen Âge – débouchent sur un projet de fédéralisme européen à la Proudhon, d'autant plus que Mistral a rencontré, en 1867, Victor Balaguer, député aux Cortès, qu'il invite l'année suivante à Saint-Rémy. Cependant, accusé de séparatisme, meurtri par la mauvaise réception de son second poème épique «Calendal», qui est loin de connaître le succès de «Mirèio», huit ans auparavant [7], Mistral est victime du jacobinisme de la gauche française convaincue que l'expression des particularismes nuit au progrès. Bref, Mistral est seul, d'autant plus que les poètes des villes du Sud, dont il s'était attiré la sympathie, ne parlent guère la langue d'oc. Et sa revendication linguistique et littéraire ne parvient pas à formuler l'expression d'une identité nationale.

La défaite française de 1870, le virage à droite des élites nationales et l'écrasement de la Commune mettent un terme aux velléités fédéralistes de Mistral. Pourtant, malgré cet échec, le Félibrige ne disparaît pas. Il se développe et recrute dans les classes moyennes, parmi les fonctionnaires et les professions libérales, sans atteindre les classes supérieures ni s'appuyer réellement sur les couches populaires, ouvrières ou paysannes, attirées par d'autres formes de sociabilité, ni intéresser la grande bourgeoisie. C'est pourquoi il n'est pas en mesure de proposer un projet politique alternatif, d'autant plus que ses membres sont issus d'horizons politiques divers (il y eut des félibres monarchistes et maurrassiens, des radicaux mais aussi des socialistes). Pourtant, Mistral put croire que le moment était venu de passer à l'action politique, notamment grâce aux liens qu'il entretenait avec ses homologues de la Renaissance catalane (la Renaixença) qui avait commencé plus tard que celle des Occitans. Mais la Renaixença se radicalisa et se dota d'une expression politique qui de régionaliste devint nationaliste.

Cette différence d'intensité entre les deux mouvements tient au fait que la Catalogne est la région la plus développée d'Espagne, qui commence à lutter pour imposer un autre rythme de développement national au sein d'un État espagnol devenu protectionniste. La Renaixença catalane, qui s'appuie sur une élite urbaine plus dynamique, échappe au malentendu sur lequel se fonde le Félibrige, comme expression d'une littérature villageoise. Le catalanisme politique de Valentí Almirall, fort d'une large pratique linguistique, se constitue sur un substrat de républicanisme fédéral avant de toucher la bourgeoisie d'affaire mal à l'aise face à l'immobilisme du gouvernement de Madrid. C'est pourquoi, son affirmation identitaire se prolonge par des velléités d'émancipation économique et sociale. Dès lors, les félibres firent figure de romantiques inefficaces, incapables de freiner l'exode rural et la francisation et, par conséquent, de devenir l'avant-garde d'une société méridionale qui recouvrait son identité. Au contraire, leurs homologues catalans, soucieux dès 1891 de fonder leurs aspirations sur un programme politique (Bases de Manresa, de Reus) qui reprenait à son compte les projets «régénérationnistes» les plus diffusés (construction d'un réseau routier, électrification, installation du téléphone, développement de l'instruction et de la santé publique), voulaient aussi rationaliser l'organisation de la société espagnole tout entière (création d'une école d'administration publique).

Finalement, le Félibrige devint une revendication faible (la défense d'une langue) dans un État fort et le catalanisme une revendication forte dans un État faible. Tandis que Mistral, incapable de mener un travail de reconquête par le bas, multipliait les rencontres avec les gouvernants parisiens sans obtenir autre chose que des promesses de décentralisation, Josep Yxart et Valentí Almirall étaient parvenus à institutionnaliser la culture catalane et luttaient contre toute conception régionale de sa littérature. Un cadre légal encore étroit avait permis de jeter les bases d'une infrastructure scolaire qui n'ignorait rien des courants pédagogiques modernes incarnés en France par Pécaut, Compayré, Buisson, Guillaume, etc.

Par-delà le Félibrige, le catalanisme s'intéressa aux initiatives de la Ligue républicaine pour la décentralisation, fondée en 1895, une fois que fut résolue la crise institutionnelle provoquée par le général Boulanger et neutralisée une possible réaction monarchiste, au mouvement régionaliste dirigé par Charles Brun, ou au mouvement antisémite de Louis Guérin. Pour les jeunes militants catalanistes, la découverte du nationalisme de Maurice Barrès ou de Charles Maurras, ce nationalisme antirépublicain des adversaires d'Alfred Dreyfus, qui dénonce le parlementarisme et l'antimilitarisme des syndicats, n'était pas une nouveauté. Le « nationalisme intégral » de Maurras, qui identifiait nationalisme et principe monarchique, venait confirmer la nécessité d'une sensibilisation nationale, le désir de fortifier le pouvoir local et de pratiquer une réforme institutionnelle en fondant le fait national sur un État fort. Maurras reprochait à Cánovas et à Maura leur adhésion au libéralisme et au parlementarisme [8]. Deux de ses proches, le félibre Marius André et Charles Benoist étaient des hispanistes. Si le premier s'intéressa surtout au processus d'indépendance en Amérique latine, le second, qui collabora à la revue *Acción Española*, à partir de 1913, chercha dans la figure de Cánovas del Castillo une leçon pour restaurer la monarchie en France. Cependant, les contradictions qu'ils trouvèrent chez ces félibres, qui étaient aussi parfois des fonctionnaires et n'osaient pas s'opposer au pouvoir parisien, détournèrent les plus radicaux d'entre eux, qui, comme Francesc Cambó, étaient à la recherche d'une synthèse entre nationalisme et socialisme immédiatement applicable au niveau local.

Tandis que le Félibrige resta à contre-courant en défendant des valeurs rurales et une littérature qui ne parvint pas à entrer dans l'espace littéraire national, ni à dépasser le témoignage ethnographique, le catalanisme, qui multipliait les références internationales [9], devint l'expression d'une bourgeoisie entreprenante, soucieuse de structurer et de faire fonctionner un état et d'avoir accès à la modernité.

La bibliothèque de l'Ateneo barcelonais, qui recevait les revues françaises – et notamment *La Revue des deux mondes*, vecteur de la modernité – était composée en majeure partie d'ouvrages français qui permettaient de connaître l'expression du positivisme d'Hippolyte Taine et d'Ernest Renan et du nationalisme monarchiste de Maurras ou de celui, plus républicain, de Barrès et de Charles Péguy [10]. Dans la ligne de Renan, qui avait proposé de tempérer les effets du suffrage universel par

la création d'une Chambre de notables et l'adoption d'une décentralisation administrative, et de Barrès, qui dénonçait le déracinement qu'imposait la venue à la capitale, Cambó entendit fonder le nationalisme catalan moderne sur un nouveau mode de représentation corporative, seul capable, à son avis, d'articuler la démocratie sur une décentralisation effective.

Incapable de cristalliser les revendications du Midi viticole, le Félibrige finira par fournir des symboles au pétainisme et dénoncera les méfaits d'un cosmopolitisme auquel, dès 1890, le modernisme catalan puis le noucentisme avaient pu avoir accès en faisant de la culture catalane une culture nationale moderne. À ce niveau, les chroniques des correspondants de presse jouèrent un rôle important et notamment les « Notes regionalistes de l'extrager » de Pelegrí Casades pour *La Reinaixença*, celles d'Eugeni d'Ors et de Francesc Cambó depuis Paris pour *La Veu de Catalunya*, lorsqu'au tournant du siècle, les intellectuels espagnols et français furent attentifs au déroulement de procès qui enflammèrent l'opinion.

De l'affaire Dreyfus à l'affaire Ferrer

En Catalogne, comme dans le reste de l'Espagne, l'affaire Dreyfus marqua durablement les esprits. C'est à l'aune de celle-ci que l'on considéra les grands procès qui eurent lieu à Barcelone entre 1896 et 1909. Elle intéressa les intellectuels et les hommes de lettres qui se forgèrent une conscience critique face aux rebondissements de la polémique française. Elle eut en Catalogne une tout autre portée qu'à Madrid dont les intellectuels se prononcèrent massivement contre le militarisme, l'antisémitisme et pour le droit, que symbolisa la figure d'Émile Zola dont l'opiniâtreté contribua à l'autodéfinition des intellectuels comme groupe de pression et organe de la conscience collective.

En effet, cette affaire coïncidait à Barcelone avec le déroulement du procès de Montjuïc [11], entre 1896 et 1899, auquel elle ne manqua pas de servir de référence puisque la protestation qu'il suscita au sein de l'opinion passa pour l'acte de naissance des intellectuels espagnols qui surent utiliser, eux aussi, à des fins politiques la renommée qu'ils avaient acquise dans le domaine littéraire. Dès lors, les jeunes intellectuels, qui s'assignèrent pour mission la modernisation de la Catalogne regardèrent plus souvent vers Paris que vers Madrid. L'exemple donné par les intellectuels français qui surent faire prévaloir la raison collective sur la raison d'État fit des émules.

Cependant, le débat passionné que provoqua l'affaire Dreyfus au sein du catalanisme et l'intérêt que lui porta le directeur de *La Veu de Catalunya*, Narcís Verdaguer, renforcèrent le clivage entre le cosmopolitisme et le nationalisme, tout en mettant en évidence la crise d'identité nationale que traversait la France.

Le malaise du système centraliste qu'elle révéla permit de démontrer que la lutte contre le centralisme n'affectait pas que l'Espagne et que l'on pouvait légitimement mettre en cause, comme le fit Prat de la Riba, le concept d'État-nation et organiser l'Espagne en fédération d'états nationaux : l'État est une organisation politique donc artificielle, alors que la nation est une entité naturelle, pourvue d'une histoire, d'une culture et d'une langue propres.

C'est la Lliga regionalista qui traduit au XXe siècle les aspirations de ce catalanisme conservateur. Celle-ci naquit en 1901 de la réunion de jeunes intellectuels et de membres de professions libérales et de représentants de l'économie. Depuis le discours de Francesc Cambó en 1904 à Alphonse XIII au nom de la minorité régionaliste de Barcelone, ce catalanisme conservateur accepte la monarchie. Spontanément antidreyfusard, il formule un projet d'articulation de la société catalane en liaison avec une jeune classe intellectuelle européaniste, guidée sous la houlette du « noucentisme » par Eugeni d'Ors, qui fut témoin, en 1906, à Paris, de la bipolarisation idéologique que, tout comme sa condamnation antérieure, la réhabilitation de Dreyfus provoqua [12]. Comme Cambó, d'Ors trouva dans cette expérience des raisons pour se méfier du centralisme. Il se sentit pourtant attiré autant par l'autoritarisme des adeptes du syndicalisme de Sorel, qui se rapprochaient des jeunes nationalistes, que par le rêve maurrassien d'une monarchie autoritaire (hostile donc à l'orléanisme) à un moment où Jean Jaurès songeait à reconstruire le bloc des gauches. Plus tard, Bofill vanta les mérites du mouvement associatif et assigna à l'intellectuel un rôle d'intermédiaire, capable de lutter à la fois contre l'individualisme agressif et l'internationalisme révolutionnaire [13].

Dans ses articles de *La Veu de Catalunya*, le jeune Francesc Cambó, qui luttait contre l'uniformité imposée par la Révolution française, justifie la sentence des juges de Rennes, qui confirme la condamnation antérieure en septembre 1899, en affirmant que la campagne antidreyfusarde a pris un ton antipatriotique et antinational [14]. Cambó s'était formé au cabinet de l'avocat Verdaguer y Callís, qui était en contact avec les mouvements régionalistes européens et entretenait des relations avec Mistral, Maurras ou Barrès (ce dernier étant venu à Barcelone, en 1895, exposer sa conception de la régionalisation [15]). C'est là qu'il put lire la presse étrangère et découvrir des auteurs tels que Fustel de Coulanges, Taine, Le Play ou Savigny [16]. C'est grâce à son interprétation de la crise du système libéral et parlementaire que le mouvement nationaliste catalan regagna dans le domaine idéologique le terrain qu'il avait perdu dans celui de la politique.

Ensuite, c'est à travers le prisme de l'affaire Ferrer que les éléments radicaux considérèrent l'affaire Dreyfus. Les événements barcelonais de juillet 1909 furent une commotion pour le pays, par leur caractère inopiné et par leur violence. Une grève générale était prévue, le lundi 26 juillet, afin de protester contre la décision du ministre de la Guerre de rappeler des réservistes pour le Maroc, qui affectait la classe ouvrière barcelonaise. Comme le 17 février 1902, le prolétariat s'empara soudain de l'espace urbain sans que cela figurât parmi les objectifs du mouvement de grève [17]. La Barcelone prolétaire entendait protester contre une guerre et voilà qu'elle entreprenait une révolte urbaine et organisait une lutte frontale contre la ville bourgeoise. Spontanément, le prolétariat s'appropria les espaces publics et incendia les signes urbains qui lui étaient étrangers – commissariats de police, couvents –, tandis que les classes bourgeoises quittaient la ville et se retiraient dans des résidences secondaires [18].

Barcelone, qui a doublé sa population en cinquante ans à cause de l'immigration – passant de deux cent cinquante mille habitants en 1860 à cinq cent quatre-vingt-dix mille en 1910 [19] –, n'a pas su intégrer les nouveaux venus. Au début du siècle, la ville ouvrière était encore un monde à part et le prolétariat n'était pas représenté au conseil municipal. Mais la ville semblait calme. La suite de révoltes urbaines qui éclatent à Barcelone en 1855, 1890, 1902 et 1909 (les libelles radicaux se référaient aux incendies de couvents de 1835) semble prouver que cette tranquillité n'est qu'apparente et qu'il existe bien une pression sociale susceptible de provoquer une explosion et un travail souterrain capable de la canaliser [20]. Au début du siècle, la restructuration de la production et la réduction des coûts salariaux qu'elle impliquait atteignaient de plein fouet une classe ouvrière organisée selon un réseau diffus de société de résistance et d'organisations multiples, qui souvent ne relevaient d'aucune centrale syndicale connue [21].

D'une manière générale, les partis catalanistes oublient alors un peu leur nationalisme pour se définir politiquement à droite (la Lliga) ou à gauche. Joan Maragall souhaite que l'on soit capable de doter Barcelone d'une plus grande cohésion sociale [22]. C'est pourquoi il propose dans « La ciutat del perdó » la compréhension et la concorde, tandis que Prat de la Riba, qui avait refusé de publier ce texte de Maragall dans *La Veu de Catalunya*, émulant Émile Zola, adopte un ton plus violent dans son article intitulé « Acuseu ! ». Maragall se pose en médiateur entre les deux parties qui composent Solidaridad, mais il accepte le programme de Cambó, destiné à permettre aux députés catalans de maintenir leur rôle « régénérationniste » dans la vie politique nationale, plutôt que l'immobilisme [23] (la Lliga perdra les élections législatives du 8 mai 1910 et ne se relèvera pas de cette défaite. Cambó abandonnera, pour un temps, la vie politique).

Les autorités sont convaincues que Francisco Ferrer, un péda-gogue anarchiste, que plusieurs témoins ont vu parler avec les révoltés (donner des ordres, diront certains), est «l'auteur moral et le chef du mouvement révolutionnaire anarchiste de Catalogne [24]»; mais elles ne fournissent pas d'autres preuves. Maura ne transmit pas au monarque la demande de grâce. Le 13 octobre, Ferrer était fusillé dans les fossés du fort de Montjuïc.

La campagne internationale en faveur de Ferrer prit des pro-portions considérables. Certaines villes du nord de la France donnèrent le nom de Ferrer à une rue. Le conseil municipal de Paris vota l'octroi d'une pension à la fille du pédagogue. La ville de Bruxelles lui érigea une statue. À Paris, une manifestation, organisée par Malato et Charles Albert, réunit des milliers de personnes, tandis que les syndicats de divers pays ordonnaient le boycott des marchandises espagnoles. Le 15 octobre, le *Daily Mail* publia un télégramme en provenance de Rome, daté de la veille, qui faisait état de la profonde tristesse du pape et du fait qu'il aurait télégraphié au Nonce à Madrid, en le priant d'évi-ter toute réaction qui pourrait donner lieu à penser que le Vatican approuvait l'exécution. En décembre 1909, on jouait au théâtre parisien de La Gaîté-Montparnasse une pièce intitulée *La Mort de Ferrer* [25]. Le gouvernement espagnol fit pression sur le gouvernement français pour que l'on retirât les affiches qu'il jugeait insultantes [26]. En Italie parut, quelques mois plus tard, une version romancée de la vie et de l'œuvre de Ferrer [27]. Luca de Tena, le directeur d'*ABC*, avait cru bon de protester en ce sens, dans la lettre ouverte qu'il adressa à ses confrères euro-péens, le 16 octobre 1909. D'autres, pour inviter les Français à plus de mesure, ne manquèrent pas de rappeler la rigueur avec laquelle Thiers avait réprimé la Commune, à la fin du mois de mai 1871 – qui fit dix-sept mille victimes et quarante-trois mille prisonniers [28] – ou, comme le docteur Rafael Salillas, vexé par les jugements dithyrambiques de César Lombroso (qui n'hési-tait pas à affirmer que «il nuovo martire del libero pensiero e della libertá humana» possédait les convictions de Galilée et la sensibilité de Jean-Jacques Rousseau), s'efforçaient de montrer au contraire que le condamné était pourvu d'une culture rudi-mentaire et d'une nature intolérante.

Ceux qui dénoncent en Europe la répression perpétrée par le gouvernement espagnol – notamment les barreaux de Paris et de Rome, ainsi que les conseils de nombreuses universités ita-liennes et suisses – veulent, par-delà les faits et la personnalité de Ferrer (comme lors des procès contre Corominas en 1896, contre Nakens en 1907, ou ce même Ferrer en 1907), lutter contre l'intolérance et l'obscurantisme, bref, livrer, avec des exemples tirés de l'histoire d'Espagne, une grande bataille pour ce qu'ils croient être la liberté et la civilisation. Le docteur Luis Simarro, qui a suivi de près cette campagne – et l'a même encouragée –, croit que le moment est de favoriser la création d'une sorte de tribunal moral international [29].

Un comité international réunissait à Paris, sous la présidence des professeurs Séailles, professeur de lettres à la Sorbonne, et Monod, professeur de théologie, cent cinquante-quatre person-nalités pour protester contre la condamnation puis contre l'exé-cution de Ferrer (parmi elles, on relève la présence d'écrivains comme Anatole France ou Maurice Maeterlinck, ou encore celle du zoologue allemand Ernst Haeckel).

Cette campagne contrarie fort les autorités espagnoles qui y voient une ingérence dans les affaires intérieures du pays, d'autant plus que la «Semana trágica» et l'affaire Ferrer suscitent peu de réactions parmi les intellectuels espagnols. Bien que l'on cherche à susciter un scandale encore plus ample en dénonçant les tortures de Montjuïc [30], les intellectuels espagnols, qui ont été passionnés par l'affaire Dreyfus, ne réagissent pas, sauf Gabriel Alomar et Marcelino Domingo à Barcelone qui adhé-rent au mouvement de protestation européen. Miguel de Unamuno, qui ne cacha pas son admiration pour le sursaut dont fut capable le pays voisin, ne vit rien de semblable dans l'affaire Ferrer et n'hésita pas – tout comme Ricardo Baroja – à déni-grer l'accusé, ni à dire l'agacement que lui inspiraient la campagne européenne en faveur du pédagogue barcelonais et l'anticlé-ricalisme primaire des défenseurs de celui-ci, qui firent de Ferrer un philosophe, un philanthrope, un «lord Byron espagnol de l'anarchie».

Civilisation en deçà des Pyrénées, barbarie au-delà! Les cris des manifestants socialistes et syndicalistes sous les fenêtres des consuls d'Espagne en France pourraient le faire croire [31]. Les réactions de certaines personnalités du monde scientifique et universitaire le confirment. C'est ainsi, par exemple, que Charles Laisant, professeur à l'École polytechnique de Paris, indigné par l'exécution de Ferrer, renonce à être correspondant de la *Real Academia de Ciencias* de Madrid, en affirmant qu'il ne veut entretenir aucune relation avec un pays de bourreaux et d'inquisiteurs, que la *Revue de Médecine*, de Lyon, refuse désor-mais d'être échangée avec son homologue espagnole, la *Revista Clínica* de Madrid, parce que, comme l'explique le professeur Jean Lépine au docteur Madinaveitia: «Quelles que soient nos sympathies personnelles à l'égard de nos collègues espagnols, la presse médicale d'un pays civilisé ne saurait maintenir des relations avec la nation qui vient de fusiller Ferrer [32].»

Il n'y a donc pas une affaire Ferrer, mais plusieurs, si l'on en croit, en outre, le souhait d'Alejandro Lerroux de voir se développer en Espagne, afin de rassembler l'opposition au régime, une affaire semblable à ce que fut l'affaire Dreyfus en France, et si l'on considère, par-delà la mobilisation en faveur du condamné, celle qui vise à soutenir les militants espagnols qui veulent changer la nature du régime politique de leur pays. Cependant, l'affaire Ferrer n'eut point ses Zola ni ses Barrès. Elle ne joua pas le même rôle de révulsif social que la campagne dreyfusarde dans le pays voisin, car l'opinion espagnole avait été traumatisée par les événements de Barcelone [33].

L'affaire Ferrer a surtout des conséquences extérieures dans la détérioration des relations franco-espagnoles. Elle change, au moins jusqu'à la Première Guerre mondiale, la vision positive que de nombreux intellectuels ont jusque-là de la France, accusée de fomenter un complot international. Les conseils réitérés des intellectuels français en matière de civisme et de démocratie, le rappel constant de l'immaturité politique de l'Espagne et, surtout, ce jeu complexe de représentations réciproques, brandi opportunément – en puisant dans une imagerie ancienne et toujours disponible – en fonction d'objectifs de politique intérieure, finissent par lasser et irriter jusqu'à ceux qui n'ont pas manqué d'y recourir. Unamuno le premier, qui ne cacha pas son indignation après l'appel lancé, en 1909, par Anatole France à la jeunesse espagnole [34] et s'insurgea contre cette conception abusive de l'Espagne comme terre de mission des anciens dreyfusards [35].

En réalité, c'est sur un jeu de représentations justificatrices de l'action politique, qui servent à élaborer une histoire nationale emblématique, avec des exemples négatifs tirés de celle du pays voisin, que chaque discours se constitue. Ainsi l'image sanglante de l'autre, que l'on retient ou déforme à des fins idéologiques, sert-elle à désigner, pour mieux l'identifier et le contenir, le péril à la frontière : complot en deçà, répression au-delà des Pyrénées ! Le rappel de la «Légende noire [36]» vient opportunément justifier l'anticléricalisme des milieux radicaux et socialistes français, tandis que le mythe de la Terreur révolutionnaire et le souvenir de l'invasion napoléonienne sont habilement entretenus par les intégristes espagnols pour combattre dans leur pays toute montée du sentiment démocratique et toute velléité de réforme de l'ordre établi.

Les protestations françaises contre l'exécution de Ferrer firent subir un grave préjudice à la ville de Barcelone – crise du commerce et de l'industrie, baisse du prix des terrains, arrêt des constructions, absence de touristes –, qui sera suivi d'un déclin relatif des intérêts français car la presse de Catalogne rend la France responsable de la campagne faite partout en Europe et en Amérique contre les actes du gouvernement espagnol [37].

Une nouvelle étape semblait donc s'ouvrir à la fin de la première décennie dans l'histoire politique des intellectuels qui trouvent dans la stratégie récente des partis traditionnels un cadre à leur action. Ceux-ci veulent réformer le pouvoir, mais ils ne songent pas encore à le prendre, bien qu'ils se rendent compte qu'il n'est pas possible de jouer avec lui. En France, par exemple, l'affaire Dreyfus se résout au sein du pouvoir ; en Espagne, l'affaire Corominas, l'affaire Ferrer et la question marocaine mettent en cause les fondements même de l'État. L'affaire Ferrer leur a ouvert les yeux sur l'imperméabilité du pouvoir à la société civile. Dans cette conjoncture qui marque le début de l'engagement des jeunes intellectuels, Barcelone est devenue la ville d'Espagne d'où il semble possible de faire évoluer les pratiques corrompues du régime de la Restauration. L'attraction politique qu'exerça Barcelone sur les francophiles Alvaro de Albornoz (qui bâtit son œuvre d'essayiste autour d'un commentaire de la Révolution française) ou Luis de Zulueta (qui alla finir ses études en France), devenus les jeunes loups des deux facettes opposées du républicanisme (respectivement le radicalisme d'Alejandro Lerroux et le réformisme de Melquiades Alvarez), marque un tournant dans l'action des intellectuels [38]. Celle-ci cesse d'être un mouvement protestataire intermittent pour se structurer, se doter d'organes d'expression et de voies d'action et devenir permanent [39].

L'itinéraire de deux francophiles

Barcelone, ville bourgeoise, remodelée après la destruction des murailles en 1854 selon un modèle français par Ildefons Cerdà – disciple du socialiste utopiste Étienne Cabet – qui souhaitait initialement intégrer la classe ouvrière à la ville bourgeoise, accepte avidement la modernité mais se méfie des avant-gardes. Plus tard, la première réforme catalaniste de la cité – celle qui ouvre la Vía Laietana dans les années vingt jusqu'à la deuxième Exposition universelle de 1929 – sera confiée à l'architecte français Léon Jaussely.

La dernière décennie du XIXᵉ siècle et la première du XXᵉ furent dominées par le modernisme et le noucentisme qui constituent une étape décisive dans l'évolution de l'art et de la littérature catalans [40]. Elles dotèrent également l'artiste et l'écrivain d'un statut professionnel. Cette évolution se fit, en partie, au contact de la culture européenne transmise par la France, lorsque Paris était une capitale européenne où des peintres barcelonais, tels Santiago Rusiñol et Mariano Fortuny, pouvaient collaborer respectivement avec un dramaturge belge comme Maurice Maeterlinck, ou italien comme Gabriele D'Annunzio (en peignant les décors de *La Ville morte* dont la première eut lieu en janvier 1898 au théâtre de la Renaissance). Et où celui-ci pouvait bénéficier des conseils musicaux de Romain Rolland, tandis que Giovanni Boldini faisait le portrait du comte Robert de Montesquiou et Paolo Troubetzkoy remportait, en 1900, le grand prix de sculpture de l'Exposition universelle. Ce cosmopolitisme mondain est décisif pour comprendre l'évolution de nombreux artistes européens. Il marqua l'art italien autant que l'art catalan à la recherche d'un art nouveau soucieux de revenir à la forme.

Par-delà la tradition médiévalisante des Jeux floraux, où se manifestait la solidarité avec les écrivains de langue d'oc, ou le réalisme de Narcís Oller, les créateurs catalans commençaient à être attirés par le rythme séculaire européen : le vitalisme iconoclaste de Friedrich Nietzsche, le théâtre d'idées d'Henrik Ibsen, le théâtre symboliste de Maurice Maeterlinck. À tel point qu'un écrivain comme Clarín, tout en constatant l'engagement, put souligner le fait que l'influence des « modernes humanités françaises » était patente en Catalogne.

Convaincus que le mot, dans sa sonorité et sa plasticité, peut révéler une réalité ou exprimer simplement des émotions et, en sollicitant tous les sens, réinventer l'harmonie de la matière (mots, sons, formes) et de l'esprit, permettre une expression totale, les symbolistes finirent par révéler l'existence d'une littérature européenne et même, au-delà, dans sa modalité ibérique, le modernisme, leur mouvement, contribua à la naissance d'une littérature hispano-américaine. Dans la révélation de cette internationalité littéraire, les créateurs catalans, impressionnés de surcroît par la culture allemande puis anglo-saxonne, occupèrent une place de choix. Les traductions se multiplièrent et mirent à la portée des lecteurs catalans les œuvres des grands auteurs européens.

Du modernisme au noucentisme : esthétique et politique chez Eugeni d'Ors

Dans les années 1880, les hommes de la Renaixença n'avaient pas renoncé à exercer un métier en marge de leurs activités artistiques. Les jeunes modernistes, au contraire, n'eurent pas peur, au tournant du siècle, d'apparaître comme des écrivains et des artistes qui aspiraient à une littérature universelle. Le mouvement moderniste – réponse hispanique à la crise des formes artistiques à laquelle voulut faire face le symbolisme européen – trouva en Catalogne un terrain propice.

La première Fête moderniste, qui eut lieu à Sitges en 1892, réunissait les acteurs les plus progressistes de la culture catalane : les rédacteurs de la revue L'Avenç, le poète Joan Maragall qui ne cessait de provoquer la bourgeoisie, les hommes de théâtre qui avaient découvert Henrik Ibsen, les écrivains et les peintres réunis autour de Santiago Rusiñol et Raimon Casellas, ainsi que les jeunes compositeurs et mélomanes qui avaient pris Richard Wagner pour modèle et venaient de lire Friedrich Nietzsche.

Par-delà l'illusoire fraternisation catalano-provençale, la Catalogne est en relation directe avec Paris. Barcelone fait figure

de seconde capitale de la latinité, après Paris. Le mouvement catalaniste perd peu à peu son idéalisme – comme le regrettera Gabriel Alomar en 1910 – mais entre en contact avec la culture européenne que diffuse la capitale française. Le groupe de L'Avenç (littéralement, « le progrès ») faisait de l'œuvre de Maeterlinck son cheval de bataille contre le traditionalisme qui réaffirmait, avec Torres i Bages, sa conception régionaliste de la culture catalane (dont la meilleure expression était les Jeux floraux qu'ils partageaient parfois avec les félibres d'oc).

Le rôle de l'Institut d'Estudis catalans – qui donna quelques bourses à de jeunes universitaires pour leur permettre de terminer leurs études dans les capitales européennes – fut important. C'est ainsi qu'Eugeni d'Ors put prolonger en 1908 un séjour parisien commencé en 1906, après avoir obtenu son doctorat de droit à l'université de Madrid, afin d'étudier la nouvelle méthodologie scientifique et rendre hommage au magistère d'Henri Bergson [41].

Auparavant, d'Ors avait vécu à Barcelone et à Madrid. Sa francophilie était telle que le poète Joan Maragall déclara en plaisantant que d'Ors finirait par écrire en français [42]. Depuis Paris, l'écrivain assura une correspondance quotidienne pour l'un des grands journaux catalans, La Veu de Catalunya. Entre 1906 et 1911, les idées du nouveau siècle, du « noucentisme » – expression due à Eugeni d'Ors pour désigner l'art nouveau, synthèse du catalanisme bourgeois et du nationalisme culturel moderniste – gagnent du terrain. Ce mouvement cherche à rationaliser le modernisme et à imposer un idéal néoclassique qui se fonde sur la cité, conçue comme lieu de rénovation des vieilles nations méditerranéennes et vecteur du caractère impérialiste de celles-ci. Le rêve d'Eugeni d'Ors est de faire de la Catalogne une république à la manière de la Florence de la Renaissance. Très vite, la projection européenne du « noucentisme » se fonde sur un réseau de revues telles que La Voce à Florence ou La Revue à Paris qui collaborent avec La Cataluña [43].

D'Ors trouva dans les idées de Maurras un ferment capable de détruire rationnellement les principes du libéralisme révolutionnaire et considéra, comme lui, que le romantisme avait été une inutile rébellion individualiste face aux lois objectives de la réalité. Il partagea encore avec Charles Maurras le sens du classicisme (qu'il trouva aussi dans la lecture de Taine) comme message réformateur fondé sur la conviction qu'il existe une unité culturelle propre au monde méditerranéen. Cet idéal – également proche de celui de D'Annunzio – répondait au complexe d'infériorité que le monde latin ressentait à l'égard de l'Europe septentrionale [44], qui évoquait volontiers la décadence des nations latines en oubliant que le monde germanique et anglo-saxon avait connu, lui aussi, quelques années auparavant, sa crise d'identité. Cependant, d'Ors ne liait pas, comme Maurras, le nationalisme, selon lui inspiré par Rousseau, à la monarchie. Il détestait également le positivisme d'Auguste Comte sur lequel se fondait le nationalisme intégral maurrassien [45]. La condamnation de L'Action française par le Vatican fut amplement commentée en Espagne. Le prêtre catalan Carles Cardó vit en Maurras un «Rousseau de droite» dont l'esthétisme païen n'était selon lui que «l'abdication pure et simple [46]».

L'antiromantisme et l'intellectualisme, qui inspirèrent ce retour à l'ordre dans le cadre d'une unité culturelle propre au monde méditerranéen, débouchèrent sur la conception d'une culture quasi officielle qu'Eugeni d'Ors se chargea d'orchestrer au sein des institutions, dès lors que l'avocat Enric Prat de la Riba (1871-1917) devint président du Conseil régional de Barcelone (Diputación) en 1907, avant de diriger la Mancomunitat, structure de gouvernement régional, obtenue en 1914 (mais dépourvue de budget jusqu'en 1919) et supprimée par Primo de Rivera en 1925. Ce catalanisme, influencé par les modèles municipaux prussien et anglais, s'efforça de mettre en œuvre une gestion moderne. La Lliga regionalista eut à cœur de doter ses jeunes militants d'une formation administrative, qui devint la pièce maîtresse d'un catalanisme technocratique et élitiste entendant mettre la Catalogne, en matière d'équipement, de protection sociale et d'éducation, au niveau des pays européens les plus avancés.

Ces jeunes gens trouvèrent en France les ferments d'idéologies politiques nouvelles qui permirent de renforcer l'affirmation nationale de la Catalogne, après la Première Guerre mondiale, au moment où la Lliga s'efforçait de prendre part à la réorganisation du système politique espagnol. Mais sa brève participation aux gouvernements, à partir de 1908 et jusqu'en 1923, ne réussit pas à changer les fondements du régime ni à contenir sur sa gauche l'existence diffuse d'un mouvement plus populaire qui permit l'éclosion de Esquerra Republicana en 1931 et recueillit l'héritage du nationalisme républicain et des années de Solidaridad Catalana. Eugeni d'Ors trouva dans la pensée politique du pays voisin les présupposés autoritaires qui intéressèrent à la même époque le jeune Azorín attiré par L'Action Française de Charles Maurras [47]. Initialement séduit par la pensée de Sorel, d'Ors envoyait depuis Paris les chroniques qui alimentèrent son «Glosari» de La Veu de Catalunya, ainsi que des billets sur l'actualité politique ou mondaine de la capitale française qui diffusaient un message antidémocratique et antiparlementaire.

Cela n'empêcha pas d'Ors de collaborer assidûment avec le leader du nationalisme catalan, Enric Prat de la Riba, qui avait contribué à l'amorce d'une institutionnalisation culturelle de celui-ci, ni de rester fidèle au noucentisme, mais lui suggéra de transformer ce mouvement idéologique en fer de lance d'une rébellion juvénile autoritaire. Cependant, les idéaux préfascistes de d'Ors n'obtinrent qu'une audience limitée et ne parvinrent pas à modifier la doctrine nationaliste catalane, car son souhait de fonder l'identité de la Catalogne sur l'autoritarisme qu'il avait trouvé dans les cercles néonationalistes français s'opposait frontalement aux idéaux du nationalisme catalan officiel. La rupture qui se produisit en 1920, trois ans après la disparition de Prat de la Riba, priva d'Ors de toute fonction au sein du catalanisme politique et de sa colonne dans le quotidien La Veu de Catalunya, mais il obtint durant la dictature de Primo de Rivera un poste de conseiller culturel dans la capitale française.

Paris représenta pour lui – qui maîtrisait plusieurs langues, fait très rare en Espagne où, en 1908, Giner de los Ríos pouvait affirmer qu'il n'y avait pas trois Espagnols qui connaissaient l'allemand – à la fois l'accès à la pensée européenne et la possibilité d'opposer le dynamisme et le rayonnement de Paris à «Madrid, la morte», comme il avait pu nommer la capitale espagnole où il avait réalisé ses études de droit entre 1904 et 1906, qui ne pouvait que faire ostentation des formes solennelles du pouvoir sans posséder la vitalité que confère celui-ci.

Le noucentisme animé par Eugeni d'Ors est donc un mouvement ambigu, à la fois conservateur et modernisateur, une avant-garde réactionnaire qui s'appuie sur une dialectique insolite alliant la tradition idéologique et la modernité technique. Cette modernité se conjugue aussi bien avec celle qui réinvente le passé qu'avec le mythe futuriste bien éloigné du récit des origines. Les priorités du mouvement sont: la lutte pour la culture (par la création d'institutions, le développement de la littérature et l'action culturelle), l'éloge de la morale (civilité et honnêteté), la revendication de la technicité (bourses à l'étranger et définition des nouvelles règles de l'administration) et la lutte pour la justice sociale (mouvement coopératif, syndicalisme et socialisme réformateur).

En 1906, Gabriel Alomar prononça une conférence intitulée «El Futurisme», dont une traduction parut aussitôt dans Mercure de France, avant que Filippo Marinetti n'exhorte à aller de l'avant dans le «Manifeste du futurisme» que publie, en 1909, Le Figaro: «Nous sommes sur le dernier promontoire à l'extrémité des siècles! Pourquoi devrions-nous regarder en arrière?» L'année suivante, dans la revue Poesia, Marinetti définissait un programme: «Nous voulons exalter le mouvement agressif… le pas de course, le saut mortel, la gifle, le poing… la beauté de la vitesse.» Face au caractère éphémère de ce temps qui se défait, le «noucentisme» exigera une place dans la construction de la Catalogne nouvelle. Cependant, après la Première Guerre mondiale, ce mouvement perd de l'influence et ses idées sont contredites, notamment par la démocratie culturelle revendiquée par Pi i Sunyer, incompatible avec l'aristocratisation de la culture et le corporatisme du mouvement. D'ailleurs, d'Ors, qui s'est rapproché momentanément du syndicalisme révolutionnaire (*Gloses de la Valga*, 1919), voit son rôle de guide des intellectuels catalans contesté. À tel point qu'il abandonne en 1920 toutes ses responsabilités, après un affrontement idéologique avec Jaume Bofill i Mates et Puig i Cadafalch, l'ancien assesseur de Prat de la Riba (mort en 1917), à la Mancomunitat.

De la politique à l'esthétique : le mécénat de Cambó

Cambó, leader de la Lliga regionalista, fit de fréquents séjours à Paris. Il se vanta d'y avoir fréquenté quelques élégantes et certains hommes politiques, d'avoir assisté au Grand Prix de Longchamp et d'avoir arpenté le bois de Boulogne. Tout au long du premier tiers du XXe siècle, ses activités politiques et artistiques ne peuvent se comprendre sans sa présence intermittente à Paris.

C'est ainsi qu'il suit, en juillet 1909, le débat d'investiture d'Aristide Briand comme président du Conseil, au moment où éclate la « Semana trágica » à Barcelone [48], et dix ans plus tard, le 18 février 1920, est intrigué, comme tout le monde, par l'élection de Paul Deschanel à la présidence de la République – alors que Georges Clemenceau était favori – et y voit le fruit d'une intrigue d'Aristide Briand [49]. Cambó regrettera, plus tard, le luxe et le raffinement du Paris des années dix, ville cosmopolite qui attirait les grands personnages et les grandes fortunes européennes et latino-américaines. Avec l'arrivée des Nord-Américains, l'élégance et le luxe de la capitale, selon lui, furent plus brillants mais moins raffinés. Cambó, qui se logeait à l'hôtel Crillon et louait une loge à l'Opéra de Paris, se souvient avec émerveillement d'un concert donné par l'orchestre de l'Opéra de Vienne dirigé par Wilhelm Furtwängler. Il n'ignore pas cependant la tension sociale qui s'empare de la « ceinture rouge », loin des hôtes de passage qui ne songent qu'à se divertir [50]. C'est également à Paris qu'il s'entend avec son vieil adversaire politique Santiago Alba pour agir conjointement à la chute de la dictature de Primo de Rivera.

Pendant cette dictature qui l'éloigna de la vie politique, Cambó se consacra au mécénat à travers la fondation Bernat Metge et la Fondation biblique catalane où, avec l'aide de Joan Estelrich, il fit publier une version catalane de la Bible, des grands textes hébraïques et des classiques grecs et latins. C'est ainsi qu'il entra en contact, en 1925, avec le père Lagrange et l'École biblique des dominicains français de Jérusalem. Soucieux de donner à la culture catalane une projection internationale,

il décida de créer une fondation à la Sorbonne, dirigée par Pierre Lavedan, pour permettre l'étude de la culture catalane [51].

Cambó, qui avait fait l'acquisition à Paris, au début des années vingt, de la collection Blondeau de jades et de pierres précieuses, continua à acheter dans la capitale française des tapis, des meubles et des bibelots destinés à décorer la maison qu'il se faisait construire à Barcelone, « afin d'affiner le goût aussi bien de nos artistes que de notre bourgeoisie qui n'avait pas voyagé [52] ». Il souhaitait transformer cette demeure en un musée et une bibliothèque ouverts aux jeunes gens studieux. La crise de 1929, puis les événements nationaux ne lui permirent pas de réaliser ce projet.

Passionné de peinture, Cambó, qui a fait sa fortune comme fondé de pouvoir des industriels et banquiers catalans pendant la Première Guerre mondiale, forme le projet de doter la ville de Barcelone d'un musée d'œuvres de la Renaissance [53]. Les premiers tableaux qu'il achète – un Botticelli de la collection de l'industriel allemand du textile Edouard Simon, en 1927 [54], puis, à Paris, une collection de peintures toscanes des XIVe et XVe siècles appartenant à Joseph Spiridon, en 1929, ou les tableaux de Tiepolo, *Le Charlatan* et *Le Menuet*, de la collection Papadoppoli à Rome – tendent à compléter les carences du musée du Prado. Le soir de la proclamation de la République en Espagne, le 14 avril 1931, Cambó retrouve le chemin de Paris où il s'isole, jusqu'à la fin de l'année, de la vie politique de son pays. Il se promène au bois de Boulogne, fréquente les hommes politiques, les banquiers [55], les antiquaires (Seligmann, rue Saint-Dominique) et les marchands de tableaux. En pleine guerre civile, Cambó confesse n'avoir pas osé affronter l'opinion publique en se portant acquéreur de la collection de peintures françaises du XVIIIe siècle que son ami David-Weil, président du Conseil artistique des Musées nationaux, avait mise en vente [56].

Lutte idéologique et violence sociale

La dépendance matérielle, diplomatique et culturelle de l'Espagne vis-à-vis de la France persiste tout au long du régime de la Restauration. Jusqu'au début du XXe siècle, la France est l'intermédiaire par lequel l'Espagne a accès à la culture européenne [57]. De surcroît, jusqu'en 1905 – année où l'Allemagne réagit et développe son propre réseau d'information dans le pays, après la crise marocaine d'Agadir qui a nui à son image –, la France a le monopole de l'information qui arrive de l'extérieur vers l'Espagne [58]. Si bien que l'Espagne perçoit le monde à travers un prisme français. Dans cette lutte pour la diversification des canaux d'information, la Catalogne occupe une place particulière puisque c'est à Barcelone que les Allemands créent un service d'information en 1905 et que plus tard, en 1919, l'agence Fabra, propriété de l'agence française Havas, ouvre une succursale. Pendant la Première Guerre mondiale, Barcelone est donc le lieu où la rivalité franco-allemande en matière de propagande est la plus forte.

Alliadophilie et germanophilie

Au-delà de l'expression des passions collectives, il y a une logique de l'engagement qui fait de tout démocrate un alliadophile et de toute manifestation francophile un geste de rupture avec le régime de la Restauration. La France, « patrie de la liberté », représente souvent une anti-Espagne.

C'est pourquoi certains catalanistes finirent par aller militer directement dans la capitale française. C'est ainsi qu'y fut fondé, en décembre 1901, un comité pour l'organisation d'un parti « régénérateur de l'Espagne », basé sur l'union franco-ibérique, utopie qui aurait débuté par l'annexion de l'Espagne à la France sous le régime fédératif [59]. Le 24 juillet 1904 fut créée la Ligue nationale catalane, sous la présidence de Díaz-Capdevila, qui revendiqua pour la Catalogne son ancienne nationalité française, « acquise par la volonté souveraine du peuple catalan sous Charlemagne et sous Louis XIII ». Ce groupement adhéra aussitôt à l'Union catalaniste. Le même jour fut constitué, à Paris, le Comité organisateur du Parti socialiste catalan qui verra le jour cinq ans plus tard sous la direction de Gabriel Alomar [60].

Si Barcelone a en France la réputation d'être une ville agitée, il est également vrai que la France abrite, depuis 1890 environ, la plupart des activités subversives des exilés politiques espagnols et des anarchistes qui viennent commettre des attentats à Barcelone. Ceux-ci pratiquent, comme leurs homologues français, l'action directe. Ils frappent parfois des dirigeants (bombe contre l'Association des patrons catalans, en 1891 ; attentat contre Martínez Campos, en 1892 ; Cánovas en sera victime également, en 1897), mais ils touchent aussi aveuglément toute la société (une bombe au théâtre du Liceu de Barcelone, en 1892, fit vingt morts ; l'attentat de la rue de Cambis Neus à Barcelone, en 1896, lors de la procession de la Fête-Dieu, tua huit personnes).

On sait qu'Alejandro Lerroux, qui fomente de nombreux troubles à Barcelone et ne semble pas étranger au déclenchement de la « Semana trágica », se rend régulièrement à Paris où il s'efforcerait, en 1917, d'obtenir de l'argent d'une mystérieuse Française qui passe pour avoir aidé les révolutionnaires russes [61], autant de faits ou de rumeurs qui tendent à accréditer l'image ou la légende d'une France favorable aux révolutionnaires espagnols, en général, et barcelonais, en particulier. Le procès de Montjuïc, il est vrai, semble avoir rapproché les anarchistes catalans et français qui sont soupçonnés de préparer conjointement des coups de main en Espagne. « Une bande internationale doit passer les Pyrénées pour donner aux Espagnols le signal de l'insurrection… Kropotkine s'occupe de préparer des meetings de protestation contre les condamnés de Montjuich », note, le 4 janvier 1897, le directeur de la Sûreté générale, qui conclut : « Le monde révolutionnaire international a les yeux fixés sur l'Espagne [62]. »

Mais c'est surtout dans la propagande anti-allemande que s'illustrèrent les républicains catalans de Paris (dont le siège était 16, rue Beauregard), diffusant, depuis le 15 avril 1907, un journal intitulé *Pro Catalonia*, immédiatement interdit en Espagne. Tous les ans, entre 1910 et 1913, ils organisèrent des conférences pour dénoncer le péril allemand au Maroc et en Espagne [63]. Cette action s'orienta, dès le début de la Première Guerre mondiale, vers l'organisation d'un corps de volontaires espagnols destiné à servir dans l'armée française [64]. Entre le mois de septembre 1914 et le mois d'avril 1915, des conférences furent données au profit de la Croix-Rouge française. Cette campagne fut couronnée, le 15 avril 1917, par l'envoi d'un mémorandum au roi d'Espagne, pour qu'il autorise le recrutement dans son pays d'un corps de volontaires qui offrirait ses services à la France, et une initiative de Díaz-Capdevila auprès du directeur des Affaires politiques et commerciales du Quai-d'Orsay, de Margerie, pour demander à la France de contrecarrer la propagande allemande en Espagne [65].

Ce sentiment d'ingérence du pays voisin est accentué en Catalogne par la création, en 1901, d'un comité pour la Confédération franco-ibérique, qui milite pour l'annexion pure et simple de l'Espagne sous régime fédératif [66]. L'amiral Fournier, en visite à Barcelone en 1903, est accueilli aux cris de « Vive la Catalogne française ! » Jusqu'en 1918, l'arrivée de l'escadre française fut un prétexte pour chanter *La Marseillaise*, siffler *La Marcha Real* et dénigrer toute la symbolique nationale, tout comme la présence du vainqueur de la bataille de la Marne, le maréchal Joffre, natif de Rivesaltes dans le Roussillon, lorsqu'il vint présider les Jeux floraux de 1920. Comme toujours, l'attitude condescendante du gouverneur civil déplut aux Catalans, qui se sentirent offensés par le pouvoir central, tandis que les non Catalans donnaient à la manifestation une portée séparatiste. Parallèlement à ces effusions antimadrilènes, l'exaltation de la figure d'un homme illustre français, comme le maréchal Foch, permettait de célébrer la France de la liberté et de l'opposer à l'image répressive que l'Espagne s'était acquise en Europe, en grande partie à cause de la répression des événements de Barcelone.

Dès l'ouverture des hostilités, la plupart des catalanistes militants prennent parti ; Francesc Cambó se résigne à la neutralité [67] ;

Antonio Rovira i Virgili dit ses sympathies pour les Alliés [68]. L'influence française et alliée est importante à Barcelone, devenue un nid d'espions où les services français s'efforcent de résister à l'action allemande, dont le département d'information est situé au n° 8 de la calle Santa Teresa, près du faubourg de Gracia [69]. Au début de la guerre, les positions semblent claires. La presse d'opinion, *El Radical* et *El Progreso* (organes des républicains radicaux d'Alejandro Lerroux), ainsi que *La Publicidad* (républicain) et *El Poble catala* (organe du parti nationaliste catalan, qui cesse de paraître en avril 1917) sont ouvertement alliadophiles, alors que les journaux «indépendants» (*La Vanguardia*, *Diario de Barcelone*, *La Veu de Catalunya*) et conservateurs (*El Noticiero universal*) sont considérés comme germanophiles [70]. Cependant, le cas d'Agustí Calvet, Gaziel, collaborateur de *La Vanguardia*, envoyé en France par la Mancomunitat, dont les nombreuses chroniques fournirent la matière de plusieurs livres, mérite une mention particulière [71]. Enfin, l'éditeur franco-espagnol Bloud et Gay (qui a ses bureaux à Paris, 3, rue Garancière, et à Barcelone, calle del Bruch, 35) traduit de nombreux auteurs francophiles et publie notamment les ouvrages d'Armando Palacio Valdés, *La Guerre injuste*, *Lettres d'un Espagnol*, d'Azorín, *Entre l'Espagne et la France*, et de Rafael Altamira, *La Guerre actuelle et l'Opinion française* («traduit par M. et Mme Sarrailh [72]»).

L'attitude neutraliste de quelques socialistes orthodoxes ou de certains Catalans séduits par les propos pacifistes de Romain Rolland et de son organisation des Amis de l'Unité morale de l'Europe reste une exception. Eugeni d'Ors y adhère et assimile la guerre mondiale à une guerre civile [73]. Miguel de Unamuno, correspondant occasionnel de Romain Rolland [74], est le premier à dénoncer ce goût pour le pacifisme moralisateur, derrière lequel il ne voit qu'une germanophilie inconsciente ou déguisée [75]. Eugeni d'Ors, en effet, finit par signer le manifeste germanophile qui paraît le 17 décembre 1915 dans *El Correo español*.

Face au conflit, le mouvement ouvrier barcelonais est divisé. Les anarchistes Federico Urales, Ricardo Mella et Eleuterio Quintanilla signent le manifeste alliadophile de Kropotkine de 1916, mais les organes de la C.N.T., Tierra y Libertad et Solidaridad Obrera, au moins jusqu'à ce qu'Angel Pestaña prenne la direction de ce dernier en 1916, bénéficient d'une subvention allemande, destinée à fomenter des grèves pour gêner les industriels travaillant pour la France.

Le 10 avril 1915 paraît à Barcelone, avec un éditorial de Miguel de Unamuno, l'hebdomadaire *Iberia*, fondé «avec le secours pécuniaire de Français dévoués», affirme le consul de France à Barcelone [76]. Dirigée par Claudi Ametlla, elle a pour rédacteur régulier Antonio Rovira i Virgili, qui est le seul à signer des articles en catalan. Elle eut pour collaborateurs catalans Joan Brossa, Gabriel Alomar, Josep Carner, Josep Maria López-Picó (qui signa cependant le manifeste «pacifiste» d'Eugeni d'Ors), Prudenci Bertrana, Nicolau d'Olwer, Joaquim Folguera, Josep Maria Junoy et fut illustrée par le caricaturiste Feliu Elias, sous le pseudonyme d'Apa. Unamuno, Araquistain, Madariaga et Ramón Pérez de Ayala y collaborèrent également. *Iberia*, dont la maquette et le graphisme ressemblent à ceux de la revue madrilène *España*, créée le 29 janvier 1915 par José Ortega y Gasset (et qui reçoit maintenant des subventions alliées), n'est pas une réplique barcelonaise de celle-ci. Son projet idéologique est différent puisqu'elle se préoccupe davantage de la guerre que de l'actualité nationale. Ses mises en garde contre les méfaits de l'espionnage allemand en Catalogne ou le caractère diffamatoire des campagnes de presse orchestrées par le Reich sont constantes. Elle dénonce sans ambages la «barbarie» allemande, vante les mérites de la «noble France» et exalte l'amitié franco-espagnole, avant de mettre en vente dans les kiosques (au prix de dix centimes) des cartes postales à l'effigie d'un Catalan célèbre, le maréchal Joffre, agrémentées d'un texte autographe de celui-ci en catalan [77].

Iberia publie, le 10 juillet 1915, le manifeste alliadophile paru la veille dans *España* à Madrid et en attribue la paternité à Ramón Pérez de Ayala. Cette version, qui est différente de celle d'*España*, tend à confirmer le fait que ce texte a été traduit du français. Maurice Barrès, qui avait dirigé la première enquête sur les intellectuels espagnols, divulguée par Renée Lafont et Alberto Insúa dans *L'Écho de Paris*, le 9 février 1915, suggère que c'est Valle-Inclán qui pourrait être à l'origine de ce manifeste. Sa publication dans la revue *Iberia* est assortie d'un long commentaire de Jacques Chaumié qui flatte les signataires et fait l'éloge de la culture espagnole [78]. N'ignorant pas que c'est la droite catholique qu'il faut convaincre, les rédacteurs de la revue font paraître ensuite des articles de Maurice Barrès, de François Veuillot et de l'abbé Griselle, chanoine de Beauvais [79]. Le 16 novembre 1916 est fondé à Paris un Comité international des associations antigermaniques. L'année suivante est créée à Madrid la Ligue antigermanophile, présidée initialement par Miguel de Unamuno. Elle a son siège à Barcelone au numéro 11 de la rue Duque de la Victoria.

À Barcelone, de nombreuses feuilles – comme *La Correspondencia alemana* et, depuis le début de 1916, le mensuel *Deutsche Zeitung Spanien* – reçoivent des informations d'Allemagne qui publie également une revue en langue française, *L'Individu*, rédigée par des déserteurs français, ainsi que, l'année suivante, *La Vérité*, publiée en français, sous la direction d'un journaliste français, Gaston Routier, dont le but est de retourner contre la France les écrits pacifistes ou internationalistes [80] afin de créer un courant favorable à l'antimilitarisme et à la désertion. Elle trouve un écho parmi les milieux anarchistes de Barcelone, subventionnés par les Allemands. Plus violent est le *Don Quijote* (sic) *à la guerre*, journal de propagande (édité par la Tipografía Xalapeira, Barcelone, Arco de San Silvestre, 4).

Reste à savoir si l'organisation de cette propagande a été quelque peu vaine, comme a pu parfois le penser le consul de France à Barcelone, Gaussen, ou si elle a eu les effets escomptés. Un débat eut lieu en France sur la meilleure méthode à employer pour convaincre les pays neutres d'adhérer à sa cause. Quelle France fallait-il exalter : la France catholique ou la France radicale ? Exporter une guerre idéologique vers les pays neutres revenait à perdre toute crédibilité auprès de leur opinion publique. Agir en ordre dispersé et renoncer à coordonner les efforts n'était guère plus efficace. Tel fut pourtant le premier résultat de la politique des gouvernements français qui furent enclins à accueillir toutes les bonnes volontés en les laissant agir sur les milieux de leur choix.

C'est ainsi que les hommes de gauche s'adressèrent en Espagne aux républicains et aux socialistes, et les catholiques à leurs coreligionnaires, en laissant augurer du triomphe de leurs idées : à Barcelone, on affirmait que la victoire des Alliés ferait avancer l'émancipation démocratique de l'Espagne et, à Saint-Sébastien, que la cause de la France était celle de l'ordre et du catholicisme. Maurice Barrès, tout en dénonçant dans *L'Écho de Paris* ce qu'il appelait « les manœuvres occultes de l'Allemagne en Espagne », encourageait chacun à « se tourner vers sa famille spirituelle » : « [...] craignez de paraître flatter toutes les formes de l'opinion ; adoptez une ligne de conduite à l'égard de chaque pays, sachez qui vous voulez gagner, sinon tous se méfieront de vos propres contradictions et auront peine à vous croire [81] ».

Les catalanistes conservateurs reprochent à la France son jacobinisme et son attitude en Catalogne lors de l'invasion napoléonienne [82]. « Des discours furent prononcés d'une violence inouïe contre les traditions centralisatrices importées de France en Espagne », note l'ambassadeur de France en Espagne, Jules Cambon, le 24 mai 1906, après une manifestation de Solidaridad Catalana à Barcelone qui réunit « près de 150 000 à 200 000 personnes pour protester contre les lois d'exception [83] ». L'année suivante, lors de la manifestation catholique du 22 janvier 1907, les orateurs attribuèrent à la France la responsabilité de l'agitation antireligieuse qui se produisait dans leur pays. « Depuis qu'en France – a dit l'orateur Estanyol – ont été proclamés les Droits de l'Homme, qui sont la négation des Droits de Dieu, on a commencé à soulever le peuple pour chasser les moines et s'emparer de leurs biens. » Albo, député aux Cortès, a déclaré que « les auteurs de la loi sur les associations étaient les

dignes descendants de ces Espagnols francisés qui, tandis que nos ancêtres luttaient pour l'indépendance de la Patrie sur les rochers del Bruch et sous les murs de Gérone, se faisaient, à Madrid et à Bayonne, les courtisans de l'usurpateur et comparaient au Cid le maréchal Suchet en le félicitant d'avoir vaincu le rebelle catalan [84] ».

Il y eut cependant une francophilie conservatrice, celle qui opposa en particulier, au sein du carlisme, le prétendant don Jaime et le comte de Melgar (qui prononça une conférence favorable à la France à Barcelone, en avril 1917) au germanophile Juan Vázquez de Mella. La mission du recteur de l'Institut catholique de Paris, Monseigneur Baudrillart, en Espagne du 20 septembre au 20 octobre 1917 [85], visait précisément à rassurer cette partie de l'opinion, ainsi qu'un haut clergé souvent germanophile, mais surtout un public catholique effarouché par la réputation anticléricale de la France, souvent exploitée par la propagande allemande, qui représentait volontiers la France comme l'Antéchrist [86].

La France fait preuve de prudence : elle ne veut pas renier les idées qu'elle représente mais entend préserver les intérêts de ses ressortissants en Espagne (importants, par exemple, lors de la création de la compagnie d'électricité La Canadiense) et ne pas troubler l'ordre public. Mais l'image de la France républicaine, qui reste prépondérante et entretient ce manichéisme à toute épreuve dans l'Espagne de la Restauration, est l'arme principale des intellectuels opposés au régime.

L'issue du conflit renforce l'idée de l'Union latine chez les catalanistes. L'entreprise semble parfois désordonnée, car ces catalanistes, qui avaient compté sur la France pour obtenir la reconnaissance de leur autonomie dans l'État espagnol, se tournent vers les États-Unis pour demander au président Wilson d'accepter la Catalogne parmi les États de l'Union (d'autres envisageaient, selon l'issue de la guerre, une autonomie sous le protectorat allemand).

Bien que l'essor commercial et financier provoqué par le conflit ait contribué à amorcer une modernisation, l'Espagne (et la Catalogne en particulier) qui a partagé, par ses exportations massives, l'effort de guerre des Alliés – dont elle était devenue, sans le savoir, l'arsenal [87] – sort épuisée économiquement d'une guerre qu'elle n'a pas faite et déstabilisée par des revendications sociales dues à une forte inflation, nullement compensée par une augmentation des salaires (celle-ci est supérieure à 60 % pendant la guerre, alors que, dans le même temps, les salaires augmentent en moyenne de 25 % [88] et les bénéfices obtenus de 133 %). L'Espagne continue à exporter toujours des biens et de la main-d'œuvre, et à importer des capitaux et de la technologie. C'est pourquoi cette conjoncture exceptionnelle pour l'économie espagnole n'a pas eu d'effets structurels majeurs, même si elle renforce l'industrie barcelonaise. Il s'agit avant tout d'un essor de nature fiduciaire. L'Espagne attire de l'argent qui ne s'investit pas dans la production. Elle a, en Catalogne, une production excédentaire et des capitaux immobilisés. Mais cette période est l'un des rares moments où elle se rapproche du modèle européen. À tel point que la nouvelle génération de catalanistes – et notamment Joan Estelrich – n'hésite pas à opposer, à l'Espagne inanimée et protectionniste [89], la projection européenne de la Catalogne nouvelle [90].

De la participation catalane à l'École de Paris à une Barcelone surréaliste

Dès le milieu du XIXe siècle, de nombreux artistes catalans ignoraient Madrid pour s'installer à Paris. Mariano Fortuny y arriva dès 1866. Au début du XXe siècle, certains d'entre eux prenaient une part active au mouvement impressionniste. Ramon Casas, qui étudia à Paris dans l'atelier de Carolus-Duran, revint régulièrement à Barcelone où il introduisit l'impressionnisme, puis le symbolisme, et influença le jeune Pablo Picasso qui reprit à Paris l'atelier de Paco Durrio en 1904. Hermen Anglada-Camarasa, Miquel Utrillo, Santiago Rusiñol (qui expose ses *Jardins d'Espagne* en 1892, à Paris, dans la salle Art nouveau), Ricard Canals, Francesc Gimeno, Joaquim Sunyer i Miró, Ramon Pichot, etc., à tel point que Félicien Fagus put parler, en 1901, dans un article de *La Revue blanche*, d'« invasion espagnole » à laquelle il unissait le nom de Picasso. Enfin, le peintre José María Sert, qui avait exposé à Paris en 1912 quelques fragments de la décoration murale de la cathédrale de Vich qu'il avait entrepris de restaurer, jouissait d'un grand prestige.

Barcelone : refuge de l'avant-garde

La Première Guerre mondiale attira vers Barcelone de nombreux créateurs qui s'étaient installés à Paris. Leur arrivée inaugura, dans le domaine des arts plastiques, les activités d'avant-garde. Auparavant, peu de nouvelles de la création européenne parvenaient en Espagne, malgré la présence dans la capitale française de Pablo Picasso, Juan Gris ou Daniel Vázquez Díaz. On avait l'impression que leur pays d'origine les ignorait et qu'eux-mêmes avaient oublié celui-ci (il fallut attendre 1929 pour qu'ait lieu à Madrid, à la Résidence des étudiants, une exposition des « Espagnols de Paris » ; il n'y eut pas d'exposition de Picasso en Espagne avant 1936).

La première exposition d'avant-garde eut lieu à Madrid en 1915 (avec notamment des œuvres de Maria Blanchard), mais c'est à Barcelone, à la galerie Dalmau, que Georges Braque, Maurice de Vlaminck, André Derain, Henri Matisse, Marie

Laurencin, Raoul Dufy, etc. exposaient leurs œuvres depuis 1912, tandis que l'évolution de Joaquim Torres-García s'explique par son contact parisien avec le cubisme et le futurisme de l'italien Filippo Marinetti. À partir de 1917, la revue *Trossos* commença à traduire Max Jacob, Philippe Soupault, Pierre-Albert Birot, Paul Dermée et Pierre Reverdy. Josep Maria Junoy admirait Guillaume Apollinaire au point de publier, en 1920, sous son influence, un recueil intitulé *Poemes y Calligrammes*. C'est dans ce contexte favorable que Francis Picabia s'installa à Barcelone, bientôt rejoint par Gabrielle Buffet, Arthur Cravan et Otho Lloyd, Albert Gleizes et le peintre russe Serge Charchoune [91]. Tous exposèrent à la galerie Dalmau.

À Barcelone, Picabia commença à pratiquer l'écriture automatique. Lorsque l'artiste quitta la ville, Joan Prats, un riche chapelier, prit le relais, devenant rapidement le mécène de Joan Miró. Son meilleur disciple catalan fut Joan Salvat-Papasseit, un ouvrier qui s'opposa aux noucentistes et pratiqua une écriture d'autant plus libre qu'il était quasiment analphabète.

Les critiques musicaux considèrent également que se crée à cette époque, depuis Paris, un espace musical européen auquel Barcelone, en accueillant des interprètes comme les pianistes Ricard Viñes (ami d'Erik Satie) ou Joaquim Nin (qui fit revivre les clavecinistes des XVIIe et XVIIIe siècles français), contribue plus sûrement que Madrid, qui ne fait pas grand cas des innovations de compositeurs tels que Felipe Pedrell (théoricien d'un mouvement musical catalan), Federico Mompou ou Manuel de Falla [92]. Par exemple, ce dernier, qui avait déjà mis en musique le texte catalan d'*Atlantida*, crée son œuvre *Psyché* (fruit d'une collaboration avec son ami l'écrivain Georges Jean-Aubry) à Barcelone, en 1924, avant de la faire jouer à Paris, l'année suivante.

L'aventure surréaliste : une influence réciproque

Après la guerre, l'attraction de Paris sur les artistes espagnols s'exerça à nouveau. Le sculpteur barcelonais Julio González s'était installé dans la capitale française depuis quelques années. Les peintres catalans réunis dans l'« École de Paris » (Jaume Miravitlles, J. Esplandiu) étaient surtout néocubistes.

À Barcelone, il y eut également, à la fin des années vingt, une activité intense de signe surréaliste. Peut-on dire pour autant qu'il existe une école surréaliste catalane ? Ce mouvement, qui inventa une autre réalité, supprima aussi les frontières. Il contribua au contraire à sortir les artistes espagnols – les Catalans, mais aussi les Canariens, amis d'Oscar Domínguez – de leur isolement. Foix précisa que Dalí, qui selon Moreno Villa « portait en lui toute la peinture depuis le cubisme jusqu'au néoclassicisme : c'est-à-dire de Picasso à Derain [93] », n'avait pas de patrie et Miró proclamait : « Je suis un Catalan international ! »

On trouve cependant en Espagne quelques précurseurs du mouvement surréaliste : Juan Larrea à Bilbao et, à Barcelone, Josep Vicenç Foix. Ce dernier explique que le surréalisme n'est pour lui qu'un moyen pour passer du surréel au surnaturel, ce qui lui vaut d'être mis à l'écart du mouvement, d'autant plus qu'il trouvait « anti-artistique » l'écriture automatique et lui préféra ce qu'il nommait un « onirisme diurne » fondé sur la définition d'un « rationalisme magique ».

André Breton se rendit à Barcelone, en novembre 1922, pour inaugurer la nouvelle exposition de Francis Picabia à la galerie Dalmau. La conférence qu'il prononça le 17 novembre à l'Ateneo fut une mise en garde contre le futurisme et une réflexion sur l'avenir du mouvement qu'il dota d'un manifeste deux ans plus tard. Le « Manifeste du surréalisme », que Breton publia en octobre 1924, parut immédiatement dans le numéro de janvier-mars 1925 de la *Revista de Occidente*, l'une des revues les plus prestigieuses d'Espagne. Son directeur, le philosophe José Ortega y Gasset, publia la même année un livre intitulé *La Deshumanización del arte* dans lequel il dénonçait les dérives abstraites de l'art contemporain et l'usure du genre romanesque. La conception agressive qu'il avait de la création – « Chaque œuvre, plus parfaite que la précédente, annule celle-ci et toutes celles qui sont du même niveau. Comme dans une bataille, le vainqueur triomphe toujours au prix de la mort de ses ennemis ; dans le domaine artistique, le triomphe est cruel, et lorsqu'une œuvre l'obtient, elle anéantit automatiquement des légions d'autres œuvres qui auparavant jouissaient d'une certaine estime [94]. » – ne faisait aucune place au surréalisme naissant. Elle provoqua certes la réaction de José Díaz Fernández, qui se refusait à séparer l'art et la vie, mais explique peut-être le silence dont Guillermo de Torre entoure les créateurs espagnols dans son ouvrage *Literaturas europeas de vanguardia*, paru la même année, alors qu'il avait été capable de distinguer le néodadaïsme et le surréalisme [95].

Si la publication du « Manifeste du surréalisme » eut peu d'échos à Madrid, les artistes barcelonais se trouvèrent aux côtés d'André Breton. Tandis que le surréalisme faisait l'objet de débats passionnés dans la revue *Alfar* de La Corogne ou l'éphémère *Plural*, à Barcelone, J. V. Foix se contentait de faire part des réflexions que lui inspirait l'avant-garde [96]. Il semblait d'autant plus circonspect que, face à son esthétisme, Dalí apparut comme un iconoclaste. Le rassemblement qu'il organisa en 1926, afin de détruire le quartier gothique, si cher aux Barcelonais, fut assimilé par les autorités à une manifestation anarchiste. Ce n'est que plus tard que Dalí, exposant pour la première fois à la galerie Dalmau en 1925, devint un peintre surréaliste. Cette même année, Picasso et Miró participèrent à la première « Exposition

mondiale du surréalisme », à la galerie Pierre de Paris. Sa collaboration avec Max Ernst aux Ballets russes de Diaghilev lui valut la réprobation du groupe surréaliste parisien.

La prétendue « Génération de 27 », qui ne forma pas un groupe, ni ne fut pourvue des attributs générationnels, fut une héritière superficielle du surréalisme que revendiquait désormais à Málaga le groupe de la revue *Litoral*, autour de José María Hinojosa et Emilio Prados. Foix écrivit, en 1927, en catalan, *Gertrudis*, un mélange de poème en prose et de roman, fruit d'une écriture automatique, et *KRTU* qu'il publia en 1932 avec des dessins de Miró. En novembre 1930, Salvador Dalí, fasciné par Gala, fit paraître en français son unique livre de poèmes érotiques, *La Femme visible*.

En Catalogne, le principal organe surréaliste fut une revue de Sitges à laquelle était lié Dalí, *L'Amic de les Arts*, fondée en 1926 par Josep Carbonell (qui avait pris part à la manifestation de Barcelone organisée par Dalí), puis dirigée par J. V. Foix. Son esthéticisme ne suffisait pas à tranquilliser la bourgeoisie barcelonaise qui n'acceptait pas l'avant-garde. La revue, dont les principaux collaborateurs furent Sebastià Gasch, Magí A. Cassanyes, Lluís Montanyà et Salvador Dalí, publia des traductions de Paul Éluard et de Jacques Baron. En 1928, un texte violent signé par Dalí, Montanyà et Gasch, le « Manifeste anti-artistique catalan » ou « Manifest Groc », s'en prenait à toutes les valeurs de la culture catalane et dénonçait son manque d'intérêt pour l'art vivant. C'était une mise en cause de l'héritage du noucentisme.

Le 23 octobre 1932 fut créé, à Barcelone, le groupe des « Amis de l'Art nouveau » (ADLAN, Amics de l'Art Nou [97]), qui rassemblait aussi bien les principaux rédacteurs de *L'Amic de les Arts* (Josep Vicenç Foix, Lluís Montanyà, Sebastià Gasch), que des artistes (Salvador Dalí, Joan Miró, Angel Ferrant), des directeurs de galeries et les architectes du GATCPAC (Groupe d'architectes et techniciens catalans pour le progrès de l'architecture contemporaine), fondé en 1930 par José Luis Sert, Josep Torres Clavé, etc. La défense de l'art moderne qu'il revendiquait avait des vertus œcuméniques. Elle se fondait sur la glose des idées esthétiques d'Arthur Rimbaud et ne dédaignait pas le modern style. Plus provocateur, Dalí attira davantage que Miró, qui avait été pourtant le seul peintre catalan à participer à la création du groupe surréaliste, et devint la référence de ce dernier qui organisa, en décembre 1933, la deuxième exposition de l'artiste en Espagne, après celle de 1928, à la galerie Catalonia de Barcelone, au 3 de la ronda de Sant Pere. Dalí y présenta pour la première fois *L'Énigme de Guillaume Tell* et une série d'eaux-fortes illustrant *Les Chants de Maldoror* de Lautréamont (elles furent ensuite exposées à la Julien Levy Gallery de New York et, à Paris, à la librairie des Quatre-Chemins, en juin 1934). Lors de l'inauguration, Foix lut un extrait de Lautréamont qu'il avait traduit quelques années auparavant dans *L'Amic de les Arts* sous le titre «La complanta dels gossos [98]» et Magí Cassanyes compara Dalí à un «marquis de Sade de la peinture [99]».

Les scandales réitérés causés par les déclarations provocatrices de Dalí – ou même son attitude : Gala et lui recevaient nus – suscitèrent un débat en 1930 dans les revues catalanes. Solanes décrit les surréalistes comme un groupe artistique fondé sur la violence et la terreur : une dégénérescence de la culture capitaliste, en somme ; une farce, renchérit Clavería, puisque la publication du «Deuxième Manifeste» a révélé que le surréalisme a abandonné l'exploration de l'irréalité pour se consacrer à la subversion du monde. Dans ces conditions, Rodolf Llorenç refuse de se demander si la morale du surréalisme sera universelle ou métaphysique pour constater qu'elle exprime un instinct qui vise le plaisir immédiat. De surcroît, dans sa conférence à l'Ateneo de Barcelone, Salvador Dalí rendait tout débat inutile puisqu'il préconisait l'acte gratuit : «Revolver au poing, descendons dans la rue et tirons au hasard, autant que nous le pouvons, sur la foule [100].»

Voilà qui suffit à prouver que si l'on peut parler de surréalisme espagnol, après des années d'occultation opérée, jusqu'à la fin des années soixante-dix, au profit des poètes de la dite «Génération de 27» et du groupe madrilène de la Résidence des étudiants, c'est essentiellement en Catalogne que ce mouvement fut en relation avec le groupe français et qu'il donna toute sa mesure. Les expositions se multiplient dans les deux pays. En 1936 eurent lieu à Paris une exposition Miró et une «Exposition surréaliste d'objets» à la galerie Charles Ratton, avec des œuvres de Picasso, Miró et Ferrant ; tandis qu'à Barcelone, Leandre Cristòfol inaugurait une exposition de collages de bois et de fil de fer du groupe Lógico-fobista.

Conformément à la radicalisation qui s'empara du monde intellectuel, l'Association pour la défense de la culture, contre la guerre et le fascisme, créée à Barcelone le 28 mars 1936, reçut la visite de nombreux écrivains européens et notamment celle des Français Jean-Richard Bloch et Jean Cassou, avant de bénéficier des adhésions d'André Gide, Louis Aragon, Paul Nizan, André Chamson, Charles Vildrac, etc.

Malgré la guerre civile, l'Espagne fut le pays le plus important de l'Exposition internationale des arts et techniques appliqués à la vie moderne, inaugurée à Paris le 12 juillet 1937, grâce à son pavillon dessiné par José Luis Sert où étaient exposés le *Guernica* de Picasso et *El Segador* (*Le Faucheur*) de Miró, ainsi que d'autres œuvres d'artistes catalans (Josep Renau, Julio González, Llorens i Artigas). Les peintres catalans triomphaient

à Paris et à Londres. Picasso venait d'être nommé directeur du musée du Prado. Cette année, Benjamin Péret épousait une artiste catalane, Remedios Varo, qui deviendrait l'un des grands peintres du surréalisme. L'année suivante, Miró publiait à Paris une édition illustrée des *Chants de Maldoror* de Lautréamont. Ensuite, la plupart des artistes catalans prirent le chemin de l'exil.

La révolution espagnole qui, à partir de la chute de la monarchie, tente de faire prévaloir les intérêts immédiats des ouvriers et des paysans, se prolonge à Barcelone par une lutte entre trotskistes et communistes au sein de la guerre civile. Elle se traduit par des manifestations, des grèves, des barricades et des exécutions, mais aussi par des polémiques et des débats théoriques, qui font que pour beaucoup de Français, cette ville – la dernière à tomber aux mains des troupes franquistes en janvier 1939 – reste une ville rouge et agitée, où le débat politique et culturel est plus intense qu'à Madrid. Elle n'attire désormais que les militants. Auparavant, quelques écrivains français comme Jean-Paul Sartre et Simone de Beauvoir ne perçurent Barcelone que superficiellement [101]. Ces voyageurs croyaient trouver dans l'analogie une tradition, une pensée, mais le fait inopiné leur resta ignoré. La difficulté à nouer deux langages suffit à conjuguer le pays au passif ou à chercher dans les bas-fonds un dépaysement au carré, sinon, pour Jean Genet, le meilleur lieu pour devenir en 1930, à seize ans, le voyou qu'on l'avait accusé d'être [102]. Une Barcelone exotique ou sulfureuse qui n'attend plus rien de Madrid mais redit comme les fondateurs de *L'Avenç* à la fin du XIXᵉ siècle : «C'est toujours du Nord que nous vient la lumière.»

Dans une Espagne qui semble victime d'un marasme croissant, la bourgeoisie barcelonaise industrielle et financière, lasse de voir tous les secteurs rentables – les mines, le textile, l'énergie hydroélectrique, les chemins de fer, les tramways, les télécommunications – aux mains des capitaux étrangers, s'assigne une mission de reconquête civique et culturelle. Elle trouve dans ses relations avec Paris, considérée comme la capitale du monde latin, la clé d'un développement original et, surtout, la meilleure manière de court-circuiter les prétentions centralisatrices de Madrid, en ayant accès directement à la culture européenne. Cette ouverture vers l'Europe, qui est en partie l'expression de la «nostalgie expansionniste d'industriels tourmentés par l'étroitesse de leur marché» après l'échec de l'empire colonial [103], alimente un projet politique et se traduit par un formidable élan culturel.

Même si elles sont parfois intenses, les relations franco-catalanes se fondent sur un développement économique et un intérêt politique inégaux. La France, qui trouve en Catalogne une région favorable à ses investissements, une terre d'accueil pour ses artistes, ne semble s'intéresser à celle-ci que de façon intermittente et retient de Barcelone, que ses urbanistes ont contribué à modeler, la légende d'une ville sulfureuse. Elle oublie la ferveur moderniste et surréaliste que le franquisme, comme le reste, va occulter. Refuge de l'avant-garde artistique, terre de lutte idéologique de pays tiers, la Catalogne trouve en France, où se forment ses plus grands artistes, un raccourci vers la modernité. Ses politiciens nationalistes, las d'être majoritaires chez eux et minoritaires à Madrid, y cherchent quelques théories pour affirmer dans la francophilie une forme de patriotisme supérieur : la revendication de l'autonomie politique, la construction d'un État catalan, afin de faire coïncider la puissance économique et la décision politique. Si les circonstances font échouer ce projet politique, la projection esthétique du catalanisme est éclatante. Car les plus ardents catalanistes, même s'ils furent conservateurs, comprirent qu'ils ne pouvaient construire une culture qu'au contact de la modernité. Loin du récit des origines, des nostalgies médiévales et du discours sur la ruralité des félibres français, ils s'engagèrent dans la quête du renouveau et de l'imprévu, firent du catalan la langue du quotidien et celle du surréalisme.

Notes

1 La France, éclipsée par l'Angleterre comme premier fournisseur après 1891, reste cependant le premier client de l'Espagne entre 1880 et 1893, puis entre 1912 et 1920 (Paul Aubert, «L'influence idéologique et politique de la France en Espagne de la fin du XIXe siècle à la Première Guerre mondiale (1875-1918)», *L'Espagne, La France et la Communauté européenne*, Madrid, Casa de Velázquez-CSIC, 1989, p. 57-102).

2 À tel point que c'est la querelle sur l'opportunité d'organiser l'Exposition universelle de 1888 qui provoqua la scission du catalanisme conservateur, favorable à l'événement.

3 En 1876 fut créée une Maintenance catalane à côté des trois autres (Provence, Languedoc, Aquitaine), qui fut dissoute en 1893 par le nouveau capoulié, Félix Gras. Le Catalan J. Martí y Folguera sera le poète-lauréat des Jeux floraux, ou Fêtes latines de 1878, célébrés à Montpellier ; Victor Balaguer, exilé de 1867, futur président du Sénat espagnol, présidera en 1886 les Jeux floraux de Sceaux ; en 1888, ce sera le tour de Ruiz Zorilla. Il y avait, en 1876, vingt et un majoraux catalans. De nombreuses œuvres de Mistral, de Gras, etc. furent traduites en catalan.

4 La politique linguistique de la Révolution française impose le français comme langue de la raison, de la loi et du débat public sur les patois ruraux (Michel de Certeau, Dominique Julia et Jacques Revel, *Une politique de la langue. La Révolution française et les patois*, Paris, Gallimard, 1975 ; et «La question linguistique au sud», *Lengas*, nos 17 et 18, 1985) réservés à l'expression de la subjec-tivité et donc devenus socialement inutiles. L'alphabétisation fait reculer l'espace occitan. La maîtrise du français, considéré comme la langue de la citoyenneté et du progrès, est nécessaire pour sortir de la margina-lité et s'inscrire dans un processus d'ascension sociale. De surcroît, la révolution industrielle intègre le sud de la France au marché national et, en imposant un rapport vertical à Paris, centre administratif et financier, amplifie l'écart linguistique et idéologique nord-sud et change les comportements. Désormais, l'exode rural, accéléré par les premières lignes de chemin de fer, se fait vers Paris et non plus vers les métropoles du sud. Ce Midi, qui subit la révolution industrielle, reste pour les voyageurs romantiques une amorce sur le sol national de l'Italie ou de l'Espagne, un pays de contrastes, haut en couleur – qu'Alphonse Daudet sut rendre plaisant – et même inquiétant politi-quement car divisé entre un Midi blanc et un Midi rouge. Pourtant Paris, qui avait découvert les trouba-dours au début du XVIIIe siècle, continue à étudier, au début

du XIXe, l'Occitanie médiévale par le biais d'enquêtes menées sur les origines de la littérature française, tandis que les grands historiens libéraux (Augustin Thierry ou François Guizot) finissent par opposer un Midi médiéval tolérant et raffiné à un Nord fanatique et barbare (Philippe Martel, «Les historiens du début du XIXe siècle et le Moyen Âge occitan : Midi éclairé, Midi martyr ou Midi pittoresque», *Romantisme*, n° 35, 1982, p. 49-71). C'est ainsi que l'on projette sur le passé les tensions du présent et qu'émerge, en même temps que le souvenir idéalisé des Albigeois ou des consuls de Toulouse de 1218, après la représentation d'un Midi attardé, l'image d'une province qui aurait été le berceau de la culture et de la démocratie. Soucieux de réparer une injustice historique – la disparition de la langue d'oc –, les jeunes univer-sitaires méridionaux préparent la renaissance. Après la rectification du discours national sur le Moyen Âge, la France de Louis-Philippe découvre les poètes occitans, encore dépourvus de projet commun. Deux congrès ont lieu en Provence en 1852 (Arles) et 1853 (Aix). L'année sui-vante, de jeunes poètes consti-tuent un cercle qu'ils nomment

«Félibrige». Ces jeunes gens, qui prennent le nom de «félibres» (un mot dont l'étymologie a fait couler beaucoup d'encre parce qu'il ne veut rien dire et que son origine est fantaisiste, Frédéric Mistral, *Memori e Raconte*, Paris, Plon, 1906, p. 212-213) s'appel-lent Joseph Roumanille, Théodore Aubanel et Frédéric Mistral. S'ils sont unis par la volonté de défendre la langue d'oc et de rénover la littérature d'oc, de régénérer, grâce à une langue nouvelle, la langue française usée, leurs buts divergent. Le légitimiste Roumanille revendique des valeurs traditionnelles, tandis que le quarante-huitard Mistral entend faire du provençal le vecteur d'une littérature moderne, fondée sur la langue populaire mais destinée aux élites. Ils rénovent la langue depuis la morphologie jusqu'à la syntaxe et, de par leur position hégé-monique, sont en mesure de l'imposer à ceux qui veulent les rejoindre.

5 Philippe Martel, «Le Félibrige», Pierre Nora (dir.), *Les Lieux de mémoire, III. Les France, 2. Traditions*, Paris, Gallimard, 1992, p. 567-611 ; G. Jourdanne, *Histoire du Félibrige*, Raphèle-lès-Arles, Marcel Petit, 1980, 1re éd. 1897, 320 p.

6 Philippe Martel, *Ibid.*, p. 580.

7 Il fut éreinté, le 20 septembre 1868, dans *La Tribune*, par un jeune journaliste aixois, Émile Zola, qui le traita de «poète du passé égaré dans notre siècle de science».

8 Charles Maurras, *Vers l'Espagne de Franco*, Lyon, 1943, p. 205.

9 Dans leur empressement à publier des messages ou des manifestes de solidarité à l'égard des peuples qu'ils estimaient victimes de l'oppression d'états centralisateurs, certains catalanistes allèrent jusqu'à adresser un message à l'Irlande, en 1888, puis un autre au roi Georges Ier des Hellènes, en mars 1897, qui fut interprété à Madrid comme une provocation.

10 Jordi Casassas, *L'Ateneu Barcelonés dels seus orígnes als nostres dies*, Barcelone, Edicions de la Magrana, 1986, 262 p.

11 Un universitaire anarchisant, Pere Corominas, accusé d'avoir jeté une bombe dans la rue de Cambis Neus à Barcelone, lors du passage de la procession le jour de la Fête-Dieu, mobilisa en sa faveur de nombreux journalistes et intellectuels qui publièrent même à Paris, le 5 janvier 1898, un hebdomadaire, *La Campaña*, dans le seul but de demander la révision de son procès. Miguel de Unamuno, Federico Urales, Ricardo Mella, etc. furent parmi les premiers collaborateurs.

12 *Glosari*, 1906, p. 353.

13 La plupart des «noucentistes», Juan Estelrich, Jaume Bofill y Mates, Enric Jardi, Josep Maria López-Picó, Josep Maria Junoy, etc. furent influencés par la pensée de Maurras, ainsi que d'autres auteurs tels que Josep Pla, Josep Vicenç Foix ou Josep Carbonell; voir Jordi Casassas, *Jaume Bofill i Mates (1878-1933)*, Barcelone, Curial, 1980, 411 p.

14 Joaquim Coll i Amargós, *El Catalanisme conservador davant l'Afer Dreyfus – 1894-1906*, Barcelone, Curial, 1994.

15 Quelques années plus tard, lorsqu'il publia *Les Déracinés*, ce «roman de l'énergie nationale», il fut élu président d'honneur du concours poético-patriotique des Jeux floraux de 1898.

16 Jesús Pabón, *Cambó (1876-1947)*, Barcelone, Edicions Alpha, 2e édition, 1999, p. 67.

17 Pour une approche de géographie politique de ce phénomène urbain, voir Pere López Sánchez, *Un verano con mil julios y otras estaciones. Barcelona: de la Reforma interior a la Revolución de Julio de 1909*, Madrid, Siglo XXI, 1993, 286 p.; *La Semana Trágica. Estudio sobre las causas socio-económicas del anticlericalismo español, 1898-1912*, Barcelone, Ariel, 1972; Joaquín Romero Maura, *«La rosa de fuego». El obrerismo barcelonés de 1899 a 1909*, 1re édition, Barcelone, Grijalbo, 1975, 2e édition, Madrid, Alianza, 1989, 649 p.

18 Claudi Ametlla, *Memories polítiques*, Barcelone, Pórtic, 1963, p. 273.

19 Pour une analyse démographique de Barcelone, voir A. Cabre et I. Pujadas, «La població de Barcelona i delseu entorn al segle XX», *L'Avenç*, n° 88, décembre 1985, p. 33-40. On consultera également B. de Riquer, «La societat catalana dels anys vuitanta», dans P. Hereu (dir.), *Arquitectura i ciutat a l'Exposició Universal de Barcelona, 1888*, Barcelone, Universitat politécnica de Cataluña, 1988, p. 17-38.

20 Angel Marvaud, *La Question sociale en Espagne*, Paris, Alcan, 1910. Nous utilisons l'édition espagnole, *La Cuestión social en España*, Madrid, Revista de Trabajo, 1975, p. 378. Anselmo Lorenzo comparera la révolte de 1902 à la bouche d'un volcan: «Fue como el respiradero volcánico de un mar de fuego subterráneo» (*Criterio libertario*, Barcelone, Biblioteca de la Huelga General, nouvelle édition, Barcelone-Palma de Majorque, Olañeta ed., 1978, p. 19).

21 Pere Gabriel, «Algunes notes sobre la implantació sindical de socialistes i anarquistes a Catalunya abans dels anys de la primera guerra mundial», *Industrialización y nacionalismo. Análisis comparativos*, Universitat autónoma de Bellaterra, 1985, p. 555-567; *Clase obrera i sindicats a Catalunya 1903-1920*, thèse de doctorat, université de Barcelone, 1981.

22 Josep Benet, *Joan Maragall davant la Semana trágica*, Barcelone, Edicions 62, p. 70.

23 Joan Maragall, *En Cambó… i als altres, Obres completes*, vol. I, Barcelone, p. 770.

24 «Dictamen del Auditor», *Madrid Científico, año XVI*, n° 647, 30 octobre 1909, p. 592.

25 L'affaire Ferrer sera ensuite évoquée par de nombreux auteurs: E. Borràs, *El Proceso Ferrer. Drama en tres actos. ¡Apuntad bien, muchachos! ¡Soy inocente! ¡Viva la Escuela Moderna!*, Barcelone, Maucci, 1932, qui avait été représenté le 24 novembre 1931 au théâtre Talia de Barcelone par Anita Tormo; R. A. Fernández de la Reguera et Susana March, *La Semana trágica*, Barcelone, Planeta, 1966; Max Aub, *Josep Torres Campalans*, Madrid, Alianza, 1975, p. 117.

26 Archives du ministère des Affaires étrangères, Paris (AMAE), Nouvelle série, Espagne, vol. n° 9, Affaires de la Catalogne, 1906-1917, p. 234.

27 Salvatore Lombardo, *Francisco Ferrer. Romanzo*, Calami, Lib. La Minerva, 1910.

28 G. Hanotaux, *Histoire de la France contemporaine*, tome I.

29 Luis Simarro, *El Proceso Ferrer y la Opinión europea*, tome I, El Proceso, Madrid, Imprenta de Eduardo Arias, 1910, p.VIII.

30 J. Álvarez Junco, *El Emperador del Paralelo*, Madrid, Alianza, 1990, chap. 4.

31 *Ibid.*, vol. n° 10 cité. Le 8 février 1903, le commissaire spécial de la Sûreté à Lille fait état d'importantes manifestations dans le nord de la France en faveur des Espagnols impliqués dans le procès de la «Mano Negra», organisées à la Maison du peuple par la Fédération de la jeunesse laïque avec le concours de Laurent Tailhade. On aurait crié notamment : «À bas l'Inquisition espagnole !» ; voir Luis Simarro, *op. cit.*, 1910 ; AMAE, Nouvelle série, Espagne, vol. n° 10, Agitation révolutionnaire (1896-1914), Paris, Sûreté, 1er et 12 novembre 1909.

32 «Ciencia y anarquía», Madrid Científico, año XVI, n° 647, 30 octobre 1909. C'est nous qui traduisons.

33 Voir le témoignage d'Amadeu Hurtado, *Quaranta anys d'advocat*, Barcelone, Ariel, 1969.

34 Celui-ci est reproduit dans l'ouvrage de Sol Ferrer, *La Vie et l'Œuvre de Francisco Ferrer. Un martyr du XXe siècle*, Paris, Librairie Fischbacher, 1962, p. 182.

35 «España en moda», *La Nación*, Buenos Aires, 19 février 1914 ; *O.C.*, Madrid, Escelicer, tome IV, 1968, p. 1253.

36 Julián Juderías, *La Leyenda negra. Estudios acerca del concepto de España en el extranjero*, Madrid, 1913.

37 Voir la note adressée par le consul général de France à Barcelone, d'Anglade, au ministre des Affaires étrangères (AMAE, Nouvelle série, Espagne, vol. n° 9, Affaires de la Catalogne, 1906-1917, 23 septembre 1909).

38 Entre temps, le catalanisme avait évolué. En 1906, Solidaridad Catalana, un front politique,

rassembla toutes les forces catalanistes pour protester contre le militarisme qui consacrait l'acceptation par les libéraux de la loi répressive connue sous le nom de «Ley de Jurisdicciones» car elle traduisait devant les tribunaux militaires quiconque avait critiqué l'armée dans la presse. Cette alliance électorale mit fin à l'hégémonie des partis dynastiques en Catalogne et y rendit plus difficile le contrôle du système politique. La falsification des élections fut désormais impossible en milieu urbain. Et le catalanisme, fort d'une base électorale importante (quarante et un sièges de députés sur quarante-quatre aux élections législatives de 1907 en Catalogne), allait se transformer en mouvement de masse. Mais Solidaridad Catalana ne résista pas au rapprochement des dirigeants de la Lliga et d'Antonio Maura. Les dissidents s'allièrent aux républicains pour fonder, en 1909, un mouvement de gauche, Esquerra Catalana.

39 Paul Aubert, *Les Intellectuels espagnols et la Politique dans le premier tiers du XXe siècle*, thèse de doctorat d'État, Bordeaux, 1996, 1886 p.

40 Joan Lluis Marfany, «Sobre el moviment modernista», dans *Aspectes del modernisme*, Barcelone, Curial, 1975, p. 15-21 ; Albert Balcells, *Historia contemporánea de Cataluña*, Barcelone, Edhasa, 1983, 441 p.

41 «Habla Eugenio d'Ors», *Cataluña*, n° 19, février 1908.

42 Lettre à Josep Pijoan, 19 décembre 1906, citée par Anna Maria Blasco i Bardas, *Joan Maragall i Josep Pijoan. Edici i estudi de l'epistolari*, Barcelone, Publicacions de l'Abadia de Montserrat, 1992, p. 377.

43 Jordi Casassas (dir.), *Els Intel.lectuals i el poder a Catalunya (1808-1975)*, Barcelone, Pòrtic, 1999, 462 p.

44 Eugeni d'Ors, *Obra catalana completa. Glosari, 1906-1910*, Barcelone, 1950, p. 461 ; «Versailles a la moda», 5 décembre 1906.

45 Eugeni d'Ors, *Ibid.*, p. 1481 ; *Nuevo Glosario*, tome II, Madrid, 1947, p. 348-349, 574 ; *Nuevo Glosario*, tome III, Madrid, 1949, p. 120.

46 Carles Cardó, «L'Esglesia i L'Action française», *La Moral de la derrota i altres assais*, Barcelone, 1959, p. 197

47 Norbert Bilbeny, *Eugeni d'Ors i la ideologia del Noucentisme*, Barcelone, 1988 ; Vicente Cacho Viu, *Revisión de Eugenio d'Ors*, Madrid, Publicaciones de la Residencia de Estudiantes, 1997, 382 p.

48 Cambó raconte comment il participa auparavant à une manœuvre qui consistait à opposer à Deschanel un ami de Clemenceau que lui-même fréquentait, le ministre de l'Intérieur, Jules Pams (Francisco Cambó, *Memorias (1876-1936)*, Madrid, Alianza, 1987, p. 167).

49 *Ibid.*, p. 313-315.

50 *Ibid.*, p. 386.

51 *Ibid.*, p. 399-401.

52 *Ibid.*, p. 410. C'est nous qui traduisons.

53 F. J. Sánchez Cantón, *La Colección Cambó*, Barcelone, 1955, p. 27-29 ; Jesús Pabón, *Cambó*, Barcelone, Edicions Alpha, 1952, 2e édition, 1999, p. 1018-1019.

54 Cette acquisition fut évaluée, en 1929, à deux millions huit cent quarante mille pesetas, sans compter les droits et les impôts qui représentaient respectivement 12% et 1,5% de cette somme.

55 C'est ainsi qu'il rencontre, chez son ami David David-Weil, le président de la banque Lazard, le financier Kreuger, quelques jours avant le suicide de celui-ci (Jesús Pabón, *op. cit.*, 1999, p. 442).

56 *Ibid.*, p. 410.

57 Paul Aubert, «L'influence idéologique et politique de la France en Espagne de la fin du XIXe siècle à la Première Guerre mondiale (1875-1918)», *op. cit.*, 1989, p. 57-102.

58 Paul Aubert, «L'appel de l'étranger : le rôle des correspondants de presse espagnols dans le premier tiers du XXe siècle», *Los Protagonistas de las relaciones internacionales* (P. Aubert-M. Espadas Burgos eds.), *Bulletin d'histoire contemporaine de l'Espagne*, UMR Telemme, CNRS-université de Provence, n° 28-29, décembre 1998-juin 1999, p. 233-258.

59 AMAE, Nouvelle série, Espagne, vol. n° 9, Affaires de la Catalogne, 1906-1917, p. 299.

60 *Ibid.*

61 AMAE, Série Europe 1914-1918, Espagne, vol. n° 479, Le consul général de France à Barcelone, F. Gaussen, à M. le président du Conseil, ministre des Affaires étrangères, 15 juin 1917. Il s'agit vraisemblablement d'Aline Ménard-Dorian (épouse du petit-fils de Victor Hugo), militante de la Ligue des droits de l'homme, qui était en relation avec les milieux francs-maçons espagnols et aidait les socialistes espagnols installés à Paris, comme Fabra Ribas (archives du docteur Simarro, bibliothèque de la faculté de psychologie, université Complutense, Madrid).

62 AMAE, Nouvelle série, Espagne, vol. n° 10.

63 Le 25 juin et le 18 juillet 1910, le 11 mars 1911, le 10 février et le 14 mai 1912, le 5 mai 1913 (*Ibid.*).

64 Il semblerait qu'une première démarche infructueuse ait été faite par Alejandro Lerroux dont se méfiaient les autorités françaises, partagées entre le désir de ne pas se passer de combattants et celui de ne pas enrôler des «éléments anarchistes». Par la suite, le consul général de France à Barcelone, F. Gaussen, dressa une liste «avec l'assurance, donnée par le comité local organisateur, qu'aucun élément douteux ne serait admis» (AMAE, Série Europe 1914-1918, Espagne, vol. n° 469, 1er octobre 1914). Ces volontaires furent admis au titre de la Légion étrangère dans les bataillons d'Avignon ou de Toulouse (AMAE, Série Europe 1914-1918, Espagne, vol. n° 469, Dossier général, 22 octobre 1914). En 1917, un rapport du ministère de la Guerre signale que trois mille Espagnols combattent dans l'armée française, mais le général Nivelle n'est pas favorable à la création d'une Légion espagnole (*Ibid.*, vol. n° 476, Dossier général, 15 février 1917 ; voir également Albert Balcells, «Los voluntarios catalanes en la Gran Guerra (1914-1918)», *Historia 16*, n° 121, mai 1986, p. 51-62 ; David Martínez Fiol, *Els Voluntaris catalans a la Gran Guerra (1914-1918)*, Barcelone, Publicacions de l'Abadia de Montserrat, 1991).

65 AMAE, Nouvelle série, Espagne, vol. n° 9, Affaires de la Catalogne, 1906-1917, 24 septembre 1917.

66 *Ibid.*

67 Francisco Cambó, «El conflicto europeo. España ante la guerra europea», *La Veu de Catalunya*, Barcelone, 18 août 1914.

68 Antoni Rovira i Virgili, «Posiciò de Catalunya davant del problema europeu», conférence prononcée dans les locaux du CACI, le 22 octobre 1914, *Revista Anyal*, 1915.

69 AMAE, Série Europe 1919-1940, Espagne, vol. n° 63, 19 juillet 1920 ; Paul Aubert, «La propagande étrangère en Espagne dans le premier tiers du XXe siècle», *Mélanges de la Casa de Velázquez*, Madrid, 1995, XXXI-3, p. 103-176.

70 Il faut renoncer à évaluer la position idéologique des journaux soi-disant neutres à partir de la publicité qu'ils reçoivent de la part des belligérants, car ils ne font pas toujours preuve d'une grande rigueur.

71 Gaziel, *Diario de un estudiante en París. Narraciones de tierras heroicas (1914-1915)*; *En las líneas de fuego (1915)*; *El año de Verdún (1916)*.

72 AMAE, Série Europe 1914-1918, Espagne, vol. n° 486, 26 février 1917.

73 «Lettre à Tina», *La Veu de Catalunya*, 8 août 1914 ; *Manifiesto de los amigos de la Unidad moral de Europa, España*, n° 2, 5 février 1915. Ce premier manifeste est signé notamment par Eugeni d'Ors, Manuel Montoliu, Aurelio Ras, M. Santos Oliver, Juan Palau, Pau Vila, Enrique Jardí, E. Messeguer, Esteban Terrades, José Zulueta, E. Durán Reynals, Rafael Campaláns, Josep Maria López-Picó, Manuel Reventós, J. Farraán Mayoral, Jaime Massó Torrents et Jorge Rubio Balaguer. Un second parut en juin 1915.

74 Romain Rolland, *Journal des années de guerre, 1914-1919*, Paris, Albin Michel, 1952, p. 83.

75 «L'Unité morale de l'Europe», *Le Soleil du Midi*, Marseille, n° 11, 189, 18 janvier 1916 ; Romain Rolland, *Au-dessus de la mêlée*, Paris, Ollendorff, 1915.

76 AMAE, Série Europe 1914-1918, Espagne, vol. n° 486, 28 mars et 2 juin 1917 ; *Ibid.*, vol. n° 485.

77 «Joffre, català», *Iberia*, n° 15, 17 juillet 1915. La revue disparut en 1919. Nous avons pu consulter trente-huit numéros.

78 *Iberia*, n° 14, 10 juillet 1915, p. 13-14.

79 Maurice Barrès, «Lo que flota bajo el cielo de batalla», *Iberia*, n° 14, 10 juillet 1915, p. 14 ; François Veuillot, «Palabras de un católico», *Iberia*, n° 16, 24 juillet 1915, p. 10 ; abbé Griselle, «Al margen de la Humanidad», *Iberia*, n° 30, 30 octobre 1915.

80 AMAE, Série Europe 1914-1918, Espagne, vol. n° 486, 30 octobre 1916 ; *Ibid.*, 18 août 1917.

81 Cité par P. Lhande, *Notre sœur latine*, Paris, Bloud et Gay, 1919, p. 97-99.

82 AMAE, Nouvelle série, Espagne, vol. n° 9, Affaires de la Catalogne, 1906-1917, Le consul général de France à Barcelone à M. S. Pichon, ministre des Affaires étrangères, 22 janvier 1907, Manifestation catholique à Barcelone.

83 AMAE, *Ibid.*, L'ambassadeur de France en Espagne à M. Léon Bourgeois, ministre des Affaires étrangères, 24 mai 1906.

84 AMAE, *Ibid.*, Le consul général de France à Barcelone à M. S. Pichon, ministre des Affaires étrangères, 22 janvier 1907, Manifestation catholique à Barcelone.

85 *Notre propagande*, Éditions La Revue hebdomadaire, Paris, 1916.

86 AMAE, Série Europe 1914-1918, Espagne, vol. n° 486, Propagande de l'Allemagne, L'ambassadeur de France en Espagne à M. le ministre des Affaires étrangères, 31 octobre 1916.

87 AMAE, *Ibid.*, vol. n° 483, Rapport du général Denvignes, n° 371, au ministre de la Guerre, 5 décembre 1917.

88 Shlomo Ben Ami, *Fascism from Above*, Oxford University Press ; trad. espagnole, *La Dictadura de Primo de Rivera 1923-1930*, Barcelone, Planeta, 1984, p. 15.

89 Gabriel Alomar, *La Política idealista*, Madrid, Minerva, 1922, p. 349-350.

90 Joan Estelrich, « Per la valoració internacional de Catalunya », conférence prononcée devant l'Association catalaniste de Valls, le 14 mars 1920, dans Paul Aubert, *Les Espagnols et l'Europe (1890-1939), Anthologie*, Toulouse, P.U.M., 1992, p. 205.

91 Francisco Aranda, *El Surrealismo español*, Barcelone, Lumen, 1981, p. 30-33.

92 Georges Jean-Aubry, *La Musique et les Nations*, Paris, Éditions de la Sirène, 1932 ; Ricard Viñes, *Diari inedit (fragments relacionats amb Ravel, Debussy i Duparc)*, introducció y notes de Nina Gubisch, Lérida, Institut d'Estudis llerdencs, 1986, édition française, Revue internationale de musique, Paris ; Manuel de Falla, *Écrits sur la musique et les musiciens*, introduction et notes de Federico Sopeña, traduction et présentation française par Dominique Krynen, Paris, Actes Sud, 1992.

93 José Moreno Villa, « La jerga profesional », *El Sol*, Madrid, 12 juin 1925.

94 José Ortega y Gasset, *La Deshumanización del arte, Obras completas*, tome III, Madrid, Alianza, 1983, p. 389.

95 Guillermo de Torre, « Neo-dadaísmo y Superrealismo », *Plural*, n° 1, juillet 1925 ; voir Joaquim Molas, *La Literatura catalana d'avantguarda. 1916-1938*, Barcelone, A. Bosch ed., 1983 ; Jaime Brihuega, *Las Vanguardias artísticas en España. 1909-1936*, Madrid, Istmo, 1981, 582 p.

96 Josep Vicenç Foix, « Algunas consideraciones sobre la literatura d'avantguarda », *Revista de poesía*, n° 1, Barcelone, 1925.

97 Emmanuel Guigon, « ADLAN (1932-1936) et le surréalisme en Catalogne », *Mélanges de la Casa de Velázquez*, Madrid, 1990, XXVI-3, p. 53-80.

98 Josep Vicenç Foix, « La complanta dels gossos », *L'Amic de les Arts*, n° 16, 31 juillet 1927.

99 Magí Cassanyes, « Pintors d'avui. Dalí o l'antiqualitat », *La Publicidad*, Barcelone, 22 décembre 1933.

100 C'est nous qui traduisons. J. Solanes Vilaprenyó, « Significació social del surrealisme » ; C. M. Clavería, « Les dósis de violencia » ; R. llorenç, « Apets sobre la moral surrealista », *Butlletí de l'Agrupament Escolar*, n° 7-9, Barcelone, septembre 1930 ; Salvador Dalí, « Posicio moral del surrealisme », *Hèlix*, n° 11, 1930.
La phrase figure en termes quasiment identiques dans *le second manifeste* du surréalisme paru en 1930. (André Breton *œuvres complètes*, La Pléiade, tome 1, p. 782.)

101 « Ce soir, il y avait sur les Ramblas une agitation insolite à laquelle nous n'attachâmes pas d'importance […] Les syndicats avaient déclenché une grève générale contre le gouvernement de la province […] Nous étions présents, et nous n'avions rien vu. », Simone de Beauvoir, *La Force de l'âge*, Paris, Gallimard, 1963, p. 97 (Paul Aubert, « Sartre et l'Espagne », *Obliques*, Paris, Éditions Borderie, n° *Sartre et les arts*, 1981, p. 269-281).

102 Jean Genet, *Le Journal d'un voleur*, Paris, s.e., 1949.

103 Pierre Vilar, *La Catalogne dans l'Espagne moderne, Recherche sur les fondements économiques des structures nationales*, Paris, 1962.

À propos de l'architecture

et de la ville

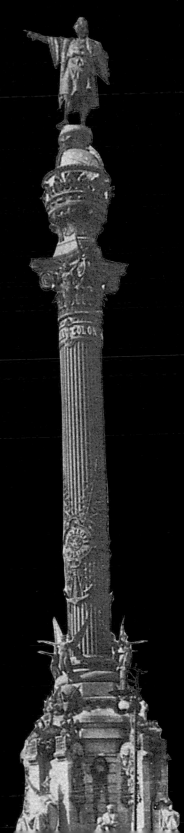

ESPLUGAS
Vue du monument à Colomb,
vers 1888
Barcelone, Arxiu històric
de la Ciutat de Barcelona

JUAN JOSÉ LAHUERTA

À PROPOS DE L'ARCHITECTURE ET DE LA VILLE

Barcelone, Paris et « Bruxelles »

En novembre 1905, Josep Puig i Cadafalch publiait dans *La Veu de Catalunya*, le quotidien de la Lliga, le parti politique du catalanisme conservateur, un article dans lequel il invitait les Barcelonais à faire les efforts nécessaires pour que leur ville devienne le « Paris du Midi » ; peu après, en avril 1909, dans un article daté de Berlin et publié dans le même quotidien [1], il écrivait que Barcelone avait la possibilité de devenir, à court terme, la « Bruxelles du Midi ».

On peut penser que, le temps aidant, Puig modère ses ambitions, et que c'est l'évolution même de la politique catalane, à la veille de la Semaine tragique – fin juillet 1909 –, qui l'a amené à proposer un modèle plus modeste, à se montrer plus réaliste dans le choix des objectifs et des références proposés à ses concitoyens. Mais il ne s'agit pas exactement de cela. Tentons une explication.

Au cours des premières années du XXᵉ siècle, tout comme dans la seconde moitié du XIXᵉ, il ne fait aucun doute que Paris était « la » capitale, et à plus juste raison encore du point de vue de la culture, des arts et du commerce de luxe. Et il ne s'agissait pas là d'une superficielle question d'« influences », mais bien d'une condition de dépendance profonde, structurelle. À Barcelone, comme dans bien d'autres villes, non seulement la production culturelle et artistique proprement française, mais celle du reste de l'Europe, venait de Paris. Mis à part quelques cas d'exception – un Joan Maragall qui connaissait l'allemand, un Alexandre de Riquer en étroite relation avec certains groupes artistiques anglais –, ce que les Barcelonais connaissaient des auteurs de l'Europe centrale, de l'Europe du Nord, des Anglo-Saxons, ou même des Italiens les plus caractéristiques de la fin du siècle, ils l'avaient lu en français [2]. Qu'il s'agît de Ruskin ou d'Emerson, de Nietzsche ou de Wagner, d'Ibsen, de d'Annunzio ou de tant d'autres, la répercussion de leurs œuvres à Barcelone dépendait directement de l'attention qu'on leur prêtait à Paris, et les traductions de leurs productions en castillan ou en catalan étaient faites à partir des versions françaises et non des textes originaux. Ainsi donc, quand un auteur passait inaperçu à Paris, il brillait par son absence à Barcelone. Les peintres allaient, quant à eux, séjourner à Paris, et l'on a mille fois rappelé les liens étroits d'un Rusiñol, d'un Casas ou du premier Picasso avec une forme spécifique de modernité, parisienne par excellence, montmartroise, d'ascendance bohème mythique, laquelle, quoique quasiment épuisée à la fin du XIXᵉ siècle, servit encore de modèle, et pas seulement formel mais aussi idéologique, à ces Barcelonais : l'artiste excentrique, capable de vivre de la mystification de son génie, de créer lui-même les conditions du marché en imposant au public ses propres goûts et en inversant le rapport entre l'offre et la demande, était à coup sûr le plus apte à faire face à un marché de l'art encore embryonnaire, très limité et bigot, comme l'était, tout compte fait, le barcelonais. De Paris, enfin, de ses boutiques, de ses cafés, de ses théâtres, de ses hôtels, arrivaient les plus délirants éléments décoratifs fin de siècle et, par la grâce des excès des Expositions universelles – surtout celle de 1900 – également les extravagants éléments architecturaux, dont on peut retrouver la trace jusque dans bien des audaces formelles des œuvres qu'Antoni Gaudí lui-même construisit au cours des premières années du XXᵉ siècle : le parc Güell, la Casa Batlló, la Casa Milà [3]… Le tout, bien entendu, entouré des scénographies urbaines les plus étonnantes : très larges boulevards, commerces rutilants, jardins splendides, grands monuments anciens et modernes, perspectives infinies.

Il va de soi que Bruxelles ne pouvait rien offrir de tout cela, et sa relation spécifique avec Barcelone était relativement minime, mais du point de vue de Puig i Cadafalch, de bien d'autres hommes politiques et de bien d'autres penseurs catalanistes de l'époque, elle présentait, par rapport à Paris, un grand avantage : elle était la capitale d'un pays très peu étendu et de création relativement récente (1830), mais qui pourtant, grâce à son haut degré d'industrialisation et à son agressive politique colonialiste, avait conquis une place de choix parmi les grandes puissances européennes. La Belgique et d'autres petits États, tels que la Norvège ou la Suisse, par exemple, étaient tenus par les poli-

**ÉTIENNE ET ANTONIN
NEURDEIN**
*Perspective de l'avenue Nicolas II,
vue prise des Champs-Élysées
(Grand Palais et Petit Palais)*, 1900
Paris, École nationale supérieure
des beaux-arts

ticiens et les idéologues catalanistes de la fin du XIXe siècle pour les modèles rendant apparemment réalisable l'aspiration à une Catalogne indépendante. Bien entendu, ce n'était là qu'un rêve, ou mieux encore, une mystification – pur symbole, pure idéologie –, mais son image ne laissait pas pour autant d'être séduisante et forte, pour ne pas dire directement réconfortante. Des auteurs aussi admirés par les intellectuels barcelonais que Maurice Maeterlinck ou Henrik Ibsen l'étaient notamment en raison de leur nationalité belge ou norvégienne. Pour ces intellectuels, ils étaient la démonstration vivante du dynamisme culturel ainsi que de la capacité d'invention et de création des petits pays, ils incarnaient une vitalité et une modernité facilement identifiables aux images génériques de liberté et d'indépendance, et qui se révélaient impossibles dans les grands États comme la France ou l'Espagne, écrasés par le poids de leur ampleur. La Belgique était en outre l'héritière d'un très riche passé médiéval, que rappelaient éloquemment les édifices gothiques de Bruxelles et de tant d'autres de ses villes, de sorte que

le caractère entreprenant de ses commerçants et de ses marchands, de ses bourgeois libres, traduit dans la forme de ses cathédrales, de ses hôtels de ville et des sièges de ses corporations, pouvait s'opposer au centralisme et à l'uniformité des grands États, absolus et jacobins, et aussi servir de modèle à une Catalogne et à une Barcelone qui identifiaient leurs aspirations à l'autonomie avec leur propre passé médiéval, et qui par ailleurs, justement en ces années-là, commençaient à découvrir, et à «inventer», leur propre gothique, présent en d'autres lieux de la Méditerranée comme témoignage de leur ancienne expansion, et défini par leurs historiens – Puig parmi les plus en vue – comme l'expression essentielle du caractère de leur peuple.

Ainsi donc, Paris, la capitale du XIXe siècle, n'était pas seulement une référence de la culture barcelonaise de la fin de ce même siècle, mais sa condition de dépendance, quasiment unique, nécessaire ; «Bruxelles», en revanche, n'était pas une chose concrète, mais bien plutôt un symbole, la dépositaire et l'image d'une idéo-

**ÉTIENNE ET ANTONIN
NEURDEIN**
*Plate-forme mobile, carrefour
de l'École militaire,* 1900
Paris, École nationale
supérieure des beaux-arts

logie qui se consolait en inventant ses propres mythes. Paris était quelque chose d'absolument matériel, de concret : d'une part, la capitale de l'État centraliste par excellence et, d'autre part, la source obligée de la culture dont Barcelone se nourrissait ; «Bruxelles» était seulement un nom à lui opposer, ou plutôt un nom propre à adoucir cette condition irrémédiable que représentait Paris. Un nom, enfin, qui pourrait être et qui fut en bien des occasions remplacé par d'autres, également fantastiques. Paris, le «nom» de Bruxelles : fausse aporie qui constitue une bonne métaphore permettant d'expliquer quels furent en général, au tournant du XIXe siècle, les rapports entre l'architecture et l'urbanisme barcelonais et Paris. Nous parlerons plus loin de l'architecture. Parlons d'abord un peu d'urbanisme.

Puig i Cadafalch écrivait l'article dont on a parlé plus haut en 1905, année où avait été approuvé le plan de liaisons urbaines pour Barcelone, ambitieux projet de restructuration d'une ville conçue pour la première fois comme s'étendant au-delà de ses limites

traditionnelles, comme une capitale métropolitaine, et qui allait en déterminer le développement pendant une grande partie du XXe siècle. Puig fut l'un des principaux promoteurs du projet, lui l'idéologue et le propagandiste de cette «grande» Barcelone, planifiée avec une «nouvelle rationalité» et une volonté monumentaliste radicalement opposée à l'isotropie de l'*Ensanche* (extension) de Cerdà. Il est vrai qu'il était membre du jury qui décerna le premier prix à Léon Jaussely [4], architecte français formé à l'École nationale des beaux-arts, dans l'atelier de Daumet-Esquié, premier grand prix de Rome en 1903 – ce fut à la villa Médicis qu'il commença à mettre en chantier son projet pour Barcelone –, et plus tard fondateur, en 1911, de la Société des architectes urbanistes. Il est donc inutile d'insister sur la relation entre le plan de Barcelone et la tradition académique parisienne, et il suffit de voir les tracés des avenues, des espaces publics et des édifices monumentaux proposés par Léon Jaussely pour remarquer ce qui est tout simplement évident. Cependant, d'un point de vue plus

**ÉTIENNE ET ANTONIN
NEURDEIN**
*Pont Alexandre III et palais
de l'esplanade des Invalides,*
1900
Paris, École nationale
supérieure des beaux-arts

strictement structurel, les références de Puig ont toujours plus à voir avec la tradition de l'urbanisme de l'Europe centrale – Heberstadt, Heggeman ou Stubben – ou avec les idées en provenance du monde anglo-saxon, du Civic Art, sur la ville soumise au zonage, structurée autour d'un système hiérarchisé d'édifices, de services publics et de parcs, qu'avec les traditions formalistes françaises. Et il en va de même lorsque ses projets se concrétisent. Celui qu'il conçut, par exemple, pour le grand théâtre de la future Exposition des industries électriques sur le flanc du Montjuïc, élaboré à partir de 1913, faisait plus que s'inspirer du projet Artibus, exercice académique, il est vrai, réalisé par Otto Wagner en 1880, il en provenait directement ; ou plus tard, dans ses études pour le dessin de la place de Catalogne, les modèles proposés par Puig viennent de lieux très divers, mais la méthode qui sous-tend son travail a son origine en Europe centrale : Stubben, Sitte, Unwin… Faut-il pourtant s'en étonner, quand on sait que Jaussely lui-même était le traducteur français d'Unwin ? À l'instar de tant d'autres

architectes de cette époque, Puig et Jaussely ont des idées très proches : le classicisme, le langage académique, voilà une question réglée, des données qu'il ne convient pas d'interroger du point de vue idéologique : « Je fais des projets – écrivait Puig – avec la grammaire et le dictionnaire, comme qui parle un langage connu [5] […]. » Ce langage est le support ordonné de la composition et de la planification, dont cependant les aspects les plus concrets, soit à l'infime échelle du détail urbain, soit à la grande échelle des structures et des services, sont définis en partant de paramètres esthétiques et rationnels déjà différents. Les manuels de l'Europe centrale, les théories de la City Beautiful ou de la cité-jardin, la rénovation stylistique du classicisme menée à bien par Otto Wagner et les architectes de son école à Vienne…, tout cela peut et doit être supporté par le tissu académique, mais le résultat est maintenant essentiellement différent. Ce n'est plus « Paris » – bien que Jaussely ait remporté en 1920 le concours pour son plan d'extension –, mais « Bruxelles » : un organisme vivant, « électrifié »,

**ÉTIENNE ET ANTONIN
NEURDEIN**
*Parc et palais du Champ-de-Mars
(palais de l'Électricité et grande
roue, vue prise de la tour Eiffel),*
1900
Paris, École nationale supérieure
des beaux-arts

et non pas une composition formelle. Un «nom» d'Europe centrale ou d'Europe du Nord, dans le Midi.

Mais c'est justement pour cela qu'il ne faut pas s'étonner qu'en 1915 ce fût un autre Français – lui aussi bien sûr fondateur de la Société des architectes urbanistes – qu'on appela pour réaliser un projet pour les jardins de Montjuïc : Jean-Claude Nicolas Forestier, conservateur des parcs et jardins de Paris. Par rapport à la ville en continuelle transformation, le jardin est le lieu analogue où l'on peut rêver d'un ordre urbain qui, se fondant sur tous les mythes de la nature, se présente en même temps comme son dépassement, son contrôle rationnel. Le «jardin méditerranéen» proposé par Forestier, fondé sur des compositions académiques évitant néanmoins les espaces ouverts et les grandes perspectives, réduit à des éléments évoquant le monde domestique – terrasses, pergolas, canaux, fontaines… –, constitue l'image que, en marge de la ville réelle, Barcelone tenta de se donner à elle-même : une ville civilisée et civilisatrice, définie

en une extraordinaire mystification, dans son prétendu esprit «gréco-latin», et formée par des miroirs de calmes bassins où se reflètent les cyprès. Le «jardin méditerranéen», qui des années durant, grâce à l'œuvre du disciple préféré de Forestier, Nicolau M. Rubió i Tudurí, fut à l'origine de la forme des parcs barcelonais et de l'image la plus idéalisée de la ville, venait de Paris [6], mais il ne «faisait» pas Paris ; et pourtant, il semblerait que c'était là, dans le jardin, que «Bruxelles» retournait à l'ordre.

**LOUIS-ÉMILE
DURANDELLE**
La Galerie des Machines,
1889
Paris, bibliothèque des Arts
décoratifs

LOUIS-ÉMILE DURANDELLE
La Galerie des Machines,
1889
Paris, bibliothèque des Arts décoratifs

Architecture nouvelle

Architecture : à vrai dire, Viollet-le-Duc est le nom par lequel cette histoire devrait commencer, mais en même temps, comme on le verra à la fin de cette partie de notre étude, il est le topique qui nous empêcherait de distinguer les moments où les relations, sur le plan de l'architecture, entre Paris et Barcelone se concrétisent, cessent d'être génériques.

On a insisté là-dessus mille fois, la dépendance de l'architecture barcelonaise du XIXᵉ siècle par rapport à l'œuvre de Viollet-le-Duc, et tout particulièrement par rapport à ses grandes œuvres, le *Dictionnaire raisonné de l'architecture française* et les *Entretiens sur l'architecture*, est indéniable. Et non point tant à cause de questions de style ou de forme, mais bien de strictes raisons idéologiques. Rationalité des structures, clarté des formes, économie de moyens… : les qualités qu'il trouvait au gothique et qui lui permettaient de le définir comme un style ordonné et complet au-delà des exemples particuliers et de ses propres limites historiques, étaient celles qui lui permettaient également de le présenter comme la solution critique aux problèmes de l'architecture de son temps. Pour Viollet-le-Duc, le gothique n'était pas seulement un cas d'étude, historique ou archéologique, il était aussi un modèle exact de synthèse architecturale, définissable rationnellement, dans la logique duquel pouvaient trouver leur place les nouvelles techniques aussi bien que les nouveaux matériaux de la société industrielle, et dont la souplesse permettrait d'accueillir les programmes fonctionnels nés des besoins, eux aussi nouveaux, engendrés par cette société.

« La construction gothique, écrivait Viollet-le-Duc dans le tome IV de son *Dictionnaire*, n'est pas comme l'ancienne, d'une seule pièce et absolue dans ses moyens ; elle est au contraire légère, libre et ouverte à la recherche, comme l'esprit moderne. » C'est dans cette série d'oppositions et d'associations que se trouve la clé du succès de sa théorie. Viollet-le-Duc propose un style complet – forme, construction, technique, fonction… – dont la principale vertu est d'appartenir à son époque et qui suppose nécessairement un type d'architecte différent de celui qui jusqu'alors avait été formé dans la tradition « Beaux-Arts », à laquelle se réfère implicitement ce qu'il appelle l'« architecture ancienne », rigide dans ses méthodes de construction, inflexible dans ses règles de composition et de forme, limitée à ses propres thèmes. Un style qui s'étend, sans solution de continuité, de la restauration des monuments anciens en lesquels se justifient ses vertus, à l'invention et la construction de nouveaux édifices, et qui, en définitive, par-delà toute considération historiciste, est « moderne ».

À Barcelone, comme dans tant d'autres villes d'Europe qui ont vécu à la fin du XIXᵉ siècle des processus d'extension inconnus jusqu'alors, dans lesquels paraissait urgente l'exigence de l'adaptation à l'époque, de l'élaboration d'un langage et d'une définition de la profession, quel meilleur paradigme pouvait-on proposer que celui présenté par Viollet-le-Duc ?

Avec la fondation de l'École d'architecture, en 1871 [7], se forma à Barcelone la première génération d'architectes dont les caractéristiques répondaient à celle du professionnel libéral moderne : connaissance de l'histoire, importance des aspects abstraits du projet, contrôle de tous les processus de production de l'œuvre, formation scientifique et technique, autonomie intellectuelle, reconnaissance artistique, présence sociale… Il s'agissait d'un type de professionnel différent de celui que représentaient les maîtres d'œuvre qui avaient traditionnellement bâti la ville, mais différent aussi, et c'est là le plus important, des architectes académiques de formation « Beaux-Arts ». Ce nouvel architecte allait être chargé d'inventer l'architecture, elle aussi nouvelle, dont la bourgeoisie de la fin du XIXᵉ siècle avait besoin pour donner forme à une ville en forte expansion. Le succès de cette école optimiste est clairement démontré par la façon dont, en traçant le plan du théâtre des nouvelles relations sociales dont cette bourgeoisie souhaita se doter, ces architectes déterminèrent l'imaginaire collectif de la Catalogne, avec une intensité dont – nous devrions l'avouer – nous subissons encore les conséquences. Ce sont eux qui ont construit les monuments de Barcelone, ses édifices institutionnels, les palais de ses bourgeois et les maisons de rapport qui envahirent, au tournant du XIXᵉ siècle, une bonne partie de l'*Ensanche*, et ce sont eux aussi qui, en restaurant les couvents et les églises du Moyen Âge, inventèrent l'architecture de ses origines. Entre ces restaurations et l'architecture nouvelle, et entre celles-ci et la figure que représentait ce type d'architecte – artiste en même temps qu'homme de science, fortement marqué par l'idéologie, présent dans tous les débats concernant la ville – s'établissaient des connexions que les gens de cette époque n'hésitaient pas à distinguer comme « modernes ».

Viollet-le-Duc était à l'origine des méthodes qu'Elies Rogent, le premier directeur de l'École d'architecture [8], proposait à ses étudiants : visiter et dessiner, grâce à un programme d'excursions qui n'était que le reflet de ses propres travaux d'architecte, les monuments du Moyen Âge, romans et gothiques, pour faire d'eux – de leur enracinement, de leur densité symbolique et de leur idéologie « idéo-logique » – le modèle de l'architecture que réclamaient les temps nouveaux. De ces lieux en lesquels l'histoire romantique situait les origines de la Catalogne ou ses moments de plus grande gloire, ne naîtraient plus uniquement de vagues légendes, mais les formes concrètes par lesquelles, d'une façon rationnelle, positive, ces origines devenaient visibles, œuvres de vraie pierre et d'authentique travail, intellectuel et manuel ; l'architecture des églises romanes ou des monastères gothiques était, au sens strict du terme, la matérialisation des origines et du caractère du peuple catalan, lequel ne renaissait pas de ses cendres, mais de ruines qui avaient maintenant cessé d'être des ruines.

L'architecture des temps nouveaux, celle des architectes des premières promotions de la nouvelle école, s'octroyait à elle-même le plus grand pouvoir représentatif imaginable : au cours des années quatre-vingt du XIXe siècle, Rogent restaura le monastère de Ripoll, considéré comme le «berceau» de la Catalogne, en même temps qu'il planifiait le théâtre de l'Exposition universelle de 1888 sur les terrains de l'ancienne citadelle militaire, un des grands symboles de la répression absolutiste contre Barcelone, et qui maintenant, disparaissant derrière les constructions des architectes plus jeunes, qu'un critique tel que Josep Yxart disait de «toutes nouvelles tendances», allait devenir la vitrine du commerce, de l'industrie et de l'art qui venaient de renaître. Cette architecture exubérante, qui mystifiait l'histoire pour mythifier le présent et idéaliser l'avenir, transformait en image ou, pour mieux dire, en idéologie ce que la société – la bourgeoisie barcelonaise de la fin du XIXe siècle – aspirait à être, ou à «avoir», mais que, crise après crise, elle ne parviendrait jamais à atteindre [9].

Au moment où cette architecture à vocation thaumaturgique cherchait à se définir théoriquement, le paradigme de Viollet-le-Duc s'imposait sans conteste. Nous aurons recours à trois grands exemples, symétriques et ordonnés comme un triptyque.

Dans son manifeste publié en 1878 dans *La Renaixença* et intitulé «En busca de una arquitectura nacional» («En quête d'une architecture nationale»), véritable pierre de touche de la naissance de cette architecture, et plus encore du «sentiment» de ces architectes, Domènech i Montaner [10] justifiait en termes positivistes l'existence de caractères nationaux variés, déterminés par le climat, l'orographie, etc., dont l'architecture était peut-être la plus haute expression ; caractères qui, à leur tour, créaient au sein des peuples correspondants les conditions du présent, en certains cas, pour les condamner à sommeiller désormais pour toujours sous le poids de leur passé, en d'autres, en revanche, pour leur donner vie, une vie apte à inventer, ou du moins à assimiler les nouvelles techniques, les nouveaux matériaux, les nouvelles typologies exigés par la société industrielle, cosmopolite par définition – ou par nécessité. À ces conditions nouvelles, ces sociétés vivantes, ces «nations» rénovées ou venant de renaître seraient capables de répondre, elles et seulement elles, par un «style» à la fois universel et particulier ; par un style, au bout du compte, national et moderne, une chose contre une autre. Mais ce fameux manifeste, qu'était-il d'autre qu'une glose de la sixième leçon des *Entretiens*, où Viollet-le-Duc faisait de l'architecture le «visage» et le caractère des peuples ?

Presque quinze ans plus tard, en 1891, Josep Puig i Cadafalch, élève de Domènech – et de Rogent – à l'École d'architecture, allait lui aussi faire de son projet de fin d'études un manifeste, dont le sens n'était guère différent. Son curieux *Pont monumental* est un simple schéma, analytique et froid. Aux extrémités, les deux portes : l'une gothique, conçue comme une sorte de double spéculaire de la façade de la *Cathédrale* que Viollet-le-Duc publia dans le tome II de ses *Entretiens*, idéale ou universelle, par conséquent ; l'autre, comme le dit Puig lui-même, «platcresque», c'est-à-dire d'un gothique contaminé, particulier, spécifiquement espagnol. Entre les deux s'étend le pont dans lequel, outre la suspension caténaire, on distingue aisément les butées en fer inclinées de certaines planches de Viollet-le-Duc : la XXIe des *Entretiens*, par exemple, qui représente un «marché couvert», ou la XXIIe, «maçonnerie et fonte», ou celle qui montre le «système d'arcs chevauchés» soutenu par des colonnes métalliques, publié aussi dans *L'Art russe* en 1877. Ce pont en fer, dont la structure est littéralement copiée d'un schéma plusieurs fois repris par Viollet-le-Duc, et qui s'étend entre deux formes de gothique, l'un moderne et général, l'autre particulier et propre, est par conséquent le symbole de ce qui réunit les extrêmes, de ce qui préserve des différences. C'est Viollet-le-Duc qui est, au bout du compte, à la lettre le pont, la solution.

Qu'y aura-t-il donc d'étonnant qu'entre la date du manifeste de Domènech et le projet de Puig survienne ce qui fut peut-être la première importante polémique publique à propos de l'architecture contemporaine à Barcelone, et que, implicitement, le gothique moderne et profane de Viollet-le-Duc en soit le protagoniste ?

En 1882 fut ouvert un concours pour la construction de la façade principale de la cathédrale de Barcelone. Au projet lauréat, qui interprétait modestement des plans du début du XVe siècle attribués à un certain Mestre Carlí et conservés sur un parchemin dans les archives de la même cathédrale, s'opposait celui présenté par Joan Martorell [11], lequel, mettant à profit la curieuse situation de la lanterne à l'entrée de l'église, au-dessus de la première travée de la nef, proposait une très haute tour centrale dressée au-dessus de la façade comme dans certaines cathédrales allemandes, bien que, à vrai dire, la succession verticale du porche, de la galerie de statues, de la lanterne et de la flèche ne relevât pas d'une filiation précise, et fût plutôt constituée comme un collage d'éléments de provenances diverses qui aurait en tout cas donné à la cathédrale de Barcelone une dimension verticale impressionnante, rigoureusement opposée à la logique horizontale selon laquelle se déploient ses nefs et sa volumétrie extérieure. Nulle concession, donc, à la cathédrale existante, et moins encore aux possibles caractéristiques particulières d'un gothique proprement catalan. Ce que Martorell proposait, c'était la construction d'une cathédrale «nouvelle» concentrée dans cette façade dont la dimension devait être celle dont la Barcelone bourgeoise, industrielle et com-

EUGÈNE EMMANUEL
VIOLLET-LE-DUC
Maçonnerie (marché couvert),
planche XXI des Entretiens
sur l'architecture, 1865
Neuilly-sur-Seine,
fonds Viollet-le-Duc

JOAN MARTORELL I MONTELLS
Nouvelle façade de la cathédrale de Barcelone,1882, projet de concours
Barcelone, Arxiu històric del Col·legi d'Arquitectes de Catalunya

ANONYME
Parc de la Ciutadella et ses pavillons, 1888
Barcelone, Arxiu històric de la Ciutat de Barcelona

merciale de la fin du XIXe siècle avait besoin : une cathédrale qui parlât d'un « gothique » au-delà de toute limite historique ou archéologique, la langue de son époque dans son expression la plus ambitieuse et la plus haute.

La forme de la façade de Martorell, curieusement déséquilibrée, construite comme un montage plutôt que composée, n'a peut-être pas grand-chose à voir avec les caractéristiques que Viollet-le-Duc assignait à sa cathédrale idéale, mais le pouvoir de conviction qu'il exerça sur les milieux intellectuels et sociaux les plus avancés du moment fut très grand, et tirait son origine de la conviction avec laquelle Joan Martorell prouvait qu'il « possédait » le style ordonné, complet, universel par lequel, sans complexes ni nostalgie, s'exprimaient les temps actuels ; et cette assurance, en définitive, d'où provenait-elle, sinon en droite ligne du rationalisme de Viollet-le-Duc ?

Ceux qui réclamaient à cor et à cri que la bourgeoisie barcelonaise s'habitue à des formes de représentation conformes à ses prétendues nouvelles et grandes capacités de consommation, autrement dit ceux qui, en cherchant à rendre « leur » bourgeoisie homologue de celle des principales capitales européennes, étaient en train de définir, non sans grandes difficultés, un marché moderne, encore peu développé, de consommation artistique et culturelle, défendirent le projet de Martorell en raison de sa « grandeur » et de son « ampleur », et en firent un modèle de rénovation monumentale et symbolique pour la ville. Rien ne se révèle plus éloquent que le fait qu'en 1887, à la veille de l'inauguration de l'Exposition universelle, *La Renaixença* offrît à ses abonnés une gravure représentant la façade de ce projet, et que cette gravure, dont l'original avait été dessiné par Gaudí et légendé par Domènech i Montaner, ait été financée par Eusebi Güell, alors déjà client de Gaudí pour une œuvre aussi importante que son propre palais de la rue Nou de la Rambla.

Manifestes, projets, plans non réalisés : la totale confiance de Martorell en « son » langage, ce gothique éloquent et vrai, s'équilibre de part et d'autre grâce aux manifestes plus modérés de Domènech ou de Puig, mais en tout état de cause, dans les moments de déclaration théorique et idéologique qui se succèdent dans l'architecture barcelonaise tout au long des dernières années du XXe siècle, la référence à la pensée de Viollet-le-Duc paraît inévitable. C'est de lui que provient cette confiance dans la leçon rationnelle des grands monuments du passé médiéval, de lui également la conviction que ce qu'on a appris de sa leçon, une fois situé dans le contexte des conditions nouvelles de la société contemporaine, aura pour résultat une nouvelle synthèse : le langage ou le style du temps lui-même. De là naît, à Barcelone comme dans tant d'autres lieux en Europe où les conditions sont semblables, la nouvelle architecture et le nouvel architecte.

Et pourtant, si nous portions notre regard vers les œuvres proprement dites, si nous souhaitions établir un rapport d'influence esthétique de Viollet-le-Duc sur Barcelone, voilà qui serait bien plus difficile.

De ce point de vue proche, les yeux des architectes barcelonais se portent ailleurs, sur des lieux évoquant des « histoires » romantiques, nationales, d'affirmation personnelle, presque jamais sur la France ou sur Paris. L'œuvre de Rogent, par exemple, apparaît directement liée au *Rundbogenstil* allemand, mais doit bien peu à l'architecture française. Lluis Domènech i Montaner et Josep Vilaseca [12], dans leurs premiers projets, et particulièrement dans celui, très ambitieux, de l'édifice des Institutions provinciales d'enseignement, conçu en collaboration en 1877 et jamais réalisé, paraissent eux aussi être le fruit de l'intérêt pour le Schinkel berlinois ou le Semper zurichois, plus que pour les modèles concrets de Viollet-le-Duc ou d'autres exemples parisiens. Les maisons que Puig i Cadafalch construit pendant les dernières années du XIXe siècle à Barcelone et hors de cette ville – la Casa Martí, la Casa Amatller, la Casa Macaya… – évoquent un gothique nordique, essentiellement local, contenant des références parfois très précises à l'architecture de villes telles que Bruxelles, Anvers, Bruges ou Amsterdam, pour lui paradigmes, on l'a vu, de villes « autonomes », industrielles et modernes, mais en même temps enracinées dans leur passé médiéval, commercial et corporatif, avec lesquelles Barcelone « devrait » être comparable ; enfin, les architectes issus de l'École dès les premières années du XXe siècle regarderont définitivement vers Munich, Darmstadt ou Vienne, vers les revues et les ouvrages provenant de ces villes, et très peu, vraiment, vers Paris. Sauf bien sûr dans le cas des Expositions universelles, tout particulièrement celle de 1900, dont les grottes, aquariums et excès architecturaux – on l'a dit – ont eu une si grande influence sur Gaudí. Mais les relations de celui-ci avec Paris sont une autre histoire, une histoire dans laquelle le « topique » Viollet-le-Duc, quoique existant encore à l'origine, fera place à des questions bien plus générales, bien plus concrètes.

ESPLUGAS ET ZERKOWITZ
Temple de la Sagrada Familia,
pinacles de l'abside,
1891-1893
Barcelone, Arxiu històric
del Col·legi d'Arquitectes
de Catalunya

Barcelona Temple de la Sagrada Famil

Agulles del absis. 1891 1893

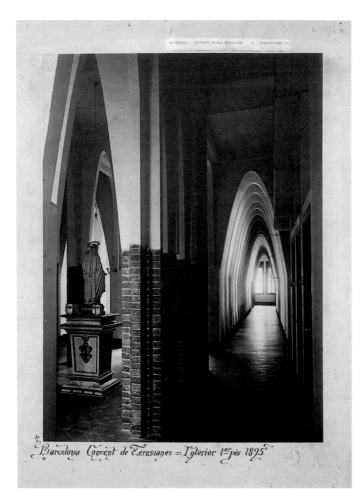

ESPLUGAS ET ZERKOWITZ
Couvent des Thérèsiennes,
Barcelone,1895
Barcelone, Arxiu històric
del Col·legi d'Arquitectes
de Catalunya

Gaudí à Paris

Un problème, nous disent les disciples de Gaudí dès les premières années du XXe siècle, a empêché l'architecture de parvenir, au long des siècles, à sa perfection synthétique : la contradiction traditionnellement insoluble entre ses éléments «porteurs» et ses éléments «portés». Telle est, par ailleurs, la cause ultime des styles et la confusion digne de Babel que ceux-ci entretiennent. En faisant concorder dans ses constructions, sans la moindre rupture, forme et tension, forme et loi de l'équilibre, Gaudí a résolu ce problème. Ses structures absolument homogènes, dans lesquelles toute tension, tout point se trouvent déterminés par la totalité et vice versa, supposent, pour ces commentateurs, de parvenir à la synthèse qu'a toujours recherchée l'architecture. En l'atteignant, Gaudí a par la même occasion rendu inutile toute querelle des styles. Son architecture se situe, en fin de compte, au-delà du style même ; elle est une architecture nouvelle parce que transcendante, étrangère à la temporalité et à la mode, dont la fin se trouve dans le thème éternel du temple, et le point de départ – il ne pouvait en être autrement compte tenu du contexte politique au sein duquel naissent ces théories – la renaissance catalane, dont elle constitue la plus haute expression [13].

Mais d'où vient cette interprétation sophistiquée de l'œuvre de Gaudí selon un code rationaliste et constructif, sinon, encore une fois, de Viollet-le-Duc ? Gaudí part des vertus que celui-ci attribuait au gothique, et lui-même présente sa philosophie des structures comme un dépassement des problèmes que ce style, ayant encore besoin de ces «béquilles» qu'étaient les contreforts, n'était pas parvenu à résoudre. Sans la théorie de Viollet-le-Duc, il aurait été difficile à Gaudí d'imaginer ses «structures stéréostatiques», qui constituent dans une certaine mesure le passage à la limite, complètement désinhibée, de cette même théorie.

Tous les biographes de Gaudí ont insisté sur l'importance qu'eurent sur sa formation les *Entretiens*, au point de faire de cette question un des grands – parmi d'autres – lieux communs de la série d'anecdotes le concernant. Des voûtes en éventail aux cuisines médiévales, des pigeonniers aux détails précis des nervures de voûtes ou aux chapiteaux, bien des dessins des ouvrages de Viollet-le-Duc ont marqué de leur empreinte les premières œuvres de Gaudí, et lui-même, dans ses notes sur l'ornementation [14], écrites en 1878, indique clairement la provenance d'un grand nombre de ses idées sur le sujet : «Au fond, certaines des idées [ici] exprimées le sont déjà dans les *Entretiens sur l'architecture*, mais il ne faut pas tout subordonner à la nécessité.» Malgré la restriction, c'est bien là ce qui lui permet de critiquer en toute sécurité, ici même, les seuls édifices non pas historiques mais contemporains qu'il cite, et qui ne sont pas par hasard deux grands monuments parisiens récents : le Sacré-Cœur et l'Opéra de Charles Garnier, «hybrides» dans lesquels l'ornementation, pour lui si indispensable, malgré la richesse et l'abondance des matériaux, a été déracinée et a perdu son pouvoir d'éloquence. Cette architecture «moderne» n'est pas celle qui l'intéresse et son texte est un continuel va-et-vient entre les grands modèles de l'histoire, du Parthénon à l'Alhambra ou aux grandes cathédrales gothiques, et les exemples les plus proches, les paysages qui l'entourent ou les édifices qu'il peut voir et toucher dans les rues de Barcelone. Une telle quête de la confirmation dans le concret, dans le plus proche, n'est-elle pas aussi une exigence née de la pensée de Viollet-le-Duc? Tout compte fait, la seule œuvre contemporaine dont Gaudí crut qu'elle valait bien un voyage fut la restauration de la Cité de Carcassonne, à laquelle Viollet-le-Duc avait travaillé du début des années 1850 jusqu'à sa mort, et que Gaudí, en compagnie d'un groupe d'architectes barcelonais, visita en 1883, et si la légende veut que Gaudí se soit senti déçu par la froideur de l'œuvre de Viollet-le-Duc – «il ne faut pas tout subordonner à la nécessité»; nous avons déjà signalé cette légère réserve dans ses notes – voilà qui ne doit pas nous étonner: des principes «laïques» de Viollet-le-Duc, Gaudí allait faire, tout au long de son œuvre, au cours de toutes les étapes de sa carrière et de sa vie, qui se confondent constamment, une véritable «religion».

La façon dont Gaudí voit Viollet-le-Duc est précise et claire; mais à l'inverse, comment Gaudí est-il vu à Paris?

En premier lieu, il faut dire qu'il est le seul à propos duquel nous puissions nous poser cette question. Aucun autre architecte barcelonais n'a été l'objet, de la part de la critique parisienne, d'une attention un tant soit peu importante accordée à son œuvre – pour ne pas dire la plus minime attention. Gaudí constitue l'exception, comme il la constituera, aux yeux du monde entier, pendant bien des années. Mais la fortune de Gaudí à Paris a connu bien des vicissitudes.

En 1910, dans le cadre du Salon de la Société nationale des beaux-arts, l'œuvre de Gaudí fut exposée dans une salle du rez-de-chaussée du Grand Palais. Compte tenu de la dimension publique du personnage à Barcelone à ce moment-là, son exposition parisienne ne rencontra qu'un faible écho: l'habituelle série de mentions de circonstance. À une exception près: le long article de Marius-Ary Leblond publié dans *L'Art et les Artistes*, intitulé «Gaudí et l'architecture méditerranéenne [15]». Mais ce compte-rendu enthousiaste ne fait que révéler les raisons de l'insuccès de cette exposition, que mettre en évidence l'impossibilité du dialogue, en 1910, entre Gaudí et Paris. D'une part, Leblond constate avec perspicacité à quel point l'interprétation naturaliste de Gaudí est liée au mythe du *perpetuum mobile*, de la transformation continue des choses créées, et la façon, en conséquence, dont son catholicisme sans nuance se révèle affecté par l'hétérodoxie panthéiste – de toute façon, un des péchés caractéristiques de l'artiste fin de

siècle. Mais d'autre part, la simple description de Barcelone regorgeant de tous les lieux communs du regard porté vers le sud, romantique ou à la lettre colonial, est clairement révélatrice de la nature du préjugé qui sous-tend l'enthousiasme du critique pour l'œuvre de Gaudí: les bouquets de fleurs qu'il voit sur la Rambla lui rappellent «à la fois l'autel catholique et l'étalage arabe»; les fleurs elles-mêmes «ont le parfum de fortes épices sous un ciel bleu et chaud qui fait penser à l'Afrique»; la place de Catalogne est, à ses yeux, «éblouissante sous le soleil comme une place d'Alger»; dans le cloître de la cathédrale, «un jet d'eau produit un son de mosquée»; les rues qui montent vers le parc Güell sont «de terre rouge, comme celles de Mustapha dominant la baie d'Alger»…

Paris du Midi! Sur ce théâtre d'un Orient mystifié – et si proche – qu'était l'Espagne selon les lieux communs français, l'architecture de l'excès et de l'exception incarnée par Gaudí – dont la figure est, bien sûr, «passionnée comme celle d'un Greco» – est tout à fait dans son élément ou, mieux encore, se justifie, se «comprend». Le démiurge dont le génie, dit Leblond, «consiste à animer l'architecture conformément à la nature», et dont les formes sont «palpitantes», ne pouvait être plus éloigné des «nobles et clairs schémas qui conviennent à un pays heureusement plat et de nature tempérée comme est celui de l'Île de France».

Bien des années plus tard, en 1933, dans son article publié dans *Formes* sous le titre «Gaudí et le baroque [16]», Jean Cassou devait écrire encore: «Gaudí est un de ces personnages excentriques que l'Espagne se plaît à produire.» L'article de 1910 de Leblond est donc important car il range Gaudí, pour le meilleur et pour le pire, dans la catégorie de l'exception, dans l'exception même. Quoique plutôt pour le pire.

C'est ainsi qu'un voyageur parisien, un bohème tel que Francis Carco, capable de reconnaître dans les enfants tuberculeux du Barrio Chino de Barcelone les visages des mélancoliques *Arlequins* de Picasso, écrivait en 1929, dans *Printemps d'Espagne*, que rien n'était plus «laid, incohérent et absurde» que la Sagrada Familia; que la Pedrera était «un fantastique drapeau de ciment armé auquel il ne manquait que la hampe»; ou bien encore que la Barcelone moderne n'était qu'un «abracadabrant mélange de vulgarité et de grandiloquence qui ne rime à rien [17]».

Si telle est l'opinion de Carco, il est aisé d'imaginer celle que pouvaient avoir sur l'œuvre de Gaudí les intellectuels et les artistes de *L'Esprit nouveau* ou du *Lyrisme contemporain*, autrement dit les propagandistes de l'art moderne comme nouvel âge d'or, équilibré et synthétique. Dans *Cahiers d'art*, par exemple, Christian Zervos écrivait en 1929, à l'occasion de la publication de la première monographie de Gaudí [18], qu'«il était l'architecte qui avait déshonoré la ville de Barcelone […] un excentrique au goût le plus ridicule qui a construit des édifices qui sont de véritables cocktails de

ESPLUGAS ET ZERKOWITZ
Palais Güell, intérieur
Barcelone, 1886-1888
Arxiu històric del Col·legi
d'Arquitectes de Catalunya

ESPLUGAS ET ZERKOWITZ
Palais Güell, vestibule,
Barcelone, 1886-1888
Barcelone, Arxiu històric
del Col·legi d'Arquitectes
de Catalunya

Barcelona, Casa Güell, Vestíbul. 1886-1888.

Barcelona.
Casa Milá = Detall fassana i Portal. 1905-1910.

**ESPLUGAS
ET ZERKOWITZ**
Casa Milà (La Pedrera),
façade et portail, 1905-1910
Barcelone, Arxiu històric
del Col·legi d'Arquitectes
de Catalunya

styles» et en comparaison des délires duquel les aberrations art nouveau de Paris semblent être «la personnification du bon sens». Ozenfant ne l'entendait pas autrement lorsque, en 1928, dans *Art* [19], il avait publié une de ses doubles pages si coutumières dans *L'Esprit nouveau*, contenant quatre photographies devant être «lues» – ou comparées – de gauche à droite et de haut en bas: en haut, deux exemples de la dégénérescence esthétique, du mauvais goût que les temps nouveaux se doivent de rejeter; en bas, les images de l'original, de l'harmonie au-delà de l'histoire et du style, à quoi on doit aspirer. En ce cas précis: en bas, une construction africaine, noire, et un exemple du style roman français, associés, malgré leur éloignement, en raison de la précision identique de leurs volumes respectifs, de la semblable exactitude de leurs moyens d'expression, de la même adéquation de ceux-ci à leurs finalités; en haut, en revanche, un exemple du «gothique» russe et un du «gothique» catalan: la Sagrada Familia d'Antoni Gaudí, dont Ozenfant ne mentionne pas le nom. Pour tout commentaire, au-dessous de la photographie de l'exemple russe, on peut lire: «L'architecte s'est pendue à cet arc.»

Et Le Corbusier? Il est vrai que, en 1928, lors de son premier voyage à Barcelone, on lui montra les œuvres de Gaudí, en présence desquelles, probablement pour ne pas vexer ses hôtes, il fit preuve de discrétion et de politesse: «C'est un drame!», rapporte-t-on qu'il s'exclama, en termes ambigus, en voyant la Sagrada Familia. Mais aussitôt il s'intéressa à une autre chose, en apparence peu importante: la couverture ondulée des petites écoles provisoires construites par Gaudí et destinées aux enfants des ouvriers pendant la durée du chantier. Sur un très célèbre feuillet de son carnet de voyage, Le Corbusier dessina la couverture de Gaudí et, sur le même feuillet, une voûte catalane plus simple que celle de Gaudí et anonyme. À un moment de sa carrière – l'année d'*Une maison, un palais* –, où il commençait à s'intéresser aux formes de construction traditionnelle et à leurs matériaux, ce n'était pas l'œuvre de Gaudí qui retenait son attention, mais la voûte catalane. Le Corbusier ne reparlera plus de Gaudí avant les années cinquante, et en des circonstances alors très différentes, tant pour lui que pour la fortune internationale de l'architecte catalan [20]. En fait, il éprouvait plutôt pour son œuvre ultradécorativiste, baroque, kitsch, le même mépris que Zervos et la même condescendance ironique qu'Ozenfant. La preuve en est un article publié dans *Plans* en 1931, dans lequel Le Corbusier raconte son voyage en Espagne et en Afrique du Nord qui eut lieu la même année [21]. Le texte est à nouveau accompagné d'une de ces doubles pages contenant quatre illustrations, que dans le cas présent Le Corbusier intitule, sans commentaires, «Les Espagnes». On y voit, en haut, à côté d'un de ces prétentieux édifices «éclectiques» de la Gran Vía de Madrid, l'image de la Sagrada Familia. Les deux exemples, parfaitement équi-

valents dans le montage de Le Corbusier, forment le contrepoint des photographies de types, de paysages et d'architecture populaire, reproduites en bas. L'artificieux et le prétendument savant opposés au réel, voilà qui semble nous dire cette didactique opposition binaire: la fausseté opposée à la vérité d'une terre «racée», comme Le Corbusier, contaminé par les lieux communs français sur les «choses de l'Espagne» – «L'Espagne est derrière les Pyrénées», écrivit-il en 1928 – désigne les terres qu'il vient de visiter sous l'appellation «Territoires du Sud», qui est aussi le sous-titre de son article.

Mais en même temps que Gaudí était présenté à Paris comme l'architecte qui avait déshonoré Barcelone et était cité comme exemple du «mauvais», de ce qui ne devait pas ou ne pouvait plus se faire, d'autres s'intéressaient à lui d'une manière différente [22]. Breton, par exemple, dès 1924, dans un texte intitulé «Caractères de l'évolution moderne et ce qui en participe», dont l'origine est une conférence prononcée à l'Ateneo de Barcelone, sans toutefois mentionner le nom de Gaudí, dit à propos de la Sagrada Familia qu'elle est «une église en construction qui ne me déplaît pas si j'oublie que c'est une église [23]». Mais c'est Dalí qui, à partir de «L'âne pourri» publié en 1930 dans *Le Surréalisme au service de la révolution*, situera Gaudí en première ligne de ses campagnes contre ceux qu'à la suite de Bataille, atteignant des limites extrêmes, il qualifiait de «porcs d'esthéticiens contemporains, défenseurs de l'exécrable *art moderne*». Dans la prière d'insérer de *La Femme visible*, Breton et Éluard présentaient Dalí comme le véritable découvreur de «l'esprit de notre naissance, c'est-à-dire le Modern Style», tandis que plus explicitement encore, René Crevel, dans un livre publié lui aussi aux Éditions surréalistes en 1931, *Dalí ou l'anti-obscurantisme*, évoquait ses visites à Barcelone en compagnie du peintre et tout particulièrement l'œuvre de Gaudí comme «les laves finalement déchaînées du volcan de la colère». Le point culminant sera atteint avec «De la beauté terrifiante et comestible de l'architecture modern'style», un copieux article que Dalí publia en 1933 dans le numéro 3-4 de *Minotaure*, illustré notamment d'images d'œuvres de Gaudí photographiées par Man Ray [24]. La Casa Batlló, la Pedrera ou le parc Güell apparaissent ici comme les lieux en lesquels tous les rêves collectifs du monde se sont pétrifiés, comme les théâtres de la plus authentique «mythologie du moderne», pour reprendre l'expression d'Aragon. En ce retour de ce qui est bas, du mauvais goût, de tout l'«humain» que, en opposition au «lyrisme contemporain», signifia – en partie du moins – le surréalisme, Gaudí occupera, contre toute attente, grâce à Dalí, une place de choix. L'architecture modern style, écrivait Dalí, est l'unique chose qui manquait encore pour «affronter toute l'histoire de l'art». Paradoxalement – quoique en vérité point tellement –, tel est le chemin par lequel Gaudí ira, au-delà de Paris, rejoindre la cohorte des «masters» de l'architecture contemporaine.

ESPLUGAS ET ZERKOWITZ
Casa Batlló, hall et escalier,
1904-1906
Barcelone, Arxiu històric
del Col·legi d'Arquitectes
de Catalunya

Le Corbusier à Barcelone

Mais avant cela, Dalí fut, aussi, à Barcelone, le plus ardent défenseur de Le Corbusier à la fin des années vingt, au cours desquelles il joua un rôle de premier plan, brillant et extraordinairement actif, sur le théâtre de la chétive avant-garde espagnole [25]. En ces années précédant son entrée dans les milieux surréalistes de Paris, Dalí était le peintre moderne par excellence, et plus précisément encore, le peintre «puriste», encore que par ce terme il ne faut pas entendre, ou pas seulement entendre le style d'Ozenfant et de Jeanneret, mais plutôt une position en laquelle se trouvent confusément réunis tous les paradigmes du moderne, selon l'interprétation qu'en proposait *L'Esprit nouveau*: «netteté», «construction», «composition architecturale», «morale dorique» et, enfin, «retour à l'ordre». Cette revue, comme les ouvrages de Le Corbusier qui en furent issus, exerça sur Dalí une extraordinaire influence, comme le prouvent sa correspondance, ses publications et même certaines de ses peintures de ces années-là. Par exemple, un de ses articles de 1928 s'intitule «Poesia de l'útil estandarizat» («Poésie de l'utile standardisé»); un autre, de 1927, porte le titre – paraphrasant celui d'un chapitre de *Vers une architecture* de Le Corbusier – «La fotografia, pura creació de l'esperit» («La photographie, pure création de l'esprit»); un autre encore, lui aussi de 1928, «Per al meeting de Sitges», est dédié à l'architecte, que Dalí considère comme «l'esprit le plus hygiénique» de son temps… C'est aussi d'«âme hygiénique» que Federico García Lorca qualifiait Dalí dans l'ode qu'il lui consacra, dans laquelle en outre, pensant à l'atelier d'Ozenfant construit par Le Corbusier à Paris, il compare les «ateliers blancs» des peintres modernes à des icebergs «de marbre» sur la rive de la Seine [26].

Certes, tout cela est important, mais la plus intense relation de Le Corbusier avec Barcelone fut celle qu'il entretint avec le groupe de jeunes étudiants qui, dès 1928, l'invita à donner deux conférences dans leur ville et qui, ensuite, se regroupèrent dans le GATCPAC.

L'histoire est bien connue, mais il convient de la rappeler à grands traits [27]. Du «Groupe d'architectes espagnols pour l'architecture moderne» (GATEPAC), fondé en 1930 à Saragosse, seule la section catalane, le «Groupe d'architectes et techniciens catalans pour le progrès de l'architecture contemporaine» (GATCPAC), eut des activités régulières – le groupe madrilène, par exemple, fut dissous en 1933 –, sa cohésion étant fondamentalement due à deux raisons: le contrôle exercé sur la revue *A.C. Documentos de actividad contemporánea*, éditée à Barcelone et qui fut publiée jusqu'en 1937, en pleine guerre civile, et les relations entre Sert et Le Corbusier, qui se firent plus étroites à l'occasion d'un projet qui, s'il n'eut aucune répercussion d'un point de vue pratique, n'en impliquait pas moins pour le groupe en tant que tel de s'affirmer, en son sein comme à l'extérieur – le plan pour Barcelone, réalisé par le GATCPAC en collaboration avec Le Corbusier, et connu sous le nom de Plan Macià. Ces trois conditions – disposer d'une revue d'avant-garde, entretenir des relations privilégiées avec Le Corbusier, réaliser des travaux reconnus par les institutions – donnent la clé permettant de définir la position idéologique du GATCPAC: son «avant-gardisme» est celui de l'intellectuel éclairé qui, partant de la critique de ce qui existe, propose un projet intégral d'organisation de la société, dont il se proclame le «conducteur».Tel est le double rôle que s'attribuent ces architectes dans les processus politiques: celui de l'humaniste et celui du technocrate, une chose pour une autre, tel que les représentait Le Corbusier dans des revues comme *Plans* ou *L'Homme réel*, et dans les ouvrages qu'il en tira, par exemple *La Ville radieuse*, où le plan de Barcelone fait partie des cas examinés. Mais ce n'est pas seulement cela qui nous intéresse ici, revenons donc aux questions de «style».

Que la revue *A.C.* s'intéresse, dans sa première livraison, à une maison située à Barcelone, de Sixte Yllescas – la Casa Vilaró –, construite selon une rhétorique de courbes, de quilles et de balustrades provenant des photographies publiées par Le Corbusier dans *Vers une architecture*, indique déjà de façon bien significative le sens littéral d'une telle architecture, aussi bien que ses limites. Mais nous pouvons laisser de côté les exemples trop simplistes pour nous arrêter sur la première œuvre qui, à Barcelone – et probablement en Espagne – fut construite avec la volonté délibérée d'en faire un manifeste, nous pourrions dire «sans concessions»: la maison sise au n° 342 de la rue Muntaner, édifiée en 1928-1929 par José Luis Sert [28]. Un manifeste, disons-nous, car elle ne tend pas seulement à se présenter, sans particularisme ni symbolisme, comme la vitrine d'une architecture nouvelle, mais prétend en outre démontrer que cette architecture cadre avec un mode de vie différent. Et en effet, en proposant un système d'appartements en duplex, composé d'un espace à double hauteur, Sert critique la typologie traditionnelle des maisons de rapport de l'*Ensanche* de Barcelone. Qu'il est parfaitement conscient d'une telle critique, on en trouve la preuve dans la manière dont celle-ci est présente jusque dans la façade, sur laquelle alternent les fenêtres en longueur et les grandes ouvertures sombres des terrasses. Il est néanmoins un détail d'importance: intérieur et façade ne coïncident pas. C'est-à-dire que l'ordre dans lequel la succession d'ouvertures oblige à lire l'édifice est exactement l'inverse de celui qui régit l'intérieur. Pourquoi cela? Tout simplement parce qu'à l'extérieur s'est imposée, par-delà toute autre considération, l'imitation d'un style emprunté à Le Corbusier: la fenêtre oblongue couronnée d'une grande ouverture aérienne, que l'architecte parisien avait notamment utilisée dans la villa de Garches, et qui reparaît dans la maison de la rue Muntaner, contre toute logique, par trois fois, une fenêtre au-dessus de l'autre.Voilà qui, naturellement, nous fait retourner à l'intérieur avec un autre regard : la pièce à double plafond est la simple transposition d'une constante de l'architecture de Le Corbusier, le vide en lequel Giedion découvrait le véritable «luxe» de la villa Stein. C'est dans cette impossibilité de synthèse – ou pour reprendre les termes employés par Sert et ses camarades dans les pages de la revue *A.C.* à travers leurs critiques de l'architecture académique, c'est dans un tel «manque de sincérité» –, à laquelle contraignait le «style», que résident le principe et l'effet de ce que l'on est convenu d'appeler l'«orthodoxie rationaliste» du GATCPAC. Ce que révèle le procédé additif de la maison de Sert, c'est justement la limite d'une volonté, celle de rendre transcendant le «style» anxieusement pur de Le Corbusier.

À partir de cette limite, située dans le principe même de son architecture, surtout dans les œuvres en collaboration avec Josep Torres Clavé, Sert cherchera d'autres voies vers la synthèse. Dans les résidences secondaires de Garraf (1934-1935), la transformation est très nette : soubassements en pierre, voûtes, angles extérieurs arrondis qui, par le refus de toute abstraction, soulignent la matérialité des murs… Évocation, en fin de compte, d'un popularisme diffus, revendiqué même dans les petits détails qu'on voit se multiplier dans ces maisons sur les photographies de l'époque : chaises de paille, cabas de sparte, poteries en terre cuite, nattes de paille… Sans doute Sert et Torres Clavé cherchent-ils à parvenir à la synthèse en jetant un pont entre «style nouveau» et «vie nouvelle» : le mythe du populaire, condensé dans la clarté élémentaire des solutions traditionnelles de construction ou dans la fonctionnalité immédiate, «pure», d'une jarre en terre cuite, tel est ce pont.

Mais n'allons pas croire qu'il en est ainsi parce que le thème du projet de Garraf est de caractère rural : des résidences secondaires à la campagne. Dans un projet tel que celui du Dispensaire central antituberculeux [29], construit par Sert, Torres Clavé et Subirana à Barcelone de 1933 à 1937, il en va exactement de façon identique. Sur un plan qui s'organise – de même que quelques années plus tôt, en 1928, son projet de fin d'études : un hôtel et un village de vacances d'été sur la côte est – comme une réduction littérale du schéma que Le Corbusier avait établi pour son projet de palais de la Société des nations de Genève, se dresse un édifice qui, outre les pilotis, le toit plat, les fenêtres oblongues, cherche à se faire remarquer aussi, ou surtout, par de petits détails : soubassements en céramique et crépis de couleur, par exemple, constituent ici, comme c'était le cas à Garraf, des recours à un popularisme intermédiaire entre la «norme» stylistique, les «cinq points» de Le Corbusier et la vie entendue comme synthèse. Mais encore, une solution aussi surprenante que le recours à des plaques de fibrociment pour la couverture de la façade a le même sens : un matériau à la fois pauvre et de technologie nouvelle, rebelle aux solutions absolues et dans lequel peut même laisser son empreinte une attitude

éthique, en phase avec le temps. On retrouve à nouveau Le Corbusier dans cette recherche de ponts à jeter entre le projet et la réalité. On l'a rappelé, ce sont les années de l'«homme réel», du nouvel humanisme qui culminent dans *La Ville radieuse*, mais aussi les années où le maître parisien a projeté ou construit des œuvres telles que la maison Errazuriz et la maison Mandrot, le Pavillon suisse et son propre atelier de la Porte Molitor – dont l'intérieur sera comparé, dans les pages d'*A.C.*, au salon principal de la Casa Batlló de Gaudí –, la résidence secondaire de Saint-Cloud, près de Paris, qui comme celles de Garraf, comporte des voûtes dont la forme est inspirée – mais non pour ce qui est de la technique – de la «voûte catalane», et la maison de Mathes, dans lesquelles les murs de pierre à sec et le bois, les angles arrondis ou les voûtes en céramique constituent des matériaux et des éléments destinés à servir d'intermédiaires entre l'abstraction des idées et la spécificité des lieux. À coup sûr, le popularisme et le méditerranéisme du GATCPAC plongent leurs racines dans le noucentisme et dans les mythes issus des diverses interprétations du «nouveau classicisme» nées à Paris et à Barcelone – en fait, en 1928, Le Corbusier fut «aussi» accueilli avec enthousiasme par la presse conservatrice barcelonaise, mais il reste la référence constante, unique. L'humanisme technocratique de l'«homme réel» trouve, comme on le voit, son expression à Barcelone, non seulement dans la stratégie d'avant-garde que représente le Plan Macià, entre autres initiatives, mais aussi dans une architecture bien précise, dans le droit fil direct des expériences du maître au cours de ces années-là.

Le Plan Macià ne put être réalisé et les circonstances politiques, de plus en plus dramatiques en Espagne, éloignèrent peu à peu Le Corbusier de ses disciples barcelonais. Si *Vers une architecture* apportait enfin à la question «Architecture ou révolution ?», la réponse bien connue «On peut éviter la révolution», au début de la guerre civile, Torres Clavé ne fera qu'inverser, en toute cohérence, le conseil de Le Corbusier : il abandonnera l'architecture pour la révolution, d'abord à l'arrière, en participant aux opérations de collectivisation des industries de la construction et à la création du Syndicat des architectes, parmi d'autres activités, puis sur le champ de bataille, où il devait trouver la mort au combat sur le front de l'Èbre en 1939. Pour sa part, Sert travaillera à Paris avec Le Corbusier à la construction du pavillon des Temps nouveaux de l'Exposition internationale de 1937 et y construira, en collaboration avec Lluis Lacasa, le pavillon de la République espagnole [30], ultime effort de propagande du gouvernement légitime de l'Espagne. Mais entre les mains de Sert, en quête de ponts pour l'architecture, ce projet ne pouvait être qu'un projet pour ainsi dire non abouti. Des matériaux pauvres, des structures d'aspect provisoire, une atmosphère de patios bâchés… tout cela pouvait-il parler au monde de la tragédie du peuple espagnol ? De quels héroïsmes pouvaient-ils être l'expression ? Simultanément, Le Corbusier commençait à dessiner la série *Barcelone*, qu'il reprendrait quelques années plus tard et rebaptiserait *La Chute de Barcelone*. On peut y voir une femme de pierre, massive, d'une grande puissance plastique, opposée à une autre qui semble se réduire en pièces, comme une statue brisée. Une nouvelle métaphore grâce auxquelles les intellectuels français tentèrent d'expliquer la guerre civile espagnole : l'ordre et le chaos, le Minotaure et le labyrinthe, le coup d'épée vertical et la nuque du taureau… Les mauvaises consciences s'apaisent en recourant à la figure de la Grande Corrida : l'Histoire s'achève alors qu'elle semblait sur le point de commencer.

(traduit du castillan par Robert Marrast)

Notes

1 Josep Puig i Cadafalch, « A votar per l'Exposició Universal », *La Veu de Catalunya*, Barcelone, 11 novembre 1905 ; « El geni de l'ordre econòmic », *La Veu de Catalunya*, 26 avril 1909. Sur Puig, voir le catalogue d'exposition *Josep Puig i Cadafalch. L'arquitectura entre la casa i la ciutat*, Barcelone, Fundació Caixa de Pensions-Col·legi d'Arquitectes de Catalunya, 1989.

2 Voir Joan-Lluís Marfany, « Modernisme català i final de segle europeu. Algunes reflexions », dans le catalogue d'exposition *El Modernisme*, Barcelone, Museu d'Art modern, Lunwerg Editores, 1990, tome I.

3 Voir Juan José Lahuerta, « Construcciones Modernas : la "pâtisserie" Barcelona », dans [Divers auteurs], *La Casa Batlló*, Barcelone, Triangle Postals, 2001.

4 Voir Manuel de Torres i Capell, *El planejament urbà i la crisi de 1917 a Barcelona*, Edicions UPC, 1987 ; Josep M. Rovira i Gimeno, *La Arquitectura catalana de la modernidad*, Barcelone, Edicions UPC, 1987.

5 Josep Puig i Cadafalch, *La Plaça de Catalunya. Comentaris, comparacions i projectes*, Barcelone, Llibrería Catalònia, 1927, p. 43.

6 Voir le catalogue d'exposition *Nicolau M. Rubió i Tudurí (1891-1981). El jardí obre d'art*, Barcelone, Fundació Caixa de Pensions, 1985.

7 Voir le catalogue d'exposition *Exposició conmemorativa del Centenari de l'Escola d'Arquitectura de Barcelona*, Barcelone, ETSAB, 1977 ; A. Ramon et C. Rodríguez (éd.), *Escola d'Arquitectura de Barcelona. Documents i arxiu*, Barcelone, Edicions UPC, 1996.

8 Voir Pere Hereu Payet, *Vers una arquitectura nacional*, Barcelone, Edicions UPC, 1987.

9 Voir R. Grau et M. López (éd.), *Exposició Universal de Barcelona. Llibre del centenari*, Barcelone, L'Avenç, 1988 ; Pere Hereu (éd.), *Arquitectura i ciutat a l'Exposició nivgersal de Barcelona*, Barcelone, Edicions UPC, 1988 ; ainsi que Juan José Lahuerta, *Antoni Gaudí. 1852-1926. Architecture, idéologie et politique*, Paris, Gallimard-Electa, 1992, chapitre 1.

10 Voir les catalogues d'expositions *Lluis Domènech i Montaner i el director d'orquestra*, Barcelone, Fundació Caixa Barcelona, 1989 (contient la reproduction en fac-similé de l'article de *La Renaixença*) ; *Domènech i Montaner. Any 2000*, Barcelone, Col·legi d'Arquitectes de Catalunya, 2000.

11 Voir la brochure *Proyecto de fachada de la Catedral de Barcelona. Opinión de la prensa reconociendo la superioridad del proyecto del arquitecto Juan Martorell [...]*, Barcelone, 1882 ; ainsi que R. Alcoy, « La arquitectura religiosa de Joan Martorell y el eclecticismo fin de siglo », *D'Art*, Barcelone, 10 mai 1984, p. 221-239.

12 Sur Josep Vilaseca, consulter Rosemarie Bletter, *El arquitecto Josep Vilaseca i Casanovas. Sus obras y dibujos*, Barcelone, COACB/La Gaya Ciencia, 1977.

13 Voir Juan José Lahuerta, *op. cit.*, 1992 ; sur les disciples de Gaudí : Ignasi de Solà-Morales, *Joan Rubió i Bellver y la fortuna del gaudinismo*, Barcelone, COACB/La Gaya Ciencia, 1975.

14 Les écrits de Gaudí ont été réunis dans Isidre Puig Boada, *El pensament de Gaudí*, Barcelone, COAC/La Gaya Ciencia, 1983 (notre citation : p. 50).

15 Marius-Ary Leblond, « Gaudí et l'architecture méditerranéenne », *L'Art et les Artistes*, Paris, 1910, n° 11.

16 Jean Cassou, « Gaudí et le baroque », *Formes*, Paris, 1933, n° 32.

17 Francis Carco, *Printemps d'Espagne*, Paris, Albin Michel, 1929, p. 247 et suivantes. À propos du point de vue de Carco et d'autres auteurs français sur l'œuvre de Gaudí, et de l'opinion de Zervos, voir Juan José Lahuerta, « Gaudí, Dalí : las afinidades electivas », dans les catalogues d'expositions *Dalí. Arquitectura*, Barcelone, Fundació Caixa de Catalunya/Fundació Gala-Salvador Dalí, 1996, et *Decir Anti es decir Pro. Escenas de la vanguardia en España*, Teruel, Museo de Teruel, 2000.

18 Christian Zervos, « Gaudí (Editorial Canosa) Barcelone », *Cahiers d'art*, Paris, IV, 1929, suppl., p. XVII.

19 Amédée Ozenfant, *Art*, Paris, Jean Baudry et Cie, 1928, p. 254-255.

20 Voir le catalogue d'exposition *Le Corbusier i Barcelona*, Barcelone, Fundació Caixa de Catalunya, 1988 ; ainsi que Juan José Lahuerta (éd.), *Le Corbusier y España*, Barcelone, Centre de Cultura Contemporània de Barcelona, 1996.

21 Le Corbusier, « Retours… ou l'enseignement du voyage. Coupe en travers. Espagne, Maroc, Algérie, Territoires du Sud », *Plans*, Paris, octobre 1931, p. 92-108.

22 Sur les textes de Breton, de Dalí et de Crevel cités ci-après, et le point de vue de ceux-ci sur Gaudí, voir Juan José Lahuerta, « Gaudí, Dalí : las afinidades electivas », *op. cit.*, 1996.

23 André Breton, *Les Pas perdus*, Paris, Gallimard, 1924, p. 182-183.

24 Salvador Dalí, « L'âne pourri », *Le Surréalisme au service de la révolution*, Paris, n° 1, [juillet 1930], p. 12 ; *La Femme visible*, Paris, Éditions Surréalistes, 1930 ; « De la beauté terrifiante et comestible de l'architecture modern'style [sic] », *Minotaure*, Paris, n° 3-4, 1933, p. 69-76 ; René Crevel, *Dalí ou l'anti-obscurantisme*, Paris, Éditions Surréalistes, 1931.

25 Voir Fèlix Fanés, *Salvador Dalí. La construcción de la imagen. 1925-1930*, Madrid, Electa, 1999 ; Juan José Lahuerta, « Gaudí, Dalí : las afinidades electivas », *op. cit.*, 1996 ; et « Quando Dalí acquistò la casa di Port Lligat », *Casabella*, Milan, n° 671, octobre 1999, p. 50-54.

26 Pour les textes de Dalí cités, voir Salvador Dalí, *L'Alliberament dels dits. Obra catalana completa*, éd. de Fèlix Fanés, Barcelone, Quaderns Crema, 1995.

27 Voir les numéros monographiques consacrés au GATCPAC de la revue *Cuadernos de Arquitectura y Urbanismo*, Barcelone : n° 90, juillet-août 1972 ; n° 94, janvier-février 1973 ; ainsi que l'édition en fac-similé de la revue *A.C. Documentos de actividad contemporánea*, Barcelone, G. Gili, 1975. Je reprends ici mon schéma de « Razionalismo e arechitettura in Spagna negli anni trenta », dans [Divers auteurs], *L'Europa dei Razionalisti*, Milan, Electa, 1989.

28 Pour tout ce qui se rapporte à Sert, voir Josep M. Rovira, *José Luis Sert. 1901-1983*, Milan, Electa, 2000 ; ainsi que le catalogue d'exposition *José Luis Sert y el Mediterráneo*, Barcelone, COAC, 1998.

29 Antonio Pizza, *Dispensatio Antituberculoso de Barcelona*, Almería, Colegio de Arquitectos, 1993.

30 C. Blanton Freedberg, *The Spanish Pavillion at the Paris World's Fair*, New York-Londres, 1986, 2 vol.

L'ÂGE D'OR

DES ARCHITECTES

ANTONI GAUDÍ
Façade de la Casa Batlló,
1904-1906
Barcelone, Arxiu històric
del Col·legi d'Arquitectes
de Catalunya

CAROLINE MATHIEU

L'ÂGE D'OR DES ARCHITECTES

«Le mouvement nationaliste qui scandalise et inquiète si fort les politiciens castillans n'est, au fond, qu'une protestation contre leurs œuvres néfastes. Ils n'ont vu dans le pouvoir qu'un moyen de servir leurs intérêts particuliers ; ils n'ont su ni administrer ni gouverner. Les provinces les plus laborieuses déclarent sans ambages qu'elles ont assez vécu sous cette tutelle hautaine et inhabile, et réclament le droit de faire leurs affaires elles-mêmes. La province de Barcelone est, de toutes, celle qui parle le plus hardiment, [...] elle fait mieux encore, elle travaille, elle s'enrichit, elle s'instruit et, malgré d'inévitables crises, donne à l'Espagne l'exemple de l'activité et du progrès dans tous les genres. Barcelone est la première ville industrielle de l'Espagne, partage le premier rang avec Bilbao comme place commerciale ; elle tend à devenir le centre littéraire de tous les pays de langue catalane ; elle est déjà une grande cité artistique, et la renaissance de l'art catalan n'est pas le moindre ni le moins bon effet du catalanisme [1].»

Une véritable fièvre intellectuelle et artistique enflamme Barcelone à l'orée du XXe siècle ; préparée depuis une quinzaine d'années, la transformation du cadre architectural a pris «son véritable essor depuis l'Exposition universelle de 1888, par laquelle les Catalans, conscients de leur force productrice, ont voulu inaugurer leur entrée dans le concert industriel et commercial des peuples modernes [2]».

En 1888, Barcelone commence à appliquer le schéma d'extension planifié en 1859 par Ildefonso Cerdá ; l'Eixample (*ensanche*, extension) transforme la petite cité médiévale entourée de remparts en une ville s'étendant de la mer à la montagne et d'une rivière à l'autre dans une zone géographique clairement définie.

C'est seulement un an avant son ouverture que la mairie de Barcelone s'engage dans le projet d'une exposition située dans le parc de la Ciutadella, au nord de la ville. Afin de sauver l'entreprise, on en appelle à Elies Rogent, directeur de l'École d'architecture, zélateur de la pensée rationaliste de Viollet-le-Duc ; le défi sera relevé grâce à l'ingéniosité des constructions et aux progrès réali-

sés dans la préfabrication du fer et de la brique. Deux édifices dominent, œuvres de Lluís Domènech i Montaner : le grand hôtel-restaurant, élevé en quatre-vingt-trois jours sur une légère structure de fer associée à la brique creuse, et le café-restaurant «Le Castell dels Tres Dragons» («Le Château des Trois Dragons»). Ce bâtiment cache, sous une forme médiévale en briques, une étonnante structure de fer laminé faite d'arcs en diaphragme et de galeries suspendues, qui aurait pu inspirer Charles Dutert pour la galerie de Paléontologie du Jardin des Plantes à Paris. L'extérieur fait appel à un chatoyant décor de céramiques bleutées. Le café-restaurant devient le creuset d'un renouveau des métiers d'art. Domènech y installe, de 1889 à 1890, des ateliers de céramique, mosaïque, vitrail et verrerie, ferronnerie et travail des métaux, taille du bois et menuiserie décorative, destinés aux artisans et architectes soucieux de retrouver les traditions artisanales, à l'exemple de William Morris et du mouvement anglais Arts and Crafts.

**LLUÍS DOMÈNECH I
MONTANER**
*Projet de café-restaurant
pour l'Exposition universelle
de Barcelone*, 1888
Barcelone, Arxiu històric del
Col·legi d'Arquitectes de Catalunya

« À la recherche d'une architecture nationale »

Désireuse d'exalter la culture catalane, la génération nouvelle a pour ambition de moderniser le pays, tout en cherchant, de façon complexe et contradictoire, à concilier respect du passé et cosmopolitisme, tradition et modernité. C'est dans cette optique qu'il faut recevoir le texte si controversé de Domènech, *En busca de una arquitectura nacional* (*À la recherche d'une architecture nationale*), publié en 1878 dans *La Renaixença* ; il ne s'agit pas d'un éloge de l'éclectisme, mais de retenir les leçons du passé dans les domaines de la structure, des matériaux, des formes et de l'ornement, afin de les adapter aux besoins modernes. Puig i Cadafalch exprime la même notion dans la préface de son livre publié en français en 1904 [3] : « Ce que peut-être nous avons créé de plus positif, c'est un art moderne prenant pour base notre art traditionnel, orné des beautés des matériaux nouveaux, résolvant avec l'esprit rationnel de notre art ancien les besoins du jour, le poussant vers quelques-unes des exubérantes décorations méridionales, lui infiltrant même certaines ornementations mauresques ou quelques vagues visions de l'Extrême-Orient, et lui imprimant un cachet purement local, bien distinct de tous les autres. »

Il s'agit donc d'être radicalement moderne et ouvert sur l'Europe, sans renoncer à l'histoire locale, et de définir une expression propre à la Catalogne en tenant compte de l'architecture universelle. Les architectes redécouvrent le travail de la maçonnerie et la voûte catalane cloisonnée, belle, souple et économique, pouvant s'adapter à toutes les sinuosités.

L'expression particulière du mouvement catalan tient aussi à la richesse de son décor et de ses matériaux : terre cuite émaillée, vitrail et mosaïque, ferronnerie, contribuant le plus souvent à souligner la logique de la construction et la distribution intérieure. Cette évolution architecturale est rendue possible par l'avènement d'une bourgeoisie riche et ambitieuse.

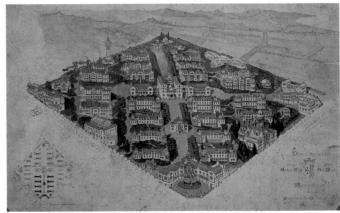

FIG. **LLUÍS DOMÈNECH I MONTANER**

Palais de la musique catalane, 1905-1908
Photographie d'Hisao Suzuki
Conçue pour abriter le célèbre Orfeo Català, chœur de 28 membres, il est l'un des plus éclatants symboles de la Reinaxença et l'affirmation de la victoire de Wagner sur l'Opéra italien. Le groupe sculpté *La Cançó Popular* (*La Chanson populaire*) est l'œuvre de Miquel Blay.

LLUÍS DOMÈNECH I MONTANER

Hôpital de Santa Creu et de Sant-Pau, perspective générale extérieure
Barcelone, Arxiu històric del Col·legi d'Arquitectes de Catalunya
(Barcelone seulement)

**LLUÍS DOMÈNECH I
MONTANER**
Palais de la Musique catalane,
élévation de la façade
Barcelone, Arxiu històric del
Col·legi d'Arquitectes
de Catalunya

Architecture et arts décoratifs : les inspirations françaises

Les recherches de Viollet-le-Duc et de l'école rationaliste française dans les domaines de la structure, de l'ornement et de la polychromie sont une inspiration commune aux architectes de Barcelone et de Paris. L'analyse logique des formes gothiques, dont Viollet-le-Duc tire des principes de construction universelle, son rejet du pastiche et de la symétrie, sa rigueur dans l'emploi des matériaux selon leurs propriétés et leurs qualités, sa soumission au programme, c'est-à-dire de la forme à la fonction, son ornementation issue de la flore et de la faune, sont autant de lignes directrices. C'est aussi une véritable leçon d'indépendance d'esprit et un vif encouragement à rejeter toute attitude conventionnelle ou académique. Gaudí reste proche de Viollet-le-Duc dans ses premières œuvres ; ainsi, le dédoublement de la façade du palais Güell, par un balcon fermé ou un jeu de colonnes disposées en quinconce, s'inspire de l'exemple plus modeste d'une maison médiévale de Cluny publié dans l'article « Construction » du *Dictionnaire raisonné de l'architecture française* et, pour le collège de Las Teresianas, il s'appuie sur l'analyse proposée par Viollet-le-Duc de l'abbaye Sainte-Marie de Breteuil. Il a aussi connaissance du projet si discuté de la *Cathédrale synthétique* de Louis-Auguste Boileau, car on en retrouve les composantes à la Sagrada Familia, qui réunit le plan de Saint-Pierre de Rome, l'élévation de la cathédrale de Chartres et l'espace de l'Alhambra, et développe le système de lumières latérales imaginé par Boileau en 1853. Mais Gaudí transcende vite le gothique pour atteindre à une architecture expressionniste. Domènech i Montaner reste fidèle au rationalisme jusqu'à la fin de sa vie, comme en témoigne sa dernière grande œuvre, l'hôpital Sant Pau, où il adopte le système pavillonnaire français et un plan toujours semblable : avant-corps avec terrasse pour l'entrée, rotonde pour les examens, grande salle rectangulaire pour l'accueil des malades, le tout ventilé et lumineux.

Dans le domaine des arts décoratifs, le rôle de Viollet-le-Duc n'est pas moindre, préconisant l'emploi sincère des matériaux et la mise en évidence de la construction, un décor tiré de la nature et qui semble jaillir de la forme. Ses publications, celles de son élève Ruprich-Robert (*La Flore ornementale*, 1866-1876) et d'Eugène Grasset (*La Plante et ses applications ornementales*, 1896), confortent les conceptions des artistes catalans. Cette recherche d'une observation naturaliste dans le mobilier connaît son apothéose dans les réalisations de l'ébénisterie française présentées à l'Exposition universelle de 1900.

Ce sont surtout le pavillon de l'Union centrale des arts décoratifs, construit et décoré par Georges Hoentschel sur le thème de l'églantier, les meubles de l'École de Nancy, avec Émile Gallé et Louis Majorelle, et le pavillon de l'Art nouveau de Siegfried Bing où triomphent Georges de Feure, Édouard Colonna et Eugène Gaillard, qui font l'objet de toutes les analyses et confirment l'éclatant renouveau du mobilier français.

L'adaptation du motif à la fonction est magistralement illustrée par Émile Gallé ; auteur d'une série d'articles consacrés au « Mobilier contemporain orné d'après la nature », dans la *Revue des arts décoratifs* en 1900, sa table à thé marquetée à deux plateaux est supportée par quatre libellules dressées aux ailes déployées. Gaspar Homar, avec le même motif, produit un lustre éblouissant, monumental, en métal fondu et cristal, où les éléments floraux et les libellules aux ailes allongées s'adaptent à leur fonction éclairante. Les créations présentées par Siegfried Bing sont au centre de tous les éloges et nombre d'entre elles sont acquises par divers musées européens. On y remarque particulièrement la légèreté des lignes, le modelé délicat, les teintes raffinées du petit salon en noyer doré créé par Georges de Feure. Joan Busquets en reprend, dans le mobilier en acajou doré de la Casa Baixeras, les lignes générales, qu'il amplifie avec un grand dossier à médaillon traité comme des ailes de papillon ; on y retrouve également l'esprit de Majorelle, avec un retour au style Louis XV [4]. Busquets se montre aussi sensible, dans sa banquette à deux sièges réalisée vers 1902, aux créations du Belge Serrurier-Bovy, alors installé à Paris, qui utilise vers 1899 l'arc et les formes sinueuses, le jeu des pleins et des vides où se lisent les inspirations venues du mouvement Arts and Crafts et du Japon. Aleix Clapés, peintre et ami de Gaudí, invente pour la famille Ibarz-Marco, un mobilier aux formes dynamiques, arborescentes et surtout une étonnante vitrine en noyer doré, dont les pieds s'enroulent pour supporter la cage de verre aux parois décorées de paons. Un même dynamisme anime le pupitre d'Alexandre Charpentier, mais dans une veine abstraite et fusionnelle. Les réalisations de Gaudí, puissamment personnelles, restent à l'écart de ces courants, mais on peut y observer parfois des résonances, des correspondances avec celles d'Hector Guimard.

On peut penser que les architectures de l'exposition, toutes en saillies, escarpements, courbes, grottes, tours de force invraisemblables d'équilibre, ont touché Gaudí dans ses réalisations ondulées des Casa Batlló et Milá, de même que dans le décor végétal exubérant des immeubles ou édifices publics de Domènech ou Puig i Cadafalch. Mais si un véritable esprit international souffle sur l'ensemble des arts décoratifs (mobilier, textile, affiche, art de la reliure…), l'architecture reste marquée par un vif régionalisme.

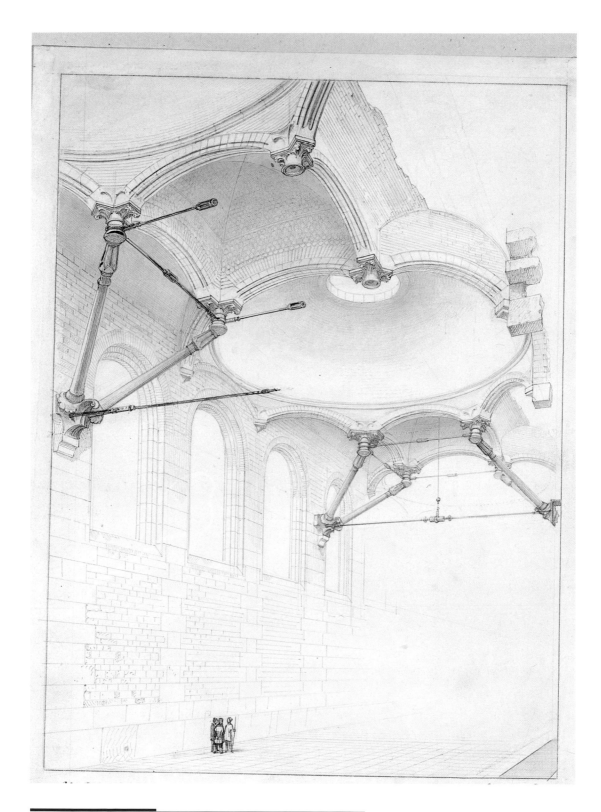

**EUGÈNE EMMANUEL
VIOLLET-LE-DUC**
*Maçonnerie (salle de vingt
mètres d'ouverture),*
planche XXII des *Entretiens
sur l'architecture*, 1865
Neuilly-sur-Seine,
fonds Viollet-le-Duc

Viollet-le-Duc propose un système alliant
la charpente de fer à la voûte
de maçonnerie, système qu'emploie Domènech i
Montaner à l'hôpital Sant-Pau.

EUGÈNE EMMANUEL
VIOLLET-LE-DUC
Maison à pans de fer
et revêtement de faïence,
aquarelle pour la planche XXXVI
des *Entretiens sur l'architecture,*
1871**.**
Paris, collection particulière

Dans ce projet de façade d'immeuble de rapport
avec commerce au rez-de-chaussée,
Viollet-le-Duc préconise l'emploi apparent d'une
structure porteuse en fer dont les façades sont
revêtues de faïence. Ce type d'exemple inspire les
premières créations de Domènech i Montaner
(Editorial Montaner i Simon).

**EUGÈNE EMMANUEL
VIOLLET-LE-DUC**
*Projet de fauteuil à siège
trapézoïdal et accotoirs isolés
dissymétriques, en bois ajouré,
d'inspiration gothique*
Neuilly-sur-Seine,
fonds Viollet-le-Duc

**EUGÈNE EMMANUEL
VIOLLET-LE-DUC**
*Modèle d'un panneau en fonte
pour le train impérial :
balustrade du balcon plate-
forme*, 1856
Paris, musée d'Orsay

LOUIS-AUGUSTE BOILEAU
Projet d'église, 1871
Paris, École nationale
supérieure des beaux-arts
Feuille comportant plan,
photographies, gravures
et manuscrits.

LOUIS-AUGUSTE BOILEAU
*Bâtiment à système
de voussures imbriquées*, 1860
Paris, École nationale
supérieure des beaux-arts

LOUIS-AUGUSTE BOILEAU
*Bâtiment à système
de voussures imbriquées,
perspective intérieure*
Paris, École nationale
supérieure des beaux-arts

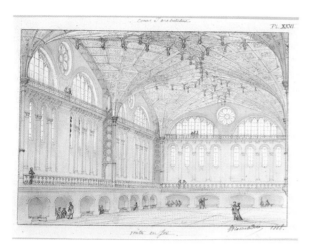

**EUGÈNE EMMANUEL
VIOLLET-LE-DUC**
Voûtes de fer, planche XXVI
des *Entretiens
sur l'architecture*, 1868
Neuilly-sur-Seine, fonds
Viollet-le-Duc

ANATOLE DE BAUDOT
Salle de concert, coupe
Paris, médiathèque de
l'Architecture et du Patrimoine

ANATOLE DE BAUDOT
Voûtes anglaises ;
projet critique pour la galerie
des machines de l'Exposition
universelle de 1889, perspective
intérieure, vers 1890
Paris, médiathèque de
l'Architecture et du Patrimoine

ANATOLE DE BAUDOT
Projet pour une grande salle
des fêtes et expositions,
élévation, mars 1910
Paris, médiathèque
de l'Architecture et du Patrimoine

ALEXANDRE CHARPENTIER
Pupitre à musique, 1901
Paris, Union centrale des arts
décoratifs

JOAN BUSQUETS
Chaise, 1900
Paris, collection Kiki
et Pedro Uhart

JOAN BUSQUETS
Banquette double,
Barcelone, 1902
Vic, collection Coromina
Rodríguez

ÉMILE GALLÉ
Table aux libellules, 1897
Nancy, musée de l'École
de Nancy

GUSTAVE SERRURIER-BOVY
Coiffeuse, 1899
Paris, musée d'Orsay

Elle faisait partie d'un mobilier de
chambre à coucher
qui fut présenté
dans le magasin parisien
de l'architecte,
L'Art dans l'Habitation.

GASPAR HOMAR
Lustre aux libellules
Barcelone, Museu Nacional
d'Art de Catalunya

FIG. **VICTOR-MARIE-
CHARLES RUPRICH-ROBERT**
Bourgeon de frêne, dessin
préparatoire pour la *Flore
ornementale*, 1866-1876
Paris, musée d'Orsay

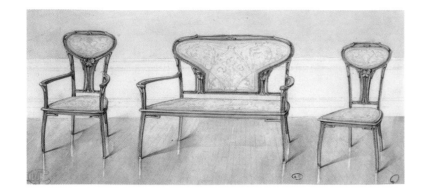

GEORGES DE FEURE
*Étude pour deux chaises
et un canapé*, mobilier
créé pour le pavillon Bing
à l'Exposition universelle
de 1900, 1895-1903
Paris, Union centrale des arts
décoratifs

GEORGES DE FEURE
Console d'angle, 1900
Paris, Union centrale des arts
décoratifs

GEORGES DE FEURE
Paravent, 1900-1901
Paris, collection particulière
Ce modèle a été créé pour
le pavillon Bing de l'Exposition
universelle de 1900.

JOSEP PUIG I CADAFALCH
Casa Amatller, façade principale, 1898-1900
Barcelone, collection particulière

JOSEP PUIG I CADAFALCH
Casa Martí, " Els Quatre Gats ",
1895-1896
Barcelone, collection
particulière

« L'îlot de la discorde »

La réunion, sur le Passeig de Gracia, de trois maisons d'Antoni Gaudí – Casa Battló (1904-1906) –, Josep Puig i Cadafalch – Casa Amatller (1898-1900) – et Lluis Domènech i Montaner – Casa Lleó Morera (1903-1905) – suscite les vives réactions des Barcelonais qualifiant l'ensemble d'«îlot de la discorde» (*Manzana de la discordia*).

Puig i Cadafalch se tourne plus résolument vers la tradition catalane. Architecte et archéologue, professeur, homme politique, il témoigne, dès sa première réalisation – la Casa Martì – de son goût pour l'architecture catalane du XVe siècle. Elle abrite, de 1897 à 1903, l'équivalent du Chat Noir, le cabaret Els Quatre Gats («Les Quatre Chats»), rendez-vous des intellectuels et des artistes modernistes. Sur la plupart des maisons qu'il construit se développe le motif favori de l'architecte, «la charmante loggia gothique ciselée et fleurie comme une châsse d'orfèvrerie [5]», et le décor en sgraffite [6], toujours pratiqué en Catalogne et qui tapisse les murs «d'une riche étoffe à dessins monumentaux [7]»; architecture en trompe-l'œil, motifs floraux et scènes animées confèrent vie et gaieté aux façades. Redécouverte par Gottfried Semper, cette technique réapparaît simultanément à Bruxelles en 1900.

La Casa Amatller mélange hardiment les styles catalan et nordique, avec son grand pignon à redents d'inspiration flamande ; Puig a également dessiné tout le mobilier, réalisé en grande partie par l'ébéniste Gaspar Homar. Cette façade tente de voisiner avec l'architecture osseuse et ondulée, couronnée d'une carapace de tuiles, de Gaudí.

Si la Casa Amatller comme la Casa Lleó Morera affirment la prééminence de l'ornement, Gaudí atteint au but ultime de l'art nouveau, la fusion de la structure et du décor : «Les éléments architecturaux – jambages, arcs et meneaux – et décoratifs sont d'un naturalisme saisissant; ceux qui suggèrent des formes géologiques semblent avoir été sculptés par l'eau […] quant aux éléments organiques, on les croirait nés et grandis de façon vivante sur leur support minéral. Ainsi, par une sorte de germination, surgissent des feuilles, des fleurs, des fruits, des formes mêlées, des masses musculaires et osseuses, des sillons et des crêtes évoquant la mousse et le passage de l'eau [8]».

La subtile polychromie de la façade suggère à Salvador Dalí l'un de ses plus fins commentaires : «Gaudí a bâti une maison […] faite des eaux tranquilles d'un lac […] véritable *sculpture des reflets des nuages crépusculaires* dans l'eau, rendue possible par le recours à une immense et insensée mosaïque multicolore et rutilante, des irisations pointillistes de laquelle émergent des *formes d'eau répandue*, *formes d'eau miroitante*, *formes d'eau frisée par le vent*, toutes ces formes d'eau construites en une succession asymétrique et dynamique – instantanée de reliefs brisés, syncopés, enlacés, fondus par les nénuphars et nymphéas naturalistes *stylisés* [9]... ». Gaudí en conçoit, comme pour chacune de ses commandes, tout le décor intérieur et le mobilier.

Plus loin sur le Passeig de Gracia, la Casa Milá (1905-1910) voit l'art de Gaudí aboutir à une architecture-sculpture, architecture-nature, sorte de falaise de pierre parcourue des ondulations de la mer, sculptée par le vent, creusée par l'érosion, ainsi évoquée par le philosophe Francesc Pujols, ami de Gaudí : « Sans doute ne rencontrerons-nous jamais à travers toute l'Europe une architecture semblable à la Casa Milá, qui puise dans la mer cette palpitation à fleur de façade et de mur ; nous n'en trouverons aucune qui déforme et déploie les lignes générales de la masse à la manière de Gaudí [10]. » Les ferronneries des balcons affectent la forme d'algues marines. Sur la terrasse, les troupes de guerriers casqués ne sont autres que les cheminées et les bouches d'aération, et semblent protéger l'immeuble et veiller sur la ville. Surnommée « la Pedrera » (« la carrière »), cette étonnante création organise l'ensemble des pièces comme autant de cellules agrégées autour de deux cours intérieures, d'une totale flexibilité. À l'intérieur, ce sont les thèmes marins qui dominent, plafonds gravés de poulpes et d'algues, pavements composés de dalles hexagonales vert clair où s'impriment en léger relief des escargots de mer.

JOSEP PUIG I CADAFALCH
*Casa Macaya, perspective
de la façade principale,*
1898-1900
Barcelone,
collection particulière

**LLUÍS DOMÈNECH
I MONTANER**
*Casa Lleó Morera,
élévation de la façade,*
1903-1905
Barcelone, Ajuntament
de Barcelona. Arxiu Municipal
Administratiu

FIG. **LLUÍS DOMÈNECH
I MONTANER**
Casa Lleó Morera, 1903-1905

Photographie ancienne prise avant la destruction des sculptures d'Eusebi Arnau, figures féminines présentant des vasques, lors de transformations du rez-de-chaussée à des fins commerciales

Barcelona. Casa Mila = 1905 1910

*Casa Milà, vue d'ensemble
avec les avenues,*
photographiée par Zerkowitz,
Barcelone, Arxiu històric
del Col·legi d'Arquitectes
de Catalunya

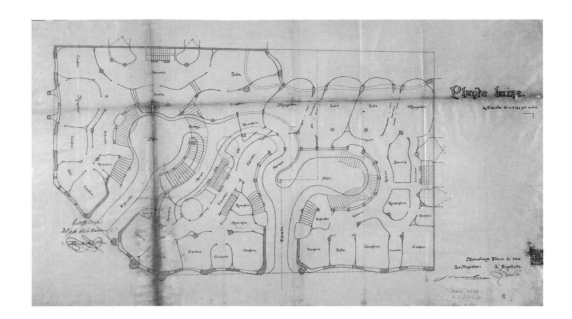

ANTONI GAUDÍ
Casa Milà,
plan du rez-de-chaussée, 1906
Barcelone, Ajuntament
de Barcelona. Arxiu Municipal
Administratiu

ANTONI GAUDÍ
Casa Milà, plan du 3e étage,
1906
Barcelone, Ajuntament
de Barcelona. Arxiu Municipal
Administratiu

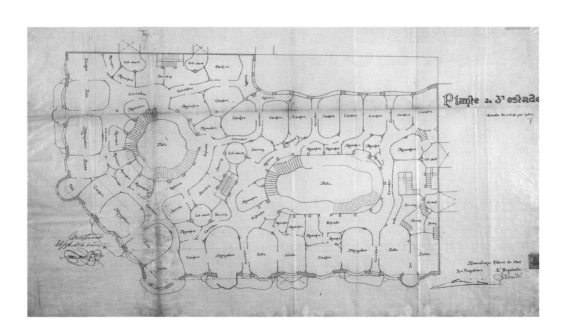

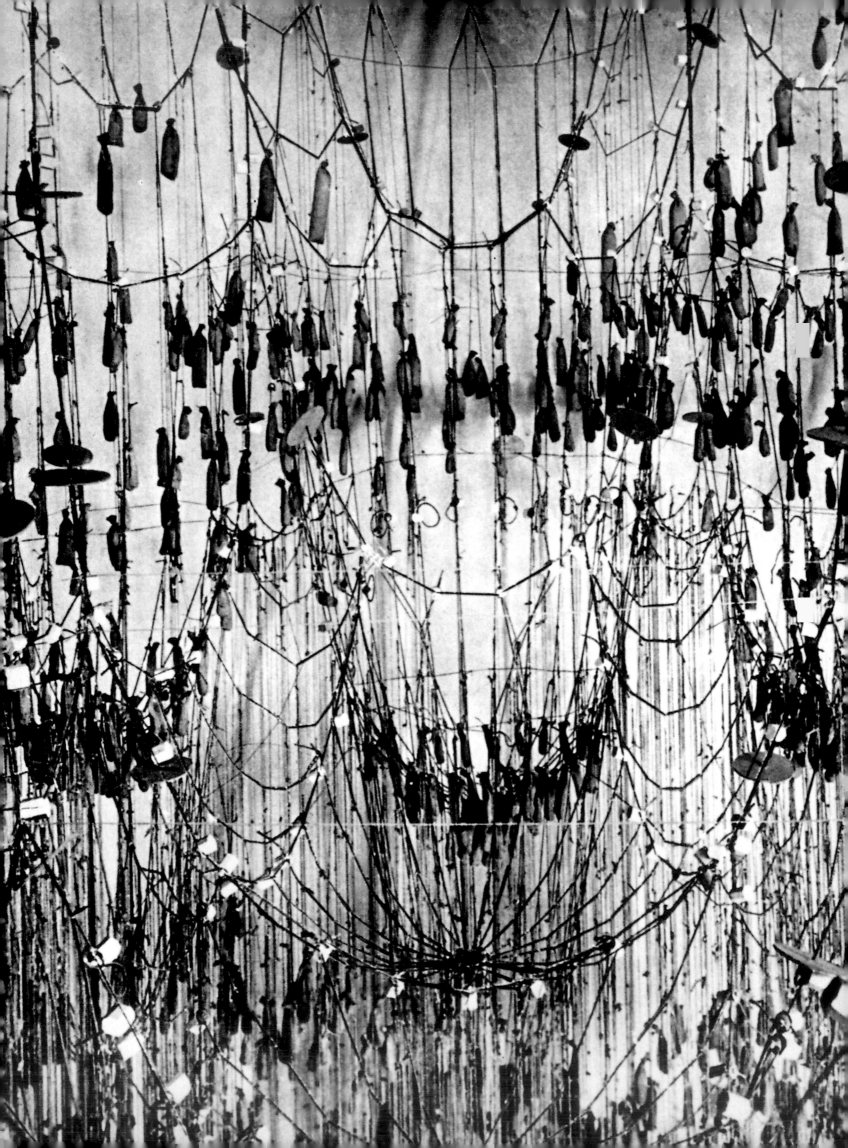

FIG. ANTONI GAUDÍ
Mosaïque de la Casa Batlló,
1906
Photographie de Clovis Prévost.

ANTONI GAUDÍ
*Finca Güell, porte d'entrée
avec le dragon.*
Barcelone,
Col·legi d'Arquitectes
de Catalunya.

ANTONI GAUDÍ
Église de la Colonia Güell,
perspective extérieure,
vers 1910.
Barcelone, collection
particulière.

ANTONI GAUDÍ
Église de la Colonia Güell,
perspective intérieure,
vers 1910
Barcelone, collection
particulière

FIG. *Atelier des maquettes*
de la Sagrada Familia
Barcelone, archives du temple
de la Sagrada Familia
À droite, maquette de la façade
de la Nativité présentée
en 1910.

Temple expiatoire
de la Sagrada Familia, portail
de la Nativité, photographié
par Zerkowitz,
Barcelone, Arxiu històric
del Col·legi d'Arquitectes
de Catalunya.

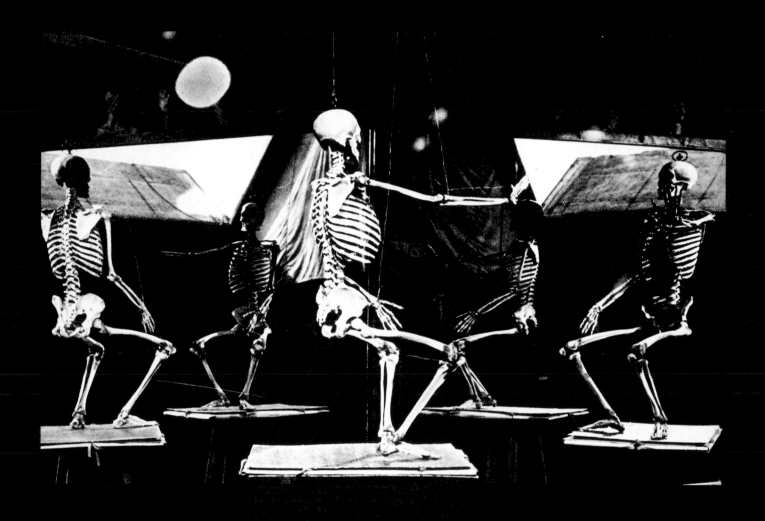

FIG. **ANTONI GAUDÍ**
Atelier de la Sagrada Familia
Barcelone, archives du temple
de la Sagrada Familia

Mise en scène de squelettes
pour étudier la structure osseuse
et ses mouvements.

ANTONI GAUDÍ
Atelier de la Sagrada Familia en 1917.

C'est dans cet atelier qu'étaient entreposés les moulages d'éléments ou de personnages. On y observe une série de moulages de bébés réalisés sur des enfants morts par Lorenzo Matamala.

Eusebi Güell, mécène de Gaudí

« C'est un grand seigneur, il a l'esprit d'un prince, semblable à celui des Médicis de Florence et des Dorias de Gênes. » C'est ainsi que Gaudí définit ce riche industriel, propriétaire d'importantes filatures de coton, homme éclairé et sensible, passionné d'art et protecteur des artistes. Ne ménageant ni son attention ni son argent, en communion d'esprit avec la liberté créatrice de Gaudí et son improvisation incessante (la façade du palais Güell sera reprise vingt-cinq fois), Don Eusebi lui permet d'expérimenter dans tous les domaines : pavillon de campagne (Finca Güell, 1882), palais urbain (palais Güell, 1885-1889), cité jardin (parc Güell, 1900-1914), édifice religieux (église de la Colonia Güell, 1898-1914).

Le palais Güell, après le débordement ornemental de la Casa Vicens (1883), couverte de carrelages vert, blanc et à motifs floraux, montre une façade austère, monumentale, puissante, dont les étourdissantes créations de ferronnerie et les cheminées forment le décor. « Au rez-de-chaussée, deux arcades paraboliques, fermées de lourdes grilles de fer forgé ; entre les deux arcades, une lanterne, merveille de ferronnerie étrange et compliquée[11] ». Gaudí avait déjà créé, pour la grille de la Finca Güell, un extraordinaire dragon aux ailes animées en trois dimensions, composé de résidus industriels, barres de fer, ressorts…

Au parc Güell, Gaudí organise la cité jardin autour d'une vaste esplanade à mi-pente soutenue par une belle colonnade dorique archaïsante dont toutes les colonnes périphériques sont inclinées, donnant à l'ensemble un équilibre solide, formant un grand feston qu'épouse, à la partie supérieure, le grand banc de maçonnerie, serpent chatoyant de couleurs revêtu du fameux *trencadís*, mosaïque faite de débris de céramique, verre, porcelaine, bouteilles…

L'église de la Colonia Güell, à une douzaine de kilomètres de Barcelone, devait se dresser sur une hauteur entourée de pins et ses formes voulaient faire écho au dramatique paysage montagneux de Montserrat. Seuls la crypte et le portique sont réalisés à la mort du commanditaire en 1918. Pour étudier les forces et les poussées, Gaudí construit une maquette de cordes et de sacs de toile emplis de sable, dessinant dans l'espace l'organisation des volumes architecturaux et tout le squelette de l'édifice. Cette crypte, éblouissante composition à l'opposé de toute convention architecturale, sert d'essai pour la dernière œuvre de Gaudí : « Sans cet échantillon à grande échelle qui m'a permis d'éprouver les formes sinueuses et hélicoïdales sur les colonnes et les paraboloïdes pour les murs et les voûtes de la colonie Güell, je ne me serais pas risqué à employer ces formes sur le temple de la Sagrada Familia[12]. »

La Sagrada Familia

L'œuvre majeure de Gaudí, le songe de pierre qui accompagne sa vie mystique et passionnée, c'est la Sagrada Familia, dont il accepte de diriger les travaux en 1883, reprenant et transfigurant le projet néogothique de l'architecte Villar. Cette église gigantesque transcende définitivement la structure gothique, et Gaudí est le premier à inventer de nouvelles solutions au problème de la couverture des nefs et des grands espaces, auquel les rationalistes français Viollet-le-Duc, Louis-Auguste Boileau et Anatole de Baudot avaient tenté de répondre. Il abandonne la verticalité gothique au profit de l'obliquité de l'ordre parabolique. Les colonnes inclinées canalisent et équilibrent les charges et les poussées, prolongent la voûte en formant avec elle une ligne parabolique ininterrompue. Les colonnes sont à l'image de l'arbre, avec un tronc s'épanouissant en feuillage. C'est une architecture de l'équilibre, unitaire, ne nécessitant ni arcs-boutants ni contreforts. La force de ce volume, porteur d'une foi puissante, se trouve complétée par la lumière, la couleur et la musique, dont Gaudí maîtrisait toutes les composantes.

Des trois façades monumentales prévues, seule celle de la Nativité est achevée à la mort de l'architecte, en 1926. Celui-ci, assez réticent à employer la sculpture, mais conscient de l'enseignement à donner aux fidèles, se passionne pour l'iconographie sculptée, élaborée avec son disciple le sculpteur Lorenzo Matamala et la forte personnalité de Carlés Mani. Gaudí et Matamala utilisent le moulage sur nature, les squelettes réels ou artificiels, la photographie pour illustrer les Évangiles dans un langage vivant et frais. Cette étonnante intrusion de la nature, rehaussée par la polychromie imaginée par Gaudí, exalte les rares visiteurs français : « Non content des beaux effets obtenus avec les tons roses et veinés de la pierre, M. Gaudí songe à peindre sa façade pour mieux lui faire exprimer toutes les idées qu'il y a concentrées, toute la poésie qu'il y a enclose. Chaque porte symbolise une des trois vertus théologales. La porte majeure, avec la crèche, l'adoration des mages, l'adoration des bergers, la grande paix qui semble tomber des étoiles, symbolise la charité. Elle sera peinte en bleu, couleur de nuit de Noël. Le portail de droite, consacré à l'Espérance, aura pour dominante le vert et sous les rameaux printaniers se dérouleront les premiers récits évangéliques : le mariage de la Vierge, le vieillard Siméon dans le temple, la fuite en Égypte, le massacre des Innocents. Le portail de gauche, dédié à la Foi, représentera Jésus humble et soumis, Jésus travaillant, Jésus enseignant les docteurs ; il sera décoré de teintes vives, il aura le rayonnement doré des soleils du Midi. Les bourrelets de neige des rampants seront peints en blanc ; les oiseaux d'hiver qui s'effarent dans les nues auront des teintes naturelles, le chiffre du Rédempteur se détachera rougeâtre, couleur de soleil levant, au sein des nuages, et la porte majeure s'achèvera en un pinacle colossal qui rappellera un des obélisques naturels du Montserrat. Le portail de l'Espérance portera à son sommet la barque de l'église, sur une mer orageuse, au-dessus de laquelle grondera une sorte de cyclone violacé couleur de tempête. Le portail de la Foi s'épanouira en une gerbe d'épis et de raisins. L'édifice ainsi paré resplendira comme un gigantesque reliquaire d'émail [13]. »

L'exposition de 1910

Jusqu'en 1910, année où Gaudí fait grand bruit au Salon de la Société nationale des beaux-arts, peu d'articles sont consacrés aux transformations de Barcelone : celui de Georges Desdevises du Dézert, en 1903, et deux autres longues analyses dans *L'Art et les Artistes* et *L'Art décoratif* en 1908. « À la Nationale, l'exposition de l'architecte catalan Gaudí est l'une des plus dignes d'être vues, et la plus riche en formes sinon toutes neuves du moins renouvelées [...]. On est en présence du seul créateur de lignes et de formes de notre temps [14]. » L'exposition des œuvres de Gaudí – orthographié « Gaudé » au Salon de la Société nationale des beaux-arts – est la seule occasion, pour les architectes comme pour le public, de découvrir *de visu* l'extraordinaire originalité de ses conceptions architecturales. Ce sont les amis de l'architecte, et surtout son mécène le comte Güell, qui ont organisé sa participation ; à cette occasion, il fait éditer une brochure comprenant douze photographies, des plans et coupes du palais Güell. Sous les numéros 2311 à 2321 figurent la *Maquette polychromée de la façade du temple de la Sagrada Familia*, accompagnée d'études sculptées et décoratives, les maquettes de la façade de la Casa Milá et des « Arcades de galerie de l'Hôtel Güell », une série d'« agrandissements photographiques et clichés en couleurs de la Sagrada Familia, de l'hôtel et de la Finca Güell et du Park Güell », et de la Casa Milá ; enfin, une série de « plans et dessins divers ». C'est grâce au soutien actif d'Anatole de Baudot, président de la section Architecture de la Nationale, et de l'écrivain Gabriel Hanoteaux que cette puissante représentation de Gaudí a pu se faire.

Bien sûr, l'œuvre de l'architecte ne laisse pas les critiques indifférents... Si certains relèvent le génie formel, la fantaisie et l'invention décorative de Gaudí, on est surpris du ton de la plupart des comptes-rendus, empreints de condescendance amusée ou sceptique allant parfois jusqu'au plus total mépris, preuve de la fracture séparant les deux cultures, les deux mentalités. Certains déplorent l'absence de « plan, coupe, élévation en géométral de nature à permettre à un technicien de former son jugement sur la valeur architectonique de l'œuvre [15] » ; c'était effectivement la manière de travailler de Gaudí qui ne pouvait donner un plan définitif de son œuvre sans cesse en évolution

selon ses inspirations et les difficultés techniques rencontrées. On sait qu'il étudiait les forces et les poussées à l'aide de maquettes en trois dimensions.

L'architecture colorée, expressive, tout emplie du sentiment chrétien de la Sagrada Familia ne pouvait qu'échapper à la logique des « techniciens ». « On est effrayé du nombre de maquettes qu'expose M. Gaudé (Antoni) *(sic)*, de Barcelone [...] il n'est peut-être pas bien sûr que tout cela soit de l'architecture ! [...] La majeure partie est exposée dans une salle spéciale éclairée à l'électricité et fermée par un rideau. Et l'on pense aussitôt à ces petites salles réservées des musées de foire [...] On se demande comment on peut construire un édifice comme ce temple de la Sagrada Familia à Barcelone [16] ! [...] »

Parfois, on évoque de façon dérisoire « [...] les fantaisies d'un architecte espagnol, où l'étrangeté ne suffit pas à remplacer les qualités indispensables à une composition architecturale [17] ». « M. Gaudé *(sic)* de Barcelone ne parvient pas, malgré tout le luxe de détails et de vues stéréoscopiques, à nous faire goûter une architecture compliquée. Pour être moderne, il ne suffit pas d'agglutiner de beaux fragments d'architecture ancienne sur des carcasses en béton armé [18]. » L'une des caractéristiques de Gaudí est, au contraire, l'usage principal de la pierre, des briques et de la céramique, et il reste longtemps exclu de l'histoire de l'architecture moderne pour son désintérêt du béton, qu'il utilise incidemment.

L'Art décoratif donne, en mai 1910, un grand article qui, bien que l'on y retrouve les stéréotypes signalés dans l'article de Juan José Lahuerta, témoigne aussi d'une grande sensibilité, d'une grande compréhension de l'art de Gaudí, même si l'auteur compare le parc Güell aux jardins de Le Nôtre ! Il y remarque l'étonnante fusion des matériaux employés avec le site, « un vaste amphithéâtre de terre, de pierres et d'arbres [...]. C'est à cette fin d'harmonie que tout ce qui s'élève du sol autour de vous pour constituer ornement, a été extrait du sol même. Nul arrangement hétérogène au paysage mais plutôt sur place, une sorte de génération spontanée. C'est avec des blocs tirés de cette terre rougeâtre que se sont agglomérés ces piliers qui s'arc-boutent pour soutenir les terrasses. Vrais jardins suspendus de pierre, vous y voyez partout la pierre devenue arbre et arbre de la région ; cimentées telles quelles les unes aux autres, les roches se hérissent en tronc, conservant à la colonne la rugosité écailleuse des vieux dattiers ; les roches forment, non pas encorbellement, mais corbeilles, jardinières naturelles [19] [...] ».

Barcelone et Gaudí sont ensuite au centre de diverses publications. Marcel Dieulafoy publie, en 1913, une *Histoire générale de l'art, Espagne et Portugal*, où il remarque : « Le désir des Catalans de ne rien emprunter au reste de l'Espagne s'est incarné dans un artiste au tempérament personnel, étrange, rêveur, Antonio Gaudí ». S'ensuit une rapide description de la Sagrada Familia et quelques notations sur le parc Güell. C'est surtout Georges Desdevises du Dézert, doyen de la faculté de Clermont-Ferrand, qui en 1916 célèbre encore Barcelone. Il y étudie très en détail les architectures modernistes de Puig i Cadafalch, Domènech i Montaner, Gaudí, notant à propos de la Sagrada Familia : « La Sainte-Famille est une œuvre d'une telle étrangeté qu'il est rare d'en entendre parler sans passion ; nous en avons ouï dire beaucoup de mal, nous avons lu que cette église est le dernier mot de "l'extravagance", les architectes français surtout nous ont paru acharnés à n'y vouloir rien comprendre [20] […] » Quant à Louis Bréhier, dans son ouvrage consacré à *L'Art chrétien*, paru en 1918, il voit en la Sagrada Familia l'église des temps futurs telle que l'imagine Paul Claudel dans *La Jeune Fille Violaine*.

On sait qu'il fallut, ensuite, attendre les années trente, le surréalisme et Salvador Dalí pour que l'attention se porte à nouveau sur l'architecte visionnaire. Il a été longtemps absent des livres consacrés à l'architecture, dont les auteurs considéraient son œuvre comme sans incidence sur l'évolution des formes architecturales. Ces vingt dernières années ont été riches de publications le concernant ; on y fait souvent remarquer son caractère de novateur : « Avec le banc du Park Güell (quatre cents mètres de long), fait de débris de verre et de céramique, il crée le collage ; avec les supports de la Pedrera où il utilise le principe des écrans mobiles, il invente la dalle-champignon, et avec les écoles du temple de la Sagrada Familia, les toitures à voiles ondulés [21]. » Récemment, François Loyer a souligné le lien entre la Sagrada Familia et l'église Sainte-Jeanne-d'Arc de Nice, construite de 1927 à 1932 par Jacques Droz, « dont les trois coupoles en enfilade évoquent les églises romanes d'Auvergne, mais pour les transposer sous la forme audacieuse de grandes voûtes paraboliques en béton armé. La démarche de Jacques Droz […] le rapproche surtout d'Antoni Gaudí, pour lequel il professait une admiration sans borne [22] ».

Devenue le symbole même de Barcelone, véritable laboratoire de formes architecturales, œuvre unique et démesurée tout entière habitée par la pensée et l'âme d'un homme, la Sagrada Familia est aussi le tombeau de son créateur, et Gaudí y repose, couronné par son rêve de pierre.

Notes

1 Georges Desdevises du Dézert, « L'art catalan moderne », *Revue des Pyrénées, France méridionale, Espagne septentrionale*, tome xv, janvier-février 1903, p. 1.

2 Emmanuel Sorra, « L'architecture catalane contemporaine », *L'Art décoratif*, juin 1908, p. 261.

3 *L'Œuvre de Puig i Cadafalch, architecte*, Editions Parera, 1904.

4 Teresa Sala, « Quelques influences de l'École de Nancy sur l'ébéniste catalan Joan Busquets i Jané », *Arts nouveaux*, bulletin de l'Association des amis du musée de l'École de Nancy, printemps 1994, n° 10, p. 8-9.

5 Georges Desdevises du Dézert, *loc. cit.*, 1903, p. 3.

6 Le contour des motifs est obtenu par l'incision de la couche supérieure de l'enduit, ce qui fait apparaître la teinte du fond, généralement noire.

7 Georges Desdevises du Dézert, *loc. cit.*, 1903, p. 5.

8 Joan Bergós i Massó, *Gaudí, l'homme et son œuvre*, Paris, Flammarion, 1999, p. 66.

9 Salvador Dalí, « De la beauté terrifiante et comestible de l'architecture modern'style », *Minotaure*, 1933, 1re année, n° 3-4, p. 73-74.

10 Robert Descharnes et Clovis Prévost, *La Vision artistique et religieuse de Gaudí*, Lausanne, Édita, 1982, p. 154.

11 Georges Desdevises du Dézert, *loc. cit.*, 1903, p. 7.

12 Citation d'Antoni Gaudí dans Joan Bergós i Massó, *op. cit.*, 1999, p. 63.

13 Georges Desdevises du Dézert, *Les Villes d'art célèbres. Barcelone et les grands sanctuaires catalans*, Paris, 1913, p. 59-60.

14 Henry Bidou, « Les Salons de 1910 », *Gazette des beaux-arts*, 637e livraison, juillet 1910, p. 39-40.

15 A. Gelbert, *La Construction moderne*, 16 juillet 1910, 25e année, n° 42, p. 495.

16 J. Godefroy, « Société nationale des beaux-arts. Salon de 1910 (Architecture) », *L'Architecture*, samedi 9 juillet 1910, 23e année, n° 287, p. 240.

17 Max Doumic, « Les Salons de 1910. L'architecture », *La Revue de l'art ancien et moderne*, juin 1910, n° 159, tome XXVII, p. 411.

18 Édouard Ossent, « À propos des Salons d'architecture », *L'Art décoratif*, juillet à décembre 1910, 12e année, 2e semestre, p. 251.

19 Marius-Ary Leblond, « Gaudí et l'architecture méditerranéenne », *L'Art et les Artistes*, 1910, n° 62, p. 73.

20 Georges Desdevises du Dézert, *op. cit.*, 1913, p. 55.

21 André Barey, « L'évolution de Barcelone et le phénomène catalan », *Archives d'architecture moderne*, 1er trimestre 1978, n° 13, p. 15.

22 François Loyer, *Histoire de l'architecture française, de la Révolution à nos jours*, Paris, Mengès, Éditions du Patrimoine, 1999, p. 251.

FIG. *La Pedrera*, vignette humoristique du dessinateur Picarol (Josep Costa) publiée dans l'*Esquella de la Torrat*, le 4 janvier 1912.

Barcelona = Parc Güell = Viaduct = 1900=1914

GUIMARD

ET GAUDÍ

Maquette moderne du Temple expiatoire de la Sagrada Familia (façade de la Nativité), construit par Antoni Gaudí Barcelone, Junta constructora temple Sagrada Familia

La maquette originale fut présentée à Paris au Salon de la Société Nationale des Beaux-Arts de 1910. La plus grande part des dessins et maquettes de Gaudí ont été détruites durant la guerre civile.

PHILIPPE THIÉBAUT

GUIMARD ET GAUDÍ

Aux sources d'un nouvel organisme architectural

S'il est aujourd'hui deux créateurs à qui les historiens de l'art reconnaissent à l'unanimité le génie d'avoir métamorphosé, à l'aube du XXᵉ siècle, le paysage urbain de deux des capitales de l'art nouveau – Paris et Barcelone –, ce sont assurément Hector Guimard et Antoni Gaudí i Cornet.

Il n'en fut pas toujours ainsi : Guimard n'apparaît pas dans les ouvrages sur l'architecture contemporaine considérés comme ouvrages de référence et, si Gaudí est plus souvent cité, son œuvre n'en est pas moins victime d'une certaine incompréhension. C'est ainsi que Henry-Russell Hitchcock, dans *Modern Architecture Romanticism and Reintegration* (New York, 1929), puis dans *The International Style* (New York, 1932) – écrit en collaboration avec Philip Johnson – ne mentionne pas Guimard. Certes, Hitchcock se ravise près de trente ans plus tard avec *Architecture, 19th and 20th Centuries*, publié en 1958, repris en 1963 par la Pelican History of Art ; non seulement il évoque Guimard mais le considère comme le plus accompli des architectes français art nouveau ; cependant, ses réalisations sont analysées en deux paragraphes alors qu'un chapitre entier est consacré à Gaudí. Il est vrai que, de son vivant, à la différence de Gaudí, Guimard avait été victime d'une sordide conspiration du silence, que son œuvre à l'époque où écrivait Hitchcock avait déjà subi de cruelles amputations [1]. Établir la place qui lui revenait n'était peut-être pas une tâche aisée. Entre les deux guerres, un seul historien accorde une part égale aux deux architectes, non sans toutefois les considérer comme des personnalités exubérantes ; il s'agit de Nikolaus Pevsner qui publie en 1936 à Londres *Pioneers of Modern Design from William Morris to Walter Gropius*.

Une telle attitude, de la part d'auteurs de cette envergure, n'est pas à imputer à un soi-disant rejet général de l'art nouveau [2] mais plutôt à un sentiment de désarroi ou de malaise face au vocabulaire plastique et formel des deux architectes et à la difficulté qui en résultait de les situer dans une perspective historique.

Néanmoins, à la même époque, c'est-à-dire à la fin des années vingt et au début des années trente, l'œuvre de ces deux créateurs, que les spécialistes négligent, connaît une réévaluation, certes confidentielle mais géniale. Son responsable a pour nom Salvador Dalí [3] et le véhicule en est une revue parisienne de création toute récente, *Minotaure*. En décembre 1933, dans le numéro double 3-4, le peintre publie un texte intitulé « De la beauté terrifiante et comestible de l'architecture modern'style ». En dépit d'un titre générique, c'est bel et bien de l'architecture de Gaudí et de Guimard qu'il s'agit : c'est elle qui est reproduite pour illustrer les propos du jeune surréaliste. Illustrer n'est d'ailleurs pas le terme qu'il convient d'employer, les photographies publiées n'ayant en effet rien de documentaire. Le choix des détails, l'éclairage, les angles de vue sont parcourus d'un rythme, d'un flux identiques à ceux des phrases qui aboutissent à une fusion du texte et de l'image, fusion si intime qu'il est délicat d'accorder la primauté à l'un ou à l'autre. Ces images ont été produites par deux grands « œil » : Man Ray qui s'est chargé de l'architecte catalan, Brassaï du Parisien. L'un et l'autre ne se sont pas contentés de la simple reproduction d'une façade ou d'un détail architectural, dont la qualité première eût été la fidélité au modèle, mais ont élaboré et livré une vision tout à fait particulière que décryptent les légendes ô combien peu orthodoxes ! rédigées par Dalí. De quoi s'agit-il exactement ? En ce qui concerne Man Ray, il semblerait que ce soit Dalí lui-même qui, sur les conseils de Marcel Duchamp, ait passé commande d'un « reportage » au photographe [4]. Les images retenues se rapportent à la Casa Milá (« les vagues fossiles de la mer », « l'écume en fer forgé »), à la Casa Batlló (« les os sont à l'extérieur ») et au parc Güell (« on pénètre dans les grottes par de tendres portes en foie de veau », « la supernévrose mammouth », « la névrose extrafine ondulante polychrome gutturale »). En ce qui concerne Brassaï, nous ne sommes pas en mesure de dire si les détails de la station du métropolitain choisis par Dalí pour son article ont été spécifiquement voulus par celui-ci ou si le peintre a opéré un choix parmi les vues déjà existantes, nées des vagabondages nocturnes auxquels se livrait le photographe depuis 1930. Mais rappelons que, dès 1931, Dalí avait attiré l'attention, sans cependant en nommer leur auteur, sur l'insolite silhouette des entrées du métropolitain, pouvant par là même orienter le regard du photographe : « Dans la rue affreuse, mangée de tout côté par le perpétuel supplice de la réalité corrosive que l'abominable art moderne renforce et soutient avec son aspect désespérant, dans la rue affreuse, l'ornementation délirante et de toute beauté des bouches de métro Modern' Style nous apparaît comme le symbole parfait de la dignité spirituelle. C'est encore et surtout ces bouches de métro transcendantales que l'avenir interrogera [5]. » Quoi qu'il en soit, Dalí a regroupé sur une pleine page, sous le titre général « Avez-vous déjà vu l'entrée du métro de Paris ? », quatre détails d'un entourage respectivement intitulés : « Contre le fonctionnalisme idéaliste, le fonctionnement symbolique-psychique-matérialiste », « Il s'agit encore d'un atavisme métallique de *L'Angélus* de Millet [6] », « Mange-moi ! » et « Moi aussi ». La cinquième photographie guimardienne – la base d'une colonne et la sonnette de l'entrée du Castel Béranger – suscite elle aussi un ptyalisme aigu : « La base molle de cette colonne semble nous dire : mange-moi ! » L'article de *Minotaure* scelle donc l'annexion de l'art nouveau par le surréalisme, de même qu'il participe fortement à l'élaboration de la méthode paranoïaque. D'autant plus que, dans ce même numéro, André Breton présentait quelques dessins médianimiques et commentait ainsi ce rapprochement dans « Le message automatique » écrit en décembre 1933 : « On ne peut manquer […] d'être frappé par les affinités de tendances qu'offrent ces deux modes d'expression : qu'est-ce, suis-je tenté de demander, que le modern style sinon une tentative de généralisation et d'adaptation, à l'art immobilier et mobilier du dessin, de la peinture et de la sculpture médianimiques ? On y retrouve la même dissemblance dans les détails, la même impossibilité de se répéter qui précisément entraîne la véritable stéréotypie ; la même délectation placée dans la courbe qui n'en finit plus

HECTOR GUIMARD
Console en plâtre, patine verte,
1899-1900.
Paris, musée d'Orsay,
don de MM. Alain Blondel
et Yves Plantin (1979)

HECTOR GUIMARD
Consoles, patine marron,
1899-1900
Paris, musée d'Orsay,
don de MM. Alain Blondel
et Yves Plantin (1979)

comme celle de la fougère naissante, de l'ammonite ou de l'enroulement embryonnaire ; la même minutie dont la constatation d'ailleurs excitante détourne de la jouissance de l'ensemble, comme on a dit qu'une partie du temps pouvait être plus grande que le tout. On peut donc soutenir que les deux entreprises sont conçues sous le même signe, qui pourrait bien être celui du *poulpe*, du poulpe, a dit Lautréamont, au regard de soie [7] ». Ces analogies reçoivent, quelques années plus tard, la caution du Museum of Modern Art de New York dont le directeur, Alfred H. Barr, présente en 1936 dans son exposition *Fantastic Art, Dada, Surrealism* des œuvres de Guimard.

Cette précoce et intelligente reconnaissance, les surréalistes devront la rappeler lorsque, trente ans plus tard, l'art nouveau sera, non sans réticences encore, pris en considération par les historiens de l'art. Est particulièrement significative de cette tiédeur la déclaration de Jean Cassou, commissaire de la mémorable exposition qui s'ouvrit en novembre 1960 au Musée national d'art moderne de Paris, « Les Sources du XXe siècle » : « On s'est amusé avec une goguenardise attendrie de tels aspects démodés du style fin de siècle. Il est indéniable qu'il est impur et mêlé de littérature, et de mauvaise littérature. Son architecture se déguise encore et le matériau n'y ose pas dire son nom. Le mauvais goût y triomphe avec une insolence, certes savoureuse, mais qui souvent nous semble ne pouvoir se réclamer que de la mode. Surtout l'ornementation s'y manifeste comme un élément prédominant, absorbant la forme et la structure, un élément parasitaire, une valeur surajoutée, superflue. […] Néanmoins le moment est venu aujourd'hui de reprendre l'étude de ce style, de le considérer en toute objectivité, de mettre au jour ses raisons profondes et nécessaires et finalement d'y reconnaître un moment très important de l'histoire de l'art moderne [8]. » La défense de l'art nouveau par le surréalisme, bien qu'« historique », était à son tour oubliée par ceux qui se faisaient les promoteurs de la redécouverte et de l'étude du mouvement. Aussi convenait-il de réagir. Roger-Henri Guerrand, auteur d'une des toutes premières études françaises sur l'art nouveau, parue en 1965 [9], demande la préface de son livre à Louis Aragon dont le témoignage venait confirmer d'une part le profond intérêt des surréalistes pour l'art nouveau, d'autre part le rôle de pionnier joué par Dalí, qu'Aragon qualifiait de «Saint Jean Baptiste» de l'art nouveau [10]. Quant à Dalí, il poursuit son interprétation de l'art de Gaudí et de Guimard. Le texte qu'il écrit en 1968 pour le beau livre de Robert Descharnes – illustré de remarquables photographies en noir et blanc dues à Clovis Prévost – consacré à Gaudí lui fournit l'occasion de réaffirmer que la création de l'architecte ne peut être appréhendée qu'avec les cinq sens et que toute autre approche perpétue une trahison. Ainsi s'avèrent-ils traîtres «Ceux qui n'ont pas vu la vision militante, Ceux qui n'ont pas touché les structures osseuses et la chair vivante du délire ornemental, Ceux qui n'ont pas entendu la stridence chromatique et rutilante de la couleur, la polyphonie éclatante des tours-orgues et l'entrechoc du naturalisme décoratif en mutation, Ceux qui n'ont pas goûté le mauvais goût suprêmement créateur et enfin Ceux qui n'ont pas senti l'odeur de sainteté [11]». Deux ans plus tard, une nouvelle occasion se présente à lui : l'inauguration en mars 1970 de l'exposition Guimard au Museum of Modern Art de New York. Il écrit un article intitulé «The Cylindrical Monarchy of Guimard [12]», peint un immense *Hommage à Guimard I* [13] qui s'inscrit dans la série des manipulations qu'il fait subir à la *Vénus de Milo* depuis 1936 [14], se rend au vernissage de l'exposition et s'agenouille devant la canne personnelle de Guimard qui y est présentée [15] en suppliant : «Laissez-moi la manger [16] !»

Saluées par les surréalistes, victimes de la suspicion des historiens de l'art, l'œuvre de Guimard et celle de Gaudí se trouvent *de facto* unies par des liens étroits. Ces affinités sont d'autant plus passionnantes qu'on ne saurait évoquer à leur propos un quelconque jeu d'influences. Le rôle des revues d'art ou des publications spécialisées, souvent considéré comme un facteur décisif dans la circulation des idées et des formes à l'époque de l'art nouveau, est dans le cas précis négligeable. À notre connaissance, les publications catalanes ont ignoré l'activité de Guimard. Quant à Gaudí, avant son exposition au Salon de la Société nationale des beaux-arts de 1910, il n'est l'objet que de fort brèves mentions. Seule *La Construction moderne* semble s'y intéresser en publiant en février et mars 1896 quatre dessins à la plume et trois planches reproduisant des détails architecturaux et des vues du décor intérieur du palais Güell, achevé en 1889 [17]. Quatre ans plus tard, sa présence au Grand Palais – où sont regroupés des maquettes, modèles, photographies, plans et dessins concernant surtout le palais et le parc Güell, la Sagrada Familia et la Casa Milá [18] – est certes remarquée, mais pas outre mesure. Elle suscite des commentaires divers, dans l'ensemble plutôt mitigés, parfois désemparés ou ironiques. Ainsi peut-on

lire dans les colonnes de *L'Architecte* que «[…] l'esprit, ne trouvant aucun point de comparaison, dans les architectures même les plus lointaines aussi bien dans le temps que dans l'espace, est hanté par le souvenir des fantaisies que traçait, en des séances de spiritisme, la plume malicieuse de Victorien Sardou, ou encore par celui des descriptions des édifices entrevus par les héros des romans de Wells dans la planète Mars ou le tréfonds des océans [19]». Le critique de *L'Architecture* recourt, quant à lui, à des images gustatives, que n'auraient pas désavouées Dalí, mais qui, sous sa plume, ne sont assurément point louangeuses : «Est-ce là de l'architecture dahoméenne ? Pas même ! Tout au plus de l'architecture de confiseur glacier. On imagine cette extraordinaire pièce montée apparaissant sur une table de Gargantua. Mais je ne voudrais pas y goûter ! Ces couleurs ne me disent rien qui vaille [20] !» Même l'avant-garde fait preuve d'insensibilité à l'architecture gaudienne : «Puissent nos architectes ne pas s'inspirer de ses fantaisies [21] !» déclare Guillaume Apollinaire. Face au débat national qu'à la fin de cette même année 1910 la présence munichoise au Salon d'automne allait déclencher – débat dont la nature est en réalité plus politique et économique qu'esthétique –, les réactions face à l'envoi de Gaudí paraissent bien assourdies. Quelles ont été celles de Guimard ? Nous l'ignorons. A-t-il vu l'exposition ? Vraisemblablement. S'il a lu la presse, certaines formules sarcastiques ont dû lui rappeler les campagnes menées quelques années auparavant contre le Castel Béranger ou les stations du métropolitain. Mais ce qu'il dut ressentir fut avant tout une profonde émotion devant la découverte qu'il fit des étroites affinités plastiques et formelles qui existaient entre certaines créations de son confrère catalan et les recherches que lui-même menait depuis la fin des années 1890. En revanche, il ignora sans doute que le développement de leur carrière présentait lui aussi des points communs. Tous deux ont en effet accompli la presque totalité de leur œuvre dans une seule ville, Paris pour l'un, Barcelone pour l'autre. Tous deux ont pu travailler grâce à l'exceptionnelle confiance que leur témoignèrent quelques riches bourgeois, industriels et négociants audacieux : Louis Jassedé, Élisabeth Fournier, Henriette Hefty, Adrien Bénard, Léon Nozal pour l'un, Eusebi Güell, Pedro Calvet, José Batlló, Pere Milà pour l'autre. L'un et l'autre étaient partis d'un rationalisme issu du néogothique pour parvenir à un autre rationalisme qui peut échapper à un regard peu attentif en raison du lyrisme et de l'onirisme des formes et des volumes qui l'ont élaboré. Rationalisme d'un langage fortement personnalisé, unifié par une fusion totale de l'architecture et du décor : l'ornement souligne, explique l'ossature et la structure du bâtiment. Les formes inédites – qu'il s'agisse d'une masse architecturale, des membrures d'un siège, du dessin d'une poignée de porte – qu'ils

ANTONI GAUDÍ
Poignées en laiton
de la Casa Batlló, 1904-1906
(à gauche) et de la *Casa Milá,*
1906-1910 (à droite)
Paris, collection Kiki
et Pedro Uhart
Gaudí façonnait avec ses doigts,
dans l'argile, une forme
qui s'adaptait parfaitement
à la main et qui était
ensuite moulée.

HECTOR GUIMARD
Poignée de porte palière,
1896-1898
Paris, musée d'Orsay, don
de M. Bruno Foucart par
l'intermédiaire de la Société des
amis du musée d'Orsay (1980)

HECTOR GUIMARD
Éléments de crémones,
1896-1898
Paris, musée d'Orsay
Ils furent créés pour le *Castel
Béranger.*

HECTOR GUIMARD
*Bouton de porte en porcelaine
bleue,* provenant de
la propriété Roy aux Gévrils
(Loiret), 1897-1898
Paris, musée d'Orsay, don de
MM. Alain Blondel et Yves
Plantin (1979)

ANTONI GAUDÍ
Miroir en bois
doré à la feuille et sculpté
de la Casa Milà, vers 1900
Paris, collection Kiki
et Pedro Uhart

Gaudí réalise une maquette en
terre qu'il fait exécuter en bois
par un artisan. Le miroir
conserve l'aspect froissé,
malaxé, recherché par l'architecte.

HECTOR GUIMARD
Éléments de crémones,
1896-1898
Paris, musée d'Orsay
Ils furent créés pour le *Castel
Béranger.*

JOSEP JUJOL

Lampe du Santísimo, 1918
Vistabella, Iglesia del Sagrado
Corazón de Vistabella
Jeune architecte engagé
par Gaudí en 1906,
Jujol travaille sous sa direction
sur les chantiers des Casa
Battló et Milà, du Parc Güell et
de la Sagrada Familia.

ont non seulement imaginées mais auxquelles ils ont su, grâce à un sens aigu des possibilités offertes par les matériaux et leurs combinaisons, insuffler la vie, ont en commun un caractère organique unique qui les distingue des autres tentatives de l'époque allant dans ce sens. Ce rythme nouveau se fonde sur une hostilité déclarée à la ligne droite, à la symétrie, à la répétition et s'exprime au moyen de formes abstraites dont l'origine provient d'une perception sensuelle – et mystique dans le cas de Gaudí – des phénomènes naturels. La nature a stimulé l'imagination des deux créateurs, mais la puissance d'invention exceptionnelle de ceux-ci – Dalí dira avec humour qu'au fond la nature n'a produit que des essais de modern style raté [22] – leur permet de se détacher avec une aisance désarmante du modèle naturel et de créer un univers architectural jusque-là inconnu, susceptible d'exciter l'imagination de celui qui y pénètre. L'un et l'autre ne furent pas des hommes de l'écrit. Cependant, des témoignages de cette perception ont été recueillis. C'est par exemple Guimard qui, en 1899, déclare à Victor Champier, directeur de la *Revue des arts décoratifs*: « Quand je construis une maison, quand je dessine un meuble ou que je le sculpte, je songe au spectacle que nous donne l'univers. La beauté nous y apparaît dans une perpé-

tuelle variété. Point de parallélisme ni de symétrie ; les formes s'engendrent avec des mouvements jamais semblables [23]. » Quelques années plus tard, sur le toit de la Casa Milà, Gaudí s'entretient avec le peintre Domenech Carlès :

« Comment justifiez-vous les formes et les volumes curvilignes de cette façade ?

– Elles se justifient car elles sont unies à celles de montagnes de Collcerola et du Tibidabo qu'on voit d'ici.

– Mais d'ici, du haut de la Casa Milà, on voit aussi la mer, et la ligne de l'horizon est droite !

– La ligne droite n'existe pas dans la nature.

– La nature n'est pas mathématique ! Mais, une forme régulière, un style, satisfait l'homme.

– Mais, c'est qu'il ne faut pas essayer de le satisfaire [24]. »

Mais était-ce vraiment ne pas le satisfaire que de dynamiser aussi magistralement la matière afin de l'immerger, lui l'homme du début du siècle, au sein du vivant biologique ?

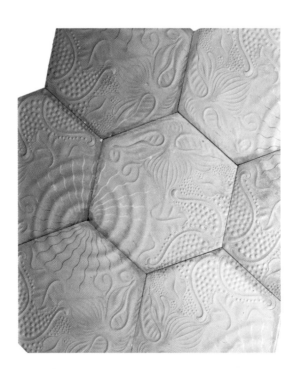

ANTONI GAUDÍ
Pavés de sol
de la Casa Milà, 1909
Paris, collection Kiki et Pedro Uhart

Gaudí dessine ce modèle à motifs d'étoiles de mer, d'escargots et de plantes marines en 1904 pour la Casa Batlló. La réalisation tarde et il l'utilise pour la Casa Milà. La ville de Barcelone l'a fait agrandir pour en décorer tout le sol du Passeig de Gracia.

Notes

1 La salle Humbert de Romans, certainement l'œuvre la plus ambitieuse et la plus spectaculaire de Guimard, construite 60, rue Saint-Didier entre 1897 et 1901, fut démolie entre juillet 1904 et novembre 1905, tandis que les deux gares du métropolitain, place de l'Étoile, étaient démontées en 1927.

2 Ce n'est vraiment qu'à partir des années quarante qu'il est de bon aloi de railler l'art nouveau et c'est au cours des décennies quarante, cinquante et soixante que le patrimoine art nouveau subit les pertes les plus importantes. Les créateurs des années vingt et trente, même s'ils émettaient des critiques à l'égard de certaines tendances de l'art nouveau, savaient très bien ce qu'ils lui devaient et lui étaient reconnaissants d'avoir su créer un élan libérateur.

3 Voir Ezio Godoli, « Guimard et Dalí », *Guimard. Colloque international*, Paris, musée d'Orsay, 12 et 13 juin 1992, Réunion des musées nationaux, 1994, p. 73-87.

4 Voir Emmanuelle de l'Écotais, « La photographie *authentique* », dans le catalogue *Man Ray. La photographie à l'envers*, Paris, Galeries nationales du Grand Palais, 1998, p. 59.

5 Texte intitulé *Surtout, l'art ornemental* constituant la préface au catalogue de sa propre exposition à Paris, à la galerie Pierre Colle en juin 1931.

6 Dans le n° 1 de *Minotaure*, Dalí avait publié « Interprétation paranoïaque-critique de l'image obsédante de *L'Angélus* de Millet ».

7 André Breton, *Point du jour*, Paris, Gallimard, 1934 (collection Folio Essais, 1970, p. 171-172). En 1980, Robert L. Delevoy réutilisera la fascinante image de Lautréamont comme titre de son essai introductif au catalogue de l'exposition « Art nouveau Belgique », Bruxelles, Palais des Beaux-Arts.

8 *Les Sources du XXᵉ siècle. Les arts en Europe 1884-1914*, p. XIX-XX.

9 *L'Art nouveau en Europe*, Paris, Plon, 1965. Dans sa préface (p. XV), Aragon rend justice à l'auteur en rappelant que son texte avait été écrit bien avant celui de Maurice Rheims, *L'Objet 1900*, qui avait bénéficié d'une publication rapide en 1964.

10 Louis Aragon, *Le Modern Style d'où je suis*, p. XIV.

11 Salvador Dalí, préface à Robert Descharnes, *La Vision artistique et religieuse de Gaudí*, Lausanne, Édita, 1969, p. 5-8.

12 *Arts Magazine*, mars 1970, p. 43.

13 Huile et collage sur carton et papier ; H. 285 cm ; L. 104 cm, Palm Beach, collection F. Bilotti.

14 Voir Robert Descharnes, « Dalí, la Vénus de Milo et la persistance de la mémoire antique », dans le catalogue *D'après l'antique*, Paris, musée du Louvre, 2000, p. 462-467.

15 *Hector Guimard*, New York, The Museum of Modern Art, 1970, n° 76, repr. p. 30. L'objet a depuis cette date disparu.

16 Selon le témoignage de Lanier Graham, organisateur de l'exposition. Voir Lanier Graham, « Études sur Guimard : passé et avenir », *Guimard. Colloque international*, op. cit., 1994, p. 14.

17 *La Construction moderne*, 1ᵉʳ février, p. 210 ; 15 février, p. 235 ; 28 mars, p. 304-305 et pl. 37, 38, 39, toutes reproductions accompagnées de commentaires laconiques.

18 Salon de la Société nationale des beaux-arts, 15 avril-30 juin 1910, cat. nᵒˢ 2311 à 2321, p. 323.

19 H. P., « L'Architecture au Salon de la Société nationale des beaux-arts ».

20 J. Godefroy, « Société nationale des beaux-arts. Salon de 1910 », *L'Architecture*, samedi 9 juillet 1910, 23ᵉ année, n° 287, p. 240.

21 « Fin de la promenade dans le Grand-Palais », *L'Intransigeant*, 19 avril 1910. En 1914, le poète reviendra sur son jugement et réclamera qu'une exposition soit consacrée à l'architecte dans le cadre du Salon d'automne afin que son œuvre soit connue du public français (voir Guillaume Apollinaire, *Chroniques d'art 1902-1918. Textes réunis avec préface et notes par L.-C. Breunig*, Paris, Gallimard, 1960, p. 512-513). Avait-il déjà oublié celle de 1910 ou regrettait-il son jugement expéditif ?

22 Ce qui ressort d'une légende de l'article de *Minotaure* ; sous une photographie de pierre érodée par l'eau et le vent, Dalí a écrit : « Essai de modern'style géologique, raté comme tout ce qui vient de la nature privée d'imagination » (p. 69).

23 Victor Champier, « Le Castel Béranger. Hector Guimard Architecte », *Revue des arts décoratifs*, janvier 1899, p. 10.

24 Conversation rapportée par Robert Descharnes, op. cit., 1969, p. 155.

ANTONI GAUDÍ
Paire de jardinières en ciment, céramique et miroir
de la Casa Batlló, 1905
Paris, collection Kiki et Pedro Uhart

Elles furent construites suivant le même principe que le *trencadís* du Parc Güell. Chaque face présente un décor différent ; sur l'une d'elle, se voit la croix typique de Gaudí que l'on retrouve, par exemple sur les colonnes du portique de la crypte de la Colonia Güell.

HECTOR GUIMARD
Pieds de banc, 1905-1907
Paris, musée d'Orsay,
don de Mme de Ménil (1981)
Pieds de banc en fonte édités
par les fonderies de Saint-
Dizier; modèle original exécuté
entre 1905 et 1907.

Guimard et Gaudí
Le mobilier

HECTOR GUIMARD
*Banquette
de fumoir*, 1897
Paris, musée d'Orsay
Cette banquette provient
de la propriété Roy
aux Gévrils (Loiret).

On y retrouve l'influx vital
énergique et nerveux,
le refus de toute symétrie qui
caractérise également
les recherches de Gaudí.

ANTONI GAUDÍ
Coiffeuse
du palais Güell, vers 1889
Barcelone, famille Güell
Coiffeuse conçue
pour la chambre
de la comtesse Güell.

Torsion, tension, contradiction
et résistance des matériaux
poussées à leur extrême,
absence totale de symétrie
caractérisent ce meuble
mouvant, dansant, à la limite
du déséquilibre.

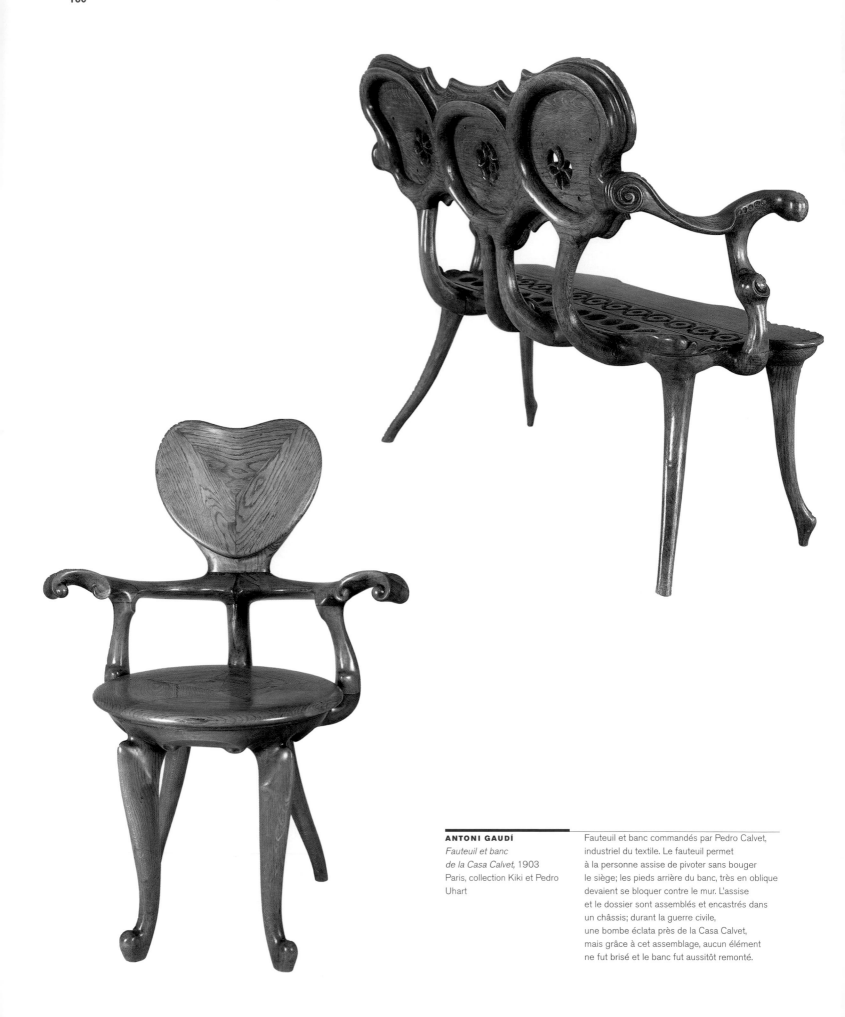

ANTONI GAUDÍ
*Fauteuil et banc
de la Casa Calvet,* 1903
Paris, collection Kiki et Pedro
Uhart

Fauteuil et banc commandés par Pedro Calvet,
industriel du textile. Le fauteuil permet
à la personne assise de pivoter sans bouger
le siège; les pieds arrière du banc, très en oblique
devaient se bloquer contre le mur. L'assise
et le dossier sont assemblés et encastrés dans
un châssis; durant la guerre civile,
une bombe éclata près de la Casa Calvet,
mais grâce à cet assemblage, aucun élément
ne fut brisé et le banc fut aussitôt remonté.

HECTOR GUIMARD
Cadre de glace
de cheminée, vers 1910
Paris, musée d'Orsay

HECTOR GUIMARD
Fauteuil
du Castel Val, 1903
Paris, musée d'Orsay

Fauteuil en poirier et garniture originale en cuir repoussé et ciselé, provenant du Castel Val à Chaponval. Le caractère de ce meuble, destiné à envelopper l'utilisateur en tenant compte de la morphologie humaine, sa structure fonctionnelle, évoquent les créations de Gaudí à la Casa Calvet et mettent en évidence les résonances, les correspondances existant entre ces deux créateurs à la même période.

ANTONI GAUDÍ
Vitrine d'angle
de la salle à manger
de la Casa Batlló, 1905
Paris, collection Kiki
et Pedro Uhart

Gaudí aménage tout l'étage principal destiné aux propriétaires, qu'il envisage comme un ensemble dont les éléments sont liés les uns aux autres. Le mobilier, boiseries et portes enserrant des vitraux, meubles encastrés, chaises et fauteuils, différencient et rythment les espaces. Pièce unique, réalisée sur mesure, la vitrine, prise dans la boiserie, repose sur un seul pied.

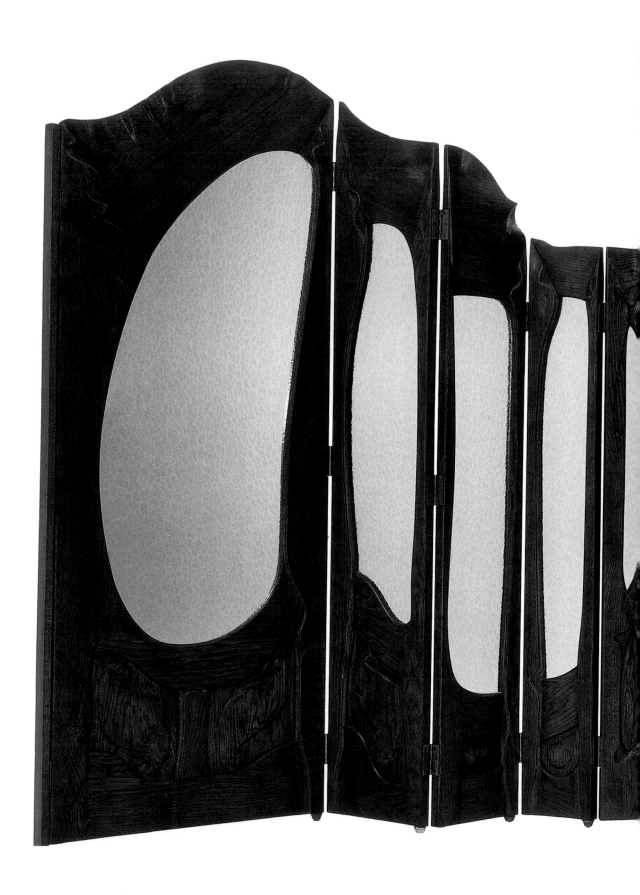

ANTONI GAUDÍ
*Paravent double
de la Casa Milà*, 1909
Paris, collection Kiki
et Pedro Uhart

Pour *La Pedrera*, Gaudí imagine un nouveau mobilier en harmonie
avec les volumes libres de la maison. Ce grand paravent
en deux parties, chacune composée de cinq panneaux articulés,
est entièrement sculpté de motifs abstraits évoquant les ondulations
de la mer, sa flore, les algues. Il fait écho, par la forme
et le mouvement, au dessin des portes et des plafonds de la maison
et permet de moduler l'espace intérieur; placé devant les fenêtres,
il préserve l'intimité des habitants.

ANTONI GAUDÍ
*Candélabre du service
des Ténèbres
de la Sagrada Familia,
en fer forgé*
Barcelone, Junta constructora
temple Sagrada Familia

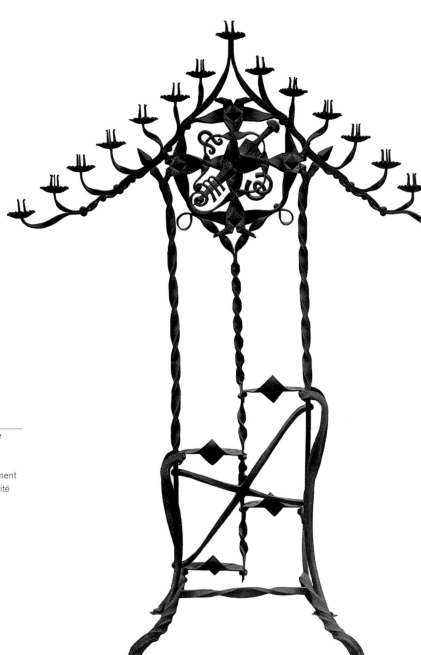

ANTONI GAUDÍ
*Grande jardinière
en fer forgé du palais Güell,*
1889
Paris, collection Kiki
et Pedro Uhart

Cette œuvre puissante traitée dans sa partie
supérieure comme une draperie
(que l'on retrouve sculptée en marbre
dans le palais Güell), asymétrique, entièrement
fixée par des boulons, témoigne de l'inventivité
formelle et technique de l'architecte.

ANTONI GAUDÍ
Grille de la Casa
Vicens, en fer forgé et coloré,
vers 1883-1885
Barcelone, Museu Nacional
d'Art de Catalunya

Le motif à feuilles de palme rappelle
la présence d'un grand palmier
qu'il fallut arracher pour aménager la maison.

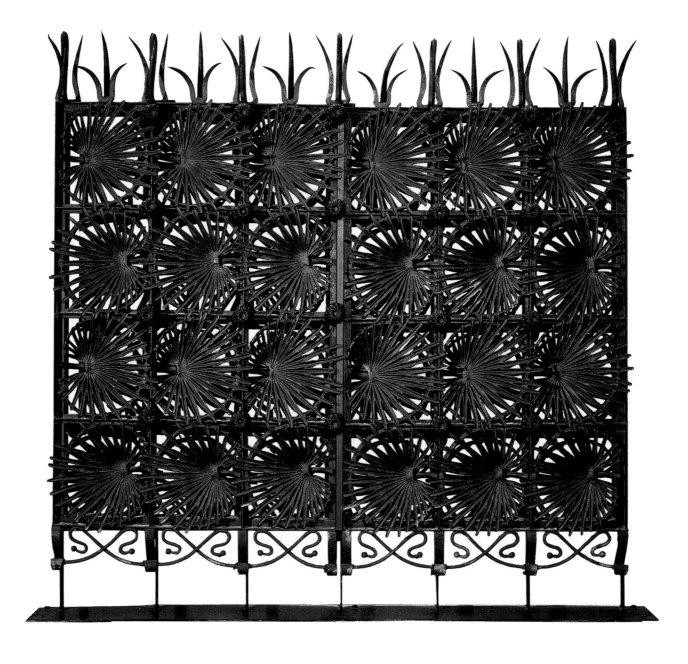

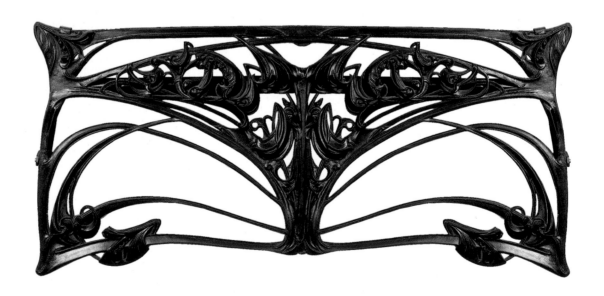

HECTOR GUIMARD
Vase et socle
(modèle original exécuté
entre 1905 et 1907)
Paris, musée d'Orsay, don
de Mme de Ménil (1981)
Vase et socle édités
par les fonderies de Saint-Dizier

HECTOR GUIMARD
Balcon de croisée
(modèle original exécuté
entre 1905 et 1907)
Paris, musée d'Orsay, don de
Mme de Ménil (1981)
Balcon édité par les fonderies
de Saint-Dizier

FIG. **ANTONI GAUDÍ**
Salle à manger
de la Casa Batlló
Barcelone, Institut Amatller
d'Art Hispanic

LA PEINTURE CATALANE

ENTRE BARCELONE ET PARIS

ÉDOUARD MANET
La Prune, vers 1877-1878
Washington, National Gallery
of Art (collection
de M. et Mme Paul Mellon)

ELISEU TRENC

LA PEINTURE CATALANE ENTRE BARCELONE ET PARIS

1888-1906

Pour l'époque étudiée, cette fin du XIXe siècle et tout début du XXe, que l'on appelle en Catalogne le «modernisme», deux remarques préliminaires sont indispensables pour bien comprendre les rapports artistiques entre Barcelone et Paris. La première est qu'il n'y a aucun peintre «moderniste» catalan qui aura la moindre influence sur l'évolution de la peinture française de l'époque, contrairement au premier tiers du XXe siècle, où, comme tout le monde le sait, l'influence de Picasso, non catalan mais éduqué au sein du creuset artistique catalan du «modernisme», sera prépondérante dans la création du cubisme, et celles de Miró et Dalí seront fondamentales dans l'histoire du surréalisme. La deuxième remarque est que la peinture catalane «moderniste», bien que riche, comme nous le verrons, de personnalités intéressantes, n'a pas atteint le même degré de modernité que l'architecture avec trois des plus grands architectes de l'art nouveau européen, Domènech i Montaner et Puig i Cadafalch, deux grands maîtres qui ont souffert de la présence à leur côté du singulier et inimitable Gaudí, qui les a un peu éclipsés surtout aux yeux des étrangers. De même les arts décoratifs, avec l'adoption générale de l'art nouveau, sans retard par rapport à l'ensemble de l'Europe, ont été tout à fait comparables à ce qui a pu se faire en Grande-Bretagne, en Belgique, en Allemagne ou en France avec Gaspar Homar et Joan Busquets pour l'ébénisterie, Lluís Masriera pour la bijouterie ou encore Graner et Rigalt pour l'art du vitrail.

Les apports et influences entre l'art français et l'art catalan ne se font, en ce qui concerne la peinture, que dans un sens unique, celui de Paris vers Barcelone, ce qui est logique si l'on adopte le schéma de l'historien de l'art Kenneth Clark qui définit, à notre avis de manière convaincante, dans son article «Provincianism [1]», les relations artistiques entre une métropole artistique mondiale, comme l'était effectivement Paris à la fin du XIXe siècle, et un centre artistique provincial, comme l'était Barcelone à l'époque par rapport à la métropole parisienne. Cette situation implique un certain nombre de conséquences. Les nouveautés

artistiques de l'époque, le naturalisme, l'impressionnisme, le symbolisme puis le postimpressionnisme se créent à Paris, indépendamment de la nationalité des artistes qui y vivent (l'exemple de Van Gogh, artiste hollandais, est éloquent à ce sujet). Ces nouveautés se diffusent depuis la métropole artistique vers la périphérie à travers la reproduction dans les revues, les expositions des beaux-arts et surtout les séjours parisiens d'apprentissage des artistes étrangers qui importent ensuite dans leurs pays respectifs ce qu'ils ont appris à Paris. Ce que nous allons essayer d'expliquer, c'est la portée de cette influence de la peinture française sur la peinture catalane contemporaine.

Le naturalisme

Tout le monde admet aujourd'hui que la modernisation de la peinture catalane s'est produite à Paris, entre 1889 et 1893, grâce au long et profitable séjour qu'y firent les jeunes peintres Santiago Rusiñol et Ramon Casas. Ce dernier, né en 1866, avait déjà séjourné auparavant à Paris. Encore adolescent, il avait été élève, entre 1882 et 1884, de Carolus-Duran. De son maître, Casas n'avait pas retenu, à l'époque, le côté officiel et académique de portraitiste mondain, mais plutôt l'admiration que l'hispanophile Carolus-Duran portait à Velázquez et à Manet, lui-même grand admirateur du maître espagnol du Siècle d'or. Il n'est donc pas étonnant de voir le très jeune Casas s'incliner pour une thématique espagnole, *Corrida de toros* (1884), traitée avec une force et une franchise de la touche qui viennent de Manet et de l'école naturaliste. Lorsque Rusiñol et Casas se retrouvent à Paris, concrètement à Montmartre, au Moulin-de-la-Galette, où ils vivent entre 1890 et 1893, ils peignent la Butte et la proche banlieue, un monde marginal, bohème, généralement empreint d'un sentiment de tristesse et même parfois perçu de façon misérabiliste, dans un esprit proche de celui de toute une série de peintres, Raffaëlli, Engel, Billotte, Goeneutte, qui furent, comme eux, des membres actifs de la Société nationale des beaux-arts dont Carolus-Duran était un des membres

FIG. **JAMES ABBOTT
WHISTLER**
La Mère de l'artiste, 1872-1873
Paris, musée d'Orsay

fondateurs et qui organisait les Salons du Champ-de-Mars regroupant les peintres du «juste milieu», c'est-à-dire des artistes qui n'avaient pas adopté la division optique des couleurs de l'impressionnisme, mais qui se distinguaient des peintres académiques par la banalité de leurs thèmes et surtout par une palette franche, sans demi-teintes, leur venant de Manet, et par des procédés de focalisation et de composition modernes, asymétriques, dynamiques provenant de l'estampe japonaise à travers les filtres de Degas et de Toulouse-Lautrec. Dans ce contexte, on comprend mieux la filiation entre *La Prune* (1877-1878), de Manet, et *La Madeleine* (1892), de Casas, ou la parenté entre *Le Bar des Folies-Bergère* (1886), toujours de Manet, et *Le Bal du Moulin de la Galette* (1890), de Casas. Quant au Rusiñol naturaliste, sa vision d'Erik Satie surpris, pensif, dans l'atmosphère de sa pauvre chambre de la rue Cortot, comme un paradigme de la vie misérable et bohème des artistes de Montmartre – tableau au titre évocateur *Un bohemi* (1891) –, complète l'étude plus psychologique, plus incisive du génial bohème par Suzanne Valadon, *Portrait d'Erik Satie* (1892-1893).

À la fin de l'année 1893, Casas revient définitivement à Barcelone et Rusiñol s'installe avec Zuloaga et deux autres amis dans un appartement bourgeois de l'île Saint-Louis. Là, il s'éloigne du réalisme objectif de la période montmartroise pour rechercher de plus en plus un art subjectif, qui puisse exprimer ses sentiments à travers le motif de ses nombreux portraits de femmes vêtues de longues robes noires, parfois hiératiques, toujours perdues dans leurs pensées, où au-delà de l'apparence du portrait, il veut suggérer un état d'âme qui est le sien, sa tristesse, sa mélancolie, une sensation de solitude qui sont à rapprocher du décadentisme fin de siècle. Si certaines visions de profil de ces femmes tristes, *Figura*

femenina (1894) par exemple, font penser, par leur composition, au célèbre portrait de sa mère par Whistler (1872-1873), on trouve à nouveau dans les catalogues illustrés du Salon du Champ-de-Mars de 1891, 1892, 1893 et 1894 des tableaux proches de ces portraits féminins de Rusiñol, en particulier le *Portrait de M. et Mme. Ch.* (Salon de 1891) d'Albert Besnard, artiste admiré par le peintre catalan, qui fait penser à *Una romança* (1894), ainsi que d'autres portraits intimistes et mélancoliques comme ceux de La Touche, *Portrait de ma mère* (Salon de 1890), ou bien de Tournès, *Frileuse* (Salon de 1892).

On a beaucoup écrit, en Catalogne, au sujet du soi-disant «impressionnisme» de Rusiñol et de Casas. Comme ils n'ont jamais adopté la technique des impressionnistes – division optique des tons, emploi des couleurs primaires et complémentaires, refus du noir –, tout se résume donc à la possible influence de Degas et de Whistler dans le cadrage, la composition de leurs scènes d'intérieur réalistes. Il est vrai que c'est ce qui fait, du point de vue stylistique, leur modernité par rapport aux peintres catalans réalistes anecdotiques des années 1870-1880. Ils ont effectivement adopté la composition de l'estampe japonaise qui donne une grande impression de vue instantanée et de dynamisme, à travers le filtre de Degas et Whistler, dont ils ont connu l'œuvre, comme le prouvent les écrits de Rusiñol. Casas arrive même parfois à se rapprocher de l'art vaporeux et musical de Whistler – *Le Moulin de la Galette* – mais fondamentalement, comme le montrent bien les chroniques de Montmartre que Rusiñol envoie au journal *La Vanguardia* [2], où il méprise l'art officiel académique mais montre son incompréhension du pointillisme, l'œuvre parisienne de nos deux peintres se situe entre l'académisme et l'avant-garde, au sein du naturalisme.

SUZANNE VALADON
Portrait d'Erik Satie,
1892-1893
Paris, Centre Georges
Pompidou,
Musée national d'art moderne,
legs du Dr Robert
Le Masle (1974)

FIG. **SANTIAGO RUSIÑOL**
Erik Satie dans son atelier
de Montmartre, 1891
Barcelone,
Collection Maragall,
Generalitat de Catalunya

FIG. **RAMON CASAS**
Montmartre
Vilanova i la Geltrú, Biblioteca
Museu Víctor Balaguer

RAMON CASAS
Plein air, vers 1890-1891
Barcelone, Museu Nacional
d'Art de Catalunya

SANTIAGO RUSIÑOL
Grand bal, Paris, 1891
Oviedo, collection Masaveu

SANTIAGO RUSIÑOL
Portrait de Miquel Utrillo,
1890-1891
Barcelone, Museu Nacional
d'Art de Catalunya

SANTIAGO RUSIÑOL
Café de Montmartre, 1890
Montserrat,
Museu de Montserrat,
donation J. Sala

RAMON CASAS
*Bal du Moulin
de la Galette*,
Paris, 1890
Sitges, Museu Cau Ferrat

RAMON CASAS
La Madeleine, 1892
Montserrat,
Museu de Montserrat,
donation J. Sala

EDGAR DEGAS
Au café, dit *L'Absinthe*, 1876
Paris, musée d'Orsay,
legs du comte
Isaac de Camondo (1911)

182

**HENRI DE TOULOUSE-
LAUTREC**
*La Buveuse
ou Gueule de bois*, 1889
Albi, musée Toulouse-Lautrec
(Barcelone seulement)

Le symbolisme

Le symbolisme et son corollaire dans les arts décoratifs, l'art nouveau, vont dominer le panorama de la peinture catalane entre 1895 et 1898. L'influence ne sera pas uniquement française, le préraphaélisme britannique, le symbolisme franco-belge, l'idéalisme germanique configurent avec le symbolisme français un mouvement européen dans lequel les grandes villes bourgeoises en pleine expansion – Bruxelles, Glasgow, Munich, Nancy et Barcelone –, nouveaux centres culturels innovateurs qui peuvent se libérer plus facilement que les anciennes capitales aristocratiques des pesanteurs de la culture académique, vont concurrencer Paris, avant que Vienne ne prenne le relais au début du XXᵉ siècle.

Rusiñol, artiste, poète, ami de Satie, très sensible aux nouveaux courants esthétiques, observe à Paris l'expansion du symbolisme. Après un voyage en Italie avec Zuloaga, où il admire particulièrement l'art des primitifs, il peint des panneaux décoratifs, des allégories de *La Poésie*, *La Musique* et *La Peinture* (1895) pour sa maison-musée de Sitges, aux environs de Barcelone, le célèbre *Cau Ferrat*, où l'on perçoit, dans ces scènes néomédiévales, l'influence mêlée du préraphaélisme britannique et du symbolisme français. L'influence de l'œuvre du Greco, que Zuloaga avait fait connaître à son ami catalan durant leur séjour à Paris, va amener Rusiñol à une courte période expressionniste mystique en 1897, époque où il peint des moines priant, avant de découvrir en 1898, une nuit d'été à Grenade, le thème des jardins d'Espagne. Rusiñol va s'éloigner alors de l'art français pour cultiver une modalité très personnelle et lyrique du symbolisme, le

jardin devenant pour lui un refuge esthétique, le modèle d'un paradis perdu, poétique, où la nature est versifiée. Le même mélange, avec cependant une prépondérance du préraphaélisme, apparaît dans la peinture de Josep Maria Tamburini et d'Alexandre de Riquer. Les panneaux décoratifs des *Quatre Saisons* de ce dernier furent édités à Paris, sous forme de grandes lithographies, par l'éditeur d'estampes Pierrefort. Joan Brull, qui fut élève à Paris du peintre décorateur Raphaël Collin, dont l'œuvre est très répétitive, superficielle, mais qui nous a donné, avec son *Ensomni* (*Rêverie*), une des plus évanescentes images du symbolisme, et Adrià Gual, peintre, affichiste et homme de théâtre, apparaissent, eux, très proches du symbolisme français, d'Aman-Jean ou de Georges de Feure. Ces influences françaises sont aussi évidentes dans la peinture de Josep Maria Triadó, du joaillier Lluís Masriera et pendant la courte étape symboliste de Sebastià Junyent, alors que l'art de Josep Maria Xiró, marqué par le vitalisme de Nietzsche et le côté épique du wagnérisme, est proche de l'art germanique que l'artiste assimila parfaitement pendant son séjour à Munich autour de 1907.

Le symbolisme dura peu de temps en Catalogne. Dans un pays en pleine expansion, qui se modernisait et, en même temps, luttait pour retrouver son identité, le décadentisme ne fut que superficiel. Le « modernisme » apparaît beaucoup plus vitaliste dans son ensemble que la fin de siècle décadente parisienne, et l'art d'évasion de la réalité que constituait en grande partie le symbolisme ne résista pas à la grave crise espagnole de 1898, avec la défaite contre les États-Unis et la perte des dernières colonies. Entre 1898 et 1906, il céda le devant de la scène artistique à un art à la fois plus moderne esthétiquement et plus engagé, postimpressionniste et expressionniste.

FIG. **JOAN BRULL**
Rêverie, vers 1898
Barcelone, Museu Nacional
d'Art de Catalunya

Postimpressionnisme et expressionnisme

Autour de 1898-1900, une deuxième génération de peintres qui avaient de dix à quinze ans de moins que Rusiñol, Casas, Riquer ou Tamburini, apparut avec force et vint révolutionner un panorama artistique barcelonais qui, ayant absorbé l'art naturaliste et symboliste, commençait à s'assoupir. Francesc Fontbona [3], qui a étudié ces artistes, les a appelés postmodernistes, pour les différencier de la première génération. Contrairement à leurs aînés, qui furent des préimpressionnistes, ces peintres, Nonell, Mir, Canals, Sunyer, Pidelaserra, Nogués, Ysern Alié, Casagemas et Picasso, vécurent et étudièrent tous à Paris après 1900, sauf Joaquim Mir. Ils connurent et assimilèrent tous les courants postimpressionnistes, depuis le synthétisme de l'école de Pont-Aven, le précubisme de Cézanne, le divisionnisme de Seurat et Signac jusqu'à l'expressionnisme de Van Gogh. Picasso, qui est le plus jeune membre de cette génération, et que je n'étudierai pas, puisqu'un autre texte de ce même catalogue lui est consacré, est un exemple paradigmatique de l'assimilation de toutes ces modalités du postimpressionnisme français entre 1900 et 1905. Pidelaserra et Ysern Alié, membres du groupe artistique appelé *El Rovell de l'Ou* («Le Jaune d'œuf»), du nom du café où ils se réunissaient, subirent dès leur arrivée à Paris en 1900 l'influence de l'impressionnisme comme cela est évident dans *Unos baños verdes* (*Les Bains verts*), du premier, où plane le souvenir de Monet. Un peu plus tard, vers 1905, Pidelaserra pratiqua le pointillisme, mêlé à une certaine naïveté de la vision dans ses amples paysages de la montagne catalane du Montseny. Ysern Alié, lui, pratiqua un impressionnisme plus modéré et, après 1909, se spécialisa dans les sujets de music-hall et de loisirs nocturnes parisiens qui lui valurent le qualificatif de «peintre de danseuses» par son biographe Georges Turpin [4]. Ricard Canals, grand ami de Picasso, fut lui aussi un peintre des cabarets et des music-halls – *Café-concert* (vers 1900), *Intérieur de music-hall* – vus à la manière de Degas et de Toulouse-Lautrec, mais dans ses portraits – *La Toilette* (1903) –, il est plus proche de Renoir par le coloris et la fluidité de la technique picturale. Avant de devenir le grand peintre du «noucentisme», entre 1896 et 1907, Joaquim Sunyer qui résidait à Paris, fut lui aussi un peintre impressionniste attiré à la fois par le monde nocturne des cabarets et le monde misérable des faubourgs parisiens dont il fit un pénétrant portrait en employant à la fois le pastel, l'huile, la gravure et le dessin (illustrations de l'ouvrage de J. Rictus, *Les Soliloques du pauvre*, 1897). Avec Picasso et Anglada-Camarasa, avec lequel je finirai ce rapide panorama de la peinture catalane «moderniste», Isidre Nonell et Joaquim Mir sont les grands peintres du mouvement parce que, d'une certaine façon, ils sont les deux premiers créateurs catalans contemporains d'une indéniable originalité. Ils ne sont plus comme leurs prédécesseurs, les grands peintres du milieu du

XIXᵉ siècle, le réaliste Martí Alsina, le virtuose Mariá Fortuny et même Rusiñol et Casas, des épigones des mouvements artistiques français. Nonell et ses amis Mir, Canals, Sunyer, Gual et Juli Vallmitjana, du groupe artistique de *La Colla del Safrà* («La Bande du safran»), nom donné à cause de la prédominance du jaune dans leurs compositions, furent influencés d'abord par le naturalisme misérabiliste parisien de Casas et de Rusiñol. Mais très tôt, Nonell montra sa forte personnalité avec la série de dessins des crétins de la vallée pyrénéenne reculée de Boí, où semblent se refléter le japonisme et le dessin expressif de Toulouse-Lautrec, mis au service d'un art expressionniste qui exerça une influence indéniable sur le jeune Picasso et un groupe de jeunes artistes misérabilistes et marginaux, *Els Negres* («Les Noirs»), qui imitèrent et vénérèrent Nonell comme s'il avait été un vieux maître. Le voyage obligé à Paris en 1897 avec Canals, permit à Nonell de connaître directement le postimpressionnisme français qu'il ne copia pas fidèlement. En 1898, une exposition, toujours en compagnie de Canals, à la galerie Le Barc de Boutteville, lui valut un certain succès d'estime. Ses dessins des crétins de Boí, de scènes populaires parisiennes et de gitans lui valurent une flatteuse comparaison avec Goya. Du point de vue thématique, son art se situe dans le mouvement de rejet de la société moderne, industrielle et bourgeoise, de forme parallèle à l'art de Gauguin, mais dans un style très différent, expressionniste et indépendant, entièrement centré autour du motif des gitanes – *Deux gitanes* (1903). On observe toutefois des parallélismes avec d'autres créateurs de l'époque. On pourrait essayer de définir ce nouveau courant comme une recherche picturale qui va au-delà de l'impressionnisme et de la captation d'une atmosphère et d'une lumière, dans le but de résoudre d'autres problèmes formels, comme la création de la forme à partir de l'arabesque de touches parallèles ou croisées, ou la force monumentale de la simplicité d'une composition fermée sur elle-même, ou bien l'opposition chromatique et tonale, des éléments purement plastiques qui débouchent, comme dans l'œuvre de Munch, des fauves et des expressionnistes allemands, sur la visualisation d'une psychologie personnelle ou bien collective en crise.

Le cas de Joaquim Mir est semblable à celui de son grand ami Nonell. Il s'agit d'un artiste très personnel et génial qui semble ne pas devoir grand-chose aux autres. Bien qu'il ne soit jamais allé à Paris – son rêve était d'obtenir une place de membre pensionné de l'académie d'Espagne à Rome, ce qu'il n'obtint jamais –, il ne fait aucun doute qu'il vit des reproductions de la peinture impressionniste française et qu'il connut les courants artistiques les plus novateurs grâce à ses amis qui avaient tous fait le voyage à Paris et avec lesquels il avait de longues discussions artistiques dans la célèbre taverne Els Quatre Gats, le Chat Noir barcelonais. Néanmoins, ce fut au cours de son long séjour à Majorque, entre 1900 et 1904, que s'affirma la personnalité artistique de Mir. La seule influence que l'on peut détecter dans son œuvre majorquine est celle de l'artiste franco-belge William Degouve de Nuncques, qui peignit à la même époque la «Costa Brava» de Majorque et qu'il rencontra dans ce rendez-vous de peintres qu'était alors le village de Deià [5]. La portée de cette influence est d'ailleurs relative car si Mir s'inspira sans doute de certains aspects techniques de la peinture pointilliste de Degouve qui permettaient une vibration chromatique sur la toile mise au service d'une vision panthéiste de la nature, il alla beaucoup plus loin que son modèle dans sa recherche plastique. Dans la série des *Coves* (les grottes de Majorque) de l'année 1903, avec une peinture lyrique d'une grande musicalité et d'une extraordinaire liberté, Mir arrive presque à une sorte d'abstraction lyrique avant la lettre. À Majorque, il s'enfonce dans le paysagisme de manière obsessive, absolue. Cela l'amènera, comme chez Van Gogh, à la folie. Mais Mir se remettra et, après 1906, dans la campagne de Tarragone, il va inventer une vision du paysage absolument personnelle et innovatrice, au moyen d'un jeu arbitraire purement chromatique, à la fois lyrique et serein, d'une mosaïque de taches qui rappelle un peu certains paysages de Klimt. Mir apparaît, peut-être encore plus que Nonell, comme un créateur qui ne doit rien ou fort peu de choses à une influence de l'art européen contemporain. Il s'agit d'une exception, d'un cas isolé d'artiste qui pourrait entrer dans la classification d'artiste «micropolitain» de Kenneth Clark [6], que celui-ci applique à certains peintres provinciaux qui se sauvent, de façon paradoxale, du provincialisme grâce à leur isolement, comme Samuel Palmer, l'Américain Ryder ou le Suédois Carl Frederik Hill, qui lui aussi fut atteint de démence comme Mir. Selon Clark, ils possèdent une forme de pouvoir visionnaire, parent de la poésie-illumination de Rimbaud, qui dure peu de temps comme toutes les formes d'inspiration lyrique. Ceci se vérifie dans le cas de Palmer qui, comme Mir, après dix ans d'isolement et de recherches plastiques, revint à une peinture conventionnelle.

Contrairement à Nonell et à Mir, qui firent leur carrière à Barcelone, le troisième grand peintre catalan de l'époque, Hermen Anglada-Camarasa, choisit de vivre à Paris, dans la métropole artistique mondiale jusqu'à la déclaration de la guerre en 1914, et cela lui permit d'être un des artistes les plus célèbres de son temps. Arrivé à Paris dès 1894, il étudia à l'académie Julian et à l'académie Colarossi. Il assimila parfaitement certains aspects du post-impressionnisme, ce qui lui permit de transcrire de façon très moderne le phénomène de la lumière artificielle dans des scènes de cabaret du Paris nocturne d'une beauté artificielle et raffinée. À partir de 1904, après un séjour estival à Valence, il remplaça les thèmes parisiens par une thématique folklorique valencienne qu'il alternait avec celle des gitans andalous. Sa technique devint alors

d'une richesse chromatique qui avait à la fois quelque chose d'oriental et de proche de Klimt. Il s'éloigna donc de l'art français et se rapprocha, sans que l'on puisse établir un parallélisme exact, de l'art de l'Europe centrale. Ceci peut expliquer son succès international, il exposa à la Libre Esthétique de Bruxelles dès 1902, à Londres, Venise et Munich dès 1903, à la Sécession de Vienne dès 1904 et à Rome en 1911. N'étant pas un peintre d'avant-garde, Anglada-Camarasa a souffert, en dehors de son pays natal, d'un oubli injustifié car il s'agit d'un artiste qui nous a laissé une des images les plus envoûtantes du Paris de la Belle Époque, un peu à la manière de Van Dongen mais avec moins de violence.

De façon consciente et délibérée, la peinture catalane de l'époque «moderniste» s'inscrit dans une rénovation formelle et une modernité thématique qui sont clairement d'origine française, avec quelques influences plus marginales du préraphaélisme britannique et du symbolisme franco-belge. On se trouve donc devant une claire relation de dépendance entre un centre artistique provincial, Barcelone, et une métropole artistique mondiale, Paris. Cependant, un mouvement d'affirmation artistique commence avec la relative indépendance et originalité de Nonell et de Mir à la fin de l'époque étudiée, alors qu'un autre phénomène s'amorce au même moment avec Picasso, phénomène qui s'amplifiera quelques années plus tard avec Miró et Dalí, c'est-à-dire l'intégration des artistes catalans les plus novateurs dans la métropole artistique parisienne dont ils deviennent des acteurs de premier plan.

FIG. **JOAQUIM MIR**
*Les Grottes
de Majorque*, 1903
Barcelone, Museu
Nacional d'Art de Catalunya.

RICARD CANALS
Café-Concert, vers 1900
Barcelone, Museu Nacional
d'Art de Catalunya
(Barcelone seulement)

RICARD CANALS
Intérieur de music-hall, 1900
Barcelone, Museu Nacional
d'Art de Catalunya

FIG. **RICARD CANALS**
La Toilette, vers 1903
Barcelone, Museu Nacional
d'Art de Catalunya

ISIDRE NONELL
Figure, 1901
Barcelone, collection
particulière

**HERMEN ANGLADA I
CAMARASA**
Le Paon blanc, 1904
Madrid, Fundación Colección
Thyssen-Bornemisza

FIG. **HERMEN ANGLADA I
CAMARASA**
Paris la nuit, vers 1900
Oviedo, collection Masaveu

Notes

1 Kenneth Clark, *Moments of vision*, Londres, 1981, p. 50-62.

2 Santiago Rusiñol, *Desde el Molino*, Barcelone, 1894.

3 Francesc Fontbona, *La Crisi del modernisme artístic*, Barcelone, 1975.

4 Georges Turpin, *P. Ysern y Alié, peintre de danseuses*, Paris, 1924.

5 Eliseu Trenc Ballester, «El pintor simbolista belga William Degouve de Nuncques i el modernisme plàstic a Mallorca (1899-1902)», *Randa*, n° 20, Barcelone, 1986, p. 73-85.

6 Kenneth Clark, *op. cit.*, 1981.

CLAUDE MONET
La Seine à Vétheuil,
1879-1880
Paris, musée d'Orsay,
don du D[r] et de Mme Albert
Charpentier (1937)

MARIÀ PIDELASERRA
Les Bains verts, 1900-1901
Barcelone,
collection particulière

LE CHAT NOIR ET

CRISTINA MENDOZA

Le Chat Noir et Els Quatre Gats

Le 1er juillet 1897, le journal de Barcelone *La Vanguardia* publiait une lettre ouverte à Rodolphe Salis, fondateur et propriétaire du Chat Noir, qui était mort un peu plus de trois mois auparavant [1]. L'auteur de la lettre, signée du pseudonyme de «El caballero Migifuz», devait être Miquel Utrillo, figure décisive dans la genèse et la consolidation du modernisme catalan, qui avait été un habitué de l'établissement parisien pendant son long séjour dans cette ville à la fin des années 1880 et au début des années 1890. Son objectif était de rendre hommage à Salis à l'occasion de la récente ouverture à Barcelone d'Els Quatre Gats, établissement nettement inspiré du fameux Chat Noir. Utrillo, dans sa missive élégiaque, déplorait que Salis, qui avait vécu le triste déclin du Chat Noir, autrefois célèbre, était mort sans avoir pu connaître la naissance d'un «rejeton de sa maison dans le milieu barcelonais…» «Monsieur de Salis», affirmait Utrillo, «un *alca-zar-mesón* dans le style du vôtre, bien qu'arrangé selon l'usage catalan, vient d'ouvrir dans cette ville (Barcelone) grâce à l'un de vos disciples préférés, Monsieur Pedro de Romeu, ancien habitant de Montmartre, cabaretier sur le "Boul Mich" puis montreur de marionnettes à Chicago [2]». Il terminait en l'informant qu'aux Quatre Gats, le peintre Ramon Casas avait rempli la fonction de Willette, qui avait décoré le Chat Noir, car une grande toile où il s'était représenté sur un tandem avec Pere Romeu – le cabaretier d'Els Quatre Gats – ornait un mur de la taverne ; les textes de Santiago Rusiñol jouaient le même rôle que ceux des chansonniers Jouy et Xanrof dans le local parisien, et Miquel Utrillo, l'auteur de la lettre nécrologique, se chargerait des spectacles d'ombres qui seraient donnés aux Quatre Gats, selon une technique qu'il avait apprise au Chat Noir.

Els Quatre Gats, qui avait ouvert ses portes le 12 juin de cette année 1897, rue Montsió à Barcelone, rivalisait en effet en tous points avec le célèbre établissement de Salis. Le nom même était un hommage explicite au Chat Noir. Cette appellation venait du roman homonyme d'Edgar Allan Poe, tant admiré des habitués de l'établissement parisien, et formait un jeu de mots

FIG. **PABLO PICASSO**
Projet de menu pour Els Quatre Gats avec une caricature de Pere Romeu en boer, 1899
Barcelone, Museu Picasso

RAMON CASAS
*Ramon Casas et Pere Romeu
sur un tandem*, 1897
Barcelone, Museu Nacional
d'Art de Catalunya

FIG. **RAMON CASAS**
*Ramon Casas et Pere Romeu
dans une voiture*, 1901
Barcelone,
collection particulière.

alliant les quatre fondateurs de l'établissement – Ramon Casas, Santiago Rusiñol, Miquel Utrillo et Pere Romeu – et l'expression « *quatre gats* » utilisée pour parler d'une réunion où il n'y a pas grand monde. Els Quatre Gats s'installa au rez-de-chaussée de la Casa Martí, dans un édifice néogothique d'influence nordique avec des éléments et des matériaux de l'architecture autochtone. Ce fut le premier projet de Josep Puig i Cadafalch, jeune diplômé qui deviendrait très vite un architecte moderniste éminent. À l'image du Chat Noir, l'intérieur d'Els Quatre Gats était décoré à profusion d'éléments de style pseudo-médiéval : céramique, carreaux de faïence, poutres apparentes et vitraux de couleurs, dans le style des maisons catalanes anciennes. Le local était divisé en deux parties nettement différenciées : le bar et les tables occupaient le premier espace avec divers peintures et dessins accrochés aux murs, et à la place d'honneur, la toile de Ramon Casas déjà mentionnée ; la salle voisine, plus grande, accueillait de nombreuses activités – expositions, soirées musicales, spectacles de marionnettes et d'ombres chinoises. Comme Le Chat Noir, Els Quatre Gats publia une revue qui portait le même nom et qui, malgré une vie éphémère, fut l'embryon de l'excellent hebdomadaire *Pèl & Ploma*, dont nous parlerons plus loin. De telles coïncidences dans la forme et le fond pourraient faire penser qu'Els Quatre Gats ne fut qu'une simple transposition du local parisien dans la ville de Barcelone. Cette conclusion serait tout à fait inexacte car, même s'il s'agissait d'un émule évident de l'établissement parisien, les circonstances propres à la Barcelone de l'époque donnèrent à ce lieu un lustre très particulier et qui restera, au cours du temps, comme une référence sur le plan international. Il est vrai, est-il besoin de le dire, que les différences évidentes entre les deux villes marqueraient la vie des deux cafés. Le fameux Chat Noir de la rue Laval, même au temps de son incontestable renommée, n'était qu'un cercle de plus parmi tous ceux qui existaient alors à Paris et avait succédé à un premier local ouvert sur le boulevard Rochechouart en 1881, alors que Barcelone n'avait même

pas commencé sa course, aussi rapide que laborieuse, afin de devenir une ville moderne. Els Quatre Gats était non seulement l'unique établissement du genre à Barcelone, mais était considéré aussi par les classes bien pensantes comme un antre créé par quelques excentriques. Quant à la revue *Le Chat Noir*, elle fut éditée entre 1882 et 1895 ; six cent quatre-vingt-dix numéros furent publiés, avec un tirage d'environ douze mille exemplaires, vendus dans le cabaret et dans quelques kiosques de la ville [3]. Par contre, son équivalent à Barcelone ne parut que de février à mai 1899 – *Pèl & Ploma* fut lancé immédiatement après – et les quinze numéros publiés furent peu diffusés, étant donné que, comme le déplorait Pere Romeu lui-même dans un de ses éditoriaux, les vendeurs ne l'annonçaient pas à grands cris dans la rue, seule manière selon lui d'assurer la survie d'une publication à Barcelone [4]. Rappelons-le brièvement (la question est traitée dans un autre texte du catalogue), lorsque Els Quatre Gats commença sa carrière, le renouveau de la peinture amorcé par Ramon Casas et Santiago Rusiñol était relativement accepté à Barcelone, après un premier rejet très hostile du public et de la critique conservatrice suscité par les trois importantes expositions qui avaient eu lieu au début des années 1890 à la Sala Parés, seule galerie d'art existant alors à Barcelone. Ces œuvres, réalisées entre 1890 et 1892, alors que les deux artistes habitaient le même appartement au Moulin-de-la-Galette, soulignaient l'influence de la peinture naturaliste française et introduisaient en même temps les thèmes et les compositions étudiés par Manet et Toulouse-Lautrec. Aussitôt après, les carrières artistiques de Casas et de Rusiñol prirent des chemins divergents. Le premier s'installa définitivement à Barcelone, tandis que le second prolongeait son séjour à Paris avant de revenir cependant dans sa ville, mais de façon plus nomade que son compagnon, passant des saisons dans sa résidence de Sitges et dans d'autres lieux d'Espagne. Utrillo, le troisième fondateur d'Els Quatre Gats, qui avait vécu avec les deux peintres dans l'appartement du Moulin-de-la-Galette, était également revenu à Barcelone, après avoir tenté sans succès de monter un théâtre

FIG. **RAMON CASAS**
dessin pour un projet
de couverture de la revue
Pèl & Ploma, 1899
Barcelone, Museu Nacional
d'Art de Catalunya

FIG. Intérieur de Els Quatre
Gats, Barcelone

HENRI RIVIÈRE
Les Coulisses du Chat Noir,
(manœuvre d'un décor,
vue en plongée), 1887-1894
Paris, musée d'Orsay

HENRI RIVIÈRE
Les Coulisses du Chat Noir,
(manœuvre d'un décor,
vue du second cintre),
1887-1894
Paris, musée d'Orsay

HENRI RIVIÈRE
Les Coulisses du Chat Noir,
(manœuvre d'un décor,
vue du premier cintre),
1887-1894
Paris, musée d'Orsay

HENRI RIVIÈRE
Les Coulisses du Chat Noir,
(manœuvre d'un châssis
de décor, le carnaval
de Venise), 1887-1894
Paris, musée d'Orsay

d'ombres chinoises à Chicago, avec Pere Romeu. En revanche, le petit théâtre d'ombres, dirigé vers 1892 par Utrillo en personne et établi dans les caves de l'ancienne auberge du Clou à Paris, connut une meilleure fortune, comme le décrivit Rusiñol dans «Le royaume des ombres [5]», un des articles qu'il envoyait régulièrement, sous le titre «Depuis le Moulin», à *La Vanguardia*, pendant son séjour au Moulin-de-la-Galette.

Par conséquent, lorsque Casas, Rusiñol et Utrillo fondèrent avec Romeu Els Quatre Gats, ils avaient non seulement derrière eux une carrière professionnelle considérable mais ils occupaient une position indiscutable de chefs de file dans une Barcelone qui se débattait entre l'ouverture qu'ils représentaient et le sommeil dont elle commençait peu à peu à sortir. D'où la première fonction d'Els Quatre Gats, qui fut de regrouper les artistes progressistes contemporains des fondateurs du local et de contribuer ainsi au succès des idées nouvelles. Cet établissement allait devenir également le point de rencontre des personnalités espagnoles et étrangères des milieux les plus divers qui visitaient Barcelone. Malgré tout, il semble hors de doute que la principale vertu d'Els Quatre Gats, celle qui *a posteriori* allait lui donner une renommée internationale, fut d'apporter son soutien enthousiaste aux artistes de quinze ou vingt ans plus jeunes que les membres du noyau fondateur. Disons que si Els Quatre Gats n'avait pas existé, ces jeunes artistes n'auraient pas été aussi rapidement en contact avec la modernité européenne et n'auraient pas pu exposer dans un autre endroit de Barcelone, compte tenu de la résistance à l'art novateur qui y prédominait.

La preuve la plus évidente de ce que nous venons d'affirmer est qu'un mois après l'ouverture d'Els Quatre Gats eut lieu une exposition collective [6] d'œuvres de Casas, Rusiñol et Utrillo – les propriétaires de l'endroit –, mais aussi de dessins de Ricard Canals, Isidre Nonell, Joaquim Mir, Ramon Pichot, Evelí Torent et Lluís Bonin, entre autres. C'est dire qu'avec les œuvres des trois «poids lourds», étaient exposés des dessins d'artistes plus jeunes qui tentaient de se frayer un chemin, difficile pour eux de par leur jeunesse et de par cette résistance à l'art nouveau. En 1897, Canals et Nonell, par exemple, venaient de s'installer à Paris et avaient réussi à participer au Salon du Champ-de-Mars et à la quinzième Exposition des peintres impressionnistes et symbolistes à la galerie Le Barc de Boutteville [7] ; en janvier de l'année suivante, ils seraient encore présents dans cette même galerie à une exposition collective montrant une centaine de dessins. Canals exposait ses excellents dessins à thématique espagnole, Nonell ses séries de «crétins», qui faisaient ressortir l'influence de l'estampe japonaise par le trait épais cernant les contours, la composition en diagonale, la perspective à base de plans superposés et l'application d'encres en aplat. Cette dernière manifestation reçut un certain écho dans

EUGÈNE ATGET
Le Moulin de la Galette,
vers 1900
Paris, musée Carnavalet

la presse parisienne [8], même si bien sûr les commentaires furent limités. En revanche, aucun des deux artistes n'avait connu la même chance dans sa propre ville, en 1896, c'est-à-dire avant l'ouverture d'Els Quatre Gats, quand ils avaient exposé dans une salle du journal *La Vanguardia* les mêmes dessins ou d'autres équivalents.

Ceci étant, le soutien manifesté dès le début par les fondateurs d'Els Quatre Gats allait se concrétiser plus fortement l'année suivant l'ouverture de l'établissement, lorsqu'ils commencèrent à accueillir des expositions individuelles de jeunes artistes qui n'auraient pu montrer leurs œuvres dans aucun autre lieu de la ville. La première d'entre elles se déroula en décembre 1898 et réunit un ensemble de dessins d'Isidre Nonell qui représentaient des scènes de Paris et de Barcelone ainsi que des figures de rapatriés de Cuba. Cette exposition n'obtint aucun succès auprès du public, mais la presse barcelonaise [9] s'en fit largement l'écho. Plus tard, au cours de l'année suivante, viendra le tour de Ramon Pichot, Xavier Gosé et Evelí Torent, notamment [10].

Quoi qu'il en soit, l'année cruciale pour l'histoire d'Els Quatre Gats fut 1899. En effet, en février de cette année-là, un nouveau membre, âgé seulement de dix-sept ans, fit son apparition dans la vie de l'établissement : il se nommait Pablo Ruiz Picasso. Arrivé à Barcelone avec sa famille en 1895, il avait été pratiquement toujours absent de la ville depuis l'ouverture d'Els Quatre Gats, séjournant à Madrid durant les années 1897-1898, puis à Horta de San Juan jusqu'en février 1899. Si l'on considère qu'en septembre 1900, il partirait à Paris, ses liens avec Els Quatre Gats ne durèrent pas plus d'un an et demi. Période courte mais qui se révélera décisive pour Picasso et aussi, à l'avenir, pour Els Quatre Gats.

Pablo Picasso était alors sous la tutelle paternelle et son univers se limitait au milieu académique conservateur auquel son père était lié. Son arrivée aux Quatre Gats lui permit d'entrer brusquement en contact avec la modernité à laquelle il n'avait pas eu accès auparavant. Par ailleurs, les membres fondateurs du local allaient lui accorder un soutien plus grand que celui qu'il pouvait espérer, lui qui n'avait pour seule lettre de créance que son talent. En tout cas, ce soutien fut plus fort que pour tout autre artiste de sa génération. Rappelons simplement que ce fut Pablo Picasso, et non un autre jeune artiste, qui reçut la commande de réaliser pour Els Quatre Gats le menu – élément on ne peut plus symbolique pour un restaurant –, entreprise à laquelle il s'adonna à fond comme en témoignent différentes esquisses et dessins préparatoires [11]. Les autres imprimés publicitaires édités par Els Quatre Gats, comme l'affiche de l'établissement ou celles annonçant les séances de marionnettes et d'ombres chinoises [12], furent à la charge de Ramon Casas, qui commença à ce moment-là son activité de dessinateur d'affiches, domaine dans lequel il brilla autant que dans la peinture et le dessin. Au dos du menu était reproduit un portrait

au fusain de Pere Romeu, réalisé par Casas. Ce portrait, ainsi que beaucoup d'autres, fit partie de l'exposition organisée par l'artiste en octobre 1899, qui constitua l'événement artistique de l'année à Barcelone. Casas avait commencé à peindre les figures de cette galerie iconographique au moment de l'ouverture d'Els Quatre Gats, probablement parce que le renom de l'établissement, de même que la place privilégiée qu'il occupait, lui permettaient de disposer d'un vivier de personnages illustres susceptibles d'être représentés, et que dès le début de sa carrière, il avait manifesté une prédilection pour le portrait. Dans ces dessins au fusain, rehaussés au pastel pour la plupart, et de format pratiquement identique, le personnage apparaît le plus souvent en pied et se découpe sur un fond neutre. Ce sont des personnalités célèbres du monde intellectuel et artistique de Barcelone, contemporains de Casas, souvent proches des idées avancées des modernistes ou bien hostiles à leur mouvement, bien qu'en bonne logique, les premiers aient été plus nombreux que les seconds. Cette galerie de portraits inclut également diverses personnalités étrangères qui avaient visité la ville et plusieurs représentants de la jeune génération que les responsables d'Els Quatre Gats avaient pris sous leur tutelle. L'atelier que Casas possédait dans sa magnifique résidence, en haut du Passeig de Gracia, fut la scène où défilèrent tous ces personnages qui, au bout de deux séances de pose, venaient grossir la série. Certains de ces portraits furent publiés dans les pages de la revue *Quatre Gats*, mais la plupart illustrèrent des articles de *Pèl & Ploma*, hebdomadaire qui vit le jour grâce aux soins exclusifs de Casas à partir de juin 1899, après la disparition de *Quatre Gats*. Ramon Casas se chargea des illustrations et Miquel Utrillo assuma la partie écrite. *Pèl & Ploma*, l'une des entreprises les plus réussies du modernisme, paraissait à ses débuts chaque semaine, ce qui obligea temporairement Casas à privilégier le dessin par rapport à la peinture.

Les choses suivirent leur cours jusqu'en octobre 1899, date à laquelle eut lieu à la Sala Parés de Barcelone, la première exposition individuelle de Ramon Casas, qui allait le consacrer comme le meilleur artiste du moment. Organisée par la revue *Pèl & Ploma*, elle présentait le versant portraitiste de l'artiste, regroupant les cent trente-quatre portraits au fusain de la galerie iconographique, d'autres dessins et une sélection de vingt-sept portraits à l'huile, qui d'après Utrillo, le vrai responsable de l'exposition, étaient les meilleurs qu'ait réalisés le peintre depuis les débuts de sa carrière. Le succès de la manifestation fut total et la critique déclara unanimement qu'il s'agissait de l'exposition la plus importante que l'on ait jamais vue à Barcelone. Picasso, qui n'avait pas encore eu le privilège d'avoir son portrait peint par Casas, visita certainement l'exposition qui allait marquer son avenir artistique immédiat [13]. En effet, un peu plus de trois mois plus tard, Picasso eut l'audace de répondre à la figure indiscutable du paysage artistique barcelonais par une autre galerie de portraits, et ceci au cœur de sa première exposition individuelle qui se déroula précisément aux Quatre Gats [14]. Mais si la décision de Picasso fut probablement de poser un acte de rébellion juvénile face au triomphateur du moment – histoire à laquelle Sabartés fait allusion dans ses mémoires [15] –, il paraît évident aussi que le jeune peintre devait se sentir attiré par le travail de Casas. Quoi qu'il en soit, il est certain que la centaine de portraits qu'il accrocha aux murs d'Els Quatre Gats, ainsi que les dessins et trois peintures [16], étaient dans la veine des œuvres de Casas encensées par la critique et le public de Barcelone. Néanmoins, il est intéressant de signaler que les articles parus dans la presse sur l'exposition de Picasso n'établissent pas la moindre relation entre les deux galeries de portraits et se limitent à des commentaires plutôt anodins sur la monotonie de l'ensemble, même si la plupart reconnaissent de manière plus ou moins voilée le talent de l'auteur. Sans nul doute, Casas a vu l'exposition de Picasso car il était à Barcelone à ce moment-là et Els Quatre Gats était le prolongement de sa maison. Ce qui est intéressant n'est pas qu'il ait vu les portraits de Picasso, mais que ceux-ci ne le laissèrent pas indifférent, à en juger par ceux qu'il réalisa en 1900, c'est-à-dire après l'exposition du jeune artiste. Dans ces portraits, contrairement à ceux de la série de 1897-1899 où les personnages se détachent sur un fond neutre et où l'intérieur de la figure est estompé, apparaît une toile de fond généralement en relation avec le modèle ; l'intérieur de la figure est traité à traits énergiques, également au fusain, deux caractéristiques que présentaient les portraits de Picasso présentés en février 1900. Ceci est très net par exemple dans le portrait de Picasso au fusain que Casas réalisa précisément en 1900, lorsqu'ils visitèrent avec Miquel Utrillo, Ramon Pichot et Carles Casagemas, entre autres, l'Exposition universelle de Paris, dessin qui représente le jeune artiste avec en fond la silhouette du Sacré-Cœur et les ailes du Moulin-de-la-Galette. L'intérêt que Picasso portait à Casas se manifesta à nouveau peu de temps après, lorsqu'au début de son séjour à Madrid en janvier 1901, il décida de se lancer dans une nouvelle aventure semblable à celle qu'avait entreprise Casas en 1899. Nous voulons parler de l'hebdomadaire *Arte Joven*, dont quatre numéros seulement furent publiés, et qui, bien que beaucoup plus modeste que *Pèl & Ploma*, suivit fidèlement ses traces. En effet, d'une part, deux hommes seulement étaient responsables de la publication (Francisco de Asís Soler jouait le rôle que tenait Utrillo dans *Pèl & Ploma* et Picasso, comme Casas, se chargeait des illustrations dont la plupart représentaient des femmes cosmopolites dans la ligne de celles de Casas) et, d'autre part, son contenu traitait du modernisme avec l'objectif de diffuser ce mouvement à Madrid. C'est ainsi que Soler et Picasso décidèrent de consacrer le second numéro de leur revue à un personnage incontestablement moder-

niste, Santiago Rusiñol. L'admiration que Picasso ressentait alors pour la figure indiscutable du moment semble évidente, sans exclure qu'un sentiment logique de révolte juvénile ait pu coexister avec cet intérêt. De toute façon, le départ imminent de Picasso pour Paris, où il allait réaliser à la galerie d'Ambroise Vollard sa première exposition personnelle dans cette ville, mènerait sa carrière sur une voie connue de tous. C'est à cette époque qu'Utrillo, qui dans l'ombre favorisait probablement Picasso, décida de réunir, également à la Sala Parés, quelques dessins de Casas et des pastels de Picasso, ces derniers figurant, comme c'était logique, en seconde place [17]. La presse ne fit pas grand état de cette exposition, probablement parce que les œuvres de Casas, le vrai protagoniste de la manifestation, étaient les dessins que la revue *Pèl & Ploma* offrait à ses souscripteurs, mais Utrillo consacra un article long et élogieux dans cette revue aux pastels de Picasso, le premier grand texte concernant l'artiste le plus génial du XXe siècle. Sans doute n'était-ce pas un hasard si le portrait de Picasso au fusain que Casas avait réalisé à Paris l'année précédente servait d'illustration introductive.

Grâce à cette exposition où se trouvaient réunis le maître supposé et le génial disciple, Utrillo qui, nous l'avons vu, n'avait pas oublié de payer tribut au Chat Noir de Salis au moment de l'ouverture de son équivalent barcelonais, rendait hommage, inconsciemment peut-être, au caractère protecteur et délibérément ouvert qui présida toujours aux Quatre Gats. Puis viendrait le déclin de l'établissement, jusqu'à sa fermeture définitive en 1903. Mais entre temps, comme Le Chat Noir à son époque, Els Quatre Gats avait contribué à écrire une des pages les plus brillantes de l'art catalan.

(Traduit du castillan par Eliseu Trenc)

EUGÈNE ATGET
Rue du chevalier de la Barre,
vers 1914
Paris, musée Carnavalet

RAMON CASAS
Portrait de Manuel Martínez Hugué, " Manolo ", Barcelone, vers 1897-1899
Barcelone, Museu Nacional d'Art de Catalunya

RAMON CASAS
Portrait de Pablo Picasso, Paris, vers 1900
Barcelone, Museu Nacional d'Art de Catalunya

RAMON CASAS
Portrait d'Isidre Nonell,
Barcelone,
vers 1897-1899
Barcelone, Museu Nacional
d'Art de Catalunya

RAMON CASAS
Portrait de Pere Romeu,
Barcelone,
vers 1897-1898
Barcelone, Museu Nacional
d'Art de Catalunya

RAMON CASAS
Portrait d'Auguste Rodin,
Paris, 1900
Barcelone, Museu Nacional
d'Art de Catalunya

RAMON CASAS
Portrait de Ramon Pichot,
vers 1897-1899
Barcelone, Museu Nacional
d'Art de Catalunya
(Barcelone seulement)

Notes

[1] Rodolphe de Salis est mort à Naintré le 17 mars 1897.

[2] Le chevalier Migifuz, «Els IV Gats. Au gentilhomme cabaretier Rodolfo de Salis, monsieur de Chatnoiville, chevalier de la Butte Sacrée, capitaine des armées bohèmes, etc. », *La Vanguardia*, Barcelone, 1er juillet 1897, p. 4.

[3] Voir Muriel Oberthür, *Le Chat Noir 1881-1897*, Paris, Réunion des Musées nationaux, 1992, p. 26-27.

[4] Dans l'éditorial de la revue *Quatre Gats* (Barcelone, n° 7, 23 mars 1899), Pere Romeu expliquait, qu'étonnamment, il était plus difficile de trouver quelqu'un pour vendre les journaux que pour les faire, car la vente était entre les mains de deux ou trois groupes de vendeurs ignorants qui décidaient quel journal avait de l'intérêt et qui les vendaient à grands cris dans la rue.

[5] Santiago Rusiñol, «El reino de las sombras», *La Vanguardia*, Barcelone, 31 mars 1892. Les articles que Rusiñol publia dans *La Vanguardia* parurent entre 1891 et 1892.

[6] *Breu relació dels dibuixos i estudis al oli fi que alguns parroquians an exposat a la Sala Gran dels Quatre Gats*, Barcelone, 11-18 juillet 1897 (catalogue de l'exposition).

[7] Quinzième Exposition des peintres impressionnistes et symbolistes, Paris, Chez Dosbourg, galerie Le Barc de Boutteville, décembre 1897.

[8] Frantz Jourdain, par exemple, rapprocha Canals de Forain et vit en Nonell «un Goya modernisé» (Voir *Le Jour*, 20 janvier 1898).

[9] Quelques mois plus tard, en avril 1899, la même exposition eut lieu à la galerie Ambroise Vollard à Paris. Il semble que la précipitation de Nonell à vouloir faire cette exposition avant le Salon le conduisit à l'organiser dans un entresol difficile d'accès et qu'elle passa complètement inaperçue.

[10] L'exposition de Ramon Pichot eut lieu du 20 février au 5 mars 1899 ; celle de Xavier Gosé, du 25 avril au 10 mai ; celle d'Evelí Torent, du 15 au 30 mai. Sur les expositions qui eurent lieu aux Quatre Gats, voir Mercè Doñate, «Les activitats artístiques d'Els Quatre Gats», dans le catalogue *Picasso i Els 4 Gats*, Museu Picasso novembre 1995-février 1996, Lunwerg, 1995.

[11] Picasso fut également l'auteur d'une publicité pour Els Quatre Gats et des faire-part que fit réaliser Pere Romeu pour annoncer la naissance de son fils. Casas avait fait le faire-part de mariage de Romeu.

[12] L'affiche annonçant les séances de marionnettes fut réalisée en collaboration avec Miquel Utrillo.

[13] Sur les relations de Casas et Picasso, voir Cristina Mendoza, «Casas y Picasso», *Picasso i Els 4 Gats, op. cit.*, 1995-1996.

[14] En juillet 1900, Picasso fit une seconde exposition aux Quatre Gats, où il présenta quatre peintures sur des thèmes taurins.

[15] Selon Sabartès, ce fut lui et les amis du groupe qui encouragèrent Picasso à répondre à l'artiste le plus éminent de l'époque ; voir Jaime Sabartès, *Portraits et souvenirs*, Paris, 1946, p. 60-61.

[16] Le fait qu'il n'existe pas de catalogue de cette exposition ne nous permet pas de connaître le nombre exact de dessins qui en faisaient partie.

[17] Cette exposition, sous le titre «Dibuixos originals que *Pèl & Ploma* reagala als subscriptors», eut lieu à la Sala Parès à Barcelone entre le 1er et le 14 juin 1901.

PICASSO, LE PEINTRE

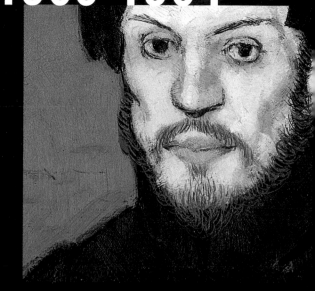

MARíA TERESA OCAÑA

PICASSO, LE PEINTRE DE LA VIE MODERNE

1900–1904

À lire un article de A. L. Barán dans la revue *Luz* [1], intitulé «Arte joven», expliquant pourquoi cette revue est publiée à Barcelone et non à Madrid, il est symptomatique que nous retrouvions la trace de l'idée initiale qui poussa le jeune Pablo Picasso à voyager à Paris : «Nous avons hésité un moment si nous devions publier *Luz* à Madrid ou à Barcelone, mais cette dernière étant la véritable capitale artistique dans le sens moderne et universel du mot, nous paraissons à nouveau dans la capitale de la Catalogne, que nous considérons comme la véritable capitale artistique de l'Espagne [...]». Cette déclaration nous montre à l'évidence que Picasso trouva à Barcelone le bouillon de culture propice aux débuts d'une carrière prometteuse, eu égard au désir de modernité et de renouveau qui se faisait sentir alors dans la capitale catalane. Il est curieux également que l'auteur de ces lignes soit l'écrivain Francisco de Asís Soler (sous le pseudonyme de A. L. Barán), qui en 1901 avait pris l'initiative avec Picasso de lancer à Madrid une revue portant précisément le titre *Arte Joven*, afin de réunir les figures les plus tourmentées et les plus avancées dans le domaine artistique et littéraire, et d'instaurer dans la capitale espagnole une atmosphère semblable à celle que l'on respirait à Barcelone. La position centrale qu'occupait Barcelone dans le champ artistique, la conviction que «pour faire des choses nouvelles, il faut des gens nouveaux. [...] Ne nous fiant pas encore à nos forces, nous comptons sur l'appui décidé des esprits jeunes, sur tous ceux qui aspirent à la jeunesse de l'Art dans leurs vieux jours comme c'est le cas de Puvis de Chavannes, de Whisler *(sic)* et de Degas, comme c'était celui de Burnes Jones, de William Morris, de Wagner et des Goncourt [2]», ces réalités contribuèrent à créer l'ambiance protectrice et accueillante que trouva le jeune aspirant artiste Pablo Ruiz Picasso à son arrivée à Barcelone en septembre 1895 avec sa famille, alors que son père venait d'être nommé professeur à l'École des beaux-arts de La Llotja.

Un noyau de personnes s'intéressant à l'art, à l'architecture, à la littérature et à la musique atténue le provincialisme inhérent à la Barcelone fin de siècle. En juin 1897, lorsque le cabaret Els Quatre Gats ouvre ses portes, le jeune Picasso ne peut pas encore participer à l'esprit du lieu, car il est sur le point de partir à Málaga pour passer l'été et, de là, il se rendra à Madrid afin de compléter sa formation académique à la prestigieuse École des beaux-arts de San Fernando. En janvier 1899 seulement, à son retour d'Horta où il a séjourné quelques mois avec Manuel Pallarès, il revient à Barcelone et participe aux réunions et activités qui ont lieu dans le cadre d'Els Quatre Gats. Il fait alors partie du cercle des plus jeunes, de ceux qui luttent pour se frayer un chemin et chercher de nouvelles références, aspirant à créer un art nouveau ; il est parmi ceux qui désirent tracer leur voie et ont les yeux fixés sur Ramon Casas, Santiago Rusiñol et Miquel Utrillo, qui dirigent les activités et donnent le ton de l'établissement. C'est le moment où Picasso communie enfin avec l'élan et l'effervescence de la ville, qui, grâce à la prospérité économique, se lance dans un processus de métamorphose urbaine, architecturale et culturelle, auquel la soif innée de nouveauté du jeune homme ne reste pas insensible.

Picasso trouve dans l'ambiance qui émane d'Els Quatre Gats un mélange détonant pour s'éloigner des milieux académiques et orthodoxes. Barcelone et Els Quatre Gats donnent l'investiture à Picasso. C'est là que se tient sa première exposition individuelle, une série de dessins au trait agile et délié, des fresques et des croquis qui constituent une galerie de portraits de ses amis et des amis de ses amis. En face de la Sala Parés, fief de Ramon Casas, règnent aux Quatre Gats Casas, Rusiñol et Utrillo. Mais leur caractère ouvert et accueillant laisse place aussi aux plus jeunes et favorise l'immersion rapide de Picasso dans les milieux artistiques catalans.

Els Quatre Gats eut une existence éphémère, six ans à peine. Dans ce court laps de temps, le passage de Picasso, avant son départ pour Paris, fut plus bref encore, pas même un an. Mais la brièveté de cette période coïncida avec le moment culminant de l'histoire de l'établissement et décupla l'intensité avec laquelle le jeune Andalou assimila tout ce qui s'y mijotait. La Barcelone d'Els Quatre Gats lui ouvre de nouveaux horizons, au point que le premier voyage à Paris fut le résultat immédiat de sa participation aux

PABLO PICASSO

Portrait de Santiago Rusiñol,
Barcelone, 1900
Barcelone, collection particulière

PABLO PICASSO

Portrait de Angel Fernández
de Soto, Barcelone, 1900
Paris, collection particulière

PABLO PICASSO

Portrait de Carles
Casagemas, Barcelone, 1900
Barcelone, collection particulière

PABLO PICASSO

Portrait de Francesc
Bernareggi, Barcelone, 1900
Paris, collection particulière

PABLO PICASSO
Poète décadent,
Barcelone, 1900
Barcelone, Museu Picasso

PABLO PICASSO
Le Tailleur Benet Soler,
Barcelone, 1900
Paris, collection particulière

FIG. **PABLO PICASSO**
Portrait de Daniel Masgoumeri,
Barcelone,1900
Collection particulière

mouvements artistiques les plus en pointe de Barcelone. On peut aller jusqu'à dire que l'Exposition universelle de Paris en 1900 dérobe à la brasserie sa force motrice.

Le modernisme, le désir de modernité s'étend de Munich à Londres, mais avec un point de mire : Paris. Aller à Paris et en venir est une habitude chez certains, une obsession chez d'autres, les plus jeunes. Comme le dit Jaime Sabartés, «le fait d'aller à Paris était comme une maladie qui causait des ravages parmi nous [3]». Picasso n'échappe pas à l'épidémie et bien qu'en 1897, il ait manifesté, dans une lettre écrite de Madrid à son compagnon de La Llotja Joaquim Bas, ses préférences pour Munich, ou même pour Londres, selon Penrose, les contacts avec les milieux qui fréquentent Els Quatre Gats l'inclinent à tourner son regard vers Paris. Il décide donc de partir, en compagnie du peintre Carles Casagemas, afin de participer à l'Exposition universelle avec une peinture, *Derniers moments*, qu'il avait montrée lors de son exposition aux Quatre Gats au mois de février précédent. Une note parue dans *Catalunya artistica* du 27 septembre rend compte de son départ : «Sont partis également là-bas les remarquables artistes Ruiz Picasso et Casagemas, qui ont été nommés correspondants artistiques de notre journal [4]. » Le 23 ou 24 octobre, Manuel Pallarès se joindra à eux et ils s'installeront tous les trois dans l'atelier qui avait appartenu à Isidre Nonell au n° 49 de la rue Gabrielle.

Les trois premiers mois dans la capitale française donnent à Picasso la possibilité d'entrer en contact direct avec l'art qui envahit Paris. En réalité, on peut constater dans la correspondance qui a été conservée (en particulier, les lettres que Casagemas et Picasso échangent avec les frères Ramón et Cinto Reventós) que le milieu dans lequel évolue l'artiste espagnol pendant cette période n'est que le prolongement de l'atmosphère et de l'idéologie qui régnaient aux Quatre Gats. La visite à l'Exposition universelle est motif à discussions et à rencontres fréquentes entre les artistes catalans venus dans la capitale française, parmi lesquels le groupe des plus jeunes qui se réunit à la brasserie Pousset, établissement qui n'a pas eu la notoriété d'Els Quatre Gats, ni celle qu'auront plus tard le Zut ou Le Lapin agile, rendez-vous de la «bande à Picasso» lors de ses séjours successifs à Paris. Cependant, il est certain, d'après la correspondance de Casagemas, celle de Picasso comme celle de Pallarès, que ce lieu est devenu le point de rencontre de ces Catalans inconnus qui voient encore Paris et ce qui s'y joue à travers le filtre de l'idéal d'Els Quatre Gats. Picasso fait la connaissance de Pere Manach, un jeune marchand catalan établi à Paris quelques années auparavant, qui lui procure sa première vente à Paris (trois pastels), passe un contrat avec lui et le met en contact avec Berthe Weill, à la recherche de jeunes talents pour sa galerie, parmi lesquels plusieurs Catalans comme Isidre Nonell, Joaquim Sunyer, Ricard Canals, Xavier Gosé, Ramon Pichot, Manolo Hugué.

En dépit de ces relations, ses difficultés d'intégration et probablement une certaine mélancolie le poussent à n'en pas douter à magnifier Els Quatre Gats en regard des cafés-concerts parisiens. De la même façon, Casagemas écrit dans une lettre à Ramón Reventós : « Le boulevard de Clichy est rempli de machins comme Le Néant, Le Ciel, L'Enfer, La Fin du monde, Les 4 z'arts, le cabaret des Arts, le cabaret de Bruant, un tas de choses qui n'ont pas un zeste de charme et gagnent plein d'argent. Un Quatre Gats ici serait une mine d'or… et de moules… Pere serait un personnage apprécié et non pas insulté par les foules et les passants comme à Barcelone… Le Moulin de la Galette a perdu tout son caractère, idem Le Rouge[5]… » Réflexion parfois viscérale, provoquée par la distance entre ce qui défile devant leurs yeux sans qu'ils parviennent à s'intégrer et leur situation d'étrangers face au cosmopolitisme de la grande ville. Il est certain que l'artiste fréquente les lieux nocturnes et réalise quelques œuvres splendides qui dressent un très beau panorama de Montmartre et fournissent par ailleurs de bonnes rentrées commerciales : « Pour l'heure, je continue à peindre des paysages de Montmartre qui marchent du tonnerre de Dieu[6]. »

Les pastels abondent et peuvent être considérés par leur qualité comme des peintures. L'observation de la réalité qui entoure Picasso devient le thème central de ses premières œuvres parisiennes, où les références à la thématique de Toulouse-Lautrec sont très nettes et où il manifeste son obsession de capter à la fois le mouvement du french cancan et l'atmosphère chaude et bruyante de Montmartre. Le sommet de la peinture de cette période est *Le Moulin de la Galette*, qui fut, d'après Picasso lui-même, la première toile qu'il peignit à son arrivée à Paris et qui s'élève comme un chant à l'animation de la nuit. Cette séquence d'intérieurs et d'extérieurs montmartrois est par ailleurs dans la suite logique des quelques scènes taurines et d'intérieurs commencées par lui à Barcelone avant son départ pour Paris. Il ne faut pas oublier que dix ans auparavant, Casas et Rusiñol avaient habité un atelier au Moulin-de-la-Galette, ce que reflètent leurs peintures.

FIG. **PABLO PICASSO**
dessin sur une lettre de Carles Casagemas à Ramon Reventós,
Paris, 1900
Barcelone, Museu Picasso
(à gauche)

FIG. **PABLO PICASSO**
dessin sur une lettre de Carles Casagemas à Ramon Reventós,
Paris, 25 octobre 1900
Collection particulière

FIG. **PABLO PICASSO**
Casagemas et Picasso,
1900
Barcelone, Museu Picasso
(en haut)

FIG. **PABLO PICASSO**
*Femme devant le miroir
(La loge),* Paris, 1900
Barcelone, Museu Picasso

FIG. **PABLO PICASSO**
*À la sortie de l'Exposition
universelle* (Picasso entouré
de ses amis*), Paris 1900*
Barcelone, Arxiu històric
de la Ciutat de Barcelona

PABLO PICASSO
La Fin du numéro, Paris, 1901
Barcelone, Museu Picasso

**HENRI DE TOULOUSE-
LAUTREC**
*Moulin Rouge. La Goulue
et Valentin le Désossé*, 1891
Albi, musée Toulouse-Lautrec

PABLO PICASSO
Le Moulin de la Galette,
Paris, automne 1900
New York, Solomon
R. Guggenheim Museum, don
de Justin K. Thannhauser (1978)

PABLO PICASSO
Le Tub (La Chambre bleue),
1901
Washington, The Phillips
Collection

**HENRI DE TOULOUSE-
LAUTREC**
May Milton, 1895
Paris, musée de la Publicité

EDGAR DEGAS
Le Tub, 1886
Paris, musée d'Orsay,
legs du comte
Isaac de Camondo (1908)

opérer ce bouleversement qu'il pressent et auquel il aspire.

Une rencontre essentielle pour son orientation artistique est celle de Max Jacob dont il fait la connaissance à l'occasion de l'exposition à la galerie Vollard. Le poète [9] – encore inconnu – lui ouvre les portes de la culture française et l'initie sérieusement à la richesse de la langue et à la lecture des poèmes des symbolistes français, Paul Verlaine en particulier, pour lequel il montre une grande prédilection. Max Jacob est celui qui corrige les tâtonnements de Picasso à Paris et affermit ses idées et ses réflexions afin de donner forme au renouvellement qu'il recherche durant ces années. Le peintre est séduit par le poète, par ses connaissances et par son intelligence solide et audacieuse. Picasso n'a toujours pas beaucoup de relations avec les milieux parisiens, ses amis sont des Catalans établis temporairement comme lui, Jaime Sabartés, Emili Fontbona, Manolo Hugué et Pere Manach. Il est sûr qu'en compagnie de Max Jacob, malgré les difficultés économiques qu'il traverse, il découvre ce que Paris peut lui offrir. Au début de 1902, au moment où la polychromie a disparu de ses toiles pour céder la place à des peintures monochromes essentiellement bleues, il rentre à Barcelone. Nous ne gardons de cette période qu'une lettre à Max Jacob, où pour la première fois il manifeste son éloignement des cercles catalans qui avaient été jusqu'alors ses interlocuteurs : « Ye montre ça que ye fait a mes amis les artistes de ici me ils trouven quil ia trot de amme me pas forme se tres drole tu sais coser avec de jen con ça mais ils acriven de libres tres moveses et ils peingnen de tableaux embeciles – se la vie – se ça – Fontbona il traballe bocoup mas il ne fait rien. Ye veux faire en tableaux de le desin que ye te envoye yssi (les deux seurs) se t'une tableaux que ye fait – set'une putain de S. Lazare et une mer. Envoys moi quelque chose écrit de vous pour le *Pèl & Ploma* [10]. »

Dans cette lettre, Picasso signale qu'il travaille à une des œuvres les plus significatives de la période bleue, *Les Deux Sœurs*, où est représentée, dans les études préliminaires, une prostituée de la prison de Saint-Lazare, coiffée du bonnet phrygien que portaient les femmes atteintes d'une maladie vénérienne. Picasso avait été introduit à Saint-Lazare par le docteur Louis Jullien [11], d'où l'apparition dans son œuvre de plusieurs figures féminines qui ont pour modèle des prisonnières, comme *La Femme au bonnet* ou celle sous-jacente au portrait de Jaime Sabartés de 1901. De même, à Barcelone, il visite avec le docteur Jacinto Reventós la morgue de l'hôpital de la Sainte-Croix, où il prend pour modèle une femme morte.

L'incertitude plane sur Picasso à cette époque, car Barcelone ne lui offre pas la stimulation et le soutien nécessaires – un symptôme de cette situation est l'absence d'expositions dans sa propre ville ces années-là, même si la critique cite avec éloge l'exposition de la galerie Vollard et celle qui a eu lieu conjointement avec Louis-Bernard Lemaire, en avril 1902, à la galerie Berthe Weill. À Paris, bien qu'il expose deux fois en 1902 dans cette même galerie, il est toujours considéré comme « un Espagnol montmartrois ». Une fois de plus Félicien Fagus dans un article de *La Revue Blanche* [12], à l'occasion de la participation de Picasso à l'exposition chez Berthe Weill écrit : « Tous ces artistes espagnols (Zuloaga, Nonell, Iturrino, Losada, etc…) ont du tempérament, de la race et de l'individualité, chacun paraît possesseur de son jardin personnel, très personnel, à la fois très parent du jardin voisin ; ils n'ont pas encore leur grand homme, le conquérant qui absorbe tout et tout renouvelle, fait dater tout de lui, qui se façonne un univers illimité. Ils se souviennent avantageusement de Goya, de Zurbaran, d'Herrera, s'aiguisent avec Manet, Monet, Degas, Carrière, nos impressionnistes. Lequel – le moment est mûr – se fera leur Greco ? » La dernière partie de l'article, bien qu'étant un coup donné à l'aveuglette, prend, en ce qui concerne Picasso, un sens prémonitoire.

Pendant son troisième séjour à Paris, entre octobre 1902 et janvier 1903, se consolident les liens avec Max Jacob avec qui il partage logement et pénuries, ce qui contribue probablement à affermir son idée de combattre l'anachronisme de la peinture.

L'influence des symbolistes est décisive dans la configuration de la période bleue. Puvis de Chavannes, si apprécié des peintres catalans, ressurgit avec force dans cette phase de l'œuvre de l'artiste qui visite les fresques que Puvis a réalisées au Panthéon. Le résultat immédiat est la réalisation d'une ébauche d'un fragment de la peinture murale *Sainte Geneviève donnant à manger à des malades* [13]. De même, indirectement, le néoclassicisme arcadien des figures de Puvis a une profonde incidence sur l'iconographie de la période bleue.

Il est plus que probable que Max Jacob a fait connaître à Picasso ces vers de Verlaine :

« L'art tout d'abord doit être et paraître sincère
et clair, absolument ; c'est la loi nécessaire
et dure, n'est-ce pas, les jeunes ? Mais la loi,
car le public, non le premier venu, mais moi,
mais mes pairs et moi, par exemple, vieux complices. »

L'idée fera son chemin dans l'esprit de l'artiste malaguène qui, nous l'avons vu, avait souscrit dès sa période barcelonaise à la nécessité d'un art jeune qui en finirait avec les conventionnalismes de la peinture. Il n'est pas insensé de penser que l'inquiétude du jeune artiste ait trouvé dans les vers de Verlaine un refuge à ses aspirations et que, se basant sur cette prémisse, il ait fait part à ses parents de son angoisse dans une lettre du 30 décembre 1902 : « C'est pourquoi c'est si douloureux pour

PABLO PICASSO
La Femme au bonnet,
Paris, 1901
Barcelone, Museu Picasso

PABLO PICASSO

Maternité sur le quai,
janvier 1903
Barcelone, Museu Picasso

FIG. **PABLO PICASSO**

Maternité sur le quai,
janvier 1903
Barcelone, Museu Picasso

PABLO PICASSO

Étude d'après Sainte-
Geneviève nourrisant Paris
de Puvis de Chavannes
au Panthéon, Paris 1903
Barcelone, Museu Picasso

PABLO PICASSO
*Picasso et Sebastiá
Junyer Vidal, série de cinq
dessins*, Paris, avril 1904
Barcelone, Museu Picasso

*Picasso et Sebastiá
Junyer Vidal
en voyage;
à la frontière;
arrivée à Montauban;
arrivée à Paris;
visite de Junyer
à Durand-Ruel.*

moi de ne pouvoir peindre quelques projets que j'ai pour l'exposition. Il est clair que cela pourrait aller tant bien que mal mais cela n'est pas facile, vous voyez que je vous parle bien bourgeoisement et que vraiment je ne sais pas quoi faire. J'ai presque dépassé mes doutes et je suis plus sûr de moi, de ce qui m'entoure, et je crois pouvoir faire une œuvre sereinement; mais si je fais une chose pour la vente (qui est douteuse), premièrement le fait que je ne crois pas en elle, car elle n'est pas sincère, fera qu'elle ne plaira pas; ce fond artificiel qu'il y aura en elle et qui, chez d'autres moins intelligents et plus courageux que moi, donnerait un résultat satisfaisant, sera dans la mienne tout le contraire, car ce manque d'amour envers cette sorte de succès la rendra antipathique aux acheteurs. »

Picasso décrit à la suite quatre projets auxquels il travaille :

un fils qui prend congé de ses parents et de sa sœur; une mère qui allume un poêle tandis que le fils pose un chaudron dessus et que le père va chercher le charbon; un autre où il y a une femme avec un petit enfant dans les bras et un autre enfant un peu plus grand, qui veut le prendre et se fait gronder par le père; enfin celui d'une femme qui apporte une soupière pendant qu'un garçon et une fille veulent manger son contenu avant qu'elle ne soit sur la table [14]. Aucun de ces projets n'a débouché sur une composition importante de cette période, excepté ce qui s'est concrétisé dans la petite toile *La Soupe*; le reste demeure à l'état de dessins. Cependant, l'idée d'un groupe familial reste sous-jacente et éclôt dans les œuvres clés réalisées en 1903 à Barcelone, comme *Misérables au bord de la mer*, *La Famille de l'aveugle au bord de la mer* et *Les Misérables*. Très liée aux précédentes et, même interférant avec elles, existe une

série d'esquisses probablement destinées à faire partie aussi d'une grande peinture, *L'Adieu au pêcheur*, qui n'a pas été réalisée, mais qui était une allusion très nette au *Pauvre Pêcheur* de Puvis de Chavannes. Ce n'est qu'en 1905, avec *La Famille de saltimbanques*, que prend corps cette grande composition que Picasso cherchait. Si le symbolisme de la période bleue commence à Paris en 1901, avec *L'Enterrement de Casagemas*, prélude à la confrontation entre le sacré et le profane, c'est à Barcelone que naît le chef-d'œuvre de cette période, *La Vie*, somme des réflexions du jeune artiste, qui recueille toute la symbolique de sa dernière œuvre et dans laquelle il recourt à Casagemas comme emblème du cycle de l'amour, de son inexorable détérioration et de sa métamorphose.

Le champ d'action de Picasso se déplace pendant les quatre premières années du siècle entre Paris et Barcelone. Établi dans un individualisme qui ne laisse qu'une marge étroite aux concessions, il n'hésite pas cependant à admirer et à tourner son regard vers ceux que Barán appelle «les jeunes esprits dans leurs vieux jours» qui avaient façonné l'histoire de la peinture. Il fuit les conventionnalismes anachroniques, mais fonde sa conception de l'art sur de solides références, qui font écrire à Carlos Junyer-Vidal, peu avant qu'il ne parte définitivement pour Paris accompagné de son frère Sebastià [15]: «Dans son désir de ne jamais plier face aux exigences d'aucune sorte, même celles qui pourraient venir de ses propres penchants – il ne conçoit jamais ce qui ne peut lui plaire, à lui plutôt qu'aux autres [16].» Barcelone a ouvert Pablo Picasso à la modernité, mais ainsi que l'a écrit Miguel Sarmiento, «comme tous les garçons qui ont vécu à Paris, Picasso regrette l'heure de la lutte et de la création, la fièvre de la grande ville. Il se considère comme de

Notes

1 Le premier numéro de la revue *Luz* parut le 15 novembre 1897. Elle fut fondée par l'écrivain Josep Maria Roviralta et le peintre Darío de Regoyos. Elle compta parmi ses collaborateurs les personnalités les plus remarquables de la vie artistique et littéraire, Joan Maragall, Joan Pérez-Jorba, Adrià Gual et Alexandre de Riquer, ainsi que Santiago Rusiñol, Isidre Nonell, Ricard Canals, Evelí Torent et Ricardo Opisso.

2 *Luz*, novembre 1898.

3 Jaime Sabartés, *Retratos y recuerdos*, Afrodisio Aguado, Madrid, 1953, p. 67.

4 *Catalunya artistica*, 1ʳᵉ année, n° 16, p. 263.

5 Lettre de Carles Casagemas à Ramón Reventós, Paris, 25 octobre 1900.

6 Lettre originale manuscrite de Pablo Picasso (en espagnol) et de Carles Casagemas (en catalan) à Ramón Reventós, Paris, 19 octobre 1900.

7 Miquel Utrillo, (Pinzell) «Pablo R. Picasso», *Pèl & Ploma*, n° 77, juin 1901.

8 Pierre Daix et Georges Boudaille, *Picasso 1900-1906*, Neuchâtel, Éditions Ides et Calendes, 1966 et 1988 (2ᵉ éd.), p. 158.

9 *Max Jacob et Picasso* (catalogue d'exposition), Paris, Réunion des Musées nationaux, 1994, p. 6.

10 Lettre de Picasso à Max Jacob, juillet 1902, reproduite dans Jaime Sabartés, *Picasso. Documents iconographiques*, Genève, Pierre Cailler, 1954, p. 70.

11 Josep Palau i Fabre, *Picasso vivent, 1881-1907*, Barcelone, La Poligrafa, 1981.

12 Félicien Fagus, «Gazette d'art», *La Revue blanche*, 1ᵉʳ septembre 1902, dans Pierre Daix et Georges Boudaille, *op. cit.*, 1966 et 1988, p. 334.

13 MPB 110.468.

14 *Picasso 1905-1906 : del blau al rosa* (catalogue d'exposition), Maria Teresa Ocaña (commissaire), Museu Picasso Barcelona - Kunstmuseum Bern, Electa, Barcelone, 1992, p. 18-21.

15 Ce dernier voyage à Paris fut illustré par cinq vignettes (la sixième a été perdue) sous forme de reportage amusant qui montrait l'expectative des deux jeunes face à ce qui les attendait dans cette ville.

16 Carlos Junyer-Vidal, «Picasso y su obra», *El Liberal*, Barcelone, 4ᵉ année, n° 1.040, 24 mars 1904.

17 Miguel Sarmiento, «Picasso», *La Tribuna*, 24 mars 1904.

PABLO PICASSO
La Danseuse naine,
Paris, 1901
Barcelone, Museu Picasso

AUGUSTE RODIN

ET LA SCULPTURE CATALANE

AUGUSTE RODIN
La Danaïde, 1889-1890
Paris, musée Rodin

MERCÈ DOÑATE

AUGUSTE RODIN ET LA SCULPTURE CATALANE

La place de Rodin dans la sculpture de son temps a déjà été amplement étudiée par les spécialistes. En ce qui concerne le milieu catalan, bien que nous ayons déjà traité de l'influence de Rodin sur les sculpteurs [1] lors de l'unique exposition qui a eu lieu à Barcelone sur cet artiste, la présente manifestation nous offre l'occasion de revenir plus longuement sur le sujet.

Avant même que les sculpteurs modernistes catalans aient pu voir réellement les œuvres de Rodin à Paris, le nom de l'artiste français était connu du milieu artistique catalan, ainsi qu'une partie de sa production. Les revues illustrées et quelques journaux de Barcelone avaient publié des informations sur son travail et reproduit plusieurs de ses œuvres. En 1885, *La Ilustración Ibérica* montra pour la première fois deux sculptures de Rodin : le portrait de *Victor Hugo*, illustrant un article consacré au célèbre écrivain, et celui de *Jean-Paul Laurens*, qualifié de chef-d'œuvre et comparé aux travaux des meilleurs sculpteurs du XVIe siècle [2]. Les années suivantes, la même revue reproduisit, entre autres, le portrait de *Dalou* et deux figures des *Bourgeois de Calais* [3]. Les commentaires succincts accompagnant les reproductions reprenaient l'opinion des critiques français qui plaçaient Rodin à la hauteur de Michel-Ange et le considéraient comme le Zola de la sculpture. En 1889 parut à Barcelone le premier article important consacré à l'artiste. Il s'agissait d'une traduction espagnole d'un article d'Octave Mirbeau publié dans la *Revue illustrée* de Paris [4] avec des reproductions de *L'Âge d'airain*, de *Saint Jean-Baptiste*, de quelques portraits, des statues récentes destinées à la monumentale *Porte de l'Enfer*, des *Bourgeois de Calais* et du *Baiser*. Au cours de la décennie suivante, en 1893 et 1895, le journal *La Vanguardia* publia deux articles décisifs du critique d'art et écrivain Raimon Casellas qui renforcèrent le prestige de Rodin auprès des sculpteurs catalans. Dans le premier, Casellas déclarait son admiration sans limites pour l'œuvre du sculpteur français car, disait-il, « il arrive à réper-

cuter dans mon âme un des chocs les plus profonds que l'art de tous les temps ait pu produire en moi [5] ». L'acuité avec laquelle Casellas analysait quelques œuvres de Rodin, ses paroles enthousiastes, ainsi que l'influence qu'il exerçait dans les cercles artistiques catalans les plus avancés, allaient fortement contribuer à faire connaître et à consacrer l'œuvre du sculpteur français dans le milieu catalan. Dans le second article, présentant *Les Bourgeois de Calais* à l'occasion de l'inauguration du monument dans cette ville, Casellas décrivait l'héroïque épisode représenté par Rodin et commentait avec éloge la magnifique interprétation de ces personnages historiques [6]. Le critique, qui avait vu la version définitive de l'œuvre à la galerie Georges Petit à Paris en 1889, fit parvenir une copie de l'article à Rodin, qui lui répondit par une lettre de remerciement [7].

En 1900, lors de l'exposition Rodin du pavillon de la place de l'Alma, érigé à l'occasion de l'Exposition universelle, le peintre Ramon Casas publia de Paris un compte-rendu dans la revue *Pèl & Ploma*, déclarant que les œuvres de Rodin étaient ce qu'il y avait de mieux à l'exposition [8]. Le portrait de Rodin par Casas – dessin au fusain qui fait partie de l'importante galerie iconographique réalisée par cet artiste [9] – date précisément de cette période. Quelques mois plus tard, la même revue consacra au sculpteur français un numéro portant, sur la couverture, la reproduction du portrait de *Madame Morla Vicuña* et, à l'intérieur, le portrait (déjà mentionné) de Rodin par Ramon Casas, une photographie du *Penseur* dédicacée par Rodin au peintre catalan, le *Buste de Victor Hugo* et *Le Baiser* [10]. Elle comprenait aussi un article intéressant du prestigieux critique Joaquim Cabot Rovira commentant l'impression que lui avaient causée les œuvres exposées au pavillon de la place de l'Alma qu'il avait vues à maintes reprises, une fois même en compagnie de Rodin en personne.

La plupart des articles consacrés à Rodin dans la presse catalane, excepté peut-être ceux de Casellas, contribuèrent peu à la vaste bibliographie publiée à Paris sur le sculpteur, leurs auteurs

AUGUSTE RODIN
Madame Morla Vicuña, 1888
Paris, musée d'Orsay

 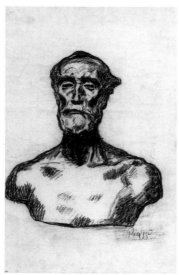

PABLO PICASSO
*Caricature de Rodin et autres
croquis,* Barcelone, 1900
Barcelone, Museu Picasso

FIG . **PABLO PICASSO**
*Étude d'après le Portrait
de Dalou de Rodin,* 1903
Barcelone, Museu Nacional
d'Art de Catalunya

se limitant généralement à répéter les opinions des critiques français. Cependant, celui de Carlos Junyer-Vidal, publié dans *El Liberal* en 1903 [11], mérite de retenir l'attention, car Picasso l'illustra de quelques dessins représentant le *Portrait du sculpteur Jules Dalou* de Rodin (1883), une figure d'une peinture murale de Puvis de Chavannes et un fragment d'une œuvre d'Eugène Carrière. Ce n'était pas la première fois que Picasso collaborait à ce journal où il avait déjà illustré un article de son ami Junyer. Cependant, à cette occasion, devant s'adapter au contenu du texte, il avait préféré reproduire une œuvre des artistes mentionnés dans l'article. Quant au dessin de la sculpture de Rodin, bien que Picasso ait peut-être vu celle-ci au pavillon de la place de l'Alma en 1900, le plus probable est qu'il l'ait réalisé à partir d'une des reproductions publiées dans diverses revues françaises à l'occasion de la mort de Dalou en avril 1902. Ce dessin, qui appartint au peintre et collectionneur Alexandre de Riquer, entra au cabinet des Dessins du MNAC en 1921. Il faut mentionner enfin que la signature de ce dessin est apocryphe et figure sur l'inscription d'Auguste Rodin, qui était au bas de la reproduction d'*El Liberal* et qui fut éliminée postérieurement [12].

Jusqu'en 1917, année de la mort de Rodin, proliférèrent dans la presse catalane des nouvelles ponctuelles sur ses œuvres les plus récentes, ses monuments et les aspects les plus personnels de sa vie, comme par exemple, le voyage qu'il fit en Espagne en 1905 [13]. L'intérêt pour le sculpteur fut aussi à l'origine de la reproduction d'un de ses articles dans le journal *La Veu de Catalunya* [14]. D'autre part, les publications françaises diffusées à Barcelone, comme *La Plume, Le Figaro illustré*

ou *Gil Blas*, qui consacraient des articles à Rodin, contribuèrent à élargir la diffusion de son œuvre et à faire connaître sa personnalité en Espagne [15]. Cependant, ses travaux furent rarement exposés à Barcelone.

En janvier 1901, dans une circonstance très particulière, le public barcelonais eut l'occasion de contempler pour la première fois une œuvre de Rodin. La fondation artistique Masriera y Campins, qui avait reçu un prix important à l'Exposition universelle de Paris, avait acquis un exemplaire en plâtre du *Portrait d'Alexandre Falguière*, sculpture réalisée par Rodin en 1897. L'objectif de l'entreprise était de fondre cette œuvre en bronze pour montrer la qualité de ses fontes. C'est pourquoi, en janvier 1901, elle exposa le buste en bronze au Cercle artistique de Barcelone [16]. En 1906, la fondation fit don de cette œuvre au musée des Beaux-Arts de la ville afin d'enrichir sa collection de sculptures, très réduite à l'époque. En 1907, plusieurs œuvres de Rodin figurèrent à la cinquième Exposition internationale d'art, la plus importante exposition qui ait eu lieu à Barcelone, dans le style de celles qui se tenaient dans diverses villes européennes. À cette occasion, l'intervention du peintre Ignacio Zuloaga fut décisive ; entretenant des relations très cordiales avec Rodin, il réalisa les démarches nécessaires pour que celui-ci cède sept sculptures et il prêta lui-même trois œuvres qui lui appartenaient. La mairie de Barcelone acquit pour le musée de la ville l'exemplaire de *L'Âge d'airain* qui avait figuré dans l'exposition. Enfin, en 1917, furent exposées cinq sculptures et trois gravures de Rodin à l'Exposition d'art français, organisée pendant la Première Guerre mondiale par les artistes catalans

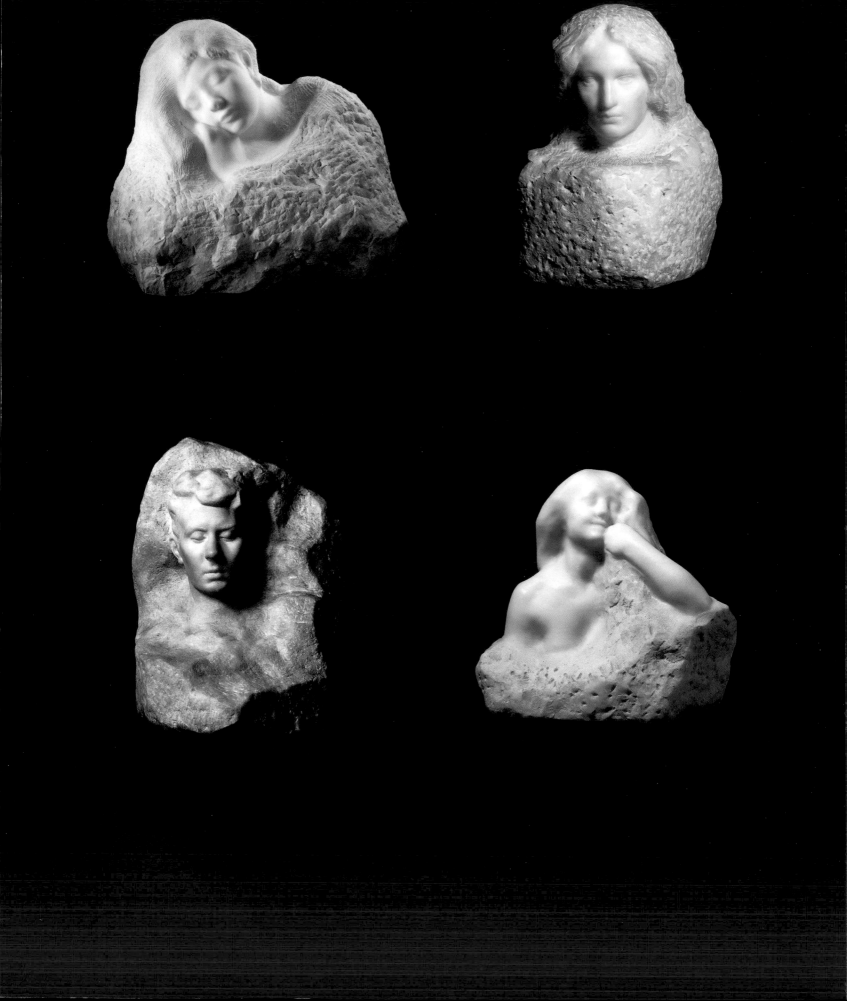

AUGUSTE RODIN
Le Sommeil,
Paris, musée Rodin

FIG . **JOSEP CLARÀ**
Erato, vers 1910
Barcelone, Museu Nacional
d'Art de Catalunya

FIG . **AUGUSTE RODIN**
Rose Beuret, vers 1898
Paris, musée Rodin

JOSEP CLARÀ
Extase, 1903
Barcelone, collection
particulière

EUSEBI ARNAU
Baiser de mère, 1896
Barcelone, collection
Testimonio " La Caixa "
(Barcelone seulement)

pour remercier les artistes français de l'accueil qu'ils leur avaient toujours dispensé. La participation du sculpteur à ces manifestations donna lieu à des commentaires très élogieux [17].

Les nombreuses références à Rodin et à ses sculptures créèrent peu à peu un courant très favorable à son œuvre. Cependant, tous les sculpteurs catalans actifs à l'époque ne furent pas attirés par ces formes nouvelles qui faisaient fusionner la statue et son piédestal, et irradiaient une telle expressivité et une telle sensualité. Seuls certains d'entre eux suivirent les traces de Rodin et mirent quelque temps à se sentir en accord avec la production du sculpteur français, compte tenu des circonstances particulières dans lesquelles se déroulaient leurs travaux. Eusebi Arnau, Miquel Blay, Enric Clarasó et Josep Llimona, les sculpteurs catalans dont l'œuvre, pour une bonne part, peut être considérée comme moderniste et débitrice en quelque sorte de celle de Rodin, furent des hommes de fortes convictions religieuses et firent tous partie du Cercle artistique de Sant Lluc. Ce cercle, créé en 1893 par les frères Llimona, regroupait un grand nombre de peintres, sculpteurs et architectes qui, sous l'influence de l'évêque Torres i Bages, avaient adopté un idéal artistique basé sur le naturalisme chrétien. À l'origine, les statuts du Cercle bannissaient le nu féminin, ce qui limitait les artistes dans la thématique de leurs œuvres. Aussi ces sculpteurs continuèrent-ils à représenter des thèmes anecdotiques, dans la ligne de ceux qui avaient cours dans l'anodin milieu artistique catalan des deux dernières décennies du XIXᵉ siècle, même s'ils adoptèrent vite un idéalisme parfaitement en phase avec leur sentiment religieux et avec le symbolisme qui perçait alors dans l'art européen. Dans cette ligne, Blay et Llimona créèrent respectivement quelques œuvres remarquables – *Les Premiers Froids* (1892) et *La Première Communion* (1897) –, encore éloignées de l'influence de Rodin tant par leur esprit que par leurs caractéristiques formelles. Vers 1900, un léger changement apparut dans la production des deux sculpteurs auquel l'exposition des cent soixante-huit œuvres de Rodin de la place de l'Alma ne fut certainement pas étrangère.

Les fréquents voyages à Paris des artistes catalans, leurs séjours prolongés dans cette ville pendant des mois, voire des années, leur donnèrent l'occasion de connaître directement l'œuvre de Rodin. Ainsi, Miquel Blay, installé à Paris en 1894, après y avoir fait des études, avait pour principal objectif de connaître personnellement Rodin et Mercié qu'il considérait comme les figures les plus marquantes de la sculpture de l'époque : « Il ne se passe pas de semaine où je n'admire leurs sculptures et où je ne me place devant leurs portraits [18] », affirmait-il. En 1907, Blay avait oublié Mercié, mais gardait son admiration pour Rodin, partagée maintenant avec celle

qu'il ressentait pour Meunier [19]. Eusebi Arnau, de son côté, en 1895, resta quelques mois à Paris pendant lesquels il eut l'occasion de voir *La Pensée*, *Mirbeau* et *Eustache de Saint-Pierre*, les trois œuvres qu'Auguste Rodin exposa au Champ-de-Mars cette année-là. Cependant, *Saint Jean-Baptiste* et *Madame Morla Vicuña*, qui faisaient partie de la collection du musée du Luxembourg, durent l'intéresser davantage, car on perçoit la trace de ces œuvres dans *Sant Jeroni* (1898) et dans l'un ou l'autre de ses portraits féminins en marbre. Toujours au musée du Luxembourg, Arnau eut l'occasion de voir la sculpture de Jean Dampt, *Baiser de l'aïeule*. Deux ans plus tard, en 1898, il présentait *Bes de mare* à la quatrième Exposition générale des beaux-arts de Barcelone. Le refus d'un membre du jury de la manifestation d'accorder une récompense à Arnau, à cause de la similitude de thème avec l'œuvre de Dampt, fut à l'origine d'une polémique. Les critiques catalans tranchèrent en considérant que, bien qu'il y ait effectivement une vague ressemblance entre elles, la sculpture d'Arnau ne pouvait en aucun cas être considérée comme un plagiat, car les deux œuvres différaient « par la pensée, le modelé et les modes d'expression [20] ». Enric Clarasó, compagnon inséparable de Santiago Rusiñol et de Ramon Casas, qui vécut avec ce dernier à Montmartre en 1889, dut probablement connaître l'œuvre de Rodin avant 1900. Cependant, il ne manifesta pas à l'époque un grand enthousiasme pour celle-ci, montrant toutefois de l'intérêt pour *Le Baiser*, exposé place de l'Alma. Il considérait que les « excès » des sculptures de Rodin mèneraient cet art à la décadence [21]. Enfin, Josep Llimona, le plus représentatif des sculpteurs modernistes, dut aussi s'intéresser à la production de Rodin à Paris, même si on ne connaît pas son opinion à cet égard.

D'autres artistes catalans furent entièrement favorables à Rodin. À l'instar du peintre Ramon Casas qui s'était enthousiasmé pour les œuvres du sculpteur français présentées au pavillon de l'Alma, Sebastià Junyent, artiste catalan intégré dans le courant symboliste, fit l'éloge du talent de Rodin dans un article où il commentait l'impression que lui avait causée cette exposition : « C'est l'œuvre d'un exalté, d'un rêveur. Sa parenté avec Michel-Ange est évidente, comme ce génie il méprise la correction et la science et passe au-dessus de toutes les conventions pourvu qu'il puisse exprimer ses sentiments, c'est un artiste passionné qui fait trembler la pierre et le marbre sous l'impression des passions et des héroïsmes. Ses groupes d'hommes et de femmes s'entrelaçant ou s'étreignant, sont sensuels, mais ne sont pas ignobles, car on y voit l'adoration muette et fervente, l'esclavage volontaire d'un homme pour une femme. Ses esquisses sont pleines d'idées neuves, imprévues ; ces femmes accroupies, repliées sur elles-mêmes, serrant leurs pieds, sont si originales qu'on n'aurait pu en avoir l'idée ; Rodin trouve des formes neuves et altère les proportions à volonté [22]. »

CONSTANTIN MEUNIER
Industrie, 1896
Paris, musée d'Orsay

Junyent soulignait précisément les deux thèmes qui retinrent l'attention de quelques sculpteurs catalans : les couples enlacés, que représenteraient Pablo Gargallo dans *Le Couple* (1904) et Miquel Blay dans *Éclosion* (1905), et les femmes accroupies et repliées sur elles-mêmes qui allaient inspirer Josep Llimona et Enric Clarasó.

Plusieurs sculpteurs de la génération postérieure à celle des modernistes, tel Gargallo que nous venons de citer, reçurent aussi l'influence de Rodin au début de leur carrière. L'un d'entre eux, Manolo Hugué, rappelait quelques années plus tard qu'au moment du changement de siècle, l'autorité de Rodin était aussi absolue à Barcelone qu'à Paris. Il reconnaissait également que Rodin était, avec Aristide Maillol et Pablo Picasso, l'un des artistes qu'il avait le plus admiré [23]. Mais le plus proche de l'esprit de Rodin, même si ce ne fut que pendant un temps relativement court, fut Josep Clarà, sculpteur formé à Olot, à Toulouse et à Paris, qui connut l'artiste français par l'intermédiaire de son ami Maillol. Lors de sa première année de séjour à Paris, Clarà eut comme professeur à l'École des beaux-arts le sculpteur Ernest Barrias, qui jouissait à l'époque d'un prestige considérable, mais il apportait de temps en temps ses œuvres à l'atelier de Rodin afin d'avoir son avis, qu'il estimait beaucoup plus que celui de son maître. Bien que l'on perçoive l'influence de Rodin dans ses premières œuvres, Clarà s'en dégagera peu après pour suivre la voie du retour à l'ordre et à la récupération de l'esprit classique des peuples antiques de la Méditerranée entreprise par Maillol. Cependant, il ne renoncera jamais à son admiration pour Rodin. À la nouvelle de sa mort, le 18 novembre 1917, il partira pour Meudon et dessinera le sculpteur sur son lit de mort. Deux jours plus tard, il assistera à l'enterrement qui fut, selon ses dires, une cérémonie

civile très simple qui réunit environ trois cents personnes [24]. Ainsi la sculpture catalane, plongée au cours de la dernière décennie du XIXᵉ siècle dans un idéalisme nettement lié à la stricte morale catholique de ses auteurs, évolua à partir de 1900 vers des formes plastiques définies qui donnèrent à la sculpture moderniste son unité. Deux aspects concrets conditionnèrent cette évolution. Le premier d'entre eux est lié à la sculpture funéraire, qui fit, ces années-là, l'objet de nombreuses commandes aux sculpteurs catalans. Ce genre favorisa l'adoption de formes éthérées et vagues, susceptibles de représenter des attitudes et des sentiments chrétiens en relation avec la mort, tels que la douleur, le désespoir, la résignation et la consolation. Le second aspect fut l'influence de Rodin qui se concrétisa de plus en plus, particulièrement avec sa sculpture *La Danaïde*. L'accord évident entre cette œuvre et deux sculptures les plus paradigmatiques du modernisme catalan – *Desconsol* de Llimona et *Eva* de Clarasó – ne peut être le fruit du hasard et répond à l'évidente influence de Rodin. Nuançons cependant et précisons que cette influence ne fut que formelle ; les sculpteurs catalans n'introduisirent pas dans leurs œuvres la sensualité et la puissance expressive du sculpteur français, mais restèrent dans une ligne plus contenue et en définitive plus fidèle à leur idéologie.

La Danaïde n'est pas la seule œuvre de Rodin à avoir contribué à définir les caractéristiques formelles de la sculpture moderniste catalane. D'autres, comme *Fugit Amor* (1883-1884), *Andromède* (1885), *L'Éternelle Idole* (1889), *Le Sommeil* (vers 1894), *Les Illusions reçues par la terre* (vers 1895) ou *La Mort d'Athènes* (vers 1905) présentent certains points de similitude avec des œuvres précises de sculpteurs catalans. Mais incontestablement, *La Danaïde* eut une influence déterminante. La position

MIQUEL BLAY
La Poursuite de l'illusion,
Paris, 1903
Barcelone, Museu Nacional
d'Art de Catalunya

AUGUSTE RODIN
Fugit amor, 1881
Paris, musée d'Orsay,
legs Cosson
(1926)

sinueuse du corps de la femme avec la chevelure répandue sur le sol, le visage caché, les yeux fermés, l'attitude d'abattement ou la fusion entre la sculpture et le socle sont des caractéristiques présentes dans *Desconsol* de Llimona et *Eva* de Clarasó, auxquelles nous avons déjà fait allusion. La ressemblance avec *La Danaïde*, indubitable dans la forme, diffère par contre dans l'intention. La sculpture de Rodin présente le désespoir d'une jeune fille condamnée éternellement à remplir d'eau des récipients sans fond, tandis que les sculpteurs catalans reflètent la douleur et l'abattement de femmes qui acceptent au contraire avec résignation leur destin. Il faut également signaler la différence de date entre l'œuvre de Rodin et celles des artistes catalans. Rodin sculpta *La Danaïde* vers 1884-1885, la destinant à son ambitieuse *Porte de l'Enfer*, bien qu'il ne l'exposât pas en marbre avant 1889. En 1890, il la présenta au Salon du Champ-de-Mars où elle fut acquise par l'État français pour le musée du Luxembourg. Ce dernier étant le rendez-vous obligé des artistes catalans à Paris, Llimona comme Clarasó eurent certainement l'occasion de la voir. Cependant, ils ne sculptèrent les œuvres mentionnées qu'après 1900. Clarasó – peut-être à cause de ses liens avec le Cercle artistique de Sant Lluc – préféra ne pas exposer *Eva* à Barcelone, mais la présenta à l'Exposition nationale de Madrid de 1904. Llimona, pour sa part, sculpta *Desconsol* entre 1903 et 1907, à partir d'une première version de la même silhouette de femme, quoique vêtue, qui faisait partie d'un groupe de sculptures pour un monument funéraire, et la montra à l'Exposition internationale de Barcelone de 1907. Précisément, cette année-là, les membres du Cercle artistique de Sant Lluc obtinrent de l'évêque Torres i Bages l'autorisation de disposer de modèles féminins nus, à la suite d'une pétition des artistes dudit cercle qui considéraient que cette interdiction les plaçait en situation d'infériorité par rapport à leurs contemporains. À partir de cette date, ils se virent donc libérés de l'obstacle moral qui les empêchait de représenter le nu féminin, ce qui élargit leurs perspectives de travail. Illustrant ce fait, le nu féminin allait devenir le thème habituel de l'œuvre de Llimona et celui auquel elle se trouve actuellement le plus souvent associée.

L'éclosion de la sculpture pendant la période moderniste donna lieu pour l'art catalan à une mise à jour qui rompait avec le caractère anecdotique, si prisé du public, vers lequel avait dérivé le réalisme du XIXe siècle. Les caractéristiques formelles adoptées par les modernistes (formes vaporeuses, fondues, yeux fermés) rapprochèrent leurs œuvres du symbolisme européen et donnèrent en même temps une unité à la sculpture catalane. Ces circonstances favorisèrent une étape brillante et singulière dans laquelle l'extraordinaire et puissante figure d'Auguste Rodin devint pour les sculpteurs catalans la référence la plus immédiate, comme elle le fut également pour la plupart des sculpteurs de la fin du siècle.

Quelques années plus tard, le chef de file sera Aristide Maillol. Il remplacera Rodin et deviendra la nouvelle référence de la sculpture catalane. L'œuvre *Méditerranée* (1902-1905), illustrant parfaitement les positions nouvelles de Maillol qui recherchait la modernité à travers les racines de la culture méditerranéenne, influencera une nouvelle génération de sculpteurs catalans, avec à leur tête Josep Clarà et Enric Casanovas, qui firent partie du mouvement de retour au classicisme, désigné en Catalogne sous le nom de «noucentisme».

FIG . **AUGUSTE RODIN,**
L'Eternelle idole, 1889
Paris, musée Rodin

FIG . **MIQUEL BLAY**
Eclosion, 1905
Olot, Museu Comarcal
de la Garrotxa

FIG . **ENRIC CLARASÓ**
Eve, 1904
Barcelone, Museu Nacional
d'Art de Catalunya

JOSEP LLIMONA
Tristesse, vers 1907
Barcelone, Museu Nacional
d'Art de Catalunya

FIG . **EUSEBI ARNAU**
La Vague, vers 1904-1905

Notes

1 Mercé Doñate, «Rodin i Catalunya», *Rodin. Bronzes i aqua-relles del Museu Rodin de Paris*, Barcelone, Museu d'Art modern, 8 avril-14 juin 1987.

2 C. Mendoza, «Victor Hugo. Sus obras y su tiempo», *La Ilustración Ibérica*, Barcelone, 20 juin 1885 ; «Nuestros grabados», *La Ilustración Ibérica*, Barcelone, 12 septembre 1885.

3 «Nuestros grabados», *La Ilustración Ibérica*, Barcelone, 16 janvier 1886 ; «Nos gravures», *La Ilustració*, Barcelone, 26 mai 1888.

4 Octave Mirbeau, «Auguste Rodin», *Revue illustrée*, Paris, 15 juillet 1889 ; *Id.*, *La Ilustración artística*, Barcelone, 30 septembre 1889.

5 Raimon Casellas, «París artístico IV : Auguste Rodin», *La Vanguardia*, Barcelone, 21 mai 1893.

6 Raimon Casellas, «Los Ciudadanos de Calais», *La Vanguardia*, Barcelone, 11 juin 1895.

7 Casellas rédigea son article bien avant sa publication dans *La Vanguardia*, car la lettre de Rodin est datée du 15 mai. Dans cette lettre, conservée dans les Archives Casellas, Rodin écri-vait : «182, rue de l'Université, 15 mai 95. Cher Monsieur, Votre bienveillance envers moi me touche profondément.

Malheureusement je n'ai pu encore faire traduire l'article mais je suis déjà reconnaissant de l'étude que vous avez voulu me consacrer et je vous demande de me regarder comme votre ami. A. Rodin.» Cette lettre a été publiée, avec la date erronée, dans J. Castellanos, *Raimon Casellas i el modernisme*, Barcelone, 1983, vol. 1, p. 140.

8 Ramon Casas, «Pèl & Ploma à Paris», *Pèl & Ploma*, Barcelone, n° 57, 1er août 1900, p. 7.

9 Casas dessina un autre portrait de Rodin très semblable à celui-ci, mais fait à la plume et de dimen-sions plus petites. Il s'agit très pro-bablement d'un dessin préalable, peut-être réalisé à Paris, à partir duquel l'auteur aurait fait, de retour à Barcelone, le portrait au fusain plus élaboré.

10 Ramon Casas, «Pèl & Ploma à Paris», *loc. cit.*, 1900.

11 Carlos Junyer-Vidal, «La pintura y la escultura allende los Pirineos», *El Liberal*, Barcelone, 10 août 1903.

12 Ce dessin, conservé au cabinet des Dessins et Gravures du MNAC, fut reproduit en 1980 dans la monographie *Picasso vivent* de Palau i Fabre (p. 350). En 1996-1997, il figura comme œuvre attribuée à Picasso dans l'expo-sition «Auguste Rodin y su rela-ción con España», qui eut lieu à Saragosse et à Palma de Majorque.

13 Voir *El Diluvio*, Barcelone, 6 juin 1905, p. 8 ; *La Veu de Catalunya*, Barcelone, 6 et 12 juin 1905, p. 3 ; *El Noticiero universal*, Barcelone, 9 juin 1905, p. 3.

14 Auguste Rodin, «Com deixem morir los nostres Catedrals», *La Veu de Catalunya. Pàgina artística*, Barcelone, 2 mars 1910.

15 Ces revues ainsi que d'autres étaient reçues aux Quatre Gats, à la rédaction de la revue *Joventut* et à l'Ateneo Barcelonés.

16 Nous n'avons trouvé aucune documentation se rapportant à cette acquisition et nous ignorons s'ils avaient obtenu l'autorisation de Rodin pour réaliser la fonte de cette œuvre.

17 Sur la participation de Rodin aux expositions de Barcelone, l'inter-vention de Zuloaga et l'acquisi-tion de *L'Âge d'airain*, voir Mercé Doñate, *op. cit.*, 1987.

18 Voir Joaquim Cabot Rovira, «En Miquel Blay a París», *La Renaixença*, Barcelone, 23 février 1896.

19 Même si Blay n'aimait pas le monument à Balzac, il considérait Rodin comme «un colosse» de la sculpture. Voir M. Carretero, «Los maestros del arte español. El escultor Miguel Blay», *La Ilustración artística*, Barcelone, 15 juillet 1907.

20 Voir B. Bassegoda, «De l'exposició I. L'esculptura», *La Renaixença*, Barcelone, 26 mai 1898 ; F. Casanovas, «Bellas Artes. Salón Parés», *La Publicidad*, Barcelone, 19 octobre 1898 ; J. Roca, «Belles Arts. Lo millor premi», *L'Esquella de la Torratxa*, Barcelone, 3 juin 1898.

21 Enric Clarasó, «La esculptura en la exposició de 1900», *Joventut*, Barcelone, n° 29, 30 août 1900.

22 Il s'agit d'un manuscrit inédit intitulé *El Museu de Luxembourg*, conservé à l'Archivo Junyent. Je remercie Teresa-M. Sala qui m'a donné cette information et la transcription du passage concernant Rodin.

23 J. Pla, *Vida de Manolo*, Barcelone, Destino, 1947. Manolo men-tionne dans ce livre l'histoire d'un boulanger de Barcelone qui fut modèle de Rodin.

24 Informations tirées du journal et des écrits de Clarà (*Agendas*, 1917, inv. 99678 ; *Notas*, inv. 99835. Biblioteca general d'Història de l'Art. MNAC. Barcelone).

PABLO GARGALLO
La Bête humaine, 1904
Issy-les-Moulineaux,
Succession Gargallo

AU BONHEUR DU CUBISME

PABLO PICASSO
Nu sur fond rouge, 1906
Paris, musée de l'Orangerie

ISABELLE MONOD-FONTAINE

AU BONHEUR DU CUBISME

Quatre étés catalans

1911-1914

Pendant les années qui précèdent la Première Guerre mondiale, la petite ville de Céret devient un point de mire… au moins pour les journaux qui s'intéressent aux activités des «cubistes», et à celles de la galerie dirigée par Daniel-Henry Kahnweiler. En 1911, puis en 1912 et 1913, Picasso (trois années de suite), Braque (en 1911), Gris (en 1913) y séjournent plus ou moins longuement. Tandis que Manolo s'y est établi en 1910, à l'instigation du musicien Déodat de Séverac, comme le jeune peintre et collectionneur Frank Burty Haviland, descendant de la grande famille de porcelainiers de Limoges, et «véritable mécène de ce qu'on a pu appeler l'École de Céret [1]». Enfin, le poète Max Jacob, lui aussi familier de la galerie Kahnweiler, est venu rejoindre Picasso (aux frais de Kahnweiler) pour quelques semaines, de la mi-avril au 20 juin 1913. Il faudrait bien entendu citer d'autres noms (Auguste Herbin ou Joaquim Sunyer entre autres) et mentionner les autres séjours de Gris en pays catalan (pendant l'été et l'automne 1914, à Collioure, et de nouveau à Céret pendant l'hiver 1921-1922), pour rendre plus complètement compte du rôle très particulier et très important qu'a joué Céret – lieu de frontière, lieu double, tout à la fois loin de Paris, donc paré d'exotisme par rapport à Montmartre, et pourtant terrain familier, presque originel pour Manolo et même pour Picasso… Rôle très important pour l'histoire du cubisme et pour celle de ses protagonistes essentiels, comme pour le jeune marchand qui formait en quelque sorte le pivot de cette petite société de peintres.

On se bornera ici à évoquer, à l'aide du tissu étonnamment serré des correspondances échangées entre les uns et les autres, la cohésion amicale et fraternelle de ce petit groupe d'encore très jeunes hommes, la trentaine à peine – Picasso est né en 1881, Braque en 1882, Kahnweiler en 1884 –, Manolo faisant figure d'ancêtre à 39 ans et Gris (né en 1887) de petit frère… Kahnweiler lui-même n'est jamais venu les rejoindre. Ses affaires le retenaient dans la galerie parisienne, ses villégiatures d'été l'emmenaient en Suisse ou en Italie, tandis qu'il recevait presque

journellement (et conservait soigneusement) des nouvelles des toiles en cours, des excursions et incidents divers, et de l'humeur en général plutôt joyeuse de la bande. Si heureux qu'ils fussent à Céret, les artistes de Kahnweiler y travaillaient beaucoup. Dans les grandes chambres, louées chez l'habitant [2], s'élaborèrent des chefs-d'œuvre, avec le plus grand naturel. Max Jacob évoquait ainsi le décor, en 1927, dans les *Souvenirs sur Picasso*: «[Picasso] allait en villégiature à Céret, dans les Pyrénées orientales (1911). Son ami le sculpteur Manolo y était déjà depuis des années dans le voisinage de M. Haviland qui avait là un petit monastère. Picasso habitait un grand appartement dont les hautes fenêtres donnaient sur le parc. Les grenouilles, les crapauds et les rossignols nous y empêchaient de dormir [3].»

Christopher Green a commenté, à sa façon délicatement inventive, un collage de Gris intitulé *Bouteille d'Anis del Mono*, réalisé à Collioure, à la veille de la guerre qui allait séparer les amis et renvoyer trop rapidement du côté de la nostalgie les beaux étés d'avant 1914. Cette petite composition s'organise autour de l'étiquette d'une bouteille d'anis, qu'il interprète comme un emblème héraldique, le blason portatif d'un «cubisme essentiel» – enraciné en pays catalan: «Le contenu de la bouteille est dit "de distillation spéciale" et cela vaut également pour le contenu de ses œuvres [celles de Gris]. L'étiquette indique, en bas, le lieu de production de la liqueur: Badalona, aux abords immédiats de Barcelone. De part et d'autre du centre, deux médaillons portent les mentions: "El mayor premio/Paris 1878" et "Primer premio/Madrid 1877". Dans cette série d'allusions à Barcelone, Paris et Madrid, on déchiffre aisément un renvoi à l'alliance dont Juan Gris se réclame, et d'où émane, à son sens, la "distillation spéciale" qu'est le cubisme: Picasso (de Barcelone, la région de production) et les deux lauréats, Braque (de Paris, disait-on alors) et Juan Gris (de Madrid) [4].» Étiquettes-blasons, tickets-souvenirs, paquets de tabac et allusions cryptées constituent de fait autant de traces modestes, d'incarnations des lieux et des moments où les œuvres cubistes se sont élaborées, distillées, en effet, telles des liqueurs fortes. Même les plus hermétiques, celles précisément peintes à Céret, portent cette charge de souvenir (ou de souvenirs, plus kitsch), sont comme lestées des «je me souviens» réinventés par Perec : «Je me souviens» du grand café de Céret, avec les inscriptions sur la vitre ; de la corrida ; de la chanson *La Perle du Roussillon*, de *L'Éventail* et de *L'Indépendant* ; de l'hôtel Duerda, etc.

De même que les rames de papier à l'en-tête attendrissant du «Grand Café Michel Justafré» servent à Picasso aussi bien de carnet de croquis que de papier à lettres (pour écrire à Kahnweiler notamment), de même les sévères et hermétiques chefs-d'œuvre à grille cristalline peints à Céret par Braque et Picasso enferment quelques prélèvements du tout-venant de la vie quotidienne cérétane, qui continuent aujourd'hui à vibrer sourdement, à pincer la corde de la nostalgie : ainsi la pulsation mélancolique qui anime la grande toile de Braque intitulée *Le Portugais* (ou *L'Émigrant*), grattant sa guitare sur fond de grand bal à Céret…

Réciproquement, au fil des lettres échangées, déroulant de menus incidents et des considérations sur le temps qu'il fait, apparaissent ici ou là les titres, provisoires ou définitifs, de ces mêmes toiles ambitieuses, complexes, considérées aujourd'hui comme de véritables icônes.

C'est ce qui pourrait justifier le montage de lettres ici proposé [5] : faire apparaître le terrain – en l'occurrence, Céret devenu ces années-là un vaste atelier d'intérieur et d'extérieur – qui a, d'évidence, favorisé l'expérience de distillation mentale entamée à Paris et menée à bien grâce à l'émulation et à la concentration permises par les heureux séjours cérétans.

Céret, 1911

DE JUILLET À SEPTEMBRE, LA CORDÉE PICASSO-BRAQUE

- Picasso arrive à Céret vers la mi-juillet (le 8 ?). Dès le 16, il écrit à Braque : «Je suis très content que tu travailles bien et que tu as promis que tu viens ici, ne l'oublie pas [6]», et à Kahnweiler : «Je travaille déjà, j'ai une grande chambre chez Haviland où il fait assez frais […] J'ai commencé un tableau *Poète et paysan* [7].»

- Le 25 juillet, Picasso évoque pour Braque une joyeuse soirée avec Manolo : «Hier soir nous les avons mis [des chapeaux envoyés par Braque] avec Manolo pour aller au café avec des fausses moustaches et des favoris faits avec un bouchon […] Je me couche très tard, peut-être plus qu'à Paris, et je travaille la nuit chez Manolo. Je fais des petits dessins à l'aquarelle de petites natures mortes. Je vais commencer une autre fois *Poète et paysan*, l'autre je le laisse et je fais une jeune fille avec un accordéon [*L'Accordéoniste*, The Solomon R. Guggenheim

Museum, New York] et une nature morte d'un verre, un presse-citron et un petit pot avec les chalumeaux et la lumière [8] [*Verre avec des pailles*, Stedelijk Museum, Amsterdam]. »

- Braque lui annonce (le 7 août) qu'il le rejoindra à Céret dans une semaine.

- Le 8 août, Picasso écrit à Fernande Olivier, sa compagne : «Il fait ici un peu plus frais et le soir on est bien de chaleur. Ne te préoccupes trop pour l'argent, on s'arrangera […] Tu feras bien de porter ton ombrelle si tu veux sortir dans la journée. Le singe il est assez rigolo, on lui a donné un couvercle d'une boîte en fer blanc et il passe la journée à se regarder, il est très intelligent. Le travail marche toujours et je travaille toujours aux mêmes choses [9]. »

- Le 13 août, il envoie une carte postale à Kahnweiler : «Mon cher ami, je fais – *Poète et paysan* – *La Perle du Roussillon* et un Christ à ce moment, si je peux je vous enverrai des photos [10]. »

- Braque arrive vers le 16 août.

- Le 17 août, Picasso écrit à Kahnweiler, qui l'abreuve fidèlement de coupures de presse : «C'est vraiment rigolo les idées de nos amis et je m'amuse énormément ici de toutes les coupures que vous m'envoyez. Braque est ici […]. J'aurais besoin de 1 000 F pour rester ici encore le temps que je veux rester ici pour faire ce que je veux faire. Braque est très content d'être ici je crois. Je lui ai montré déjà tout le pays et il a déjà des tas de sujets dans la tête [11]. »

- Le 21 août, *La Joconde* est volée au Louvre. Tous les journaux, y compris *L'Indépendant* (journal républicain quotidien des Pyrénées-Orientales), consacrent de longs articles quotidiens à ce fait divers sensationnel [12].

- Le 29 août, à ce propos, *Paris-Journal* rappelle le vol (en mars 1907) de deux statuettes ibériques, pour démontrer que le Louvre n'est pas gardé, et publie le témoignage du «voleur» (Géry Pieret). Picasso doit découvrir cet article le lendemain et en mesurer toutes les conséquences : il a lui-même acheté ces statuettes à Pieret en 1907. Cette affaire va entraîner son retour presque immédiat (le 4 septembre, vraisemblablement) à Paris, interrompant brutalement sa saison de travail avec Braque.

DE SEPTEMBRE 1911 À JANVIER 1912, BRAQUE SEUL À CÉRET

Le ton de la dizaine de lettres envoyées alors de Céret à Kahnweiler par Braque laisse paraître une rare jubilation de peindre, comme si après l'effervescence amicale des deux semaines passées avec Picasso, la solitude et la concentration mentale des mois suivants lui apportaient une nécessaire sérénité.

- Le 11 (ou le 18) septembre 1911, il écrit à Kahnweiler : « Tout est en train. Le travail marche assez bien et la vie ici est beaucoup plus calme qu'à Marseille. Maintenant que Picasso est parti, j'ai trois ateliers à ma disposition. J'ai visité Figueras et dimanche je dois aller à Collioure à pied. [...] Les chaleurs sont passées et c'est l'automne en plein. Je travaille en ce moment à la maison, mais je compte sortir d'ici pour faire du paysage. [...] Je continue une liseuse que je fais sur une toile de 60 [*Femme lisant*, Fondation Beyeler, Bâle] [...] Nous attendons le choléra d'un moment à l'autre [13]. »

- Le 20 [ou le 27] septembre 1911 à Kahnweiler : « Je travaille très tranquillement. J'ai fait quelques natures mortes et une liseuse (une toile de 60). Il me manque la collaboration de Boischaud pour faire les papiers peints. Je suis allé à Collioure. C'est très joli et si j'avais le temps, je voudrais bien y faire quelques paysages. A peine arrivé je suis tombé sur Matisse qui m'a montré ses dernières toiles [14]. » Manolo pense de son côté que Braque est « un très gentil garçon », et il précise qu'il est venu avec son accordéon... ce qui laisse supposer quelques récréations musicales. Frank Burty Haviland évoque au même moment : « Nous avons passé un été charmant. Braque est ici avec sa femme. Nous avons eu aussi Picasso et Fernande, Pichot et Germaine... Tout Paris et tout Montmartre [15]. »

- Le 5 (ou 12) octobre, Braque (qui commence à manquer de subsides) écrit à Kahnweiler : « Faites tout votre possible pour m'envoyer le 17 ct [courant] les quelques cent francs promis car il me faudra régler l'hôtel – d'ailleurs la saison s'annonce brillante ! Quelle réclame ! Je suis tous les jours aux prises avec les Cérétans qui veulent voir du cubisme [...] Le travail marche assez bien et si je persiste dans mes projets je resterai ici longtemps. Je crois que je vous ai parlé déjà d'une nature morte assez grande (50) [...]. Je continue *L'Émigrant* [16] » [*Le Portugais*, Kunstmuseum, Bâle].

- Le 14 octobre, il lui redit son bonheur d'être à Céret : « Je me trouve très bien ici et je voudrais bien y rester le plus longtemps possible – jusqu'au mois de janvier. Pourriez-vous m'envoyer tous les mois deux cents francs. Je pourrais d'autre part vous envoyer mes toiles si vous en avez besoin. J'ai lu mon médaillon dans *Paris-Journal* [13 octobre 1911] ; il ne manque pas de pittoresque, il n'y manquait que l'accordéon [17]. »

- Le 1er novembre, Braque à Kahnweiler : « J'ai découvert un blanc impérissable, un velours sous la brosse, j'en abuse. Tout en continuant ma liseuse et mon émigrant, j'ai commencé une autre nature morte [18]. »

- Le 6 novembre, Braque à Picasso : « Cher ami, [...] J'ai commencé une autre NM 60 [nature morte de format 60

figure]. Il y a une cheminée tout entière avec le bois dedans [*Nature morte au violon*]. Je travaille aussi en ce moment à la mignonne liseuse que tu as vue commencée je crois. J'ai été très content que la grande NM te fasse bonne impression. Bien cordialement à toi. GB [19]. »

Braque ne quittera Céret qu'après la mi-janvier 1912, presque à regret même si parfois les soirées lui paraissent longues, sans ses visites journalières à la galerie rue Vignon (lettre du 15 novembre 1911 à Kahnweiler). Il attend les réactions de son marchand : « Je serai content en rentrant à Paris de revoir ces toiles là, car elles doivent être différentes de ce qu'elles étaient ici dans la lumière du midi [20] », lui écrit-il vers la fin de son séjour.

Céret, 1912

DU 20 MAI AU 20 JUIN, PICASSO ET EVA

Le second séjour de Picasso à Céret se terminera de façon tout aussi précipitée que le premier, mais pour d'autres raisons. Il a quitté Paris en catimini avec son nouvel amour, Eva Gouel, et repartira vers Sorgues le 20 juin de la même façon, pour échapper aux commérages et protéger tout à la fois son travail et son idylle. Il charge Kahnweiler et Braque, seuls à être mis dans la confidence, de toutes les dispositions pratiques à prendre en son absence – organiser le déménagement de tout son atelier du Bateau-Lavoir, trier les toiles, faire venir la chienne Frika, lui faire parvenir du matériel et du linge... Une série de lettres (plus d'une vingtaine), envoyées quasi quotidiennement de Céret à ses deux amis, forme un véritable journal de bord de son « système de travail » (travailler sur plusieurs œuvres à la fois). C'est une séquence exceptionnelle qui se poursuivra depuis Sorgues (où Picasso retrouvera Braque) pendant le reste de l'été 1912.

Ces lettres sont maintenant bien connues, nous n'en citerons que quelques extraits.

- Le 20 mai, Picasso demande à Kahnweiler de lui envoyer de la toile, des pinceaux, des couleurs et des châssis, le tout à l'adresse de Manolo : « Manolo travaille dur comme dit Déodat de Séverac, il a une maison superbe avec une grille comme un Ministère de l'Intérieur [21]. »

- Le 22 mai, Picasso à Kahnweiler : « En effet nous [lui et Eva] sommes ensemble et je suis bien heureux. Mais ne dites rien à personne [22]. »

- Le 24 mai, Picasso envoie à Kahnweiler une liste de demandes où l'on retrouve curieusement la même obsession du blanc que Braque l'année précédente : « Envoyez-moi les tubes de blanc que vous trouverez, du noir d'ivoire, de la terre de Sienne brûlée, du vert émeraude et du vert Véronèse,

GEORGES BRAQUE
Nature morte au violon, 1911
Paris, Centre Georges
Pompidou, Musée national
d'art moderne,
donation de Mme Georges
Braque (1965)

PABLO PICASSO

Paysage de Céret,
été 1911
New York, Solomon
R. Guggenheim Museum,
don de Solomon R. Guggenheim
(1937)

du bleu outremer, de l'ocre, de la terre d'ombre, du vermillon, du cadmium foncé et clair ou plutôt du cadmium citron, et j'ai aussi du violet de cobalt, de l'ocre du Pérou (mais je ne sais pas si ça s'écrit comme ça, la couleur est sur la table dans une boîte). J'aime mieux avoir toutes les couleurs ici et ne me servir peut-être que du blanc, mais il me les faut à côté de moi. [...] Les couleurs, ne m'envoyez que trois ou quatre tubes de chaque, mais le blanc il faut tout envoyer et n'oubliez pas de m'envoyer un flacon de siccatif et un paquet de fusains (toujours à l'adresse de Manolo). Je suis à l'hôtel. J'ai loué la maison que nous avions avec Braque l'année dernière [23]. »

– Le 30 mai, Picasso à Braque : « Mais tu me manques, où sont nos promenades et nos sensations. Je ne peux pas écrire [sur nos] discussions d'art [24]. »

– Le 1er juin, Picasso à Kahnweiler : « J'ai bien besoin de mes affaires de peinture. Manolo m'a bien donné quelques couleurs, mais je ne travaille qu'avec du vert composé de violet de cobalt, de noir de vigne, de brun momie et de cadmium pâle et je n'ai pas de palette. Terrus m'a prêté un chevalet. [...] Malgré tout je travaille [25]. »

– Le 5 juin, Picasso écrit à Kahnweiler une « lettre d'affaires » capitale sur son travail du printemps 1912. Elle mentionne une liste très précise de vingt-trois œuvres restées à Paris et disponibles pour la vente.

– Le 7 juin, Picasso à Kahnweiler : « Je pense qu'un de ces jours il faudrait que vous m'envoyiez une grande planche de cuivre. Je pense faire un homme jouant de la cornemuse que j'ai vu dimanche, mais tout ça n'est pas encore au point [...]. Mon atelier prend déjà du caractère, il devient déjà mon atelier et j'ai de la place [26]. »

– Le 10 juin, Picasso à Kahnweiler : « Il paraît que les journaux de là-bas [Barcelone] ont parlé que j'étais ici et ce con de Pichot qui a écrit à quelqu'un d'ici pour savoir si j'étais à Céret, inutile peine puisqu'on ne lui répondra pas [27]. »

On avait pu en effet lire dans *La Publicidad* du 29 mai 1912 : « ÉCHOS, Joaquim Sunyer, le distingué et admirable auteur de *La Pastorale*, arrive de Céret. Méprisant les frivoles élégances, il porte une casquette d'Apache, tient à la main une badine de frêne, et enveloppe son cou vermeil d'un foulard de serge bleue. À Céret, en compagnie de Picasso, de Séverac, de Maillol, de Casanovas, de Manolo et d'autres artistes, ils ont formé une sorte de phalanstère. Ils vivent ensemble dans une vieille maison de haute noblesse. Ils travaillent, à l'écart de l'agitation du monde et parlent de problèmes spirituels [28]. »

– Le 12 juin, Picasso à Kahnweiler. Il a reçu de mauvaises nouvelles de Paris. Fernande risque d'arriver à Céret : « Il faut que je sois tranquille pour mon travail, j'ai bien besoin depuis long-

temps. Marcelle [Eva se faisait appeler Marcelle] est très gentille et je l'aime beaucoup et je l'écrirai sur mes tableaux. A part tout ça, je travaille beaucoup, j'ai fait pas mal de dessins et j'ai commencé déjà huit toiles. Je crois que ma peinture gagne en robustesse et en clarté. Enfin nous verrons et vous verrez mais tout ça n'est pas près d'être fini et pourtant j'ai plus de sûreté. [...] Avec toutes ces complications, j'aurais besoin d'avoir ici, pour un cas de départ forcé, on ne sait pas ce qui peut arriver, 1000 ou 2000 francs comme réserve [29]. »

– Le 19 juin, Picasso à Kahnweiler : « J'ai su par de bonnes sources que Fernande viendra ici avec les Pichot et c'est chose entendue et j'ai besoin d'un peu de tranquillité. J'ai même le droit. Et je vais m'en aller d'ici, j'ai des tas de pays en vue [...] Je suis bien embêté de m'en aller d'ici où j'étais si bien dans ma grande maison où j'avais de la place et le pays me plaît, enfin je suis bien embêté [...] Et la peinture marche bien, j'ai deux ou trois choses (si je vois qu'elles sont prêtes je vous les enverrai) qui sont presque finies ou peut-être finies et j'ai commencé d'autres que je continuerai [là] où j'irai [30]. »

– Le 20 juin, Picasso à Kahnweiler : « Je vais partir d'ici demain matin pour Perpignan et de là je vous écrirai [...] mais ne dites à personne, à personne, où je serai [...] Décidément je vous envoie les tableaux desquels je vous parlais hier soir dans ma lettre, je ne les trouve pas trop mal, vous me direz si vous les aimez, il y en a trois, le plus grand un violon couché avec l'inscription "Jolie Eva" sur une feuille [*Violon : Jolie Eva*, Staatsgalerie, Stuttgart] et après une nature morte de chez Duedra l'hôtelier avec des lettres, mazagran, armagnac, café sur une table ronde, un compotier avec des poires, un couteau, un verre [Daix 460]. L'autre nature morte, le pernod sur une table ronde en bois, un verre avec la grille et le sucre et la bouteille écrit Pernod fils, sur le fond des affiches, mazagran, café, armagnac 50. Haviland et Manolo vont s'occuper de les emballer et de les envoyer chez vous. [...] Je viens de recevoir les photos et je suis bien content de les voir, elles sont très belles et me donnent raison. C'est les tableaux Ripolin, ou genre Ripolin, qui sont les mieux, vraiment il y a des tableaux pas mal dans tout ça, et maintenant que je vois ceux que je vais vous envoyer je ne les trouve pas mal [31]. »

Picasso repassera à Céret quelques jours en décembre 1912, entre le 22 et le 26.

PABLO PICASSO
Nature morte espagnole, Céret,
printemps 1912
Villeneuve-d'Ascq, musée d'Art
moderne de Lille-Métropole,
don de Geneviève et Jean
Masurel

Céret, 1913

– Les 12 et 18 mars, Picasso envoie des « cartes postales cata-lanes » à Apollinaire (une chorale de chanteurs catalans et la procession de Pâques à Céret).

– Picasso va passer quelques jours à Barcelone à la fin du mois de mars.

– Le 11 avril, Picasso écrit à Kahnweiler : « Je me conduis très mal avec tous mes amis. Je n'écris à personne, mais je travaille, je fais des projets et je n'oublie personne et vous. Max [Jacob] doit venir à Céret, voulez-vous être assez aimable pour lui donner l'argent du voyage et de l'argent de poche pour ses frais [32] ? »

– Le 12 (ou le 19) avril, Picasso à Kahnweiler : « J'ai reçu hier les photos et le livre de Soffici *Cubismo e oltre*. […] Je travaille mais je ne fais pas beaucoup de tableaux, je fais des projets, ce que nous appelons gouaches dans le langage des affaires. […] Max est ici et se plaît. […] Les photos des gouaches on dirait des tableaux. J'attends les autres avec impatience, et la [photo de la] fresque [33] ? »

Max se plaît en effet… Ses longues lettres (pleines de détails délicieusement fantaisistes et de digressions farceuses) à Kahnweiler et à Apollinaire en témoignent.

– Le 24 avril, Max Jacob à Kahnweiler : « […] Le séjour de Céret malgré le sombre entêtement de la pluie est d'un tel charme que, si tu étais avec nous, on n'en saurait souhaiter aucun autre […]. Mais que dire de cette admirable bourgade sans faubourgs, coupée de précipices pleins d'ordures, à la fois française et espagnole dont les environs ont toutes les graisses maraîchères de la Beauce et toutes les grâces de la Suisse. Ô le thym de nos granits ! ô la lavande ! le romarin ! ô les sentiers murés par la bruyère blanche parfumée ! on se sent l'envie de chanter la tyrolienne : ma parole on deviendrait ténor si l'on n'avait pas autre chose à faire ! (M. Picasso s'est déguisé en Tyrolien du Moulin-Rouge avec le petit feutre vert d'Eva en retroussant le bas de son pantalon de velours et avec mille accessoires très spirituellement accommodés). Je ne te dépein-drai ni les sites que tu connais ni notre vie que tu devines. Lever pour moi à six heures ! Quelque poème en prose pour me mettre en train. A huit heures, M. Picasso en robe bleu foncé ou en simple coutil vient m'apporter le phospho-cacao accompagné d'un lourd et tendre croissant : il jette un œil trop indulgent sur mes travaux et se retire discrètement. Après son départ, lecture. Je lis une Vie des saints que le grenier du châ-teau Delcroze fournit abondamment. Ce grenier m'a donné un beau lutrin, meuble presque unique de mon immense

PABLO PICASSO
Paysage de Céret,
printemps 1913
Paris, musée Picasso

PABLO PICASSO
Paysage de Céret,
printemps 1913
Paris, musée Picasso

chambre blanche dont les fenêtres voudraient voir le Canigou (hélas ! la pluie…) […]. Le déjeuner à midi nous réunit tous les trois et nous faisons nos efforts pour l'agrémenter par une conversation générale. Après déjeuner, cigarette, plaisanteries. A deux heures, travail en cellules séparées. Vers six heures, excursion écœurante chez les Manolo à cause de la présence disparate chez ce noble sculpteur de toute la colonie grecque des Kerstrat. A sept heures cuisine puis dîner : les repas sont succulents, l'alimentation du pays est à base d'artichauts, de salades, régime qui convient à mes goûts et à ma santé. Après dîner promenade quand le temps le permet puis coucher. Nous avons un lapin vivant. On ne connaît ses amis qu'après avoir vécu chez eux : j'apprends tous les jours à admirer la grandeur du caractère de M. Picasso, la véritable originalité de ses goûts, la délicatesse de ses sens, les détails pittoresques de son esprit, et sa modestie vraiment chrétienne. Eva est d'un dévouement admirable dans ses humbles travaux ménagers. Elle aime rire et rit facilement : son caractère est égal et elle porte son attention à satisfaire son hôte assez sale naturellement et flegmatique quand il n'est pas ridiculement fou ou imbécile. PS : Mes essais cubistes ne sont pas du goût de mon maître ; mes autres essais ne me satisfont guère. Mes poèmes sont assez bien venus. Je n'ai pas encore le courage d'aborder un ouvrage de longue haleine.

Je suis très mal avec ma famille, mon mariage est rompu [34]. »
– Le 23 avril, Picasso à Braque. « Mon cher ami, c'est aujourd'hui ta fête. Je te la souhaite bonne et heureuse et pour beaucoup d'années. C'est bien dommage que le téléphone de chez toi n'arrive pas à Céret, quelle bonne causerie artistique. […] Ne t'étonne pas si je n'écris pas plus souvent mais je suis très préoccupé avec la maladie de mon père. Il ne va pas très bien. Malgré tout ça, je travaille. Bien des choses à Marcelle et bien à toi mon cher ami [35]. »
– Fin avril, Max Jacob à Apollinaire : « Il paraît que les montagnes embaument le thym, la rosée, la lavande et le romarin (go) mais je n'y vais pas : nous vivons en cellules séparées et vastes. Pas d'excursions. Le principal commerce de cette cité qui n'a pas de faubourgs mais qui a des précipices en pleine rue est le commerce des bouchons de liège. Les fils de commerçants jouent au bouchon. Le dimanche on danse sous toutes les treilles, et j'ai appris à plus d'une honorable famille de paysans catalans et vignerons ou employés au liège la danse de l'ours, le pas du dindon, et le tango du Brésil, le seul que je connaisse. (Ne montre pas cette lettre à notre cher Billy !) Ils sont rebelles à la danse. Pablo travaille et dit tous les jours qu'il va t'écrire. Eva est assez souffrante ; une angine la tient au lit depuis huit jours [36]. »

JUAN GRIS
Paysage à Céret, 1913
Stockholm, Moderna Museet

AUGUSTE HERBIN
Paysage à Céret, 1913
Céret, musée d'Art moderne

- Un voyage au-delà de la frontière pour aller voir une course de taureaux décrit en détail par Max Jacob à Apollinaire («L'Espagne est un pays carré et en angles. Les maisons n'ont pas de toit et les aloès sont pareils aux gens») lui inspirera le poème : «Honneur de la sardane et de la *tenora*», publié en 1921 dans *Le Laboratoire central* [37].

- Le 3 mai, le père de Picasso meurt. Picasso fait un aller et retour à Barcelone pour les funérailles.

- Le 5 mai, Picasso à Kahnweiler (de Barcelone) : «Mon cher ami Kahnweiler, Je vous annonce la mort de mon père décédé samedi dernier le matin. Vous pouvez vous figurer dans quel état je suis. Saluez Mme Kahnweiler et bien à vous mon cher ami. Votre Picasso [38]. »

- Le 29 mai, Picasso à Apollinaire (dont le recueil *Alcools* vient de paraître) : «Mon cher Guillaume, J'ai reçu ton livre *Alcools*, tu sais comme je t'aime et tu sais la joie que j'ai lisant tes vers, je suis bien heureux. Moi je travaille [...] Je t'envoie avec cette lettre une petite guitare que j'ai faite pour toi [39]. »

- Le 2 juin 1913, Max Jacob à Kahnweiler : «Picasso a reçu de Guillaume Apollinaire un livre de vers assez luxueux pour que je n'ose y toucher et pas assez pour supporter la comparaison avec ceux dont tu m'honores quelquefois. Nous ne le lisons pas à haute voix le soir sous la lampe et les cigarettes dont la cendre le souillerait m'interdisent de le lire autrement. » Il raconte aussi le passage d'un cirque ambulant : «Nous avons un cirque forain : les acrobates y sont en costume de ville ou plutôt de faubourg sinon d'hôpital, mais tu sens bien le charme que nous pouvons trouver parmi cette petite foule gaie de spectateurs turbulents paysans, ces écuyères qui ne vous tutoient pas parce qu'elles sont d'honnêtes mères de famille, ces clowns à moustaches et qui semblent maquillés par une farce d'atelier cubiste [40]. »

- À la mi-juin, Picasso, Eva et Max passent de nouveau la frontière pour aller voir une corrida, à Figueras, puis à Gérone. Picasso accepte de faire des eaux-fortes pour le *Siège de Jérusalem* de Max Jacob, à paraître aux éditions Kahnweiler.

- Ils repartent tous pour Paris le 20 juin, via Toulouse et Montauban. Mais Picasso et Eva retournent quelques jours à Céret vers la mi-août. Un petit article paru dans *Le Figaro* est repris le 17 août par *Le Courrier de Céret* : «La petite ville de Céret est en liesse. Pour y prendre un peu de repos bien gagné, le maître cubiste est arrivé. Maints disciples respectueux l'escortent : ces jeunes artistes, vers la fin de juillet, se rendent chaque année dans la sous-préfecture des Pyrénées-Orientales, tels les musiciens de Bayreuth. » Avec quelques commentaires : «Avec Picasso, des peintres comme Herbin, Braque, Kisling, Hascher, Gris ; des sculpteurs : Manolo et Davidson ; des poètes : Gazagnon, Sicart, etc., pour ne citer que ceux-là, jouissent à Céret de l'estime générale, et c'est justice. On ne comprendrait donc pas l'intérêt que pourrait avoir le commerce local à "renchérir" le taux de la vie, alors que tous ces artistes, nous ayant fait l'honneur de choisir notre cité pour lieu de villégiature, contribuent dans une large mesure à faire prospérer ce commerce. D'ailleurs ces messieurs le savent fort bien, et nous sommes certains que la bonté de notre climat, la beauté de nos sites et l'aménité des habitants au milieu desquels ils vivent si familièrement, contribueront à prolonger leur séjour dans cette Mecque des artistes qu'est notre coquette ville de Céret [41]. »

- Cependant, Picasso repart rapidement pour Paris : «Nous avons eu des batailles et nous avons aimé mieux rentrer à Paris pour être tranquille. Nous avons trouvé un atelier avec appartement très grand et plein de soleil près de chez nous 5 bis rue Schoelcher, et j'ai acheté un Rousseau et voilà toutes les nouveautés [42] », écrit-il le 19 août à Kahnweiler.

DE DÉBUT AOÛT À FIN OCTOBRE 1913,
JUAN GRIS REJOINT À SON TOUR CÉRET

C'est la première fois que Gris peut se permettre un long séjour hors de Paris. Sans doute se promettait-il de travailler auprès de Picasso et a-t-il été déçu par son brusque départ. Lui aussi échange une correspondance suivie avec Kahnweiler, essentiellement consacrée à son travail.

– Le 17 septembre, Gris à Kahnweiler : «Je vous annonce en même temps l'envoi de cinq toiles que j'ai finies : un Toréador, un Banquier [*Le Fumeur*], une Guitare !!! un Paysage, un violon avec une guitare !!! Dîtes, qu'est-ce que vous pensez, surtout des deux dernières, Violon et Paysage ? Avec celui-ci surtout, j'ai beaucoup travaillé et je ne sais pas du tout le juger. Le violon est celle qui me plaît le plus. Aussitôt que ça va être sec, c'est-à-dire dans deux ou trois jours, je vous les enverrai. Je me trouve très bien ici et j'espère rester jusqu'à la fin d'octobre ou le 1er novembre. Je travaille beaucoup et il me semble voir plus clair certaines choses qui à Paris n'allaient pas [43].»

Collioure, 1914

Gris repart pour un deuxième séjour dans le Roussillon, le 28 juin 1914. Dès le 29, il écrit à Kahnweiler : «Ici, c'est très joli, et j'ai déjà loué une belle maison.» Située rue de l'Église, cette maison est «en face du port où tous les voiliers sont amarrés et le matin de bonne heure (car je me lève à sept heures) je vois l'arrivée de la sardine. Toute la journée je la passe en haut de la maison ou à côté de la terrasse. Il y a deux ateliers…» (lettre du 8 juillet). Gris travaille, doutant toujours : «Quant au travail je n'ai jusqu'à présent rien produit. Ça fait huit jours que je m'esquinte pour ne rien faire. Effacer, effacer, c'est tout [44]» (lettre du 8 juillet).

Les événements vont bientôt compromettre totalement ces projets de travail. Les lettres de Gris à Kahnweiler (datées du 1er août, du 3 août, du 16 août) expriment au jour le jour son accablement devant la guerre déclarée, sa tristesse (les amis sont dispersés, hors d'atteinte, leur vie est menacée) et son désarroi personnel : il n'a pas d'argent, dépend entièrement des envois de Kahnweiler, lui-même bloqué en Italie : «Mais dans ce pays où les gens sont très gentils mais où personne ne me connaît, je ne sais quoi devenir. Je me demande parfois si le besoin de manger ne va pas m'obliger à m'engager dans une guerre où ni ma nationalité, ni mon caractère, ni mes idées m'appellent. Il s'agit pour nous tous qui avions une route esquissée dans la vie de changer tout temporellement et devenir je ne sais quoi. Car je sais, mon cher ami, que dans ce cauchemar que nous traversons, aucun engagement antérieur ne peut compter, et qu'il faut se débrouiller. Comment ? je ne sais pas. C'est pour cela que ce que je vous ai demandé, c'est à l'ami plutôt qu'au marchand

que je l'ai fait.» Il ajoute dans le haut de la lettre : «Où est-il Picasso [45] ?» (lettre du 16 août).

Gris réussit à trouver abri chez la famille d'un de ses amis, «qui lui donne à manger matin et soir». Matisse arrive de Paris le 10 septembre et va s'efforcer de l'aider matériellement et amicalement – pendant tout l'automne. Gris peut se remettre au travail : «Nous sommes bien ici, dans cette famille charmante et pleine de gentillesse pour nous. Depuis que je suis dans cette maison, je me suis [remis] avec enthousiasme au travail. Je suis de nouveau entraîné. Il me fallait bien depuis un mois que je ne fichais rien ! […] Je vois souvent Matisse. Nous parlons de peinture avec acharnement tandis que Marquet écoute en traînant ses pieds. Ne sais rien des amis et je n'ai plus reçu de nouvelles de Picasso [46]» (lettre à Kahnweiler, non datée).

Ces conversations avec Matisse ont été importantes, pour l'un et pour l'autre. Indéniablement, le travail de Matisse à cette époque porte les traces d'une réflexion sur le cubisme (voir *Tête blanche et rose* ou l'énigmatique *Porte-fenêtre à Collioure*, laissée plus ou moins inachevée). Quant à Gris, placé au lieu même où s'est inventé le fauvisme dix ans plus tôt, et travaillant pendant quelques semaines au contact de Matisse (et de Marquet), il n'a pu manquer d'en être influencé, ou plutôt confirmé et encouragé dans certaines pratiques de la couleur qui lui sont très particulières. Les toiles et les papiers collés réalisés à Céret (en 1913) et plus encore à Collioure laissent ainsi entrer la lumière catalane (et même des ciels d'un bleu vif), décrivent un paysage ou des natures mortes colorés de verts et de violets en aplats inusités – si on les compare aux œuvres de ses «camarades».

Cependant, la situation matérielle de Gris s'aggrave. Une visite à Manolo à Céret (en compagnie de Matisse, Marquet, du peintre d'Elne Terrus), pour tenter de trouver un logement et de quoi subsister, n'a aucune conséquence pratique. Juan Gris décide finalement de rentrer à Paris le 30 octobre, grâce à un arrangement obtenu par Matisse.

C'est ainsi, sur cette rencontre symbolique entre fauvisme et cubisme, sur fond tragique d'inquiétude et de repli, que s'achèvent ces années d'avant-guerre si fécondes. Même si Gris (pour un long séjour de travail de fin octobre 1921 à la mi-avril 1922) et Picasso (en passant, beaucoup plus tard, pendant les étés 1953, 1954 et 1955) reviennent à Céret, un certain charme est rompu. Les fils qui liaient si fortement Kahnweiler à ses peintres le sont du même coup, et aussi les liens quasi fraternels qu'ils entretenaient entre eux. Cette vie de travail commune, dans des maisons-ateliers partagées, cessera complètement, comme les interminables «conversations d'art» poursuivies au «Grand Café Michel Justafré».

Notes

1 Hélène Seckel, *Max Jacob et Picasso*, Paris, RMN, 1994, p. 107, note 11.

2 Après l'hôtel du Canigou, la Maison Alcouffe et surtout la Maison Delcros-Parayre ; voir Joséphine Matamoros, «Picasso à Céret», dans *Picasso, dessins et papiers collés – Céret 1911-1913*, Céret, musée d'Art moderne, 1997, ouvrage fondamental et parfaitement documenté sur cette période à Céret.

3 Cité par Hélène Seckel, *op. cit.*, 1994, p. 107, note 11.

4 Christopher Green, «L'idée de Juan Gris», *Juan Gris, peintures et dessins 1887-1927*, RMN, Marseille, musée Cantini, 1998.

5 Ce montage s'appuie essentiellement sur l'excellente chronologie documentaire établie par Étienne Sabench pour le catalogue *Picasso, dessins et papiers collés – Céret 1911-1913, op. cit.,* 1997, qui synthétisait, en les enrichissant, de nombreuses archives spécifiquement cérétanes, les éléments fournis par nos propres recherches dans les archives Kahnweiler-Leiris (Isabelle Monod-Fontaine, MNAM, 1984) et par la magistrale publication de William Rubin (et Judith Cousins) : *Picasso et Braque. L'invention du cubisme* (William Rubin, Paris, Flammarion, 1990).

6 Archives Laurens, William Rubin, *op. cit.*, 1990, p. 369.

7 Archives Kahnweiler-Leiris, Isabelle Monod-Fontaine, *op. cit.*, 1984, p. 165.

8 Archives Laurens, William Rubin, *op. cit.*, 1990, p. 361.

9 Archives Picasso, Paris, musée Picasso, William Rubin, *op. cit.*, 1990, p. 362.

10 Archives Kahnweiler-Leiris, William Rubin, *op. cit.*, 1990, p. 362.

11 Archives Kahnweiler-Leiris, Isabelle Monod-Fontaine, *op. cit.*, 1984, p. 165, complété dans William Rubin, *op. cit.*, 1990, p. 362.

12 *Picasso, dessins et papiers collés – Céret 1911-1913, op. cit.*, 1997, p. 320-324.

13 Archives Kahnweiler-Leiris, William Rubin, *op. cit.*, 1990, p. 364.

14 Archives Kahnweiler-Leiris, Isabelle Monod-Fontaine, *op. cit.*, 1984, p. 25, et William Rubin, *op. cit.*, 1990, p. 365.

15 Archives de la famille Casanovas, *Picasso, dessins et papiers collés – Céret 1911-1913, op. cit.*, 1997, p. 327.

16 Archives Kahnweiler-Leiris, William Rubin, *op. cit.*, 1990, p. 366.

17 Archives Kahnweiler-Leiris, William Rubin, *op. cit.*, 1990, p. 367.

18 Archives Kahnweiler-Leiris, William Rubin, *op. cit.*, 1990, p. 26.

19 Archives Picasso, Paris, musée Picasso, William Rubin, *op. cit.*, 1990, p. 367.

20 Archives Kahnweiler-Leiris, Isabelle Monod-Fontaine, *op. cit.*, 1984, p. 26.

21 Archives Kahnweiler-Leiris, William Rubin, *op. cit.*, 1990, p. 373.

22 Archives Kahnweiler-Leiris, Isabelle Monod-Fontaine, *op. cit.*, 1984, p. 165.

23 Archives Kahnweiler-Leiris, Isabelle Monod-Fontaine, *op. cit.*, 1984, p. 166.

24 Archives Laurens, William Rubin, *op. cit.*, 1990, p. 374.

25 Archives Kahnweiler-Leiris, Isabelle Monod-Fontaine, *op. cit.*, 1984, p. 166.

26 Archives Kahnweiler-Leiris, William Rubin, *op. cit.*, 1990, p. 375.

27 Archives Kahnweiler-Leiris, William Rubin, *op. cit.*, 1990, p. 375.

28 *Picasso, dessins et papiers collés – Céret 1911-1913, op. cit.*, 1997, p. 342.

29 Archives Kahnweiler-Leiris, Isabelle Monod-Fontaine, *op. cit.*, 1984, p. 168.

30 Archives Kahnweiler-Leiris, William Rubin, *op. cit.*, 1990, p. 376.

31 Archives Kahnweiler-Leiris, Isabelle Monod-Fontaine, *op. cit.*, 1984, p. 168, et William Rubin, *op. cit.*, 1990, p. 376.

32 Archives Kahnweiler-Leiris, Isabelle Monod-Fontaine, *op. cit.*, 1984, p. 170.

33 Archives Kahnweiler-Leiris, Isabelle Monod-Fontaine, *op. cit.*, 1984, p. 170, et William Rubin, *op. cit.*, 1990, p. 392.

34 Hélène Seckel, *op. cit.*, 1994, p. 97-98.

35 Archives Laurens, William Rubin, *op. cit.*, 1990, p. 392.

36 Hélène Seckel, *op. cit.*, 1994, p. 98-99.

37 Hélène Seckel, *op. cit.*, 1994, p. 101-102.

38 Archives Kahnweiler-Leiris, Isabelle Monod-Fontaine, *op. cit.*, 1984, p. 170.

39 Archives Picasso, cité dans *Picasso, dessins et papiers collés – Céret 1911-1913, op. cit.*, 1997, p. 358.

40 Archives Kahnweiler-Leiris, Hélène Seckel, *op. cit.*, 1994, p. 102.

41 *Picasso, dessins et papiers collés – Céret 1911-1913, op. cit.*, 1997, p. 358-359.

42 Archives Kahnweiler-Leiris, Isabelle Monod-Fontaine, *op. cit.*, 1984, p. 170.

43 Citée par Daniel-Henry Kahnweiler, *Juan Gris, sa vie, son œuvre, ses écrits*, Paris, Gallimard, 1946.

44 Daniel-Henry Kahnweiler, *op. cit.*, 1946.

45 Daniel-Henry Kahnweiler, *op. cit.*, 1946.

46 Daniel-Henry Kahnweiler, *op. cit.*, 1946.

JUAN GRIS
Le Fumeur, 1913
Madrid, Fundación Colección
Thyssen-Bornemisza

DE BARCELONE À PARIS

EN REVUE

Iberia, n°1, Barcelone
10 avril 1915
Barcelone, collection particulière

RICARD MAS PEINADO

De Barcelone à Paris en revue

Les revues entre les deux guerres

1912-1934

La révolution technologique de la seconde moitié du XIXe siècle, qui allait améliorer particulièrement les moyens de communication et de transport, rendit les revues capables de divulguer des images et des informations les concernant, dans une proportion et avec une portée inconnues jusqu'alors. La revue au service de l'art, et au prix progressivement accessible, ouvrit la voie à un nouveau genre hypertextuel autant ou plus influent que le manifeste et permit à une nouvelle génération d'artistes combatifs de faire entendre leur voix dans une indépendance absolue.

Grâce à leur pouvoir mécanique de diffusion, les revues d'art ont souvent survécu aux œuvres qui faisaient l'objet de leurs recherches et sont devenues elles-mêmes œuvres d'art et d'étude. Avec, le plus souvent, un tirage limité (entre cent et mille exemplaires), certaines de ces publications servirent davantage d'instrument de transmission des idées et d'échanges entre des groupes géographiquement dispersés qu'à être vendues dans les kiosques à journaux. L'esthétique (typographie, maquette, interférence texte-image) constituait un facteur déterminant dans l'orientation de ces revues, où généralement une ou plusieurs notes commentaient les contenus d'autres journaux contemporains, renseignant sur les affinités ou les phobies des personnalités qui les animaient. De la sorte, les revues devinrent le principal moyen de diffusion de l'art d'avant-garde.

Pendant près d'un siècle, Paris fut la capitale mondiale de l'art. On peut, par conséquent, affirmer que les plus importantes revues d'art de l'époque furent publiées dans la « Ville lumière ». La remarquable étude réalisée par Yves Chevrefils Desbiolles, *Les Revues d'art à Paris 1905-1940*, rend compte de près de cent publications artistiques parues pendant cette période dans la capitale française [1].

En revanche, le modeste marché artistique barcelonais se réduisait à moins de dix galeries d'art. Et sa bourgeoisie, trop préoccupée par la perte récente des colonies d'outremer et les revendications ouvrières sans cesse accrues, ne manifestait pas le moindre intérêt – à d'honorables mais très rares exceptions près – pour quelque forme de mécénat que ce soit, ou un quelconque goût pour les collections d'art contemporain. Les Barcelonais, étant à moins de dix-huit heures de Paris par chemin de fer et, de surcroît, ponctuellement informés des publications françaises vendues dans les kiosques des Ramblas – quand ils ne les consultaient pas à la bibliothèque de l'Ateneu –, se rendaient souvent à Paris, attirés par une culture tenue par eux comme plus prestigieuse et pour laquelle ils éprouvaient davantage de sympathie que pour la culture espagnole qui leur était imposée, d'une certaine façon, par un État qu'ils ne considéraient pas comme le leur. Entre 1900 et 1936, pas moins de douze revues catalanes furent publiées à Paris : deux revues artistiques (*Plançons* et *L'Instant*), trois de caractère local et sept nationalistes, quand elles ne se déclaraient pas ouvertement indépendantistes.

Pour ce qui est des revues artistiques de Barcelone, pour mieux en saisir les différentes nuances, il serait préférable d'évoquer, ne fût-ce qu'en passant, l'abondante présence de l'art dans d'autres publications périodiques.

Ainsi pouvait-on consulter les nombreuses « pages artistiques » publiées chaque semaine dans des journaux tels que. *La Vanguardia*, *La Publicidad* (sous la responsabilité de Josep Maria Junoy et de Romà Jori) ou *La Veu de Catalunya* (sous la responsabilité successive de Raimon Casellas, Joaquim Folch i Torres et Rafael Benet). Dans les cas de *La Publicidad* et de *La Veu*, ces pages donnèrent naissance à des revues indépendantes qui connurent plus ou moins de succès, comme le *Correo de las Letras y de las Artes* (1912) et la *Gaseta de les Arts* (1924-1930). Il existait aussi une série de publications institutionnelles, appartenant à des musées, des académies et des associations artistiques, souvent plus intéressées par l'art du passé que par le contemporain ; des magazines frivoles et mondains contenant toujours une rubrique réservée à l'art, que ce soit pour son exotisme cosmopolite ou pour des affinités d'esprit (*Bella Terra*, *D'Ací i d'Allà*, *Revista Ford*) ; les nombreuses revues littéraires qui considéraient l'art comme une création parallèle (*La Revista*, *Troços*, *L'Idea*, *Proa*, *Revista de Poesia*) ;

des publications intellectuelles qui présentaient régulièrement une chronique artistique (*Revista de Catalunya, Monitor, La Nova Revista, Mirador*) ; des magazines sur l'architecture, l'urbanisme et les arts appliqués (*La Ciutat i la Casa, A.C., Revista de la Escola de Decoració, Arts i Bells Oficis, Butlletí del Foment de les Arts Decoratives*) ; de curieux mélanges comme la revue conservatrice *Arte y Sport* (1915) et, outre des périodiques strictement consacrés à l'art (*Museum, Revista Nova, La Cantonada, Vell i Nou, La Mà Trencada, Nou Ambient, Gaseta de les Arts, Quatre Coses, Les Arts Catalanes, Art*), les très catalanes revues de dessins humoristiques ; des hebdomadaires illustrés de satire politique et sociale, incluant des commentaires sur des expositions. Ce dernier type déboucha sur des publications au contenu artistique plus dense (*Cu-Cut! Papitu, Picarol*). Le tout sans compter les revues de qualité éditées partout en Catalogne, avec une importante présence des beaux-arts comme *Ars* (1914) ou *Garba* (1920-1922) de Sabadell, *Cultura* (1914-1915) de Gérone, *Themis* (1915-1916) de Vilanova i la Geltrú, *La Columna de Foc* (1918-1920) de Reus, *Terramar* (1919-1920) et *L'Amic de les Arts* (1926-1929) de Sitges, *Ciutat* (1926-1928) de Manresa, *Joia* (1928) de Badalona, *Hèlix* (1929-1930) de Vilafranca del Penedès, *Art* (1933-1934) de Lérida…, et même la new-yorkaise *Catalonia* (1921), avec des illustrations de Joaquim Torres-García et des textes de Rafael Sala.

En 1912, deux importantes revues d'art naquirent en Catalogne. La première, le *Correo de las Letras y de las Artes. Segunda serie*, était la continuation mensuelle du supplément hebdomadaire du même titre publié dans le journal *La Publicidad*. Dirigée et rédigée en grande partie par Josep Maria Junoy, elle ne sortit que trois numéros, contenant des citations et des commentaires sur la littérature française la plus récente, auxquels s'ajoutait une rubrique permanente intitulée « Correo de París ». Avec en exergue une citation de Maurice Raynal – « L'artiste moderne doit vivre avec son époque et savoir extraire de tout ce qui se fait ce qu'il y est contenu de beau, de curieux, de sensible et de prétextes aux jeux de l'esprit et de l'imagination » –, le *Correo* s'attachait à défendre l'art de Picasso, de Joaquim Sunyer et du sculpteur Enric Casanovas. Cette revue, dont la durée de vie fut si brève, prit des positions « méditerranéistes » (son créateur étant clairement influencé par l'« école romane » de Moréas) aussi bien que cubistes [2].

La seconde revue, *Picarol. Revista humorística*, bien que plus attrayante, ne jouit pas d'un meilleur accueil, se limitant seulement à six numéros hebdomadaires. Elle était financée par le marchand et promoteur artistique Santiago Segura (1878-1918), propriétaire des magasins Faianç Català et des Galeries Laietanes, la salle d'exposition des plus grands artistes du « noucentisme » – mouvement qui se proposait de recons-truire la culture catalane selon des canons méditerranéens. L'ambition de cet hebdomadaire était de faire connaître à un large public – dans l'ensemble guère habitué à visiter des expositions – la grande envergure des jeunes valeurs de l'art catalan, au travers de la caricature. Ses principaux collaborateurs en furent les dessinateurs Josep Aragay – qui en était aussi le directeur –, Xavier Nogués et Manuel Humbert, Marian Andreu, Feliu Elias, Joan Colom et Remigi Dargallo, et les écrivains Alexandre Plana, R. Raventós, C. de Domènech, C. Soldevila, López-Picó et J. Carner ; les rubriques d'information artistique, de critique théâtrale et les éditoriaux étaient rédigés par Francesc Pujols, qu'on pourrait considérer comme le directeur littéraire de la publication. Celui-ci informait ponctuellement des événements artistiques les plus intéressants, qu'il s'agisse par exemple de la première exposition futuriste à la galerie Bernheim-Jeune [3] ou du prochain voyage à Paris du galeriste Josep Dalmau afin d'acheter « les œuvres les plus vénérables des peintres cubistes » pour sa galerie barcelonaise [4].

Pourtant, le peu de succès remporté par les numéros mis en vente entraîna la disparition de *Picarol*, non sans qu'on y proclamât auparavant, dans un article sans amertume, la satisfaction du travail accompli et la fierté d'avoir été apprécié internationalement, comme le prouve cette note publiée dans *Paris-Journal* : « *Picarol*, de Barcelona, est certainement l'une des meilleures revues d'art de l'époque. Elle est très au-dessus des publications humoristiques, et, parmi les publications étrangères, l'emporte nettement sur le *Simplicissimus*. Les articles, très bien faits, sont consacrés à la littérature et au mouvement artistique, très important en Catalogne [5]. » Aux archives Aragay de Breda, on peut consulter encore une autre note, publiée dans *Le Radical*, finissant par ces mots : « Un illustré de Barcelone, *Picarol*, nous révèle des caricaturistes adroits, tels que : F. X. Nogués, Marian Andreu, María Pidelaserra, Aragay, etc. Et l'on est un peu surpris qu'il soit des humoristes locaux, quand les périodiques satiriques français font une telle consommation de talents étrangers. Ces Espagnols doivent être des Français naturalisés, chassés de leur patrie par la concurrence internationale [6]. »

Revista Nova – publication financée également par Santiago Segura – se donna pour but celui de combler le vide existant en Catalogne quant aux publications artistiques consacrées exclusivement à l'art contemporain, avec l'ambitieux propos d'« analyser et de faire voir les tendances artistiques dernier cri, pour que les énergies et les désirs de l'esprit nouveau ne soient pas désemparés comme à présent. Sans tenir compte des écoles, des tendances et de toutes sortes de divisions, la *Revista* veut, donc, divulguer les idées esthétiques modernes ». *Revista Nova* promettait d'aborder tous les arts, de la peinture à la sculpture,

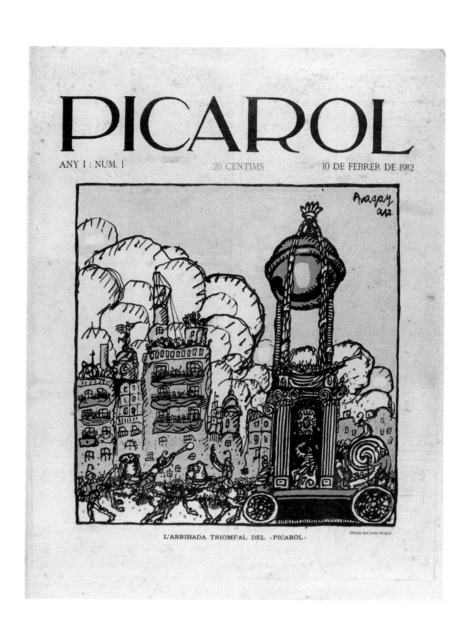

Picarol, n°1, Barcelone
10 février 1912
Barcelone, collection particulière

en passant par la musique, la littérature, les arts appliqués et l'architecture. Dans son premier numéro, paru le 11 mars 1914, figuraient deux informations largement commentées par Joan Sacs (pseudonyme d'Elias) – l'une sur le Premier Congrès d'esthétique, célébré à Berlin, l'autre sur le manifeste de l'art «cérébriste» de Ricciotto Canudo –, ainsi qu'une étude sur le sculpteur Enric Casanovas, par Francesc Pujols, et deux récits humoristiques. Ce numéro contenait encore une très importante rubrique de commentaires et de comptes-rendus sur le graphisme journalistique, informant sur les publications périodiques à caractère culturel les plus intéressantes de toute l'Europe, comme par exemple, l'italienne *Lacerba*, la belge *L'Effort libre*, l'allemande *Die Kunst* ou l'anglaise *The Studio*. Mais ce sont, sans conteste, les revues françaises qui récoltèrent le plus de commentaires dans cette rubrique : *Art et décoration, Gazette des beaux-arts, L'Art décoratif, L'Art et les Artistes, La Revue, La Revue philosophique, Les Soirées de Paris, Mercure de France, Nouvelle Revue française*, etc.

Francesc Pujols, Feliu Elias et Xavier Nogués constituèrent la colonne vertébrale de *Revista Nova* : Pujols, comme directeur et auteur d'articles sur l'esthétique et l'art catalan, Elias, comme dessinateur et théoricien érudit de l'art français et oriental, et Nogués, exclusivement comme illustrateur.

Le principal objectif de *Revista Nova* consistait en la divulgation non seulement de l'art moderne catalan, mais aussi des mouvements artistiques européens contemporains, par l'apport d'un grand nombre d'analyses critiques, la collaboration d'illustres spécialistes – tels que le Français Pierre Reverdy, correspondant à Paris –, et celle des artistes eux-mêmes, ainsi que le soin particulier accordé aux reproductions des œuvres de ces derniers. Les principaux Catalans étudiés furent Canals, Domènec Carles, Inglada, Nonell et Gaudí. Les artistes européens auxquels s'intéressa *Revista Nova*, appartenant pour la plupart à l'École de Paris, étaient des contemporains et participaient assidûment au Salon d'automne. En voici la liste : les peintres Robert Bonfils, M. Denis, Guérin, Marquet, E. Zack, Cézanne, Van Dongen, Van Gogh, Gauguin et André Lhote – ces cinq derniers se voyant consacrés, chacun, un numéro monographique ; les sculpteurs Libero Andreotti, Joseph Bernard, A. Modigliani, J. Halou, W. Lehmbruck, A. Maillol, A. Mare, M. Marinot et Gustave Violet.

Revista Nova, avec son langage exempt de préjugés et sa conception cosmopolite de l'art nouveau, se heurta à de nombreux ennemis. L'un d'eux, Joaquim Folch i Torres, avait défini, peu avant l'apparition de *Revista Nova*, dans un article intitulé «Imperialisme artístic. Per l'Art nacional», sa conception particulière de l'art, fondée essentiellement sur le nationalisme et l'élitisme, et qui ne laissait pas de place aux initiatives caractéris-

tiques de *Revista Nova* : «Le photographe amateur contribue davantage à l'art, amoureux de nos constructions, en les photographiant et les divulguant, que le peintre ou le sculpteur, uniquement saturés de revues étrangères où ils cherchent leur unique source d'inspiration. […] Nous devons comprendre que les arts ne naissent pas de façon universelle, mais le deviennent en répondant à l'esprit d'une nation, quand celle-ci est devenue assez forte pour dominer toutes les autres […] L'art est aristocratique et impérialiste par excellence [7].»

Une conception de l'art à laquelle Elias s'opposa toujours depuis sa tribune de *Revista Nova*, tout en reconnaissant que celle-ci à Barcelone avait donné naissance à une «pseudo branche de l'art moderne» qui, sous le nom d'Escola Mediterrània (école méditerranéenne), «pastiche Puvis de Chavannes et l'art gréco-romain et de Renaissance, bien plus stupides que le bon art pompier [8]».

Une autre des entraves qui provoqua la disparition de *Revista Nova* fut la Première Guerre mondiale, dans laquelle Elias prit le parti de la France, non seulement comme pays belligérant, mais aussi comme emblème de la civilisation et de la culture méditerranéennes, opposées à la «barbarie» nord-européenne. Cette position – que la plupart des intellectuels catalans partagèrent – s'exprima, après la disparition de *Revista Nova*, dans une revue de soutien aux Alliés, intitulée *Iberia*, dirigée par Claudi Ametlla, avec la collaboration, pour l'illustration, de Feliu Elias, Pere Ynglada et Josep Aragay. Elle appuya toutes sortes d'initiatives artistiques en faveur des intérêts français, telles que l'exposition de bienfaisance organisée par Anglada-Camarasa ou les illustrations sur la «barbarie boche» présentées par Ramon Pichot et Lluís Jou. Josep Maria Junoy, de son côté, y manifesta son credo francophile dans l'article «Pour la France : la relation spirituelle artistique entre Paris et Barcelone [9]» et présenta son célèbre calligramme en l'honneur de l'aviateur Guynemer [10]. Furent également publiés dans cette revue des poèmes en français de Guillaume Apollinaire et Max Jacob, ainsi que des textes en portugais de J. de Magalhaes Lima.

Le 13 mars 1915, quatre mois après la première disparition de *Revista Nova* [11], Santiago Segura entreprenait sa dernière aventure éditoriale : *Vell i Nou. Revista d'Art*. D'après une note qu'on pouvait lire à la rubrique artistique de *La Veu de Catalunya*, la rédaction de *Vell i Nou* comprenait les noms de Miquel Utrillo, Francesc Pujols, Xavier Nogués, Romà Jori et Joaquim Folch i Torres. La revue n'avait pas de directeur parce que, suivant la proposition de Pujols, cette fonction avait été remplacée par un comité directeur formé de trois responsables : Folch i Torres (art ancien), Romà Jori (art actuel) et Pujols lui-même (esthétique et art en général). Contrairement à

Revista Nova, *Vell i Nou* ne prétendait défendre – du moins en apparence – aucune école ni aucun courant artistique, mais uniquement donner des informations sur tous les arts, catalans de préférence, considérés par Folch, sans tenir compte de l'époque de leur création, comme des manifestations de l'esprit national du pays qui les avait vu naître.

De *Vell i Nou. Revista setmanal d'art* dans son premier format (39,5 x 29,5 cm), il ne parut que huit numéros. Le sixième, sous le titre « Les réformes de *Vell i Nou* », annonçait une série de modifications importantes : réduction du format (28 x 22 cm), changement de périodicité (désormais bimensuelle), de papier (couché, au lieu de papier d'impression), augmentation du nombre de pages (vingt) et du prix (passé de 10 à 30 centimes). Folch i Torres, après avoir mené à bien cette ambitieuse métamorphose, en profita pour demander à Segura la direction de la revue, responsabilité qu'il assuma pendant dix numéros. Elle fut ensuite dirigée par Romà Jori et, à partir de 1917, après quelques mois d'interruption, par un comité de rédaction présidé par Feliu Elias. Le contenu de la publication s'orienta alternativement vers l'« ancien » ou le « nouveau » selon son responsable principal. Ainsi, on passa de la recherche sur l'art primitif gothique catalan ou des découvertes gréco-romaines de l'Ampurdàn, sous la direction de Folch i Torres, à Picasso, Marie Laurencin, Serge Charchoune ou les Delaunay, sous celle de Feliu Elias qui, par ailleurs, en profita pour publier de nombreux articles sur l'art oriental, une autre de ses spécialités.

Vell i Nou survécut encore un an après la mort de Segura et disparut le 15 septembre 1919, pour reparaître en avril 1920 sous la forme d'un recueil d'études historiques, luxueusement imprimé par Editorial y Librería de Arte M. Bayés.

La Revista (1915-1936) fut la publication littéraire la plus durable en Catalogne. Publiée tous les quinze jours jusqu'en 1925, puis devenue semestrielle jusqu'en 1936, elle fut dirigée par López-Picó et Joaquim Folguera (ce dernier jusqu'en 1919, date de sa disparition prématurée). D'inspiration « noucentiste » mais ouverte à toutes les manifestations d'avant-garde en Europe, et particulièrement en France, *La Revista* compta parmi ses collaborateurs réguliers Carles Riba, Ramon Rucabado, Farran i Mayoral, Manuel Reventós, Alexandre Plana, J.V. Foix, Esteve Monegal, Martí Casanovas et le peintre Josep Obiols. Elle proposait des poèmes et des textes de Marinetti, Paul Dermée, Pierre Reverdy, Jules Romains, Pierre Drieu la Rochelle, Pierre Albert-Birot ou Charles Vildrac, et correspondait régulièrement avec les responsables de *SIC* et de *Nord-Sud*, deux revues françaises qui croyaient aussi au renouveau en partant de la tradition. *La Revista* comportait également une rubrique consacrée à la critique des expositions et de nombreux

textes d'esthétique méditerranéenne, sous la plume de Josep Aragay, Miquel Poal Aragall, Joaquim Torres-García et l'Italien Carlo Carrà. À l'occasion de l'Exposition d'art français de 1917, qui se tint à Barcelone en raison de la Première Guerre mondiale, cette revue réalisa une enquête sur les principaux artistes catalans pour savoir ce qu'ils pensaient de la créativité artistique contemporaine ; ils s'accordèrent tous sur un point : l'appréciation positive de l'impressionnisme et négative du Salon d'automne, stérile en créativité.

Un enemic del poble. Fulla de subversió espiritual (1917-1919) fut une bien curieuse publication. Financée de façon rocambolesque et distribuée gratuitement [12], elle était rédigée dans un style à la fois naïf et rédempteur qui prétendait éveiller la conscience critique du public. Apparemment sans directeur, son rédacteur en chef était le jeune poète d'avant-garde Joan Salvat-Papasseit, qui dirigeait la librairie des Galeries Laietanes. D'après le poète Tomàs Garcés, Salvat entretenait une abondante correspondance avec des revues étrangères de toute l'Europe : « Il classait les cartes dans deux dossiers selon l'endroit d'où elles provenaient, soit du pays, soit de l'étranger. Theo van Doesburg, Marinetti, Gómez de la Serna, Avermaete, Petronio, revues de Bruxelles, d'Amsterdam, de Paris ou de Rome, sans oublier *Grecia* et *Ultra*, qu'il suivait de près dans un constant dialogue avec Guillermo de Torre, Humberto Rivas, Isaac del Vando Villar [13]... »

La plupart des textes d'*Un enemic* étaient rédigés par Salvat-Papasseit. S'y trouvaient réunis, entre autres, des poèmes de J. M. de Sucre, Joaquim Folguera, López-Picó, Trinitat Catasús et Millàs Raurell, ainsi que des traductions de poètes étrangers, tels que Paul Dermée, Joseph Rivière et Max Jacob. Une grande partie des écrits théoriques sur l'art étaient signés par le peintre uruguayen Joaquim Torres-García : « Consells als artistes », « D'altra òrbita », « Devem caminar », « Art-Evolució », « Plasticisme et Hechos », auxquels s'ajoutaient encore des articles à caractère social et spirituel de D. Ruiz, Jaume Brossa, A. Samblancat et E. Eroles, ou purement créatifs comme ceux de Ramón Gómez de la Serna, Eugeni d'Ors et López-Picó. Le « Manifest a la feminitat », de Miquel Poal Aragall, mérita une mention spéciale, la revue franco-catalane *L'Instant* le qualifiant de « très courageux : le signataire dit aux femmes les plus crues vérités sans les ménager avec des détours de pensée et sans mettre des gants. [...] À méditer [14] ».

Quant aux illustrations, *Un enemic del poble* rassemblait des styles très différents, allant de la tradition de la caricature catalane au mouvement d'avant-garde représenté par Celso Lagar, Joaquim Torres-García, Rafael Barradas et Pablo Gargallo, en passant par le groupe des « noucentistes » – majoritaire –, comprenant D. Carles, E. Ferrer, Josep Aragay, Josep Obiols, Rafael Benet et Joaquim Sunyer.

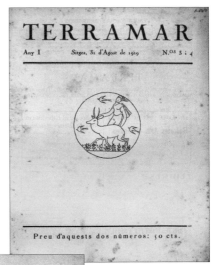

Terramar, n°3 et 4,
Barcelone, 31 août 1919
Barcelone,
collection particulière

L'Amic de les arts, n°31,
Barcelone, 31 mars 1929
Barcelone, Museu Picasso

La Revista,
Barcelone,1er janvier 1917
Barcelone,
collection particulière

La Nova revista, n°30,
Barcelone, juin 1929
Barcelone,
collection particulière

Picarol, n°1,
Barcelone, 10 février 1912
Barcelone,
collection particulière

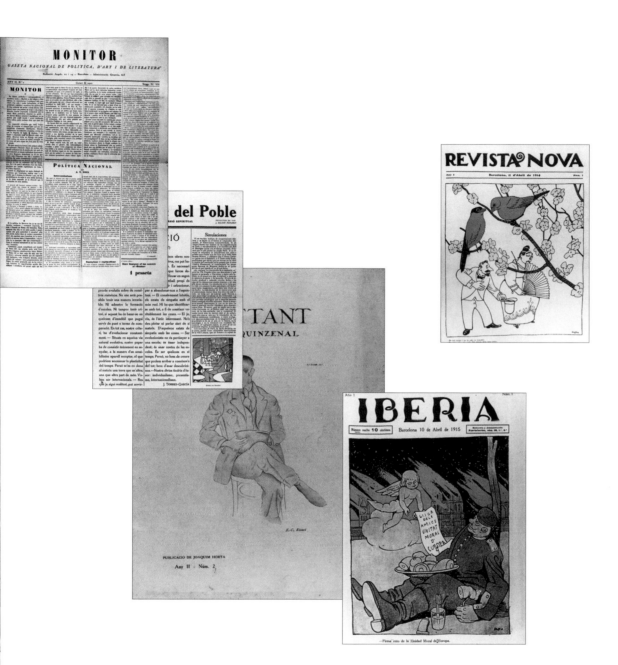

Monitor, n°1,
Barcelone, janvier 1922
Barcelone,
collection particulière

Un enemic del poble,
Barcelone, n°8, novembre 1917
Barcelone,
collection particulière

L'Instant, n°2,
Barcelone, 31 août 1919
Barcelone,
collection particulière

Revista nova, n°1,
Barcelone, 11 avril 1914
Barcelone,
collection particulière

Iberia, n°1,
Barcelone, 10 avril 1915
Barcelone, collection particulière

La revue parut en deux séries dont la dernière s'acheva en mai 1919. Dans l'intervalle, Salvat-Papasseit sortit le premier – et dernier – numéro de la revue *Arc-Voltaic* (1918) sur la couverture duquel figurait un nu féminin de Joan Miró, dans le style cubiste des dessins qu'il présentait à ce moment-là à la galerie Dalmau dans sa première exposition individuelle. C'est dans cette revue que Salvat publia son deuxième calligramme, «Plànol», un essai réussi de description de Barcelone avec une vision «simultanéiste». *L'Instant* s'en fit l'écho depuis Paris lors de l'apparition du premier numéro d'*Arc-Voltaic*, en soulignant l'importance du poème de Salvat : «Vers quel merveilleux monde de trouvailles, est-on en droit de penser devant ce genre de poèmes, ne s'achemine-t-elle pas la poésie nouvelle [15] ?»

Collaborèrent à ce numéro sans suite le poète Joaquim Folguera, l'inséparable ami de Salvat-Papasseit, Emili Eroles et Joaquim Torres-García avec le manifeste «Art-Evolució», déjà paru dans le n° 8 d'*Un enemic*, traduit dans les langues du futurisme – l'italien – et du cubisme – le français –, témoignant bien ainsi de l'intention d'utiliser la revue, non seulement pour la diffusion des consignes du manifeste – Individualisme, Présentisme, Internationalisme –, mais aussi comme outil de contact et d'échange avec toutes les avant-gardes européennes.

Josep Maria Junoy, dans un article ironique de *La Revista*, faisait comprendre que la fin de cette publication fut avancée à cause de désaccords entre ses rédacteurs : «Un *Arc-Voltaic*, malheureusement d'une clarté éphémère, fut dynamisé et dynamité à la fois par son manager Salvat-Papasseit au cours et lors de la trajectoire de son premier numéro [16].»

La guerre européenne qui, selon Joan Salvat-Papasseit, instaurait l'«Ère du crime», contraignit une importante représentation du groupe d'avant-garde parisien à émigrer temporairement à Barcelone. Celui-ci comprenait notamment Marie Laurencin, Albert Gleizes, Max Goth, Arthur Cravan, son frère Otto Lloyd et Olga Sacharoff, le couple Delaunay et Francis Picabia. Ce dernier, arrivant de New York, décida de se lancer à Barcelone dans une aventure éditoriale, la revue *391* (1917), sous la protection du galeriste Josep Dalmau.

Les quatre numéros de la revue barcelonaise *391* – plus déconcertants que dadaïstes – réunissaient des textes brefs et ironiques de Picabia lui-même, avec des poèmes et des essais de Marie Laurencin, Max Goth, Max Jacob, Gabrielle Buffet et Georges Ribemont-Dessaignes. Mais ce sont les dessins de la couverture réalisés par Picabia, jouant avec l'érotisme des machines, qui en constituèrent l'élément le plus impressionnant. Francis Picabia continua à éditer *391* pendant ses pèlerinages à New York, Zurich et Paris, parvenant à publier dix-neuf numéros jusqu'en octobre 1924.

Bien que daté de 1916, le numéro zéro de la revue *Troços* fut publié en mars 1917. Dirigé et rédigé entièrement par Josep Maria Junoy, ce numéro préliminaire contenait des calligrammes et des haïkus dédiés à des poètes et des peintres tels que Xavier Nogués, Togores, Pere Ynglada, Jean Cocteau, Hélène Grunhoff, Serge Charchoune et Boccioni, récemment disparu. Selon Vallcorba Plana [17], Junoy falsifia la date de parution de *Troços* pour informer Apollinaire qu'il était le pionnier de cette critique d'art sous forme de calligrammes. En septembre 1917 paraissait le premier numéro de *Troços*, avec en manchette : «Profession de foi préliminaire : Vive la France !», marquant ainsi sa volonté d'honorer un modèle de civilisation autant que de définir clairement sa position face à la guerre. Les trois premiers numéros de la revue comprenaient des textes brefs accompagnés de commentaires du directeur et de poèmes empruntés à des publications françaises comme *SIC* et *Nord-Sud* [18], ainsi que des dessins de Frank Burty, Albert Gleizes (issus de ces mêmes publications), Pere Ynglada et Celso Lagar.

À partir du n° 4, le poète de Sarrià J.V. Foix se chargea de la revue – dont le nom s'écrivit dès lors *Trossos* – et en augmenta la représentation catalane : des textes de Foix lui-même, Tristan Tzara, Folgore, Philippe Soupault, Pierre Reverdy, Solé de Sojo et Joaquim Folguera côtoyaient des dessins de Joan Miró, Enric Cristófol Ricart et Joaquim Torres-García. Le cinquième et dernier numéro se termina par des définitions des programmes du nunisme [19], du cubisme et du futurisme. L'exclusion du dadaïsme dans ce panorama d'avant-garde, que Foix connaissait d'ailleurs fort bien, détermina les limites de son éclectisme bien particulier.

Peu de temps après son arrivée à Paris, en 1917, le jeune écrivain d'Egara, Ferran Canyameres, commença à collaborer à la revue *Soi-Même. Publication de littérature et d'art*, dirigée par Joseph Rivière, dans laquelle il allait se charger de la promotion de la littérature catalane d'avant-garde. Une note bilingue évoquait en détail la volonté de réserver un espace permanent «à une œuvre de fraternité entre les jeunes écrivains catalans et les jeunes écrivains français de notre époque. Cette nouvelle tâche […] comprendra des traductions de la jeune littérature catalane et, pour nos amis de Catalogne, des traductions de la jeune littérature française». Dans *Soi-Même* furent publiés à maintes occasions des poèmes de Ferran Canyameres, Josep Maria López-Picó, Joseph Rivière, R. M. Hermant, Joan Llongueras et Joan Arus.

En janvier 1918, Canyameres entrait à la banque du Rio de la Plata, dont son ami et poète Joan Pérez-Jorba, qu'il avait connu grâce à *Soi-Même*, dirigeait la succursale parisienne ; deux mois plus tard, apparaissait la revue franco-catalane d'art et littérature *Plançons*, conçue et dirigée par Canyameres lui-même [20]. Gustau Erill, auteur de *Ferran Canyameres. Entre la memòria i l'oblit* (*Entre la mémoire et l'oubli*), biographie établie sur les documents cédés aux Archives historiques régionales de Terrassa par la fille de l'écrivain, explique la gestation de *Plançons* : « Canyameres, en dehors de ses heures de travail, se consacrait à son projet éditorial et Pérez-Jorba lui faisait continuellement des suggestions que Canyameres suivait quand elles correspondaient à son projet. Inévitablement il le chargea de quelques travaux pour la revue, mais s'il fut possible de la publier, ce fut clairement grâce aux efforts de toute sorte, même financiers, contrairement à ce que l'on dit parfois de Ferran Canyameres. » La revue, mensuelle, rédigée en français et en catalan, comptait dans ses douze pages des textes et des poèmes de Sauvage, Apollinaire, Rivière, Pérez-Jorba, Narcís Masó, Han Ryner et de nombreux écrits de Ferran Canyameres, aussi bien sous son nom que sous le pseudonyme de Ferran d'Egara. À Paris, la revue fut présentée par le poète Han Ryner et de nombreuses publications d'avant-garde en diffusèrent des comptes-rendus. Une fois le premier numéro de la revue publié, Canyameres fut victime d'une dépression et Pérez-Jorba demanda à J. V. Foix de prendre en charge le mensuel ; le poète de Terrassa préféra la laisser mourir…

En juillet 1918, Pérez-Jorba édita donc sa propre revue : *L'Instant* (1918-1919). Le texte de présentation proclamait : « À cette épiphanie nous convions d'un cœur humble mais courageux ceux de la belle France aux blonds cheveux bouclés et ceux de la brune Catalogne aux bras vigoureux et forts. C'est aujourd'hui ou jamais qu'il faut se résoudre à se donner la main. *L'Instant*, dont le titre à lui seul est un symbole, ne demande qu'à se prêter au rapprochement intellectuel entre l'un et l'autre pays. » Avec une plus grande régularité et davantage de collaborateurs que *Plançons*, *L'Instant* publia huit numéros en six livraisons, pendant sa première époque, avec des textes de Reverdy, Apollinaire, Albert-Birot, Soupault, Aragon, Cendrars, López-Picó, Salvat-Papasseit, María Manent et Alfons Maseras, et des informations sur les revues *Trossos*, *Arc-Voltaic*, *SIC*, *Nord-Sud*, *Les Arts à Paris*, *Noi*, *La Revista*, *Un enemic del poble* et *Messidor*. Au mois d'août, elle reparut à Barcelone comme publication de l'imprimeur Joaquim Horta, avec une rédaction domiciliée Gran Via 613, siège des Galeries Laietanes. Ses collaborateurs en étaient presque les mêmes, mais son contenu s'orientait davantage vers le versant catalan. S'y ajoutaient des citations élogieuses de Charles Maurras et une affectueuse salutation lors de la reparution de la *Nouvelle Revue française*. Cinq numéros – plus luxueux et illustrés – parurent au cours de cette deuxième époque qui s'acheva à la fin du mois d'octobre 1919.

La revue *Terramar. Publicació quinzenal d'art, lletres i deports* (1919-1920) pourrait être considérée comme une suite de *L'Instant*. Créée sur les instances de Francesc Armengol, constructeur du quartier résidentiel qui donna son nom à la revue, dirigée par Josep Carbonell, *Terramar* présentait des poèmes de Pierre Albert-Birot, Pierre Reverdy, Tristan Tzara, Josep Carner, Joan Salvat-Papasseit, López-Picó, Trinitat Catasús, J.V. Foix, ainsi qu'une rubrique de livres consacrés aux lettres françaises, signée par Joan Pérez-Jorba, et même la transcription d'une conférence de Josep Maria Junoy sur les relations intellectuelles entre la Catalogne et la France (« Du présent et de l'avenir de l'esprit catalan appliqué spécialement aux lettres et aux arts »). Bien qu'éditée à Sitges, *Terramar* avait son siège à Barcelone.

Josep Carbonell, en compagnie du poète J.V. Foix, publia encore deux autres revues importantes : *Monitor* (1921-1923) et *L'Amic de les Arts* (1926-1929). D'après Vinyet Panyella, c'est dans la revue *Monitor* que Foix exprima clairement son idéologie politique, influencée par Charles Maurras, et « récapitulant pour la première fois la signification de l'avant-garde et en guise d'autocritique, il justifia son intervention à la recherche d'un nouveau classicisme, en insistant sur le fait qu'en Catalogne toute position d'avant-garde devait être motivée par l'esprit de construction [21] ».

L'Amic de les Arts, dit encore Panyella, « a été et est toujours une référence obligatoire pour les études d'histoire artistique et culturelle du XXᵉ siècle, spécialement quant aux avant-gardes en Catalogne et leur relation avec l'avant-garde internationale [22] ». Le premier critique d'art en fut M. A. Cassanyes, tâche qu'il hérita de *Monitor* [23] et à laquelle s'unirent bientôt Sebastià Gasch et Salvador Dalí. La collaboration de ce dernier et, à travers lui, de Federico García Lorca, constitua, ajoute Panyella, « une étape très importante dans la revue et dans les biographies artistiques respectives, au-delà de la relation particulière établie entre eux [24] ». De *L'Amic*, il convient de retenir, d'une part, son attention et sa collaboration aux médias culturels occitans, en particulier la revue *OC* [25] (1924-1931), et d'autre part, la poussée du groupe de critiques constitué par Lluís Montanyà, Sebastià Gasch et Salvador Dalí, influencé par les doctrines puristes de la revue française *L'Esprit nouveau* et par l'une des propositions techniques du surréalisme, matérialisée dans le violent « Manifest Groc [26] » et une série d'articles « d'anti-art ». Dalí, pour sa part, évolua vers des postulats de plus en plus proches du surréalisme, s'emparant de concert avec J.V. Foix, Sebastià Gasch et Lluís Montanyà du titre de *L'Amic* pour faire un numéro de présentation dans les milieux parisiens, tout juste avant d'assister à Paris au tournage, avec Luis Buñuel, d'*Un chien andalou*. À la sortie du film, Dalí publia encore le texte de sa conférence «Position morale du surréalisme» dans le dixième et dernier numéro de la revue *Hèlix* [27], de Vilafranca del Penedès, et un coup de chapeau spécial aux intellectuels catalans – représentés en partie par les rédacteurs de *L'Amic* –, dans le *Butlletí de l'Agrupament Escolar Academia Laboratori* : « Em plau insistir ultratje putrefacte pelut. Estop. Ultratju tembe especialment intelectuals catalans balancians i occitans » (« J'ai plaisir à insister outrage putride poilu. Stop. Outrage aussi spécialement intellectuels catalans valenciens et occitans [28] »). Précisément, Joan Ramon Masoliver, responsable d'*Hèlix*, dans un compte-rendu du film de Dalí publié dans le dernier numéro de la revue, affirmait de façon ironique que la seule façon de se défendre du surréalisme n'est pas de faire silence sur lui, mais de « lui barrer la route par une attaque intelligente, en s'appuyant sur ses propres découvertes. Je crois qu'une généralisation de la conduite de *Documents*, la revue française la plus intelligente, devrait être l'idéal des détracteurs du surréalisme ».

La Nova Revista (1927-1929) et *Mirador* (1929-1937), de la même façon que *Monitor*, furent deux revues d'idées, au contenu politique, qui vouèrent une attention particulière aux arts. Dans *La Nova Revista*, dirigée par le maurrassien Junoy, « converti à l'ordre », un « Panorama international des lettres et des arts », rédigé par lui-même, accordait une place privilégiée à la culture française, au point de publier un résumé annuel intitulé « L'any artístic a París » (« L'année artistique à Paris »). Les articles étaient assortis d'illustrations à la plume d'artistes catalans tels que E. C. Ricart, J. Mir, Sunyer, et de gravures de Salvador Dalí, Joaquim Torres-García, Feliu Elias, Josep de Togores, Joaquim Sunyer ou Francesc Domingo.

Pour sa part, *Mirador*, hebdomadaire culturel dirigé par Manuel Brunet et Just Cabot, consacrait une page à l'art, assurée par l'architecte Màrius Gifreda, relayé en 1933 par Enric Fernández Gual. En outre, des critiques comme Feliu Elias, Joan Cortés ou Sebastià Gasch s'exprimèrent avec une certaine régularité, développant d'intenses polémiques sur l'art d'avant-garde, et divers membres du GATCPAC disposèrent « d'une importante plateforme publique pour exprimer leurs idées sur l'architecture et l'urbanisme [29] ».

Le cent soixante-dix-neuvième numéro du magazine *D'Ací i d'Allà* (1918-1936), paru à Noël 1934, clôt un cycle d'assimilation des avant-gardes artistiques internationales en Catalogne. De surcroît, la couverture et un dessin au pochoir furent réalisés par Joan Miró. Coordonné par Joan Prats et José Luis Sert, représentants de l'association ADLAN (Amis de l'Art nouveau), pour le premier, et du GATCPAC (Groupe d'architectes et techniciens catalans pour le progrès de l'architecture contemporaine), pour le second, ce numéro contenait des articles de Christian Zervos, Carl Einstein et Blaise Cendrars, extraits des *Cahiers d'art*, des textes programmes des futuristes, des puristes, des néoplasticistes et des constructivistes russes, et des articles, respectivement, de José Luis Sert, J. V. Foix, Carles Sindreu, M. A. Cassanyes et Sebastià Gasch sur Le Corbusier, Dada, Joan Miró, Salvador Dalí et le sculpteur Angel Ferrant. Après la guerre civile, *D'Ací i d'Allà* devint une référence pour les jeunes générations à l'heure de rétablir le courant avec l'art d'avant-garde, autant national qu'international, dans une époque d'autarcie et d'isolement spirituel, matériel et culturel [30]. Grâce à ce numéro de *D'Ací*, Paris continua d'exister pour nos artistes. Dans ce sens, une fois de plus, les revues d'art ont voyagé pour nous.

(traduit du catalan par Mathilde Bensoussan)

La Nova revista, n°30,
Barcelone, juin 1929,
Barcelone,
collection particulière

Notes

1 Paris : *Ent'revues*, avec une préface de Françoise Levaillant, 1993. Cette étude contient, dans ses dernières pages, une fiche détaillée de toutes les revues étudiées.

2 Jaume Vallcorba Plana, *Josep Maria Junoy. Obra poètica*, Barcelone, Quaderns Crema, 1984, p. LIII-LX.

3 « Els futuristes. Encara una nova escola de pintura », *Picarol*, n° 2, 17 février 1912.

4 « Secció d'informació artística », *Picarol*, n° 5, 9 mars 1912.

5 « La retirada triomfal del *Picarol* », *Picarol*, n° 6, 16 mars 1912.

6 *Le Radical*, Paris, 22 février 1912.

7 Flama, « Imperialisme artístic. Per l'Art nacional », page artistique de *La Veu de Catalunya*, Barcelone, n° 215, 29 janvier 1914.

8 Joan Sacs, « El tema », *Revista Nova*, Barcelone, n° 33, 20 mai 1916.

9 *Iberia*, 22 mai 1915.

10 « Cel de França », *Iberia*, 6 octobre 1917.

11 Malgré les difficultés entraînées par sa première disparition, *Revista Nova* reparut en mai 1916, réduite à quatre pages, sans photos mais avec des bois et des linogravures directement tirés des excellents ateliers d'Oliva de Vilanova. Cette nouvelle étape, bimensuelle, comporterait quinze numéros, prenant la suite de la numéro-tation de la première époque, mais sans le soutien financier – du moins pas aussi ferme – de Santiago Segura qui, négligeant l'état déplorable du marché artis-tique, avait placé une grande par-tie de ses espoirs dans un nouveau projet : la publication de la revue *Vell i Nou* (1915-1919).

12 Emili Eroles, dans *Memòries d'un llibre vell* (*Cent anys de la vida d'un llibre*), Barcelone, 1971, p. 160-161, explique le finance ment d'*Un enemic* : « Ils cher-chaient des protecteurs dans tous les endroits, à l'exception des milieux intellectuels peu propices aux idioties et ne voulant rien savoir des "subversions spiri-tuelles". Ce qui fait que les prin-cipaux mécènes étaient un ven-deur de patates du marché de Santa Caterina, nommé Solà ; un croupier de casino, le fameux Picolín ; un barbier de la rue de l'Unió ; un fabricant de chaus-sures de la rue de Mercaders, ami de poètes et de journalistes et plus encore de la dive bouteille ; un célèbre journaliste qui, bien qu'abonné, ne donna jamais une peseta ; une maîtresse de maison close, qui ne savait ni lire ni écrire, mais qu'amusait la revue ; et finalement un fabri-quant de gramophones qui vou-lait se consacrer à la politique et croyait qu'en protégeant la presse il arriverait à se faire élire conseiller municipal. »

13 Tomàs Garcès, *Sobre Salvat-Papasseit i altres escrits*, Barcelone, 1972, p. 33.

14 « Revues et journaux », *L'Instant*, Paris, n° 1, juillet 1918.

15 *Ibid.*

16 Josep Maria Junoy, « Nòtules », *La Revista*, Barcelone, n° 61, 1er avril 1918.

17 Jaume Vallcorba Plana, *op. cit.*, 1984, p. LXXVIII-LXIX.

18 Comme l'observe avec pertinence Pascal Rousseau dans sa minutieuse étude « Les revues d'art catalanes pendant la Première Guerre mondiale », *La Revue des revues*, Paris, n° 20, 1995, p. 31, « ces emprunts successifs suscitent d'ailleurs la réserve des revues françaises qui reprochent à *Troços* ses importations abusives », tout en se référant à une note ironique parue dans le n° 30 de *SIC* (juin 1918) : « *SIC* serait heureux de voir une indication d'origine devant les morceaux qu'il plaît à *Trossos* de reproduire ou de traduire. »

19 Mouvement esthétique fondé par Pierre Albert-Birot, directeur de la revue d'avant-garde *SIC* et inventeur du mot « surréaliste ». Le « nunisme » est une école qui resta sans disciples attitrés. (N.D.T.)

20 Intitulé « Au seuil », le texte de présentation proclamait les inten-tions de la revue : « Nous nous présentons animés d'un même amour pour la France et pour la Catalogne. Voilà le principal motif qui a inspiré la création de cette revue. Pour rendre notre amour aussi efficace que possible, nous allons nous attacher de toute notre ferveur à resserrer les liens intellectuels entre l'un et l'autre pays. [...] Notre programme est cependant ouvert à tous les vents, à tous les soleils. [...] Notre revue n'est pas à proprement parler une revue de combat. »

21 J. V. Foix, *1918 i la idea catalana*, Barcelone, Edicion 62, 1989, p. 63.

22 Vinyet Panyella, *Josep Carbonell i Gener (1897-1979). Entre les avantguardes i l'humanisme*, Barcelone, Edicion 62, 2000, p. 120.

23 Assurément, Cassanyes avait publié, en 1922, un article dans la revue *Littérature* sur l'exposition de Picabia à Barcelone.

24 Vinyet Panyella, *op. cit.*, 2000, p. 130.

25 Sur le rapport artistique Catalogne-Occitanie, il faudrait signaler aussi le numéro spécial de la revue *Le Feu* (1923), consacré à la Catalogne, avec deux articles de Rafael Benet sur les arts catalans, et la publication marseillaise *Sud Magazine. Arts, monde, sports* qui, dans son n° 118 du 15 août 1934, annonce la « Première manifestation collec-tive d'art catalan célébrée en France » (cela, bien sûr, si nous ne tenons pas compte de la salle spéciale consacrée aux artistes catalans au Salon d'automne de 1920).

26 Ce manifeste littéraire d'avant-garde, publié en 1928 par Salvador Dalí, Lluís Montanyà et Sebastià Gasch, dénonçant le « noucentisme » et défendant les nouveaux courants artistiques liés au progrès, fut édité sur papier jaune, d'où le nom qu'on lui donna : « Manifest Groc », (« Manifeste jaune »). (N.D.T.)

27 N° 10, 1930. Dans cette conférence, Dalí expose de façon claire et catégorique les principes les plus orthodoxes du surréa-lisme.

28 2e année, n° 7-9, juillet-septembre 1930. Ce numéro rassemblait tout le matériel qui n'avait pu être publié dans le dernier numéro d'*Hèlix*.

29 J. M. Huertas, C. Geli, « *Mirador* », *la Catalunya imposible*, Barcelone, Proa, 2000, p. 83-85.

30 Le peintre et sculpteur J. J. Tharrats, membre fondateur de la revue *Dau al Set* (1948-1955), dans le numéro spécial de *Cuadernos de Arquitectura* consacré à l'ADLAN (Barcelone, 1970, n° 79), affirmait : « Notre point de départ fut le fameux numéro de *D'Ací i d'Allà* de l'année 34. Sa lecture fut aussi surprenante, je le suppose, qu'elle le fut au moment de sa parution. »

L'INSTANT

REVISTA QUINZENAL

E.C. Ricart

PUBLICACIÓ DE JOAQUIM HORTA

Any II - Núm. 2

RETOUR À L'ORDRE

PIERRE
PUVIS DE CHAVANNES
Jeunes filles au bord
de la mer, 1879
Paris, musée d'Orsay,
legs du comte Isaac de
Camondo (1911)

FRANCESC FONTBONA

NOUCENTISME ET RETOUR À L'ORDRE

Jean Cocteau, l'un des rares grands créateurs du XXe siècle que l'on ne peut classer sous aucune étiquette, puisqu'il ne fut ni cubiste, ni surréaliste, ni néoclassique, mais simplement Cocteau, inventa et mit en circulation en 1926 l'expression « rappel à l'ordre ». Naturellement, l'idée de Cocteau était complexe et raffinée ; *Le Rappel à l'ordre* était le titre général qu'il donna à un livre de 1926 qui recueillait des textes portant sur la création artistique qu'il avait publiés les années antérieures [1]. Dans ces textes, Cocteau se montrait désabusé par la modernité voulue, déclarée, cosmopolite, et il se méfiait des « modernes » qui surprenaient le public – disait-il en employant une image très expressive – par une débauche de coloriage sur un tissu ancien au lieu de se consacrer à en tisser un de neuf [2], c'est à dire qu'au lieu de moderniser les structures, ils se contentaient de faire de la pyrotechnie superficielle.

Mais l'expression « rappel à l'ordre » se figea en se simplifiant, comme cela se produit généralement dans le processus de vulgarisation d'un concept ; Cocteau lui-même avait déjà signalé que, lorsqu'avec Max Jacob, ils disaient qu'ils voulaient fonder la ligue antimoderne et qu'ils provoquaient le public en proposant la disparition des gratte-ciel et la réapparition de la rose, ils n'avaient pas été compris, et « la rose » était revenue, ce qui était exactement le contraire de ce qu'ils voulaient en réalité [3]. C'est pour cette raison que, généralement, nous nous référons aujourd'hui au rappel à l'ordre ou au retour à l'ordre non avec la signification complexe et totalisante que lui donna Cocteau, mais plutôt pour désigner essentiellement un aspect de la création artistique qui exista réellement, bien qu'il fût englobé dans une problématique plus générale : l'assoupissement de l'esprit créateur provoqué au cours de la première moitié du siècle par le reflux des tendances esthétiques les plus effrénées. Et je parle au pluriel parce qu'en réalité, il y aura un retour à l'ordre en Europe après la première vague des avant-gardes, comme il y avait eu un retour à l'ordre en Catalogne après le « modernisme », et comme aussi nous aurions pu parler auparavant d'un

retour à l'ordre après l'éclat de lumière et de couleurs de l'impressionnisme en France, car en fait, tout dans la vie, et par conséquent aussi dans l'art, oscille entre le flux et le reflux, entre le flamboiement et la récapitulation.

À la fin du XIXe siècle et au début du XXe, il y a dans l'art français et dans l'art catalan, ou si l'on préfère dans l'art de Paris et dans l'art de Barcelone, diverses explosions artistiques échevelées suivies de réactions constructives et sereines. Nous sommes souvent enclins à considérer positives les premières et négatives les secondes, mais nous laisser entraîner dans cette vision serait tomber dans un manichéisme trompeur, car même si l'idée de rupture féconde ou de folie créatrice a beau être attirante dans le domaine artistique, elle ne doit pas posséder le monopole de la valeur artistique que nous lui donnons, si souvent, tacitement. L'art est une production humaine qui, au moyen d'une technique, – plus elle sera maîtrisée, mieux cela vaudra –, engendre une communication, une réflexion et également – ne l'oublions pas – un plaisir esthétique, et ceci sans l'exclusion d'aucun courant. Pablo Picasso écrivit, dès 1929, dans un de ses rarissimes textes théoriques, un article particulièrement incisif et clairvoyant publié dans la revue barcelonaise *D'Ací i d'Allà*, où il affirmait que « celui qui chercherait, dans les tendances de l'art moderne, une direction précise et unique se consacrerait à une recherche inutile [4] ».

Dans une histoire de l'art contemporain comme celle qui nous a été exposée pendant très longtemps, dominée par le culte de l'aventure, dans laquelle semblent n'avoir vécu que quelques « ismes », l'existence d'un certain nombre de courants « normatifs » peut surprendre, paraître étrange ou bien inadéquate. Mais la vérité c'est que, quand le « modernisme » atteignait son apogée en Catalogne, simultanément une nouvelle tendance de signe esthétiquement antithétique qui prendrait le nom de « noucentisme » y prenait corps, et à Paris, les mêmes années, lorsque selon tous les manuels conçus *a posteriori* on se devait de faire du cubisme, il y avait des créateurs qui cherchaient leurs

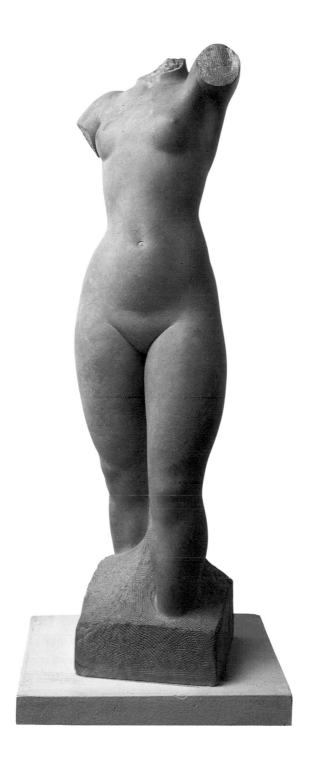

JOSEPH BERNARD
Jeune fille à la cruche, 1912
Cambrai, musée municipal
(Barcelone seulement)

PABLO GARGALLO
Torse de jeune fille, 1933
Issy-les-Moulineaux,
collection Jean Anguera

voyait dans les dessins et gravures de Xavier Nogués, ou dans ses peintures murales à la fois grotesques et dépouillées du cellier des Galeries Laietanes de 1915 (elles sont aujourd'hui en grande partie conservées au musée d'Art moderne de Barcelone-. Beaucoup d'autres peintres, sculpteurs, graphistes, céramistes, bijoutiers et aussi des architectes – bien que l'architecture nou-centiste tardât plus longtemps à s'épanouir, à l'exception de la contribution originale de Rafael Masó à Gérone – contribuè-rent au développement d'un mouvement artistique qui semblait inonder, avec un enthousiasme évident, la Catalogne entière. Et de grands noms de l'avant-garde future s'adonnèrent également, à un moment ou à un autre, à cette sereine conception d'un art dépouillé, casanier, caractéristique du noucentisme. Je pense à Picasso qui se rend à Gósol en 1906 et y culmine son époque rose en réalisant des nus dans un goût populaire stylisé [19] – avant donc, sa retentissante aventure cubiste –, mais aussi, une ving-taine d'années plus tard, à Dalí qui mélangeait le divisionnisme et le noucentisme dans des œuvres comme *Baigneuses sur la plage du Llané*, de 1923 (collection particulière), ou pratiquait carré-ment un style noucentiste dans les célèbres portraits de sa sœur Ana María de dos (1925).

Cet idyllique équilibre entre tradition et modernité – bien mis en évidence par la dualité de la sculpture de Pablo Gargallo, où coexistaient les figures classiques et les formes les plus nova-trices depuis au moins 1907 (il faisait souvent lui-même une synthèse entre les deux tendances) – dura peu de temps, de même que dura peu de temps l'équilibre entre le monde intellectuel et le monde politique. La mort en 1917 d'Enric Prat de la Riba, président de la Mancomunitat de la Catalogne, et tout un enchaînement d'événements politiques graves qui se produisirent la même année à Barcelone et dans tout l'État espa-gnol provoquèrent une crise générale qui eut comme consé-quence pour le noucentisme la perte de son hégémonie culturelle en Catalogne. Malgré tout, le mouvement continua à y être très présent jusqu'à la guerre civile de 1936-1939, et même au-delà, mais dans ces nouvelles étapes de l'histoire culturelle de la Catalogne, il ne serait plus le style artistique et littéraire catalan par excellence comme il l'avait été dans la deuxième décennie du XXᵉ siècle.

(Traduit du catalan par Eliseu Trenc)

Notes

1 Jean Cocteau, *Le Rappel à l'ordre*, Paris, Stock, 1926.

2 *Ibid.*, p. 185-186.

3 *Ibid.*, p. 246.

4 Pau (*sic*) Picasso, «L'art modern», *D'Ací i d'Allà*, Barcelone, n° 140, août 1929, p. 257.

5 Voir le catalogue de l'exposition «La Bande à Schnegg», Paris, musée Bourdelle, 1974. C'est justement une œuvre d'un membre de ce groupe formé autour de Schnegg – un buste d'enfant du sculpteur Albert Marque –, exposée au Salon d'automne de 1905 au milieu des stridentes peintures de Matisse, Derain, Manguin, Marquet ou Puy, qui provoqua la fameuse phrase du critique d'art Louis Vauxcelles : «Donatello au milieu des fauves.»

6 Joaquim Torres-García, «La nostra ordinació i el nostre camí», *Empori*, Barcelone, 1re année, n° 4, avril 1907, p. 188-191.

7 Joaquim Torres-García, *Historia de mi vida*, Montevideo, 1939. Édition utilisée, Paidós, Barcelone-Buenos Aires-Mexico, 1990, p. 62.

8 *Ibid.* «Il essaya donc de s'éloigner de Puvis, pour se rapprocher davantage de la source de la tradition : l'art grec.» Dans ses mémoires, Torres-García parle de lui-même à la troisième personne.

9 C'est ce que signale Narcís Comadira dans «Sunyer, 1908-1918 : una dècada prodigiosa», *Joaquim Sunyer. La construcció d'una mirada*, Barcelone-Madrid, Museu d'Art modern, MNAC/Fundación Cultural MAPFRE VIDA, 1999, p. 58, qui défend l'idée selon laquelle l'inflexion méditerranéenne du peintre naquit en réalité à Paris.

10 Mercè Doñate Font, «Josep Clarà, escultor», *Clarà. Catàleg del fons d'escultura*, Barcelone, MNAC, 1997, p. 24-25.

11 J'ai décrit ce panorama dans Francesc Fontbona, *El paisatgisme a Catalunya*, Barcelone, Destino, 1979, p. 230-241.

12 Raymond Escholier, *Matisse, ce vivant*, Paris, Arthème Fayard, 1956, p. 68 : «Automne de 1904, printemps de 1905 ; la période de Collioure vient de s'ouvrir, qui marque pour Henri Matisse l'étape décisive.»

13 Guillaume Apollinaire, *Chroniques d'art (1902-1918)*, Paris, Gallimard, 1960, p. 301.

14 Pierre Brune, *L'École de Céret. La découverte de Céret par Manolo*, musée d'Art moderne de Céret, Céret, 1954, p. 5-6.

15 À ce sujet, il faut rappeler que l'on aurait parlé de l'idée de faire une édition française de *La Ben Plantada*, charismatique roman d'Eugeni d'Ors, avec des illustrations de Maillol, projet qui échoua, semble-t-il, en raison du refus de Maillol de collaborer avec l'écrivain à cause de ses idées germanophiles ou bien à cause de son départ de la Catalogne. (Eugeni d'Ors lui-même explique l'affaire qui apparaît publiée dans Enric Jardí, *Eugeni d'Ors. Vida i obra*, Barcelone, Aymà, 1967, p. 257).

16 Maurice Denis, «Arístides Maillol», *Lectura*, Gérone, n° 1, 1er juillet 1910, p. 13-16.

17 Prudenci Bertrana, «Arístides Maillol», *La Pàtria*, Barcelone, n° 4, 1er juin 1914, p. 1. J'ai déjà exposé ces arguments dans mon travail : Francesc Fontbona, «El primer Noucentisme en l'art», *Noucentisme i ciutat*, Barcelone, Centre de Cultura Contemporània de Barcelona-Electa, 1994, p. 73-77, texte auquel je renvoie le lecteur intéressé.

18 Opinion transcrite dans une note de la rédaction de *Lectura*, en préambule à l'article de Maurice Denis cité.

19 N'oublions pas qu'en 1910, lorsque Eugeni d'Ors prépare le très représentatif *Almanach dels Noucentistes*, Barcelone, Joaquim Horta, 1911, il y inclut un dessin d'acrobates de Picasso de 1905.

L'IDÉAL NOUCENTISTE

JOAQUIM SUNYER
Pastorale, 1910-1911
Barcelone, Generalitat
de Catalunya,
Arxiu Joan Maragall

ALÍCIA SUAREZ ET MERCÈ VIDAL

L'idéal noucentiste

Définir un projet moderne

Vers la fin de l'automne 1911, Joaquim Folch i Torres, le critique d'art de *La Veu de Catalunya*, était tout à fait explicite lorsqu'il affirmait, en commentant l'exposition d'Enric Casanovas : « Après Josep Clarà, après Torres-García, après Joaquim Sunyer, les statues de Casanovas viennent nous dire que notre art s'oriente progressivement vers les idéaux de concrétion et de pureté, quittant une période d'un demi-siècle placée sous l'empire du réalisme et de l'impressionnisme [1]. » En effet, ce que l'on avait commencé à formuler sous l'appellation de « noucentisme » (« neuf-centisme ») en 1906 – lorsque le philosophe et écrivain Eugeni d'Ors, alias Xènius, avait commencé son « Glosari » (« Glossaire »), dont le projet était de mobiliser toute une génération d'intellectuels et d'artistes pour faire de la Catalogne un pays moderne – commençait alors à devenir réalité. Le noucentisme se caractérise donc par cet engagement dans le nouveau siècle, le vingtième, et par les distances prises par rapport à certaines attitudes « fin de siècle ».

Le noucentisme, chronologiquement, débute vers 1906 et dure – avec des hauts et des bas – jusqu'au début de la guerre civile, en 1936. Ce sont des années pendant lesquelles on a l'ambition politique et culturelle de construire un vrai pays. La Catalogne aspire à recouvrer – vis-à-vis du gouvernement centraliste de l'État espagnol – son autonomie. La Mancomunitat de Catalunya [2], créée en 1914, sera l'organisme qui conduira ce projet politique et culturel, projet qui sera poursuivi, dans plusieurs domaines, par la Generalitat [3] républicaine, dans le cadre de la deuxième République espagnole. Il s'agit d'une intention de modernité qui prend pour modèle de référence, comme on l'affirmera à plusieurs reprises, « les pays avancés d'Europe ». C'est donc une période où l'idéologie nationaliste prend une vitalité intense et pèse fortement tant sur le domaine politique que culturel. Mieux encore, nous sommes face à une politique culturelle qui détermine un large éventail d'actions. Le parti politique qui oriente ce travail est la Lliga regionalista [4] qui, conduit par Enric Prat de la Riba, obtient la victoire aux élections générales de 1901. Ainsi, cette période historique des premières décennies du XXe siècle donne au noucentisme, à travers la dynamique sociale et politique qui se produit en Catalogne, un caractère particulier puisque, d'une part, il suscitera – dans le secteur intellectuel – le militantisme ou l'adhésion au projet et, d'autre part, il maintiendra la tradition comme élément clé de son programme de modernité.

La volonté civique de réussir à transformer tout le pays pèse de façon décisive. C'est donc dans un esprit constructif que l'on aspire à faire de la cité – il s'agit surtout de Barcelone, même si le mot « cité » prend aussi la valeur métaphorique de pays – une grande capitale européenne, cosmopolite et avancée, animée d'un profond désir de modernité dynamique et cultivée, en accord avec le XXe siècle [5]. Et, dans le domaine de la politique culturelle, le noucentisme aspire à la construction d'une certaine culture moderne, fondée sur l'idéal national et civique, associé à la revendication de la tradition.

Parmi toutes ces affirmations de principes, cet élément sera déterminant, en particulier parce que la prise de conscience de la valeur du milieu urbain jouera un rôle fondamental dans le déploiement des idéaux nationaux et modernes. Dans les textes des programmes, l'appel à la « civilité » est fréquent, comme lorsque Xènius, dans une de ses gloses de 1906, écrivait : « De façon aussi fragmentaire, aussi confuse que l'on voudra, il faut reconnaître que les noucentistes ont formulé, dans l'idéalité catalane, deux mots nouveaux : *Impérialisme*, *Libre arbitre*. Ces deux mots débouchent sur un seul : *Civilité*. L'œuvre du Noucentisme en Catalogne est – ou plutôt sera – *l'œuvre civiliste* [6]. » Il en découle clairement que ce sera la vie en collectivité, avec tout ce qu'elle implique : participer à la vie civile, s'entourer d'un habitat caractéristique et en même temps conçu dans les règles de l'art, avec des bibliothèques, des musées, des écoles, des monuments… qui déterminera la vie moderne. En ce sens, on accorde à l'artiste le rôle de porte-parole de la collectivité et à l'art la valeur d'art utile. Dans le noucentisme, une reconnaissance mutuelle se produit donc entre l'art et la société.

FIG. **JOAQUIM TORRES GARCÍA**
La Catalogne éternelle
(frise du salon Sant Jordi
du Palais de la Generalitat
de Catalunya), 1913
Barcelone, Generalitat
de Catalunya

La « beauté publique »

Très vite, dans la critique d'art, on parlera d'une catégorie esthétique équivalente à celle de la « civilité » tant de fois exprimée par Eugeni d'Ors. Il s'agit de la « beauté publique », qui pouvait devenir le domaine de matérialisation de l'idéal noucentiste. Joaquim Folch i Torres fait souvent observer, par exemple, que « les éducateurs des peuples et de l'Europe qui parlent de la transcendance de la Beauté publique disent bien la nécessité d'habiter les passants à la perfection et perçoivent bien les quantités de bonheur et de force civique que l'on gagne à contempler constamment des choses utilement belles[7]… » Si c'est dans l'espace façonné par l'esprit humain pour la vie moderne, urbaine, que la « beauté publique » peut matérialiser l'idéal, c'est l'artiste qui, au sein de la communauté, peut participer à sa construction, et il le peut grâce à la qualité d'artiste que le noucentisme lui confère. Dans les colonnes de *La Veu de Catalunya*, plus d'une fois, on lance des appels à collaborer à cette œuvre collective par laquelle l'art peut atteindre l'utilité moyennant l'embellissement de l'espace public, du domaine urbain. Le discours encourage les genres les plus à même de réaliser cette « beauté publique ». Des genres qui donnent une cohésion et qui déterminent, en définitive, le projet noucentiste lui-même. On encourage la sculpture publique, la peinture murale et l'art des jardins, en passant par de nombreux métiers d'art grâce auxquels se produit, simultanément, la rénovation des enseignements artistiques. Ce sont là les aspects les plus originaux de l'idéal noucentiste.

La série de commentaires en faveur de la peinture murale publiés dans la page artistique de *La Veu de Catalunya* – surtout à partir de 1911, lorsque paraît également le célèbre *Almanach dels Noucentistes*[8] – et dont se font l'écho d'autres organes de presse comme *La Publicidad*, *Vell i Nou* ou *Revista Nova*, atteindront leur point culminant dans la revue créée en 1914 par Torres-García, la *Revista de la Escola de Decoració*. Tous sont en parfaite résonance avec la volonté régénératrice qui conforme le projet noucentiste : « Notre époque – dit-on – est une époque d'affirmation, une époque constituante ; et nous croyons vraiment que c'est nous, les gens de la nouvelle génération, qui ouvrirons, dans un beau labeur collectif, un chemin d'affirmations définitives et qui, déjà, sommes en train de semer la graine d'un futur fruit splendide. […] Et maintenant, tous ceux qui croyons et agissons selon un idéal et une tradition de classicisme, nous pourrons, tous ensemble, accomplir une œuvre bonne et prompte[9]. »

« Unis autour de Martí Casanovas, nous avons également reçu l'appui de Joaquim Folch, de V. Solé de Sojo et de Romà Jori qui, dans la critique artistique de Barcelone, ont pris la même orientation que nous et suivent le même chemin[10]. »

La peinture murale, surtout, prend le caractère d'élément emblématique puisqu'elle est principalement destinée à des édifices publics – l'une des commandes officielles les plus explicites en ce sens est celle faite à Torres-García pour le Saló de Sant Jordi[11] – mais aussi parce qu'elle participe aux courants prétendument modernes de parvenir à « rendre beau l'utile ». Le Saló de Sant Jordi est l'une des premières réalisations plastiques où sont présentés les idéaux classicistes de Xènius et de Torres-García. Deux éléments essentiels y sont combinés : la peinture murale et l'Arcadie classique. L'Italie y apparaît comme référence au passé, à la tradition des terres méditerranéennes, mais on y décèle aussi l'influence de Puvis de Chavannes – exprimée par Torres-García lui-même et dont il sera question plus loin.

La sculpture publique

« Les artistes doivent être les constructeurs idéaux de la cité [...]. La cité est l'œuvre d'art première qui commence par le tracé de ses rues et places, qui se poursuit par l'embellissement extérieur des édifices et s'achève par la décoration de chacun de ses salons et de chacune de ses pièces [12] », affirmait, à son retour d'Italie, l'artiste Josep Aragay qui, peu de temps auparavant, avait mené à terme la décoration de la fontaine de Santa Anna, l'une des plus connues de la ville. En fait, il répondait à l'appel que la critique avait commencé à diffuser sur cet idéal de « beauté publique » auquel, logiquement, les sculpteurs devaient aussi contribuer. Si Joaquim Torres-García était le peintre paradigmatique du classicisme, pour qui l'on réclamait des murs à anoblir, en matière de sculpture c'est, au début, Josep Clarà, qui dès 1910 fut proclamé porte-drapeau parce que ses œuvres étaient la « réédification d'une beauté antique [13] ».

Dans de nombreuses tribunes – *La Cataluña*, *La Publicidad*, *Vell i Nou*, *La Revista*, *Picarol* et la page artistique de *La Veu de Catalunya* –, on place Clarà au premier plan et, autour de lui, de jeunes sculpteurs comme Borrell Nicolau, Esteve Monegal, Enric Casanovas, les frères Oslé ou Otero, afin que les instances publiques leur passent des commandes, contribuant ainsi à l'esthétique de l'espace urbain, tout en assurant la relève des sculpteurs désormais dépassés. « Il faut – peut-on lire – que les responsables municipaux se rappellent que, parallèlement au renouvellement de la ville, l'art a, lui aussi, subi un renouvellement. » Et on finit par poser cette question : « Faudra-t-il que les groupes d'artistes d'aujourd'hui réclament la place qui leur revient de droit dans le travail d'embellissement de la ville [14] ? » Un appel qui n'a été entendu que lorsque les travaux de modification de la ville, entrepris en vue de l'Exposition internationale de 1929 – à une époque déjà bien tardive –, ont conduit à viabiliser la place de Catalogne, à aménager les palais de Pedralles et Montjuïc, où la présence d'une statuaire publique devint réelle. Et, là encore, on constate que la sculpture reste attachée à l'idéal du classicisme ainsi qu'au lien avec la tradition populaire. En ce sens, le thème de la révision attentive du monde rural doit être interprété, lui aussi, en accord avec le primitivisme qui anime bon nombre des recherches plastiques de l'époque.

L'art des jardins

À côté de la peinture murale et de la statuaire publique, l'art des jardins est l'un des apports les plus significatifs de l'idéal noucentiste de « beauté publique ». Il était présenté sous la devise fondamentale du libre arbitre : « œuvre et architecture de Saint Libre Arbitre », écrivait Xènius dans l'une de ses gloses. C'était la manifestation par laquelle on pouvait s'éloigner de la nature sauvage des romantiques et, par l'action de l'homme exerçant son libre arbitre, la transformer en nature domestiquée, en œuvre d'intelligence. Et, en ce sens, on fait souvent allusion à l'œuvre de Le Nôtre qui, de plus, avait réussi à latiniser tout le Nord et pour lequel Eugeni d'Ors montra un intérêt particulier : « Le Nôtre fut un merveilleux artiste du libre arbitre. [...] Il n'a rien exclu dans ses créations, mais il en soumet les éléments à son empire et à sa hiérarchie. La Raison au-dessus de tout. En dessous la nature et la culture – le paysage et la tradition –, soumises [15]. » L'art des jardins permettait également de récupérer toute une série d'éléments naturels qui parviendraient à conformer le jardin latin, le jardin méditerranéen, et même de le retrouver dans les modèles que la tradition avait perpétués, depuis l'*hortus conclusus* de certaines maisons, les cours caractéristiques – « Le jardin est un jardin clos, une transformation de la cour, un intermédiaire entre l'architecture et le paysage [16] »,

JOAQUIM TORRES GARCÍA
Temple des nymphes,
vers 1911
Barcelone, collection
Julia Corominas
(Barcelone seulement)

signale Folch i Torres – jusqu'à ce jardin bien ordonné qui entoure les fermes, avec la treille ou la galerie voûtée, avec le puits ou la citerne, ou les simples pots fleuris.

L'art des jardins devient réalité avec l'arrivée de Jean-Claude Nicolas Forestier, conservateur des parcs de Paris – à qui l'on a fait appel pour aménager toute la montagne de Montjuïc lorsqu'on commença à songer à l'organisation de l'Exposition des industries électriques, qui deviendra plus tard l'Exposition internationale de 1929 – et de l'architecte paysagiste Nicolau Rubió i Tudurí, son assistant, et bientôt directeur des Parcs et Jardins de la mairie de Barcelone. Cette activité artistique sera poursuivie par d'autres architectes paysagistes – Joan Mirambell, Artur Rigol, A. Puig Gairal et J. M. Pericas… – et instituée comme spécialité à l'École supérieure des beaux-métiers, créée en 1914.

Si l'art des jardins est un modèle permettant à l'idéal noucentiste de projeter les qualités d'agencement et d'arbitrage de l'homme, c'est aussi le cas de la peinture de paysage qui donne une image ordonnée et placide de la nature, la transformant en un véritable jardin méditerranéen, en opposition avec la nature exubérante et sauvage des romantiques.

Les métiers artistiques

Parmi les activités qui, par leurs qualités particulières, concourent à l'idéal de rendre beau l'utile, on redécouvre quelques métiers d'art. Bien que certains d'entre eux aient pris leur essor grâce au modernisme [17], en s'appuyant sur l'évocation du monde médiéval, ils solliciteront désormais la tradition locale et l'humanisme. Plusieurs de ces métiers artistiques – tels que le sgraffite, la terre cuite, la céramique… – trouvent leur application directe dans l'architecture et jouent un rôle semblable à celui de la peinture murale. D'autres – comme la gravure sur bois, si courante et populaire au XVIIIe siècle – possèdent ce caractère de lien avec la tradition. L'appel souvent lancé par la critique d'art à «l'œuvre bien faite» répond – ainsi que la formation elle-même, donnée par l'École supérieure des beaux-métiers – à l'idée que l'artiste doit devenir un professionnel ayant la volonté de transformer ces métiers en objets esthétiques dépositaires d'une identité propre et, en même temps, capable de les faire valoir dans une société de marché. Dans cette perspective, l'architecture des groupes scolaires projetés par l'architecte Josep Goday possède, dans l'application de sgraffites, de terres cuites, de décorations en céramique… réalisés par l'artiste Francesc Canyellas, l'un des exemples les plus emblématiques de cet idéal de faire de l'école une «école belle», dans le sens de «beauté publique».

Ainsi que nous l'avons indiqué, le noucentisme fonde son projet moderne sur la tradition. Il faut donc s'y référer plus en détail puisqu'elle constitue l'une de ses ambitions essentielles et un élément clé du projet lui-même.

La tradition classique

Parmi les différents concepts à partir desquels Xènius configure peu à peu les lignes directrices du programme noucentiste, l'un des plus fréquemment affirmés est le classicisme. Celui-ci est décrit comme une longue tradition partant du monde gréco-latin et qui a été interrompue par les attitudes romantiques. Le noucentisme, quant à lui, se présente comme la restauration de cette tradition face au XIXe siècle et, en particulier, contre la fin de siècle, décrite comme une période de décadence et de décomposition, d'anarchisme et de sensualité maladive [18]. Par opposition, Xènius défend le «nouvel idéalisme» – le noucentisme – et ce nouvel idéalisme suppose une nouvelle orientation vers des idées concrètes : le catalanisme, l'européanisme et la tradition. Et la tradition se situe en Méditerranée. Les fouilles d'Empúries [19], commencées en 1907 par Puig i Cadafalch, renforceront cette ligne de pensée. C'est pourquoi Xènius ne se prive pas de mentionner dans son «Glosari» la découverte d'une tête de Vénus à qui il consacre une «petite prière» : «Veuille bien, au nom du souvenir et de l'amour de l'ancienne Catalogne grecque, donner un sens classique à la Catalogne moderne égarée [20].» Et c'est l'image de cette pièce qu'il choisira pour ouvrir l'*Almanach dels Noucentistes*. Car c'est dans cette tradition classique méditerranéenne que l'on retrouve l'origine mythique pouvant légitimer les idéaux noucentistes.

Le projet noucentiste de faire de la Catalogne un pays moderne, un pays du XXe siècle, ainsi que l'européanisme professé, font que les modèles de référence se trouvent dans les pays avancés d'Europe ; et sur le terrain artistique, le modèle de référence essentiel est Paris. Tout d'abord parce que – c'est un lieu commun de le dire – jusqu'à la Seconde Guerre mondiale, Paris est la capitale artistique du monde. De plus, en Catalogne, en particulier depuis le modernisme, une relation avait déjà été établie, favorisée par la proximité géographique, la relative facilité de communication linguistique et même pour des questions liées au catalanisme qui faisait que l'on préférait Paris comme capitale, plutôt que Madrid.

C'est de Paris que provient cette défense de la restauration classique. Le poète d'origine grecque Jean Moréas, fondateur de l'École romane (1891), en est la principale référence [21], comme l'explique Xènius dans les gloses qu'il lui consacre à l'occasion de sa mort [22], dans lesquelles il insiste sur le rôle qu'il a joué en faisant prendre conscience à la France de sa tradition hellénique. Il parle de vastes conséquences idéologiques et signale que l'œuvre de Moréas a produit un changement important d'«échelle des valeurs».

Il est évident que sur le plan idéologique cette échelle de valeurs représente, pour le noucentisme qui cherche un antidote contre la révolution, un moyen de neutraliser la conflictualité sociale. Le classicisme, avec ses valeurs d'équilibre, d'ordre, de mesure, de raison et d'harmonie, représente une base utile pour la cohésion sociale et la création culturelle [23].

Dans la plastique noucentiste, c'est en sculpture que ce classicisme s'appliquera le mieux, dans la lignée d'Aristide Maillol qui, outre qu'il est un artiste catalan – roussillonnais –, ouvre, face à Auguste Rodin, une voie de modernité tout en restaurant et en épurant un classicisme délivré de l'académisme. Enric Casanovas et Josep Clarà – nous l'avons déjà dit au début – seront les sculpteurs les plus éminents du noucentisme.

En ce qui concerne la peinture, cet idéal classique s'incarne dans l'œuvre de Joaquim Torres-García qui le défend également par ses textes et sera l'auteur de l'un des ensembles picturaux les plus emblématiques du noucentisme : la décoration murale du Saló de Sant Jordi. Là encore, le lieu de référence est la France, comme le manifeste Torres-García : « Chez nos voisins français, un méridional comme nous, le grand Puvis de Chavannes, a réalisé la même chose que nous devrions réaliser. Il a greffé sur la culture gréco-latine le génie de sa race [24]. » Torres-García avait eu l'occasion de connaître l'œuvre de Puvis de Chavannes à la bibliothèque du Cercle artistique de Sant Lluc et à Barcelone même, lors de l'Exposition internationale des beaux-arts de 1907, ainsi qu'à Paris, en 1910, sur le chemin de Bruxelles, où il avait travaillé au pavillon de l'Uruguay de l'Exposition universelle où furent également exposées des œuvres de Puvis.

La tradition populaire

Dans la peinture murale de Torres-García se conjuguent deux des idéaux noucentistes : la tradition classique avec la fonction sociale de l'art qui s'inscrit dans cet idéal professé de « beauté publique ». Sur cette voie, il va créer une École de décoration d'où sortira un artiste éminent de la peinture murale : Josep Obiols, accompagné d'un groupe de jeunes artistes [25]. Cependant, le programme noucentiste suppose la prise en compte d'un autre idéal pour l'art. Xènius l'écrit, précisément dans le texte de présentation de l'exposition de Torres-García à la galerie Dalmau, en 1912, où il parle du « double effort que nous avons dû accomplir, pour être d'abord "classiques" et immédiatement après "authentiques" ou typiques, dévots de l'archétype et dévots du catalan [26] », et donne en exemple deux œuvres : *Pallas portant la philosophie à l'Hélicon où elle devient la dixième muse*, puis le tableau *La Mula (Le Mulet)*, justement dédié à Xènius par le peintre.

C'est surtout Joaquim Folch i Torres qui plaidera en faveur de cette voie, considérée comme celle d'un art national. Dans les pages de *La Veu de Catalunya*, il écrira une série d'articles où il insiste sur ce thème et où il établit qu'il « faut chercher dans l'œuvre humble les ingrédients de notre pureté latine originale [27] » et que « la ruralité conserve le plus précieux de tout ce qui nous est propre [28] ». Les campagnes de Folch i Torres pour la défense d'un art national, partant de l'art populaire, auront une incidence particulière sur l'architecture qui prend comme modèle une forme vernaculaire – la *masia* [29] –, ainsi que dans le renouveau des métiers d'art. En peinture, l'accent mis sur l'art populaire se traduira en particulier dans des aspects iconographiques tels que le paysage local, des scènes de la vie paysanne ou des natures mortes où sont présents des objets de l'art populaire liés à cet idyllique monde rural. Quant à la réalisation picturale, la référence sera, cette fois-ci, Paul Cézanne. Rafael Benet [30] l'exprime clairement dans un article de 1918 destiné à fêter la fin de la guerre, quand, après avoir fait l'éloge de la peinture française, il écrit : « Salut au maître d'Aix-en-Provence, maître des structures intelligentes, père du mouvement pictural de Catalogne. Salut à Cézanne, celui qui créa une œuvre classique à notre époque et qui la créa dans la douleur, comme se font toujours les grandes conceptions. » Et il finit par dire que la Catalogne, « reconnaissante de la grande leçon de la peinture française, savoure, comme si c'était la sienne, la victoire de l'*Esprit de Paris* sur toutes les barbaries, sur toutes les inélégances. *Vive la France Éternelle* [31].

En effet, Cézanne, avec sa recherche d'un ordre pictural partant de la nature, son obsession pour parvenir à une synthèse entre sensibilité et intellect, sa préoccupation pour la structure, son œuvre liée à l'aire méditerranéenne et son désir de refaire Poussin, semble être le modèle idéal. Dans cette lignée, Joaquim Sunyer apparaîtra comme le meilleur représentant du noucentisme. Sunyer est salué par la critique comme la première pierre d'une école de peinture proprement catalane. On apprécie en lui la tradition méditerranéenne, la modernité – dans la lignée de Cézanne – et ce que Joan Maragall avait appelé une « sensation de catalanité ».

La tradition populaire que l'on retrouve régulièrement, aussi bien dans les travaux liés à la « beauté publique » que dans d'autres manifestations artistiques, s'attribue toujours cette sorte de regard qui récupère les essences en tant qu'essences nationales et, à travers elles, l'idéalité propre.

Le noucentisme :
retour ? rappel à l'ordre [32] ?

Quand il s'agit de situer le mouvement noucentiste dans le contexte international, les concomitances avec ce que l'historiographie a fini par admettre sous l'appellation de « retour à l'ordre » ne passent pas inaperçues. Il faut évidemment accepter que les composants nationalistes et conservateurs qui défendent le classicisme et la tradition coïncident. Même la valorisation de Puvis de Chavannes et de la peinture murale, la perception la plus classique de Cézanne, de la sculpture de Maillol et jusqu'à la vision idyllique du monde rural sont des tendances qui apparaissent dans toutes les manifestations internationales sur le retour à l'ordre.

Mais il faut aussi souligner qu'il existe certaines questions spécifiques qui séparent le noucentisme des courants du retour à l'ordre. La première et la plus importante est le cadre politique. Le noucentisme est le projet de modernité d'une bourgeoisie nationale confrontée à un état centraliste et arriéré, et évidemment bien loin de la situation dramatique de la Grande Guerre qui, en France, provoque la réaction conservatrice et nationaliste qui pousse au retour à l'ordre [33]. D'autre part, un tel rappel à l'ordre ne se justifie pas non plus en Catalogne où il n'y a pas d'avant-garde radicale contre laquelle pourrait se dresser le noucentisme. Bien au contraire, son désir de modernité l'amène à s'opposer à l'académisme le plus « vieux jeu » et semble même pouvoir lui assurer une certaine connivence avec l'avant-garde [34].

En ce sens, lorsque se tient à Barcelone, en 1912, la deuxième manifestation d'art cubiste en dehors de la capitale française, la critique d'art catalane accueille l'événement avec intérêt. Elle y est poussée par deux raisons fondamentales. D'une part, elle voit dans le cubisme ce que la critique française avait déjà mis en évidence : une « école dans la tradition française », une démarche semblable à celle d'« école catalane » ou d'« école méditerranéenne » – pour utiliser l'expression de Josep Maria Junoy – que l'on défendait. D'autre part, l'objectivité qu'offre le cubisme est, d'une certaine manière, parallèle au structuralisme que Joaquim Folch i Torres et Joaquim Torres-García défendent pour l'art catalan : « Nous pensons maintenant au rapport qui se crée entre ces essais des cubistes et "le besoin général de structure" que nous avons plus d'une fois relevé comme une palpitation de notre époque [35]. » Il y a donc, en principe, une attitude ouverte, bien que son caractère « idéaliste », par opposition au caractère « abstrait », pousse le noucentisme à diverger par rapport au cubisme [36].

C'est précisément la modération qui pèse sur le concept de modernité qui en limite la portée, et c'est justement cette double valeur de modernité et de tradition qui fait que le noucentisme n'est ni un retour ni un rappel à l'ordre. Tout ceci lui confère une coloration très particulière qui, en ce qui concerne les infrastructures culturelles (écoles, bibliothèques, musées), se place à un degré de modernité dont la Catalogne actuelle est encore redevable. Dans le domaine de la création artistique, le noucentisme permettra l'éclosion de quelques figures remarquables comme Joaquim Sunyer ou Enric Casanovas et influencera provisoirement l'œuvre du jeune Joan Miró, de Julio González ou de Salvador Dalí, pour ne citer que quelques exemples.

(Traduit du catalan par François Niubo)

PAUL CÉZANNE
Portrait de Mme Cézanne, 1885
Paris, musée d'Orsay,
acquis par dation (1991)
(Barcelone seulement)

PAUL CÉZANNE
Baigneurs, vers 1890-1892
Paris, musée d'Orsay,
donation de la baronne
Eva Gebhard-Gourgaud (1965)

PABLO PICASSO
Grande baigneuse, 1921
Paris, musée
de l'Orangerie

JOSEP DE TOGORES
Jeunes filles catalanes, 1921
Barcelone, Museu Nacional
d'Art de Catalunya

ANDRÉ DERAIN
Nu à la cruche,
vers 1925-1930
Paris, musée de l'Orangerie

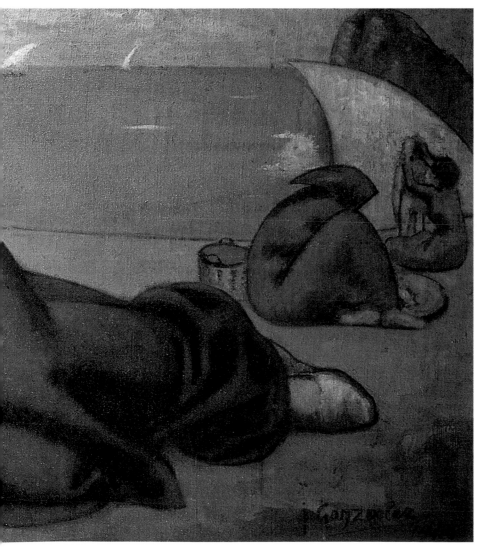

JULIO GONZÁLEZ
*Jeunes filles endormies
sur la plage*, 1914
Barcelone, Museu Nacional
d'Art de Catalunya

JOAQUIM TORRES GARCÍA
Les Villageoises, 1911
Barcelone, Museu Nacional
d'Art de Catalunya

ANDRÉ DERAIN
La Vallée du Lot à Vers, 1912
New York, The Museum
of Modern Art (Abby Aldrich
Rockefeller Fund, 1939)

JOAQUIM SUNYER
La Riera de Ribès, 1913
Madrid, collection particulière

Notes

1 Joaquim Folch i Torres, « L'exposició Casanovas », *La Veu de Catalunya*, Barcelone, 8 novembre 1911.

2 La Mancomunitat de Catalunya était l'union des quatre provinces catalanes. (N.D.T.)

3 Generalitat : gouvernement autonome de la Catalogne. (N.D.T.)

4 La Lliga regionalista est le parti de la bourgeoisie catalane. En 1901, il obtient le triomphe électoral et, en 1906, Enric Prat de la Riba, son dirigeant, publie *La Nationalité catalane* où il propose un état catalan dans une fédération espagnole. En 1914, Prat de la Riba sera le premier président de la Mancomunitat de Catalunya.

5 Voir à ce sujet, de façon plus développée, ce que nous avons écrit dans Martí Peran, Alícia Suárez, Mercè Vidal (éds.), *El Noucentisme, un projecte de modernitat*, Barcelone, Enciclopèdia Catalana, Generalitat de Catalunya, 1994. En ce qui concerne l'art en Catalogne, en particulier dans la période du noucentisme, voir Martí Peran, Alícia Suárez, Mercè Vidal (éds.), « Noucentisme i ciutat », dans *Noucentisme i ciutat*, Madrid, Electa, 1994, p. 9-31.

6 Eugeni d'Ors, *Obra catalana completa. Glosari 1906-1910*, Barcelone, Editorial Selecta, S.A., 1950, p. 183.

7 Joaquim Folch i Torres, « L'art i la ciutat », *La Veu de Catalunya*, Barcelone, 22 octobre 1910.

8 L'*Almanach dels Noucentistes* fut publié sous la direction d'Eugeni d'Ors, en 1911. Des artistes – sculpteurs comme Josep Clarà ou Pablo Gargallo, peintres comme Pablo Picasso ou Joaquim Torres-García –, des architectes, des hommes de lettres, des économistes, des hommes politiques, des pédagogues et des enseignants ont collaboré à cette publication.

9 Martí Casanovas, « Pròleg », *Revista de la Escola de Decoració*, Barcelone, année I-III, 1914, p. 1. Tomàs Aymat, M. Piña, Carme Casanovas, Martí Casanovas, Teresa Lostau, Josep M. Marquès Puig, Josep Obiols, Lluís Puig, Jaume Querol, Joaquim Torres-García faisaient partie de l'École de décoration. À ce groupe s'ajoutèrent plus tard Enric Casanovas, Esteve Monegal, Manuel Cano, Josep de Togores, Josep Fontanals.

10 *Ibid.*, p. 11.

11 Le Saló de Sant Jordi est le salon d'honneur du palais de la Generalitat de Catalunya.

12 Josep Aragay, *El Nacionalisme de l'art*, Barcelone, Publicacions de *La Revista*, 1920, p. 31.

13 Joaquim Folch i Torres, « L'Exposició universal. Les esculptures den Josep Clarà », *La Veu de Catalunya*, Barcelone, 11 mai 1911.

14 Joaquim Folch i Torres, « L'art i la ciutat », *loc. cit.*, 1910.

15 Xènius, « La filosofia dels jardins de França », 29 octobre 1913, dans Eugeni d'Ors, *Glosari*, Barcelone, Edicions 62, « La Caixa », 1982, p. 211-212.

16 Joaquim Folch i Torres, « Jardinets de masia », *La Veu de Catalunya*, Barcelone, 11 janvier 1915.

17 Le modernisme est un courant artistique antérieur au noucentisme (fin du XIXe siècle) et proche de l'art nouveau français ou du modern style anglais. (N.D.T.)

18 Eugeni d'Ors, « Amiel a Vic », *Obra catalana completa, op. cit.*, 1950, p. 3-4.

19 Empúries – quelquefois orthographié Ampurias – est un site archéologique où ont été mis au jour les restes d'une importante ville grecque, puis d'une autre, d'époque romaine. (N.D.T.)

20 Eugeni d'Ors, « Petita oració », *Obra catalana completa, op. cit.*, 1950, p. 1204.

21 Fréquentée par Guillaume Apollinaire, Pablo Picasso, Manolo Hugué et Eugeni d'Ors, ce dernier probablement par l'intermédiaire du deuxième.

22 Eugeni d'Ors, *op. cit.*, 1950, p. 1312-1319.

23 Voir en ce sens Josep Murgades, « Assaig de revisió del Noucentisme », *Els Marges*, Barcelone, n° 7, juin 1976, p. 47 et 49.

24 Joaquim Torres-García, « Notes sobre art 1913 », *Escrits sobre art*, sous la direction de F. Fontbona, Barcelone, Edicions 62, 1980, p. 42.

25 Voir note 6 *supra*.

26 Xènius, *Exposició de dibuixos y pintures de J. Torres-García* (catalogue), Barcelone, galerie Dalmau.

27 Joaquim Folch i Torres, « L'obra de l'art popular », *La Veu de Catalunya*, Barcelone, 7 novembre 1912.

28 Joaquim Folch i Torres, « Notes sobre l'art popular », *La Veu de Catalunya*, Barcelone, 27 mars 1913.

29 La *masia* est la ferme traditionnelle catalane. (N.D.T.)

30 Rafael Benet est le critique d'art qui succéda à Joaquim Folch i Torres à *La Veu de Catalunya*.

31 Rafael Benet, « La pintura francesa », *El Dia*, Terrassa, 18 novembre 1918. Les mots en italique sont en français dans le texte. (N.D.T.)

32 Les mots en italique sont en français dans le texte. (N.D.T.)

33 Comme l'explique fort bien Kenneth E. Silver dans *Vers le retour à l'ordre. L'avant-garde parisienne et la Première Guerre mondiale, 1914-1925*, Paris, Flammarion, 1991.

34 Voir en ce sens Martí Peran, Alícia Suárez, Mercè Vidal (éds.), « Noucentisme i avantguarda », dans *El Noucentisme, un projecte de modernitat, op. cit.*, 1994, p. 61-67.

35 Xènius, « Cubisme », *La Veu de Catalunya*, Barcelone, 12 octobre 1911.

36 Pour une étude plus approfondie, voir celle de Mercè Vidal dans *1912. L'Exposició d'art cubista de les Galeries Dalmau*, Barcelone, Publicacions de la Universitat de Barcelona, 1996.

**PIERRE
PUVIS DE CHAVANNES**
Le Pauvre Pêcheur, 1881
Paris, musée d'Orsay

LA GALERIE DALMAU

PABLO PICASSO
Le Paseo de Colón,
Barcelone, 1917
Barcelone, Museu Picasso

PASCAL ROUSSEAU

La galerie Dalmau

L'introduction de l'abstraction en Catalogne et l'avant-garde parisienne durant la Première Guerre mondiale

Dans un marché de l'art clairement déterminé par les options classiques du noucentisme, avec pour pôles dominants la Sala Parés et les Galeries Laietanes, le galeriste et antiquaire Josep Dalmau (1867-1937), installé rue Portaferrissa, en plein cœur de Barcelone, fait figure de pionnier. Si la capitale catalane est, depuis de nombreuses années, tournée vers Paris, soucieuse d'importer, au début du XXe siècle, les leçons du postimpressionnisme, elle reste encore très timide face au mouvement fauve et aux premiers soubresauts du cubisme. Seul dans ce concert favorable à une modernité «modérée», Josep Dalmau prend le parti de présenter au public barcelonais les expériences des peintres parisiens les plus novateurs. C'est à lui que l'on doit notamment l'introduction du cubisme en Catalogne dès avril 1912, date de son «Exposició d'art cubista» dans laquelle est présenté, autour d'œuvres d'Albert Gleizes, Jean Metzinger, Fernand Léger ou Juan Gris, le *Nu descendant un escalier* de Marcel Duchamp qui venait d'être refusé au Salon des indépendants. Le geste est à la fois radical et stratégique. Il s'agit de rendre compte des dernières nouveautés artistiques de la scène parisienne en cherchant à stimuler le projet d'une modernité autochtone susceptible de se démarquer du conservatisme culturel madrilène. Le cas du cubisme est à ce titre exemplaire. Il affiche une esthétique de la rupture (anti-illusionnisme et fin de la perspective, simultanéité des points de vue sur l'objet, implosion du champ spatial…) tout en revendiquant, dans le refus de la couleur et le retour en force de la structure, une forme de classicisme moderne qui, dans la bouche de ses défenseurs, s'inscrirait dans l'héritage d'un Poussin, à l'opposé du sensualisme impressionniste : moderne, classique et rationnel [1]. L'ambition de Dalmau consiste ainsi à défendre que l'avant-gardisme parisien, loin d'être un fléau menaçant le devenir de la peinture, est porteur de leçons auxquelles doit se confronter le projet culturel catalaniste s'il veut, à terme, participer au concert des grandes nations européennes – ce qu'Eugeni d'Ors, mentor du noucentisme, définissait dans ses gloses par la notion d'impérialisme [2].

La Grande Guerre, qui mobilise les Français sur le front, va fournir à Barcelone, neutre et majoritairement francophile, une occasion supplémentaire d'espérer jouer un rôle dans ce mouvement de la modernité : «Barcelone, capitale de l'art» titre *La Veu de Catalunya* à l'occasion de l'inauguration de l'Exposition d'art français, le 23 avril 1917, dans les salles du palais des Beaux-Arts. La municipalité de Barcelone a, en effet, décidé de soutenir le projet d'une grande exposition regroupant trois des grands Salons parisiens empêchés pendant la guerre. L'initiative n'est pas gratuite. Il s'agit pour les Catalans, engagés dans la construction d'une identité nationale, de suppléer l'hégémonie parisienne momentanément suspendue pendant les hostilités [3]. Si cette exposition institutionnelle – menée des deux côtés des Pyrénées comme une opération de diplomatie culturelle [4] – reste très largement en retrait des mouvements les plus avancés (excluant d'emblée cubisme et fauvisme en refusant la participation du Salon des indépendants), elle marque un engagement, sans ambiguïté, en faveur de la France, le pilier de la civilisation latine dans le combat face à la *Kultur* teutonne [5]. Il s'agit cependant d'une France très «classique» qui, en matière d'arts visuels, s'incarne au mieux dans un cézannisme de bon ton qui laisse peu de place et d'échos aux formules plus radicales. Aucune présence des créateurs contemporains, dont certains sont justement installés à Barcelone pendant la guerre : Francis Picabia, Serge Charchoune, Albert et Juliette Gleizes, mais aussi Marie Laurencin et, de façon plus sporadique, les Delaunay [6]. Josep Dalmau, relativement isolé, va accueillir cette communauté franco-cosmopolite au sein de sa galerie et se faire, ainsi, le passeur entre Paris et Barcelone, au moment où l'avant-gardisme international se voit le plus contesté [7]. Entre 1915 et 1917, en l'espace de deux ans seulement, il programme ou projette plusieurs expositions qui marquent l'apparition d'une nouvelle forme de peinture dont le caractère «inobjectif» menace directement l'un des piliers de la doctrine noucentiste : le réalisme idéaliste. De Gleizes à Charchoune – sans oublier un ambitieux projet, hélas avorté, d'exposition simultanéiste engageant un groupe d'artistes réunis autour de Sonia et Robert Delaunay –, Dalmau propose au public barcelonais des œuvres qui, à l'heure où s'imposent plutôt les retours à l'ordre, conduisent le cubisme synthétique vers la «peinture pure». Dans la galerie encore trop confidentielle de la rue Portaferrissa, Barcelone devient ainsi, de façon inédite et inattendue, une vitrine des enjeux du développement de l'abstraction au cours de la Première Guerre mondiale.

Dalmau, passeur des avant-gardes parisiennes à Barcelone

Josep Dalmau décide d'ouvrir sa programmation aux peintres parisiens à partir d'avril 1912, avec l'«Exposició d'art cubista» qui ferme ses portes le 10 mai pour laisser place, en mai-juin, à une exposition collective «d'artistes polonais résidant à Paris» – des membres de ce que l'on appellera plus tard l'«École de Paris». Le 23 mars de cette année, Dalmau a fait le déplacement à Paris pour rencontrer, à l'occasion du Salon des indépendants, le groupe des cubistes de Puteaux. Le chemin lui est préparé par le critique Josep Maria Junoy qui, dans le cadre de la préparation de son ouvrage *Arte y Artistas*, s'est entretenu avec les peintres cubistes qu'il présente comme des fils spirituels de Cézanne [8]. L'exposition fait grand bruit et nourrit un large débat dans les colonnes des journaux et revues de l'époque où se lit l'hésitation du noucentisme partagé entre l'intérêt pour un cubisme «classique» (le refus de la dilution impressionniste de la forme) et la crainte d'un cubisme «de conception [9]» (la menace subjectiviste contre le principe de réalisme). Au cours des deux années qui suivront, Dalmau, cherchant à consolider sa position sur le marché local, fait plutôt appel aux artistes catalans, en majorité d'obédience noucentiste (Josep Aragay, Enric Casanovas, Feliu Elias…) mais la fin de l'année 1915 marque une inflexion qui le porte à nouveau vers le foyer parisien. En décembre, il présente les œuvres de Ramon Pichot, un artiste

local mais actif à Paris où il expose aux Indépendants des œuvres qui se rapprochent du fauvisme [10]. Le même mois, c'est au tour de Kees van Dongen installé à Majorque alors qu'arrive à Barcelone, en mars 1916, Marie Laurencin, en compagnie de son époux allemand, Otto von Wagen. Ce n'est pas avec elle [11] que Dalmau réamorce son projet d'échanges avec les peintres parisiens, mais avec un couple d'artistes russes venus de Paris, Hélène Grunhoff et Serge Charchoune, dont l'exposition ouvre le 29 avril 1916.

Le contexte est plutôt favorable. La scène artistique catalane connaît alors une certaine effervescence nourrie depuis l'arrivée de Rafael Barradas – familier des futuristes qu'il avait fréquentés à Milan –, suivi de Celso Lagar et de Pablo Gargallo qui regagnent l'Espagne après un séjour prolongé dans la capitale française où ils ont côtoyé les milieux cubistes. Barradas crée le «vibrationnisme», Celso Lagar, le «planisme», deux formes stylisées de cubofuturisme. Torres-García abandonne sa facture noucentiste, au profit de ce qu'il appelle déjà le «plasticisme [12]». La presse artistique locale, jusqu'alors principalement dominée par le mouvement noucentiste et son esthétique très normative (*La Revista, Revista Nova*…), se montre plus attentive aux nouveaux mouvements. En avril 1916, la revue *Vell i Nou* consacre un long article et sa couverture aux œuvres de Marie Laurencin. Deux mois plus tard, elle annonce l'arrivée du couple Gleizes [13], avant que ne se forme, autour de Francis Picabia arrivé au début de l'été [14], un essaim avant-gardiste dont la galerie Dalmau va rapidement devenir le quartier général. C'est Dalmau qui éditera, en 1917, les quatre premières livraisons de la revue dadaïste *391* impulsée par Picabia [15]. C'est aussi lui qui aidera financièrement ces peintres très démunis – Charchoune notamment – à une époque où aucune vente n'est possible à Paris. Josep Pla le rapporte dans ses souvenirs : «Tout ce petit monde de l'avant-gardisme vivait alors aux dépens de Monsieur Dalmau de la Portaferrissa [16].»

INICIATS

—¿Ja saben què es això?
—¡Prou!... La vista de la primera secció de la Via A.

FIG. Caricature
de Josep Dalmau publiée
dans *L'Esquella
de la Torratxa* du 3 mai 1912

FIG. Vues de l'exposition
X.F. Gosé,
Galerie Dalmau, 1911
Barcelone, Archives
photographiques Mas

FIG. " Un protecteur cubiste ",
Caricature de Josep Dalmau
publiée dans *El noticiero
Universal* le 25 avril 1912,
quelques jours après l'ouverture
de l'Exposicio d'Art Cubista.

FIG. Josep Dalmau, à gauche,
aux côtés de Didac Ruiz,
Joaquim Sunyer et Roma Jori,
photographiés
par Pere Català Roca, 1913
Barcelone, archives Carme
Dalmau

UN PROTECTOR CUBISTA

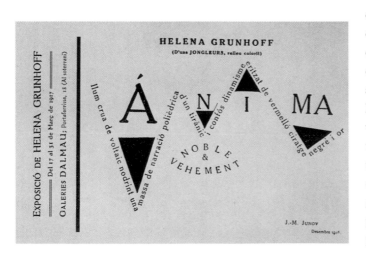

FIG. Serge Charchoune,
Composition, projet
pour la couverture du catalogue
de l'exposition de la galerie
Dalmau, 1916
Collection particulière

FIG. Catalogue de l'exposition
Hélène Grunhoff avec
calligramme de Josep María
Junoy, Galeries Dalmau,
mars 1917
Collection particulière

Cubisme décoratif et peinture pure

L'exposition Charchoune-Grunhoff est l'occasion pour Dalmau de renouer avec l'expérience avant-gardiste de 1912. Elle réunit des travaux que les artistes eux-mêmes qualifient de «cubisme ornemental»: un cubisme très décoratif qui emprunte, chez Charchoune, le vocabulaire rythmique et abstrait des arabesques à l'art hispano-mauresque [17]. Curieusement, cet art décoratif n'est pas dénigré et ce, en partie, parce que la critique tend souvent à y voir plus un modèle de rénovation des arts appliqués qu'une émanation nouvelle de la peinture pure [18]. Romà Jori évoque ainsi une influence «byzantine» qu'il dote d'un certain sensualisme dans les arabesques «magiques» de la couleur en mouvement [19]. Dalmau, qui craint une onde de choc devant les formes purement abstraites des toiles ornementales de Charchoune, s'explique dans les colonnes de *La Veu de Catalunya*: «Nous avons une sincère manifestation qui nous sert d'exemple pour pouvoir apprécier les nouvelles tendances de l'art actuel tant discuté. Elles sont toutes conçues librement, selon de nouveaux principes pensés aux fins d'une nouvelle intellectualité [20].» Dix jours plus tard, le critique catalan Solé de Sojo prend le relais de Dalmau en proposant une défense de cette nouvelle tendance. Il produit à cette occasion le premier texte catalan consacré à l'abstraction qu'il associe aux enjeux de la décoration, dans une lecture très formaliste de la peinture pure: «Aujourd'hui, on peut dire que la peinture entre, de manière timide encore mais de manière parfaitement observable, dans le champ de la décoration […]. Charchoune a présenté à la curiosité du public barcelonais une nouvelle vision picturale des choses, et, pour être plus précis encore, une nouvelle compréhension des arts plastiques: la ligne pour la ligne et la couleur pour la couleur, sans que ni l'une, ni l'autre ne cherchent à reproduire la nature, ni à exprimer rien de plus que sa simple et substantielle beauté [21].»

C'est à cette même interprétation décorative que recourt la critique devant les œuvres d'Albert Gleizes présentées sur les cimaises de la galerie Dalmau en décembre 1916. L'évolution orphiste du travail de Gleizes vers un usage plus arbitraire des couleurs pures fait craindre la disparition du sujet. Dans un article paru en deux volets dans *La Veu de Catalunya* [22], Josep Dalmau s'attache à justifier cette épure essentialiste conduisant vers un «art non imitatif»: «L'art cubiste consiste à tenter d'abstraire la forme visuelle proprement dite. C'est l'art de l'abstraction jusqu'à l'infini [23].» L'ensemble de la critique catalane refuse cette propension «abstraite» avec, pour argument central, l'antagonisme – largement répercuté à cette époque par l'esthétique psychologique – entre l'idéalisme cérébral et abstrait propre aux pays du Nord et le réalisme empathique des Latins. C'est la thèse

SERGE CHARCHOUNE
Ornemental n° 1, 1916
Paris, collection
Raymond Creuze

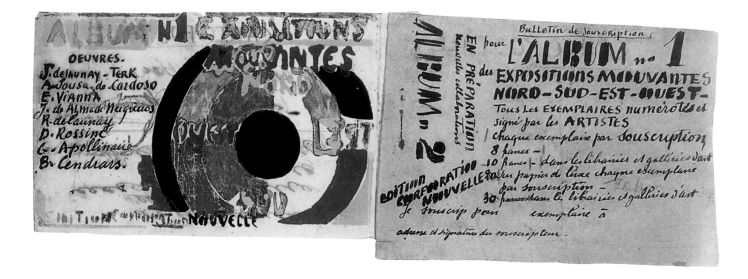

Joan Sacs dans son ouvrage sur *La Pintura francesa moderna fins al cubisme*, publié en 1917. Défendant l'héritage de l'impressionnisme, qu'il présente comme l'ultime étape de la tradition française, Sacs craint l'évolution vers une tendance «antiphénoménaliste [24]» qu'il interprète, sans équivoque, comme une contamination «boche». Cubisme et «abstraction pure» se recoupent dans ce qu'il dénomme «l'hypothèse idéaliste» – laquelle se voit opposer l'enseignement, plus tangible, de l'œil où Sacs reconnaît à la fois le pragmatisme latin et l'occulocentrisme cartésien : «L'hypothèse idéaliste […] est incompatible avec l'exercice des arts plastiques qui dépendent nécessairement des phénomènes. Plus ils s'éloignent de la réalité phénoménale, moins ils deviennent plastiques pour venir empiéter sur le domaine des autres arts [25].» Il s'agit donc de dénoncer le caractère trop platonicien du cubisme, tendance intellectuelle rattachée, selon les propres termes de Sacs, au «goût germanique pour l'indécision et le vague qui n'ont rien de proprement plastique [26]». Dans *El Poble catala*, Huisch critique l'hermétisme des toiles de Gleizes en déployant les mêmes arguments : «Passée l'impression du moment – qui pour un Latin, amant de la clarté et de la simplicité, est proprement déconcertante –, nous voyons bien qu'il s'agit d'une peinture théorique, d'interprétation, d'un subjectivisme poussé à l'extrême [27].» Ce sont en fait les Catalans qui craignent désormais une contamination du cubisme parisien, comme le révèle, parmi d'autres, la thèse «nationaliste» défendue par Josep Aragay dans *La Pintura catalana contemporanea* [28].

L'effort déployé par Dalmau pour accueillir les artistes issus du cubisme en est d'autant plus téméraire. À Gleizes, Grunhoff et Charchoune, il compte ajouter le couple Delaunay, plus symptomatique encore de ce passage du cubisme orphique vers la peinture pure. Dès la fin de l'année 1915, Sonia et Robert Delaunay souhaitent s'installer à Barcelone [29], aidés par la propre mère de Robert, domiciliée dans la capitale catalane où elle a ouvert un négoce d'accessoires de mode – statut qui nous est confirmé par un certificat d'immatriculation délivré le 30 avril 1917 au consulat général de France à Barcelone. Là, elle se charge d'assurer la promotion de leur travail [30]. Berthe Delaunay est alors en contact avec la petite communauté artistique française installée à Barcelone, qu'elle appelle le «petit groupe nostalgique». C'est par son intermédiaire que Sonia entre en relation avec Josep Dalmau pour convenir d'un projet d'exposition. Une lettre de Sonia adressée à Dalmau le 3 mars 1916 de Vila do Conde [31] fait référence à un projet d'exposition qui réunirait les œuvres du groupe simultanéiste : «En plus de mes œuvres et celles de Mr Delaunay, il y aurait celles de peintres de Moscou, du Portugal, de Suède, d'Amérique, de Suisse et d'Italie. Beaucoup de ces œuvres sont déjà avec nous, d'autres sont attendues [32].» Deux documents nous instruisent plus précisément sur ce projet : une annonce publiée dans la revue *Vell i Nou* le 1er mars 1916 et la lettre envoyée par Sonia à Josep Dalmau le 3 mars. On apprend ainsi dans l'annonce qu'à la «moitié du mois d'avril aura lieu à la galerie Dalmau une exposition d'art simultaniste. […] La galerie sera décorée selon les principes simultanistes. On y donnera des concerts, diverses improvisations autour de ces décorations et des œuvres exposées. Seront aussi organisées des conférences [33]». Sonia Delaunay souhaite exposer durant certains «jours d'expositions spéciales [des] objets d'art avec un décor adéquat, par exemple une table de salle à manger mise avec un arrangement tout à fait nouveau et inattendu d'autres compositions d'objets d'intérieur qu'on peut intituler l'art de la femme chez elle et qui intéresse beaucoup le public».

FIG. **ROBERT DELAUNAY**
Maquette pour *L'Album n°1*
des Expositions mouvantes
Nord-Sud-Est-Ouest, 1916
Lisbonne, Fondation Calouste
Gulbenkian

L'exposition, plusieurs fois reportée, n'aura pas lieu. Le projet témoigne néanmoins de cette ténacité de Dalmau en faveur de nouvelles pratiques artistiques, ici une scénographie pensée comme une véritable œuvre d'art totale où la peinture rejoint non seulement le champ des arts appliqués mais celui de la danse et des arts cinématiques.

L'orphisme, la musique des couleurs et l'abstraction cinématique

L'annonce de l'exposition simultanéiste parue dans *Vell i Nou* évoquait des concerts ; la lettre de Sonia Delaunay à Dalmau spécifie qu'il s'agit d'un « programme de musique simultanée ». Sonia annonce qu'elle est pour cela en relation avec « Stockholm pour demander à voir le film et la partition qui [lui] sont encore inconnus et [qu'elle] pourrait joindre » par la suite. Le contact est Arturo Ciacelli, le directeur de la Nya Konstgalleriet de Stockholm, qui accueille au même moment une exposition du couple simultanéiste. Dans une lettre adressée aux Delaunay, Arturo Ciacelli parle d'auditions musicales improvisées au piano assurant un fond rythmique à des projections de films colorés qu'il réalise avec sa femme : « Mes films sont des matériaux que l'on ne peut pas envoyer puisqu'ils sont constitués de différents matériaux que moi seul peux jouer en harmonie avec la chanson ou la musique. » Au cours de l'été précédent, Ciacelli s'est associé à une danseuse française, Mlle Villany, avec laquelle il réalise des études « pour des tournées de danse plastique et rythmique simultanée avec des films colorés ». Ciacelli se propose « d'envoyer des esquisses de cette danse » qui pourraient être exposées. Dalmau s'enthousiasme pour ce projet où la performance cinématique, loin d'être conçue comme une simple animation, s'intègre au projet global d'une exposition spectacle. Décors, peintures, objets et films colorés,

musique simultanée mais aussi « danse plastique » sont étroitement associés dans une même scénographie qui oriente clairement l'exposition vers le projet d'une *Gesamtkunstwerk*, sollicitant dans la synesthésie chromatique l'ensemble des sens.

Curieusement, ce modèle du film coloré conçu comme émancipation cinématique de la peinture pure trouve, en avril 1917, un écho immédiat dans la seconde exposition de Serge Charchoune à la galerie Dalmau, intitulée « Art ornemental. Films ». Le critique Solé de Sojo, toujours enthousiaste, parle à cette occasion d'une « nouvelle modalité d'art », ce qui laisserait, dans un premier temps, penser à l'utilisation directe du support de la projection lumineuse [34]. Une brève notice sur l'exposition, parue dans les colonnes d'*El Poble catala*, évoque par ailleurs le « mécanisme du cinéma [35] ». Il s'agit en fait non pas de films proprement dits mais d'huiles sur toile totalement abstraites, proches formellement de celles présentées l'année précédente mais avec, cette fois, l'intention de faire de chaque tableau la séquence d'un film d'animation. Serge Charchoune s'inspire ici du principe des *Rythmes colorés* élaborés par Léopold Survage entre 1912 et 1914, comme nous l'indique Joan Sacs dans son commentaire de l'exposition : « Les *Films* picturaux sont l'une des trois séries exposée par Charchoune. Des films tout comme les œuvres du fondateur de la secte, M. Survage, qui les réalise pour des projections cinématographiques. Mille ou deux mille images sont nécessaires à ce curieux chronofage pour un film de trois minutes. C'est pourquoi il ne nous est pas possible encore d'apprécier les films de M. Charchoune, composés chacun, pour le moment, de soixante ou soixante-dix toiles. Il manque encore quelque cinq mille sept cents images [36]. »

Tout comme Survage, Charchoune cherche ici à introduire le facteur temporel dans le déploiement successif des formes, sur le modèle de la symphonie musicale [37]. Or, celui à qui Survage doit en partie sa réflexion sur l'animation cinématique de la peinture est justement installé à cette époque à Barcelone. Il s'agit du critique Ricciotto Canudo, le mentor de la revue *Montjoie !* venu rejoindre, avec sa compagne Valentine de Saint-Point, le couple Gleizes dans la cité comtale, au cours de l'année 1916 [38]. On peut supposer qu'il rencontre Charchoune très vite au sein de la petite communauté française et que leurs conversations ont nourri l'orientation du projet de peinture animée. Canudo est non seulement critique musical [39], auteur d'un ouvrage sur la *Neuvième Symphonie* [40] mais aussi, ce qui nous intéresse, l'un des grands défenseurs du «sixième art» en France. Dans son *Essai sur le cinématographe*, paru en automne 1911, il compare le mécanisme de l'image animée à «une série de visions et d'aspects liés dans un faisceau vibrant et vu comme un organisme vivant [41]» – métaphore biologique utilisée par Solé de Sojo devant les *Films* de Charchoune : «La ligne a pour lui une vie propre, dotée dans chacun de ses moments d'une vie variée, d'une grâce différente […]. Aussi, selon la conception artistique de Charchoune, les lignes doivent se mouvoir, naître, croître puis disparaître dans l'espace et le temps à la fois. Le film va répondre à cette finalité de manière définitive. Mais Charchoune ne se limite pas à étudier cette vie de la ligne et de la tache de couleur. Avec elles, il obtient des expressions synthétiques, proches de la plasticité des éléments musicaux. Un sentiment peut être exprimé par la vie matérielle de la couleur, une harmonie musicale peut être traduite par une ligne dotée de mobilité. Regardez ainsi son film *Guitare*, le plus intéressant sans doute des œuvres actuellement exposées [42]. »

Se dotant de mobilité, la peinture acquiert pleinement cette capacité à se transformer et produire, par elle-même, des formes autonomes : la peinture pure devient autogène. L'œil ne se satisfait plus de reconnaître des formes établies, il est en quête d'une sensation plus exaltée, où l'éclat des couleurs et le vertige des arabesques suscitent «l'oubli de la vision du monde par la sensation [43]». Les analyses que Gleizes livre, à cette époque, dans la revue *391* financée par Josep Dalmau vont dans le même sens. «La peinture, écrit-il, gagne en pureté et en signification. Son véhicule bouge matériellement […] c'est une parole adressée à l'œil, comme la musique est une parole adressée à l'oreille, comme les rythmes de la poésie furent inventés pour répondre encore aux exigences de l'oreille. Nous vivons dans un monde à cinq sens et notre intelligence ne travaille que pour en conserver la sensibilité [44]. » Gleizes développe clairement une approche synesthésique de la peinture pure qui, au moyen du langage universel

des rencontres de couleurs, devient une sollicitation sensorielle généralisée. Les *Danseuses espagnoles* présentées par Gleizes, lors de son exposition chez Dalmau en décembre 1916 [45], s'accordent sur cette conversation des sens où le corps, mis en branle par la musique, se libère dans le bain chromatique – ce que Sonia Delaunay appelle la «danse des couleurs». C'est d'ailleurs le tronc commun qui réunit Charchoune, Gleizes et les Delaunay dans leur relation à Dalmau et fait ainsi curieusement de Barcelone la capitale de l'orphisme. Sonia réalise, à cette époque, de nombreuses toiles sur le thème de la danse [46] et Diaghilev, accompagné de Massine, va bientôt les emmener à Sitges, charmante station balnéaire au sud de Barcelone, pour préparer, durant l'été 1918, les costumes et décors d'un spectacle des Ballets russes.

Ces œuvres ont-elles eu un impact sur la scène artistique catalane ? Il est difficile de l'évaluer même si des indices formels, rencontrés dans certaines œuvres des artistes proches de la galerie Dalmau, semblent l'indiquer. C'est notamment le cas de plusieurs toiles vibrationnistes de Rafael Barradas comme *Quiosque de Canaletes, Barcelona* ou *Composition vibrationniste* [47] où l'on retrouve des enchevêtrements rythmiques de disques simultanés, traités dans une gamme plus sourde et pastellisée que celle des Delaunay. Nous savons, par ses écrits, que Joaquim Torres-García fut lui aussi très réceptif au chromatisme delaunien. Dans l'un des articles qu'il publie à cette époque dans la revue *Un enemic del poble* («Natura i Art», octobre 1918), il cite l'œuvre de Robert Delaunay et la «valeur extraordinaire de ses prismes». Le jeune Joan Miró est lui aussi intrigué par les œuvres simultanéistes. C'est ce qu'indique notamment une lettre qu'il envoie à Enric Ricart au lendemain de l'«Exposicio de arte» au palais des Beaux-Arts de Barcelone, où Delaunay présente, en mai 1918, pas moins de seize œuvres : «Hier l'inauguration de l'Exposition du Groupe Courbet […] Delaunay musical [48]. » Un an plus tard, l'affiche qu'il réalise pour annoncer la publication de la revue *L'Instant* révèle combien il n'est pas resté insensible au langage des disques concentriques qu'il emprunte à Delaunay, tout comme le fait, à cette époque, Gleizes dans ses compositions orphistes peintes à Barcelone.

La galerie Dalmau s'avère ainsi, durant la Première Guerre mondiale, un foyer essentiel du développement de l'avant-gardisme abstrait à Barcelone. Quelques années plus tard (1922), Dalmau, toujours pionnier, accueille dans ses murs Picabia et Breton, dressant à nouveau une passerelle entre Paris et Barcelone pour préparer cette fois l'émergence du surréalisme.

FIG. **ROBERT DELAUNAY**
*Etude pour le portrait
de Léonide Massine*, 1918
Lisbonne, Fondation Calouste
Gulbenkian

FIG. Josep María Junoy
" Films Sergi Charchoune ",
poème publié dans *Troços*,
n°0, 1916

Notes

1 Sur l'interprétation classique du cubisme par la critique noucentiste, voir le très riche article de Robert S. Lubar, « Cubism, Classicism and Ideology : The 1912 *Exposicio d'Art Cubista* in Barcelona and French Cubist Criticism », dans Elisabeth Cowling, Jennifer Mundy (éd.), *On Classic Ground. Picasso, Léger, De Chirico and the New Classicism. 1910-1930*, Londres, Tate Gallery, 1990, p. 309-323.

2 Eugeni d'Ors, « L'imperialisme català », *La Veu de Catalunya*, 13 juillet 1909, repris dans E. d'Ors, *Glosari*, Barcelone, Edicions 62, 1982, p. 93-95. Voir notamment, Enric Jardi, *Eugeni d'Ors : Obra i Vida*, Barcelone, Quaderns Crema, 1990, et Carlos d'Ors, *El Noucentisme. Presupuestos ideologicos, estéticos y artisticos*, Madrid, Catedra, 2000. Sur l'interprétation idéologique du cubisme par Eugeni d'Ors, voir Josep Murgades, « Visio noucentista del Cubisme segons Ors », dans Montserrat Prudon (éd.), *Els anys vint en els països catalans, Noucentisme / Avantguarda*, Publicacions de l'Abadia de Montserrat, 1997, p. 33-63.

3 Dans le numéro spécial que *La Revista* – organe d'obédience noucentiste – consacre à l'« Exposition d'art français », Josep Carner confirme la nature politique de ce projet : « Pour nous nationalistes catalans, l'orientation de notre cordialité envers la France doit être la suivante : faire de la France le porte-parole de notre cause idéologique [...]. Notre amour de la France doit être intelligent, et si nous le voulons durable et croissant, il doit s'associer chaque fois plus encore avec le pur sentiment de notre spiritualité. » Josep Carner, « La França Universal », *La Revista*, n° 38, avril 1917.

4 Au sujet du montage politique de cette opération, voir Edmond Raillard, Eliseu Trenc, « Les relations franco-espagnoles pendant la Première Guerre. La question catalane vue à travers les activités culturelles françaises à Barcelone », dans *Espanoles y Franceses en la primera mitad del siglo XX*, Consejo superior de investigaciones cientificas, Madrid, 1986, p. 129-150.

5 La majeure partie des revues d'art catalanes engagées dans la défense de la modernité supportent ouvertement le camp des Alliés. En 1917, la revue *Arte y Letras* s'annonce publiquement comme la « grande revue alliée littéraire et artistique espagnole » quand la revue *Troços*, dirigée par Josep Maria Junoy (le numéro zéro paraît peu avant l'« Exposition d'art français »), annonce comme « Profession de foi préliminaire : Vive la France ! » Sur cette question, voir notre article « Les revues d'art catalanes pendant la Première Guerre mondiale », *La Revue des revues*, n° 20, 1995, p. 19-44. Le discours opposant *Kultur* germanique et civilisation latine est notamment relayé par la revue *Iberia* créée à l'initiative du consulat français de Barcelone. Dès mai 1915, Mario Aguilar livre un article sur « La philosophie de la force et la force de la raison » qui développe cet antagonisme, « La filosofia de la fuerza y la fuerza de la razon », *Iberia*, n° 4, 1er mai 1915.

6 Le couple Delaunay fait un premier passage à Barcelone au printemps 1917 – ce que nous confirme une carte postale que Blaise Cendrars leur envoie le 23 mars 1917, à l'adresse barcelonaise « Hotel Restaurant Universal o Peninsular, Barcelona, Espagne ». Ils seront à nouveau à Barcelone en septembre 1917 où ils apprennent la révolution bolchevique sur les Ramblas puis, pour quelques jours, en mai 1918, dans le cadre de l'« Exposicio de arte » au palais des Beaux-Arts de la ville, où Robert Delaunay montre seize œuvres que le jeune Joan Miró va regarder attentivement. Sur la réception critique de Robert Delaunay à Barcelone, voir Pascal Rousseau, *La Aventura simultanea. Sonia y Robert Delaunay en Barcelona*, Barcelone, Universitat de Barcelona, 1995.

7 Sur l'activité de la galerie Dalmau, voir l'ouvrage de référence de Jaume Vidal i Oliveras, *Josep Dalmau. L'aventura per l'art modern*, Manresa, Fundacio Caixa de Manresa, 1993.

8 Josep Maria Junoy, « De Paul Cezanne a Los Cubistas », *Arte y Artistas*, Barcelone, Libreria de L'Avenç, 1912, p. 45-68. Sur Junoy et la diffusion critique du cubisme en Catalogne, voir Jaume Vallcorba Plana, « Josep Maria Junoy. Apologeta del Cubisme » dans *Josep Maria Junoy : Obra Poetica*, Barcelone, Édicions Quaderns Crema, 1984, p. XLI-XCVIII.

9 Se reporter à l'anthologie dressée dans Merce Vidal, *1912. L'Exposicio d'Art Cubista de Les Galeries Dalmau*, Barcelone, Universitat de Barcelona, 1996, p. 61-184.

10 Ramon Pichot est notamment présent, aux côtés de Matisse et Derain, dans la salle VII du Salon d'automne de 1905, la fameuse « cage aux fauves » qui consacre l'émergence publique du fauvisme.

11 Une exposition de dessins de Marie Laurencin est annoncée à la galerie Dalmau en 1917 : « À la galerie Dalmau aura lieu cet hiver un grand nombre d'expositions intéressantes. D'abord, celle du peintre cubiste Albert Gleizes ainsi que celle des dessins de la spirituelle Marie Laurencin, une autre de Duffy (sic), dessinateur et graveur d'images d'Épinal. Seront ensuite présentées les œuvres des peintres simultanistes, avec conférences et concerts. Par ailleurs, Dalmau a établi des échanges entre les artistes catalans et les artistes de la galerie Druet, à Paris », Anon., « Noticies », *Vell i Nou*, 15 août 1916, p. 165.

12 Voir Robert S. Lubar, « Arte-Evolución : Joaquim Torres-García y la formacion social de la vanguardia en Barcelona », dans le catalogue *Heterotopias, Medio Lugar sin Lugar : 1918-1968*, Madrid, Museo Nacional Centro de Arte Reina Sofia, p. 93-101.

13 « L'artiste cubiste Albert Gleizes – connu du public barcelonais par l'exposition faite en 1912 à la galerie Dalmau – se trouve actuellement à Barcelone, avec son épouse, elle aussi artiste, avec l'objectif de séjourner ici une saison. » Anon., « Noticies », *Vell i Nou*, 30 juin 1916. La première annonce de cette arrivée se trouve dans une note publiée le 12 juin dans *La Veu de Catalunya* et, trois jours plus tard, dans les colonnes de *El Poble catala*. L'idée d'un séjour à Barcelone revient probablement à Juliette Roche, qui connaît la ville dans laquelle elle a séjourné à plusieurs reprises, en compagnie de son père Jules Roche, ancien député mais aussi président du conseil d'administration d'une compagnie hydroélectrique catalane. Le couple, arrivé de New York à la fin du mois de mai 1916, s'est installé dans un appartement, propriété de cette société, situé au 28 de la rue Balmes, près de la place de l'Université. À ce sujet, voir notre article « L'âge des synthèses. L'œuvre d'Albert Gleizes à Barcelone (1912-1916) », dans le catalogue *Albert Gleizes. Le cubisme en majesté*, Barcelone, Museu Picasso, 28 mars-5 août 2001, et Lyon, Musée des Beaux-Arts, 6 septembre-10 décembre 2001, p. 160-179.

14 Voir Maria Lluïsa Borras, *Picabia*, Paris, Albin Michel, 1985, p. 171-181, et *Arthur Cravan. Una biografia*, Barcelone, Quaderns Crema, 1993, p. 135-161, ainsi que l'article dans ce catalogue.

15 Francis Picabia, *391*, réédition intégrale présentée par Michel Sanouillet, Paris, Belfond, Losfeld, 1975.

16 Josep Pla, « El pintor Chourchonne (sic) a Barcelona », *Retrats de passa port*, Barcelone, Destino, 1970, p. 172-173.

17 Charchoune s'inspire notamment des motifs décoratifs hispano-arabes publiés dans les colonnes de la revue *Vell i Nou*, à l'instar d'un tissu richement décoré de la collection des musées de Barcelone reproduit dans le numéro du 15 novembre 1915. Il a aussi dû porter une attention toute particulière à l'article consacré, quelques mois plus tard, à l'art mauresque à Tolède, Manuel Gomez Moreno, « L'art morogotic a Toledo », *Vell i Nou*, 31 mai 1916, p. 48-49.

18 « Allons vers l'art ornemental qu'expose Charchoune [...]. Les œuvres sont bien dessinées, claires. Les couleurs se détachent nettement, avec un bel effet. Nous pensons que nos industriels

pourraient trouver dans ces toiles quelque chose de tout à fait profitable », M. Rei, « Notes d'art », *L'Esquella de la Torratxa*, n° 1950, 12 mai 1916, p. 331-332.

19 « Il n'y a pas absence de sensualisme et de sentiment, nous y trouvons même une certaine sensualité. Serge Charchoune passe d'une première période marquée par un cubisme spéculatif, décomposant lumière et couleur avec des effets magiques à des études purement chromatiques qui l'ont conduit ensuite vers un art ornemental et décoratif, plus vif et violent. Et ce qui a commencé par l'abstraction, avec divagation, avec des visions de lanterne magique, arrive peu à peu vers l'humilité de la décoration intérieure », Romà Jori, « Artistes Russos. Charchoune-Grunhoff », *Vell i Nou*, 15 mai 1916.

20 Josep Dalmau, « A proposit de l'Exposicio dcs artistes Melena Grunhoff i Clerge Charchoune », *La Veu de Catalunya*, 15 mai 1916.

21 V. Solé de Sojo, « Comentaris entorn de l'exposicio Sergi Charchoune », *El Poble catala*, 25 mai 1916, p. 1.

22 Josep Dalmau, « L'art d'Albert Gleizes », *La Veu de Catalunya*, n° 365, 11 décembre 1916, et n° 366, 18 décembre 1916. La publication de l'article de Dalmau est restée incomplète. L'édition du 18 décembre annonce une suite qui ne viendra pas.

23 Josep Dalmau, « L'art d'Albert Gleizes », *loc. cit.*, 11 décembre 1916.

24 Joan Sacs, *La Pintura francesa moderna fins al cubisme*, Barcelone, Edicions de La Revista, 1917, p. 137.

25 *Ibid.*, p. 144.

26 *Ibid.*, p. 162.

27 Huisch, « A Can Dalmau », *El Poble catala*, 7 décembre 1916.

28 Josep Aragay, *La Pintura catalana contemporanea, la seva herencia i el seu llegat*, Barcelone, Edicions de La Revista, 1916, et *El Nacionalisme de l'art*, Barcelone, Edicions de La Revista, 1920.

29 Voir Pascal Rousseau, « El arte nuevo nos sonrie. Robert i Sonia Delaunay a Ibèria », dans

le catalogue *Robert i Sonia Delaunay*, Barcelone, Museu Picasso, 2000, p. 40-70.

30 Dans une lettre envoyée en mai 1916, elle demande à son fils s'il peut avec Sonia entreprendre à Barcelone « une affaire qui serait très importante ». Lettre de Berthe Delaunay à son fils, 1916, Fonds Delaunay, Documentation du Musée national d'art moderne, Centre Georges Pompidou.

31 Collection particulière, Barcelone.

32 Cette liste cosmopolite, loin d'être fantaisiste, correspond à de réels contacts établis par les Delaunay : Baranoff-Rossiné pour Moscou, Sam Halpert pour les États-Unis, Souza-Cardoso, Eduardo Vianna, José Pacheco, José de Almada-Negreiros pour le Portugal, Arturo Ciacelli – d'origine italienne mais installé à Stockholm où il dirige la Nya Konstgalleriet – pour la Suède et l'Italie…

33 Sonia précise dans sa lettre à Dalmau que les « conférences pourraient être organisées avec le concours de Blaise Cendrars ». Au printemps 1916, Cendrars rapatrié du front à la suite de sa blessure grave au bras droit, répond favorablement à l'initiative des Delaunay qui l'invitent à venir faire des conférences sur leur art (lettre de Blaise Cendrars à Sonia Delaunay, Fonds Delaunay, Bibliothèque nationale de France).

34 C'est ce que pense Roman Gubern, « La Asimetria vuanguardista en España » dans *Las Vanguardias artisticas en la historia del cine español*, Actas del III Congreso de la Asociacion Española de Historiadores del Cine, San Sebastian, Filmoteca Vasca, 1991. Voir à ce sujet, Montse Camps, « Els Films ornem de Serge Charchoune. Barcelona, 1917. Si no eren films, que eren ? », *D'Art*, n° 21, 1995, p. 67-83, et Joan M. Minguet Batllori, *Cinema, modernitat i avantguarda (1920-1936)*, Barcelone, Edicions 3i4, 2000, p. 104-107.

35 « Avec cette exposition, Charchoune tente une transformation des arts de l'espace en arts du temps. Le mécanisme du

cinéma peut arriver à donner des œuvres dans lesquelles la décoration sera vivante, dotée de mobilité. Les *Films* de Charchoune demandent un long commentaire », Anon., « Ecos », *El Poble catala*, 5 avril 1917, p. 2.

36 Joan Sacs, « Exposicion Sergio Charchoune en los sotanos de las Galerias Dalmau », *La Publicidad*, 15 avril 1917, p. 10. Entre 1912 et 1914, Survage réalise près de deux cents aquarelles pour la série abstraite des *Rythmes colorés*. En mars 1914, il en présente trois exemplaires au public du Salon des indépendants. Le projet cinématique des *Rythmes colorés* de Survage est commenté dès 1914 par Apollinaire (« Le rythme coloré », *Paris-Journal*, 14 juillet 1914, cité dans Guillaume Apollinaire, *Œuvres en prose complètes*, tome II, Paris, Gallimard, 1991, p. 826-827). Sacs s'appuie manifestement sur ce texte pour étayer son analyse des *Films* de Serge Charchoune.

37 « À cette fin, les formes et couleurs naissant et se développant dans le temps, comme les notes musicales d'une chanson ou d'une symphonie, il peint les phases successives d'un motif pictural en série se métamorphosant, à la manière des films », Joan Sacs, « Exposicion Sergio Charchoune en los sotanos de las Galerias Dalmau », *loc. cit.*, 15 avril 1917, p. 10.

38 C'est ce qu'indique Maria Lluïsa Borras dans sa monographie *Picabia*, *op. cit.*, 1985, p. 173.

39 Ricciotto Canudo, « Essai sur la musique comme religion de l'avenir. Lettre aux fidèles de musique », *La Renaissance contemporaine*, novembre 1911-février 1912, repris, en octobre 1913, en version anglaise, dans Ricciotto Canudo, *Music as a Religion of the Future. Translated from the French of M. Ricciotto Canudo with a « Praise of Music » by Barnett D. Conlan*, Londres, Foulis, 1913. Un exemplaire dédicacé à Sonia Delaunay se trouve dans le Fonds Delaunay de la Bibliothèque nationale de France.

40 Ricciotto Canudo, *Le Livre de la genèse. La Neuvième Symphonie de Beethoven*, Paris,

Éditions de la Plume, 1905.

41 Ricciotto Canudo, « La naissance d'un sixième art. Essai sur le cinématographe », *Entretiens idéalistes*, 25 octobre 1911, p. 169-179.

42 V. Solé de Sojo, « Films. Al marge de la Exposicio Charchoune », *El Poble catala*, 21 avril 1917, p. 1.

43 Ricciotto Canudo, *loc. cit.*, 10 février 1912, p. 167.

44 Albert Gleizes, « La peinture moderne », *391*, n° 5, juin 1917, p. 6-7.

45 La série folklorique des *Danseuses espagnoles* est la plus développée au cours de ce séjour catalan. Elle regroupe près d'une trentaine d'œuvres avec plusieurs études au crayon, des encres et gouaches sur papier ainsi que plusieurs huiles sur bois, sur carton ou sur toile dont deux importantes versions conservées aujourd'hui, l'une au Guggenheim Museum de New York, l'autre au Museum of Art de Tel-Aviv.

46 « *Dessin de la danse* est l'un des nombreux dessins et aquarelles dans lesquels j'ai étudié l'expression des mouvements de la danse par les contrastes et les mouvements des couleurs dans leur action l'une sur l'autre. Donner le plus de mouvement aux couleurs par leur action réciproque. Je considère que la sonorité et le mouvement visuel des couleurs est un domaine tout à fait vierge du point de vue plastique – quoique c'est la base de toute œuvre plastique, c'est le métier même » (lettre de Sonia Delaunay à une personne non identifiée, Madrid, 28 juin 1921, Fonds Delaunay, Documentation du Musée national d'art moderne, Paris).

47 Ces œuvres sont reproduites dans le catalogue *Avantguardes a Catalunuya (1906-1939)*, Barcelone, Caixa de Catalunya, 1992, p. 215 et 217. Voir aussi le catalogue *Barradas-Torres Garcia*, Madrid, Galerie Guillermo de Osma, novembre-décembre 1991.

48 Cette lettre est conservée à l'Arxiu de la Biblioteca Victor Balaguer de Vilanova. Je remercie Jaume Vidal i Oliveras de me l'avoir indiquée.

JULIETTE ROCHE
Le Porro à trois becs, 1916
Paris, Fondation Albert Gleizes

ALBERT GLEIZES

Acrobates, 1916
Montargis, musée Girodet

RAFAEL BARRADAS
Barcelone, 1918
L'Hospitalet de Llobregat,
Museu d'història
de L'Hospitalet, Ajuntament
de L'Hospitalet

JOAQUIM TORRES GARCÍA
Scène de rue, Barcelone, 1917
Barcelone,
collection particulière

SERGE CHARCHOUNE
Grenade, 1916
Paris, collection Raymond
Creuze

SERGE CHARCHOUNE
Mi madre me vendió
(" Ma mère m'a vendu "), 1917
Paris, collection Raymond
Creuze

CHRONIQUE D'UN EXIL

FRANCIS PICABIA
Chariot, 1922-1923
Londres,
collection particulière

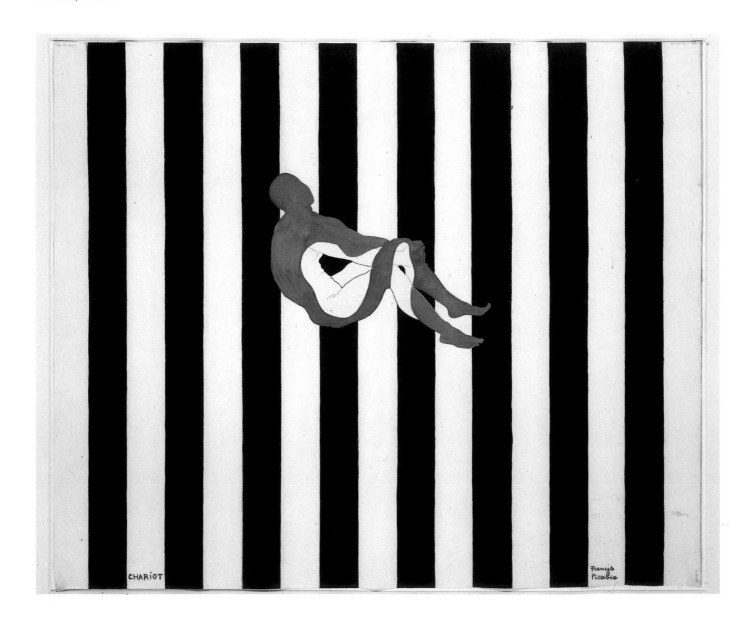

MARIA LLUÏSA BORRÀS

CHRONIQUE D'UN EXIL

Barcelone

Au moment où éclata la Première Guerre mondiale, Barcelone comptait huit cent mille habitants et avait la réputation d'être une ville accueillante et libérale, gaie et profondément imprégnée de culture française, qui entamait dans l'enthousiasme les préparatifs de l'Exposition internationale de l'électricité. Mais avant tout, c'était une ville qui avait embrassé la cause de la France et allait envoyer mille volontaires catalans combattre sur le front du pays voisin.

La revue *Iberia*, qui commença à paraître en avril 1915, militait en faveur de la cause de la France et de la Grande-Bretagne, et affirmait qu'« il n'est pas un seul artiste en Catalogne qui n'ait passé quelques années à Paris [1] ». La prospérité de la ville s'accroissait car l'industrie locale travaillait d'abondance pour les pays belligérants, nouveaux et très bons clients. Mais en même temps que la prospérité de l'industrie, s'accroissait le nombre des conflits du travail, et la presse parlait d'hommes de main anonymes, prétendument à la solde du patronat, qui attentaient à la vie des dirigeants ouvriers.

Le climat devenait insupportable, de même que l'agitation syndicaliste soutenue par les étudiants, comme devait s'en souvenir plus de cinquante ans plus tard Juliette Gleizes. Cela n'était rien d'autre qu'un pur et simple spectacle de rue pour les exilés qui n'avaient en tête que de vivre de leur mieux leur expatriation en se déclarant défaitistes.

Parmi les raisons d'ordres divers qui firent de Barcelone le point d'attraction d'un certain nombre d'artistes qui quittaient Paris, il faut citer en premier lieu – sans parler des caractères distinctifs de la ville – l'existence de la galerie Dalmau, connue pour avoir exposé pour la première fois des œuvres cubistes hors de Paris, et dont le directeur, plein de bonnes dispositions et de sympathie à leur égard, les accueillait à toute heure à bras ouverts. La galerie Dalmau se trouvait à deux pas de la Rambla, cette large avenue qui traverse la ville du port à la place de Catalogne, pleine de monde vingt-quatre heures sur vingt-quatre, et point de rencontre des membres de cet exil doré, décrit par Juliette Gleizes dans son poème « L'Année », qui se situe sans aucun doute en 1916.

Curieusement, néanmoins, ces exilés n'habitaient pas près de la Rambla, lui préférant la partie haute de la ville, où l'air était plus salubre, et l'un après l'autre allaient loger dans un faubourg en construction, Els Josepets, à Vallcarca, au nord-est de la place de Lesseps.

Josep Dalmau et sa salle d'expositions

En 1916, Josep Dalmau était âgé de quarante-neuf ans. Né à Manresa – une ville située à l'intérieur de la Catalogne, réputée pour son ultraconservatisme –, au sein d'une famille d'artisans, il avait appris le métier de relieur de son père et s'installa à son compte à dix-sept ans dans la capitale catalane. Dalmau fit un voyage à Paris en 1906 après avoir suivi un stage de restauration, puis ouvrit dans le quartier des antiquaires une boutique de meubles et d'objets anciens, qui était aussi une salle d'exposition d'art d'avant-garde, s'efforçant de compenser, grâce à la vente d'antiquités, les pertes entraînées par son désir de faire connaître dans sa ville l'art le plus récent et le plus controversé.

À Barcelone, Dalmau travailla comme relieur, mais sa vocation était la peinture. Dès 1895, il commença à prendre part à des expositions collectives : une de ses huiles figure dans le catalogue de la huitième Exposition des beaux-arts de Barcelone. En 1899, il présenta sa première et unique exposition individuelle dans le café Els Quatre Gats et continua à exposer de temps à autre ses peintures – pour la plupart des portraits – jusqu'à l'année de sa mort, participant notamment à la première Exposition d'artistes indépendants qui se tint en 1937, en pleine guerre d'Espagne.

Homme cultivé aux activités multiples – antiquaire, galeriste, peintre et excellent restaurateur –, Josep Dalmau écrivit aussi sur l'art. Une fois encore, on retrouve à l'origine d'une personnalité riche et novatrice le sédiment du mouvement symboliste.

Portrait de Josep Dalmau,
vers 1910
Barcelone,
Collection Rafael Santos
Torroella

Dalmau avait en effet été l'élève de Joan Brull, un des plus prestigieux représentants du symbolisme catalan, et il n'est pas douteux qu'il lui restât de cette fréquentation, comme ce fut le cas pour tant d'autres artistes, un fort penchant pour l'ouverture et la diversité.

Comme le faisait remarquer à l'époque le critique Sebastià Gasch, le plus ardent défenseur de l'art d'avant-garde en Catalogne avant 1936, l'apport de Dalmau à cet art fut capital. Parmi les expositions collectives qu'il organisa, il faut considérer comme les plus marquantes celles consacrées à l'art cubiste (1912), aux artistes polonais (1912) et à l'art français d'avant-garde (1920). D'autre part, ce fut Dalmau qui encouragea le ralliement au nouvel art de peintres espagnols, tels Enric Cristófol Ricart, intéressant peintre ami de Joan Miró, qui devait pourtant devenir un paladin du noucentisme et un détracteur du surréalisme, Rafael Barradas, qui avait eu à Milan des contacts avec les futuristes et fut le créateur du vibrationnisme, ou Celso Lagar, champion du planisme, et bien entendu Joaquim Torres-García. Ce fut encore Josep Dalmau qui organisa la première exposition personnelle de Joan Miró (1918), ainsi que celle de Salvador Dalí (1925). Parmi les expositions qu'il consacra à des artistes étrangers, on retiendra celles de Kees Van Dongen (1915), d'Albert Gleizes (1916), du couple Serge Charchoune et Hélène Grunhoff (1916), d'Otto Weber, de Frank Burty ou de Francis Picabia (1922).

Il paraît normal que Dalmau, comme tout marchand qui doit programmer exposition après exposition, ait montré dans sa galerie des œuvres d'art local qui n'étaient pas précisément d'avant-garde, par exemple celles de quelques membres du groupe Les Arts i els Artistes, fondé en 1910 et composé surtout de peintres proches du noucentisme ayant opté pour un art d'ascendance figurative classique.

Mais il faut le dire sans ambages, c'est être injuste envers Dalmau que de l'accuser d'éclectisme et de manque de cohérence, comme le font les détracteurs de l'avant-garde historique encore vivants en Catalogne. Dalmau ne milita pas en faveur d'une esthétique donnée ou de telle ou telle tendance, mais dans l'intérêt de l'ouverture et de la diversité, avec une préférence marquée pour tout ce qui n'était pas officiel, pour ce qui était méconnu, controversé ou marginal.

En ce mois d'août 1916, il convint d'un échange entre des artistes catalans et ceux de la galerie Druet, située rue Royale à Paris. On pouvait lire dans une revue : « Quel homme étonnant que cet antiquaire ! N'est-ce pas installer la contradiction dans sa propre maison que de vendre des antiquités et d'acheter les œuvres des artistes à la pointe de l'avant-garde ? Nous autres amateurs d'art, nous connaissons bien les prodiges de diplomatie et d'activité, les continuelles dépenses de cet homme pour faire connaître à notre public ingrat et méfiant ce que produit de

Papier à en-tête de Joseph Dalmau, à l'adresse Portaferrissa 18 Barcelone, Collection Rafael Santos Torroella

Annonce de la conférence d'André Breton à l' Ateneo, Barcelonès, novembre 1922 Barcelone, Collection Rafael Santos Torroella

meilleur le mouvement moderne. Dalmau a mené à bien un tel travail sans aucun ou quasiment aucun espoir d'en tirer bénéfice : il se complaît, dirait-on, à nous apporter justement ce qui est le plus susceptible de heurter la susceptibilité embourgeoisée du Barcelonais [2]. »

Le portrait le plus féroce et le plus caustique de Dalmau est dû à Josep Pla, l'un des grands écrivains catalans du XXe siècle, mais qui s'adresse ici essentiellement à ce même public bourgeois « ingrat et méfiant » dont il est question dans l'article que l'on vient de citer et dont, en fait, il partageait les idées : « À la galerie Dalmau se pressent la jeunesse la plus virulente et la plus agitée du monde artistique barcelonais et les plus singuliers étrangers de passage. Surtout pendant la guerre, ont fréquenté ces lieux des personnages vraiment sensationnels. Pourtant, l'homme le plus singulier de la maison est M. Dalmau lui-même. C'est un homme de petite taille, arborant une barbe noire retombant avec nonchalance, au teint très pâle, portant des vêtements lustrés par l'usure et toujours trop grands pour lui. Trop longs et trop larges : ses pantalons tirebouchonnent sur ses godillots poussiéreux ; la veste très ample ressemble à un pardessus ; elle plonge sous le poids des objets qui en remplissent les poches ; le gilet semble fait pour contenir trois Dalmau à la fois. On peut à mon avis affirmer que M. Dalmau s'habille avec une négligence tout à fait manifeste. Mais la négligence de la mise n'est rien à

côté de la négligence, disons physique, dont fait preuve M. Dalmau. C'est un homme dont la voix est si évanescente et si faible – de simples mouvements des lèvres – qu'il faut être très habitué à elle pour la capter. Il marche d'un pas si las et si faible qu'il vous prend envie de lui saisir le bras pour l'empêcher de tomber. On a l'impression qu'il est affamé depuis trois ou quatre mois. Son allure est celle d'un homme qui a dépassé les limites de l'abandon, de la déliquescence, du laisser-aller. Il est l'anémique par excellence, l'être humain en voie de devenir cadavre. Fumer des cigarettes est la seule chose pour laquelle il fait montre de quelque vigueur… Il fume très lentement, et il est l'un des hommes capables de conserver le plus longtemps un mégot collé à sa lèvre inférieure [3]. »

Dans ce même texte, Josep Pla décrit également la galerie : « Dans la rue Puerta Ferrissa, se trouve un très long passage. En le parcourant, on débouche sur un patio, un lieu humide, contenant des pots de fleurs ébréchés et des plantes rachitiques, et où en hiver on sent une odeur de mousse sombre. Au centre, se trouve une sorte de cage couronnée d'une verrière. Cette cage pourrait être le studio d'un photographe. En fait, c'est la cage de la galerie Dalmau, en un mot, le temple de l'art d'avant-garde. »

L'arrivée des artistes

Arthur Cravan passa la frontière au Perthus le 6 décembre 1915, comme il est indiqué au verso de son permis de séjour en France [4]. Il avait entrepris ce voyage parce qu'il avait appris par des revues consacrées à la boxe (par exemple *La Boxe et les Boxeurs*) qu'il y avait à Barcelone un nombre assez important pour être prometteur de succès d'amateurs de ce sport, et parce que Kees Van Dongen se trouvait dans cette ville où il exposait en ce même mois sept brillantes toiles à la galerie Dalmau. La présence du peintre à Barcelone est attestée par la chronique toujours à l'écoute de la France de Josep Pla : « Van Dongen arrive d'Alger […] Il arrive avec une cargaison composée d'arabes, d'odalisques et de palmeraies, de minarets et une quantité extraordinaire de murs blancs d'une luminosité aveuglante sous des ciels bleus d'une lumière incroyable. Il rapporte aussi plusieurs portraits de femmes, certains d'après nature, peints avec une liberté fascinante, dans lesquels il manie la couleur avec une telle audace qu'il est devenu la risée du microcosme barcelonais [5]. »

Avec les œuvres de Van Dongen, était aussi exposée une série de xylographies de Lluís Jou, qui n'était autre que Louis Jou, lequel réalisait alors les planches pour illustrer l'édition de la *Salomé* d'Oscar Wilde, avec une préface d'Ernest Lajeunesse, collaborateur de la revue de Cravan, *Maintenant* [6]. Ainsi celui-ci retrouvait-il à Barcelone l'éditeur d'un ouvrage de son très cher Oscar Wilde et l'un des rares peintres qu'il déclarait admirer : « Van Dongen a fait des choses admirables. Il a la peinture dans la peau. Quand je cause avec lui et que je le regarde, je me figure toujours que ses cellules sont pleines de couleur, que sa barbe elle-même et ses cheveux charrient du vert, du jaune, du rouge ou du bleu dans leurs canaux. Mon amour me fera écrire plus tard tout un article sur lui […] [7]. »

En outre, aux yeux de Cravan, Van Dongen avait pour lui d'être aussi un ami de Félix Fénéon, ainsi qu'un amateur de boxe, lui qui dans des moments difficiles avait travaillé comme faire-valoir de lutteurs de baraques foraines. L'amitié entre Van Dongen et Cravan durait alors depuis au moins trois ans, comme en témoigne le tableau du premier intitulé *Boxing Exhibition avec Charlie* (1912) – où l'on voit le second debout, en train de boxer, en effet avec Charlie –, réalisé probablement en souvenir du ring que Cravan avait improvisé dans le vaste atelier que Van Dongen occupait avenue de l'Observatoire [8].

Arthur Cravan fut le deuxième arrivé. Son frère Otho Lloyd et sa compagne Olga Sacharoff, tous deux peintres, avaient passé l'été à Pollensa (Majorque), dans la maison qu'y possédait Antoni Vicens rue del Sol, puis étaient retournés en novembre à Paris, où ils souhaitaient se marier ; ils en furent empêchés par Nelly, la mère d'Otho, qui menaça dans une lettre de leur couper les

vivres [9]. La situation à Paris ayant empiré et étant tous deux des peintres de tendance cubiste, ils optèrent pour Céret où ils se rendirent avec la voiture d'Otho. Mais pendant l'hiver, Céret était une ville maussade, froide et sans vie artistique : les seuls à y résider alors étaient Manolo Hugué et sa femme Totote, qui leur parlèrent de Barcelone et d'une pension de famille bon marché dans la rue Sacristans, près de la cathédrale. Après avoir sollicité leur visa d'entrée à Perpignan, ils se rendirent à Barcelone. Il n'est pas sûr que Cravan les accompagnait, bien que ce soit tout à fait possible, les trois étant arrivés en décembre 1915. Cravan demanda peu après à sa compagne Renée de le rejoindre.

Tous quatre cherchèrent à se loger à moindres frais, mais dans un quartier salubre, loin de l'air pollué et de la saleté de la vieille ville ; c'est ainsi qu'ils s'installèrent à flanc de montagne, à Vallcarca, où les gens du peuple allaient passer le dimanche, car on pouvait s'y restaurer pour pas cher à la guinguette de Las Cañas et danser l'après-midi entière au son d'un orgue de Barbarie, ce qui, semble-t-il, enchantait Cravan [10].

Celui-ci passait aux yeux de la colonie française pour le courageux frère d'Otho, car il était boxeur. Il faisait l'objet de la haine tenace de Marie Laurencin, qu'il avait consciemment maltraitée dans *Maintenant*, à propos de sa contribution au Salon des indépendants de 1914, mais il était en revanche très populaire dans le milieu de la boxe où il était admiré et fêté, en tout cas jusqu'au retentissant fiasco de son combat contre Jack Johnson. Quand il quittera Barcelone pour New York, sa correspondance révélera que, outre Francis Picabia, il compta d'autres amitiés, notamment celle du professeur Szilard, savant hongrois qui faisait partie du laboratoire de Marie Curie et avait épousé Andrée, la fille du député français Compère-Morel, eux aussi exilés à Barcelone.

Les activités de boxeur professionnel d'Arthur Cravan au cours de l'année 1916 furent relatées dans la presse, qui informa les lecteurs qu'en février, il devenait professeur de boxe du prestigieux Real Club Marítimo et effectuait trois arbitrages (un le 3 février à l'Iris Park lors du combat Cuchet contre Frank Hoche, un autre le 12 avril lors du combat Martínez contre Frank Hoche et le troisième lors du combat Fred Jack contre Sum). En mars, *La Vanguardia* annonçait la présentation au public du très célèbre boxeur anglais Arthur Cravan, « sans discussion le meilleur des boxeurs qui nous ont rendu visite [11] ».

Mais il est une autre raison pour laquelle la peintre russe Olga Sacharoff avait préféré Barcelone à Lausanne où résidaient la mère et le beau-père de son compagnon Otho Lloyd : c'est que dans la capitale catalane se trouvaient alors plusieurs des artistes russes qui avaient comme eux fréquenté à Paris l'académie de Marie Vassilieff, au 21, avenue du Maine, dans le bâtiment même où Otho Lloyd avait son atelier et où ils s'étaient rencontrés. Une «académie» qui devait devenir dans les moments difficiles une sorte de cantine et le lieu de réunion des artistes slaves, de Chaïm Soutine à Vladimir Baranoff-Rossiné. Parmi les artistes russes, se trouvaient aussi à Barcelone Dagmar Mouat, qu'Olga appelait Dagoussia, avec laquelle elle avait partagé un logement à Paris, et son amie intime le sculpteur Chana Orloff.

Serge Charchoune, né à Bougourouslan en 1888 ou 1889 – on ne le sait pas avec certitude –, gagna Barcelone à l'initiative de sa compagne à Paris le sculpteur Hélène Grunhoff, élève d'Antoine Bourdelle mais admiratrice inconditionnelle de l'œuvre d'Alexandre Archipenko. Leur séjour fut bref car, en 1917, il rejoignit le corps expéditionnaire d'émigrés qui se formait en France. Dalmau organisa en avril 1916 une exposition des œuvres des deux artistes, dont la presse se fit largement l'écho. Josep Maria Junoy, admirateur des *Calligrammes* d'Apollinaire, dédia à Hélène Grunhoff un poème visuel [12].

Quant à Sonia Terk, autre peintre russe, mariée à Robert Delaunay, elle séjourna à plusieurs reprises à Barcelone en 1916 et 1917, car elle souhaitait que Dalmau fit dans sa galerie une exposition simultanéiste. Elle ne s'intégra pas au groupe parce que la mère de son mari, Berthe Delaunay, habitait la ville. Celle-ci était allée jusqu'à Fontarabie avec son fils et sa belle-fille, mais au lieu de poursuivre comme eux le voyage jusqu'au Portugal, elle s'était installée à Barcelone où elle avait ouvert une boutique de lingerie sur le Passeig de Gracia. Les lettres qu'ils échangèrent alors révèlent qu'elle-même, comme son fils, se tinrent à l'écart du groupe d'artistes français de Barcelone, et tout particulièrement de Josep Dalmau, sur lequel pourtant ils ne tarissaient pas d'éloges. Berthe Delaunay écrivait à son fils : «Dalmau est un insecte, et comme tu le dis, il fera servilement ce que tu lui diras, avec ses airs d'impuissance et son bavardage qui ne sont qu'une façade [13].»

Il ne faut pas oublier que les Delaunay n'avaient pas alors bonne presse à Paris. Arthur Cravan avait régalé Sonia d'un copieux chapelet d'obscénités et consacré à son mari quelques phrases particulièrement insultantes [14]. Gertrude Stein ne les portait pas non plus dans son cœur, elle qui écrivit que – Apollinaire se trouvant seul à un certain moment – «ils s'adjoignirent Guillaume Apollinaire et ce fut lui qui leur enseigna l'art de la cuisine et l'art de vivre [15]».

Parmi les séjours de Sonia Delaunay à Barcelone, la presse signala celui de mars 1918, «dans le but d'organiser chez Dalmau une exposition simultanéiste [16]», à laquelle devaient également prendre part plusieurs jeunes peintres portugais tels qu'Amadeo de Souza-Cardoso ou Eduardo Vianna. Elle y retourna à la fin du mois de décembre et il fut à nouveau question dans la presse de l'exposition simultanéiste [17]. En octobre 1917, elle se trouvait

dans la capitale catalane ; en effet, comme elle eut à plusieurs reprises l'occasion de le rappeler, c'est sur la Rambla de Barcelone qu'elle apprit la nouvelle de la Révolution russe, qui la dépouillait de son patrimoine. La correspondance amicale que les Delaunay échangèrent avec les Gleizes permet de savoir qu'ils séjournaient aussi à Barcelone en mai, juin et novembre 1917 [18].

Sonia et Robert Delaunay entretinrent également, bien entendu, une correspondance riche de détails intéressants avec Dalmau, qui se montra franchement intéressé par le simultanéisme. Pourtant, l'exposition n'eut jamais lieu. Les différents projets échouèrent, en partie parce que les deux artistes changeaient tout à coup d'avis, comme en témoignent les nombreuses lettres à ce sujet, adressées aux divers correspondants de plusieurs pays. Dans une lettre du 3 mars 1916 écrite à Vila do Conde Sonia Delaunay proposait à Dalmau une exposition simultanéiste. Mais elle ne tarda pas à changer d'idée et lui demanda de programmer une exposition monographique de son œuvre dans le cadre du Salon des artistes français.

Amadeo de Souza-Cardoso suivit avec inquiétude ses volte-face : «J'attends de votre part réponse nette sur l'exposition mois de mai Barcelone pour vous remettre de suite les tableaux montés et les pochoirs. Madame m'avait parlé qu'il vallait peut-être mieux remettre cette exposition à octobre et en faire alors une grande manifestation. Je crois que nous devons faire une exposition à Barcelone le plus tôt possible [19].» Et dans une autre lettre, il revient sur la question : «Cette grande exposition à Barcelone, mettez-y votre génie [20].»

Mais le projet n'aboutit pas avant tout en raison de l'ambition démesurée des Delaunay. Ils souhaitaient une grande exposition simultanéiste de caractère universel et, voulant y faire entrer trop de choses et trop d'artistes, ils frustrèrent les espoirs de tout le monde. Les espoirs d'Arturo Ciacelli, directeur de la Nya Konstgalleriet de Stockholm, qui devait leur procurer des œuvres d'artistes suédois constamment mentionnés dans leurs missives [21]. Et aussi les espoirs des jeunes Portugais qui avaient cru fermement à leurs projets, au point qu'Eduardo Vianna perdant patience, écrivit d'un ton courroucé : «Vous avez de l'argent qui m'appartient. Je veux dire mes tableaux destinés à être exposés dans ces expositions imaginaires […] Voulez-vous, Madame, avoir la bonté de me dire ce que je dois faire pour récupérer mes affaires ?»

Nul ne sut mieux que Francis Picabia définir cette ambition proprement démesurée avec ce détour : «Le peintre Delaunay, n'ayant pas trouvé à Barcelone d'atelier assez vaste pour que s'y puissent réaliser dans la matière ses rêves gigantesques de gloire, est parti pour Lisbonne, dont il décorera toutes les façades. Trente kilomètres d'énorme peinture en perspective [22].»

En mars 1916, arrivait à Barcelone Marie Laurencin, mariée depuis peu à un «Boche», le peintre allemand Otto von Wagen, ainsi que l'annonçait la presse [23]. Elle n'était pas une inconnue, en premier lieu parce qu'elle avait été la muse de Guillaume Apollinaire, poète admiré à Barcelone, et ensuite parce qu'elle avait participé à l'exposition cubiste. Elle dut se tenir à distance respectable d'Arthur Cravan mais, en revanche, le fait que son mari ait fréquenté l'académie Humbert en même temps que Picabia favorisa d'heureuses retrouvailles qui devaient les mener au-delà d'une simple amitié sans que nul ne s'en scandalisât. Otto von Wagen et Marie Laurencin préférèrent au centre ville le quartier de l'Ensanche de Cerdà et louèrent un appartement rue de la Diputació, entre la rue de Bruc et la rue de Lauria, où ils réunissaient leurs amis en fin d'après-midi.

À la fin du mois de mai, débarquaient de l'Alfonso-XII, venant de New York où ils avaient passé leur lune de miel, Albert Gleizes et Juliette Roche. Peu après, c'était le tour de Ricciotto Canudo, écrivain italien établi à Paris depuis 1905, collaborateur du *Mercure de France*, puis directeur de *Montjoie!*, en compagnie de Valentine de Saint-Point, petite-nièce de Lamartine, femme d'un non-conformisme et d'une hardiesse extraordinaires. Canudo ne tarda pas à quitter Barcelone pour rejoindre à nouveau l'armée d'Orient, comme le signala Junoy dans sa revue [24].

En juillet 1916, arrivait Francis Picabia qui, une fois installé à l'hôtel Continental, se mit, dans l'attente de l'arrivée de sa femme et de ses enfants, en quête d'un logement dans le faubourg d'Els Josepets, où il trouva en effet un grand appartement au n° 26 de l'avenue República Argentina.

Le 10 juin 1917, la presse souhaitait la bienvenue à Pablo Picasso, accueilli avec un enthousiasme débordant. Trois jours plus tard, paraissait l'annonce d'un banquet en son honneur au Lion d'or, décrit le 15 juin comme un hommage tumultueux. Eugeni d'Ors n'y avait pas été invité: rencontrant Miquel Utrillo à l'inauguration d'une exposition de céramique peu de jours après le banquet, il lui flanqua une retentissante gifle [25]. Picasso revint à Barcelone et eut de nouveau droit à un banquet d'hommage le 10 novembre, à l'occasion de la création au Gran Teatre du Liceu du ballet *Parade*, sur une musique d'Erik Satie, dont l'artiste avait dessiné les décors et les costumes.

Lors de l'arrivée d'Albert Gleizes à Barcelone, au printemps 1916, la presse fit ponctuellement part de l'événement car on ne pouvait l'avoir oublié dans cette ville après le scandale de l'Exposition d'art cubiste, suivi d'un autre non moins retentissant, provoqué par son exposition d'avril 1912. Nul amateur de peinture ne l'avait effacée de sa mémoire, parce qu'elle constituait un défi considérable lancé au tout récent noucentisme, qui proclamait, par la voix d'Eugeni d'Ors, les délices du retour à

l'Antiquité classique. À l'exposition des cubistes figuraient trois peintures et quatre dessins de Gleizes, ainsi que le *Nu descendant un escalier* de Marcel Duchamp, qui montrait pour la première fois au public une œuvre avec laquelle Gleizes avait quelque chose à voir. En effet, jaloux défenseur de la pureté du cubisme, celui-ci avait empêché que le *Nu* en question fût exposé au Salon des indépendants de Paris, auquel Duchamp l'avait présenté en février de cette même année 1912 [26].

Gleizes, qui avait écrit qu'il ne faut pas croire qu'il suffit de peindre l'apparence de volumes pour être un cubiste [27], semblait curieusement d'accord avec le créateur du noucentisme, Eugeni d'Ors, qui dans son «Glosari» écrivait à propos de l'exposition des cubistes: «Il se trouve enfin dans l'actuelle exposition des cubistes un cas affligeant, un cas d'inconscience et d'égarement. C'est celui de ce Duchamp [28].»

En revanche, avec son flair proverbial, Dalmau choisit justement, parmi les cinquante-deux œuvres de l'exposition, le *Nu descendant un escalier* pour illustrer la notice où figurait la traduction en catalan du texte de présentation dû à Jacques Nayral, directeur littéraire des éditions Figuière [29]. Les Gleizes, qui s'étaient connus en 1913, se marièrent deux ans plus tard en pleine guerre. Leur présence à Barcelone fut aussitôt annoncée dans *La Veu de Catalunya* du 12 juin et dans *El Poble catala* du 15, en des termes à peu près semblables: «Se trouve actuellement à Barcelone où il se propose de faire un long séjour parmi nous Albert Gleizes en compagnie de sa charmante épouse, tous deux artistes français bien connus. M. Gleizes a déjà montré de ses œuvres à Barcelone en mai 1912, dans le cadre de l'exposition des maîtres cubistes. Elles ont fait une forte impression.»

L'influence qu'exerça Juliette Roche, femme sensible et cultivée, sur le peintre Albert Gleizes semble hors de doute. Ils formèrent un couple étroitement uni. La jeune fille très indépendante, à la forte personnalité, habituée à fréquenter les grands noms de la politique et de la culture françaises, qui rêvait de se consacrer à la littérature sut, au fil des années, devenir une femme pleine d'abnégation, vivant dans le dévouement total à son mari et à sa peinture. Peu après leur rencontre, en pleine guerre, elle put, grâce à l'influence de son père Jules Roche, traverser la zone des armées pour aller rendre visite au peintre cubiste à l'hôpital militaire de Toul, jusqu'à ce qu'enfin elle obtînt qu'il fût rendu à la vie civile [30].

Juliette Roche et Albert Gleizes se marièrent à Paris le 8 septembre 1915 et, trois jours plus tard, ils arrivaient à Bordeaux afin de s'embarquer pour New York, ville dont Gleizes rêvait depuis qu'il avait entendu les étonnantes descriptions de Francis Picabia, seul artiste français qui s'y était rendu pour assister à l'Armory Show. New York fit sur Gleizes une impression unique, indicible : il y vit ni plus ni moins la cité de l'avenir. Les Gleizes burent à grands traits cette vie trépidante mais, au bout de huit mois, ils avaient besoin de vacances en Europe, loin de la guerre bien entendu. Ils optèrent alors pour Barcelone, ville où Juliette avait déjà séjourné avec son père, grâce auquel ils disposaient d'un logement, et où s'étaient réfugiés certains de leurs amis [31].

Sur la photographie bien connue qu'Otho Lloyd prit du groupe, sur la plage de Tossa de Mar, Albert et Juliette Gleizes apparaissent en tenue de ville et chapeautés parce qu'ils venaient d'arriver. Curieusement, ils fréquentèrent peu Valentine de Saint-Point, pourtant amie de Juliette : voulant se tenir à l'écart du groupe des Français, cette femme singulière vivait loin d'eux et si, par hasard, quelque Français se montrait, elle l'apostrophait violemment, folle de colère [32].

Le nom de Picabia, qui apparaît dans de nombreuses peintures de 1916, tracé de la main de Gleizes, indique que les rapports difficiles qu'ils entretenaient depuis le temps de l'orphisme, et qui ne s'améliorèrent pas par la suite, connurent une trêve bénéfique à Barcelone, grâce à la sympathie et à la distinction de Juliette, que Picabia tenait en très haute estime.

À Barcelone, le couple Gleizes retrouva une atmosphère calme, mais stimulante, qui le reposait de la vie fébrile de New York. Albert peignait sans relâche, mêlant les sensations que lui procurait Barcelone aux souvenirs de ses expériences nord-américaines, et Juliette écrivait. Ils eurent l'avantage d'entretenir des relations passionnantes avec un groupe d'artistes et d'intellectuels étrangers venus à Barcelone, dans un pays neutre, avec lesquels ils communiquaient facilement en français, et qui avaient fait de la ville un creuset d'idées : beaucoup de Russes (n'oublions pas l'influence de Serge Charchoune sur la peinture de Gleizes) et, en général, d'intéressants « défaitistes » d'horizons idéologiques différents, voire antagoniques, ce qui aurait rendu leur fréquentation impossible à Paris. Juliette évoque cette année dans son poème justement intitulé « L'Année » : la présence d'Arthur Cravan (« Le boxeur noir et le déserteur anglais »), celle de Marie Laurencin, dont elle nomme le chien dans un vers en espagnol (« *Coco quieto ! a la cocina con Lola* »), le cabaret Excelsior, la tension de l'attente (« Exil des Ramblas / Paséos déserts / Siestes […] La vie agit par répétition / à la manière du tam tam nègre […] [33] »).

Barcelone vivait pourtant une période troublée de revendications sociales ; les syndicalistes – rappelons-le – étaient la cible d'incessants attentats, que l'on disait commandités par le patronat, et les étudiants défilaient dans les rues dans un bruyant désordre. Mais les artistes étrangers se tenaient à l'écart de tout cela et ne cherchaient même pas à s'informer sur ce sujet, n'ayant d'autre préoccupation que de tuer agréablement le temps en attendant la fin de la guerre. Néanmoins, les Gleizes, qui disposaient d'un appartement dans l'édifice du Gaz Lebon – compagnie dont le président du conseil d'administration n'était autre que Jules Roche –, au n° 28 de la rue Balmes, c'est-à-dire à deux pas de l'université, ne pouvaient manquer d'entendre le brouhaha des manifestations estudiantines, ayant lieu au moins quatre fois par semaine, que la police s'efforçait de disperser, et dont Juliette conservera un vif souvenir plus de cinquante ans plus tard. Ce groupe de pacifistes vivait des jours dorés : « Barcelone, c'était le bon temps ! » Elle évoquera cette année-là dans d'innombrables anecdotes, affirmant qu'elle avait marqué d'une profonde empreinte le caractère, plutôt réservé et très austère, d'Albert Gleizes. Francis Picabia l'emmenait dans sa voiture au casino de La Rabassada, près du Tibidabo, et le poussait à jouer. Pendant un séjour de Juliette à Paris, où elle était allée rendre visite à son père, tous deux gagnèrent des sommes énormes. À son retour, ils voulurent recommencer leur exploit, mais ils perdirent tous les trois jusqu'à leur chemise. Les Gleizes, les Picabia et les Wagen (Otto et Marie Laurencin) étaient inséparables. Que de soirées passées à l'Excelsior, à La Lune ou dans un music-hall de Montjuïc [34] !

Mais Albert Gleizes n'en travaillait pas moins intensément. Tôt levé, il passait ses matinées à peindre et ce fut, en un certain sens, à Barcelone que se concrétisèrent ses expériences new-yorkaises et que son langage s'affirma.

À cela ne fut pas étranger le soutien que lui apporta Josep Dalmau, qui lui proposa de faire dans sa galerie, à la fin de l'année, une exposition qui allait être sa première exposition individuelle. La presse catalane en publia de longs comptes-rendus, dans certains cas en première page [35].

Et tous travaillent

En ces années-là, se développèrent à Barcelone plusieurs activités artistiques de très grand renom international, qui permettent de dire que la ville était en quelque sorte un substitut du Paris en guerre. C'est ce qui sembla être l'avis des autorités françaises, qui décidèrent en 1917 que le Salon annuel des artistes français se tiendrait à Barcelone et non à Paris. Le délégué français chargé de l'organiser fut Marcel Saglio, qui se rendit dans ce but dans la capitale catalane : « L'art français à Barcelone. Les délégués des trois salons français, accompagnés de la princesse Murat et de M. Saglio, délégué du sous-secrétariat des beaux-arts, ainsi que des artistes espagnols Casas, Rusiñol, Sert, Utrillo, Clarà, se sont rendus au célèbre ermitage du Mont Serrat [sic] où un banquet leur a été offert. M. Pierre Rahola, sénateur de Barcelone, a porté un toast vibrant à la France [36]. » Dans le n° 5 (juin 1917) de sa revue *391*, Francis Picabia écrivait : « Barcelone […] Parmi cela, quelques artistes. Ils comptent si peu dans le temps que M. Saglio, traversant Barcelone, les aperçoit à peine. »

Le 23 avril 1916, à l'occasion de la Saint-Georges, fête nationale de la Catalogne, eut lieu un combat de boxe dont l'écho retentit dans le monde entier. Le légendaire Jack Johnson lança un défi à quiconque prendrait le risque de boxer contre lui, avec une coquette somme à la clé. Arthur Cravan, poète, neveu d'Oscar Wilde, éditeur de la revue *Maintenant* – considérée comme une publication dada avant la lettre –, mais qui à Barcelone passait pour être un as de la boxe, releva le défi. Le match – qui sera un combat historique – suscita un tel engouement qu'il dut se dérouler dans les arènes et fut annoncé dans toute la ville par une énorme affiche [37], réalisée par son frère Otho Lloyd.

Mais tout ne fut pas qu'anecdote car les artistes exilés travaillaient et certains créèrent à Barcelone le meilleur de leur production. Dans le groupe dit des Russes, par exemple, ils échangèrent théories et expériences avec une véritable frénésie. Serge Charchoune, natif de l'Oural [38], après avoir vécu deux ans à Paris, se trouva inopinément confronté à un art qui lui rappelait à tel point celui de son pays qu'il déclara que Barcelone était pour lui comme un miroir reflétant son image. L'art mudéjar, dont il trouva la trace dans la première architecture d'Antoni Gaudí, le fascina, au point même de l'obséder, et lui inspira, comme en un exorcisme, une série de peintures ornementales de structure symétrique, en rapport avec l'art mozarabe ; il affirma qu'il percevait dans la symétrie bilatérale une communion avec le cosmos. Il est indiscutable que c'est à Barcelone que prit corps ce que l'on désignera sous le terme de « cubisme ornemental ». Dans l'exposition de ses œuvres organisée par Dalmau, Charchoune intitula *Ornemental* une série de graphismes en arabesques qu'il y présenta et une autre fondée sur le carrelage. Cette peinture éminemment géométrique et ornementale caractérisa sa période dada, au cours de laquelle ses travaux furet publiés dans des revues telles que *Merz*, *Meccano*, *Manomètre* ou *391*.

Olga Sacharoff continua d'explorer le langage cubiste de façon systématique, en ayant recours au motif bien connu de la guitare, dans des tons sourds, dont il reste trois œuvres sur papier et une nature morte (*Coin de chambre*), mais la peinture de 1916 la plus intéressante qui nous soit parvenue est assurément *Jeune homme au chat*, un portrait d'Otho Lloyd tout à fait dans la ligne de l'œuvre reproduite dans le n° 2 de *391*.

Otho Lloyd photographiait tout et devint le photographe attitré des exilés. Le cliché qu'il prit du groupe sur la plage de Tossa de Mar a été maintes fois reproduit. Il ne pouvait imaginer, qu'à sa mort en 1979, il serait considéré, non comme un peintre – malgré son travail assidu, il n'eut jamais de succès –, mais comme un des meilleurs photographes de l'après-guerre espagnol. Il faisait à Barcelone des affiches sur commande, la plus célèbre étant celle, déjà évoquée, annonçant le match Cravan contre Johnson qui eut lieu dans les arènes La Monumental. Mais lui se considérait comme un peintre et allait peindre des paysages dans les environs de Vallcarca, ou encore saisissait toute occasion de sortir de la ville, par exemple en allant à la plage de Tossa, qui lui inspira de délicates aquarelles, révélant, quoique très légèrement, ses velléités cubistes. Dans le n° 2 de *391* (février 1917), il publia un intéressant dessin d'intérieur.

Quant à Albert Gleizes, son catalogue raisonné consacre tout un chapitre à son travail à Barcelone, correspondant aux numéros 657 à 739, soit plus de quatre-vingts œuvres qui représentent parfaitement sa période de transition du cubisme vers ce que l'on a appelé l'abstraction lyrique. On peut constater, dans le développement de chacun des thèmes qui l'intéressèrent, une même évolution, qui le mena d'une facture cubiste à l'incorporation d'un certain naturalisme, ainsi que de glacis ou de superpositions évoquant une situation ou un paysage, qui aboutirent à un certain décorativisme de la couleur, proche de l'orphisme dont Gleizes avait été l'un des champions en 1913 à Paris et dont dérivait son musicalisme, défendu au sein du groupe de Puteaux par Frantisek Kupka et Francis Picabia, mais surtout par Valensi. Le rythme est présent dans certaines compositions de 1916, par exemple dans la série *Danseuse espagnole*.

Gleizes se lança dans la préparation de sa première exposition [39] qui, comme on l'a vu, fut amplement commentée par la presse catalane dans de longs articles, parfois à la une [40]. Si l'on compare le *Paysage de Meudon* de 1911, présenté à l'exposition des cubistes du printemps 1912 à la galerie Dalmau, à quelques compositions de la fin de 1916 qui frôlent l'abstraction, on constate à l'évidence que Gleizes a parcouru un long chemin. Ce *Paysage de Meudon* n'allait pas au-delà de la structuration géométrique proposée par Cézanne, et il est significatif qu'il inclut d'autres œuvres qui ne pouvaient être que le point de départ de la nouvelle étape, tout particulièrement le magnifique tableau *Les Joueurs de football* de 1912-1913 qui plut tant à Dalmau qu'il le décrivit dans *La Veu de Catalunya* comme « l'œuvre la plus accomplie et la plus significative ». Gleizes présentait aussi les deux versions du *Portrait de Cocteau*, grand ami de Juliette et témoin à son mariage. Cette huile, portant le numéro 15, mérita un poème de Josep Maria Junoy décrivant avec des mots ce que Gleizes avait peint et disant que Cocteau arborait une capote bleu horizon, des guêtres ajustées en cuir gris et la buffleterie réglementaire de couleur ocre. Il concluait sa description en notant que le très élégant personnage portait une assiette de neigeuse porcelaine en guise de bouclier

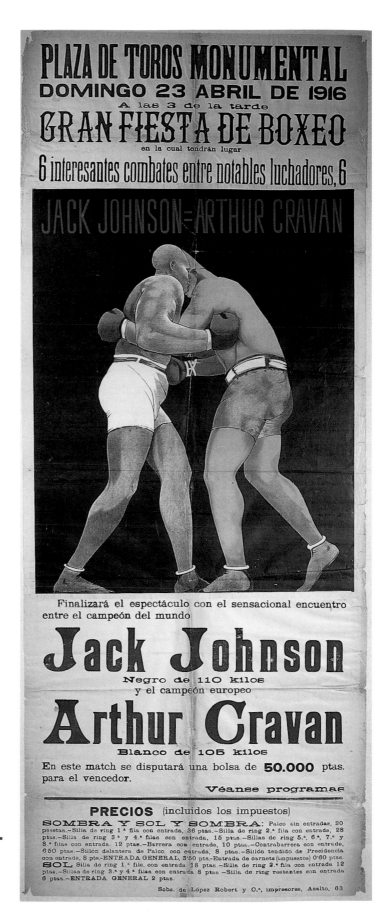

immaculé. Sous le numéro 30, figurait la gouache de même titre dont le fin critique Joan Sacs, ennemi juré des cubistes, déclarait qu'elle était, comme la plupart des œuvres exposées, un simple essai ne méritant pas d'être proposé à la curiosité d'un public si peu préparé à regarder ce type de peinture [41].

La peinture de Gleizes avait en réalité commencé à évoluer à Toul, où il avait exécuté un portrait cubiste au crayon de Juliette. Des œuvres telles que le *Portrait de Kandinsky*, le *Portrait de Florent Schmitt* – son camarade à l'infirmerie de la caserne – ou *La Cruche*, datées de 1915 et qui figurèrent toutes trois à l'exposition de Barcelone, marquent le choix d'une plus grande liberté structurelle dans le respect de la rigueur du cubisme orthodoxe. Gleizes abandonne la figure octogonale et se rapproche de l'orphisme et des disques de Delaunay. Dans cette grande exposition de la fin de 1916, il exposa aussi des peintures commencées à New York et achevées à Barcelone, comme celles intitulées *Broadway New York*, *Les Affiches de New York* ou *Astor Club Race New York*.

Près d'un tiers des œuvres exposées avaient été réalisées à Barcelone et étaient de thématique locale, notamment *Danseuse espagnole*, *Gitane* ou *Nu à sa toilette*, toutes en plusieurs versions. Albert Gleizes fit en outre une série de croquis de paysages qui montrent, qu'à l'évidence, il avait oublié les principes théoriques stricts qui avaient bridé ses pinceaux à Paris, au point de le pousser à demander le retrait du Salon des indépendants du *Nu descendant un escalier*, pour donner libre cours à la spontanéité. La série de dessins *Dans un bateau à voile*, et tout particulièrement celui qui contient l'inscription «Sur le bateau à voile de Picabia», signé et daté de Barcelone, 1916, est hautement révélatrice. Le cubisme semble loin, et Gleizes a recours à la mémoire, dans une composition conçue fragmentairement, en flashes simultanés correspondant à des moments et à des aspects divers d'une promenade en voilier le long des côtes catalanes.

Cela vaut également pour une série de dessins spontanés, ou plus exactement de croquis, qui ne figurèrent pas à son exposition et qui semblent être des études préparatoires à des huiles. Ainsi, une aquarelle décrivant le port de Barcelone, vu du Real Club Marítimo, et contenant la silhouette caractéristique du monument à Christophe Colomb (catalogue raisonné, n° 666). De la promenade en voilier, il réalisa une autre version à l'huile, plus élaborée, mais rigoureusement conforme au dessin préparatoire (n° 671). En revanche, une huile sur bois intitulée *Barcelona* (n° 661), inspirée du faubourg de Vallcarca, fut réalisée selon les principes de l'orphisme, ce qui indique qu'il s'agit probablement d'une œuvre antérieure.

Francis Picabia et Albert Gleizes, dont, comme on l'a dit, les relations conflictuelles connaissaient une embellie, se lancèrent apparemment – étant donné la ressemblance entre le *Paysage d'éventail* de Gleizes (n° 707) et l'éventail de Picabia, conservé dans une collection de Barcelone – le défi de peindre sur un tel support.

Quant à l'huile *Nu à sa toilette* (n° 689), où l'on peut voir les typiques cuvettes catalanes, elle décrit une insolite figure féminine de dos, nue à partir de la taille. Il en existe un croquis préparatoire tout aussi énigmatique, conservé au Solomon R. Guggenheim Museum de New York : une encre sur papier portant l'inscription «Pour Hilla avec toute mon amitié».

La trentaine de peintures, études et croquis qui nous sont parvenus sur le thème de la *Danseuse espagnole* permet d'étudier en détail la méthode de création du peintre. En fait, il intitule *Danseuse espagnole* les représentations de deux danseuses différentes : l'une populaire en robe à volants, les bras levés et jouant des castagnettes ; l'autre étant une *manola*, c'est-à-dire une femme tenant un éventail, vêtue avec une grande élégance d'une jupe descendant jusqu'aux chevilles, un grand peigne planté dans sa chevelure couverte d'une mantille. Dans les deux cas, les études préparatoires permettent d'affirmer que Gleizes partait du dessin, des lignes de force, tracées dans un croquis rapide, comme pour saisir la réalité immédiate. Ainsi la danseuse à la robe à volants et aux castagnettes – dont le Solomon R. Guggenheim Museum possède une version – a fait l'objet de plusieurs croquis préparatoires, et dans la *manola*, qui semble inspirée par le décorativisme outrancier d'un Gustav Klimt, Gleizes recherche aussi en premier lieu la ligne en tant que point de départ de la composition, en faisant un dessin préparatoire à la mine de plomb et à l'encre sur papier quadrillé qui déjà marque la courbe prédominante de la jupe volant, ce qu'il renforce dans les versions successives. Dans la très belle gouache *Danseuse espagnole* portant l'inscription «Barcelone/New York», il fait des différents fragments des pièces décoratives qui font penser, ainsi qu'on l'a dit, à Klimt, et revient au dessin au trait pour donner leur profil à l'éventail, au visage de la femme et aux collines de Barcelone. Mieux que tout autre, ce thème révèle à lui seul l'évolution d'un art descriptif vers l'abstraction. La magnifique huile sur papier du musée de Tel-Aviv (ancienne collection Mizné-Blumenthal de Rio de Janeiro) connue sous le titre *La Danseuse de Barcelone* est une composition, contenant la représentation descriptive des tours de la partie haute de la ville, dans laquelle domine la couleur caractéristique de l'orphisme.

Peintre marqué à tout moment par son environnement qui, lors de la spéculation cubiste, avait, comme Picasso, rejeté sans appel l'abstraction, Albert Gleizes allait poursuivre, tout au long de cette année 1916 – «L'Année» mythique de

Juliette – son flirt avec celle qui était devenue Mᵐᵉ Gleizes. Si le rapport étroit de sa peinture avec la vie quotidienne, avec l'environnement et ses protagonistes permet de déceler dans son œuvre une sorte de profil autobiographique dès les premiers paysages qu'il contemple et qu'il rend dans des créations dont la dette envers les impressionnistes est évidente (Montmartre et Neuilly), puis dans les premiers indices de modernité lorsqu'il décrit Courbevoie ou Créteil, c'est à Barcelone que font leur apparition les premières tentatives d'un art fondé au plus haut degré sur la forme et sur la couleur, dans lequel se dissipe la réalité. Voilà qui l'entraînera, bien longtemps après, notamment dans les années trente, à contre-courant des réalismes régnants, à s'égarer dans une peinture de moindre intérêt, à mi-chemin entre le décorativisme et ce que l'on a appelé l'abstraction lyrique.

Comme il l'écrivit à Alfred Stieglitz, Francis Picabia travailla beaucoup [42]. En fait, il vécut comme toujours intensément et passa de plaisirs de toutes sortes à ses spéculations sur l'homme, la machine et leurs similitudes. Il réalisa plusieurs versions de sa *Novia,* en rapport probable avec *La Mariée* de Marcel Duchamp. La version la plus connue est celle qui fut reproduite en couverture du n° 1 (25 janvier 1917), portant l'inscription, nullement innocente, « AU PREMIER OCCUPANT ». Il s'agit d'une machine de traction à deux roues, comme la bicyclette, et comme elle d'une possible métaphore érotique invitant à la lire comme un ensemble sexuel composé d'une petite roue – ou élément masculin – dépendant d'une autre plus grande – ou élément féminin –, symbole de l'acte sexuel ininterrompu sans intention de reproduction. *Fille née sans mère* (musée d'Édimbourg) dérive de l'idée que la machine est une fille sans mère, issue exclusivement du cerveau de l'homme. Il s'agit également d'une machine de traction, et son mouvement est aussi involontaire que le désir sexuel masculin.

Par ailleurs, Picabia poursuivit la réalisation de ses portraits-machines publiés en 1915 dans la revue *291* de New York (*Portrait de Stieglitz* ou *Portrait de Haviland*, par exemple) avec un splendide *Portrait de Marie Laurencin* (Musée national d'art moderne, Centre Georges Pompidou, Paris), dans lequel il eut encore recours à une machine – un ventilateur – pour représenter son modèle : l'élément féminin actionne la roue dentée inférieure, qui tourne, quant à elle, grâce à une chaîne de bicyclette, transmettant le mouvement à une bobine. Le portrait est complété par quelques phrases trouvées dans les pages roses du Petit Larousse, faisant référence à des circonstances de sa vie privée, telles que *Sub tegmine fagi, Fidus achates* ou *Non licet omnibus adire Corinthium,* adaptées pour l'occasion respectivement en « À L'OMBRE D'UN BOCHE », « LE FIDÈLE COCO » (le chien que

citait aussi Juliette Gleizes dans son poème), « IL N'EST PAS DONNÉ À TOUT LE MONDE D'ALLER À BARCELONE ».

Grâce à Dalmau, Picabia publia sa revue *391,* et pensant à *291* de Stieglitz, il écrivit dans le premier numéro : « Évidemment, le *391* de Barcelone n'est pas le *291* de New York. » Cette première livraison de *391* contenait un poème et un dessin de Marie Laurencin, ainsi qu'un poème et un dessin de Picabia. Le morceau de bravoure en était en fait « Odeurs de partout », suite de courts textes dans lesquels Pharamousse-Picabia, spirituel et subtil, se moquait de tout et de tous. Avec ses dix-neuf numéros, *391* fut la revue dada qui vécut le plus longtemps. Entre 1917 et 1924, date officielle de la naissance du surréalisme, Picabia en publia trois numéros à Barcelone, trois à New York, un à Zurich et les onze derniers à Paris.

Fasciné par les livres imprimés des frères Demetrius et Víctor Oliva à Vilanova, Picabia décida de faire connaître son premier recueil de poèmes, qui sera publié par Dalmau avec un soin tout particulier. C'est en pensant à Friedrich Nietzsche qu'il l'intitula *Cinquante-deux miroirs* [43]. Cette suite de poèmes montre clairement l'évolution qui mena l'auteur de textes purement descriptifs – les premiers – à ceux d'une écriture purement automatique – les derniers, devançant donc de deux ans *Les Champs magnétiques* d'André Breton et Philippe Soupault.

Après la Grande Guerre, en novembre 1922, Francis Picabia fit encore une mémorable exposition à la galerie Dalmau, témoignant ainsi des bonnes relations qu'il entretenait avec le galeriste et de sa fidélité envers lui, avec qui il échangea constamment de cordiales missives. Dans une de ses lettres adressées à Picabia, Dalmau lui écrivait qu'il n'était pas nécessaire de réserver une chambre d'hôtel, car il serait extrêmement heureux de l'accueillir chez lui [44].

Francis Picabia prépara pour Barcelone une exposition toute particulière : elle offrait la primeur d'un ensemble inédit réunissant les résultats de ses toutes dernières recherches plastiques dans le domaine de l'abstraction géométrique, qui sembla susciter beaucoup d'intérêt à Paris pendant l'entre-deux-guerres et le situa assez près de la géométrie de Theo Van Doesburg avec lequel il entretenait des relations épistolaires, au moins depuis février 1920, ce qui est digne d'attention dans la mesure où Van Doesburg, tout en étant fidèle au strict néoplasticisme de De Stijl, se déclarait partisan de Dada sous l'hétéronyme de I. K. Bonset. Picabia était aussi en contact avec Lajos Kassàk et collaborait à *Ma*, la revue publiée par ce dernier, qui défendait un art fondé sur la géométrie, très proche de celui que Picabia allait montrer à Barcelone. Dans le contexte de cet intérêt pour la géométrie, il faut situer la construction de Marcel

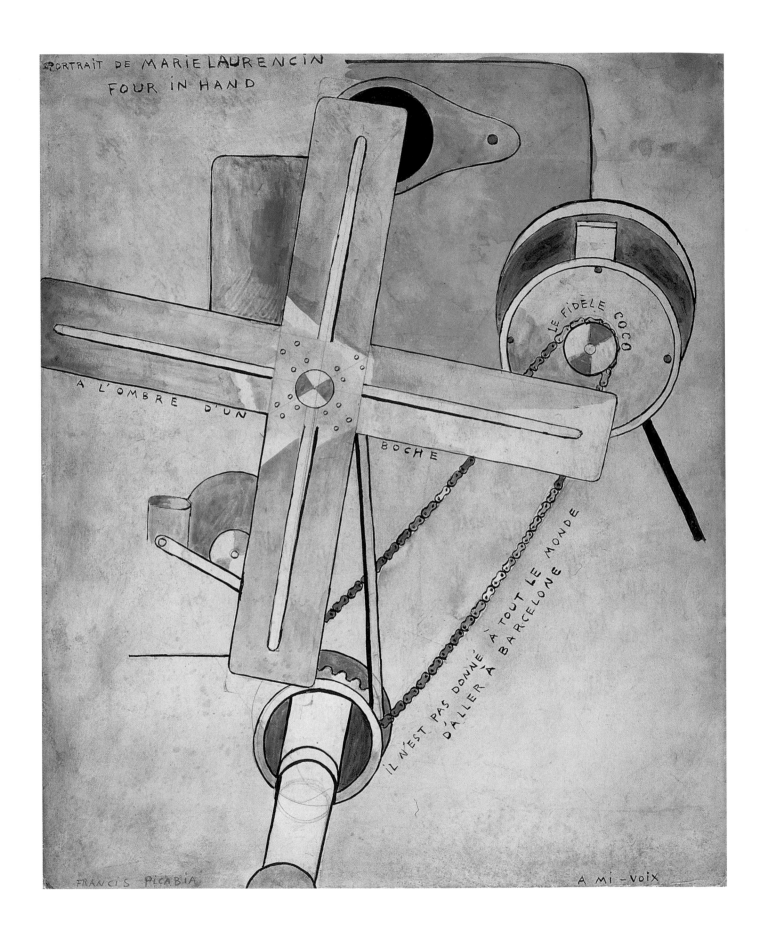

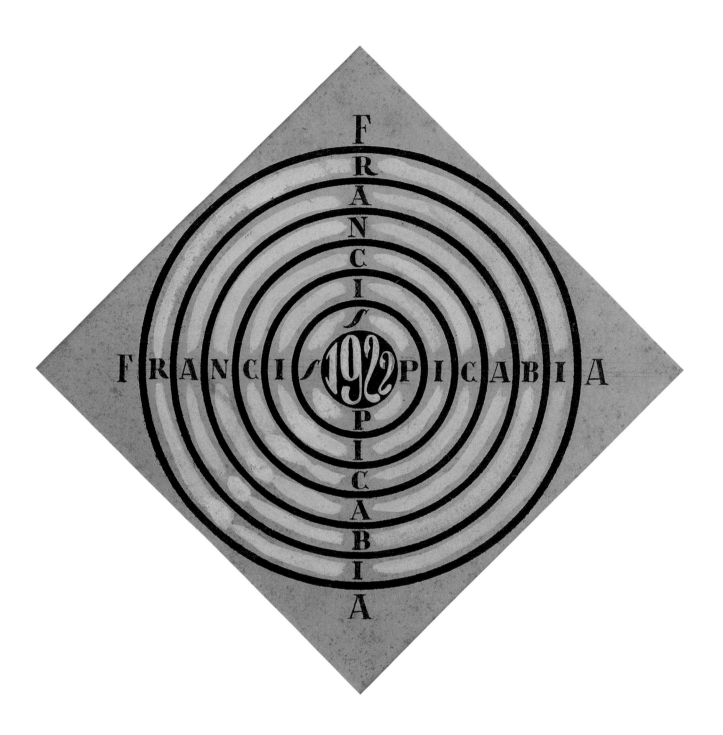

FRANCIS PICABIA

Portrait de Marie Laurencin,
vers 1916-1917
Paris, Centre Georges
Pompidou, Musée national
d'art moderne,
don de Juan Álvarez
de Toledo (Paris, 1990)

FRANCIS PICABIA

Cible, maquette
pour l'affiche de l'exposition
Picabia,
galerie Dalmau, Barcelone,
1922
Barcelone, collection
Rafael Santos Torroella

Duchamp, qui en témoigne, *À regarder d'un œil, de près, pendant presque une heure*, reproduite dans *391*, justement en 1920 (juillet, n° 13).

Nous voici au moment où Picabia, stimulé par les nouveautés proclamées par Breton, mit l'accent sur la valeur de l'ancien ; c'est précisément en 1922 qu'il lançait sa phrase bien connue : « L'amour n'est pas moderne, mais c'est ce que j'aime le mieux », qui sera son grand principe dans les années suivantes (notamment à partir de 1926 et au cours des années trente). L'exposition qu'il présenta à la galerie Dalmau ne pouvait que mêler l'ancien et le nouveau. Et c'est ainsi qu'auprès d'un ensemble homogène d'un géométrisme très pur et très simple, il montra une demi-douzaine de ses *Espagnoles*.

Cette année fut marquée par l'exposition Picabia, mais aussi par la célèbre conférence qu'André Breton vint donner à l'Ateneo de Barcelone. Ils s'y rendirent tous deux, ainsi que leurs compagnes respectives, dans la voiture de Picabia. Après quelques brouilleries successives, ce voyage marquait un nouveau rapprochement des deux vieux amis, scellé par un texte de Breton pour le beau catalogue de l'exposition. Il vaut la peine de noter que cette conférence constitua en réalité le coup d'envoi d'un nouveau mouvement – le surréalisme – dont Breton devait publier le *Manifeste* deux ans plus tard.

(traduit du castillan par Robert Marrast)

FRANCIS PICABIA
Toréador, 1922
Paris, collection particulière

FRANCIS PICABIA
Espagnole, n. d.
Challes-les-Eaux, collection
particulière

FRANCIS PICABIA
Espagnole à la mantille, n. d.
Menton, musée des Beaux-Arts

Notes

1 *Iberia*, 7 mai 1915.

2 Voir *Vell i Nou*, n° 31, août 1916, et l'article de Joan Sacs dans *La Publicidad* du 11 août 1916.

3 Josep Pla, «El Quadern gris. Un dietari», *Obra completa*, tome 1, Barcelone, Destino, 1982, p. 656.

4 Documents déposés par sa fille Fabienne Benedict à la Bibliothèque Jacques Doucet, Paris.

5 Josep Pla, *op. cit.*, 1982.

6 On peut lire dans *Vell i Nou* de janvier 1916 : «Van Dongen, ami de Lluís Jou, se trouve à Barcelone et expose chez Dalmau, qui montre aussi des lithographies de Jou.» Oscar Wilde, *Salomé*, Paris, Georges Crès, collection «Théâtre d'art», 1917.

7 *Maintenant*, n° 3-4, numéro spécial, mars-avril 1914, p. 13.

8 Sur Arthur Cravan, se reporter à Maria Lluïsa Borràs, *Cravan, une stratégie du scandale*, Paris, Jean-Michel Place, 1996.

9 Les quelque cinq cents lettres que Nelly adressa à son fils aîné Otho Lloyd, à raison de deux par semaine, tout au long de sa vie, constituent une très précieuse source d'information pour sa biographie et celle de son frère Arthur Cravan (collection Maria Lluïsa Borràs).

10 Le 18 décembre 1916, Nelly envoie à son fils une lettre à l'adresse suivante : 10, rue Albijesos, 3e étage, preuve qu'en décembre 1915 les deux frères s'étaient installés à cette adresse à Barcelone. Du contenu de cette missive, on déduit qu'ils avaient trouvé du travail : Lloyd comme professeur d'anglais à l'École Berlitz et Cravan comme professeur de boxe au Real Club Marítimo.

11 Voir *La Vanguardia* des 23 février, 19 mars, 12 et 14 avril 1916.

12 Le poème de Josep Maria Junoy est publié dans *Revista Nova* du 31 décembre 1916.

13 Fonds Delaunay (Musée national d'art moderne, Centre Georges Pompidou, Paris).

14 «M. Delaunay, qui a une gueule de porc enflammé ou de cocher de grande maison pouvait ambitionner avec une pareille hure de faire une peinture de brute […] Au physique c'est un fromage mou : il court avec peine et Robert a quelque peine à lancer un caillou à trente mètres […] cette figure d'une vulgarité tellement provocante qu'elle donne l'impression d'un pet rouge. Par malheur pour lui […] il épousa une Russe […] Avant de connaître sa femme, Robert était un âne ; il en avait peut-être toutes les qualités : il était brailleur *(sic)*, il aimait les chardons, à se rouler dans l'herbe et il regardait avec de grands yeux stupéfaits le monde […] Depuis qu'il est avec sa Russe, il sait que la tour Eiffel, le téléphone, les automobiles, un aéroplane sont des choses modernes.» (*Maintenant*, 3e année, n° 4, numéro spécial, mars-avril 1914, p. 16-17).

15 Gertrude Stein, *Autobiographie d'Alice Toklas*, traduit de l'anglais par Bernard Faÿ, Paris, Gallimard, 1934, p. 107.

16 *Vell i Nou*, mars 1916.

17 La rubrique «Ecos» du quotidien *El Poble catala* du 30 décembre 1916 signale que Dalmau parlait encore d'une prochaine exposition des simultanéistes.

18 En mars 1917, puis en juin et en novembre de la même année, Delaunay écrit à Gleizes de l'hôtel Peninsular de Barcelone. Dans l'une de ces lettres, il dit qu'à Barcelone il a rencontré Picasso (Fonds Delaunay, Bibliothèque nationale de France, Paris). En décembre, *Vell i Nou* publie les lettres de Delaunay à Joan Sacs.

19 Lettre à Robert Delaunay, 3 mai 1916, p. 130, dans Paulo Ferreira (éd.), *Correspondance de quatre artistes portugais, Almada-Negreiros, José Pacheco, Souza-Cardoso, Eduardo Vianna (1915-1917)*, Paris, Presses universitaires de France, 1972.

20 Lettre à Sonia Delaunay, 13 mai 1916, p. 132, dans Paulo Ferreira (éd.), *op. cit.*, 1972.

21 Dans une lettre du 20 octobre 1916, Arturo Ciacelli, agacé par ces revirements, écrit que ni lui-même ni les artistes suédois ne pourront se joindre au projet parce qu'ils ont déjà tout vendu (Fonds Delaunay, Bibliothèque nationale de France, Paris).

22 *391*, n° 1, 25 janvier 1917, p. 4.

23 *La Veu de Catalunya*, 3 avril 1917.

24 On peut lire dans le n° 1 de *Troços* (Barcelone) de septembre 1917 : «Canudo, l'enthousiaste directeur de *Montjoie !*, accomplit des prouesses dans l'armée d'Orient.»

25 L'incident est rapporté dans la rubrique «Ecos» du quotidien *El Poble catala* des 13, 15 et 18 juin 1917 : «Lors de l'inauguration de l'exposition de céramiques des élèves de l'École des arts appliqués, s'est produit un déplorable incident entre un professeur, philosophe et écrivain bien connu, et un écrivain et critique d'art qui passe le plus clair de son temps à Sitges […] le second avait exclu le premier de la liste des invités au banquet en l'honneur de Picasso. En plein milieu de la cérémonie retentit une gifle. Elle avait atteint la joue d'Utrillo et la main qui l'avait administrée était celle d'Eugeni d'Ors, qui se contenta de déclarer : "Il existe une jurisprudence universelle : lorsqu'on reçoit une gifle, ou bien on la rend, ou bien on s'en va." Et Utrillo s'en est allé.»

26 Dans un de ses entretiens avec Pierre Cabanne, Marcel Duchamp déclare : «Vous vous souvenez que le *Nu descendant un escalier* avait été refusé aux Indépendants de 1912. C'est Gleizes qui en est à l'origine ; la toile avait causé un tel scandale qu'avant l'ouverture il chargea mes frères de me demander de retirer le tableau» (Marcel Duchamp, *Ingénieur du temps perdu. Entretiens avec Pierre Cabanne*, Paris, Belfond, 1976, p. 52). Duchamp a rappelé cette anecdote à plusieurs reprises. Voir aussi D. Robbins, *Albert Gleizes (1881-1953)*, New York, 1964, p. 17-18.

27 «Souvenirs. Le cubisme 1908-1914», *Cahiers Albert Gleizes*, Lyon, 1957, p. 21.

28 *La Veu de Catalunya*, 27 avril 1912.

29 Jacques Nayral était l'ami intime d'Albert Gleizes depuis l'époque du groupe de Passy ; il devint son beau-frère en épousant sa sœur Mireille. Nayral fut en outre l'éditeur du cubisme. Il fut tué sur le front et Gleizes peignit, en 1917, à titre d'hommage, son portrait, une huile de 76 x 70 cm, où le numéro de son régiment – 86 – est très nettement visible. Nayral dirigeait les éditions Figuière qui publièrent *Les Peintres cubistes, méditations esthétiques* de

Guillaume Apollinaire et le traité *Du cubisme* d'Albert Gleizes et Jean Metzinger.

30 Éminent homme politique, Jules Roche fut plusieurs fois ministre de la troisième République, dont il avait été l'un des fondateurs. Il était en outre membre du Conseil supérieur des beaux-arts, ce qui permit à Juliette, sa fille adorée, de fréquenter le milieu artistique académique. Mais bien vite, peut-être grâce à son amitié avec Misia Sert, elle devint familière du groupe des nabis et l'amie intime du couple Redon. Son amitié pour un «cubiste» surprit désagréablement tout le monde et l'éloigna de ces milieux.

31 Marie Laurencin et les Picabia, naturellement. Et aussi Valentine de Saint-Point et Ricciotto Canudo qui, à Barcelone, vivaient ensemble; c'est justement Canudo qui avait présenté Gleizes à Juliette.

32 Témoignage de Juliette Gleizes (1975).

33 Juliette Gleizes, *Demi-Cercle*, Paris, éditions La Cible, 1920. Voici le texte intégral du poème : «Exil des Ramblas / Paséos déserts / Siestes / Réverbération de la petite place à travers des volets / Les chanteurs aveugles reviennent tous les jours à la même heure / La vie agit par répétition / À la manière du tam tam nègre et des articles du Figaro / (le train de Paris apporte chaque matin les journaux de la veille) / et s'emplit de tout ce qu'on veut bien y mettre / Excelsior / La cocaïnomane nécessaire / Le chanteur andalou / Le boxeur noir et le déserteur anglais / L'heure du bain était orange bleue et rose / *Coco quieto! a la cocina con Lola /*

Malagueñas / À fond de cale / des émigrants jouaient de l'ocarina / Dernières nouvelles du sans fil / À l'avant / des voyageurs parlent de paix. »

34 L'Excelsior, lieu de rendez-vous obligé, se trouvait au 34 de la Rambla del Centre. Il faisait sa publicité dans la presse en français, se flattait de posséder les meilleurs professeurs de tango de toute l'Europe et vantait ses soirées qui se terminaient par les plus acharnés combats de boxe, le sport à la mode. Quant à La Luna (qui existait encore il y a peu sur la Rambla de Catalunya, non loin de la place du même nom), elle s'appelait alors La Lune.

35 Parmi les notes et les articles publiés dans la presse, il faut distinguer les textes de Josep Dalmau, de F. de Huish et de Joan Sacs, ainsi que le poème de Junoy.

36 *Mercure de France*, 16 mai 1917, p. 378.

37 Un exemplaire de l'affiche a été déposé par Fabienne Benedict, la fille de Cravan, à la Bibliothèque Jacques Doucet, Paris. Pour les détails du combat, voir María Lluïsa Borràs, *op. cit.*, 1996.

38 Né à Bougourouslan (province de Samara) en 1888 ou 1889, Serge Ivanovitch Charchoune vint à Paris en juillet 1912 dans l'intention de devenir peintre cubiste. En 1917, il quitta l'Espagne pour s'engager comme volontaire dans le corps expéditionnaire d'émigrés qui se forma en France pour aller soutenir la révolution d'Octobre. Après s'être proclamé disciple de Picabia dans le n° 14 (novembre 1920) de *391*, il fit deux ans plus tard une exposition avec Hélène Grunhoff au Sturm de Berlin.

39 L'exposition, qui se tint du 29 novembre au 12 décembre 1916, comprenait les œuvres suivantes : 1. *L'Homme au piano*. 2. *Portrait de Kandinsky*. 3. *Portrait de Florent Schmitt*. 4 et 5. *Paysage de la Lorraine*. 6. *Nature morte*. 7. *La Cruche*. 8. *Portrait de J. R.* 9. *Portrait de T. M.* 10. *Portrait de Jacques Nayral*. 11 et 12. *Broadway New York*. 13. *New York*. 14. *Astor Club Race New York*. 15. *Portrait de Jean Cocteau*. 16. *Les Acrobates*. 17. *Danseuse espagnole*. 18. *Voltigeur*. 19. *Clowns*. 20. *Nu à sa toilette*. 21. *Gitane*. 22. *Danseuse espagnole*. 23. *Nature morte*. 24. *Paysage*. 25. *Les Affiches de New York*. 26 et 27. *New York*. 28. Étude pour *L'Homme au piano*. 29. *Souvenir de Toul*. 30. Étude pour le *Portrait de Jean Cocteau*. 31. *Les Joueurs de football*.

40 Encore une fois, les articles les plus longs et les mieux documentés publiés dans la presse sont dus à Josep Dalmau, F. de Huish et Joan Sacs, plus le poème de Junoy.

41 Feliu Elias (1878-1948), qui avait emprunté son pseudonyme au personnage de Hans Sachs – dont il «catalanisa» le prénom et le nom en Joan Sacs – des *Maîtres chanteurs de Nuremberg* de Wagner, fut une très grande figure de la vie catalane. Peintre plus qu'estimable, d'un réalisme militant, il était aussi, sous le pseudonyme d'Apa, un caricaturiste très applaudi.

42 Correspondance Picabia-Stieglitz (Archives Stieglitz, Yale Collection of American Literature, Yale University, New Haven, Connecticut).

43 Le recueil se compose en effet de cinquante-deux poèmes, mais il faut aussi voir dans le titre une allusion aux cinquante miroirs dont parle Nietzsche dans le chapitre «Du pays de la culture» de son livre *Ainsi parlait Zarathoustra* (traduction Albert, Paris, Mercure de France, 1901, p. 169).

44 Le 2 septembre 1922, Dalmau répond à la lettre dans laquelle Picabia lui fait part de son intention de se rendre à Barcelone et lui dit qu'il souhaiterait qu'il acceptât son hospitalité (Archives Picabia, [Bibliothèque littéraire Jacques Doucet, Paris] tome VIII, p. 684).

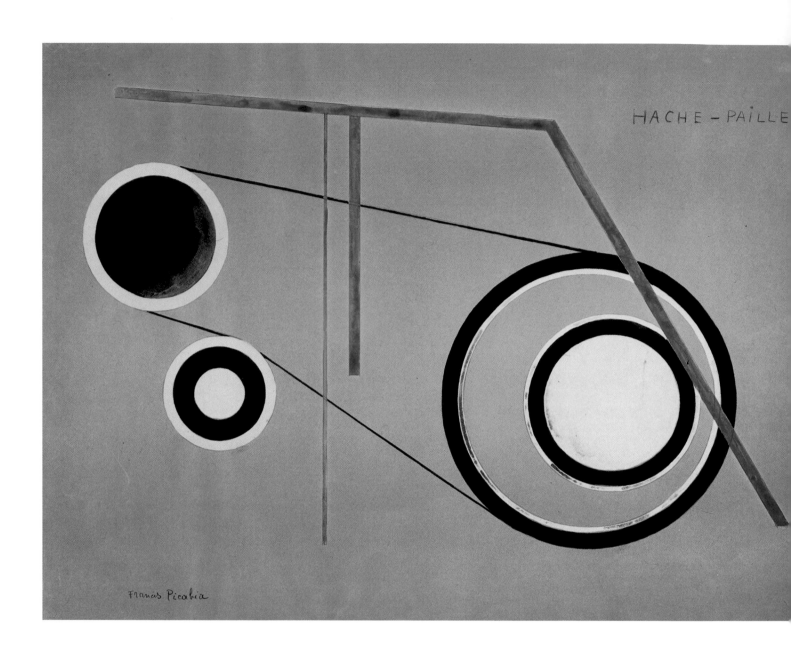

HACHE — PAILLE

Francis Picabia

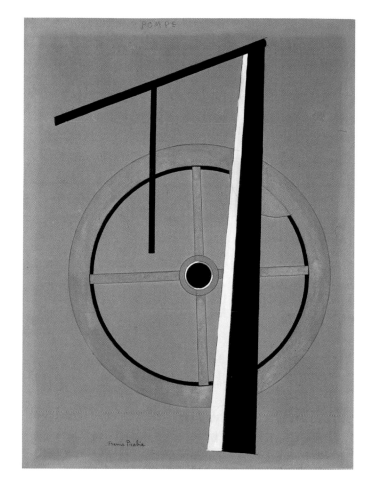

FRANCIS PICABIA
Hache-paille, 1922
Valence,
Instituto Valenciano
de Arte Moderno (IVAM),
Generalitat Valenciana

FRANCIS PICABIA
Brouette, 1922
Madrid, Museo Nacional
Centro de Arte Reina Sofíat

FRANCIS PICABIA
Pompe, vers 1922
Paris, Centre Georges
Pompidou, Musée national
d'art moderne
(Barcelone seulement)

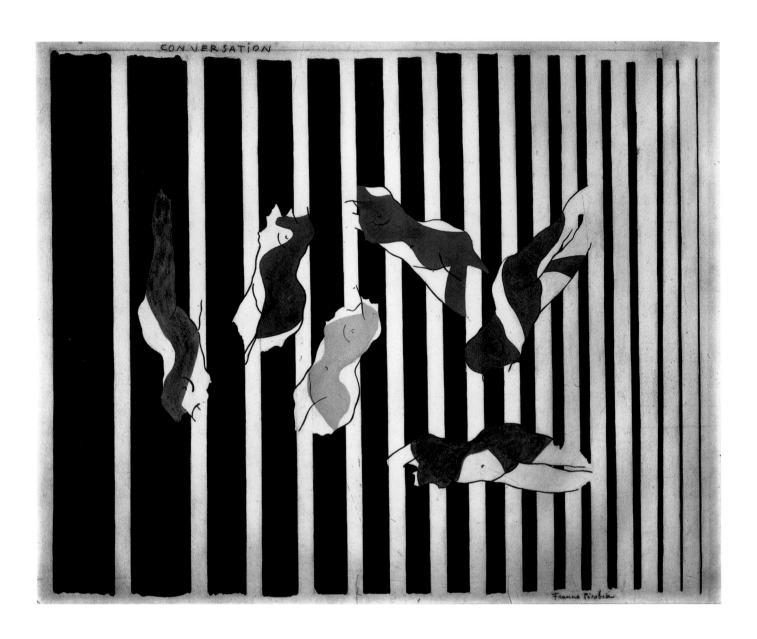

FRANCIS PICABIA
Conversation I, 1922
Londres, Tate Gallery

FRANCIS PICABIA
Lampe, 1923
Londres, collection particulière

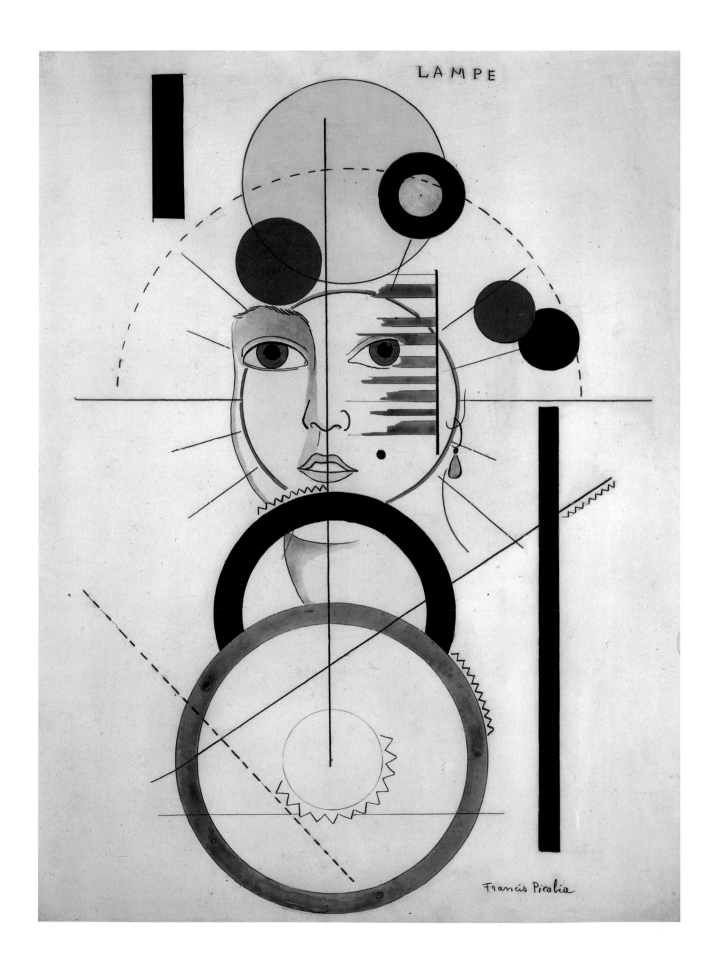

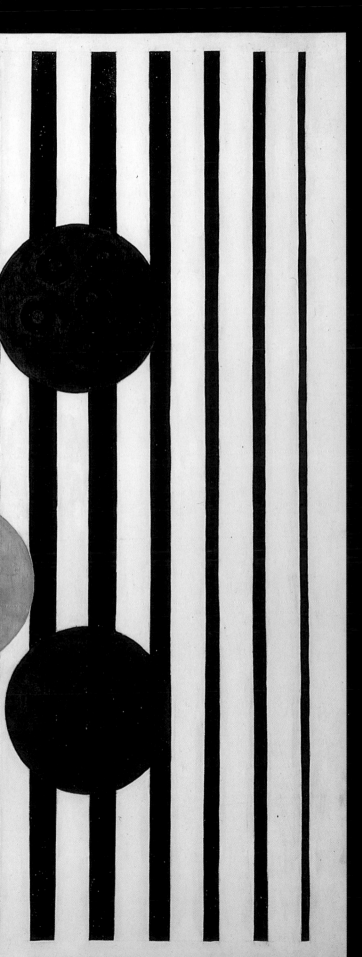

FRANCIS PICABIA
Volucelle II, 1922-1923
Paris, collection particulière

GAUDÍ ET GUIMARD

FRANÇOIS FONTAINE

GAUDÍ ET GUIMARD EN LIGNE DE MIRE

L'architecture «modern style» vue par Man Ray, Dora Maar et Brassaï

Au début des années trente, trois photographes parisiens amis des surréalistes vont être amenés à témoigner du génie de deux artistes qui, au tournant du siècle, ont bouleversé – en France et en Espagne – le monde de l'architecture et des arts décoratifs. Dora Maar et Man Ray photographient l'œuvre de Gaudí, à Barcelone, Brassaï celle de Guimard, à Paris. Le surréalisme, hydre polycéphale investiguant tous les domaines artistiques, se passionne à cette même époque pour l'architecture 1900 dans laquelle il perçoit l'expression de l'inconscient et la concrétisation d'un monde onirique. La photographie va être pour lui le témoin privilégié de cette redécouverte [1]. Pour André Breton, le «pape» du surréalisme, cet art possède une «valeur émotive» qui en fait «l'un des plus précieux objets d'échange». Il distingue dans les photographies des images d'état de rêve et y trouve des correspondances avec les phénomènes de l'automatisme. Pour Dalí, un temps compagnon de route du mouvement, l'imaginaire photographique reste «plus agile et plus prompt aux découvertes que les ténébreux processus subconscients [2]». L'artiste considère lui-même ses tableaux comme des «photographies peintes à la main». La revue *Minotaure* [3], véhicule du mouvement surréaliste, choisit de réunir en photographies, dans son numéro de l'hiver 1933, l'œuvre de ces deux architectes qu'elle admire.

Man Ray et Dora Maar en pays catalan

Depuis le début du XIXe siècle, la Catalogne a attiré parmi ses visiteurs étrangers, non seulement des peintres (Gleizes, Picabia, Chagall, Magritte, Duchamp, etc.), des musiciens (Stravinsky), des écrivains et poètes (Cravan, Bataille, Breton, Crevel), mais également des photographes. C'est le cas de Man Ray (1890-1976), en 1933, et de Dora Maar (1907-1997), en 1934. Ces deux photographes parisiens vont être amenés, à quelques mois d'intervalle et pour des raisons dissemblables, à voyager en Catalogne et à photographier l'œuvre architecturale de Gaudí. Il existe chez eux de nombreux points communs : ils sont d'origine étrangère (Man Ray est américain et le père de Dora Maar est yougoslave), ils sont venus s'installer à Paris (Man Ray de New York, en 1921 ; Dora Maar de Buenos Aires, en 1926) et sont devenus photographes professionnels après avoir étudié la peinture. De plus, ils possèdent leur propre studio (à Paris pour Man Ray et à Neuilly pour Dora Maar) et réalisent des photographies de mode, de publicité et des portraits. Enfin, ils évoluent dans le même milieu intellectuel et artistique parisien, sont ouverts aux idées surréalistes et deviendront tous deux des intimes de Picasso.

MAN RAY
Dalí, tête renversée, 1933
Paris, Centre Georges Pompidou,
Musée national d'art moderne,
dation en 1994

MAN RAY
*Architecture de Gaudí
à Barcelone* (Casa Milà), 1933
Paris, Centre Georges
Pompidou, Musée national d'art
moderne, dation en 1994

MAN RAY
Architecture de Gaudí à
Barcelone (Casa Milà), 1933
Paris, Centre Georges
Pompidou, Musée national d'art
moderne, dation en 1994.

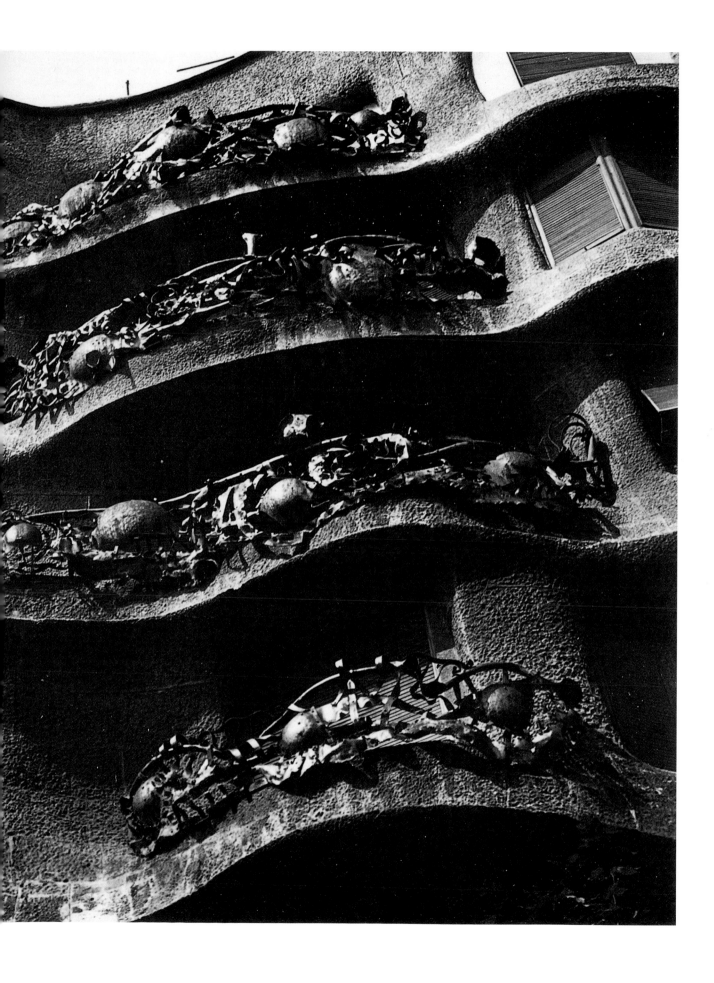

Man Ray face à l'«architecture délirante du modern style»

Lorsque Dalí publie, dans *Minotaure*, un article intitulé «De la beauté terrifiante et comestible de l'architecture modern style [4]», il rend un hommage merveilleux à l'architecture moderniste catalane qu'il qualifie de «géniale», «sublime», «terrifiante» et dans laquelle il voit «le phénomène le plus extraordinaire de l'histoire de l'art». Toutefois, son éloge s'adresse exclusivement à Gaudí [5] – et non à ses contemporains, Domènech i Montaner et Puig i Cadafalch – dont l'architecture «organique» douée d'une grande plasticité et d'une grande richesse formelle témoigne, selon lui, d'une «révolution sans précédent du sentiment d'originalité».

C'est au cours de l'année 1933 que Breton et Éluard, rédacteurs en chef de *Minotaure*, chargent Dalí d'écrire un article sur l'architecture «modern style» de Barcelone. Éluard et Duchamp, en vacances à Cadaqués, réussissent à convaincre Dalí – qui à l'origine souhaitait réaliser lui-même les clichés – que Man Ray est la personne idéale pour photographier l'œuvre d'Antoni Gaudí. Man Ray rejoint donc Dalí et Gala, Duchamp et Marie Reynolds, à Cadaqués, à l'été 1933. Là, entouré de ses amis, Man Ray réalise une série de clichés de galets et de rochers aux arêtes déchiquetées qui évoquent les formes fantastiques qui peuplent l'univers pictural de Max Ernst. Il effectue également une suite de portraits de Dalí photographié de dos, debout sur la terrasse d'une maison, drapé entièrement d'un linge clair, tel un spectre, avec une chaussure ou un bâton posé en équilibre sur sa tête [6].

À la mi-septembre, les cinq amis partent à Barcelone, où Man Ray réalise une série de photographies sur les architectures de Gaudí (Sagrada Familia, parc Güell, Casa Milà, Casa Batlló, etc.) qui oscille entre reportage documentaire et interprétation subjective. Bien que ce soit davantage par le travail du photographe que par les commentaires extasiés du peintre que le lecteur de *Minotaure* découvre l'œuvre du génial architecte catalan, les deux artistes se complètent merveilleusement dans cet article. Par son langage esthétique (vues obliques, contre-plongées, fragmentation de l'objet), Man Ray donne corps à la formule «convulsive-ondulante» qu'emploie Dalí pour décrire les maisons modernistes (Casa Batlló et Casa Milà) de Gaudí, disséminées le long du Passeig de Gracia, à Barcelone. Le photographe saisit les détails les plus significatifs de ces façades modernistes qui offrent «une succession asymétrique et dynamique de reliefs brisés, syncopés, enlacés» et dans lesquelles Dalí voit la «réalisation des désirs solidifiés». Les clichés de Man Ray, en écho avec les visions «surréalisantes» de Dalí, révèlent au lecteur tout ce que les édifices de Gaudí recèlent d'étrange et d'irrationnel, en insistant sur les éléments qui les apparentent au monde des rêves, si cher aux surréalistes. La façade de la Casa Milà évoque «les vagues fossiles de la mer» et ses balcons semblent faits d'«écume en fer forgé». La Casa Batlló offre une forêt de «colonnes de chair fiévreuse» qui semblent autant d'os destinés à «se laisser dévorer par le désir». Dalí affirme également que les maisons de Gaudí – outre leur caractère nutritif et comestible, la maison modern style est «une tarte exhibitionniste et ornementale» – sont les «seuls bâtiments érotisables». C'est dans cet esprit que Man Ray choisit de photographier une porte d'entrée métallique dont l'aspect évoque un tendre «foie de veau», la base molle d'une colonne «qui semble nous dire : mange-moi !» et des sculptures féminines aux chevelures ondulantes, dont l'expression hésite entre l'«extase» et l'«hystérie».

Obscur objet du désir, l'architecture hybride de Gaudí, magnifiée par les clichés de Man Ray et les visions exaltées et gourmandes de Dalí, semble faite pour les êtres en quête de beauté, qu'elle soit convulsive ou comestible.

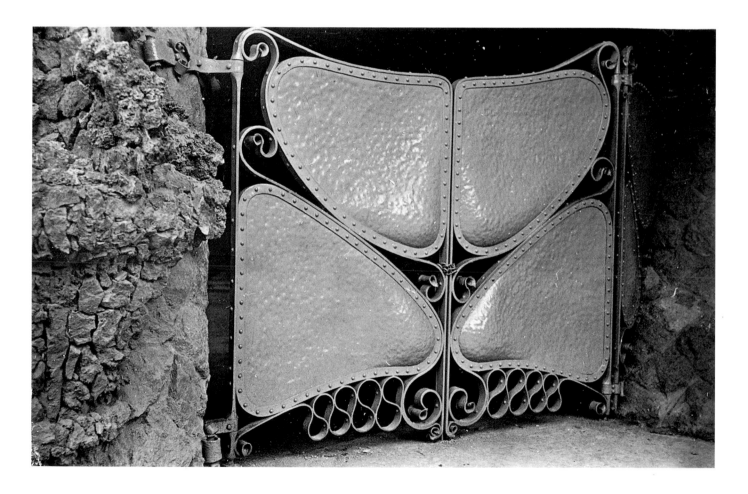

MAN RAY
*Architecture de Gaudí
à Barcelone*
(Porte Foie de veau), 1933
Paris, Centre Georges
Pompidou, Musée national d'art
moderne, dation en 1994

MAN RAY
*Architecture de Gaudí
à Barcelone* (La Sagrada
Familia), 1933
Paris, Centre Georges
Pompidou, Musée national
d'art moderne

DORA MAAR
*Portail de la Sagrada
Familia*, 1934
Paris, avec l'aimable
autorisation de la Galerie
1900-2000.

MAN RAY
*Architecture de Gaudí
à Barcelone* (La Colonnade
dorique), 1933
Paris, Centre Georges
Pompidou, Musée national d'art
moderne

MAN RAY
Parc Güell, 1933
(Portique de la lavandière)
Paris, collection Lucien Treillard

MAN RAY
Parc Güell, 1933
Figueras,
Fondació Gala-Salvador Dalí

MAN RAY
Parc Güell, 1933
Figueras, Fondació
Gala-Salvador Dalí

MAN RAY
*Architecture de Gaudí
à Barcelone* (Pont de Dalt),
1933
Paris, Centre Georges
Pompidou, Musée national d'art
moderne, dation en 1994

MAN RAY
Architecture de Gaudí à Barcelone (Parc Güell), 1933
Figueras, Fundació Gala-Salvador Dalí

Dora Maar, reporter en Catalogne

C'est sans doute au printemps 1934 – l'auteur n'a jamais pu préciser, de son vivant, ni l'année ni le mois exact de son séjour [7] – que Dora Maar se rend en Espagne pour réaliser, sans lui avoir été commandé, un reportage sur la capitale catalane et ses environs. Davantage connue comme photographe de publicité et de portraits, Dora Maar, née Théodora Markovic le 22 novembre 1907 à Paris, se passionne également pour le reportage documentaire. À Barcelone, où elle se rend seule et ne connaît personne, elle se plonge dans les quartiers pauvres de la ville et réalise de nombreuses photographies de rues – genre en vogue à cette époque, depuis la redécouverte de l'œuvre d'Atget par les surréalistes. Munie d'un Rolleiflex 9-12, Dora Maar photographie les marginaux et les défavorisés [8] (mendiants, aveugles), les vitrines de magasins et les mannequins – autant de motifs chers aux surréalistes. À l'instar de Brassaï et de Cartier-Bresson – qui a voyagé en Espagne au cours des deux années précédentes –, Dora Maar concentre son attention sur le monde du travail et les métiers manuels (marchés, artisans, marchands ambulants, etc.) qu'elle photographie avec tendresse et humilité. Sa série sur le marché de la Boqueria à Barcelone est un exemple de ce regard à la fois curieux et attentif, qui se veut le témoin d'une réalité concrète, proche de l'esprit du Front populaire dont elle est sympathisante. Fille d'architecte, Dora Maar s'intéresse aux édifices qui l'entourent et qu'elle découvre au gré de son voyage catalan. À Barcelone, elle photographie le parc Güell et la façade de la Sagrada Familia de Gaudí. Cet architecte controversé de son vivant et admiré par les surréalistes pour son imagination extraordinaire (Miró surtout s'en inspirera), séduit à son tour Dora Maar. Le temple expiatoire de la Sagrada Familia, édifice inachevé, mais déjà perçu à l'époque

DORA MAAR
*Barcelone (façade
avec mannequin)*, 1934
Paris, Centre Georges
Pompidou, Musée national d'art
moderne, don de la Collection
anonyme (1991)

comme un symbole du nationalisme catalan, est photographié par Dora Maar en contre-plongée, ce qui a pour effet de dynamiser l'œuvre et de renforcer son aspect monumental.

Les photographies faites par Dora Maar à Tossa de Mar (Costa Brava) – où ont séjourné Chagall et Picabia quelques années auparavant – ont malheureusement presque toutes disparu mais il subsiste le cliché d'une villa moderniste construite en bord de mer, près de Barcelone [9]. Cette maison, aux éléments organiques, polymorphes et asymétriques (palmiers en pierre, balcons à stalactites, toits ondulés en vagues et rampes en forme de dragon), s'inscrit directement dans l'esprit moderniste du début du siècle. Par son cadrage et son point de vue distant, Dora Maar a choisi de montrer cette construction dans tout ce qu'elle a de confus, d'exotique et de surprenant. La photographie la plus emblématique et la plus «surréalisante» réalisée durant son séjour barcelonais demeure celle d'une façade d'immeuble placardée d'affiches et percée de fenêtres asymétriques. De l'une d'elles surgit un mannequin chauve, sans bras ni jambes, vêtu d'un maillot de bain féminin et flanqué de vieux journaux [10]. Outre le jeu géométrique des éléments de la composition (fenêtres, balcons, portes), des messages politiques et culturels inscrits sur les affiches et du clin d'œil humoristique de l'inscription «il est interdit d'afficher» que l'on aperçoit au bas du cliché, c'est surtout la présence singulière du mannequin qui a retenu l'attention du photographe. Dora Maar, qui deviendra l'amie des surréalistes et participera à leurs expositions peu après [11], est déjà fascinée par le merveilleux que le quotidien et ses objets insolites offrent au passant attentif et curieux. Bien au-delà de son simple aspect documentaire, cette photographie, par son cadrage et son langage poétique, nous fait glisser dans le fantastique et l'imaginaire.

MAN RAY

Vitrine de Barcelone, 1933
Paris, Centre Georges
Pompidou, Musée
national d'art moderne,
dation en 1994

DORA MAAR

Dans la boucherie, Barcelone,
1934
Paris, collection
Galerie 1900-2000, Marcel
et David Fleiss

RAOUL UBAC
Sans titre, 1938
Paris, musée d'Art moderne
de la Ville de Paris

Exposition internationale
du Surréalisme,
Galerie des Beaux-Arts, janvier,
février 1938

Page de gauche :
le mannequin d'Oscar Dominguez
Page de droite :
le mannequin de Max Ernst
et, au deuxième plan,
celui de Joan Miró

Brassaï et le mystère Guimard

Brassaï (1899-1984), photographe d'origine hongroise installé à Paris depuis 1924, est l'ami de Dora Maar, Man Ray, Dalí et Picasso. Au cours de l'année 1933 et à la demande de Tériade – alors directeur de *Minotaure* –, il réalise plusieurs photographies des entrées de métro construites en 1900 par l'architecte Hector Guimard. Quatre de ses clichés sont publiés sur une pleine page de la revue – illustrant, avec ceux de Man Ray, l'article de Dalí sur l'architecture modern style – avec pour titre : «Avez-vous déjà vu l'entrée du métro de Paris ?» Brassaï choisit d'accentuer le caractère mystérieux et insolite des éléments architecturaux de Guimard en les photographiant de nuit, sous des angles particuliers. Le photographe qui hante les nuits de Paris depuis des mois est alors habitué à restituer les atmosphères étranges et chargées de tension qui enveloppent la capitale. Il choisit d'isoler des détails architecturaux du métro afin de provoquer, par un jeu savant d'ombres et de lumières, des associations métaphoriques. Les clichés de Brassaï, davantage que par leur aspect décoratif, séduisent par leur puissance évocatrice. Ils font découvrir un monde

organique et irrationnel qui relève davantage de la botanique – la rampe métallique évoque les plantes photographiées par Blossfeldt en 1928 – et de l'entomologie – le lampadaire ressemble à une mante religieuse géante – que du domaine de l'architecture. Les images de Brassaï montrent que les créations aquatiques et végétales de Guimard, loin d'être uniquement des fantaisies formelles, expriment le lien profond qui unit l'homme à la nature. Métamorphosées en d'effrayants monstres érotiques par l'œil de Brassaï, ces formes architecturales révèlent combien l'art de Guimard explore l'inconscient et puise dans le monde des rêves. Le travail de Brassaï répond, depuis la redécouverte par les surréalistes du bestiaire fantastique de Lautréamont, *Les Chants de Maldoror* (1869), à l'une des obsessions majeures de l'esthétique de ce mouvement : l'exploration de la notion d'animalité humaine. Parmi les légendes accompagnant les documents et probablement rédigées par Dalí, deux font écho au texte de ce dernier sur le caractère «comestible» de l'architecture modern style. L'une d'elles annonce : «Mange-moi !», l'autre répond : «Moi aussi». Une troisième déclare : «Contre le fonctionnalisme idéaliste, le fonctionne-

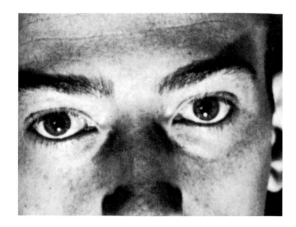

MAN RAY
Le Groupe surréaliste
Paris, collection
Lucien Treillard

MAN RAY
Portrait de Salvador Dalí,
Les yeux, 1929
Paris, collection Lucien Treillard

ment symbolique-psychique-matérialiste». Cette légende évoque l'aversion des surréalistes pour l'architecture fonctionnelle et rationnelle qu'ils souhaiteraient onirique et symbolique. Une quatrième légende rappelle la fixation obsessionnelle de Dalí sur *L'Angélus* de Millet.

L'admiration de Dalí pour l'œuvre de Brassaï apparaît également dans son collage photographique intitulé *Le Phénomène de l'extase*, que le peintre publie dans ce même numéro, à la suite de l'article sur l'architecture modern style. Pour réaliser ce montage consacré à l'extase qu'il perçoit comme «la conséquence culminante des rêves», Dalí choisit d'utiliser la photographie recadrée d'une jeune femme endormie, prise par Brassaï quelque temps auparavant. Le cliché placé presque au centre de la composition est entouré d'autres photographies, aux dimensions plus réduites, représentant des visages – de chair et de pierre – d'hommes et de femmes extasiés. À ces visages, dont certains sont des éléments d'architecture modernistes, Dalí ajoute des images d'objets singuliers comme celle d'une chaise art nouveau ou d'une plante longiligne. Pour parfaire le tout, l'artiste insère dans cette œuvre composite –

où «le répugnant peut se transformer en désirable et le laid en beau» – une série de photographies d'oreilles extraites d'un catalogue anthropométrique d'Alphonse Bertillon [12]. *Le Phénomène de l'extase*, patchwork photographique inspiré, montre à quel point l'image photographique est au service du surréalisme et de ses idées.

Si Paris et Barcelone, au début des années trente, sont deux villes en pleine effervescence artistique et culturelle, ce sont les architectures modern style des décennies précédentes qui attirent l'œil de photographes tels que Man Ray, Dora Maar et Brassaï. Man Ray réalise un travail de commande à Barcelone au diapason avec les visions extatiques de Dalí. Dora Maar nourrit son imaginaire des constructions modernistes de Gaudí et des scènes de rue insolites de Barcelone. Et Brassaï offre des métamorphoses nocturnes et inquiétantes des éléments architecturaux de Guimard. La revue surréaliste *Minotaure*, en choisissant de réunir autour d'un texte de Dalí les photographies de Man Ray sur l'œuvre de Gaudí et celles de Brassaï sur l'œuvre de Guimard, révèle à ses lecteurs l'univers onirique et fantastique de deux architectes visionnaires parmi les plus créatifs du XXe siècle.

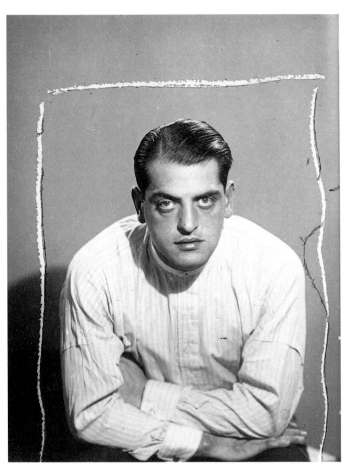

MAN RAY
Portraits de Luis Buñuel, 1929
Paris, collection Lucien Treillard

MAN RAY
Dalí drapé, 1933
Paris, Centre Georges
Pompidou, Musée national d'art
moderne, dation en 1994

MAN RAY
Portraits de Salvador Dalí,
1929
Paris, collection
Lucien Treillard

MAN RAY
Joan Miró, 1930
Paris, Centre Georges
Pompidou, Musée national
d'art moderne

Notes

1 Le surréalisme, qui n'a de cesse de défendre et d'illustrer ses théories par la photographie, diffuse un nombre impressionnant d'instantanés dans les revues qu'il publie au cours des années vingt et trente : *La Révolution surréaliste* (1924-1929), *Documents* (1929-1930), *Le Surréalisme au service de la révolution* (1930-1933), *Minotaure* (1933-1939).

2 «La fotografia, pura creacio de l'esperit», *L'Amic de les Arts*, Sitges, 30 septembre 1927.

3 *Minotaure* est une revue surréaliste éditée par Skira et dirigée par Tériade puis par Breton à partir de décembre 1937. Luxueuse et abondamment illustrée, elle est une version agrandie de *Documents* (revue fondée par Bataille en 1929) et traite aussi bien des arts plastiques, de la poésie, de la musique, de l'architecture que de l'ethnologie, de la psychiatrie et de la psychanalyse.

4 *Minotaure*, n° 3-4, décembre 1933.

5 Antoni Gaudí i Cornet (1852-1926) – que Dalí mentionne une fois dans son texte et dont le nom figure dans la légende d'un cliché du parc Güell – est relativement peu connu en France à cette époque. Seuls les visiteurs de l'Exposition internationale de Barcelone, en 1929, ont pu découvrir son œuvre surprenante

6 Cette série sera publiée dans le numéro suivant de *Minotaure* (n° 5, mars 1934), en regard d'un autre texte de Dalí intitulé : «Les nouvelles couleurs du *Sex-Appeal spectral*».

7 Dora Maar dit avoir exposé cette série à son retour à Paris, à la galerie-librairie Vanderberg, en 1932 (Victoria Combalia, *Dora Maar*, Centre culturel Bancaixa/Bancaja, 1995, p. 47, note 16), mais Victoria Combalia opte pour l'année 1934 après avoir repéré sur une photographie de Dora Maar une affiche annonçant une assemblée des ouvriers de l'industrie pour le mois de janvier 1934 (*Art Press*, n° 260, septembre 2000, p. 54).

8 Deux ans plus tôt, la photographe d'origine autrichienne Margaret Michaelis, alors installée à Barcelone, éprouva le même intérêt que Dora Maar pour le documentaire social et la misère urbaine, qu'elle dénonça en images dans des revues catalanes engagées telles que *Escandalo*, *Imatges* et *A.C.*

9 Villa disparue dont l'emplacement demeure inconnu encore aujourd'hui (Victoria Combalia, *op. cit.*, 1995, p. 23, note 20. Photographie reproduite dans le catalogue *Dora Maar*, *op. cit.*, p. 74).

10 Cette photographie d'un groupe de maisons aujourd'hui disparues a été prise à Barcelone, au n° 61 de la rue Nou de la Rambla (Victoria Combalia, *op. cit.*, 1995, p. 22, note 17).

11 Les photographies de Dora Maar n'ont pas été publiées par la revue *Minotaure* en 1933 car l'artiste ne connaissait pas encore Breton –bien qu'elle fût la compagne de Bataille à l'hiver 1933-1934 – qu'elle ne rencontre qu'en 1935. À partir de cette date, Dora Maar participe activement aux activités du groupe surréaliste et à leurs expositions (en mai 1935, à l'Ateneo de Santa Cruz de Tenerife et, en juin 1936, aux New Burlington Galleries de Londres). C'est également en 1935 que Dora Maar, par l'intermédiaire de Paul Éluard, rencontre Picasso qui va bouleverser sa vie et dont elle va photographier l'œuvre. Elle réalisera, entre autres, une série extraordinaire sur la genèse de *Guernica* dans l'atelier des Grands-Augustins, en 1937.

12 Alphonse Bertillon est le fondateur, au XIXe siècle, d'un système d'identification des criminels par la photographie, pratique qui aura de grandes et graves répercussions tout au long du XXe siècle.

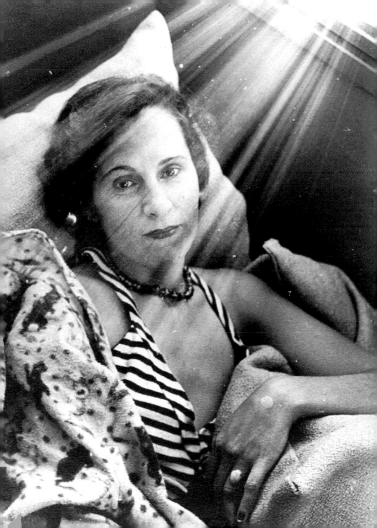

LA MEDITERRANEE DE MIRÓ

JOAN MIRÓ
Le Catalan, printemps 1925
Paris, Centre Georges
Pompidou,
Musée national d'art moderne

ROBERT S. LUBAR

LA MÉDITERRANÉE DE MIRÓ

Conceptions d'une identité culturelle

Dans l'une de ses premières lettres les plus révélatrices, Joan Miró exprima un sentiment qui devait constituer le noyau émotionnel de son art durant les sept décennies suivantes : son profond attachement à la terre, aux gens et aux traditions de sa Catalogne natale. S'adressant à son ami et camarade d'atelier Enric Cristófol Ricart, originaire d'un village isolé de la région de Tarragone, au sud de Barcelone, Miró décrit son état d'esprit introspectif : « La vie solitaire à Ciurana, le primitivisme de ce peuple admirable, mon travail très intense et surtout mon recueillement spirituel et la possibilité de vivre dans un monde créé par mon esprit et mon âme, éloigné comme le Dante de toute réalité [...] Je me suis enfermé en moi-même, et à mesure que je devenais plus sceptique sur ce qui m'entourait, je me suis davantage rapproché de Dieu, des arbres et des montagnes, et de l'Amitié. Primitif comme les gens de Ciurana et amoureux comme le Dante [1]. »

Opposant la futilité éphémère de la vie urbaine moderne et la perfection pastorale de son existence dans la campagne catalane, Miró propose sa vision archétypale d'une Catalogne primitive, non altérée par le temps, l'industrialisation ou les transformations politiques. La retraite de Miró à Ciurana marquait un retour à une Catalogne mythique, dans laquelle la symbiose du paysan et de la terre évoquait des images de stabilité, de continuité et de renouveau cyclique.

La position de Miró est remarquable précisément parce qu'elle fut façonnée par des événements historiques bien précis. Les années 1914-1919 furent marquées par de grands bouleversements politiques et sociaux en Catalogne. La neutralité de l'Espagne pendant la Première Guerre mondiale entraîna une croissance économique sans précédent dans cette région, car l'industrie textile répondait à la demande étrangère en fournitures tant militaires que civiles. Alors qu'une puissante classe de nouveaux riches qui profitaient de la guerre émergeait à Barcelone, la classe ouvrière pâtissait d'une inflation galopante et non maîtrisée. Le développement significatif du syndicalisme tempérait l'hégémonie politique de la bourgeoisie et la réalité des conflits de classe détruisait l'illusion de l'unité sociale. Au cours de la semaine du 13 août 1917, une grève générale d'une ampleur sans précédent se déclencha à Barcelone. Après la déclaration de l'état d'urgence, l'armée intervint. Il y eut au moins trente morts pendant les journées qui suivirent le début de la crise, de très nombreux blessés ainsi que des arrestations massives, tandis que le gouvernement de Madrid cherchait simultanément à contenir l'agitation syndicaliste en Catalogne et à maîtriser le militantisme croissant des nationalistes catalans, qui s'exprimait à travers un large spectre politique [2].

Miró qui, à vingt-quatre ans, achevait son service militaire obligatoire dans une unité d'infanterie de réserve, se retrouva au cœur des événements dramatiques d'août 1917. Juste après l'écrasement de la rébellion, son bataillon fut appelé en service actif à Barcelone. Avant de retourner à la campagne, où il venait de passer ses vacances d'été, Miró exprima à Ricart son soulagement quand il apprit qu'il ne serait pas obligé d'intervenir dans les combats : « Je me crois incapable de tirer même un seul coup de feu ; cette histoire qui consiste à tirer sur les gens est parfaitement répugnante. Mais s'il était question d'une guerre entre des idéaux élevés, j'obéirais volontiers [3]. » Environ une semaine plus tard, Miró quitta Barcelone pour se remettre au travail dans la campagne de Tarragone.

Compte tenu du contexte des événements d'août 1917, la « retraite spirituelle » de Miró signifiait davantage qu'une simple exégèse poétique. Aux antipodes des interventions industrielles et politiques qui avaient monopolisé l'attention des habitants de Barcelone, Miró avança sa conception d'une Catalogne atemporelle et transcendante. Au sens le plus large du terme, sa position représentait une réaction déterminée à une vie sociale qui tentait de désengager de la politique la culture et les questions d'identité nationale : l'image d'une nation catalane moderne, enracinée dans les antiques traditions méditerranéennes qui lui accordaient sa nourriture et sa force, était la fondation idéologique sur laquelle cette position s'ancrait. De fait, pour

Miró comme pour de nombreux intellectuels de sa génération, l'idée de la Méditerranée fonctionnait comme un paradigme intellectuel à travers lequel on pouvait négocier les problèmes d'identité nationale, de régénération culturelle et de politique. Cet essai, en accordant une attention particulière aux années de guerre, explorera le riche entrelacs d'associations qui, pour Miró et ses contemporains, entouraient l'idée de la Catalogne en tant que nation méditerranéenne, et il situera les œuvres et les écrits du premier Miró en rapport avec les discours politiques, sociaux et culturels majeurs à l'époque de sa jeunesse.

Dans l'une de ses premières lettres conservées, Miró décrit sa vision du paysage méditerranéen. Se remémorant son séjour dans le village catalan de Caldetas, situé en bord de mer, il écrit avec nostalgie au peintre de Majorque, Bartomeu Ferrà : « J'ai passé un moment merveilleux dans ce village sensuellement embrassé par la mer, niché sous le dôme du plus bleu des ciels, rendu fertile par une lumière très puissante. J'ai vécu [tout près] du rythme des vagues [4]. » Dans une autre lettre de jeunesse écrite à Caldetas, Miró communique son identification viscérale au paysage catalan en termes d'échange poétique entre l'homme et la nature, décrivant l'action de la lumière méditerranéenne « qui se change en émail et en pierres précieuses en se déversant sur cette terre [5] ». C'est précisément dans cet esprit, qu'en une autre occasion, Miró se décrivit lui-même ainsi que Ferrà comme un « fils de la Méditerranée [6] ».

Plus que l'expression romantique d'un panthéisme commun, Miró évoqua avec insistance l'idée de la Méditerranée en rapport avec une présence humaine sous-entendue, situant dès lors sa conception à l'intérieur du champ plus large de la culture et de la civilisation. Ses paysages de villages lointains, de champs cultivés, de chemins de campagne, de ponts, d'églises et de maisons plaident pour une conception spécifique de la nature en tant que fondement de la culture, de la culture en tant que base de l'unité nationale. Lues sous cet angle, les descriptions que Miró fait de Caldetas et des paysages de sa jeunesse sont encadrées par un discours commun, car l'idée de la Méditerranée est impliquée dans l'affirmation symbolique d'un héritage culturel partagé, plus durable que la politique.

Pour la génération de Miró, cette relation entre la terre et l'identité nationale se cristallisa en une série de formations idéologiques qui trouvèrent leur expression dans la critique culturelle. Quand le peintre Joaquim Sunyer exposa en avril 1911 à la Faianç Català de Barcelone, après avoir passé de nombreuses années à Paris, le célèbre poète catalan Joan Maragall décrivit sur un mode lyrique sa *Pastorale* (1910-1911) : « J'ai cru me retrouver au carrefour de nos montagnes, de ces monts tellement typiques de notre terre catalane, tout à la fois âpres et doux,

simples et souples comme notre esprit… Voici la femme de la *Pastorale* de Sunyer : elle est la chair du paysage. Elle est le paysage qui, inspiré, est devenu chair. Cette femme n'est pas une apparence arbitraire, elle est une fatalité : elle est l'histoire entière de la création. La force créatrice qui a produit les courbes de ces montagnes ne saurait s'arrêter avant d'avoir produit les courbes du corps humain. Cette femme et ce paysage sont les degrés d'une même entité [7]. »

Selon l'interprétation de Maragall, Sunyer a construit une puissante métaphore de la fertilité et de l'abondance dans laquelle la femme-paysage est vue à la fois comme force créatrice brute et comme source de l'identité nationale catalane – la femme en tant qu'incarnation allégorique du paysage catalan. Que Miró et son cercle aient reconnu les implications nationalistes de cette transformation allégorique, voilà qui est confirmé par la réaction de Josep Francesc Ràfols à l'art de Sunyer en 1915 : « Sunyer est arrivé à une profonde interprétation de l'esprit de notre côte occidentale. Dans son désir de pénétrer jusqu'au cœur même de notre terre, il a sacrifié les charmes de la couleur [8]. » Dans sa lecture, Ràfols, un ami proche de Miró, réitère le point de vue de Maragall : le paysage méditerranéen est une mère féconde qui engendre et nourrit le peuple catalan.

La description, par Maragall, de la femme peinte par Sunyer dans sa *Pastorale*, prône une conception mystique du nationalisme catalan comme identité intuitive guidée par une nécessité interne collective. Son langage – et surtout l'opposition qu'il établit entre « l'inévitable » et « l'arbitraire » – délimite un terrain idéologique qui différencie son nationalisme, spontané et romantique, du système linguistique et philosophique que l'auteur catalan Eugeni d'Ors définit en rapport avec la politique conservatrice de la Lliga regionalista (Ligue régionaliste catalane). Pour cette dernière formation, l'idée de la Méditerranée servait des objectifs politiques précis.

Dans une série de brèves gloses qui furent publiées par l'organe de la Lliga, *La Veu de Catalunya*, à partir de 1906, d'Ors établit une hiérarchie de valeurs définissant l'expression esthétique du nationalisme catalan conservateur. Les termes clefs du système intellectuel d'Eugeni d'Ors étaient : *Impérialisme*, la force expansive du nationalisme politique et culturel catalan ; *Arbitrarietat*, une esthétique destinée à la culture impériale et fondée sur la soumission de la volonté (*Voluntat*) aux lois idéales et sur la domination des émotions par la raison [9] ; *Civilitat*, la conception de la ville-cité comme organisme parfait et donc la réalisation d'un idéal de civilisation ; enfin, *Méditerranisme*, qui, en opposition directe au paradigme rural de Miró, situait les racines raciales et historiques du peuple catalan au sein de la tradition classique, gréco-romaine. D'Ors résumait toutes ces valeurs dans le terme de « noucentisme », qui signifiait une nouvelle idéologie politique et esthétique pour la Catalogne du XXe siècle [10].

D'Ors a défini en plusieurs occasions son concept de « méditerranisme ». Dans l'une de ses premières gloses, il affirme : « Je pense parfois que le sens global et idéal de toute tentative pour sauver la Catalogne pourrait aujourd'hui se résumer à : *redécouvrir le Méditerranéen* – découvrir tout ce qui, en nous, est méditerranéen, l'affirmer aux yeux du monde tout entier et le diffuser sur le mode impérial parmi l'humanité [11]. » Quelques mois plus tard, d'Ors appelait à « la méditerranisation de tout l'art contemporain », comme une composante essentielle de son plan destiné à faire revivre et à restaurer ensuite la tradition classique en Catalogne [12]. Néanmoins, la Méditerranée de d'Ors était une construction artificielle – ou « arbitraire », pour utiliser son propre terme –, un dispositif rhétorique dont l'appel à l'unité raciale, géographique et historique du peuple catalan tendait à renforcer la position hégémonique de la Lliga dans la vie politique, sociale et culturelle de la Catalogne. En fait, la Méditerranée de d'Ors était fondamentalement opposée à la Catalogne poétisée par Maragall, ainsi qu'à l'implication réciproque du paysan catalan avec son environnement, idéalisée dans les écrits de Miró et de son cercle. Contrairement à Maragall et à Miró, d'Ors rejetait en définitive le paradigme rural, dans sa tentative d'imposer un système de normes esthétiques « arbitraires » et de restaurer une culture catalane impériale calquée sur l'image de la cité-État gréco-romaine [13].

L'idée, défendue par d'Ors, de la Méditerranée comme construction politique, se révèle pleinement dans sa doctrine esthétique. Son insistance sur le classicisme et sa volonté de redonner vie à la tradition hellénique exercèrent une profonde influence sur la peinture et la sculpture catalanes pendant toutes les années dix. Les premiers travaux et la critique du peintre uruguayen Joaquim Torres-García, qui était d'ascendance catalane, renforçaient d'importants aspects de la théorie de d'Ors, lequel à son tour lui assurait de prestigieuses commandes de décorations murales par la Lliga. Dans son livre *Diàlegs*, publié en catalan en 1915, Torres-García considérait le paysage méditerranéen comme le géniteur de l'esprit racial tant grec que catalan : « Il y a la Catalogne éternelle, ce pays où nous vivons… et qui nous dit que ces dieux de la Grèce n'étaient pas une vaine fiction poétique, parce qu'ils vivent et qu'ils vivront éternellement dans notre nature [14] ! » Il déclarait que le vrai chemin du jeune art catalan, dans son rejet de l'anecdotique (le réalisme), dans sa quête de l'éternel et du catégorique (le classicisme), impliquerait un processus d'adaptation au paysage méditerranéen. Mais à l'inverse de Miró, de Maragall et de Sunyer, Torres-García situait sa Catalogne idéale dans une Arcadie mythique. Dans sa fresque *Catalunya eterna*, commandée pour le Saló de Sant Jordi à Barcelone, Torres-García construisait un système de codes iconographiques spécifiques qui donnait forme à la conception noucentiste des racines classiques de la culture catalane [15].

Dans la mesure où le processus d'adaptation au paysage méditerranéen que Torres-García et d'Ors avaient envisagé était une formation idéologique, le rapport entre l'art et le nationalisme était forcément instable et sujet à de considérables révisions. Dès janvier 1911, le poète Josep Maria Junoy définit les termes d'une esthétique pan-latine, méditerranéenne – logique, proportion, équilibre et structure. Comme d'Ors et ses collègues, Junoy se préoccupait des manifestations contemporaines de l'esprit classique, même s'il rejetait les aspects les plus provinciaux de la théorie esthétique noucentiste [16]. Selon les termes employés par Junoy, tant les cubistes que les jeunes artistes catalans comme Torres-García, Sunyer et Manolo Hugué travaillaient à partir d'une sensibilité esthétique latine [17]. Le 1er octobre 1912, Junoy publia son *Correo de las Letras y de las Artes*, un supplément à sa chronique du quotidien républicain *La Publicidad*, dans lequel il soulignait les affinités culturelles entre les artistes cubistes et les artistes catalans de la nouvelle sensibilité méditerranéenne. La critique de Junoy tentait donc de combler le fossé entre le jeune art catalan et la peinture et la sculpture d'avant-garde en France. Mais surtout, son identification d'un esprit méditerranéen, orienté internationalement dans son expansion au sein de la culture contemporaine, fournissait une alternative à la notion plus doctrinaire de classicisme méditerranéen, qui constituait la colonne vertébrale de la théorie esthétique noucentiste. Il importe de maintenir cette distinction : Miró rejetait avec véhémence la doctrine de d'Ors tout comme il dédaignait la politique régionale conservatrice de la Lliga [18], mais il était profondément attaché à l'idée, défendue par Junoy, d'une sensibilité culturelle partagée entre les peuples du monde méditerranéen. Même si, à certains égards majeurs, les idées de Junoy étaient partagées par d'Ors, son orientation culturelle internationale fournit à Miró un modèle pour négocier son entrée dans l'avant-garde européenne.

J'ai jusqu'ici considéré le méditerranéisme de Miró en rapport avec trois constructions spécifiques : l'idée d'un contrat spirituel spontané entre le paysan catalan et son environnement ; la notion d'une identité culturelle partagée parmi les nations latines ; enfin, le modèle linguistique et iconographique défini par la théorie esthétique noucentiste. Je ne veux pas dire que ces positions occupaient des espaces séparés et distincts au sein de la société catalane. Au contraire, ces discours étaient médiatisés par la critique, surtout en rapport avec la réception de l'art d'avant-garde en Catalogne. À cette fin, nous devons nous rappeler que l'intérêt de Miró pour les avancées de la peinture française et italienne s'est déclaré à la veille de la Première Guerre mondiale. Les événements politiques qui se déroulaient en dehors de la Catalogne ont forcément coloré les conceptions que Miró s'est faites de l'art moderne. Par ailleurs, en Catalogne, son identité publique de peintre d'avant-garde entraîna inévitablement son œuvre dans l'arène politique de la critique culturelle, où l'on débattait avec passion du statut de l'art national catalan.

Pendant la période productive de toute une génération d'artistes, d'écrivains et d'intellectuels catalans, actifs au cours de la Grande Guerre, le méditerranéisme servit de mot d'ordre à la supériorité de la civilisation latine sur la décadence culturelle allemande. Dans un article publié dans le journal de propagande *Iberia*, qui soutenait l'effort allié, le théoricien politique Antoni Rovira i Virgili exprimait succinctement les termes de la polémique : « Cette mer qui est la nôtre et qui apporte le prestige de l'éternelle jeunesse classique au peuple civilisé qui habite ses rivages – cette petite mer Méditerranée – est essentiellement la mer de l'Europe… Il est hors de question qu'elle soit conquise par les pays du nord, qui ont une mer grise, brumeuse et dure [19]. » En établissant ainsi une claire opposition nord-sud, on thématisait aussi les idées de supériorité culturelle en termes raciaux. La mer Méditerranée constituait l'axe symbolique autour duquel tournait cette opposition.

Sur le front culturel, une majorité d'artistes et d'intellectuels catalans soutenaient la cause alliée. Le journal artistique *Revista Nova*, qui était consacré à l'art étranger d'avant-garde, publia une notice le 6 août 1914, adressée « à tous les Catalans », décrivant la France comme « la mère spirituelle » de la Catalogne et exhortant au soutien économique et moral à la cause alliée [20]. Cette rhétorique fut intériorisée par Miró et par ses amis, qui étaient d'ardents francophiles. Un portrait de Miró par Enric Ricart, situé dans l'atelier qu'ils partageaient, met en évidence le journal *Iberia* sur une chaise placée au premier plan, comme l'affirmation claire de leurs sympathies politiques [21]. Miró se montra encore plus franc sur ses positions partisanes, écrivant à Bartomeu Ferrà, le 25 juillet 1918 : « C'est une période d'immense bonheur, pour nous autres fervents francophiles, grâce à la glorieuse offensive des Alliés. Voyons s'ils réussissent à repousser une bonne fois pour toutes la racaille ; alors nous pourrons aller à Paris pour goûter aux délices de la France, synthétisés par Renoir (son *Moulin de la Galette*, ses femmes, ses nus !). Je me souviens maintenant d'un peintre de cette abominable race allemande, von Stuck : ces hommes aux biceps frémissants, ce serpent lové (de manière répugnante) autour d'un cou de femme. L'esprit de l'Allemagne et l'antithèse de Renoir (esprit français)… tout jeunesse et musique [22]. »

Dans une lettre légèrement postérieure et adressée à Ferrà, Miró utilisait le terme dépréciateur de « Boches » pour décrire le peuple allemand [23].

La référence de Miró au *Moulin de la Galette* d'Auguste Renoir était opportune, car ce tableau avait été montré un an plus tôt à Barcelone lors d'une importante exposition d'art français, organisée avec l'aide d'Ambroise Vollard. Réagissant à l'ajournement *sine die* des grandes expositions publiques à Paris pendant les années de guerre, la communauté artistique de Barcelone sauta sur l'occasion de faire venir dans la capitale catalane les Salons d'automne, de la Société des artistes français et de la Société nationale des beaux-arts. Dans leur pétition adressée au conseil municipal de Barcelone, ils proclamaient Paris « capitale du monde latin [24] ». Même Eugeni d'Ors, qui refusait catégoriquement de railler une culture qui avait produit Bach et Goethe, écrivit sur la peinture française dans une glose consacrée à l'exposition : « Il n'y en a eu aucune comparable durant tout le dix-neuvième siècle. » Transmettant un jugement que Miró semble avoir adopté, d'Ors déclara : « Stuck ne sut jamais ce qu'était la peinture [25]. »

Même si, des années plus tard, Miró décrivit l'Exposition d'art français comme « un coup de foudre » dans son introduction à l'art moderne [26], cette exposition fut étonnamment conservatrice. Le cubisme en était virtuellement absent, Henri Matisse était représenté par une seule œuvre. Parmi les fauves, seuls Henri Manguin, Albert Marquet et Georges Rouault furent inclus [27]. En revanche, l'impressionnisme fut très largement représenté et le public catalan fut invité à contempler le génie de l'art français traditionnel dans les tapisseries des Gobelins, accrochées dans le salon central du palais des Beaux-Arts.

On ne sait pas si l'art le plus radical que la France ait produit dans les années d'avant-guerre fut délibérément exclu. C'était seulement à une date récente que l'impressionnisme avait fait l'objet d'un large consensus en Catalogne, alors que le cubisme était reçu dans l'incompréhension et l'hostilité [28]. Par ailleurs, en France, la culture de l'avant-garde en général et le cubisme en particulier furent la cible de violentes attaques politiques. Dès les premiers jours de la guerre, les porte-parole conservateurs de la droite française – dont Léon Daudet et Charles Maurras du mouvement Action française – tentèrent de discréditer l'avant-garde de l'époque précédant la déclaration de guerre et de purger l'art français de ce qui, disaient-ils, était étranger et spécifiquement allemand. Le cubisme fut choisi comme une manifestation exemplaire de l'anarchisme et de la frivolité de l'avant-guerre, moyennant quoi il intériorisait précisément ces valeurs décadentes qui avaient affaibli le corps et l'esprit du peuple français et avaient laissé la nation vulnérable au militarisme allemand [29].

FIG. **ENRIC CRISTÒFOL RICART,** *L'atelier,* 1917
Vilanova i la Geltru, collection particulière

Les artistes catalans étaient parfaitement au courant des récents développements de la critique culturelle française. Vollard était venu en personne à Barcelone à l'occasion de l'Exposition d'art français afin de prononcer une conférence sur Renoir et Cézanne, des artistes modernes considérés comme travaillant selon les paramètres idéologiques de la tradition artistique et historique française, dans une filiation directe qui passait de Poussin à Ingres. On pouvait même interpréter le propre retour de Renoir à la peinture figurative classique, au cours des années 1880, comme le signe d'une restauration du sentiment de la vitalité dans le corps de l'art français ; selon le cadre de la critique des années de guerre, ses nus robustes incarnaient littéralement un « esprit de corps » qui fournissait un modèle de régénération vigoureuse à la nation française dans le sillage du désastre global. L'idée selon laquelle l'art de Renoir et de Cézanne étaient synonymes de mesure et de retenue (antidotes de l'anarchisme et de la frivolité) fut renforcée par les historiens d'art catalans. Un collègue d'Eugeni d'Ors, Joaquim Folch i Torres, choisit le *Moulin de la Galette* de Renoir et la *Cour de ferme à Auvers* de Cézanne comme « les œuvres représentatives de ce moment culminant dans l'art français », où l'esprit classique régnait de manière suprême [30]. Bien sûr, cette division de la culture selon des régions géographiques était déjà en place avant la guerre. Junoy avait maintes fois souligné les différences entre les sensibilités germanique et latine, et ce dès 1911 [31] – un discours que d'Ors mit en exergue dans une préface de catalogue à une exposition d'œuvres de Torres-García l'année suivante [32]. Mais si Junoy avait précédemment défini une sensibilité artistique panlatine qui incluait à la fois le cubisme *et* les manifestations contemporaines d'un classicisme plus normatif, en 1917, la politique culturelle de la Catalogne et de la France en temps de guerre fit radicalement pencher la balance dans cette dernière direction. Les termes polémiques d'une identité culturelle méditerranéenne avaient politisé l'avant-garde pour en faire une arme de guerre. L'art de Miró était directement impliqué dans ces débats sur le statut de l'avant-garde tant en France qu'en Catalogne.

Les signes de l'assimilation, par Miró, de l'avant-garde artistique étrangère furent immédiatement visibles dans sa peinture lors de sa première exposition personnelle qui eut lieu au début de 1918. Dans l'explosif *Portrait de Vicenç Nubiola*, des motifs géométriques extravagants dans la partie supérieure droite menacent de rompre l'unité du champ visuel. Les rythmes stridents, l'approche structurelle de la couleur, la compression spatiale et les violentes distorsions formelles dans des œuvres comme *La Bouteille et le Poivron, Montroig : Sant Ramon, Ciurana, le village, Une rue, Prades* et l'*Autoportrait* de Miró daté de 1919 manifestent la diversité de ses sources dans le cézannisme, le fauvisme, l'expressionnisme et le cubofuturisme. De fait, Miró proclama dans sa correspondance son intérêt pour l'art d'avant-garde français et italien. Dans une lettre à Ricart, datée du 7 octobre 1916, il anticipa sur les œuvres exposées par Marie Laurencin, Albert Gleizes et les simultanéistes à la galerie Dalmau, qui montrait l'avant-garde à Barcelone [33]. D'autres lettres témoignent de la familiarité de Miró avec les slogans futuristes [34]. Visiteur assidu de la galerie et de la maison de Josep Dalmau, où il rencontra sans doute Francis Picabia, Miró suivait les récents développements de l'art français dans des publications spécialisées comme *Revista Nova* [35], *SIC, 391* – la revue de

FIG. Exemplaire annoté du calligramme de Josep María Junoy pour l'exposition Joan Miró à la galerie Dalmau, 16 février-3 mars 1918 Barcelone, Fundació Joan Miró

Picabia à Barcelone – et *Nord-Sud*, qui figure de manière saisissante sur son tableau de 1917 portant le même nom. Miró confia également des dessins à deux journaux littéraires catalans en 1918 : *Arc-Voltaic*, avec sa forte orientation futuriste, et *Troços*, la plate-forme de Junoy consacrée à l'art et à la littérature d'avant-garde. Ces collaborations confirmèrent l'identité publique de Miró comme peintre d'avant-garde.

L'engagement de Miró dans l'avant-garde littéraire catalane coïncida avec son exposition à la galerie Dalmau [36]. Cet événement fournit rétrospectivement une occasion unique pour considérer la réception critique de ses premiers travaux, surtout en rapport avec les significations plus larges qu'impliquait l'art d'avant-garde auprès de sa génération. Les réactions furent uniformément négatives : le travail de Miró fut qualifié « d'inexpressif », « de déconcertant », « d'exotique » et « d'extrême [37] ». Le calligramme composé par Junoy pour la couverture du catalogue de l'exposition, qui soulignait la palette stridente de Miró et la densité de ses couleurs (« *forta pictórica matèria impregnada d'una refractabilitat congestionant* »), devint un objet de ridicule pour des visiteurs furieux [38] ; Miró reçut des exemplaires altérés du calligramme ainsi qu'une lettre anonyme qui critiquait violemment ses capacités techniques [39].

L'histoire de l'art moderne est, bien sûr, ponctuée de tels incidents célèbres révélant l'incompréhension des philistins. Malgré tout, il importe dans le cas présent de faire la distinction entre le « succès de scandale » de la salle cubiste au Salon des indépendants de 1911 – pour citer un exemple connu – et la réception publique de l'avant-garde artistique en Catalogne. Car si le cubisme dut initialement mener une dure campagne sur

le champ de bataille de l'opinion publique française, l'identité de l'avant-garde comme enfant légitime – quoique turbulent – de cette société était généralement reconnue avant la Grande Guerre. À l'inverse, l'avant-garde européenne resta par définition une présence « exotique », étrangère, dans une Catalogne qui résistait à l'idée d'un art national bien défini, tout comme elle contestait les traditions académiques profondément ancrées.

Junoy reconnut aussitôt toute l'étendue du défi lancé par Miró à un public qui venait à peine d'accepter l'impressionnisme. Un mois avant l'exposition à la galerie Dalmau, il publia une notice dans le quotidien de la Lliga, *La Veu de Catalunya*, décrivant Miró comme « un peintre qui assimile, généralement bien et avec une ingéniosité vorace, les problèmes les plus importants et les modes plastiques venus de l'étranger [40] ». Il ajoutait que, malgré certains éléments empruntés à l'avant-garde artistique étrangère, l'œuvre de Miró conservait « une nature essentiellement catalane », allant ainsi au-devant des critiques potentielles que la peinture de Miró allait sans nul doute provoquer. Dans le contexte de la guerre et de la politique culturelle du nationalisme catalan, Junoy reconnaissait que l'identité de l'avant-garde elle-même était source de controverses considérables à Barcelone. Les scènes de village peintes par Miró à Ciurana durant l'été 1917 étaient certainement ni plus ni moins « authentiques » que les paysages peints par Iu Pascual sur les mêmes lieux, qui s'inspiraient eux-mêmes de modèles étrangers (français en l'occurrence). Mais la peinture de paysage des impressionnistes et des artistes de l'école de Barbizon, dans toutes leurs variations régionales, était désormais très bien acceptée par la bourgeoisie catalane, tandis que cette même bourgeoisie considérait avec méfiance, voire mépris,

FIG. **IU PASCUAL**
Paysage de Ciurana
Barcelone,
collection particulière

l'avant-garde contemporaine. Ainsi, Junoy tentait stratégiquement de situer l'art de son jeune protégé au sein de la tradition méditerranéenne, insistant sur le rôle de l'avant-garde catalane pour forger une culture nationale de la modernité.

Mais voici un fait plus important pour notre discussion concernant la politisation de la culture méditerranéenne pendant la Grande Guerre : l'enveloppe contenant une lettre anonyme, rédigée en catalan à l'intention de «En Joan Miró», était adressée en allemand à «Die Galerien Dalmau». Vue sous cette lumière, la position fortifiée de l'art moderne en Catalogne était porteuse d'implications plus larges dans le contexte de la politique culturelle du temps de guerre. Miró et ses contemporains étaient conscients de la campagne visant à discréditer l'avant-garde en France. Lecteur avide de *391*, Miró a sans aucun doute réfléchi à la notice de Picabia figurant dans le numéro de janvier 1917 où il raillait le récent retour de Picasso à la tradition académique : «Alors même que les Français, les Espagnols et les Italiens revendiquent simultanément l'honneur de le compter parmi les leurs… Pablo Picasso, à qui le voyant Max Jacob venait de révéler les origines germaniques du cubisme, a décidé de retourner à l'École des Beaux-Arts… Picasso est maintenant le chef d'une nouvelle école à laquelle notre collaborateur Picabia se joint sans hésitation. Le Kodak publié ci-dessus en est le signe solennel [41].»

Ce «Kodak» – un portrait grossier de Maximilien Gauthier par Picabia – constituait une réponse calculée à des dessins «ingresques» de Picasso, par exemple le portrait classique *Ambroise Vollard*. Que Picabia ait eu raison ou non de voir en Picasso un peintre académique, son éditorial servait d'évidentes fonctions rhétoriques. Insistant sur la dévaluation critique

contemporaine du cubisme en tant que conspiration allemande dans l'art français, Picabia identifiait ironiquement le néotraditionnalisme de Picasso avec un conservatisme artistique et une réaction fondamentalement antimoderniste, définissant les termes rhétoriques du débat par la même occasion tout en assurant sa propre position de fer de lance de la culture d'avant-garde.

À l'inverse, les auteurs catalans tendirent à adopter les stratégies de la critique culturelle en temps de guerre sous des formes moins nuancées. Quand Albert Gleizes montra des tableaux à la galerie Dalmau en décembre 1916, Joaquim Folch i Torres décrivit le cubisme comme «un arbre sans racines», ajoutant : «Ceux qui considèrent cette intéressante manifestation… comme un produit plus spécifique aux peuples du nord qu'aux peuples latins ont raison [42].» Quatre ans plus tôt, à l'occasion de l'Exposition d'art cubiste de Josep Dalmau, Folch avait émis des critiques similaires contre le cubisme, même si la rhétorique ouvertement raciale était significativement absente de son argumentation [43]. Il est évident, qu'entre ces deux dates, la guerre avait politisé la culture d'avant-garde en Catalogne. La conviction de Junoy, pour qui le cubisme représentait un phénomène méditerranéen, était maintenant sujette à révision, tandis qu'on débattait du statut culturel de l'avant-garde artistique.

Le dialogue artistique de Miró avec les peintres les plus intéressants en France et en Italie le plaçait carrément au cœur de la controverse. Son art devint un point de conflit pour les affirmations antithétiques sur l'identité culturelle de la Catalogne. Relié à la fois aux traditions artistiques locales et aux arguments rhétoriques avancés pour promouvoir une sensibilité

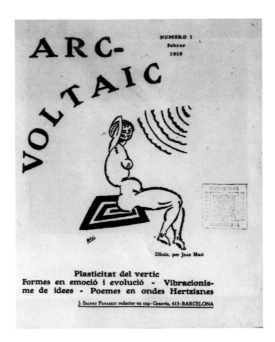

FIG. Couverture d'*Arc voltaic*,
n°1, illustrée par Joan Miró
février 1918
Barcelone, Arxiu històric
de la Ciutat de Barcelona

pan-latine, méditerranéenne, l'avant-gardisme de Miró défiait les codes culturels établis. Alors que la *Pastorale* de Sunyer avait plaqué un discours national sur un nu féminin identifié à l'incarnation du paysage catalan («Elle est le paysage qui, inspiré, s'est fait chair», selon les mots de Maragall), Miró déplaçait le nu vers un champ culturel entièrement différent dans son illustration de couverture pour *Arc-Voltaic*. Sous le dessin se trouve une série d'épithètes qui augmentent la portée de l'«Arc électrique» du titre – «Plasticité de vertige (suggérant la pure forme de sensation), Formes dans l'émotion et l'évolution, Poèmes en ondes hertziennes». Adaptant le langage du futurisme italien, Miró, en collaboration avec Torres-García et le poète Joan Salvat-Papasseit, définit son champ visuel comme un espace dynamique pris dans un flux constant. De ce point de vue, l'allusion textuelle au manifeste «Art-Evolució» (1917) de Torres-García est significative. Concluant son manifeste sur le slogan «Individualisme, Contemporanéité, Internationalisme [44]», Joaquim Torres-García contestait maintenant ouvertement les significations fixes d'une société catalane traditionnelle. Ainsi, l'art, la poésie et la critique de Miró, Salvat-Papasseit et Torres-García avancèrent conjointement une conception spécifique du progrès social et culturel, en définissant un rôle rédempteur à l'avant-garde. Choisissant Joaquim Sunyer comme cible de ses critiques, trois ans plus tard, Miró définit succinctement sa position : «Je ne sais pas ce qui fait que ceux qui perdent le contact avec le cerveau du monde s'endorment et se momifient. En Catalogne, *aucun peintre n'est arrivé à la plénitude*. Voyons donc, si Sunyer ne se décide pas à faire quelques séjours à Paris, s'il ne va pas s'endormir pour toujours! Cette histoire selon laquelle les caroubiers de chez nous ont réussi le miracle de le

réveiller est bonne pour les intellectuels de la Lliga. Il faut être un *Catalan international*, un *Catalan casanier*, n'a, ni n'aura, aucune valeur dans le monde [45]. » Les références faites par Miró à l'Europe et à la campagne catalane délimitent un terrain qui n'est pas simplement géographique, mais qui se trouve impliqué dans la posture de plus en plus militante du nationalisme catalan après la Première Guerre mondiale. Dès juillet 1917, une assemblée de membres catalans du Parlement espagnol s'était réunie à Barcelone pour discuter de l'autonomie catalane. Deux ans plus tard, les conseils municipaux de la Catalogne approuvèrent à une majorité écrasante un statut d'autonomie, appelant de leurs vœux un référendum parlementaire sur ce problème. Le gouvernement central de Madrid réagit en fermant les Cortes.

Dans la mesure où Miró mettait sur le même plan la participation artistique sur la scène internationale et la transformation de la Catalogne en une nation moderne, européenne, sa position reflète une posture clairement catalaniste. Selon cette formulation, néanmoins, la culture fonctionnerait comme un baromètre des aspirations nationales, mais elle était décidément non partisane. De fait, nous avons déjà observé comment la formation de l'esthétique de Miró se fondait précisément sur le retrait de l'artiste loin de la politique. Dans le sillage des événements de juillet et d'août 1917, Miró se tint à l'écart des affaires du monde pour se retrancher dans la solitude hermétique de la contemplation spirituelle à Ciurana, «retiré», selon ses propres termes, «de toute réalité [46]».

Ce rejet emphatique de la politique et la recherche concomitante par Miró d'un absolu spirituel influent directement sur les significations qu'il investit dans l'art d'avant-garde en rapport avec sa vision d'une Catalogne primitive. Une fois encore, les

FIG. **JOAN MIRÓ**
Vignes et oliviers de Mont-roig,
1919
New York, The Metropolitan
Museum of Art, the Jacques
and Natasha Gelman collection

lettres de Miró sont révélatrices. Lors de son retour à Barcelone pendant l'automne 1917, Miró avertit Ricart contre «le péché […] de suivre une bannière [47]». Se référant ostensiblement au drapeau des formules stylistiques de l'avant-garde, le langage de Miró avait des implications sociales plus larges dans le contexte des événements de l'été 1917. D'un côté, il partage le même terrain que la déclaration de Joan Salvat-Papasseit (novembre 1917) où le poète décide de rompre avec les utopies politiques: «Je ne veux plus m'enrôler sous un quelconque drapeau. Ils constituent les marques distinctives d'une grande oppression. Même le socialisme est une nouvelle forme d'oppression [48].» De l'autre, l'esthétique de retrait prônée par Miró est liée à la tentative correspondante de Torres-García pour transférer le champ de bataille des idéologies conflictuelles vers l'avant-garde en tant que lieu du combat culturel: «En avant avec un cri de guerre. Mais il y a de nombreux types de guerres, tout comme il y a de nombreux types de guerriers. Et de nombreux types de champs de bataille [49].» De fait, la collaboration de Miró avec Torres-García et Salvat-Papasseit pour *Arc-Voltaic* en février 1918 souligne les relations entre les discours culturels et politiques qui informent ce langage du désengagement [50]. Vues dans ce contexte, l'identité de Catalan international professée par Miró et son adhésion à l'avant-garde sont directement impliquées dans l'idée d'un nationalisme catalan transcendant s'élevant au-dessus des divisions partisanes ou de classes.

Pendant l'été 1918, la forme spécifique adoptée par ce contenu changea, car Miró s'engagea sur une voie qui devait finalement le conduire à l'élaboration d'un vocabulaire innovant de signes picturaux. Sans oublier de faire référence à ses adaptations antérieures

de la couleur fauviste et des syntaxes cubistes et futuristes, Miró se mit à réévaluer la présence de «simplifications» et «d'abstractions» dans son travail, exprimant alors sa haine de «tous les peintres qui veulent théoriser [51]». Simultanément, il exprima le besoin de «discipline» et de «classicisme» dans son art, des termes qui étaient clairement inspirés du «rappel à l'ordre» dans la critique culturelle française. Cela ne revient pas à dire que Miró capitula devant le conservatisme et la réception critique hostile à son travail. Bien plutôt, il défia la notion de forme comme fin en soi, insistant sur la position morale de l'avant-garde en tant que pratique sociale et culturelle. Décrivant ses progrès concernant deux nouvelles toiles, dans une lettre à Ricart datée du 16 juillet 1918, Miró explique: «Pour l'instant, ce qui m'intéresse le plus c'est la calligraphie d'un arbre ou d'un toit; feuille par feuille, branche par branche, brin d'herbe par brin d'herbe, et tuile par tuile. ça ne veut pas dire que ces paysages à la fin ne seront pas cubistes ou furieusement synthétiques. Enfin, on verra bien [52].»

Les toiles peintes par Miró, durant cet été-là et l'été suivant, y compris *Le Potager à l'âne*, *La Maison au palmier*, *Vignes et oliviers à Montroig*, sont le fruit d'une observation disciplinée. En comparant ces toiles avec ses paysages de l'été 1917, nous constatons que le goût de Miró pour la distorsion et l'exagération est toujours fermement bridé. La couleur n'opère plus désormais comme agent structurant, mais devient une fonction du dessin. Les feuillages individualisés – la «calligraphie» décrite par Miró à Ricart – remplacent les grandes masses d'arbres et de buissons. En général, le paysage est décrit à travers un processus de classification: les racines sous la surface de la terre dans *Vignes et oliviers à Montroig* sont soigneusement individualisées pour communiquer uneconnexion physique à la terre, tout comme quelques brins d'herbe signifient un champ entier dans *Le Potager à l'âne*. Dans chaque cas, on peut lire les tableaux de Miró comme des catalogues d'un paysage catalan archétypal. La logique de ces tableaux s'inscrit dans la perspective de vastes archives dont on a sélectionné et systématiquement organisé les informations. Cette structure permit à Miró d'évaluer son environnement et, ce faisant, de réécrire la réalité comme signe.

Eugeni d'Ors saisit immédiatement les implications plus larges des nouvelles œuvres de Miró. Évoquant la riche profusion de détails de ces toiles, il émit ce commentaire en 1919 : « On a affaire à un grand moment dans l'histoire de la peinture quand de petites fleurs sont individualisées, chacune nous intéressant par elle-même et en soi. Ainsi, nous nous trouvons aux antipodes de l'impressionnisme… Si seulement la peinture, qui a été tellement neurasthénique… pouvait maintenant devenir calme et patiente, peu à peu. La patience est la caractéristique de sentiments et d'institutions tout près d'entrer dans cette position parfaite et intraitable que Cournot a qualifiée de *Post-Histoire*, et que nous-mêmes avons plus simplement appelée *Culture* [53]. »

Même si d'Ors surestima la position de Miró en la prenant pour une volte-face à partir des excès de l'avant-garde, défaite par son amour compulsif de la nouveauté, son insistance sur l'impulsion classificatrice de Miró était perspicace. Ainsi que d'Ors sembla l'avoir compris intuitivement, Miró était en train de construire un paysage archétypal à travers un vocabulaire de signes iconographiques et linguistiques. Mais Miró s'écartait fondamentalement des positions de d'Ors par son refus d'esthétiser la politique, même si son œuvre demeurait profondément impliquée dans un projet national catalan intégral. En réalité, la position de Miró comme Catalan international ne représentait d'aucune manière une rupture avec la société catalane, mais bien plutôt une tentative pour trouver un chemin viable destiné à la renouveler à travers la culture.

Ce fut grâce à ce nouveau vocabulaire de signes que Miró réalisa finalement sa conception poétique du paysage catalan, désengagé de la politique et des débats sur le statut culturel de l'art moderne. À une époque où l'avant-garde était un camp retranché et où l'on brandissait l'idée de la Méditerranée pour étayer des positions rhétoriques, politiques et idéologiques, Miró chercha à cimenter une nouvelle espèce d'alliance entre la forme et le contenu dans ses images archétypales d'une Catalogne primitive. Avec *La Ferme* (1921-1922), Miró mit à nu la structure de sa propre *masia* dans la campagne de Tarragone, dressant le catalogue de ses contenus avec une clarté et une précision sans précédent. Dans *Paysage catalan* (*Le Chasseur*), qui date de 1923-1924, Miró schématisa encore plus ses formes, les réduisant à une sorte de sténographie descriptive. Confiant à Ràfols que « tous les problèmes picturaux [sont] résolus [54] », il se mit à s'éloigner davantage du

motif naturel. Enfin, avec les majestueuses *Têtes de paysan catalan* de 1924 et 1925, Miró donna libre cours au jeu des signes, mêlant intimement forme et contenu, et créant de la signification par la structure même de la ligne [55]. Dépossédée de tous les vestiges liés à la matérialité, la figuration de Miró atteignit à la transcendance poétique. En situant son concept de la Méditerranée dans le royaume transhistorique du symbolique, Miró bâtit une nouvelle mythologie pour une nation catalane moderne.

(traduit de l'anglais par Brice Matthieussent)

Certains points de cet essai s'inspirent de la thèse de doctorat sur Joan Miró avant La Ferme, 1915-1922 : le nationalisme catalan et l'avant-garde (New York University, Institute of Fine Arts, 1988). L'auteur tient à remercier Patricia Grey Berman, du Wellesley College, Wellesley, Massachusetts.

Sauf mention contraire, toutes les traductions du catalan sont de l'auteur.

Texte publié avec l'aimable autorisation de la Fondació Joan Miró, Barcelone.

Notes

1 Miró à Ricart, lettre d'août 1917, *Joan Miró, Écrits et entretiens*, présenté par Margit Rowell, Daniel Lelong éditeur, Paris, 1995, p. 59.

2 Pour un commentaire sur la vie politique et sociale en Catalogne durant les années de guerre, voir « Dossier : Catalunya davant el món en guerra (1914-1919) », *L'Avenc 69*, mars 1984, p. 30-79.

3 Miró à Ricart, lettre d'août 1917 non publiée, Arxiu Ricart, Biblioteca Victor Balaguer, Vilanova i la Geltrú.

4 Miró à Ferrà, lettre du 15 mars 1915, dans Pere A. Serra (éd.), *Miró and Mallorca*, New York, 1986, p. 226-227.

5 Miró à Ricart, lettre du 31 janvier 1915, dans Margit Rowell, *op. cit.*, 1995, p. 57.

6 Miró à Ferrà, lettre non datée, dans Pere A. Serra, *op. cit.*, 1986, p. 224.

7 Joan Maragall, « Impresión de la exposición Sunyer », *Museum*, Barcelone, 28 avril-15 juillet 1911, p. 256, 259.

8 Josep Francesc Ràfols, « Col. lecció Plandiura », *Themis*, n° 11, 5 décembre 1915, p. 3-4.

9 Le terme *Arbitrarietat* ne signifiait pas, pour Eugeni d'Ors, le règne du caprice, mais la pensée raisonnée en opposition à l'émotion spontanée.

10 Josep Murgades, dans « Assaig de

revisió del noucentisme », *Els Marges*, Barcelone, 7 juin 1976, p. 35-53, affirme que le noucentisme représente l'expression politique et économique du nationalisme catalan conservateur. Murgades remarque que le rôle d'Eugeni d'Ors consistait à fournir à la bourgeoisie catalane un système de modèles linguistiques et iconographiques propres à articuler leurs aspirations politiques. Par exemple, Murgades remarque que, par cet appel à une culture unifiée, la doctrine impérialiste noucentiste représentait une défense contre la révolution. Ailleurs, Murgades décrit la vision noucentiste de la cité idéale comme un paradigme de l'ordre et de la perfection, implicitement conçu pour neutraliser tout conflit de classes en Catalogne. Pour une analyse récente de l'idéologie noucentiste, voir Norbert Bilbeny, *Eugeni d'Ors i la ideologia del Noucentisme*, Barcelone, 1988.

11 Xènius (Eugeni d'Ors), « Glosari. Empórium », *La Veu de Catalunya*, 19 janvier 1906, dans Josep Murgades (éd.), *Eugeni d'Ors : Glosari (Selecció)*, Barcelone, 1982, p. 18-19.

12 Xènius, « Glosari. Artístiques raons », *La Veu de Catalunya*, 10 avril 1906, *ibid.*, p. 21-22. Voir aussi la « Glosa Mediterrània » de 1907 dans *Eugeni d'Ors, Obra*

completa catalana, Barcelone, 1950, p. 393-394.

13 Le rejet du ruralisme par Eugeni d'Ors, en tant que menace à l'avancement de la civilisation catalane, est très clairement affirmé dans sa glose de 1906, « La ciutat i les serres », dans *Obra completa catalana, op. cit.*, 1950, p. 327-328. Cette même année, d'Ors définit son esthétique en opposition directe à ce qu'il définit comme « le romantisme latin » de Joan Maragall. Voir son « Enllà i la generació Noucentista », Josep Murgades, *op. cit.*, 1982, p. 31-32.

14 Voir Francesc Fontbona (éd.), *Joaquim Torres-García, Escrits sobre art*, Barcelone, 1980, p. 138-139.

15 Pour un commentaire sur le programme iconographique de Torres-García, voir Enric Jardí, *Torres-García*, Barcelone, 1973, p. 77-80.

16 Voir Jaume Vallcorba Plana, *Josep Maria Junoy, Obra poètica*, Barcelone, 1984, p. XXXIV-XXXV.

17 Junoy avait été le témoin direct du développement du cubisme durant l'été 1911, alors qu'il résidait à Céret avec Picasso, Braque, Gris, Max Jacob et Manolo. Par la suite, il voyagea jusqu'à Paris, où il visita le Salon d'automne et découvrit la forte représentation du cubisme. L'année suivante, il joua un rôle essentiel dans l'organisation d'une importante exposition de peinture cubiste à la galerie Dalmau à Barcelone. En même temps que cette exposition, il publia également un livre de critique intitulé *Arte y Artistas*, dans lequel il prônait un art du concept capable de faire le lien entre l'intellect et la sensation. Il considérait de ce point de vue tant le cubisme que les tendances récentes de l'art catalan, que les noucentistes alignèrent promptement avec leur esthétique classique. Pour une excellente analyse du rôle de Junoy en Catalogne comme critique cubiste, voir Jaume Vallcorba Plana, *ibid*. Pour un commentaire sur les implications plus larges de la réception critique du cubisme à Barcelone, en rapport avec l'idéologie du cubisme du Salon en France, voir Robert S. Lubar, « Cubism, Classicism and Ideology : The

1912 Exposició d'Art Cubista in Barcelona and French Cubist Criticism », Jennifer Mundy and Elizabeth Cowling (éd.), *On Classic Ground : Picasso, Léger, De Chirico and the New Classicism, 1910-1930*, Tate Gallery, Londres, 1990, p. 309-323.

18 Par exemple, dans une lettre caractéristique de cette attitude, Miró déplorait le favoritisme d'Eugeni d'Ors (qui occupait le poste officiel de ministre de l'Information publique) et de la Lliga regionalista qui accordait des postes dans l'éducation à ses membres. Miró à Ricart, lettre du 16 juillet 1918, dans Margit Rowell, *op. cit.*, 1995, p. 54-55.

19 Antoni Rovira i Virgili, « Ideari de la guerra : la Llum de la Mar », *Iberia*, 2e année, n° 57, 6 mai 1916, p. 6-7.

20 « *Revista Nova* a tots els Catalans », *Revista Nova*, Barcelone, 1re année, 6 août 1914. Avant même le déclenchement des hostilités, ce journal se faisait régulièrement le champion de l'art et de la culture français. Pour une position caractéristique, voir Francesc Pujols, « L'influencia francesa en la pintura catalana d'avui », n° 8, 30 mai 1914.

21 Dans une autre tableau de 1918, *El Porxo* (Museu Víctor Balaguer, Vilanova i la Geltrú), Ricart inclut un ballon tricolore pour signifier la victoire imminente de la France. L'artiste proposa lui-même cette interprétation du tableau cité dans le *Butlletí d'admissió*.

22 Miró à Ferrà, lettre du 25 juillet 1918, dans Pere A. Serra, *op. cit.*, 1986, p. 230.

23 Miró à Ferrà, lettre du 31 octobre 1918, dans Pere A. Serra, *op. cit.*, 1986, p. 232.

24 Cette pétition fut publiée dans *Vell i Nou*, Barcelone, 2e année, n° 21, 15 mars 1916.

25 « La pintura francesa », *La Veu de Catalunya*, 19 avril 1917, dans Josep Murgades (éd.), *Obra catalana d'Eugeni d'Ors : Glosari 1917*, Barcelone, 1991, p. 112-113.

26 Cité dans Dora Vallier, « Avec Miró (entretien avec l'artiste) », *Cahiers d'art*, Paris, nos 33-35, 1960, p. 160-174.

27 Cette information se fonde sur les œuvres citées dans le catalogue de l'exposition. Francesc Miralles,

dans *Història de l'art català, vol. VIII, L'Epoca de les avant-guardes, 1917-1970*, Barcelone, 1983, a suggéré que d'autres œuvres étaient peut-être incluses dans l'exposition.

28 À l'occasion de l'Exposition d'art cubiste de Josep Dalmau (20 avril-10 mai 1912 ; voir note 17 *supra*), Eugeni d'Ors se sentit contraint de demander de la patience au public catalan, compte tenu de l'œuvre des cubistes. L'exposition inclut des œuvres d'Agero, Duchamp, Gleizes, Gris, Laurencin, Le Fauconnier, Léger et Metzinger. Même si d'Ors caractérisa la préoccupation singulière des peintres cubistes vis-à-vis de la « nécessité structurale » comme une esthétique classisante en droite ligne avec la théorie esthétique noucentiste, il croyait en définitive que le cubisme avait sombré dans un exercice intellectuel vide de sens.

29 Pour un excellent compte-rendu de la politique culturelle française en temps de guerre et les attaques revanchardes sur l'art moderne, voir Kenneth E. Silver, *Esprit de corps : the Art of the Parisian Avant-Garde and the First World War, 1914-1925*, Princeton University Press, 1989 ; trad. française *Vers le retour à l'ordre. L'avant-garde parisienne et la Première Guerre mondiale, 1914-1925*, Paris, Flammarion, 1991.

30 Joaquim Folch i Torres, « L'Exposició d'art francès : El punt culminant de la pintura moderna », *La Veu de Catalunya*, Pàgina artística, n° 387, 14 mai 1917.

31 Pour un commentaire sur l'élaboration de cette position par J. M. Junoy en 1911, voir Jaume Vallcorba Plana, *op. cit.*, 1984, p. XV.

32 Xènius, « Glosari. A la portada de l'Exposició Torres-García », dans Josep Murgades, *op. cit.*, 1982, p. 163-165.

33 Miró à Ricart, lettre du 7 octobre 1916, dans Margit Rowell, *op. cit.*, 1995, p. 58-59. L'exposition prévue des simultaneïstes n'eut jamais lieu, même si le magazine *Vell i Nou* publia de nombreuses œuvres de Robert et Sonia Delaunay dans son numéro du 15 décembre 1917. Seize toiles de Robert Delaunay figurèrent dans

l'Exposition municipale d'art, à Barcelone, en mai 1918.

34 Voir, par exemple, la correspondance de Miró à Ricart, vers octobre 1917, dans Margit Rowell, *op. cit.*, 1995, p. 58-59.

35 Dans leur déclaration liminaire du 11 avril 1914, les rédacteurs de *Revista Nova* plaidaient pour « la tolérance envers toutes les tendances et toutes les écoles, aussi agressives puissent-elles sembler », « Salutació », 1re année, n° 1, p. 3-4. Ce journal publia des articles sur le cubisme et le post-impressionnisme, en plus d'études spécifiquement consacrées à Vincent Van Gogh, Paul Gauguin, André Lhote, Kees Van Dongen et d'autres artistes modernes. Miró possédait la collection complète de *Revista Nova*, qui suspendit sa publication en 1916 à cause d'un nombre insuffisant d'abonnés.

36 Exposition Joan Miró, galerie Dalmau, Barcelone, 16 février-3 mars 1918.

37 Voir, par exemple, Joan Sacs, « Exposición Juan Miró en las galerías Dalmau », *La Publicidad*, 24 février 1918 ; Pere Oliver, « Joan Miró », *Vell i Nou*, 4e année, 1er mars 1918, p. 89, et F.V., « Les Exposicions : Joan Miró », *La Revista*, 4e année, n° 61, 1er avril 1918, p. 114. Voir aussi le compte-rendu anonyme, « En Casa Dalmau… », *Diario de Barcelona*, 28 février 1918 ; et l'opinion plus nuancée d'Antonio Vallescí dans « Crónicas de arte : galeriá Dalmau », *El Liberal*, 7 mars 1918.

38 À cet égard, un texte publié par J. M. Junoy dans *Troços* n° 4 (mars 1918), en même temps que l'exposition de Miró, était conciliant : « *Trossos* accompagne volontiers ceux qui consacrent tous leurs efforts au réveil d'une nouvelle sensibilité et à la venue d'une marche triomphale vers un nouveau classicisme – les nerfs du présent et le sang de l'avenir. Nous revendiquons donc… Joan Miró comme l'un des nôtres. »

39 Archives de la Fundació Joan Miró, Barcelone.

40 Josep Maria Junoy, « Nótules : Joan Miró », *La Veu de Catalunya*, 4 février 1918, p. 7.

41 Pharamousse (Francis Picabia), « Odeurs de partout. Picasso

repenti», *391*, n° 1, janvier 1917, p. 4.

42 [Folch i Torres], «L'exposició Gleizes a Cân Dalmau», *La Veu de Catalunya*, Pàgina artística, n° 365, 11 décembre 1916.

43 Joaquim Folch i Torres, «Del cubisme y del estructuralisme pictórich», *La Veu de Catalunya*, Pàgina artística, n° 112, 8 février 1912.

44 Joaquim Torres-García, «Art-Evolució (A manera demanifest)», *Un enemic del poble*, n° 8, septembre 1917, réimprimé dans Francesc Fontbona, *op. cit.*, 1980, p. 191-192. Ce texte apparut également en traductions française et italienne dans le numéro d'*Arc-Voltaic* en date de février 1918.

45 Miró à Ricart, lettre du 18 juillet 1920, dans Margit Rowell, *op. cit.*, 1995, p. 86.

46 Voir note 3 *supra*.

47 Miró à Ricart, lettre du [1er octobre 1917], dans Margit Rowell, *op. cit.*, 1995, p. 61-63.

48 «La nostra gent : J. Salvat-Papasseit», *Un enemic del poble*, n° 7, novembre 1917.

49 Joaquim Torres-García, «Som attents!», *Un enemic del poble*, n° 4, juillet 1917.

50 Pour une critique idéologique des positions de Joan Salvat-Papasseit et de Joaquim Torres-García, voir Robert S. Lubar, «Joaquín Torres-García y la Formación social de la Vanguardia en Barcelona», *Barradas Torres-García*, Galería Guillermo de Osma, Madrid, 1991, p. 19-32.

51 Miró à Ràfols, lettre du 11 août 1918, dans Margit Rowell, *op. cit.*, 1995, p. 67-68.

52 Miró à Ricart, lettre du 16 juillet 1918, dans Margit Rowell, *op. cit.*, 1995, p. 64.

53 Xènius, «Glosari. Més Gloses en l'Exposició d'art», *La Veu de Catalunya*, 12 juin 1919, p. 17.

54 Miró à Ràfols, lettre du 7 octobre 1923, dans Margit Rowell, *op. cit.*, 1995, p. 95.

55 La meilleure analyse de la structure des tableaux de Miró des années vingt demeure «Magnetic Fields : the Structure» de Rosalind Krauss, dans Rosalind Krauss et Margit Rowell, *Joan Miró : Magnetic Fields*, Museum Solomon R. Guggenheim, New York, 1972, p. 11-38.

JOAN MIRÓ
Le Balcon, 1917
Paris, collection
Paule et Adrien Maeght

JOAN MIRÓ
Nord -Sud, 1917
Paris, collection
Paule et Adrien Maeght

JOAN MIRÓ
Cheval, pipe et fleur rouge,
1920
Philadelphie, Philadelphia
Museum of Art ,
don de M. et Mme C. Miller

JOAN MIRÓ
Autoportrait, 1919
Paris, musée Picasso

JOAN MIRÓ
Intérieur, juillet 1922 - printemps 1923
Paris, Centre Georges Pompidou,
Musée national d'art moderne,
donation en 1997

LA MÉDITERRANÉE DE MIRÓ • Conceptions d'une identité culturelle

JOAN MIRÓ
La Ferme, 1921-1922
Washington,
National Gallery of Art,
don de Mary Hemingway

JOAN MIRÓ
Terre labourée, 1923-1924
New York, Solomon
R. Guggenheim Museum

JOAN MIRÓ
Bonheur d'aimer ma brune,
1925
Paris, galerie Alain Tarica

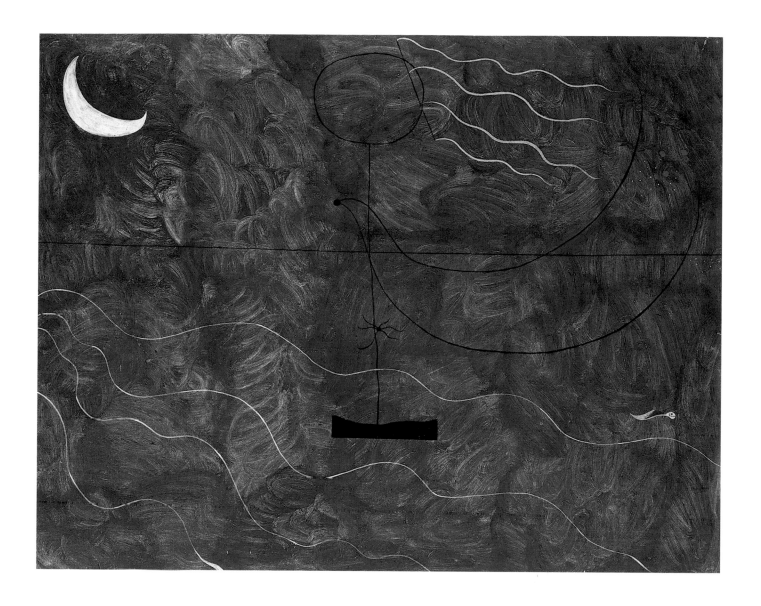

JOAN MIRÓ
Baigneuse, hiver 1924
Paris, Centre Georges
Pompidou, Musée national
d'art moderne, donation
de Louise et Michel Leiris
(1984)

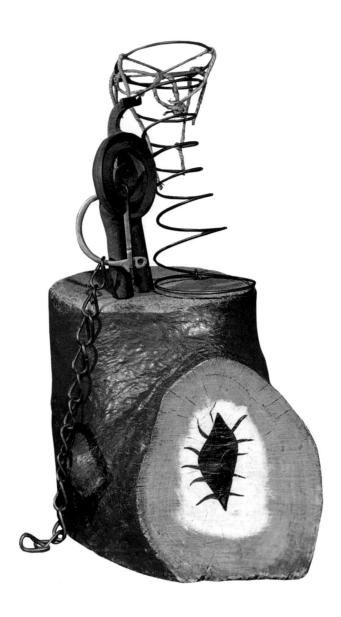

JOAN MIRÓ
Aviat L'Instant,
Projet d'affiche pour
la revue créée en 1918
par Joan Pérez Jorba
Barcelone, 1919

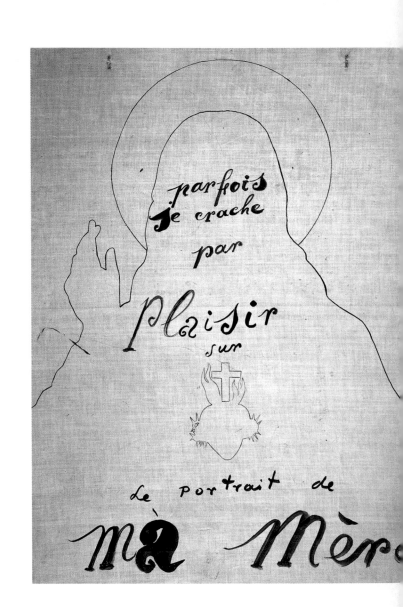

SALVADOR DALÍ

SALVADOR DALÍ
Autoportrait
avec L'Humanité,
1923
Figueras, Fondació
Gala-Salvador Dalí

FÈLIX FANÉS

Salvador Dalí, néoclassicisme, machinisme, surréalisme

Lorsque Salvador Dalí exposa à Barcelone, au Salon d'automne de 1927, la peinture à l'huile *Appareil et main*, la plupart des critiques le perçurent comme une rupture très importante dans l'œuvre du peintre, et ils l'associèrent aussitôt au surréalisme. Seuls ses amis Lluís Montanyà et Sebastià Gasch, qui étaient aussi ses défenseurs les plus acharnés, s'entêtèrent à nier toute relation de cette œuvre avec le groupe d'André Breton, en alléguant qu'elle était le résultat d'un « objectivisme sauvage [1] ».

Cette divergence d'opinions ne doit pas nous surprendre. Si nous regardons attentivement le tableau, nous nous rendons compte qu'il contient des éléments qui peuvent être en relation aussi bien avec le futur surréalisme du peintre qu'avec l'esthétique du « retour à l'ordre » dans lequel il avait été plongé jusqu'alors. Autrement dit, cette œuvre illustre la tension dans laquelle vit Dalí à ce moment-là et elle se place au milieu des turbulences stylistiques qui vont marquer son travail pendant les années vingt.

André Derain et autres influences

D'une certaine façon, on peut interpréter *Appareil et main* comme le point d'arrivée d'une évolution stylistique que le peintre avait développée pour son propre compte, mais parallèlement au reste de l'Europe. Après être passé par une brève étape cubiste, il s'engagea dans un géométrisme fondé sur la tradition qui avait bien des points de contact avec les divers « retours à l'ordre » qui s'imposaient alors sur le continent ; un fait très compréhensible si l'on considère que cette nouvelle direction de la peinture avait été reçue à bras ouverts en Catalogne où la tradition de base structurelle et « classiciste » était fort enracinée, à cause du rôle important joué jusqu'alors par le mouvement du « noucentisme ».

Parmi les divers courants « néoclassiques » européens, Dalí fut fortement influencé par celui représenté par André Derain, dont il connaissait l'œuvre à travers des reproductions dans les revues et, surtout, par la monographie que lui avait consacrée Élie Faure. L'indépendance formelle de ce peintre, moderne et classique à la fois, qui bien avant Picasso avait entrepris son propre retour à la tradition, devait représenter un exemple très attirant aux yeux de Dalí qui le prit pour modèle dans plusieurs de ses œuvres. Nous pouvons en découvrir l'empreinte dans la vue de Cadaquès intitulée *Port Alguer* (1924), dans le *Portrait du père*, 1925 et même dans les divers personnages de dos peints entre 1925 et 1926.

Il faut ajouter à cette influence celle des Italiens métaphysiques (Carlo Carrà, Giorgio De Chirico et Giorgio Morandi) que le jeune peintre connut à travers la revue *Valori Plastici*. Au classicisme constructif de Derain, les Italiens apportaient des arrière-fonds urbains accentuant l'étrangeté qui se dégage de ces images froides, ordonnées et statiques. On peut très bien saisir la relation avec ces peintres dans une œuvre comme le *Portrait de Luis Buñuel*, 1924 où, pour accentuer encore l'origine italienne du modèle, on voit un nuage à la manière de ceux peints par Mantegna, artiste dont Dalí admirait le style sec et dur.

Malgré la présence italienne et une connaissance intuitive des peintres germaniques de la « Neue Sachlichkeit », la connexion de Dalí avec les diverses tendances qui composent le « retour à l'ordre » a surtout une matrice française, ou plus exactement parisienne. Si l'influence de Derain fut grande, celle de Picasso ne le fut pas moins, et nous pouvons en découvrir des traces dans des œuvres comme *Vénus et un marin*, 1925, où sont citées presque littéralement les femmes de l'époque de Fontainebleau, ou *Figure dans les rochers*, 1926, où l'empreinte de Picasso continue à être très forte, bien qu'absorbée à travers un filtre plus personnel.

SALVADOR DALÍ
Port Alguer, 1924
Figueras,
Fondació Gala-Salvador Dalí

FIG. **SALVADOR DALÍ**
Visage dans les rochers, 1926
Saint-Petersburg (Etats-Unis),
Salvador Dalí Museum

SALVADOR DALÍ
Portrait du père de l'artiste,
1925
Barcelone, Museu Nacional
d'Art de Catalunya

SALVADOR DALÍ
Portrait de Luis Buñuel,
1924
Madrid, Museo Nacional Centro
de Arte Reina Sofía

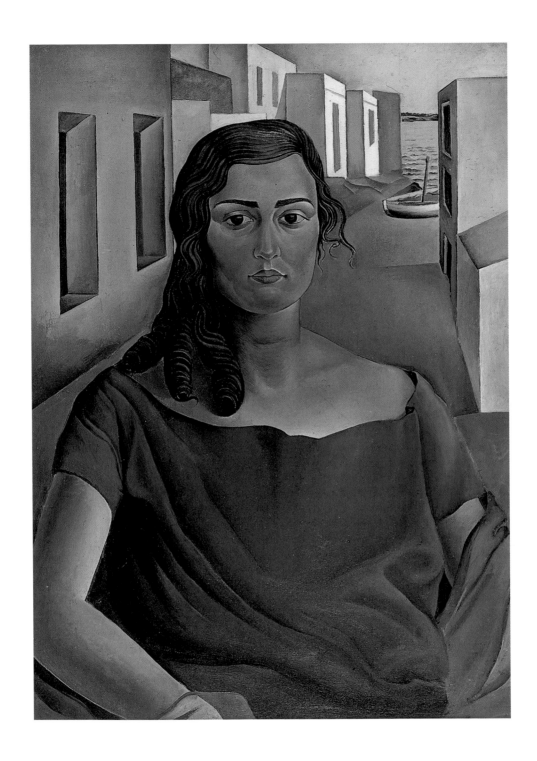

SALVADOR DALÍ
Portrait de ma sœur,
Cadaquès, vers 1925
Figueras,
Fondació Gala-Salvador Dalí

FIG. **SALVADOR DALÍ**
Jeune fille de dos, 1925
Madrid, Museo Nacional Centro
de Arte Reina Sofía

FIG. **SALVADOR DALÍ**
Etude pour *Jeune fille
de dos*, 1926
Collection particulière

SALVADOR DALÍ
La Vache spectrale, 1928
Paris, Centre Georges
Pompidou, Musée
national d'art moderne

FIG. **SALVADOR DALÍ**
Nature morte
au clair de lune mauve, 1926
Figueras,
Fondació Gala-Salvador Dalí

FIG. **SALVADOR DALÍ**
Nature morte, 1926
Collection particulière

Le rôle de Picasso

Quoi qu'il en soit, l'influence du peintre malaguène ne s'arrête pas
là. Pendant la seconde moitié de 1926, Dalí subit une grave
secousse qui allait modifier substantiellement les tendances néoclassiques qui avaient jusqu'alors modelé sa peinture. Au printemps
de cette même année, il fit pour la première fois le voyage à Paris
et en profita pour rendre visite à Picasso. Celui-ci lui montra sa
plus récente production cubiste, exposée quelques semaines plus
tard à la galerie Paul Rosenberg. L'effet fut foudroyant. Dalí resta
bouché bée devant le nouveau style du peintre, qu'on peut définir
comme un cubisme synthétique, moins géométrique, plus sensuel
et surtout plus trouble (qui traduisait le début du rapprochement
du grand artiste avec le groupe d'André Breton). Dalí utilisa
l'exemple que lui avait fourni Picasso pour exécuter une série de
toiles comme *Nature morte au clair de lune* ou *Nature morte au clair de
lune mauve* – toutes deux de la fin de 1926 – où l'influence du
maître est évidente, aussi bien par le style (une sorte de néocubisme
synthétique fort éloigné du cubisme de cristal plus «classiciste»)
que par les éléments iconographiques qui y figurent : essentiellement des têtes décapitées [2] (en réalité, des têtes de plâtre coupées).

Malgré la grande importance de Picasso pour Dalí, il ne fut
pas son seul modèle pendant ces années où il cherchait passionnément un langage personnel. Dans la configuration de son style
antérieur à 1927, d'autres artistes intervinrent, tous procédant
également de Paris : par exemple, les peintres de la galerie de
l'Effort moderne, qu'il aurait pu connaître grâce à la revue éditée par Léonce Rosenberg. Mieux que nulle part ailleurs, c'est
peut-être dans le *Bulletin* de la galerie citée qu'il eut l'occasion
d'étudier l'évolution du cubisme vers des positions rationalistes
et constructivistes d'abord, néoclassiques ensuite. Outre qu'il
retrouvait, dans les pages de cette revue, les traces de Juan Gris,

qui l'avait tant aidé à élaborer son propre cubisme, il put découvrir Gino Severini, très vigoureux alors et fort représentatif des
transformations picturales du moment, à travers des œuvres
telles que *Maternité* (1916) ou *La Partie de cartes* (1924), cette dernière explicitement citée dans le tableau *Pierrot jouant de la guitare*, 1925.

Par ailleurs, il ne faut pas oublier que parmi ceux qui
composaient le groupe de Léonce Rosenberg, il y avait Fernand
Léger, un artiste fort éloigné de la problématique esthétique de
Dalí, bien qu'ils eussent tous deux en partage certaines préoccupations tournées vers l'adéquation du nouvel art au monde
moderne. En tout cas, Léger est important parce qu'il unit le
groupe de l'Effort moderne à une autre des sources d'inspiration du peintre de Cadaquès : le purisme d'Ozenfant et
Le Corbusier, et plus encore, les théories sur l'art et la vie
moderne défendues dans les pages de *L'Esprit nouveau*.

FIG. **SALVADOR DALÍ**
Pierrot jouant de la guitare
Madrid, Museo Nacional
Centro de Arte Reina Sofía

FIG. **SALVADOR DALÍ**
Nature morte puriste,
1924-1925
Figueras,
Fondació Gala-Salvador Dalí

Purisme et machinisme

On peut remarquer l'impact du purisme dans quelques tableaux de 1924, comme par exemple la *Nature morte*, plus connue aujourd'hui précisément sous le titre explicite de *Nature morte puriste*. De surcroît, nous pouvons deviner certains aspects de la vision du monde – surtout en relation avec la vie moderne – qui se dégagent des écrits de *L'Esprit nouveau* dans des tableaux tels que *Nature morte. Invitation au sommeil*, 1926, où apparaît, outre quelques architectures lecorbusiennes, un avion sillonnant le ciel, deux thèmes caractéristiques de cette revue. Mais c'est dans les exposés théoriques de Dalí que l'influence d'Ozenfant et de Le Corbusier aura le plus grand poids. Nous pouvons le déduire des écrits qu'il commence à publier à partir de 1926. Dans ces textes, spécialement dans «Sant Sebastià» (Saint Sébastien), à travers diverses antinomies métaphoriques – putréfaction et astronomie, art et anti-art –, le peintre essaie d'analyser la conjoncture dans laquelle se débat la création artistique à ce moment-là, marquée, à ses yeux, par la nécessité de trouver un langage artistique capable de répondre aux nouvelles demandes suscitées par le monde moderne. Il aspire à fonder ce langage sur un objectivisme qui soit de moins en moins en relation avec le néoclassicisme et de plus en plus rattaché aux théories de *L'Esprit nouveau*, avec pour prémisse que dans un monde industrialisé tout devient une force mécanique, même l'œil du peintre. La volonté objective dépend de la dépersonnalisation du regard (expression maximale de la subjectivité traditionnelle) qui, pour atteindre le plus haut niveau de déshumanisation, s'appuiera sur des prothèses technologiques telles que la photographie ou le cinéma [3].

Mais la crise de la subjectivité traditionnelle était aussi un concept assumé par les surréalistes, bien que dans la lecture des données du monde industriel il y eût une complète divergence avec la vision de *L'Esprit nouveau*. Alors que Le Corbusier célébrait l'ordre «moderne» fondé sur l'élimination des forces «obscures», le groupe de Breton faisait précisément l'éloge du «désordre» qui émanait de ces «forces»: le désir, l'inconscient, le merveilleux. Dans le tableau *Appareil et main*, outre la façon dont il est peint (claire, équilibrée, avec des profils bien détachés et une construction en perspective de l'espace autour d'un horizon) qui nous conduit à établir une relation avec les tendances citées du «retour à l'ordre», nous trouvons aussi un regard «objectif», un regard «probe [4]», qui est ce que Dalí réclamait dans les textes de cette époque, un regard de machine qu'il faut mettre en relation avec les idées d'Ozenfant et de Le Corbusier; un système visuel que le peintre rattachait aussi à la tradition incarnée par Vermeer de Delft (qui avait réalisé son œuvre à partir d'engins mécaniques préphotographiques). Mais ce regard ne s'applique pas, comme dans les années antérieures, à des termes picturaux classiques, «portraits», «natures mortes», «paysages», il se dirige vers une autre direction, plus trouble, plus complexe.

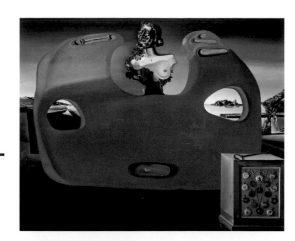

SALVADOR DALÍ
Souvenir de la femme-enfant,
1932
Saint-Petersburg (Etats-Unis),
Salvador Dalí Museum
(Barcelone seulement)

FIG. **SALVADOR DALÍ**,
Cenicitas (Les efforts stériles),
1928
Madrid,
Museo Nacional
Centro de Arte Reina Sofía

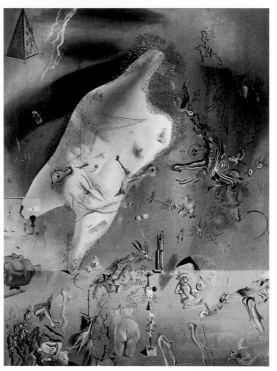

Indices surréalistes

Dans *Appareil et main*, on peut découvrir des corps fragmentés, un tronc de femme, des seins coupés, une main tranchée, des animaux en décomposition représentés par un âne et un poisson pourris, et quantité d'échantillons de vie naturelle microscopique. Il est clair qu'aussi bien par la nature de l'opération (plonger dans l'inconscient) que par le genre d'iconographie utilisée (fantastique, sexuelle), l'ensemble de l'opération, que Dalí le reconnaisse ou pas en public – et il ne le reconnaissait pas –, se révèle plus proche du surréalisme que de toute autre tendance du moment [5]. Bien mieux, quelques-uns des éléments iconographiques qui apparaissent dans cette œuvre (les bestioles microscopiques, en particulier) correspondent très clairement au monde de Miró, pour qui Dalí exprime alors à maintes reprises son enthousiasme (en fait, le peintre de Montroig était devenu l'exemple à suivre par le groupe de *L'Amic de les Arts*, qui comprenait, outre Dalí, le poète Josep Vicenç Foix et les critiques Sebastià Gasch, Lluís Montanyà et Magi Cassanyes [6]). Donc, cet univers d'*Appareil et main,* étrange, torturé, soumis par le peintre à la netteté des profils néoclassiques en même temps qu'à la précision du regard objectif, fut décrit par un critique de l'époque en ces termes : de «la mer ténébreuse», le peintre, «comme les pêcheurs de corail», a su extraire «des merveilles rares et exquises, inexplicables, vêtues de figurations mystérieuses, mélange de fragments humains et d'objets fantastiques [7]»; c'est une façon très juste d'annoncer la voie prise en direction du surréalisme.

Dans les mois qui suivirent la présentation du tableau *Appareil et main*, entre février et mai 1928, Dalí publia un long article en trois parties, «Nous límits de la pintura» («Nouvelles limites de la peinture»), où il citait Breton pour la première fois et mentionnait divers peintres du groupe surréaliste : Joan Miró, bien sûr, mais aussi

SALVADOR DALÍ
Appareil et main, 1927
Saint-Petersburg (Etats-Unis),
Salvador Dalí Museum

Yves Tanguy, Hans Arp, André Masson et Max Ernst, des noms très importants parce qu'ils vont tous marquer de leur empreinte l'évolution de la peinture de Dalí pendant les années qui vont suivre. À vrai dire, on avait déjà pu remarquer cette influence (surtout celle de Tanguy) dans *Appareil et main*, tandis qu'on retrouvait la marque de Max Ernst dans les corps sans tête si nombreux de *Le miel est plus doux que le sang*, *Les Plaisirs stériles* et *Petites cendres* , qu'il peint alors. Cependant, en marge de ces influences, les images qui attirent probablement le plus l'attention dans *Appareil et main* sont les deux animaux morts et décomposés qui y figurent : un âne et un poisson. Ces derniers renvoient à un concept central dans la pensée esthétique de Dalí à cette époque : l'idée de « putréfaction », entendue d'abord comme une décomposition, opposée au terme positif d'« astronomie », et qui incarne très vite la manière par laquelle le monde, une fois fondue sa surface charnelle, exhibe la structure osseuse qui le soutient ; c'est-à-dire les processus et les mécanismes mentaux qui l'organisent. Des deux animaux pourris, c'est l'âne le plus important, et nous le remarquons dans d'autres œuvres contemporaines, au point de devenir une pièce centrale dans l'iconographie de cette période. Nous le trouvons dans *Le miel est plus doux que le sang* et *Les Plaisirs stériles*, déjà cités, mais aussi dans le tableau intitulé explicitement *L'Âne pourri*, 1928. Mieux encore, nous en découvrons la présence dans divers textes de la fin des années vingt, notamment dans celui reprenant le titre du précédent tableau, « L'âne pourri », article très important avec lequel Salvador Dalí débuta comme collaborateur dans *Le Surréalisme au service de la révolution*, où est esquissée la méthode paranoïaque-critique.

SALVADOR DALÍ
*Homme d'une complexion
malsaine écoutant
le bruit de la mer*, 1929
Rio de Janeiro, Museus Castro
Maya / IPHAN-MinC.

Formes organiques

En tout cas, après la réalisation d'*Appareil et main*, Dalí se mit à introduire des formes de plus en plus organiques dans sa peinture. Il s'agissait de figures provenant du règne animal, presque toujours en état de décomposition, des oiseaux, des ânes, des vaches comme dans *La Vache spectrale* (1928). L'apparition de rondeurs, de contours mous associés à la décomposition, doit être comprise comme étant un pas décisif de Dalí en direction du surréalisme, bien qu'il ne s'y identifie pas encore ouvertement, malgré les éloges qu'il commence à en faire. Dans une conférence prononcée à Figueras en mai 1928, il affirme, par exemple, que « les surréalistes sont ceux qui revendiquent ce monde moins apprécié jusqu'à présent et qui habite le sous sol de notre esprit », claire allusion à l'inconscient [8]. Dorénavant, on peut trouver aussi des références à Freud dans ses écrits [9].

C'est dans ce penchant progressif vers le groupe d'André Breton qu'il faut situer trois importantes manifestations publiques du peintre qui confirment à quel point il se sent proche du mouvement de Paris. En premier lieu, la profession de sa foi communiste, publiée dans le quotidien *La Publicidad* (12 décembre 1928), ce qui n'est pas surprenant, sachant ce que nous savons aujourd'hui du jeune Dalí, bien qu'il ne l'ait jamais manifesté jusqu'alors d'une façon aussi ouverte et aussi percutante [10].

De ce gauchisme juvénile, un témoignage nous est précisément fourni avec son *Autoportrait à « L'Humanité »*, malgré la bonne dose de mystère que recèle cette œuvre. Alors qu'elle a été peinte en 1923, le morceau de journal que nous y trouvons collé aujourd'hui ne date pas de cette année, mais de 1928 (plus exactement du 24 juillet 1928), époque qui correspond peu ou prou à la déclaration de principe communiste qu'on vient de mentionner.

Or, nous ignorons tout à fait les causes qui ont provoqué ce désordre chronologique. Pour une raison inexplicable, Dalí éprouva le besoin de retoucher son autoportrait de 1923, cinq ans après son exécution. Manquant d'informations, nous devons nous borner aux hypothèses, qui ne peuvent être que de deux sortes. Ou bien la première version du tableau ne comportait aucune coupure du journal communiste français et, en 1928, pour rendre publiques ses prises de position politiques il y ajouta l'en-tête de *L'Humanité*, ou bien – deuxième supposition – Dalí avait déjà peint en 1923 son autoportrait, accompagné d'un morceau du quotidien communiste, et cinq ans plus tard, pour une raison que nous ignorons – peut-être le collage s'était-il abîmé –, il se contenta d'y coller à nouveau un fragment du même journal. Quoi qu'il en soit, ces deux hypothèses nous conduisent à une seule conclusion: en 1928, Dalí non seulement déclare publiquement sa foi dans le communisme, mais reprend un ancien autoportrait pour renforcer ouvertement cette conviction politique.

De l'objectivité au documentaire

Le second fait qui nous permet de déduire chez Dalí son rapprochement du surréalisme est la progressive «libidinisation» de ses œuvres. Nous la remarquons déjà dans le tableau *Appareil et main*, où de nombreux critiques ont vu une claire allusion à la masturbation (par la présence de la main coupée et rougie qui couronne l'appareil [11]), mais aussi dans d'autres œuvres telles que la scandaleuse *Deux figures sur une plage* – postérieurement intitulée *Les Désirs insatisfaits*, 1928 – où l'on peut identifier une des figures du titre comme étant une vulve féminine qui est à la fois une main (nouvelle allusion à la masturbation) tout en étant aussi un sexe masculin (pénis et testicules). Cette huile, qui fit grand scandale au moment où elle devait être exposée dans une galerie de Barcelone

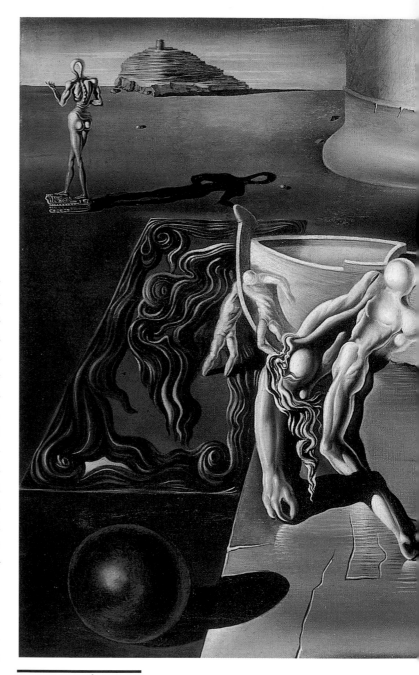

SALVADOR DALÍ
Lion, cheval, dormeuse invisibles, 1930
Paris, Centre Georges Pompidou, Musée national d'art moderne, don de l'Association Bourdon (Paris, 1993)

– finalement, elle ne fut pas montrée [12] –, doit être regardée comme annonçant ce qui viendra après, surtout dans des œuvres telles que *Le Visage du grand masturbateur* ou *Le Jeu lugubre* – toutes deux de 1929 et présentées lors de sa première exposition à Paris –, où Dalí introduit un large répertoire d'activités charnelles en harmonie, il faut le dire, avec les postulats du groupe surréaliste, spécialement ceux manifestés dans ses enquêtes sur la sexualité que Dalí connaissait à la perfection [13].

Le troisième élément qui rapproche définitivement Dalí du groupe surréaliste est la substitution dans ses écrits du concept d'«objectivité» par celui de «documentaire». Le peintre voyait ce dernier comme un équivalent du texte surréaliste. «Une tendance violemment anti-artistique, écrivait-il, se définit par l'impulsion exacerbée vers le documentaire», qui compte aujourd'hui sur «des moyens puissants et rigoureux : phonographe, photographie, cinéma, littérature, microscope, etc. [14]» Dalí ne considérait pas tout à fait comme deux faits antagonistes le documentaire objectif et les textes surréalistes. Il pensait, au contraire, que tous deux coïncidaient dans leur nature essentiellement anti-artistique. Pour lui, dans ces deux processus de création, ne figuraient pas «les plus légères intentions esthétique, émotionnelle, sentimentale, etc.», qui sont «les caractéristiques essentielles du phénomène artistique». D'après Dalí, «le documentaire enregistre anti-littérairement les choses dites du monde objectif, tandis que le texte surréaliste transcrit, avec la même rigueur et tout aussi anti-littérairement que le documentaire, le fonctionnement RÉEL libéré de la pensée, les histoires qui ont lieu réellement dans notre esprit grâce à l'automatisme psychique et les autres états passifs [15] (l'inspiration)».

En adoptant ce nouveau concept, Salvador Dalí parvient à passer en douceur des théories objectivistes du monde industriel aux apports, également antisubjectifs, du surréalisme de

Breton. Ayant découvert un trait d'union entre les deux conceptions du monde qui scindaient jusqu'alors son œuvre, le peintre n'hésite plus à s'engager sur le chemin du surréalisme où, non seulement il effacera tout ce qu'il gardait encore du machinisme de *L'Esprit nouveau*, mais encore, grâce à ses contributions théoriques – la méthode paranoïaque-critique –, il modifiera aussi, de façon décisive, la direction mentale du groupe qui le recevra à bras ouverts.

(Traduit du catalan par Mathilde Benssoussan)

Notes

1 Lluís Montanyà, « El cas de les pintures de Salvador Dalí », *La Nau*, Barcelone, 5 novembre 1927.

2 Sur l'importance de sa relation avec Picasso, voir Fèlix Fanés, *Salvador Dalí. La construcción de la imagen (1925-1930)*, Madrid, 1999, en particulier le deuxième chapitre.

3 Dalí se référera, dans divers écrits, à ces thèmes. Par exemple, dans « Sant Sebastià », *L'Amic de les Arts*, Sitges, n° 16, 31 juillet 1927, ou dans « La fotografia, pura creació de l'esperit », *L'Amic de les Arts*, n° 18, 30 septembre 1927.

4 Les allusions à la « probité » et à la « chasteté » visuelle apparaissent de façon répétée dans l'œuvre écrite de Dalí dans les années vingt. Voir « Sant Sebastià » déjà cité, ainsi que la conférence « Art català relacionat amb el més recent de la jove intelligència ». La version la plus complète de ce texte se trouve dans Salvador Dalí, *L'Alliberament dels dits. Obra catalana completa* (ed. F. Fanés), Barcelone, 1995, p. 133-146.

5 Mais il le reconnaîtra deux ans plus tard, quand il exposera à Paris. À la galerie Goemans, à côté de toiles pleinement surréalistes, Dalí accroche *Appareil et main*, acceptant ainsi une continuité entre le « vieux » tableau et les « nouvelles » œuvres surréalistes.

6 Les écrits de Dalí de cette époque contiennent diverses références à Miró, voir en particulier Salvador Dalí, « Joan Miró », *L'Amic de les Arts*, Sitges, n° 26, 30 juin 1928.

7 Carles Capdevila, « Saló de Tardor », *La Publicidad*, Barcelone, 15 octobre 1927.

8 Extrait du texte de la conférence publiée dans le journal local *La Veu de l'Empordà*, Figueras, 26 mai 1928.

9 Dalí cite de façon explicite Freud pour la première fois dans son article « L'alliberament dels dits », *L'Amic de les Arts*, Sitges, n° 31, 31 mars 1929.

10 Voir Salvador Dalí, *Un diari. 1919-1920*, Barcelone, éd. Fèlix Fanés, 1994.

11 Je voudrais néanmoins signaler que la présence de mains n'appartient pas exclusivement à l'univers visuel de Dalí. Joan Miró utilisait fréquemment cette image. Il suffit de se souvenir de *Main poursuivant un oiseau* (1926).

12 Voir Rafael Santos Torroella, *Salvador Dalí i el Saló de Tardor, un episodi de la vida artística barcelonina*, Barcelone, 1985.

13 Dalí y fait allusion dans « Revista de tendències antiartístiques », *L'Amic de les Arts*, Sitges, n° 31, 31 mars 1929. Les surréalistes, par ailleurs, contrairement à ce qu'on pourrait penser, n'étaient pas hostiles à la masturbation. Breton, du moins, ne l'était pas, comme on peut le déduire en lisant « Recherches sur la sexualité », de José Pierre (éd.), *Archives du surréalisme*, n° 4, 1990.

14 Salvador Dalí, « Revista de tendències antiartístiques », *loc. cit.*, 1929.

15 Salvador Dalí, « Documental-Paris 1929 » (I), *La Publicidad*, Barcelone, 26 avril 1929.

MASSON ET BATAILLE

DANS LA NUIT ESPAGNOLE

ANDRÉ MASSON

Divertissement d'été, 1934
Paris, Centre Georges
Pompidou, Musée national d'art
moderne, donation de Louise
et Michel Leiris (Paris, 1981)

ANDRÉ MASSON

*Les Moissonneurs
andalous*, 1935
Paris, galerie Louise Leiris

ANDRÉ MASSON
Aube à Montserrat, 1935
Paris, collection particulière

ANDRÉ MASSON
L'Homme solaire, 1935
Genève, collection particulière

ANDRÉ MASSON
Les Insectes matadors, 1936
Paris, collection particulière,
avec l'aimable
autorisation de la galerie
Cazeau-La Béraudière

DIDIER OTTINGER

MASSON ET BATAILLE DANS LA NUIT ESPAGNOLE

«Tout doit revenir au feu originel
Tempête de flammes
Ainsi parlait Héraclite.»
Du haut de Montserrat

ANDRÉ MASSON

Je suis moi-même la guerre.

GEORGES BATAILLE

André Masson quitte Paris pour la Catalogne en 1934. Il s'installe dans le village de pêcheurs de Tossa de Mar, d'abord pour échapper à un climat parisien envenimé par les troubles politiques entretenus par les ligues fascistes, mais aussi pour ce qu'il prête à l'Espagne de sympathie pour une «vision cruelle du monde [1]». La cruauté, pour lui, est une puissance positive, elle est une des composantes de sa conception tragique du monde, fruit et lieu de perpétuels conflits. L'une et l'autre sont mêlées dans les *Massacres* qu'il peint et dessine depuis 1931, et plus encore dans les planches de *Sacrifices* qu'il vient juste de graver.

L'Espagne révèle à Masson une cruauté active au cœur même de la nature, dans les hautes herbes où combattent les insectes, sur la plage de Tossa, qui sert de décor aux joutes des mantes religieuses. Les insectes lui inspirent des œuvres aux lignes affûtées comme des lames de rasoir. Il la voit encore dans le spectacle des corridas, que hante le souvenir des rituels anciens, la débusque jusque dans le geste des moissonneurs. Seule cette cruauté peut raviver les dualismes de l'ancien monde tragique. Les couples de mantes religieuses expriment les affinités secrètes de l'érotisme et de la mort, la corrida illustre celles qui existent entre la fête et le sacrifice. Le geste des moissonneurs, par le maniement d'un même outil, offre à la fois l'abondance, les jouissances terrestres et la mort.

L'Espagne est le théâtre d'une mythologie vivante. Devant la sardane, il s'enthousiasme: «Sa musique est comme un chant éclatant d'insectes caniculaires. L'harmonie, la danse sont d'origine classico-grecque. Ce sont les paysans qui ont conservé, en les défendant, les mythes anciens [2].»

La Catalogne du début des années trente n'est pas qu'une nouvelle Arcadie. Une autre tragédie, moins mythologique, se joue bientôt à l'échelle du pays tout entier. Au moment même où Masson franchit les Pyrénées, la guerre civile éclate. «Je me suis exilé en Espagne après les troubles fascistes de février 1934. Mais cela fait partie des ironies de la vie: j'ai fui le fascisme pour me réfugier dans un pays qui allait être fasciste [3].» À Barcelone, au début du mois d'octobre, il assiste à l'insurrection des séparatistes

catalans, il est témoin des massacres perpétrés par la Garde civile. «Dans la rue, il y a tout de même eu des Catalans, les malheureux, qui essayaient de se battre. Ils étaient tout de suite abattus. Je vois encore des petits tas, comme ça... C'était la grande avenue de Barcelone, la Rambla de Flores... Il y avait des petits tas, dans la rue en face, des petits tas... vous voyez ça! Des feuilles de platanes qui tombaient sur eux recouvraient les corps [4].»

Le 29 mai de la même année, Georges Bataille est à Tossa de Mar, où il achève la rédaction du *Bleu du ciel*. Le roman est l'avatar littéraire d'un texte théorique qu'il a envisagé d'écrire sur le fascisme français. Dans l'urgence, il s'efforce d'analyser, pour mieux la combattre, une gangrène politique qui prospère dans l'Europe entière. Il la voit à Rome, en avril 1934, où il visite l'exposition qui commémore la prise de pouvoir des fascistes italiens, en perçoit le souffle putride en Allemagne, où il apprend l'assassinat du chancelier autrichien Dollfuss qui annonce l'Anschluss.

L'Espagne est un précipité des tensions politiques européennes, la préfiguration de tous ses drames à venir.

Le Bleu du ciel est fait des angoisses, de la nausée qu'inspirent à Bataille les événements récents. Le roman tisse les fils du réel et de l'imaginaire, transpose dans l'existence de son personnage central, Troppmann, les dérèglements, les violences de l'époque. Dans les dernières scènes du livre, il est à Barcelone, au cœur de l'insurrection que décrit Bataille d'après le récit qu'en fait pour lui André Masson.

Au printemps 1936, Georges Bataille est à nouveau à Tossa, où il prépare la publication de sa nouvelle revue *Acéphale*. «J'écris dans une petite maison froide d'un village de pêcheurs, un chien vient d'aboyer dans la nuit. Ma chambre est voisine de la cuisine où André Masson s'agite heureusement et chante: au moment même où j'écris ainsi, il vient de mettre sur un phonographe le disque de l'ouverture de *Don Juan*: plus que toute autre chose, l'ouverture de *Don Juan* lie ce qui m'est échu d'existence à un défi qui m'ouvre au ravissement hors de soi. À cet instant même, je regarde cet être acéphale, l'intrus que deux obsessions également

ANDRÉ MASSON
Mithra, 1936
Paris, collection particulière

emportées composent, devenir le "tombeau de Don Juan" [5]. » *Acéphale* est le miroir d'une époque troublée, la seule réponse intellectuelle à l'avènement des fascismes en Europe. Elle signe le ralliement de Bataille à la conception mythique « religieuse » de l'ordre social que n'a jamais cessé de défendre Masson [6].

Sacrifices

Sacrifices, publié un an avant la première parution d'*Acéphale*, l'annonce en bien des points. *Sacrifices* confronte un essai théorique de Bataille et des gravures de Masson. À deux reprises déjà, le peintre et l'écrivain ont collaboré à des publications. Dans son édition originale de 1928, l'*Histoire de l'œil* s'enrichissait d'illustrations de Masson. *L'Anus solaire*, en 1931, réitère cette collaboration qui fait du peintre l'illustrateur d'une fiction littéraire. *Sacrifices* bouleverse l'ordre de cette relation.

Depuis 1931, André Masson dessine des *Massacres* dans lesquels violence et débauche sexuelles fusionnent en un rituel tragique. Ces œuvres sont par nature ambiguës. N'en retenir que la dimension criminelle condamne à en ignorer le sens. Les *Massacres* sont faits pour intriquer, jusqu'à leur fusion, le crime et la débauche orgiaque. Les écrits du marquis de Sade sont pour une bonne part à leur origine. En 1928, le peintre entreprend l'illustration de *Justine*. Sade, lui, enseigne cette proximité, cette identité de la luxure et de la violence, de l'érotisme et de la mort. Héraclite, pour Masson, approfondit le sens de cette parenté troublante, lui ouvre des perspectives positives. « Bien et mal sont un [7] », avait écrit le philosophe d'Éphèse. Bien et mal, vie et mort, Éros et Thanatos, les *Massacres* donnent une forme à ce dualisme générateur, ils répondent à l'aphorisme héraclitéen qui fait du conflit « le père de toutes choses et [le] roi de toutes choses [8] ».

Les *Sacrifices* ajoutent aux *Massacres* [9] une dimension politique. Le sujet de ces planches est la métamorphose qui retourne le sacrifice et la mort de la divinité en un principe vital. *Les Dieux qui meurent* mettent en mouvement les grands cycles cosmiques, celui des saisons, celui de la mort et de la résurrection. Si l'on admet avec Françoise Levaillant que la genèse des dessins pour *Sacrifices* remonte à l'année 1930, alors la chronologie rend ces œuvres contemporaines de la rupture de Masson avec ce surréalisme qu'André Breton met alors « au service de la révolution ». Cette rupture est imputable au refus du peintre de répondre à l'injonction de Breton appelant à l'enrôlement du surréalisme sous la bannière du communisme. À plusieurs reprises, Masson a formulé des réserves quant au projet surréaliste d'un tel engagement. Ses convictions l'ont toujours tenu éloigné d'un communisme dans lequel il ne voyait qu'une réduction de l'humanité à ses fonctions pratiques, laborieuses.

Aucune pensée politique ne saurait pour lui faire l'économie d'une réflexion sur les mythologies qui soudent les communautés humaines, sur les rituels qui les revivifient. *Sacrifices* est une réponse au *Second Manifeste*, ses planches disent la part d'irrationalité, de pulsions à l'origine de toutes sociétés. Le recueil anticipe sur une « sociologie sacrée » qu'objective *Acéphale*.

Le texte de Bataille qui accompagne les gravures date de l'été 1933. Par sa logique et ses thèmes, il poursuit une réflexion engagée avec les articles consacrés aux sacrifices de la Grèce antique et des Andes précolombiennes, publiés dans la revue *Documents*. Plus directement, il prolonge une étude consacrée à Van Gogh [10] qui, pour la première fois, associe le sacrifice et une interrogation sur la nature de l'être [11]. « Moi, j'existe… » sont les premiers mots d'un texte qui s'attache à une définition paradoxale de l'existence. L'être, pour Bataille, ne s'accomplit que dans son extinction, par sa consumation. « Le *moi* n'accède à sa spécificité et à sa transcendance intégrale que sous la forme du "moi qui meurt" [12]. » Transposant sa réflexion ontologique dans le domaine social et politique, il précise les liens qui unissent existence, liberté individuelle et religion.

La divinité dans laquelle s'incarne le principe d'autorité moral et politique doit disparaître pour que puisse s'épanouir le moi individuel, le seul qui vaille : un moi « souverain », jouissant d'une liberté première, émancipé du poids de la morale.

Lorsqu'il rédige ce texte, Bataille ne s'est pas encore totalement rallié aux conceptions politiques qui sont celles de Masson. En 1935, il s'associe à André Breton au sein de Contre-Attaque, groupe activiste destiné à s'opposer à la montée des fascismes. Lorsqu'il adresse à Masson les premiers tracts du groupe, d'inspiration très nettement communiste, la réponse du peintre est virulente. Au nom de la part d'irrationnel qu'il reconnaît en l'homme, il se proclame « bien obligé de détester d'abord le Marxisme puisque ses bases sont uniquement rationalistes et utilitaires et qu'il rejette obstinément tout ce qui n'est pas : Raison-Rendement-Travail utile… [13] ». Plus sévèrement encore, il stigmatise la « stupidité de Marx quand il veut créer une Société sans mythes », censure qui conduit au pitoyable « empaillement » de Lénine, aux génuflexions devant la « Sainte-Dynamo [14] ».

Sacrifices est le catéchisme embryonnaire d'une « sociologie sacrée » qui puise ses modèles dans les sociétés primitives décrites par Frazer [15] et Mauss. Il est l'esquisse théorique d'*Acéphale*, de cet espoir insensé de fondation sociale sur des principes sacrés : volonté folle et dérisoire de retourner à des fins démocratiques, une sacralité pervertie par les fascismes contemporains.

Acéphale

En fondant la revue *Acéphale*, Bataille et Masson précisent, approfondissent un projet en germe dans *Sacrifices*.

Dès le premier numéro, Bataille donne un sens sans équivoque au personnage étêté que vient de dessiner Masson. «La dualité ou la multiplicité des têtes tend à réaliser dans un même mouvement le caractère *acéphale* de l'existence, car le principe même de la tête est réduction à l'unité, *réduction* du monde à Dieu [16].» La figure monstrueuse aurait pu tout aussi bien être bicéphale, l'acéphalité étant pour Bataille rigoureusement équivalente à la polycéphalité. Pas de tête, pour être bien sûr de ne pas en avoir une seule.

La tête absente du «bonhomme acéphale» joue le rôle qui, dans les planches de *Sacrifices*, revient à la divinité. Elle est le symbole de la réduction de la pensée à des principes uniques ou univoques, celui de l'emprise du pouvoir et de la morale sur les esprits, sur les collectivités humaines.

Masson a placé dans les mains du «bonhomme» des symboles contradictoires. Dans l'une, un poignard, dans l'autre, un fruit: une grenade. L'*Acéphale* donne à la fois mort et vie. Sa tête à la place du sexe ne renverse pas le haut et le bas comme on pourrait trop simplement le croire. Elle dit au contraire que raison et pulsion sont indissociables, agissent de concert pour créer et détruire, tout, et à tout moment. Comme les *Massacres* d'inspiration sadienne faisaient fusionner l'érotisme, la torture et le crime, les illustrations conçues pour *Acéphale* mêlent les formes de la destruction à celles qui disent la régénérescence. Le dessin *L'Univers dionysiaque* montre un volcan en éruption qui voisine avec une grappe de raisins, le soleil avec un serpent, des scènes d'orgie avec les temples élevés à la raison. Dionysos, le dieu de la *phusis*, celui du renouveau de la nature, de l'effusion vitale et érotique, figure récurrente de l'iconographie d'*Acéphale*, suffit à dire à quelle source cyclique, à quel fonds de poésie héraclitéenne puise la revue.

Montserrat

Les gardiens d'un temple bataillien, voués exclusivement à la célébration de la fange et de la souillure, ne se sont pas remis de l'analyse de Jean-Paul Sartre qui vit dans l'auteur de *L'Expérience intérieure* un «nouveau mystique [17]». Sur cette question également, l'Espagne a, une fois encore, l'effet d'un catalyseur, est le catalyseur, le révélateur de: si le «mysticisme» que partagent Bataille et Masson a un nom, celui-ci est peut-être Montserrat.

Une nuit de décembre 1934, André Masson et sa compagne Rose se perdent dans les montagnes de Montserrat. Le sublime du paysage nocturne inspire à Masson un sentiment lyrique et extatique. Georges Limbour fait de cette expérience l'archétype de la relation de Masson avec le paysage. «Il poursuit les paysages qui, comme Montserrat, par leur grandeur dramatique, la violence de leur forme et de leur couleur, suscite une extase [18].» Masson a eu à cœur de faire partager à Bataille l'émotion éprouvée dans la nuit de Montserrat. Les pages, les iconographies d'*Acéphale* sont pleines du souvenir de cette extase cosmique. Dans *Le Bleu du ciel,* Troppmann éprouve un sentiment débordant, cette impression d'être au centre du cosmos, les pieds au-dessus du vide des étoiles.

Le mysticisme de Bataille est une évidence. Mystique est celui qui ignore la distance qui le sépare de l'objet de son adoration, celui qui la réfute, lui préfère l'horizon d'une assimilation, celui d'une participation; il rêve d'une fusion. L'écrivain, le peintre «mystique» travaillent à la transgression des frontières que la raison assigne aux choses. «Qu'il éclate!» s'écrie Masson évoquant le point qui sépare le sujet de l'objet. L'extase érotique, le transport qu'engendre la douleur sont les états que ne cesse de requérir Bataille des personnages de ses fictions. Tous appliquent à la lettre les principes d'une philosophie enchaînant sa définition de l'être aux débordements extatiques. Dans la somme de *La Littérature et le Mal*, il constate à propos de Baudelaire: «Nous pouvons définir en effet le poétique, en ceci l'analogue du *mystique* de Cassirer, du *primitif* de Lévy-Bruhl, du *puéril* de Piaget par un rapport de *participation* du sujet à l'objet [19].» Sade, lui, permet de réaffirmer son rejet d'une ontologie qui assignerait aux choses et aux êtres des formulations définitives, des frontières étanches. Le «divin marquis» est celui «auquel le malheur permit de vivre ce rêve, dont l'obsession est l'âme de la philosophie, l'unité du sujet et de l'objet, c'est dans l'occurrence l'identité dans le dépassement des limites des êtres, de l'objet du désir et du sujet qui désire [20]».

Dès l'*Histoire de l'œil*, Georges Bataille associe la frénésie sexuelle à un corps qui s'ouvre jusqu'à englober le cosmos: «…les régions marécageuses du cul – auxquelles ne ressemblent que les jours de crue et d'orage ou encore les émanations suffocantes des volcans, et qui n'entrent en activité que, comme les orages ou les volcans, avec quelque chose de la catastrophe ou du désastre [21] […]»

Bataille ne croit qu'à la loi des antagonismes qui emporte toute chose dans le mouvement du devenir. Il traque les œuvres et les artistes attentifs au feu héraclitéen, agent des passages et des métamorphoses, ennemi des idées, des formes fixes et closes. Pour lui, l'«homme n'est qu'une particule insérée dans des ensembles instables et enchevêtrés [22]». Cette participation, il la voit en œuvre dans les visages peints par Masson qui, «dans une sorte d'extase qui n'est que leur exaltation précipitée, […] s'anéantissent [23]».

Dès 1923-1924, le peintre pratique un art du dessin automatique qui le libère de la géométrie cubiste. Qu'elle soit atomisée ou diffractée, l'image cubiste reste tributaire d'une conception analytique, rationaliste du monde. Ses formes ont la stabilité, la

ANDRÉ MASSON
Acéphale, 1936
Paris, collection particulière

solidité du diamant. Les dessins automatiques de Masson ne font pas que rendre son dessin au mouvement qu'il voudrait être celui du cosmos lui-même ; ils travaillent à un éclatement, à une ouverture des formes du cubisme, ils en pulvérisent les contours.

André Breton avait vu juste lorsqu'il avait affirmé que « l'érotisme dans l'œuvre de Masson doit être tenu pour la clef de voûte ». Un érotisme orgiaque qui ouvre aux débordements batailliens. « Ce qui m'apparaît être le terme de mes débordements sexuels : une incandescence géométrique (entre autres, point de coïncidence de la vie et de la mort, de l'être et du néant [24]) », fait dire Bataille à son héros, dans cette *Histoire de l'œil* qui, pour la première fois, le rapproche de Masson dans un projet commun.

Les peintures de sable donnent forme à cette intuition d'un monde qui ignore identité et fixité. Les germinations, les éclosions, les combats de poissons qui en sont les sujets mêlent à nouveau les formes et les règnes. La seule sculpture réalisée par Masson durant ces années (*Métamorphose*, 1927) représente un personnage, mi-homme mi-animal, sans début ni fin, dont les membres et les organes se fondent en s'absorbant.

Ce désir de fusion est interprété en 1929 par l'historien Carl Einstein dans les termes d'une « identification totémique ». Pour Einstein, ce désir d'identification résume la nature d'une peinture qui recherche, par les voies de l'extase, la rupture des frontières entre le peintre et son motif. « C'est ce *training* extatique qui a été poussé par Masson à la perfection » constate l'historien [25]. Pour Masson comme pour Bataille, l'extase est à la fois méthode, phénoménologie, *poiésis*.

La stabilité, la cohérence des formes et des concepts, la volonté même qui voudrait les figer dans des définitions, le refus d'une dialectique perceptuelle et conceptuelle réellement active sont au cœur de la polémique qui oppose Masson et les surréalistes.

En 1943, le peintre stigmatise un manichéisme qu'il oppose à l'attrait d'une dialectique véritable qu'il partage avec Georges Bataille. « Je suis convaincu que de se complaire dans le chaos mental est aussi stupide et étroit que de se tenir à *trop* de raison. [...] Jamais il n'y aura d'œuvres d'art sans désir d'ordre… L'important est que ce désir d'ordre ne soit pas… d'ordre académique comme les œuvres de la plupart des peintres de "l'académie surréaliste" [26]. »

Dans cette compréhension d'une dialectique forgée par la « guerre » héraclitéenne se dessine le véritable clivage entre les surréalistes fidèles à Breton et les dissidents regroupés autour de Bataille et de la revue *Documents*. Masson, Bataille sont fondamentalement attachés à une définition active de cette dialectique [27] qui caractérise la pensée tragique.

En dépit de ces oppositions, le surréalisme « orthodoxe » n'allait pas tarder à se rallier aux conceptions politiques dont la figure acéphale s'était voulu l'emblème. Pendant son exil américain, André Breton reconsidère les positions politiques du surréalisme. L'exposition qu'il organise en 1942 à New York (*First Papers of Surrealism*) est placée sous l'égide des mythes « anciens et en formation ». Au même moment, aidé en cela par le peintre Roberto Matta, il crée le « mythe moderne » des *Grands Transparents*. À Manhattan, Breton et Matta donnent une forme séraphique au « bonhomme acéphale ». Dans la revue *VVV*, les surréalistes s'interrogent sur la nécessité d'associer une dimension mythique à leurs vues politiques. Converti à la « sociologie sacrée », Breton organise, en 1947, à la galerie Maeght de Paris une exposition qui selon lui « marque un dépassement vers un "mythe nouveau" ».

Conformément aux mythes des dieux qui meurent, Acéphale, née sur les rives de la Méditerranée renaissait sur celles de la rivière Hudson, sous la forme d'un Grand Transparent.

Notes

1   André Masson, lettre à Jean-Paul Clébert, cité dans le catalogue *Masson, Massacres, Métamorphoses, Mythologies*, Berne, musée des Beaux-Arts, 13 septembre-24 novembre 1996, p. 141.

2   André Masson, cité par Françoise Levaillant, *André Masson, le rebelle du surréalisme. Écrits*, Paris, Hermann, 1976 ; *André Masson et Georges Bataille*, Tossa de Mar, Patronat Museu municipal, 1994, p. 259.

3   André Masson, *Entretiens avec Georges Charbonnier*, Paris, Éditions Julliard, 1958 ; 2ᵉ édition, Ryôan-ji, 1985. Émission «Dialogues avec André Masson» diffusée d'octobre à décembre 1957 à la Radio Télévision française.

4   *Ibid.*, p. 112.

5   Georges Bataille, «La conjuration sacrée» (Tossa, 29 avril 1936), *Œuvres complètes* (*O.C.*), Paris, Gallimard, 1970, tome I, p. 446.

6   La revue se double d'un Collège de sociologie qui en porte les débats sur la place publique ; ses animateurs sont Roger Caillois, Michel Leiris et Georges Bataille.

7   Fragment 58.

8   Fragment 53.

9   Un dessin de 1933 place explicitement un massacre sous une crucifixion.

10   Georges Bataille, «La mutilation sacrificielle et l'oreille coupée de Vincent Van Gogh», *Documents*, Paris, n° 8, 1930, p. 10-20 ; *O.C.*, tome I, *op. cit.*, p. 258-270.

11   Cette parenté des deux textes est soulignée par Françoise Levaillant, «Masson, Bataille ou l'incongruité des signes (1928-1937)», dans le catalogue *André Masson*, Nîmes, musée des Beaux-Arts, 1985, p. 35.

12   Georges Bataille, *Sacrifices*, *O.C.*, tome I, *op. cit.*, p. 91-92.

13   André Masson, lettre à Georges Bataille, 6 octobre 1935 (Tossa de Mar), dans *André Masson. Les années surréalistes. Correspondance 1916-1942*, Paris, La Manufacture, 1990, p. 281 (édition établie et annotée par Françoise Levaillant).

14   *Ibid.*, p. 282.

15   Dans une lettre à Michel Leiris datée du 20 décembre 1935 (Tossa de Mar), Masson évoque ses lectures du *Rameau d'or* de Frazer, *ibid.*, p. 298.

16   Georges Bataille, «Propositions», *Acéphale*, Paris, n° 2, 21 janvier 1937, p. 18 ; *O.C.*, tome I, *op. cit.*, p. 469.

17   Jean-Paul Sartre, «Un nouveau mystique», *Cahiers du Sud*, Marseille, nᵒˢ 260-262, novembre-décembre 1943.

18   Georges Limbour, cité dans *André Masson et Georges Bataille*, *op. cit.*, 1994, p. 267.

19   Georges Bataille, *La Littérature et le Mal*, *O.C.*, Paris, Gallimard, 1979, tome IX, p. 196.

20   *Ibid.*, p. 253.

21   Georges Bataille, *Histoire de l'œil*, *O.C.*, tome I, *op. cit.*, p. 26.

22   Georges Bataille, *Le Labyrinthe*, *O.C.*, tome I, *op. cit.*, p. 437.

23   Georges Bataille, «Les mangeurs d'étoiles», dans le catalogue *André Masson*, Marseille, André Dimanche, 1993, p. 27.

24   Georges Bataille, *Histoire de l'œil*, *op. cit.*, p. 34.

25   Carl Einstein, «André Masson, étude ethnologique», *Documents*, Paris, n° 2, mai 1929, p. 102.

26   André Masson, lettre adressée le 26 décembre 1943 à Saidie May, cité dans le catalogue *André Masson*, Paris, Galeries nationales du Grand Palais, 5 mars-2 mai 1977, p. 171.

27   L'acception bataillienne de la dialectique, son hégélianisme est entièrement redevable de la pensée du philosophe d'Éphèse. «Son» Hegel est celui qui écrit : «Il n'est pas une proposition d'Héraclite que je n'ai reprise dans ma logique.» (cité par Jacques d'Hondt dans *Hegel et l'hégélianisme*, Paris, PUF, coll. «Que sais-je», 1982). Sa dialectique échappe aux perspectives idéalistes de la perfection ou de la réconciliation. Elle veille à maintenir actif le jeu des forces contradictoires, génératrices du mouvement, du flux qui, sans cesse, redéfinissent toutes choses. Ce Hegel, bien avant Bataille, proclame : «Je suis le combat, car le combat est précisément un conflit qui ne consiste pas dans l'indifférence, l'un à l'égard de l'autre, de deux antagonistes en tant qu'ils diffèrent, mais qui consiste au contraire dans le fait pour eux d'être liés ensemble. Je ne suis pas l'un de ceux qui sont engagés dans le combat mais je suis les deux combattants et le combat lui-même. Je suis l'eau et le feu qui entrent en contact, je suis le contact et l'unité de ce qui se repousse. Ce contact est lui-même équivoque, conflictuel en tant qu'il est la relation de ce qui tantôt est séparé et divisé, tantôt réconcilié et réuni avec soi-même.» (K. H. Ilting, *Philosophie de la religion*, Naples, 1978, p. 116-119, cité p. 98). La «mystique» bataillienne n'est au fond que l'exercice spirituel qui permet d'atteindre, de réaliser une pensée de l'instabilité, du mouvement, enracinée chez Héraclite, réactualisée par Hegel. Un Hegel qui, toutefois, se distingue de celui que vénèrent les idéalistes de tous poils. C'est à la jeunesse du philosophe de Iéna que se réfère Bataille, condamnant la quiétude conceptuelle de ses vieux jours. «Hegel même décrivant la démarche de l'esprit comme si elle excluait tout arrêt possible la faisait aboutir cependant à LUI [...]. Il donnait ainsi au mouvement du temps la structure centripète qui caractérise la souveraineté de l'Être ou Dieu. Alors que le temps, dissolvant chaque centre qui s'est formé, est fatalement connu comme centrifuge.» (Georges Bataille, *L'Obélisque*, *O.C.*, tome I, *op. cit.*, p. 509).

ANDRÉ MASSON
Portrait de Georges Bataille,
1937
Paris, collection particulière

ANDRÉ MASSON
Rêve des ecclésiastiques,
1935-1936
Paris, collection particulière,
avec l'aimable
autorisation de la galerie
Cazeau-La Béraudière

VISIONS CATALANES

PERE CATALÀ PIC
Désir de vol, 1931
Valence, Instituto Valenciano
de Arte Moderno (IVAM),
Generalitat Valenciana

FRANÇOIS FONTAINE

VISIONS CATALANES

Les avant-gardes photographiques en Catalogne

1931–1936

« La photographie a tous les droits – et tous les mérites –
nécessaires pour que nous nous tournions vers elle comme
vers l'art de notre temps. »

Cette pensée exprimée par le photographe russe Alexandre Rodtchenko en 1934 pourrait être le credo de toute une génération de photographes catalans – ou travaillant en Catalogne – pour qui, à cette même époque, la photographie a représenté non seulement l'art de leur temps mais également une activité intense et exclusive, voire pour certains un engagement sans concession.

La chute de la dictature de Primo de Rivera et l'avènement de la République, le 14 avril 1931, procurent un vent de liberté dans toute l'Espagne et lui ouvrent la voie des avant-gardes européennes qui se sont succédé au lendemain de la Première Guerre mondiale. Ces courants artistiques, qui sont autant d'ismes nouveaux de l'art : futurisme, constructivisme, purisme, surréalisme, etc., vont se propager dans la péninsule espagnole grâce à des personnalités du monde littéraire et artistique mais aussi et surtout à la diffusion de la presse illustrée étrangère contemporaine (*Vu*, *Cahiers d'art*, *Variétés*, *Arts et Métiers graphiques*, *Modern Photography*, *L'URSS en construction*, *Der Querschnitt*, etc.). La Catalogne va se démarquer des autres provinces espagnoles par une agitation culturelle exceptionnelle qui se manifeste en photographie dans trois domaines principaux : la publicité, l'architecture et la politique.

La photographie expérimentale au service de la publicité

En Catalogne, face à l'impérialisme pictorialiste et au conservatisme régnant dans les cercles photographiques, ce sont des critiques venus d'autres disciplines artistiques qui vont défendre la photographie moderne. C'est le cas du peintre Salvador Dalí qui, dans un article intitulé « La dada fotogràfica [1] », révèle les « possibilités nouvelles et puissantes » du médium photographique. Ce nouveau langage visuel auquel le peintre fait allusion, et qui vient d'Europe centrale et orientale – le Bauhaus en étant le principal catalyseur et diffuseur –, va se répandre avec force à Paris puis dans la Catalogne républicaine.

À Barcelone, des photographes tels que Emili Godes, Pere Català Pic, Josep Sala et Josep Masana vont interpréter et adapter cette nouvelle esthétique – machiniste et fonctionnelle – au monde de la publicité. C'est en effet dans ce domaine que ces photographes – sous la double influence des théories de la NouvelleVision de Moholy-Nagy et de la Nouvelle Objectivité de Renger-Patzsch – vont exprimer le plus parfaitement leur talent. Plongée, contre-plongée, oblique, plan rapproché, perspective décalée, répétition et fragmentation de l'objet, ainsi qu'une combinaison savante de photographie et de typographie vont caractériser leurs travaux. Ce langage photographique, déjà en vogue à Paris depuis quelques années, se rencontre particulièrement dans les reportages de Germaine Krull [2] et d'André Kertész [3].

Chez Emili Godes (1895-1970), le goût pour la modernité et le progrès se lit déjà dans les images qu'il réalise des machines du palais de la Lumière de l'Exposition universelle de Barcelone, en 1929. Cette tendance se confirme l'année suivante avec sa remarquable série de macrophotographies réalisées sur la flore et la faune arthropode. Ces vues insolites d'insectes, de reptiles et de végétaux trouvent leur source dans les travaux des photographes allemands Blossfeldt et Renger-Patzsch mais révèlent une force expressive, un dynamisme et une poésie qui lui sont propres. Godes sait trouver « le point d'équilibre magistral entre la science et l'art, parce qu'il se trouve très près de cet inconscient optique défini par Walter Benjamin [4] ». Admiré pour sa technique et son esprit novateur, Godes est largement sollicité par les laboratoires pharmaceutiques et les industries installées à la périphérie de Barcelone, pour réaliser leurs publicités. Il se spécialise ainsi dans la photographie industrielle et la reproduction d'œuvres d'art, puis travaille pour le cinéma.

Pere Català Pic (1889-1971), en plus d'être un excellent créateur, est l'un des théoriciens les plus radicaux de la photographie d'avant-garde, ce qu'il exprime à travers les nombreux articles diffusés par la presse illustrée espagnole de l'époque (*Mirador*, *Revista Ford*, *Nova Ibèria*, *Art de la Llum*, etc.). À partir de 1931 – à l'instar des photographes parisiens Man Ray,

Maurice Tabard et Roger Parry –, Català Pic réalise de nombreux travaux publicitaires. S'il a recours, comme eux, aux techniques du photogramme, du photomontage et de la surimpression, c'est davantage chez lui une démarche esthétique concertée qu'un processus d'expérimentation technique. Ses éclairages ont quelque chose d'expressionniste comme le montrent ses essais photographiques en plan rapproché d'une pièce d'engrenage ou d'un chandelier (1935). C'est avec ses photomontages publicitaires, qu'il réalise pour des produits pharmaceutiques (*Citronitrina, Alifimiol*) ou de beauté (*Myrurgia*), que Pere Català Pic – de même que son confrère Josep Sala – va révolutionner le monde de la publicité en Espagne, en établissant des contacts avec le public d'une manière plus directe et plus efficace.

Josep Sala (1896-1962), à l'égal de Pere Català Pic, est publié régulièrement dans la presse illustrée de l'époque : *Mirador, El Progrés Fotogràfic, La Publicidad* et surtout *D'Ací i d'Allà*, dont il devient le directeur artistique en 1932. Avec Sala, la revue trimestrielle *D'Ací i d'Allà* va prendre un tournant radical et devenir une publication somptueuse, enrichie des nouveaux courants typographiques du dessin et de la photographie. Sala est le seul auteur espagnol – avec l'architecte Rodríguez Arias – à publier des images dans le numéro monographique exceptionnel que cette revue dédie à l'art moderne, à l'hiver 1934. Le travail publicitaire le plus réussi et le plus abouti de Josep Sala demeure la série qu'il consacre à la *Joieria Roca* (*Bijouterie Roca*) et aux montres *Patek Philippe*, publiée dans *D'Ací i d'Allà*, en 1934. Les montres, les joyaux et les objets d'argenterie sont alors magnifiés dans des natures mortes luxueuses et sophistiquées, d'un style constructiviste proche des recherches formelles de Florence Henri et du Bauhaus.

Josep Masana (1894-1979), à l'exemple de Man Ray, Tabard et Català Pic, utilise la technique du photomontage pour réaliser ses meilleurs travaux publicitaires, qu'il publie dans les revues d'avant-garde *Art de la Llum, Revista Ford, Mundo Gráfico*. Il a recours fréquemment à la multiplication de l'objet comme dans ses photomontages pour le parfum *Cocaína* ou pour une marque de radiateurs et parvient à créer une impression de vitesse dans le photomontage *1934*, dans lequel une roue d'automobile semble voler dans le ciel. Les œuvres de Masana possèdent généralement de forts contrastes de lumière, proches du cinéma expressionniste – comme dans la publicité pour l'opticien *Cottet* – et ne sont pas sans évoquer le travail du tchèque Frantisek Drtikol. Le photographe joue beaucoup sur l'effet conjugué de la photographie et de la typographie, et crée même sa propre marque typographique qu'il utilise dans ses photomontages pour la gelée amaigrissante *Mitza* et la mousse à raser *Rolls*.

EMILI GODES
Tête de mouche, vers 1930
Barcelone, Museu Nacional
d'Art de Catalunya

EMILI GODES
Paysage à travers des ailes de libellule, vers 1930
Barcelone, Museu Nacional
d'Art de Catalunya

EMILI GODES
Cactus étoile, vers 1930
Barcelone, Museu Nacional
d'Art de Catalunya

FIG. **EMILI GODES**
Sans titre (Papillon),
vers 1930
Barcelone, Gallery Kowasa

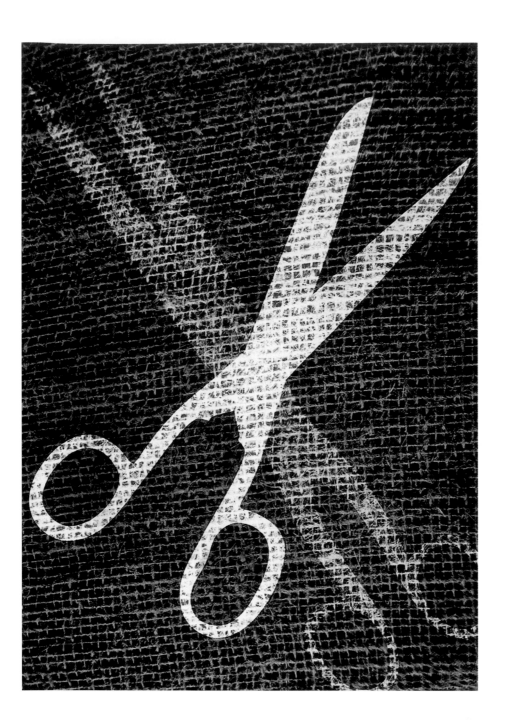

PERE CATALÀ PIC
Écrou, 1929
Valence, Instituto Valenciano
de Arte Moderno (IVAM),
Generalitat Valenciana

PERE CATALÀ PIC
Balance, vers 1931
Valence, Instituto Valenciano
de Arte Moderno (IVAM),
Generalitat Valenciana, dépôt
Colección Ordóñez-Falcón
(San Sebastián)

JOSEP SALA
Sans titre (verres), vers 1935
Valence, Instituto Valenciano
de Arte Moderno (IVAM),
Generalitat Valenciana,
dépôt Colección
Ordóñez-Falcón (San Sebastián)

PERE CATALÀ PIC
Chocolat Juncosa,
vers 1932
Barcelone,
collection Kowasa Gallery

JOSEP SALA
*Sans titre
(boucles d'oreilles)*, 1933
Barcelone,
collection Kowasa Gallery

JOSEP MASANA
Rolls, n. d.
Barcelone, Museu Nacional
d'Art de Catalunya

JOSEP MASANA
Cocaïne, n. d.
Barcelone, Museu Nacional
d'Art de Catalunya

FIG. **JOSEP MASANA**
Cocaïne en fleur
Barcelone, Museu Nacional
d'Art de Catalunya

JOSEP SALA
Sans titre (publicité pour les montres Patek), vers 1930
Valence, Instituto Valenciano de Arte Moderno (IVAM), Generalitat Valenciana, dépôt Colección Ordóñez-Falcón (San Sebastián)

PERE CATALÀ PIC
Sans-titre, 1932
Valence, Instituto Valenciano de Arte Moderno (IVAM), Generalitat Valenciana

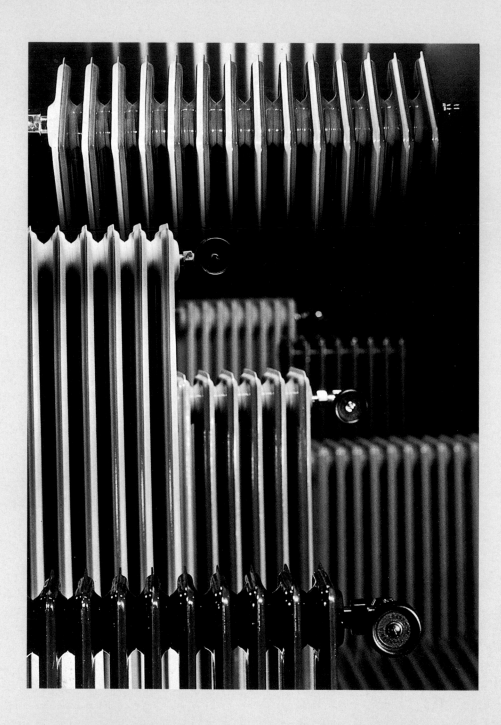

JOSEP MASANA
Radiateurs, n. d.
Barcelone, Museu Nacional
d'Art de Catalunya

PERE CATALÀ PIC
Billy, 1935-1936
Barcelone, Museu Nacional
d'Art de Catalunya

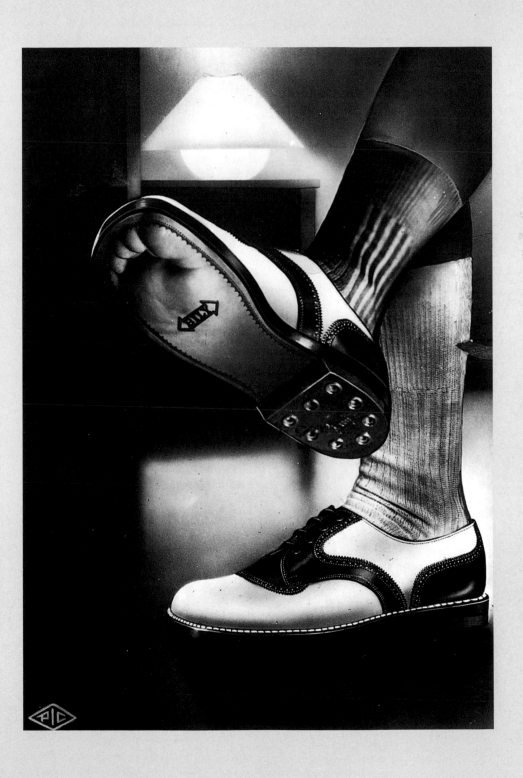

L'architecture catalane moderne
dans l'œil de Margaret Michaelis

L'avant-garde photographique catalane s'intéresse vivement
– à l'instar du Bauhaus – aux rapports existant entre l'architecture et la photographie. Le médium photographique allié à
la presse illustrée devient le meilleur moyen de représentation
et de diffusion des innovations architecturales qui vont éclore
à Barcelone et dans toute la Catalogne, au tournant des années
trente. Des architectes comme José Luis Sert, R. Ribas Seva,
Rodríguez Arias et Josep Torres Clavé, soutenus par des
revues spécialisées telles que *A.C.* (*Arquitectura Contemporánea*
[5]), *Nova Ibèria* et *D'Ací i d'Allà*, vont chercher à développer
une collaboration étroite avec certains photographes. L'exemple
le plus probant est celui de Margaret Michaelis [6] (1902-1985),
photographe d'origine autrichienne qui, pour fuir la nazifica-
tion de son pays, s'installe en décembre 1933 à Barcelone,
ville dans laquelle elle avait déjà réalisé, lors d'un premier séjour en
1932, un reportage sur un quartier pauvre, le district V, plus
connu sous le nom de Barrio Chino [7]. Les clichés de Michaelis
sont publiés dans la revue illustrée *A.C.*, organe d'expression
du GATCPAC, proche de *L'Esprit nouveau* de Le Corbusier.

Si Margaret Michaelis utilise dans ses clichés les figures de style
de l'esthétique constructiviste – vues obliques, perspectives inhabi-
tuelles (plongées, contre-plongées) et compositions graphiques
pures –, elle n'en adopte cependant pas l'expérimentation formelle
radicale. Michaelis reste proche du documentaire social et du
photoreportage. Son regard ne se porte pas sur un monde de
machines ni d'objets industriels, mais sur la ville : son architecture,
son urbanisme et ses habitants. C'est ce qui fascinera également

FIG. **MARGARET
MICHAELIS**
Rue d'Olm, Barcelone,
vers 1933-1934
Canberra, National Gallery
of Australia,
don succession Margaret
Michaelis-Sachs (1986)

Dora Maar lors de son séjour à Barcelone l'année suivante [8].
Michaelis, très engagée socialement et politiquement à cette
époque, partage les idées des architectes du GATCPAC quant au
projet d'une réforme sociale imminente et en profondeur de la
ville et de la société, dans un esprit moderniste et fonctionnel.
Son intérêt pour les gens et la force de son engagement social
s'apparentent alors à l'œuvre humaniste de François Kollar [9].
C'est dans cet esprit de révolution et de solidarité avec le prolétariat que la photographe participe – en compagnie des
architectes du GATCPAC – à l'exposition « Nova Barcelona »,
qui se tient à Barcelone en juillet 1934. À partir de cette
année-là, Margaret Michaelis collabore régulièrement avec les
revues *A.C.* et *D'Ací i d'Allà* – sans y être toujours créditée –
en y publiant des reportages sur les nouvelles créations de José
Luis Sert – son atelier, Barcelone –, Rodríguez Arias –
immeuble de la rue París, Barcelone –, R. Ribas Seva – Torre
Eugenia, Barcelone – et Josep Torres Clavé – maisons de
week-end à Garraf. Pour ces mêmes revues ainsi que pour
Crónica, la photographe réalise également des travaux publicitaires (stylos *Montjoy*, médicament *Okasa*, meubles du designer
Ramon Sin) et des photographies des peintures de Miró.
En novembre 1937, José Luis Sert tente en vain de la joindre pour
faire figurer ses photographies à l'Exposition d'art catalan à
Paris. Michaelis travaille alors pour le Commissariat à la propagande de la Généralité de Catalogne. Elle couvre en
novembre 1936 les funérailles du leader anarchiste Durruti à
Barcelone, que la revue *A.C.* publie en couverture de son
dernier numéro de 1937. À l'hiver de cette même année,
Michaelis passe en France, puis en Angleterre l'année suivante,
avant de gagner définitivement l'Australie, durant l'été 1939.

FIG. **MARGARET
MICHAELIS**
Torre Eugenia, (architecte
Ribas Seva)
Canberra, National Gallery
of Australia, don succession
Margaret Michaelis-Sachs
(1986)

JOSEP RENAU BERENGUER

Les Treize Points de Negrín,
La Vanguardia, 1938
Paris, collection François
Fontaine

Notes

1 Salvador Dalí, «La dada fotogràfica», *Gaseta de les Arts*, Barcelone, février 1929.

2 Germaine Krull (1897-1985) réalise de nombreuses photographies d'architectures métalliques modernistes qu'elle regroupe et publie en 1927 dans un livre intitulé *Métal*. Ses reportages photographiques sont publiés dans les revues françaises *Vu*, *Voilà*, *Détective*, *Jazz*, etc.

3 André Kertész (1894-1985), inspiré par les recherches spatiales constructivistes de Moholy-Nagy, réalise des reportages sur les rues de Paris et ses constructions (tour Eiffel). Ses clichés sont régulièrement publiés dans les revues d'avant-garde parisiennes *Vu*, *Art et Médecine*, *Bifur* et *Minotaure*.

4 Daniel Giralt-Miracle, *Emili Godes fotografo*, Barcelone, Fundació Caixa de Catalunya, 1996.

5 *A.C.* (*Arquitectura Contemporánea*) (1931-1937) – revue d'architecture et d'urbanisme sous-titrée «*Documentos de actividad contemporánea*» (documents d'activité contemporaine) – est l'organe du GATCPAC, association d'architectes fonctionnalistes catalans. Elle est conçue et dirigée par les architectes Josep Torres Clavé et José Luis Sert.

6 *Margaret Michaelis, Fotografía, vanguardia y política en la Barcelona de la República*, Valence, IVAM, 1998.

7 Reportage publié dans *A.C.*, n° 6, 2e trimestre 1932.

8 Dora Maar (1907-1997) se rend en Catalogne au cours de l'année 1934 – la date n'a jamais été confirmée du vivant de l'artiste – pour y effectuer, sans lui avoir été commandé, un reportage photographique. À Barcelone, elle photographie les rues (vitrines de magasins), les marchands (marché de la Boquéria), l'architecture (façades d'immeubles et constructions modernistes) ainsi que les marginaux (mendiants, aveugles, etc.).

9 François Kollar (1904-1979), photographe français d'origine hongroise, réalise pour *Horizons de France* un reportage photographique sur le monde du travail (1931). Ses clichés exécutés en l'espace de quatre ans sont édités sous le titre de *La France travaille*. À l'été 1937, Kollar effectue un reportage sur le pavillon de la République espagnole à l'Exposition internationale de Paris.

10 *Regards*, n° 147, 5 novembre 1936. Comme très souvent dans la presse illustrée de l'époque, le nom du photographe n'est pas mentionné par le magazine.

L'AVANT-GARDE MUETTE

DU CINÉMA ESPAGNOL

L'AGE D'OR

FIG. Photogramme du film
L'Âge d'or
Paris, Documentation du Musée
national d'art moderne,
Centre Georges Pompidou

JAVIER PÉREZ BAZO

L'avant-garde muette du cinéma espagnol

Le cinéma occupe une place de premier plan dans l'histoire culturelle espagnole du XXe siècle en raison de l'active production cinématographique qui s'est développée, en particulier à Barcelone au cours de la deuxième décennie du siècle, a pris une dimension nationale, grâce aux genres autochtones proposés par l'industrie du cinéma madrilène dans les années vingt, et s'est affirmée dans les années trente avec les versions parlantes. Chronologiquement, le temps du cinéma muet est souvent identifié à l'avant-garde artistique, sans doute l'époque la plus faste pour les lettres et l'art contemporain en Espagne, comparable uniquement au Siècle d'or renaissant et baroque, et dont le développement fut brisé par l'insurrection fasciste de 1936. Néanmoins, il semble paradoxal que dans les deux premières décennies du siècle, alors que l'Espagne assume pleinement et avec une fortune inégale l'éclosion novatrice des «ismes» dans le domaine des arts plastiques et de la littérature, le cinéma réponde absent à l'appel, contrairement à d'autres pays européens. Lorsque dans le panorama national et international apparaissent les œuvres d'une longue liste d'écrivains et d'artistes que la critique regroupe habituellement sous l'étiquette équivoque de «Génération de 27», le septième art ne trouve pas le rôle essentiel qu'il eut au-delà des frontières espagnoles. Ceci dit, il y a lieu de s'interroger sur l'existence d'un cinéma d'avant-garde spécifiquement espagnol. Certaines œuvres assumèrent, à différents degrés, les postulats esthétiques futuristes et surréalistes, mais après avoir pris en compte cette convergence circonstancielle, il serait peut-être plus opportun de parler d'un cinéma espagnol hétérogène, réalisé pendant le processus rénovateur de l'avant-garde qui a commencé au début du siècle et s'est terminé avec la guerre civile, après le quinquennat républicain. Nous verrons que, excepté quelques cas incontestables, attribués au surréalisme ou à quelque tentative expérimentale de la première heure, l'avant-garde cinématographique espagnole, en tant que propos de rupture avec la tradition et les formes esthétiques et idéologiques antérieures, fut maigre en résultats. Cette constata-tion est encore plus surprenante si l'on tient compte que, pendant ce temps, le cinéma – art spécifique d'invention moderne à l'instar de la photographie – suscita non seulement un intérêt énorme et croissant dans les milieux intellectuels espagnols, mais influença de manière décisive d'autres manifestations de la création artistique, par le biais de certaines de ses techniques spécifiques de composition.

Le découpage en périodes de la modernité espagnole peut être reconstitué si l'histoire culturelle est comprise comme une réalité qui détermine, au moyen d'un processus dialectique de confrontation, la versatilité des phénomènes artistiques. Ce n'est qu'en adoptant des critères esthétiques, qui prennent en compte à la fois l'évolution de la structure idéologique et celle de la pratique artistique, qu'une périodisation pour déterminer les processus culturels de façon cohérente est significative. Toute tentative pour fixer une diachronie de l'art et de la littérature basée sur d'autres fondements, par exemple ceux de l'enracinement biologique et de la sociologie, comme ceux de la méthode historiciste des générations, court le risque d'adultérer les véritables raisons du changement artistique d'une époque et d'établir par conséquent une périodisation arbitraire et nominaliste. Ces prémisses me paraissent essentielles pour aborder le monde complexe de la modernité et son ultime avatar reconnu sous l'étiquette large d'«avant-garde historique».

Il est incontestable qu'à l'aube du XXe siècle, les bases d'un changement de cap dans les conceptions idéologiques, artistiques et littéraires commencent à s'établir solidement en Occident. L'avant-garde est fondée à l'origine sur un processus et un enchevêtrement complexe de tendances esthétiques et idéologiques qui, avec une rapidité inusitée, virent le jour, se succédèrent et se superposèrent comme une alternative pour nier les propositions artistiques de la fin du siècle et prendre de la distance à leur égard. De fait, les repositionnements de l'objet artistique et la violente opposition au décadentisme renforcèrent la fracture esthétique qui avait commencé avec la révolution de la pensée romantique anticlassique. En Espagne, cette rupture s'est produite dans le milieu littéraire sans radicalisme excessif et avec retard par rapport aux autres pays européens ; en effet, à part les avancées expérimentales de Ramón Gómez de la Serna, il fallut attendre 1918 pour que les timides manifestations poétiques ultraïstes et, de manière beaucoup plus aboutie et cohérente, les présupposés esthétiques du créationnisme donnent à l'avant-garde poétique ses lettres de naturalisation. Dans les arts plastiques, le cubisme pictural inauguré par Picasso témoigne de ce fer de lance espagnol tout au début du siècle. Quant à la production cinématographique, outre le désintérêt à son égard qui durant trois décennies avait été commun au continent européen, elle restait en dehors du processus révolutionnaire et novateur du début de l'avant-garde et continuait à être dans l'attente d'une nouvelle création artistique. Les années vingt, sans doute à cause du nouveau contexte socioculturel et idéologique résultant d'une modernité urbaine, fortement technique et mécaniste, favorisèrent la rencontre définitive entre la nouveauté cinématographique [1] et les autres arts. De larges secteurs intellectuels, des peintres et photographes aux romanciers et poètes, comprirent peu à peu que le cinématographe renfermait une large gamme de possibilités qui convergeaient avec les résolutions avant-gardistes qu'ils défendaient.

Barcelone ou la protohistoire cinématographique

Il paraît incontestable aujourd'hui que Barcelone a joué un rôle décisif et précurseur dans la diffusion des présupposés artistiques de l'avant-garde. Deux facteurs y contribuèrent : d'une part, un flux important d'artistes exilés – entre autres, le peintre cubiste Albert Gleizes et sa femme, la poétesse Juliette Roche, Robert et Sonia Delaunay, Francis Picabia, qui deviendra un dadaïste de renom –, venus dans la capitale catalane à la suite de la Première Guerre mondiale, servirent de lien, comme on peut le supposer, entre l'art européen et les cercles barcelonais opposés au nationalisme bourgeois traditionnel du noucentisme toujours en vigueur. Il y eut, d'autre part, le rôle joué par les revues d'orientation avant-gardiste – en particulier les éphémères *391* (seuls quatre numéros parurent en 1917), rédigée intégralement en français sous les auspices de Picabia, et *Troços* (1917-1918), dirigée par Josep Maria Junoy –, ainsi que dans le domaine des arts plastiques, le travail de découverte et de propagande entrepris par la célèbre galerie de Josep Dalmau pour diffuser les courants novateurs d'origines essentiellement française et italienne. Il est évident qu'à cette époque-là, la réflexion théorico-artistique sur le cinéma et l'incidence de ce nouvel art agit comme un révulsif dans le monde intellectuel catalan. Les propositions d'un renouveau cinématographique, représentées par le dadaïsme, le futurisme italien (« Manifeste de la cinématographie futuriste », 1916) et la première avant-garde française (Jean Epstein, Germaine Dulac, Abel Gance…), n'eurent pas le moindre équivalent du côté espagnol. L'heure de l'avant-garde sur les écrans n'avait pas encore sonné en Espagne. Le cinéma espagnol ne parviendra qu'à la fin des années vingt à se réveiller de la longue léthargie dans laquelle il était tombé pendant les vingt premières années du siècle. Soumis à l'hégémonie des productions étrangères, il était dépourvu de moyens et de bases compétitives solides ; il restait ancré dans des genres incapables de dépasser la typique peinture de mœurs rancie, les cadres comiques, le mélodrame éculé du XIXᵉ siècle – *Alma torturada* (*Âme torturée*), *El Beso de la muerte* (*Le Baiser de la mort*), datant tous deux de 1915 –, les zarzuelas – *Amor andaluz* (*Amour andalou*), de 1913, *La Chavala* (*La Gamine*), de 1914 –, les films d'aventures ou les policiers d'inspiration américaine. Étaient en vogue également le drame historique (*Don Pedro el Cruel*, 1911), les scènes d'un romantisme traditionnel attardé (*Los Amantes de Teruel*, 1912) et les films d'aventures à épisodes – séries ou feuilletons de très médiocre qualité – qui eurent un succès notoire entre 1915 et 1918 dans les salles barcelonaises : entre autres, *Los Misterios de Barcelona* (*Les Mystères de Barcelone*, 1916) ou *Los Arlequines de seda y oro* (*Les Arlequins en soie et or*, 1918), feuilleton auquel participa la célèbre chanteuse de *tonadillas* Raquel Meller.

Est-il besoin de rappeler que la protohistoire du cinéma espagnol commence avec le siècle et que son point de départ se situe à Barcelone ? C'est à Barcelone, en effet, que furent créées les premières salles de projection lancées par l'entreprise Diorama ; à Barcelone, surtout, que l'activité menée de 1906 à 1913 par la société de production Films Barcelona donnera une grande impulsion initiale à l'industrie cinématographique. Cependant, c'est avec Segundo de Chomón que viendra un air de renouveau. Natif de Teruel, Chomón s'était familiarisé durant son séjour parisien avec les techniques cinématographiques et les possibilités du marché. Au tout début du siècle, il s'associe avec Albert Marro et le mécène Luis Macaya, et produit une série de travaux très rudimentaires pour la société française Pathé, ainsi que d'autres œuvres de facture documentaire et comique, malheureusement perdues. Chomón invente et perfectionne des caméras, crée un studio de tournage et conçoit l'idée d'une société de production cinématographique sérieuse à Barcelone. Mais son enthousiasme et son activité incessante achoppèrent sur la non-viabilité d'un projet difficilement exportable et sur d'excessives entraves économiques. Les années qui suivirent l'aventure de Chomón ne furent pas des temps aimables pour le cinéma, même si, au milieu des années vingt, prolifèrent les sociétés de production catalanes ; généralement de courte existence, elles fournissaient le reste du pays en bobines réalisées dans l'improvisation, avec peu de ressources commerciales et selon des procédés rudimentaires. De fait, « comme cela s'était passé pendant la décennie précédente, la plupart des sociétés de production souffraient de la maladie chronique d'un financement atone pour ne pas dire inexistant, d'un amortissement faible et tardif dû à des réseaux de commercialisation limités et incertains, à une concurrence étrangère féroce, à la composition sociale hétérogène et déséquilibrée du marché péninsulaire [2] ». En dépit de ce paysage désolant, le cinéma acquiert une grande actualité et fait l'objet de premières réflexions théoriques, provoquées au début par une polémique au sujet de sa « convenance » sociale. Les forces cléricales, le noucentisme intellectuel et de larges secteurs moralisateurs de la bourgeoisie catalane furent les porte-drapeaux d'une campagne exacerbée de puritanisme, orchestrée par la presse et certains écrivains d'obédience religieuse, ce qui aboutit en 1912 à la censure officielle et à une incrimination absurde du nouvel art. À ce discrédit lamentable contribuèrent sans doute les prétendues académies cinématographiques qui furent créées à Barcelone et dont la gestion, parfois proche de l'escroquerie, porta un grand préjudice à la réputation du cinéma catalan. À l'autre bord combattaient de nouvelles sociétés de production comme Balcinógrafo, créée en 1913 par l'éclectique Adrià Gual, Condal Films, Studio Films (1915-1921) et Hispano Films, des intellectuels prestigieux comme le dramaturge Jacinto Benavente, le poète Manuel Machado ou le critique Federico de Onís. Ces chroniqueurs délibérément cinéphiles disséminèrent leurs commentaires cinématographiques dans quelques publications de portée nationale (en particulier les revues *España* et *D'Ací i d'Allà*, les journaux *El Liberal* et *El Imparcial*). Des romanciers portèrent leurs œuvres à l'écran – par exemple, le Valencien Blasco Ibañez adapta *La Tierra de los naranjos* (*La Terre des orangers*, 1914) ; Blasco Ibañez fut aussi le co-metteur en scène de son propre roman *Sangre y Arena* (*Arènes sanglantes*, 1916). Mentionnons encore le controversé *El Otro* (*L'Autre*, 1919) de Zamacois. Le débat se solda par une crise aiguisée par le manque de moyens, les ressources financières quasi inexistantes, l'absence d'aide institutionnelle, les coûts de production énormes, le climat de guerre en Europe, les techniques obsolètes et la paralysie des idées incapables de renouveler un répertoire ressassé. Madrid prit alors le témoin à Barcelone et la production cinématographique espagnole allait vivre alors une nouvelle étape de son lent trajet vers l'avant-garde.

Les productions madrilènes cherchaient le succès facile et le lucre en recourant aux genres que semblait réclamer le public : l'adaptation de livrets de zarzuelas ou d'œuvres narratives, de mélodrames à caractère local ou typiquement national. Mais le spectateur finit par s'ennuyer d'une telle récurrence et le cinéma muet devint en fin de compte un objet artistique décadent en attente de renouvellement. À partir de 1924, il est certain que l'activité industrielle se stabilisa et que renaquit l'intérêt du public, sans que pour cela la typologie des films laissât paraître une orientation novatrice quelconque. José Buchs s'efforçait d'éveiller la curiosité populaire par un cinéma national fondé par exemple sur les clichés du genre mélodramatique – *Pilar Guerra* (1926) –, de la peinture de mœurs et du film historique – *Una extraña aventura de Luis Candelas* (*Une étrange aventure de Luis Candelas*, 1926), *El Dos de Mayo* (*Le Deux Mai*, 1927). Manuel Noriega adaptait des zarzuelas comme *Don Quintín el amargao* (*Don Quintín l'amer*, 1925), se lançait dans un cinéma régionaliste et produisait aux studios Madrid Films son œuvre à tendance futuriste *Madrid en el año 2000* (*Madrid en l'an 2000*, 1925). Pendant ce temps, l'Espagne se préparait à assister à une revendication décisive du cinéma comme expression originale de l'art moderne, peu avant qu'il ne devienne parlant. La péninsule donnera en effet au monde cinématographique occidental un cinéma de valeur, d'invention spécifiquement espagnole, qui, comme nous le savons, se manifestera selon les présupposés esthétiques surréalistes assumés à l'origine par Luis Buñuel et Salvador Dalí.

Cinématographe, arts plastiques et littérature : les années vingt

Nous pouvons dire sans hésiter que le renouveau européen du texte de film est venu pour une bonne part des artistes plastiques qui avaient donné une réalité et donc une force remarquable aux mouvements d'avant-garde. Rappelons les contributions cubistes de Fernand Léger, réalisateur de *Ballet mécanique* (1924), les travaux dadaïstes de Marcel Duchamp, auteur de *Anemic Cinema* (1926), œuvre réalisée au moyen de disques optiques ou « rotoreliefs » avec des découpes de lettres, utilisant diverses ressources graphiques et phoniques, et ceux du photographe Man Ray avec *Retour à la raison* (1923), ou encore le film d'avant-garde paradigmatique *Entr'acte* (1924) de René Clair, les œuvres d'Erik Satie et de Francis Picabia [3]. Outre ces artistes qui ont initié le renouvellement de ce mode d'expression nouveau, un groupe important de théoriciens du cinéma (Louis Delluc, Jean Epstein, Germaine Dulac, etc.) avait été chargé de doter la pratique cinématographique d'un corpus doctrinal, parfois proche de l'écrit programmatique, en vue d'établir un art en accord avec le système idéologique et artistique de la modernité. Dans le cas espagnol, quelque chose de tout à fait différent s'est produit. Si le renouveau en littérature et dans les arts plastiques se comprend dans le cadre de la rupture provoquée par l'avènement des principes révolutionnaires et antipasséistes de l'avant-garde, la théorisation sur le cinématographe, avec des nuances certes et compte tenu de la singularité espagnole, manqua de la solidité nécessaire à une synchronisation avec l'avant-gardisme européen [4]. Si, comme je l'ai avancé et comme nous le verrons par la suite, l'expérimentation cinématographique d'avant-garde fut très restreinte en Espagne, son apport concret à la culture cinématographique occidentale, essentiellement grâce à Luis Buñuel, ne peut cependant être éludé, de même que ne peut être ignorée l'alternative présentée par cette exception notoire aux tendances de l'époque, ancrées dans des formules traditionnelles de natures diverses. En dépit de ces carences, le cinéma, incorporé nettement à une culture d'avant-garde très technicisée, est devenu un thème littéraire par le biais de fréquentes allusions à ses éléments et à la nouveauté du genre, et réciproquement, le texte d'avant-garde, en vers comme en prose, s'est servi, par innovation ou par convergence, des procédés de composition du cinéma, malgré cette mise en garde : « Dans le cas hypothétique où des constructions exclusivement cinématographiques pourraient être incluses dans une œuvre littéraire, nous pouvons affirmer qu'elles ne possèdent pas la même fonction et que plus qu'un transfert d'un langage à un autre, elles sont des reflets déformés [5]. »

La critique contemporaine a souligné avec pertinence les relations entre le cinéma et les autres manifestations artistiques de l'avant-garde, concrètement avec les genres littéraires de la poésie et du roman [6]. Des relations de perméabilité entre le cinéma et la poésie, « des fécondations mutuellement valables » se sont opérées, comme le remarqua très tôt Guillermo de Torre [7]. Il faudrait ajouter un ensemble intéressant de réflexions sur les possibilités du septième art et ses différences par rapport au théâtre, sans oublier la place remarquable que le cinéma acquit comme spectacle nouveau dans l'actualité culturelle. De nombreux exemples montrent que la poésie de la première avant-garde espagnole a introduit le cinématographe comme un élément récurrent de sa thématique sémantique, à l'égal du sport, de l'humour ou du jazz. Ainsi, nous trouvons dans le poème futuriste *L'Irrradiador del port i les Gavines* (1921), de Joan Salvat-Papasseit, des références au cinéma et à l'emblématique Charlot. Les revues ultraïstes, de leur côté, recueillirent des compositions variées articulées autour du cinématographe, devenu à la fois thème distinctif et thème de circonstance, souvent associé à la photographie et à la ville. Dans les pages de *Grecia*, *Ultra*, *Cervantes*, *Cosmópolis*, *Horizonte*, etc., nous pouvons voir aisément quelques titres qui mettent en évidence la notoriété atteinte par le cinéma – par exemple, « Poème cinématographique » de José Rivas Panedas, « Cinématographe » de Pedro

Garfias, etc. –, de même que de fréquentes allusions aux objets, au matériel, aux personnages du cinéma muet dans des poèmes – entre autres ceux d'Adriano del Valle, de Juan Larrea et de Lucía Sánchez Saornil. Ces liens entre la poésie et le cinéma, amplement traités par la critique, s'étendirent à la production des poètes de la « Génération de 27 » et eurent même une incidence sur la trajectoire poétique de certains de ses représentants. Si José Moreno Villa dissémine des références cinématographiques variées dans *Jacinta la pelirroja* (1929), Vicente Aleixandre compose « Cinemática » pour le recueil de poésie *Ámbito* (1928) et Pedro Salinas inclut dans *Seguro Azar* (1929) un poème intitulé « Cinematografo ». Le cas le plus extrême de cette attirance est sans doute celui de Rafael Alberti qui consacre un livre entier au nouvel art : *Yo era un tonto y lo que he visto me ha hecho dos tontos* (J'étais un nigaud et ce que j'ai vu a fait de moi deux nigauds, 1929), dans lequel défilent les acteurs américains du cinéma muet. Federico García Lorca écrit, en 1928, « La Promenade de Buster Keaton ». Manuel Altolaguirre fut poète et éditeur, mais aussi cinéaste. Il est connu enfin que *White Shadows in the South Seas* de W. S. Van Dyke, la première bande sonore que vit Luis Cernuda lors d'un bref séjour à Paris, fut déterminante dans la conception de son poème « Ombres blanches », de même qu'une phrase d'un film muet projeté à Toulouse fut à l'origine du titre du poème « Nevada », tous deux dans *Un fleuve, un amour* [8]. Ce ne sont là que quelques exemples remarquables. Cette profusion de thèmes associés au cinéma dans la poésie avant-gardiste ne fut pas moindre dans la prose. Benjamín Jarnés, un des premiers cinéphiles espagnols et un critique avisé, plaça le cinéma au cœur de son œuvre narrative. Dans *Salón de estío*, Jarnés inclut un récit, proche du conte, intitulé « Film » ; il consacre un chapitre complet de son livre *Escenas junto a la muerte* (1931), « Charlot en Zalamea », à une confrontation entre le cinéma et le théâtre, et introduit, dans *Paula y Paulina*, une séance dans une salle obscure à laquelle se rendent les personnages du roman. Juan Nadie, le protagoniste de *Locura y muerte de Nadie*, se voit dans un journal d'actualités cinématographiques. La liste de ces rencontres entre le cinéma et le roman pourrait s'allonger avec les œuvres de narrateurs avant-gardistes tels que Francisco Ayala (*Polar, estrella*, 1928), César M. Arconada (*Vida de Greta Garbo*, 1929), etc. Ramón Gomez de la Serna les avait précédés, non seulement dans son œuvre critique et dans quelques *greguerías* où il utilise la thématique du cinéma, mais aussi dans deux romans : le protosurréaliste *El Incongruente* (1922) et *Cinelandia* (1923), basé sur le monde hollywoodien. Les relations entre le cinéma et la narration des années vingt peuvent également se comprendre à partir du transfert de certaines techniques de l'un à l'autre. Il n'est pas étonnant que le roman cherche dans le langage cinématographique une voie possible de renouvellement [9], comme le remarqua très tôt Antonio Espina, en s'appuyant sur les possibilités de changement de rythme et la riche perspective d'éléments nouveaux que le cinéma muet offrait à la prose [10]. Cet essayiste et romancier ira plus loin dans la critique de la particularité organique du roman, comme on peut le lire dans *Luna de copas* (1929), texte qui prétend dépasser la fiction. L'importance grandissante du langage, des techniques (juxtaposition de plans, travellings, jeux optiques et découpages, etc.) et des matériaux cinématographiques dans le nouveau discours narratif a été abondamment étudiée ; mentionnons, à titre d'exemple, les romans de Pedro Salinas (*Vispera del gozo*, 1926), Antonio Espina (*Pájaro pinto*, 1927) et Francisco Ayala (*Cazador en el alba*, 1930).

Ce qui vient d'être dit démontre pour le moins l'influence du cinéma sur la littérature, influence déjà soulignée à l'époque par l'essayiste asturien Fernando Vela (*Depuis la rive obscure. Sur une esthétique du cinéma*, 1925) et par les écrivains déjà cités, Antonio Espina [11], Benjamín Jarnés ou Francisco Ayala. Mais en réalité, les écrivains cinéphiles se limitèrent presque toujours à revendiquer et à établir l'acte notarial d'une avant-garde cinématographique qu'ils étaient incapables de favoriser euxmêmes, pour des motifs économiques et en raison de difficultés dans le processus de production. Ils ne parvinrent même pas à enrichir le panorama cinématographique par le biais du scénario. Les scénaristes occasionnels comprirent leur travail comme un simple exercice de style littéraire ; le cas de Juan Larrea et Luis Buñuel, auteurs de *Ilegible, hijo de flauta* (1927), et celui de Federico García Lorca avec *Viaje a la luna* (*Voyage vers la lune*, 1929) sont en ce sens paradigmatiques, car il est fort peu probable que ces auteurs aient écrit leur texte uniquement pour être porté à l'écran. Tout ceci explique «la frappante asymétrie entre une culture d'avant-garde très vivante dans la littérature et les arts plastiques, contrastant avec le désert cinématographique espagnol [12]». Les textes diffusés par les revues *Revista de Occidente*, fondée par le philosophe Ortega y Gasset en 1923, et *La Gaceta literaria* (1927-1932), créée par Ernesto Giménez Caballero – qui consacra au cinéma une rubrique dirigée par Buñuel – se limitèrent à la critique des films ou de leurs auteurs, et ne se préoccupèrent qu'exceptionnellement des possibilités avant-gardistes du cinéma muet. Il reste à ajouter que l'actualité cinématographique était monopolisée par les films de l'avant-garde européenne, surtout allemande et française. Il est significatif en effet que le Cineclub Español de la revue *La Gaceta literaria* inaugure ses séances à la fin de 1928 au Cine Callao de Madrid avec *Tartuff*, film expressionniste réalisé par F.W. Murnau à partir d'une libre adaptation de l'œuvre de Molière due au scénariste Carl Mayer, suivi du court-métrage *L'Étoile de mer* de

Man Ray. Au cours de sa brève existence (vingt et une séances de 1928 à 1931), le Cineclub Español présenta un large échantillon du cinéma d'avant-garde européen : la programmation, dont Buñuel fut chargé jusqu'à la huitième séance, allait du film d'art d'un expressionnisme tardif comme *La Chute de la maison Usher*, de Jean Epstein, au cinéma américain représenté, entre autres, par *The Navigator*, de Buster Keaton et Donald Crisp, et aux œuvres les plus représentatives du cinéma soviétique, comme *Le Cuirassé Potemkine* de Serguei Eisenstein qui clôtura l'activité du Cineclub Español.

De Figueras et Cadaqués à Paris

«Je ne rêvais pas à l'amour, mais à la gloire, et je savais que le chemin du succès passait par Paris. Mais en 1927, Paris était loin de Figueras ; loin, mystérieux et grand.» (Salvador Dalí).

Bien qu'au milieu des années vingt l'industrie cinématographique eût installé son principal foyer d'influence et d'expansion à Madrid, où les jeunes artistes et écrivains d'avant-garde trouvaient une plate-forme pour exprimer leurs inquiétudes esthétiques et leurs penchants cinéphiles, Barcelone ne resta pas étrangère au réveil avant-gardiste. Il y eut en réalité dans la capitale catalane une sorte de mimêsis culturelle et, en ce qui concerne le septième art, les projets de bâtir une esthétique cinématographique furent plus conséquents. C'est en Catalogne que fut conçu *Un chien andalou*, incontestablement la première et la plus originale contribution espagnole au cinéma d'avant-garde européen.

Barcelone accéda à l'actualité du cinéma d'avant-garde par les ciné-clubs qui, fortement implantés dans la France de l'aprèsguerre (Club des amis du septième art, Ciné-Club de France…) étaient un moyen fondamental de divulgation du film dans les années vingt à Paris (studio des Ursulines, Studio 28). Suivant l'exemple du ciné-club madrilène de la Résidence des étudiants – dont les séances avaient été confiées à Buñuel par la Société de cours et conférences entre les mois de mai 1927 et décembre 1928 – et à l'instigation de *La Gaceta*, furent créés à Barcelone le Barcelona Film Club en février 1929 et, deux mois plus tard, le Mirador de Barcelona, dépendant de l'hebdomadaire *Mirador* [13]. La Catalogne ne négligea pas non plus la réflexion spéculative sur l'esthétique cinématographique ; au contraire, les pages des revues *La Nova Revista*, *Gaseta de les Arts* et *L'Amic de les Arts* firent preuve d'une remarquable cinéphilie et publièrent plusieurs textes visant à formaliser les fondements d'un nouvel art de filmer. Le premier manifeste théorique de cohérence avant-gardiste incontestable fut rédigé par Salvador Dalí : il s'agissait d'une proclamation virulente qui, sous le titre «Film-art. Film antiartistique [14]», prônait radicalement la

comment on ne voyait uniquement que le dos ou les extrémités des propriétaires successifs. Même si l'idée de Picón ne manquait pas d'originalité pour l'écran espagnol, elle avait des précédents européens, comme l'a signalé Román Gubern : *L'Histoire de Lulu* racontée par ses pieds, qui obtint un grand succès en France, *Le Basi* de Marinetti, où on ne voyait que les pieds et les jambes des personnages, et *Les Aventures d'une pièce de cinquante kopeks*, du Soviétique A. Lundin [33].

Le répertoire des films d'avant-garde, difficile à évaluer à sa juste mesure, peut du moins être complété par les soixante-douze séquences du scénario littéraire *Viaje a la luna* (*Voyage vers la lune*, 1929) de Federico García Lorca. Les liens de l'œuvre avec *Un chien andalou* ont été exposés par la critique [34], de même que son caractère de transition dans l'itinéraire du poète, depuis le caractère populaire de *Romancero gitano* jusqu'au surréalisme de *Poète à New York* et du *Public*. On y trouve un irrationalisme focalisé sur des motifs sexuels, un amalgame de métaphores non moins irrationnelles et une technique filmique faible qui aurait sûrement desservi l'auteur s'il avait porté son œuvre à l'écran.

Tel est, en définitive, le maigre palmarès de la prétendue avant-garde cinématographique espagnole. Il y eut, bien sûr, des cas isolés dignes de considération, mais ils n'avalisent pas l'existence d'une avant-garde organisée, encore moins son unité [35]. En dépit des efforts pour donner au nouveau cinéma un corpus doctrinal à tendance révolutionnaire et novatrice, la plupart du temps, ces écrits – dont nous avons mentionné certains – ont manqué d'idées propres et se sont limités à de simples réflexions sur l'esthétique du cinéma ou à des spéculations sur ses possibilités artistiques et techniques. Le cinéma espagnol restait en dehors du processus dialectique qui, en se distançant plus ou moins radicalement des codes formels et des structures idéologiques antérieurs, avait accordé aux autres arts le statut de modernité avant-gardiste.

(Traduit du castillan par Marie-France Eslin)

Notes

1 Voir Vicente Sánchez Biosca, *El Montaje cinematográfico. Teoría y análisis*, Barcelone, Paidós, 1996.

2 Julio Pérez Perucha, « Narración de un aciago destino (1896-1930) », dans *Historia del cine español*, Madrid, Cátedra, 2000, p. 49.

3 Voir Agustín Sánchez Vidal, *Historia del cine*, Madrid, Historia 16, 1997, p. 57-69.

4 Sur cette « floraison avant-gardiste » européenne, voir la synthèse récente de Román Gubern, dans *Historia del cine*, Barcelone, Lumen, 2000, p. 161-162.

5 Jorge Urrutia, *Imago litterae. Cine. Literatura*, Séville, Alfar, 1984, p. 41.

6 Voir entre autres les travaux de Charles Brian Morris, *This Loving Darkness. The Cinema and Spanish Writers, 1920-1936*, New York, Oxford University Press, 1980 ; Vicente Sánchez Biosca, « El cine y su imaginario en la vanguardia española », dans Javier Pérez Bazo (éd.), *La Vanguardia en España. Arte y Literatura*, Paris, Ophrys/CRIC, 1998, p. 399-411 ; Román Gubern, *Proyector de luna. La generación del 27 y el cine*, Barcelone, Anagrama, 1999.

7 Guillermo de Torre, « El cinema y la novísima literatura » (1921), dans Paul Ilie (éd.), *Documents of the Spanish Vanguard*, Chapel Hill, The University of North Carolina Press, 1969, p. 404.

8 Voir Luis Cernuda, « Historial de un libro » (1958), dans *Prosa I*, vol. II, édition de Derek Harris et Luis Maristany, Madrid, Siruela, 1999, p. 634-635.

9 Voir Domingo Ródenas, « Cita de ensueño : el cine y la narrativa nueva de los años veinte », dans Carlos J. Gómez Blanco (coord.), *Literatura y cine : perspectivas semióticas*, La Coruña, Universidad, 1997, p. 85-104.

10 Antonio Espina, « La cinematografía en la novela », *El Sol*, 8 juillet 1928.

11 Antonio Espina, « Reflexiones sobre cinematografía », *Revista de Occidente*, janvier 1927, p. 15-27. Reproduit dans Ramón Buckey et John Crispin (éds.), *Los Vanguardistas españoles (1925-1935)*, Madrid, Alianza, 1973, p. 210-218.

FIG. Photogramme du film
L'Âge d'or, Buñuel entouré
des acteurs, mars 1930
Paris, Documentation du Musée
national d'art moderne, Centre
Georges Pompidou

[12] Román Gubern, *op. cit.*, 1999, p. 153.

[13] Avec l'arrivée du cinéma parlant disparurent progressivement ces ciné-clubs et leur activité fut assumée par «des entreprises importantes du secteur avec des buts promotionnels, par Filmófono à Madrid et par Cinaes à Barcelone» (cf. Román Gubern, *op. cit.*, 1999, p. 275).

[14] Salvador Dalí, «Film-arte antiartístico», *La Gaceta literaria*, n° 24, 15 décembre 1927, p. 4-5. Reproduit dans Ramón Buckey et John Crispin (éds.), *op. cit.*, 1973, p. 224-229.

[15] Salvador Dalí, «Film antiartísticos. La gran duquesa y el camarero – El traje de etiqueta (par Adolfo Menjou)», *La Gaceta literaria*, n° 29, 1er mars 1928, p. 6.

[16] Barcelone, Imp. Fills de Sabater, 1928.

[17] Dans *L'Amic de les Arts*, n° 23, 31 mars 1928.

[18] Salvador Dalí, «Un chien andalou», *Mirador*, n° 39, 24 octobre 1929.

[19] Salvador Dalí et A. Parinaud, *Confesiones inconfesables*, Barcelone, Bruguera, 1974, p. 107-110.

[20] Buñuel confirme ailleurs la genèse de l'œuvre : «Nous devions chercher le sujet. Dalí me dit : "Hier soir, j'ai rêvé de fourmis qui grouillaient dans mes mains." Et moi : "Eh bien moi, j'ai rêvé qu'on tranchait l'œil à je ne sais qui." "Voilà le film, nous allons le faire." En six jours, nous avons écrit le scénario. Nous étions si proches qu'il n'y avait pas de discussion. Nous écrivions en accueillant les premières images qui nous venaient à l'esprit et en repoussant par contre systématiquement tout ce qui viendrait de la culture ou de l'éducation. Ce devait être des images qui nous surprendraient, que nous accepterions sans discuter ; rien de plus…» (J. de la Colina et T. P. Turrent, «Entrevista con Luis Buñuel», *Contracampo*, n° 16, octobre-novembre 1980, p. 33-34).

[21] Le titre définitif reproduisait en traduction française celui d'un livre de poèmes, *El Perro andaluz*, que Buñuel lui-même avait terminé à ce moment-là.

[22] Agustín Sánchez Vidal, *Buñuel, Lorca, Dalí, el enigma sin fin*, Barcelone, Planeta, 1988, p. 204.

[23] Ado Kyrou, *Le Surréalisme au cinéma*, La Flèche, Éditions Ramsay, 1963.

[24] Eugenio Montes le fit remarquer très tôt («Un chien andalou», *La Gaceta literaria*, 1er octobre 1928) et J. F. Aranda insista sur ce caractère dans *Luís Buñuel. Biografía crítica*, Barcelone, Lumen, 1975.

[25] Voir Agustín Sánchez Vidal, *op. cit.*, 1988, p. 224-252.

[26] Voir Enrique Camacho et Manuel Rodríguez (coords.), *Buñuel. 100 años. Es peligroso asomarse al interior*, Madrid - Toulouse, Instituto Cervantes, 2000.

[27] Agustín Sánchez Vidal, *El Mundo de Buñuel*, Saragosse, Caja de Ahorros de la Inmaculada de Aragón, 1993, p. 121.

[28] *Ibid.*, p. 122.

[29] Voir Román Gubern, *op. cit.*, 1999, p. 160-164.

[30] Voir Carlos Fernández Cuenca, «Vanguardia española», *Filmoteca*, I, 1972-1973.

[31] Vicente Sánchez Biosca, *loc. cit.*, 1998, p. 409.

[32] *Ibid.*

[33] Voir Román Gubern, *op. cit.*, 1999, p. 166-175.

[34] Voir, par exemple, Virginia Higgnobortham, «El viaje de García Lorca a la luna», *Ínsula*, n° 254, janvier 1968 ; Agustín Sánchez Vidal, «Sobre el angel exterminador (La obra literaria de Luis Buñuel)», dans Victor García de la Concha (éd.), *El Surrealismo*, Madrid, Taurus, 1982, p. 136-139 ; Antonio Monegal, *Introducción a F. García Lorca : «Viaje a la luna»*, Valence, Pre-textos, 1994.

[35] Voir Eugeni Bonet et Manuel Palacio, *Práctica fílmica y vanguardia artística en España, 1925-1981*, Madrid, Universidad Complutense, 1983.

Mon idée générale en écrivant avec Bunuel le scénario de l'Age d'Or a été de présenter la ligne droite et pure de « conduite » d'un être qui poursuit l'amour à travers les ignobles idéaux humanitaire, patriotique et autres misérables mécanismes de la réalité.

SALVADOR DALI.

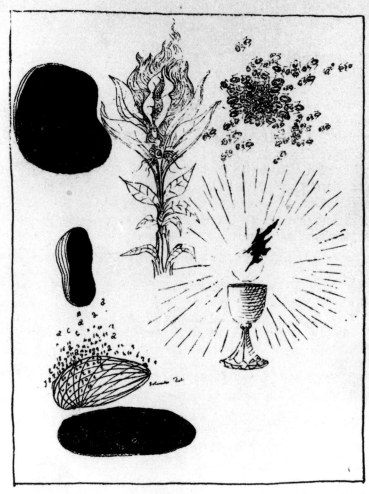

SALVADOR DALI

1

Dessins et textes
de Salvador Dalí
dans la revue-programme
du film *L'Âge d'or*
Paris, Documentation du Musée
national d'art moderne,

LE CORBUSIER

13191

ET JOSÉ LUIS SERT

industrielle, employant systématiquement des éléments "standard". Autre objet de ce pavillon, l'étude des principes de "standardisation" dans leur généralisation urbaine et interurbaine. Tout ce qui vient de *L'Esprit nouveau* donne beaucoup à réfléchir, il faut le dire. Il n'est pas étonnant que le pavillon du Cours-la-Reine soit passé inaperçu de nous les premiers jours, car il est relégué dans l'espace laissé par deux nefs du Grand Palais. »

Nous ignorons si Sert lut cet article de Benet, ainsi que celui du 16 septembre, dans lequel Le Corbusier est à nouveau cité dans une sorte de texte-résumé au titre sans équivoque – « Signalant des valeurs » – et qualifié de « […] maître de la simplicité, de la rationalité, et du sens de l'économie ». Nous ne pouvons donc pas supposer que ce fut grâce à ces articles que Sert s'intéressa à l'œuvre écrite de Le Corbusier. De toute façon, il paraît curieux que, du voyage à Paris, Sert ne se souvienne que de trois ouvrages lui ayant, dans un premier temps, fait découvrir le maître suisse, et qu'il ne mentionne aucun édifice qu'il aurait pu visiter à ce moment-là, comme le font tous les étudiants en architecture du monde au cours de leurs déplacements.

Quoi qu'il en fût dans son cas, au cours de l'été 1925, il est donné au lecteur catalan moyen d'apprécier qu'il existe à Paris un architecte nommé Le Corbusier se livrant à des travaux bannissant toute préoccupation décorative, soucieux de construire des logements types en faisant appel à des procédés industriels standardisés, comme il l'a fait près de Bordeaux pour le compte de M. Frugès, que tout cela est en rapport avec l'idée d'une ville « autre », et qu'il a été marginalisé par les commissaires de l'exposition qui ont placé son pavillon dans un lieu secondaire – un homme se détournant du décoratif, mais portant tout son intérêt aux meubles légers adaptables, transportables, pliables, à mille lieues de ceux que présentait l'exposition parisienne, lourds, inconfortables, coûteux…

Rafael Benet termine son article sur une note d'optimisme excessif : « Tout le monde a lu *Vers une architecture nouvelle (sic)* de Le Corbusier Saugnier. C'est un bon livre qu'il faut méditer. » Il est difficile de préciser ce qu'il veut dire lorsqu'il écrit cela. Nous ne pensons pas que tous les architectes catalans aient lu le texte de Le Corbusier en 1925. À coup sûr très peu, voire aucun d'entre eux. Et même si cela avait été le cas, nous ne pouvons savoir ce qu'ils en avaient compris. Probablement rien. Compte tenu de l'enseignement dispensé à l'École d'architecture de Barcelone dans le courant des années vingt, nous craignons que cet ouvrage n'y ait pas été spécialement recommandé [5], encore que l'on puisse conserver quelque espoir qu'il fût connu si l'on consulte certaines bibliothèques privées [6]. Il est donc difficile de faire crédit à la mémoire de Sert, lui qui avait même oublié l'année de sa naissance [7].

Il est vrai que 1926 est encore une année au cours de laquelle on va parler de Le Corbusier et de son œuvre à Barcelone. Une fois encore, c'est Benet qui va s'en charger, mais aussi Sebastià Gasch. Le premier, dans le n° 8 de la revue qu'il dirigeait, *La Ciutat i la Casa*, organe de l'Association des architectes de Catalogne ; le second, dans la livraison d'octobre de *D'Ací i d'Allà*. Le titre de la contribution de Benet était sans équivoque – « Art nouveau : le coup de massue » – tout comme celui de l'article de Gasch – « L'élan vers l'ordre ».

Benet, dont le texte s'accompagne d'illustrations tirées de *Vers une architecture* – cet ouvrage dont il tarda à retenir le titre exact, qu'il avait acheté à Paris et qui stimulait sa réflexion – écrit notamment : « Nous avons le devoir de donner un contenu de modernité à notre œuvre. Quant à moi, ne m'intéressent ni les Grecs ni le Moyen Âge pour les refaire, car c'est impossible. Ce qui m'intéresse, c'est de tirer toutes les leçons éternelles qu'offre l'Histoire […] Efforçons-nous, donc, d'affronter l'Esprit nouveau. » On ne laisse pas d'être étonné de constater combien peu de choses Benet avait comprises, lui qui avait résidé si longtemps à Paris l'année précédente. Alors que Le Corbusier a liquidé *L'Esprit nouveau* – comme on peut le constater à la lecture de ce qu'il écrit dans l'*Almanach d'architecture moderne* – et commence à prendre ses distances avec Ozenfant et la peinture puriste, Benet milite en faveur de la glorieuse revue dont les deux amis avaient fait l'étendard d'un nécessaire renouveau du monde artistique barcelonais et lance ce mot d'ordre à qui veut l'entendre. Il semble que Benet s'en tint à *Vers une architecture* et ne prit pas connaissance de tout le contenu de l'*Almanach* qui parut, au plus tôt, en novembre 1925 et qu'il connaissait pourtant, puisqu'il le cite dans ce texte.

Nous déduisons cela du contenu de son article, dans lequel il est question du caractère superflu de l'ornement ou de l'historicisme, de standardisation, de silos américains, de proportions, de formes pures d'outre-Atlantique, d'avions, de paquebots, etc., dans un abrégé du programme de *L'Esprit nouveau* que l'architecte suisse avait développé entre 1920 et 1925 [8].

Il en va tout autrement de Sebastià Gasch, lequel souligna l'intérêt de Le Corbusier pour l'ordre qui joue un rôle de premier plan dans certains de ses textes des années vingt. *Vers l'ordre* – qui s'écrit de la même façon en français qu'en catalan – montrait une voie à suivre, que Gasch désignait en citant Ozenfant et Jeanneret : « Le besoin d'ordre est le plus noble des besoins humains ; il est la cause même de l'art. » Au lieu d'aligner des arguments chocs comme Benet, Gasch souhaite parvenir à un monde pacifié, ordonné, sûr. Alors qu'au même moment, les rédacteurs de la revue *ABC* abhorraient la composition [9], voilà justement ce qui enthousiasmait Gasch dans le texte du maître suisse, et aussi la définition de l'architecture que l'on sait. Sebastià Gasch écrit : « Un ensemble qui donne l'impression d'un tout organique fait de grandes masses simples savamment conjuguées sous la vive lumière de cet après-midi d'été [10]. » Les volumes sont traités au moyen d'éléments architecturaux qui doivent être disposés d'une certaine manière, et il cite à nouveau Le Corbusier : « Un tracé régulier est une assurance contre l'arbitraire : il est l'opération de vérification qui approuve tout travail créé dans la fièvre. […] Le tracé régulateur est une satisfaction d'ordre spirituel qui conduit à la recherche de solutions ingénieuses et de rapports harmonieux. Le tracé régulateur confère à l'œuvre l'harmonie. »

L'année suivante, Benet insiste pour que les Barcelonais se familiarisent avec Le Corbusier, cette fois grâce à ses écrits sur l'exposition du Werkbund, inaugurée à Stuttgart le 23 juillet 1927 [11]. Il le fait par ses voies habituelles, c'est-à-dire à travers un article paru dans *La Veu de Catalunya* et dans un autre publié par « sa » revue. Il s'appuie bien entendu sur les informations qu'il trouve dans *Moderne Bauformen* ou *Cahiers d'art*, comme il le déclare lui-même. Aux yeux de Benet, l'exposition allemande organisée par Mies était « la plus importante de ces dernières années » ; on pouvait y voir des maisons d'habitation « pensées selon les principes les plus avancés, tant du point de vue de la technique de la construction que du point de vue de la plastique ». Nous ignorons si Benet prit connaissance du texte de Gasch, mais ce qui est sûr, c'est qu'après avoir donné une liste des architectes participant, il s'applique avant tout à distinguer l'architecture de Le Corbusier de celle des autres édifices. Et cela en des termes sans équivoque : il insiste sur le fait que l'architecte suisse est le seul capable de proposer un « lyrisme mathématique » aux antipodes de formes « trop techniques ».

Au cours de l'automne 1927, Le Corbusier est présent dans la presse de Barcelone, des quotidiens conservateurs aux revues spécialisées d'architecture, grâce à laquelle Sert dut être informé. Cela, au moins, est sûr. Mais qu'il séjournât à Paris où il acheta trois ouvrages, voilà qui est possible, mais à propos de quoi nous ne pouvons trancher.

1928

Le moment est venu de revenir à Sert et à sa mémoire peu sûre en l'année 1968 : « C'est en 27, je crois, que Le Corbusier est venu en qualité d'invité au Club Fémina, ou quelque chose d'approchant, un club de conférences pour gens qui ont des sous ; il y eut des conférenciers des plus discutés, Paris et tout le reste, et nous avons invité Le Corbusier. » Il est évident que Sert se trompe d'année ; Benet et Le Corbusier lui-même le confirment.

Dans un autre article, publié dans *La Veu de Catalunya* le 30 mars 1928, Rafael Benet commente le verdict du concours

pour la construction du palais de la Société des nations à Genève. Il nous apprend que deux étudiants en architecture, dont il ne veut pas citer les noms, ont pris l'initiative d'inviter l'architecte suisse. L'un d'entre eux était à coup sûr José Luis Sert.

L'explication de Le Corbusier semble plus catégorique, bien qu'elle ait été fournie en 1958. Il raconte qu'à l'occasion de son passage obligé par Barcelone à son retour de Madrid, il fut invité à s'arrêter dans cette ville : « C'était en 1928, année placée sous le signe du concours du palais de la Société des nations à Genève. On m'avait appelé pour faire une conférence à la cité universitaire de Madrid. Il en sortit peu après le livre *Une maison, un palais*. J'ai reçu à Madrid un télégramme signé José Luis Sert (que je ne connaissais pas à l'époque) qui me donnait rendez-vous à dix heures du soir à la gare de Barcelone afin que j'aille sans perdre une minute donner une conférence dans quelque endroit de cette ville. À la gare, j'ai été reçu par cinq ou six jeunes gens tous de petite taille mais pleins de fougue et d'énergie [12]. »

Le Corbusier, qui avait été invité à Madrid par García Mercadal, y séjourna du 9 au 14 mai. Sa mémoire n'est pas non plus très fidèle. Il parle d'une conférence, alors qu'il en prononça deux, les 9 et 11 mai, l'une à la Résidence des étudiants et l'autre dans un lieu dont il ne se souvient pas [13]. Ce fut un Le Corbusier en proie à toutes sortes de préoccupations qui se rendit à Madrid, puis à Barcelone. À la crise intellectuelle qu'il traversa en 1925, il faut ajouter son échec au concours de Genève en lequel il avait placé tant d'espoir : le verdict du jury, prononcé un an plus tôt, le 23 mai 1927, avait été un cuisant revers dans sa vie.

La fuite vers le sud n'est que l'homologue de la fuite vers la nature sauvage qui avait commencé par son départ pour Arcachon, « aux portes mêmes de cette vie machiniste ». Il paraît clair que l'endroit l'attirait parce qu'il était impossible que la machine y arrivât – « cette langue de terre est isolée du monde parce que le chemin de fer s'est arrêté » – et parce que ses habitants construisaient leurs maisons avec des matériaux de rebut et de leurs mains : « Ils bâtissent un gîte, un abri, au jour le jour, avec des matériaux pauvres trouvés alentour. Ils font cela de leurs mains et sans grande connaissance professionnelle [14]. » Un lieu non encore gâté par la machine. L'héroïne de naguère, celle de *Vers une architecture*, est à présent mise en question. Ce qu'il a pu apprendre d'elle n'a pas été compris par le monde, qui ne lui a pas décerné le prix qu'il souhaitait au concours de Genève. Prendre ses distances avec la machine peut se révéler une bonne thérapie. Retourner vers le monde primitif est un moyen auquel bien des architectes ont souvent eu recours. Mies, par exemple, avait fait de même en 1923.

Au début de 1928, nous ne savons pas si Le Corbusier veut oublier ou aller chercher une autre sorte d'inspiration, mais il est évident que sa peinture subit d'importants changements [15]. Il avait

MARGARET MICHAELIS
Immeuble,
rue de Paris, Barcelone
(architecte G. Rodríguez
Arias), 1934
Barcelone, Arxiu històric del
Col·legi d'Arquitectes
de Catalunya

MARGARET MICHAELIS
Intérieur d'une maison
de week-end
à Garraf (architectes J.L. Sert
et J. Torres Clavé), 1934
Barcelone, Arxiu històric del
Col·legi d'Arquitectes
de Catalunya.

MARGARET MICHAELIS
Escalier de l'immeuble
de la rue Muntaner,
1931
Barcelone, Arxiu històric
del Col·legi d'Arquitectes
de Catalunya

MARGARET MICHAELIS
Intérieur de l'atelier
de José Luís Sert, Barcelone,
1934
Barcelone, Arxiu històric
del Col·legi d'Arquitectes
de Catalunya

516

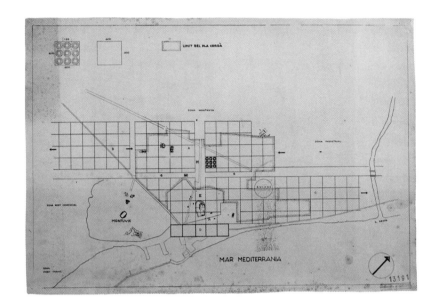

LE CORBUSIER
*Plan Macia, plan d'urbanisme
sur le port*, Barcelone, 1932
Paris, Fondation Le Corbusier

LE CORBUSIER
*Plan Macia, vue en perspective
sur pavillons*, Barcelone, 1932
Paris, Fondation Le Corbusier

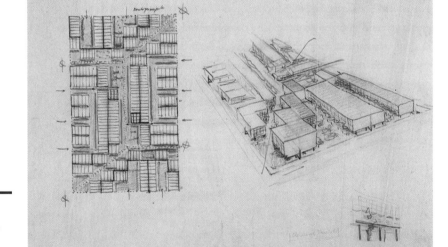

LE CORBUSIER
*Plan Macia, plan schématique
de cité pavillonnaire*,
Barcelone, 1932
Paris, Fondation Le Corbusier

LE CORBUSIER
*Plan Macia, vue en plan
d'implantation des bâtiments*,
Barcelone, 1932
Paris, Fondation Le Corbusier

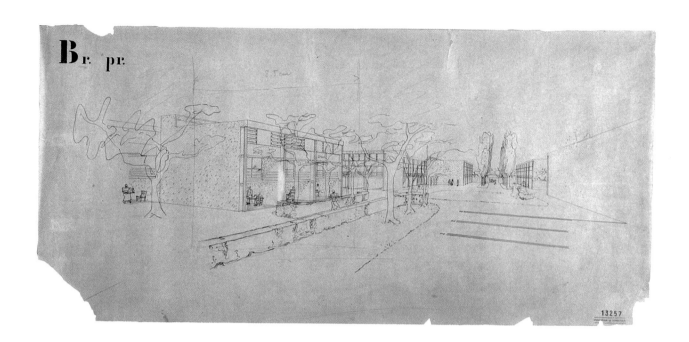

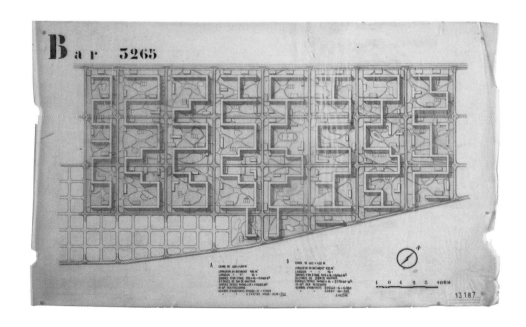

518

Notes

1 En septembre 1968, à Ibiza, au cours d'une conversation avec Sixte Illescas, Joan Prats, Germán Rodríguez Arias et Raimon Torres, José Luis Sert explique : « Nous nous rencontrions et nous parlions ensemble, et enfin Le Corbusier vint, en 1926. Je suis allé à Paris et j'en ai rapporté les ouvrages de Le Corbusier, trois ouvrages. » Propos publiés dans *Cuadernos de Arquitectura y Urbanismo*, n° 140.

2 On trouvera des images des pavillons cités et des analyses critiques dans Yvonne Brunhamer, *1925*, Paris, 1977.

3 La comparaison avec des pâtisseries de nombreux édifices de l'Exposition universelle de Barcelone que l'on trouve dans la presse provient d'un texte de Pere Benavent, un architecte absolument radical : « Mais un beau jour, comme obéissant à un mot d'ordre secret, les braves gens de la Cité paradoxale ont décidé de bâtir tous leurs édifices en pâtisserie. À ce qu'il paraît, on en avait assez de la pierre et des briques et de la chaux et du sable ; et le sucre et la farine et l'amande grillée et le jaune d'œuf sont tout à coup devenus les tout nouveaux matériaux de construction [...] Maisons, maisonnettes et casernes en pâtisserie, jardinets en pâtisserie, palais et maisons bon marché en pâtisserie [...] Et s'emballant sur la pente de cette marotte, la Ville paradoxale parvient à monter toute une exposition qui fut l'apothéose de l'architecture en pâtisserie. », Pere Benavent, *Homes, homents i homenassos*, Barcelone, 1935. Sur Pere Benavent, voir Antonio Pizza et Josep M. Rovira, *La Tradición renovada. Los años treinta en Barcelona*, Barcelone, 1999.

4 Le Corbusier, *Almanach d'architecture moderne*, Paris, Crès et Cie, 1925, p. 134.

5 Josep M. Rovira, *José Luis Sert, 1901-1983*, Barcelone, Electa, 2000, p. 12-13.

6 Dans la bibliothèque de Pere Benavent, licencié en 1923, on trouvait *Urbanisme*. Francesc Folguera, architecte depuis 1917, était plutôt amateur de la production allemande ; sa bibliothèque contenait un grand nombre de livraisons de la revue *Neue Bauformen*. Celle de Ramón Puig Gairalt, qui acheva ses études en 1912, renfermait plusieurs numéros de *L'Esprit nouveau*. Germán Rodríguez Arias, un des membres du « noyau dur » du GATCPAC, termina ses études en 1926,

la même année dont parle Sert, mais nous ne savons pas s'il s'intéressait à ces publications. Grâce à la librairie Martínez Pérez, l'importation d'ouvrages d'architecture moderne était courante à Barcelone ces années-là.

7 Tous les ouvrages publiés jusqu'en 2000 donnaient Sert comme étant né en 1902, date que l'on retrouve même sur une plaque apposée dans la Graduate School of Design de Harvard. Sa véritable année de naissance est 1901. Voir Josep M. Rovira, *op. cit.*, 2000, p. 11 et 42.

8 Une description de ces premiers pas imaginaires de Le Corbusier à Barcelone est donnée par Antonio Pizza dans son article « Maggio 1928 : il arrivo di Le Corbusier a Barcellona », dans Juan José Lahuerta (éd.), *Le Corbusier y España*, Barcelone, 1996, p. 83-93. Voir aussi Josep M. Rovira, *op. cit.*, 2000, p. 13-15.

9 *ABC* parut à Zurich, puis à Bâle de 1924 à 1928. Ses collaborateurs comptaient parmi les membres aux théories les plus extrémistes de l'architecture d'avant-garde de cette époque : Stam, Lissitzky, Schmidt, Artaria, etc. Il en existe une édition en fac-similé (Verlag Lars Müller, 1993).

10 Les écrits de Gasch ont été réunis dans Sebastià Gasch, *Escrits d'art i d'avantguarda 1925-1938*, Barcelone, 1987.

11 On trouvera une étude détaillée sur cette exposition dans Richard Pommer et Christian Otto, *Weisenhof 1927 and the Modern Movement of Architecture*, Chicago/Londres, 1991.

12 Cité dans *Gaudí*, Barcelone, Ed. RM, 1958. La préface de Le Corbusier porte un titre sans ambiguïté : «Rencontre avec l'œuvre de Gaudí». Ses références à son premier voyage à Barcelone, quelque peu contraint et forcé par l'insistance de Sert, comportent une description de leur première rencontre. À ce moment, José Luis Sert était encore étudiant en architecture.

13 Une bonne radiographie du séjour de Le Corbusier à Madrid en 1928 et de l'atmosphère intellectuelle qu'y trouva l'architecte suisse se trouve dans l'article de Miguel Ángel García Hernández, «Mister Le Corbusier», dans Juan José Lahuerta (éd.), *op. cit.*, 1996, p. 39-82.

14 Le Corbusier, *Une maison, un palais*, Paris, 1928, p. 48.

15 Sur le revirement de Le Corbusier en 1928, voir Josep M. Rovira, «Le Corbusier en el concurso del Palacio de la SDN», *3ZU*, n° 1, *Revista d'arquitectura*, Barcelone, 1993, p. 18-35.

16 *Ibid.*

17 Lettre de Le Corbusier à Giovanni Fatio, du 24 octobre 1927, reproduite dans *Le Corbusier à Genève*, Lausanne, 1987, p. 153-154.

18 Les conférences de Le Corbusier sont reproduites dans «Le Corbusier a Barcelona. Primera conferència», *La Veu de Catalunya*, 19 mai 1928 ; et dans «Le Corbusier a Barcelona. Segona lliçò», *La Veu de Catalunya*, 23 mai 1928. Ce n'est peut-être pas un hasard si le journaliste a remplacé le mot conférence par le mot leçon (*lliçò*) dans le second article. Sur l'accueil de Le Corbusier par les intellectuels barcelonais conservateurs de l'époque, voir Juan José Lahuerta, «Le Corbusier en Barcelona. Un artículo en *La Veu de Catalunya*», dans *La Tradiciò moderna*, Gérone, 1995 ; Rafael Benet, «Fent coneixença amb Le Corbusier», *La Veu de Catalunya*, 21 mai 1928 ; Josef Francesc Ràfols, «Le Corbusier», *Arts i Bells Oficis*, juillet 1928 ; Nicolau Rubió i Tudurí, «Enfront Le Corbusier», *La Nova Revista*, juin 1928.

19 Fondation Le Corbusier, R 03177.

20 La presse barcelonaise a abondamment commenté le contenu de l'exposition, qui se tint du 13 au 27 avril 1929 à la galerie Dalmau (62, Passeig de Gracia, Barcelone). Voir Rafael Benet, «La nova arquitectura a Barcelona», *Gaseta de les Arts*, n° 9, mai 1929 ; et du même auteur, sous le pseudonyme de Baiarola, trois articles dans *La Veu de Catalunya*, des 18, 19 et 24 avril 1929. Sebastià Gasch rendit compte avec enthousiasme de cette manifestation dans son article «Vida artística. Arquitectura nova», *La Veu de Catalunya*, 17 avril 1929.

21 Fondation Le Corbusier, Cahier noir.

22 On trouvera une description de ces œuvres dans Josep M. Rovira, *op. cit.*, 2000, p. 31-42.

23 Le GATCPAC conserve une abondante documentation qu'il serait trop long de reproduire ici. Le meilleur commentaire « objectif » se trouve dans la revue *Cuadernos de Arquitectura y Urbanismo*, Barcelone, nᵒˢ 90 et 94, 1972.

24 La revue *A.C.* (*Arquitectura Contemporánea*) – organe du GATCPAC – était sous-titrée « *Documentos de actividad contemporánea* » (Documents d'activité contemporaine), sous-titre à coup sûr inspiré de celui de la première revue de Le Corbusier *L'Esprit nouveau*, qui était « Revue internationale illustrée de l'activité contemporaine ». Le format et la typographie d'*A.C.* – dont vingt-cinq numéros parurent de 1931 à 1937 – étaient repris de la revue allemande *Das Neue Frankfurt*.

25 Sur les possibilités de réalisation des idées de Le Corbusier et de Sert à l'époque de la République, voir l'article d'Enric Ucelay-Da-Cal, « Le Corbusier i les rivalitats tecnocràtiques a la Catalunya revolucionaria », dans Juan José Lahuerta (éd.), *op. cit.*, 1997, p. 121-188.

26 Le Corbusier, *La Ville radieuse*, Paris, 1935, p. 305.

27 Voir une lecture de ces écrits dans Josep M. Rovira, *op. cit.*, 2000, p. 56-61.

28 Dans une lettre à Giedion datée du 9 novembre 1933, Sert écrit : « Je serais *(sic)* à Paris le vendredi 24, je serais *(sic)* bien content de voir Gropius la bas *(sic)*. » (Archives du GATCPAC, C 10/65).

29 *A.C.*, n° 20, 4ᵉ trimestre 1935.

30 Josep M. Rovira, *op. cit.*, 2000, p. 79-83.

31 Le contenu du pavillon des Temps modernes et l'apport intérieur de José Luis Sert sont étudiés dans Le Corbusier, *Des canons ? Des munitions ? Merci, des logis… S.V.P.*, Paris, 1937.

32 José Luis Sert, « Cas d'application : villes », *Logis et loisirs. 5ᵉ Congrès CIAM*, Paris, 1937, p. 32-41.

Revue A.C. n°8 (1932), n°11 (1933), n°13 (1934), n°14 (1934), et n°19 (1935) de la revue A.C Barcelone, Arxiu històric del Col·legi d'Arquitectes de Catalunya

MARGARET MICHAELIS
Intérieur d'une maison
de week-end
à Garraf (architectes J.L. Sert
et J. Torres Clavé), 1934
Barcelone, Arxiu històric
del Col·legi d'Arquitectes
de Catalunya

L'INFLUENCE DU STYLE ART DÉCO

DANS LES ARTS DÉCORATIFS

On a localisé au «Foment del Treball» de Barcelone quelques exemplaires d'adaptation fidèle de ses projets. Son célèbre meuble auxiliaire, en bois d'Amboine avec des incrustations d'ivoire et d'ébène de Macassar, datant de 1916, servait d'illustration à l'annonce commerciale de l'atelier d'ébénisterie de F. Giménez de Barcelone. Comme un manuscrit inédit de Josep Mainar le corrobore, les membres du FAD allèrent visiter l'atelier de Ruhlmann à Paris en juin 1933.

12 Soulignons quelques meubles de Josep Torres Clavé. Concrètement, il existe une table et une chaise en bois de chêne dessinées par cet architecte, qui sont une interprétation de projets de Süe et Mare, de la Compagnie des arts français, pour la maison du couturier Jean Patou.

13 Voir «La evolución interior en los últimos 50 años (1880-1930)», A.C., Documentos de actividad contemporánea, Barcelone, n° 19, 3e trimestre 1935 : «En 1925, l'Exposition des arts décoratifs de Paris change à nouveau la mode et la décoration des intérieurs. Les larges surfaces lisses de bois, d'une grande qualité et le plus veiné possible, remplacent les découpes compliquées des époques précédentes.

On ajoute des éléments de métal chromé ou de bronze pour décorer ces meubles lourds et peu pratiques. L'éclairage indirect est une autre particularité de cette mode ; on cache les lampes dans les grandes corniches ou les piliers décorés comme si elles étaient un élément nécessaire mais inesthétique.

On n'abandonne pas les motifs décoratifs ; on essaye seulement de les rénover. Le style 1925 est le style préféré par les nouveaux riches de l'après-guerre, quand ils se décident à être modernes. Conceptuellement, il n'obéit à aucune révolution de l'intérieur du logement ou de son organisation ; il est pauvre dans la création de formes nouvelles et dans l'emploi de nouveaux matériaux. Les interprétations provinciales et bon marché de ces meubles "style 1925" sont assez affligeantes ; nous les trouvons dans tous les catalogues des décorateurs, sous la rubrique "salle à manger, chambre ou bureau modernes" où elles occupent une page de plus à côté du Louis XV, du Chippendale ou du style Renaissance. Le "style 1925" continue à dépérir et dans beaucoup de villes provinciales, c'est encore la dernière mode. »

14 Bien qu'ils ne soient pas identifiés, nous attribuons certains de ces intérieurs présentés à Ramon Rigol.

15 Le 3 juillet 1935, Sixte Illescas manifestait son intention de ne plus collaborer avec le GATCPAC : «Certaines des critiques sont plus appropriées pour une revue humoristique et d'autres insultent quelques-uns de nos camarades, et qu'il soit clair que je ne suis pas le seul à débattre de cette question. » (Fonds GATCPAC, Archives du COAC).

16 Rafael Benet, «Cròniques d'art de París», La Veu de Catalunya, Barcelone, 23 août 1923, p. 5.

17 L'appellation n'a été adoptée que pendant les années soixante. La décennie précédente, alors qu'il y avait une reconnaissance historique de l'art nouveau, des chercheurs de divers pays commencèrent à s'occuper des manifestations artistiques de l'entre-deux-guerres. Le terme «art déco» apparut pour la première fois en 1966 lors de l'exposition rétrospective «Les Années 25», qui commémorait l'Exposition internationale des arts décoratifs et industries modernes de Paris dont dérive l'appellation. Depuis, les expositions et les publications sur le style art déco ont proliféré et en ont fait un phénomène amplement étudié partout. La vaste et copieuse bibliographie sur le sujet (il faut souligner les contributions de Brunhammer, Veronesi, Hillier, Bossaglia ou Porthogesi) contraste avec la faible présence d'études dans le domaine de l'art catalan.

18 El Matí, Terrassa, 21 janvier 1930.

FIG. **RAMON SARSANEDAS**
Objets en laque, vers 1930
photographie Joseph Sala

LA SCULPTURE MODERNE EN FER

PABLO GARGALLO
Arlequin à la flûte, 1931
Paris, Centre Georges
Pompidou, Musée national
d'art moderne, en dépôt
au musée des Années 30
(Boulogne-Billancourt)

TOMÀS LLORENS

PARIS, BARCELONE ET L'ESSOR DE LA SCULPTURE MODERNE EN FER

Au cours des années cinquante et soixante, la sculpture abstraite en fer était considérée par un nombre important de spécialistes comme la tendance la plus caractéristique de la sculpture moderne. Sa réception critique, qui avait pris naissance au moment de la collaboration de Pablo Picasso avec Julio González en 1928-1932, et n'avait cessé de croître jusqu'à la disparition de David Smith en 1965, atteignait alors son point culminant. Les arguments spécifiques avancés à l'époque en faveur de la sculpture en fer étaient en rapport étroit avec les arguments génériques avancés pour soutenir le mouvement moderne dans les autres disciplines artistiques, notamment la peinture et l'architecture. L'argumentation se fondait sur deux notions principales : la nouveauté du matériau et la nouveauté de la conception spatiale. Notions inspirées par un historicisme déterministe qui tenait le triomphe de l'art moderne pour un processus historique inéluctable.

Lier la nouveauté des formes de la sculpture moderne à la nouveauté du fer comme matériau revenait en effet à asseoir son apparition et son essor sur la valeur de l'innovation technologique, domaine dans lequel l'alliance entre modernité et progrès semblait indiscutable. En portant le raisonnement sur le terrain des formes, on alléguait que grâce à ses qualités physiques de résistance et de poids spécifique, le fer permettait la création d'un vocabulaire sculptural dans lequel une nouvelle conception dynamique de l'espace se substituait à l'ancienne opposition statique, propre à la sculpture traditionnelle, entre statue et environnement. La révolution technologique allait ainsi de pair avec une révolution de la sensibilité et conditionnait, par le truchement des formes artistiques, les niveaux supérieurs de l'imagination, de la pensée et de la moralité, autrement dit, en fin de compte, la culture considérée comme un tout organique.

Un exemple illustrant de façon éloquente cette thèse, en particulier en ce qui concerne le déterminisme iconologique, se trouve dans le petit ouvrage de Carola Giedion-Welcker

publié pour la première fois à Zurich en 1937, *La Sculpture moderne*. Cette œuvre allait exercer une longue et considérable influence au cours de l'après-guerre grâce à ses deuxième et troisième éditions, publiées respectivement en 1955 (à Zurich et New York) et 1960 (à New York). L'apologie qu'y fait son auteur de la sculpture moderne présente beaucoup de points communs avec celle que son mari, Siegfried Giedion, fait de l'architecture moderne dans *Space, Time and Architecture*. Tous deux insistent sur le rôle fondamental qu'il convient d'attribuer à la technologie dans l'apparition du mouvement moderne et ajoutent à cette détermination matérielle une détermination formelle ou cognitive d'ascendance kantienne : la genèse d'une nouvelle conception de l'espace.

On trouve un autre exemple allant dans le même sens dans un article de David Smith sur Julio González publié en 1956 dans *Art News*, qui joua un rôle capital dans le succès du sculpteur catalan auprès de la critique. David Smith, tout comme Carola Giedion-Welcker, affirme que Julio González est l'un des pionniers de la sculpture moderne et qu'il l'est précisément parce qu'il a eu recours au fer. L'un et l'autre en trouvent un exemple privilégié dans la période de son travail qui s'étend approximativement entre 1928 et 1943, en accordant la préférence à l'étape allant d'environ 1930 à 1932, c'est-à-dire au moment où González « invente » un nouveau langage sculptural fondé sur l'assemblage de plaques et de tiges de fer soudées qui réduisent les volumes et les masses formelles abstraites à des jeux de lignes et de plans. Carola Giedion-Welcker insiste sur les qualités formelles abstraites de ce langage inédit dans lequel elle trouve une confirmation de la nouvelle conception dynamique de l'espace mise en œuvre pour la première fois par les frères Gabo-Pevsner dans leur sculpture constructiviste. En revanche, David Smith met l'accent, quant à lui, sur les qualités matérielles de la sculpture de González sur la spécificité du fer et sur les conditions techniques dérivant de son traitement. Il estime surtout que les résultats

MANOLO
Pendentif
vers 1903-1907
Barcelone, Museu Nacional
d'Art de Catalunya
(Barcelone seulement)

FIG. **JULIO GONZÁLEZ**
Bague, vers 1914-1925
Barcelone, Museu Nacional
d'Art de Catalunya

MANOLO
Boucle de ceinture,
vers 1903-1907
Barcelone, Museu Nacional
d'Art de Catalunya
(Barcelone seulement)

FIG. **JULIO GONZÁLEZ**
Bague, vers 1914-1925
Barcelone, Museu Nacional
d'Art de Catalunya

formels de sa sculpture constituent la conséquence directe du processus même de sa création artistique et ne sont pas prédéterminés par des images ou des idées esthétiques préconçues. Il est aisé de le constater, cette interprétation de Smith répond au désir de corroborer des valeurs et des positions partagées par la génération de l'expressionnisme abstrait.

Ce qui en tout cas est sûr, c'est que, inspirés par le désir d'interpréter l'œuvre de Julio González, exemple privilégié de la sculpture en fer, à la lumière des tendances artistiques qui allaient triompher dans les années cinquante et soixante, Giedion-Welcker aussi bien que Smith négligent le long processus qui l'a fait naître : ses racines plongeant dans le modernisme catalan et sa concomitance avec le noucentisme, son parallélisme, au cours des années vingt, avec l'essor de la sculpture de Pablo Gargallo et, enfin, sa deuxième et décisive rencontre avec Pablo Picasso en 1928.

Les racines «modernistes» catalanes de la sculpture de Julio González ont été traditionnellement reconnues dans la bibliographie de l'artiste. Josephine Withers leur consacre un long passage dans sa monographie [1] et Margit Rowell a tenu à inclure, dans son exposition rétrospective de González, quelques exemples particulièrement remarquables des pièces d'orfèvrerie réalisées par l'artiste dans sa jeunesse [2]. Voir en Julio González un héritier du riche contexte culturel et artistique barcelonais du tournant entre le XIXᵉ et le XXᵉ siècle, voilà qui paraît relever d'une interprétation historiographique féconde rendant notamment compte de la facilité de ses échanges artistiques avec Pablo Gargallo et Pablo Picasso, deux artistes formés dans le même contexte culturel. À un niveau plus élevé – mais aussi moins précis –, sa formation dans la Barcelone d'Antoni Gaudí peut aider à comprendre l'origine de certains des traits plus personnels qui distinguent son œuvre de la maturité, entre autres, son « gothicisme » structurel.

Aucune de ces deux notions sur lesquelles repose l'argumentation n'a pourtant été explicitement développée dans la bibliographie consacrée à González. Les remarques le plus souvent répétées, lorsqu'on évoque sa jeunesse catalane, concernent sa formation dans l'atelier de ferronnerie d'art que son père, Concordio González, dirigeait à Barcelone. De cette expérience, on fait dériver deux corollaires importants pour son avenir d'inventeur de la sculpture en fer, l'un concret et l'autre de caractère plus général. Le premier concerne la technique : Julio González aurait appris, dès sa jeunesse, les secrets du traitement artisanal du fer comme héritage d'un métier remontant à des temps immémoriaux. Le second : sa formation d'artisan l'aurait poussé à considérer l'art et l'artisanat comme un seul et même domaine de la créativité humaine, sans qu'il existe des frontières bien précises entre l'un et l'autre.

Ces deux lieux communs traditionnels de la bibliographie de González demandent à être nuancés à la lumière de nos connaissances actuelles. En premier lieu, il faut le dire, les anté-

cédents de l'atelier de ferronnerie de la famille González ne sont pas à rechercher dans une forge et ne sont pas catalans. Le grand-père de Julio González, Antonio, était un orfèvre galicien émigré à Barcelone, où il s'était marié et où était né Concordio, le père du futur sculpteur. Le métier de Concordio González, tel qu'on le trouve mentionné dans les documents officiels est aussi celui d'orfèvre. L'atelier familial, où travaillèrent dès leur enfance Julio González et son frère Joan, situé au n° 6 de la Rambla de Cataluña, est généralement désigné sous le nom d'«atelier de ferronnerie d'art [3]». Il est vrai, et bien des témoignages et des documents de l'époque le prouvent, que le plus grand nombre des pièces sorties de l'atelier González ont été réalisées en fer. Il faut se garder de voir là le fruit d'une prétendue tradition artisanale, mais bien plutôt l'effet d'une mode culturelle tirant ses origines de la reviviscence néomédiévale qui, à Barcelone, imprègne l'architecture et l'ornementation au cours des deux dernières décennies du XIXᵉ siècle. Aujourd'hui encore, une simple promenade dans cette ville permet de constater que l'immense majorité des éléments métalliques visibles antérieurs à la période citée ne sont pas en fer forgé, mais en fonte de fabrication industrielle, et sont souvent importés de France. D'autre part, les rares objets artisanaux créés par Concordio González ou par ses fils dans l'atelier familial avant 1900, et qui nous sont parvenus, quoique le plus souvent réalisés en alliages de fer, témoignent de techniques artisanales certes d'un haut degré de perfection, mais qui ne sont pas spécifiques du traitement du fer (en premier lieu, la forge) et relèvent plutôt de l'orfèvrerie de métaux précieux ou semi-précieux (notamment, le repoussage).

Que dire de la tendance à ranger art et artisanat dans une seule et même catégorie de la création ? Il s'agit là sans doute d'une doctrine propre à certains mouvements européens de la fin du XIXᵉ siècle qui exercèrent une notable influence stylistique sur le modernisme catalan, ce qui ne veut pas dire qu'elle eut beaucoup d'adeptes dans ce dernier domaine. Pour être plus précis : la composante Arts and Crafts que l'on trouve dans l'art nouveau ou dans la Sezession viennoise parvient plutôt amortie jusqu'au modernisme catalan. Ainsi, Santiago Rusiñol rassembla-t-il une importante collection de fers forgés de diverses époques historiques, mais il ne pratiqua jamais lui-même le métier de forgeron, ni un quelconque métier artisanal. Pas plus qu'aucun des peintres qu'on peut ranger sous la bannière du modernisme, de Ramon Casas au jeune Pablo Picasso. Il faut certes nuancer cette remarque lorsque l'on parle de sculpture, discipline que son caractère technique même éloigne des pratiques du marché, en la rendant plus dépendante des commandes liées à l'architecture ou à des programmes d'ornementation urbaine, et pour autant plus perméable aux arts décoratifs et appliqués. Ce rapprochement de l'art et du métier d'artisan eut-il quelque incidence sur l'œuvre de jeunesse de Julio González ou de Pablo Gargallo et plus tard ? La réponse à cette question est complexe.

On a affirmé, par exemple, que Concordio González reçut ou put recevoir des commandes à l'origine desquelles se trouvaient les nombreuses et importantes grilles de toutes sortes des édifices d'Antoni Gaudí. Mais les documents et témoignages conservés concernant les œuvres de Gaudí sont assez détaillés, et on n'y trouve nulle mention de l'atelier González. D'autre part, les exemples aujourd'hui connus de la production des González ne peuvent, eux non plus, étayer cette thèse, ni du point de vue stylistique – ils sont en général plus historicistes qu'art nouveau –, ni du point de vue de la technique matérielle – leurs procédés relevant plutôt de l'orfèvrerie, comme on l'a dit, que de la fabrication de grilles ou de la ferronnerie d'art.

Il n'est pas inutile de rappeler que la tradition familiale du milieu de Julio González, telle que la retrace abondamment la bibliographie de l'artiste, établit une rupture plutôt radicale entre l'atelier du père et la future carrière artistique des fils. Le premier étant mort en 1896, Julio et son frère aîné Joan décident en 1900 de vendre l'atelier pour aller s'installer à Paris et y faire une carrière de peintres. Projet qu'ils mirent effectivement à exécution la même année, encore que le désir des frères González de devenir peintres ne se réalisa jamais. Tout semble en effet porter à croire que l'orfèvrerie ou les commandes d'objets décoratifs furent leur principale source de revenus, mais il serait abusif de voir dans ce fait résultant de nécessités matérielles la démonstration d'une défense de la thèse de la continuité entre art et artisanat de la part de Joan ou de Julio González.

J'ai traité ailleurs [4] en détail de l'œuvre d'orfèvre de Julio González, dans laquelle j'ai distingué six périodes. Des deux premières – Barcelone, 1892-1900, et Paris, 1900-1908 –, très peu de créations nous sont parvenues, et nous n'en savons pas grand-chose. La plus significative est la troisième, qui commence à la mort de Joan González en 1908, événement qui fit de Julio le nouveau chef de famille ayant deux sœurs à charge. Au cours de cette période – probablement entre 1913 et 1915, mais les dates ne sont pas documentées et varient selon les témoignages que nous possédons –, il put ouvrir, boulevard du Montparnasse, une boutique d'objets artisanaux, surtout de l'orfèvrerie et des émaux. C'est là, à mon sens, la seule période au cours de laquelle nous pouvons penser qu'art et artisanat étaient proches dans l'esprit de Julio González. Il est significatif, par exemple, qu'il ait pris part au Salon d'automne en s'inscrivant – en 1913 et 1914 – comme peintre et « aussi » comme orfèvre.

L'influence la plus significative reçue par Julio González au cours de cette phase de sa carrière tire son origine de sa fréquentation de Francisco Durrio, sculpteur artisan basque dont il avait fait la connaissance dès 1901, probablement grâce à Picasso. C'est sans doute Durrio, ami et collectionneur de Gauguin et une des figures clés de la diffusion précoce de l'œuvre de ce dernier, et qui la fait connaître à González et à Picasso, qui les introduisit alors dans les milieux artistiques du symbolisme. La collaboration de Durrio avec Julio González – documentée en 1908 –, pour l'exécution de quelques commandes de sculptures et de travaux décoratifs, est à coup sûr placée sous le signe de la croyance des symbolistes en la valeur de l'ornementation et du travail artisanal pré-industriel comme antidotes à la décadence esthétique du goût de la bourgeoisie. Ainsi s'explique, bien que Julio González eût rompu ses relations avec Picasso en 1908 – ou peut-être plus tôt –, que les œuvres qu'il produisit dans la période qui s'étend jusqu'à la fin de la guerre, en 1918, illustrent une attitude envers la sculpture assez voisine de celle que peut révéler l'œuvre sculpté de Picasso antérieur au cubisme. Auguste Rodin et Aristide Maillol sont ses influences obligées, mais l'héritage de Paul Gauguin est de plus en plus présent. Pour la future collaboration entre Julio González et Pablo Picasso à la fin des années vingt, cet apprentissage commun, dans les milieux du symbolisme tardif du Paris de la première décennie du XXᵉ siècle, constituera un précédent plus important et plus décisif que leur amitié de jeunesse à Barcelone.

C'est également l'imprégnation symboliste qui rend compte de la proximité avec le noucentisme catalan de l'œuvre réalisé par Julio González pendant la deuxième décennie du siècle. Il s'agit là d'un fait significatif pour notre argumentation, car c'est dans le noucentisme que nous trouvons la conviction que la création plastique est dominée par un principe d'unité profonde qui en englobe toutes les catégories, de l'architecture aux arts appliqués, en passant par la sculpture et la peinture. Il me paraît hors de doute qu'une telle attitude contribua puissamment à rendre réalisable le pari que Julio González devait engager au cours de la décennie suivante sur la sculpture en fer. Ainsi, une phase de sa formation artistique habituellement placée sous le signe du « rappel à l'ordre », par opposition au développement « avant-gardiste » postérieur, peut en fin de compte être comprise dans son rôle précurseur et moteur.

Il faut cependant reconnaître qu'au cours des années vingt, Julio González tend à rétablir dans son travail, à de rares exceptions près [5], une nette distinction entre l'art proprement dit et les arts appliqués. En témoignent ses envois au Salon d'automne et au Salon des indépendants, auxquels il cesse très tôt de s'inscrire comme orfèvre. Voilà, semble-t-il, une conséquence logique du fait qu'il se consacre de plus en plus intensément à la sculpture. Enfin, au cours des années trente, il sépare définitivement son activité de sculpteur de celle d'orfèvre, bien que cette dernière constitue toujours sa principale source de revenus, quasiment la seule, jusqu'à sa mort.

Cependant, lorsque Julio González réfléchit, au cours de ses dernières années de plénitude, sur le sens de sa révolution sculpturale et sur le rôle capital qu'y joue le matériau, il parlera du fer en termes quasi anthropologiques, revendiquant une ancienne tradition artisanale : « L'âge du fer a commencé il y a maintenant bien des siècles et il a produit – malheureusement – des armes, dont certaines très belles. Aujourd'hui, il rend réalisable la construction du chemin de fer. Il est temps que ce métal cesse de servir à tuer et soit l'instrument d'une science mécaniciste. La voie est ouverte pour que ce matériau puisse être, enfin, forgé et martelé par les mains pacifiques des artistes [6]. » Il faut à coup sûr entendre ces mots en termes doctrinaux plutôt qu'à la lettre [7]. Si cette doctrine devait permettre à Julio González de se rattacher à ce qui allait devenir le courant le plus important du mouvement moderne au cours de l'après-guerre, le sens qu'elle avait pour lui devient clair dès qu'on prend en compte la complexe variété de ses sources, depuis le lointain modernisme de la Barcelone de sa jeunesse, jusqu'aux influences plus proches et plus déterminantes qu'il reçut de sa participation à la vie artistique et culturelle parisienne dès le début du XXᵉ siècle.

PABLO GARGALLO
Torse de femme, 1915
Issy-les-Moulineaux, collection
Jean Anguera

PABLO GARGALLO
Grande danseuse, 1929
Barcelone, Museu Nacional
d'Art de Catalunya

Bien que Pablo Gargallo eût tendance à maintenir une nette distinction entre sculpture et artisanat, la contamination entre l'une et l'autre est, en ce qui le concerne, bien plus importante. Contrairement à Julio González, qui ne vécut jamais de la sculpture, Pablo Gargallo, de cinq ans son cadet, reçut dès sa jeunesse des commandes publiques. La première et la plus déterminante, en 1900, fut celle de la décoration de l'hôpital San Pau, œuvre de l'architecte Lluis Domènech i Montaner, l'un des plus remarquables édifices du modernisme à Barcelone.

Pablo Gargallo travailla principalement à Barcelone. Pourtant, il tenta à plusieurs reprises de se frayer un chemin comme artiste à Paris, où il fit plusieurs séjours à partir de 1903, encore que le voyage le plus important pour sa carrière de créateur n'eût lieu qu'en 1924. C'est à partir de ce moment qu'il élargit assidûment son vocabulaire de sculpteur de métaux. Néanmoins, les œuvres que Gargallo réalisa au cours des années vingt avaient des antécédents significatifs dans la décennie précédente. Nous voulons parler d'une série de sculptures de format en général réduit, exécutées au moyen de fines plaques de métal que l'artiste repoussait, découpait et assemblait. La plus ancienne est un masque de huit centimètres à peine datant de 1907 ; il faudra attendre l'année 1912 pour que soit créée la deuxième. Le sculpteur les exposa pour la première fois en 1916 à Barcelone, mais il semble pourtant que certaines de ces pièces avaient été auparavant vendues à Paris, précisément dans la boutique d'artisanat de Julio González. À Barcelone, Pablo Gargallo organisa deux expositions, respectivement aux Galeries Laietanes et à la joaillerie Valentí. La plupart de ces sculptures en métal firent partie de cette deuxième exposition. Il est malaisé, lorsqu'on étudie ces œuvres, de dire s'il s'agit de pièces d'orfèvrerie ou d'œuvres d'art. Peut-être conviendrait-il de conclure que la question elle-même est dépourvue de sens. Pablo Gargallo, adopte à cette époque, comme Francisco Durrio et d'une manière différente, comme Julio González et Manolo Hugué, cherchent justement à unir art et artisanat.

Le plein essor de la sculpture en métal de Pablo Gargallo se situe entre 1924 – année de son installation définitive à Paris – et 1934 – année de son décès. S'il fallait en distinguer une pièce clé, à partir de laquelle il aurait atteint sa maturité, on choisirait *La Petite Danseuse*, dont il existe trois versions, la première datée de 1925 et les deux autres de 1927. Cette œuvre nous permet de ranger Gargallo parmi les sculpteurs qui, au cours de cette première phase du mouvement moderne, concourent à la création d'un langage de volumes dématérialisés, fondé sur un jeu de plans, de lignes et d'espaces ouverts. Dans ce groupe d'artistes travaillant à Paris, au nombre desquels se trouvent Jacques Lipchitz – dont les petites sculptures en bronze fondu dites « transparentes », datent également de 1925 –, Henri Laurens – qui cependant revient ces années-là à une sculpture de masses compactes –, Ossip Zadkine et Alexandre Archipenko, la sculpture de Pablo Gargallo parle de sa propre et particulière voix. Et cela, en raison de deux caractéristiques spécifiques : son haut degré de dématérialisation et l'éloquence de son ornementation. Il est aisé de voir dans ces caractéristiques les lointains échos de la formation reçue dans sa jeunesse par l'artiste au sein du modernisme barcelonais.

La dématérialisation de la sculpture de Pablo Gargallo dépend, du point de vue technique, de la mise en œuvre de matériaux métalliques. Dans la sculpture métallique de son étape parisienne [8], Gargallo a systématiquement recours à un langage bien plus souple et bien plus vigoureux que celui des petites sculptures repoussées de la décennie antérieure. Pour cela, il lui faut trouver une solution à une série de problèmes techniques liés entre eux. En premier lieu, celui de la résistance des membres structuraux, pour lesquels il utilise, de plus en plus fréquemment, le fer en plaques épaisses. Ensuite, un traitement analytique, au moyen de maquettes préparatoires en carton, qui lui permet de travailler séparément, les pièces de la sculpture avant de les assembler : cette méthode lui permet d'exécuter diverses variantes d'une même figure. Enfin, une technique d'assemblage suffisamment maniable et solide, celle de la soudure autogène, qu'il tient de Julio González, lequel l'avait lui-même apprise en 1918 lorsqu'il travaillait comme ouvrier dans une entreprise industrielle.

Dans les années trente, la sculpture de Pablo Gargallo gagne progressivement en complexité technique et en monumentalité ce qu'elle perd en légèreté et en valeur ornementale. *Le Grand Arlequin* de 1931 est un bon exemple de l'évolution qui le conduit, malgré un registre plus ou moins contaminé par l'«art déco», vers un autre où l'on décèle des influences «surréalistes» — si l'on pense aux figures daliniennes de ces années-là, très vite imitées par ses adeptes. Cette évolution l'amène également à choisir des formes de plus en plus lourdes, pour aboutir au paradoxe du *Grand Prophète* de 1933. L'œuvre que Gargallo lui-même considérait comme le couronnement de sa carrière, bien qu'elle réponde encore au langage des sculptures en métal, fut exécuté en plâtre pour être coulé — après sa mort — dans le bronze qui lui était destiné à titre de matériau définitif.

Cependant, même dans les œuvres que Gargallo exécute au cours de ces dernières années, on peut sentir palpiter, encore vivant après tant de temps, quoique profondément transformé, l'esprit du modernisme catalan. Cette survivance est à coup sûr la différence la plus importante distinguant la sculpture de Pablo Gargallo qui demeure en fin de compte ancrée — quoique de loin — dans le passé, de celle de Julio González qui annonce, au cours des années trente, les voies dans lesquelles s'engagera la sculpture moderne dans la seconde après-guerre.

JULIO GONZÁLEZ
Femme se coiffant I,
vers 1931
Paris, Centre Georges
Pompidou, Musée
national d'art moderne, don
de Roberta González (1953)

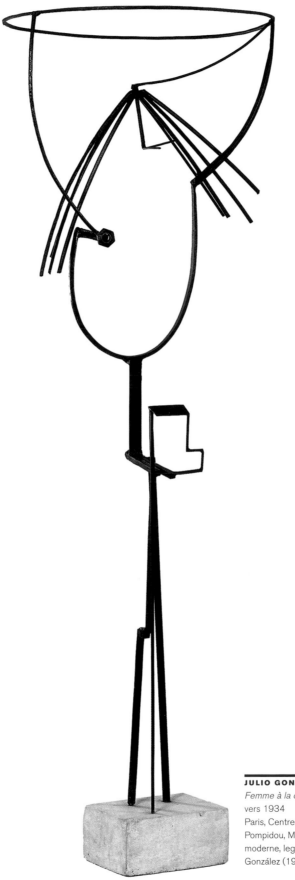

JULIO GONZÁLEZ
Femme à la corbeille,
vers 1934
Paris, Centre Georges
Pompidou, Musée national d'art
moderne, legs Roberta
González (1979)

Si nous nous demandions s'il existe un facteur décisif dans la différence d'intensité moderne que l'on relève entre Gargallo et González, la réponse serait certainement que le premier avait répudié et le second accepté l'expérience cubiste et ses conséquences pour la sculpture. Une telle réponse demande néanmoins à être nuancée, car González aborda la problématique cubiste très tardivement (après l'avoir longtemps ignorée, alors que le cubisme était encore vivant) tout au long de la deuxième décennie du XXᵉ siècle et du début de la troisième.

Pour expliquer cette anomalie dans l'évolution artistique de González, on en appelle à l'influence de Picasso. Les deux amis de jeunesse, après la dispute et la rupture de 1908, s'étaient réconciliés en 1921-1922[9]. Peu après, stimulé par la commande d'un monument à la mémoire d'Apollinaire, Picasso commence à penser de plus en plus souvent à la sculpture. L'une des voies qu'il imagine est celle d'une sculpture dématérialisée et transparente, pour l'exécution de laquelle il a besoin du concours technique de González. La collaboration entre les deux artistes, qui s'étend de 1928 à 1932, a pour résultat un groupe d'œuvres réalisées en fer forgé constituant un ensemble marqué par la personnalité de Picasso mais différent des sculptures antérieures. Après la fin de leur collaboration en 1932, Picasso continuera à exécuter de temps à autre des sculptures en fer forgé, toujours de petit format, et au moyen d'un langage formel très différent, fondé sur des formes organiques massives, destinées à être coulées dans le bronze. Dans l'œuvre de Julio González, en revanche, la collaboration avec Picasso va de pair avec une transformation en profondeur dont les effets se feront sentir dans les sculptures qu'il créera jusqu'à la fin de sa vie en 1942.

L'épisode de leur collaboration avait traditionnellement été négligé dans la bibliographie du milieu du XXᵉ siècle, en laquelle prévalait la vision d'un González créateur, pour ainsi dire en solitaire, de la sculpture moderne en fer. L'une des raisons de cette négligence résidait probablement dans la diffusion limitée de la sculpture de Picasso à cette époque. Avec le temps, cette situation a changé. Le renom de Pablo Picasso comme artiste capital du XXᵉ siècle n'a cessé de croître depuis sa mort en 1973, et les nombreuses sculptures qu'il avait conservées par-devers lui ont pu être connues, étudiées et reproduites dans d'innombrables publications, expositions et ventes. Simultanément, la sculpture en fer, considérée comme le fruit du mouvement moderne, a cessé d'être au premier plan de l'attention des critiques, comme du marché, pour entrer dans le domaine, plus discret, de l'Histoire. Il est curieux qu'un tel processus, qui a entraîné un léger déclin de la fortune de Julio González auprès de la critique, ait coïncidé avec la revendication, de la part des spécialistes de Picasso, de «véritable inventeur» de la sculpture moderne en fer.

Les études de ces dernières années sur la collaboration entre Picasso et González sont nombreuses, mais à courte vue, car elles sont axées sur ses résultats directs, et ses précédents immédiats dans l'œuvre picassienne des années vingt. Elles négligent non seulement le contexte historique de la dématérialisation de la sculpture après l'impact du cubisme, de Laurens et de Lipchitz aux avant-gardistes russes, mais aussi, ce qui s'explique plus difficilement, l'œuvre contemporaine de González lui-même.

Rétablir l'équilibre historiographique dans la vision de ce moment crucial pour l'essor de la sculpture moderne est une tâche qui dépasse les limites de cette étude. Je ne voudrais cependant pas la conclure sans présenter, fût-ce schématiquement, quelques remarques qui me paraissent pertinentes dans ce contexte.

En premier lieu, il convient de considérer nombre d'œuvres qui sont le fruit de la collaboration entre Pablo Picasso et Julio González. Il est difficile d'en déterminer la quantité exacte, car il est complexe de tracer une frontière précise entre la collaboration créative et ce qui serait une simple exécution technique. Mais cela concerne tout au plus de six à douze sculptures. Par comparaison avec l'ensemble de la production réalisée par Picasso entre 1928 et 1932, il s'agit à l'évidence d'un nombre très réduit.

Si l'on considère d'autre part l'œuvre de González, le catalogue de John Merkert [10] recense pour cette période quelque soixante-quinze sculptures – du n° 57 au n° 132 –, nombre nécessairement imprécis compte tenu de la date incertaine de quelques-unes d'entre elles. Il est évident que la collaboration entre les deux artistes de 1928 à 1932 n'a occupé qu'une faible part du temps de travail de Julio González, et une part plus faible encore de celui de Pablo Picasso.

Si après la quantité on se penche sur la qualité, les choses apparaissent sous un jour quelque peu différent. Il ne fait aucun doute que l'impact sur Julio González de son rapprochement avec l'univers créatif de Pablo Picasso fut très fort. Mais pour le comprendre, il faut en rétablir le contexte, car ce n'était pas la première fois que les deux artistes se rencontraient et ils n'opéraient pas dans une lointaine galaxie, à l'écart du reste du monde. Si l'effet de cette collaboration fut, comme on pouvait s'y attendre, bien moindre dans le cas de Picasso, on n'en retrouve pas moins des traces dans ses œuvres postérieures ; certaines explicitement reconnues comme souvenirs ou hommages, ainsi des célèbres *Natures mortes au crâne de bœuf* peintes en 1942, après la mort de Gonzalez, et dans lesquelles on peut relever quelques traits propres à sa poétique « gothicisante » personnelle, austère et tragique, traduite dans la sensibilité et le langage picassiens.

Malgré son importance qualitative, cette collaboration permet de constater l'autonomie, nettement différenciée, de la trajectoire de Julio González. Aucune des œuvres qu'il crée au cours de cette période (1928-1932) ne pourrait être confondue avec celles issues de son travail en commun avec Pablo Picasso. Malgré la similitude superficielle que leur confère l'emploi du fer forgé, il s'agit de deux manières profondément différentes d'envisager la sculpture. Sur ce point, ceux qui considèrent que les œuvres réalisées en collaboration sont fondamentalement picassiennes sont dans le vrai. Cela est évident si l'on compare deux sculptures, quasiment contemporaines, pouvant être considérées comme le point culminant de leur production respective,

Femme au jardin – première version –, fruit de la collaboration entre les deux artistes, et *Femme se coiffant I*, œuvre exclusive de Julio González. Il ne m'est pas possible de m'arrêter ici à une analyse formelle détaillée de ces deux créations majeures de la sculpture moderne. Je me contenterai de relever un contraste très important et allant de soi entre leurs procédés créatifs respectifs : *Femme au jardin* est un collage, obtenu par « additions » successives, alors que *Femme se coiffant I* est une forme unitaire, une figure qui se précise finalement par le jeu d'un processus de « soustractions » violentes. Le contraste pourrait s'exprimer en ces termes : alors que Picasso cherche à établir en sculpture un espace psychologique fertile en rencontres surprenantes et en révélations étincelantes, proche du surréalisme, González se meut plutôt dans un espace perceptif postcubiste, se rattachant à une problématique généralisée parmi les sculpteurs d'avant-garde des années vingt provenant peut-être, en dernier ressort, du cubisme analytique, mais qui doit peu à une telle filiation, la relation entre espace réel et espace virtuel posant, en sculpture, des problèmes fondamentalement différents de ceux qu'elle pose en peinture.

Si l'on compare *Femme se coiffant I* aux autres œuvres qui la précèdent dans la production des années vingt de Julio González, on peut constater un processus, étonnamment systématique et cohérent, de création d'un langage sculptural nouveau. Il suffit d'en évoquer quelques jalons, de la période 1927-1930, comme *Masque My* (Merkert, n° 91) ou *Masque aigu* (Merkert, n° 113), à *Tête en profondeur* (Merkert, n° 123), *Arlequin* (Merkert, n° 126) ou *Le Baiser I* (Merkert, n° 127), datant de 1930. La mise en œuvre d'un nouveau langage sculptural, matériellement fondé sur le traitement artisanal du fer et à un rapport dynamique de perception entre la figure et l'espace réel qui l'entoure – rapport qui pourrait être équivalent à celui qu'établissait le cubisme analytique entre la figure et le fond peint –, constitue un processus dans lequel l'œuvre ultime de González joue un rôle de premier plan.

Je suis quant à moi convaincu que le rapprochement de Julio

González avec Pablo Picasso, tout au long de ce processus, fut de la plus haute importance, surtout pour le premier. Mais la fécondité de cette relation devrait être considérée moins au niveau formel – où Julio González se suffit à lui-même –, qu'au niveau de la contamination de deux poétiques différentes qui, grâce à des coïncidences historiques et à leur amitié, entrent en consonance. Ce sera principalement au cours de la seconde moitié des années trente du XXᵉ siècle que ces consonances deviendront plus riches, sous le signe artistique dominant de l'époque, qu'Henri Focillon devait décrire dans sa *Vie des formes* comme le principe de «métamorphose».

(traduit du castillan par Robert Marrast)

Notes

1 Josephine Withers, *Julio González. Sculpture in Iron*, New York, New York University Press, 1978.

2 Margit Rowell, *Julio González. A Retrospective*, New York, The Solomon R. Guggenheim Museum, 1983.

3 Voir Mercè Doñate, «Joan González i Pellicer», dans le catalogue de l'exposition «Joan González, 1868-1908», Barcelone, MNAC, 1998, p. 13-21. L'auteur cite à l'appui de ces affirmations des documents jusqu'alors demeurés inédits.

4 Tomàs Llorens, «La orfebrería de Julio González» et «Catálogo de obras: Julio González», dans K. de Barañano et T. Llorens, *Escultores y Orfebres Francisco Durrio, Pablo Gargallo, Julio González, Manolo Hugué*, Valence, Bancaixa, 1993, respectivement p. 59-88 et p. 109-143.

5 Dans certaines pièces d'orfèvrerie de plus haute qualité que celle habituelle dans son atelier, probablement au cours de la seconde moitié des années vingt, on trouve des échos du vocabulaire de formes qu'il mettait en œuvre au même moment dans sa sculpture; voir Tomàs Llorens, *loc. cit.*, 1993.

6 *Julio González, Picasso y las catedrales*, manuscrit inachevé publié après la mort de son auteur dans Josephine Withers, *op. cit.*, 1978.

7 Toutes les sculptures réalisées par Julio González au cours des années trente ne sont pas en fer. Certaines sont en argent, d'autres en bronze forgé – traitement atypique de ce métal. Il existe aussi un grand nombre d'œuvres en pierre créées vers 1934-1937, et enfin un autre groupe, plus important, datant des dernières années de sa vie – à une époque où la guerre ne lui permettait pas de disposer des combustibles nécessaires pour la soudure autogène – qu'il exécuta avec du plâtre, matériau provisoire, et conçues pour être coulées en bronze, matériau définitif.

8 Pablo Gargallo n'a jamais fait de la sculpture en métal un moyen d'expression exclusif. Au cours de toute cette étape et jusqu'à sa mort, il continua à sculpter la pierre.

9 Selon le témoignage de Roberta González. Voir son article «Julio González. My Father», *Arts Magazine*, février 1956, p. 20-24.

10 John Merkert, *Julio González. Catalogue raisonné des sculptures*, Milan, Electa, 1978.

PABLO PICASSO
*Tête de femme
(Dora Maar)*, 1941
Paris, collection particulière

ADLAN

REMEDIOS VARO
Remedios Varo et Benjamin Péret, 1942
Valence, collection particulière

EMMANUEL GUIGON

ADLAN

1932-1936

L'association ADLAN (Amics de l'Art Nou) occupe une place importante dans les rapports artistiques entre Paris et Barcelone durant les années de la seconde République espagnole. Sa date et son lieu de naissance, nous les connaissons très précisément : c'est dans les salons du Gran Café Colon de la place de Catalogne, devenu à la fin des années vingt le centre d'une tertulia connue sous le nom de *Els Surrealistes*, que se retrouvaient chaque lundi les futurs « Amis de l'Art nouveau » et que la nouvelle association fut fondée par un tract daté du 23 octobre 1932. Guillermo Díaz-Plaja a laissé dans ses mémoires une description de l'ambiance qui régnait dans ce cercle d'amis que fréquentaient également, lors de leurs passages à Barcelone, Ramón Gómez de la Serna, Federico García Lorca et Ernesto Giménez Caballero : « Nous avons tous convenu qu'après les gesticulations futuristes et ultraïstes, le surréalisme contenait une plus grande charge de possibilités esthétiques [...] Appeler nos réunions groupe des surréalistes avait donc une signification qui définissait notre appréciation pour cette importante possibilité d'invention de mondes [1]. » Parmi les habitués du Gran Café Colon, ajoute Díaz-Plaja, « le manifeste de Breton passait de main en main ». Le premier comité directeur était composé de trois membres actifs élus, Joan Prats, Eduard Montenys et Daniel Planes, ces deux derniers ayant été rapidement remplacés par Joaquim Gomis et José Luis Sert. Faisaient également partie des membres fondateurs les principaux rédacteurs de la revue *L'Amic de les Arts* (Josep Vicenç Foix, Lluís Montanya, Sebastià Gasch), des artistes (Joan Miró, Salvador Dalí, Angel Ferrant, Robert Gerhard), des galeristes (Montserrat et Nuria Isern, propriétaires de la galerie Syra) et la plupart des architectes du GATCPAC [2] dont les locaux, situés 99, Passeig de Gracia, étaient aussi le siège social d'ADLAN. Ni « école », ni « mouvement », mais un groupe d'amateurs d'ailleurs fort hétéroclite, ADLAN fut de toute évidence touché par le surréalisme, qui connaissait alors une réelle diffusion internationale, mais sans toutefois lui donner l'exclusive. « Dès sa création, ADLAN déclara qu'il ne défendait pas une tendance particulière, mais qu'il accueillait plutôt toutes les tentatives, divergentes et contraires, à condition qu'elles constituent une recherche esthétique honnête [3]. »

Le ton fut donné dès la première exposition, le 23 décembre 1932 : un « Concours de colifichets » au local L.T.C. du Turó Park de Barcelone. L'événement fut commenté quelques semaines plus tard dans le journal *La Publicidad*, dont les pages littéraires étaient alors dirigées par le poète J.V. Foix [4] :

« Miscellanées littéraires par GER.

"ADLAN". Adlan semble vraiment le nom d'une nouvelle marque d'automobile. Cela a l'air sympathique et la phonétique rapide de quelque chose de sportif. Avec même un côté apparemment banal qui lui convient parfaitement.

Cependant, derrière ce nom, il y a un groupe de personnes distinguées, qui ont l'élégance de ne pas faire étalage de leur culture et de leurs intérêts intellectuels. Passionnément intéressées par toutes les manifestations nouvelles d'art et de littérature, elles suivent un programme plein d'audace, mais en même temps d'une élégante discrétion.

Il n'y a pas longtemps, ADLAN (association des Amis de l'Art nouveau) organisait une curieuse exposition de colifichets et de camelote beaucoup plus intéressante qu'elle ne semblait à première vue, avec une gamme chromatique et une simplicité merveilleuses. »

Bien que l'accent ait été mis, dans le tract inaugural, sur la défense de l'art moderne, bon nombre des activités de l'association, à l'image de ce concours de colifichets, relèvent d'une pratique essentiellement ludique et éphémère, ce qui explique qu'elles aient laissé si peu de traces. Au cours de quatre années vont se succéder des expositions de « Dessins de fous » (à la Société catalane de psychiatrie), de « Dessins d'enfants » (à la galerie Catalonia), de jouets et de sifflets de Majorque (ces « siruelles » typiques et bariolées qu'aimaient collectionner Prats et Miró), une présentation de l'art des « Primitifs d'aujourd'hui » et une excursion à Tarragone pour voir les sculptures d'un

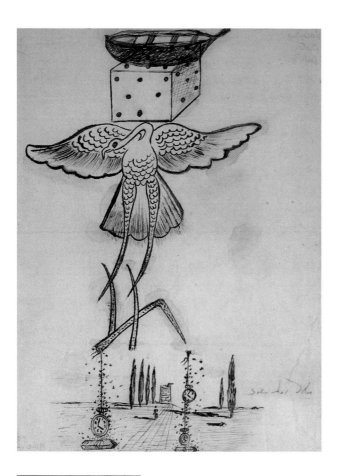

**GALA ET SALVADOR DALÍ
ANDRÉ BRETON
VALENTINE HUGO**
Cadavre exquis, vers 1932
Paris, Collection particulière,
avec l'aimable autorisation
de la Galerie 1900-2000

paysan. Faute d'un manifeste à proprement parler ou d'une revue spécifique qui aurait été l'organe officiel du groupe, voilà ce qui nous indique son véritable programme d'intentions. Dans le même ordre d'activités, on peut citer une «Exposition de mauvais goût» dont l'existence nous est connue par un carton de convocation à une réunion préparatoire, le 21 février 1934. La valorisation du «mauvais goût» participe du même esprit que la réhabilitation du «modern'style» par Dalí, dans son article de *Minotaure* (n° 3-4), en décembre 1933. Le texte de Dalí est illustré par des architectures de Gaudí, photographiées à Barcelone par Man Ray [5], placées à côté de «sculptures involontaires» qui ont en commun leur effet d'humour et de dérision, appuyé par les légendes: «Billet d'autobus roulé systématiquement, forme très rare d'automatisme morphologique avec germes évidents de stéréotypie», «Le pain ornemental et modern'style échappe à la stéréotypie molle», «Morceau de savon présentant des formes automatiques modern'style

trouvé dans un lavabo», «Enroulement élémentaire obtenu chez un débile mental». Il est d'ailleurs très peu question de peinture dans ce numéro de *Minotaure*, mais de graffitis, cet «art bâtard des rues mal famées», recueillis par Brassaï au hasard de promenades dans Paris, de chapeaux aux plis suggestifs (Tristan Tzara: «D'un certain automatisme du goût»), du monde des automates (Benjamin Péret: «Au paradis des fantômes»), de l'art médiumnique (André Breton: «Le message automatique»), des «plus belles cartes postales» du début du siècle, collectionnées et évoquées par Paul Éluard. Peu après la parution de l'article d'Éluard, ADLAN présentait à son tour une collection de cent quarante et une cartes postales «modern style» appartenant au photographe Joaquim Gomis et commentées pour la circonstance par le poète et humoriste Carles Sindreu. Cette présentation eut lieu au moins à deux reprises, le 7 mai 1934 à la bijouterie Roca de Barcelone et le 2 décembre au «Foment» de Vilanova i la Geltrú [6]: «La projection des cartes postales de Gomis, accompagnée par le commentaire juste et ironique du raffiné Carles Sindreu et par le récital de pièces pour piano de l'âge d'or de la carte postale offert par le maître Francesc Montserrat, fit sentir aux nombreux spectateurs du "Foment" l'indubitable arrière-goût de l'atmosphère grotesque et rance de cette époque adorable.»

Pour compléter ce panorama, il faudrait encore énumérer de nombreuses conférences sur les sujets les plus divers («Caractereología de les mans», par Edda Federn; «Interpretació psicològica de l'obra de Picasso», par le docteur J. Vilato; «Ramón Llull», par J. V. Foix); des lectures poétiques (*Poeta en Nueva York* de García Lorca; *Darrera el vidre* de Sindreu); une exposition de photographies du ballet de Magrina sur un ring monté au club de tennis du Turó Park; une excursion à Sabadell avec le chorégraphe Léonide Massine et des danseurs des Ballets russes de Monte-Carlo, pour participer à une sardane; des concerts de jazz par l'«Adlan orchestra» (qui comprenait les maîtres suivants: J. V. Foix, piano; Carles Sindreu, saxophone; Joan Prats, violon; et d'autres musiciens du GATCPAC); la première du *Quartet de Vent* du compositeur catalan Robert Gerhard [7]; la projection de *L'Âge d'or*, le film de Luis Buñuel, et une session annoncée dans *La Publicidad* le 27 février 1934 sous le titre «Cinématographe 1912»: «Salle parfumée avec des Violettes Russes à la Cléo de Mérode. Il est fort curieux que "Amics de l'Art Nou" puisse projeter en 1912. Comment se fait-il que certaines avant-gardes surréalistes montrent de l'admiration pour le Modern Style?»

Toutes ces activités ont bien souvent en commun de se situer sur le terrain de l'humour et de la galéjade, ou tout au moins du seul plaisir, réservé il est vrai «exclusivement aux membres associés, qui ont reçu à l'avance leur invitation».

Même les expositions artistiques plus traditionnelles ne furent bien souvent conçues qu'à «usage interne», ne durant parfois que le temps du vernissage (une heure dans le cas de l'exposition des dernières œuvres surréalistes du peintre Josep Carbonell en mars 1933, à la galerie Syra). On comprend que l'incongruité de tout cela ait quelque peu faussé les rouages qui permettent le bon fonctionnement de l'institution artistique, fût-elle d'avant-garde, et que bon nombre de ces expositions inclassables soient aujourd'hui oubliées au profit d'une dramatisation excessive et sécurisante opposant les diverses tendances de la modernité, ou encore les formes anciennes et nouvelles, qui ont pu coexister durant les années trente. C'est dans ce contexte particulier qu'il nous faut maintenant évoquer les principales expositions qui firent la réputation des «Amics de l'Art Nou».

À l'aide d'éléments imprévus qu'il déclarait «utiliser dans l'inutile» – une lame de scie, une fourchette, un canif, un disque de gramophone, le manche d'une casserole, un carreau de faïence, des plumes –, Ferrant avait confectionné de petites constructions évocatrices : une «mariée», une «gitane», un «hydravion», les «formes et mouvements de la vie aquatique». D'autres sculptures encore qui ne prétendaient ressembler à rien et qu'il appelait «compositions». Déjà, dans *Alfar*, l'importante revue de La Corogne, Ferrant avait préconisé l'utilisation de matériaux divers dans la sculpture, vraisemblablement sous l'influence de l'exposition futuriste vue en 1912 à Paris, à la galerie Bernheim. Évidemment, les réactions négatives devant de telles audaces ne se firent pas attendre. Pour Joan Sacs, il fallait «revenir à la tradition la plus scholastique, car coller des choses ne sert à rien [9]». Malgré l'avis favorable de Sebastià Gasch et Magí Cassanyes [10], une tempête de protestations se leva, amenant le sculpteur à justifier publiquement sa nouvelle manière [11] : «Je sais pertinemment

Peu après le «Concours de colifichets», ADLAN poursuivait son offensive avec une exposition des dernières œuvres du sculpteur Angel Ferrant à la galerie Syra, en janvier 1933. D'origine madrilène, Ferrant avait été nommé en 1920 professeur de sculpture à l'Escuela de Artes y Oficios de Barcelone, poste qu'il occupa jusqu'en 1934. Durant ce long séjour dans la cité comtale, il participa aux fameuses réunions organisées par le peintre Rafael Barradas à l'Ateneillo del Hospitalet, où il connut Gasch, Dalí, García Lorca, avant de contribuer à la fondation d'ADLAN. Le soir de l'inauguration de son exposition à la galerie Syra, se souvient Ferrant, «mes dix ou douze sculptures étaient complètement recouvertes, comme des fantômes. Pendant que les gens arrivaient, un jongleur chinois, vêtu d'un costume oriental, divertissait l'assistance, et à un moment précis, un locuteur, en tenue de soirée, découvrait les sculptures une par une en leur consacrant un discours improvisé… [8]».

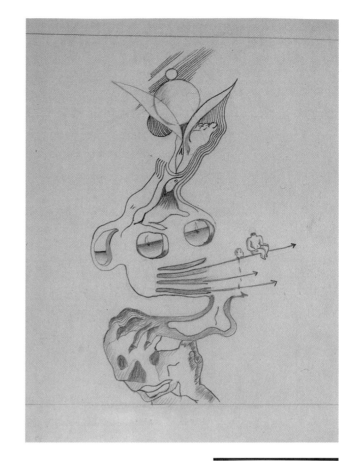

OSCAR DOMINGUEZ
REMEDIOS VARO
ESTEBAN FRANCÉS
Cadavre exquis, 1935
Paris, Collection particulière,
avec l'aimable autorisation
de la Galerie 1900-2000

que j'ai sectionné la jugulaire d'un disque de gramophone, mais j'affirme que je n'ai pas prétendu me délecter en perpétrant cet acte mutilateur. Le plaisir a été pour plus tard quand s'est produit l'effet de l'opération, quand, pour moi, l'objet coupé est apparu, précisément, comme une partie complète d'une prétendue totalité. Il y a la jungle, la forêt et le jardin. De la jungle sont issus la forêt – l'utile – et le jardin – la beauté. Dans les trois éléments il y a l'arbre ; mais il vit un destin différent dans chacun d'eux. Sylvestre ou sauvage, il vit librement, simplement pour lui-même. Cultivé, il vit alors pour nous. Et dire culture équivaut à dire châtiment, mutilation. Avec la hache, avec la scie ou le sécateur, nous faisons en sorte que l'arbre vive pour nous. Pour notre commodité ou pour le délassement de notre esprit. Nous vivons et nous créons en détruisant. Si nous ne détruisons pas nous ne pouvons pas vivre. Nous ne pouvons même pas nous divertir. Nous sommes ainsi. Pas féroces, naturels. Il est naturel pour nous de mettre en morceaux les choses. Ce qui n'est pas aussi naturel, ou tout du moins aussi raisonnable, c'est de prétendre la ressemblance des configurations, en faisant reposer sur celle-ci l'essence expressive du volume […] Aujourd'hui j'ai senti que la condensation autour d'une telle sublimité dégénérée m'étouffait. Et j'ai ouvert une fenêtre, et j'ai donné du repos à mes mains. J'ai arrêté de "faire" et j'ai fait autre chose. Au fond, la même chose. J'ai été inspiré par la contemplation des objets les plus triviaux et – cassés ou entiers – je me suis mis en tête de les ordonner en suivant un ordre interne. »

Joan Miró avait présenté ses dernières œuvres dans les mêmes locaux de la galerie Syra, pour un nombre réduit de ses admirateurs, les membres d'ADLAN et du GATCPAC. La petite fête eut lieu dans la nuit du 18 novembre 1932, en pleine fièvre électorale (il s'agit des élections pour désigner les membres du premier Parlement de Catalogne), dans une ambiance quasi clandestine dont se firent l'écho Díaz-Plaja et Gasch [12]. Cette exposition d'une soirée présentait pour la première fois les tout premiers objets que le peintre avait façonnés durant l'été dans son mas de Montroig, près de Tarragone, refuge auquel il resta fidèle sa vie durant. Délaissant pour un moment la peinture, il avait composé une série de petites constructions sculpturales à partir d'objets sans prix trouvés sur la plage ou au bord des sentiers : bois brûlé, fil de fer rouillé, os, coquillages, pierres polies par l'eau, rouages mécaniques, toute une manne d'éléments naturels ou appartenant à un monde pré-urbain qui donnaient naissance aux plus simples, aux plus insolentes combinaisons. ADLAN renouvela au moins à deux reprises ces expositions d'un jour des « dernières productions » du grand peintre catalan, destinées exclusivement aux amis et adhérents : le 4 juin 1933 dans l'appartement de Sert, 348, rue Muntaner, et le 16 février 1934 à la galerie Catalonia. Et ce sont à nouveau les peintures « au-delà de la peinture » que retiennent les principaux commentaires : « Cette dernière étape de Joan Miró révèle l'actualité de son automatisme psychique. Sa personnalité singulière s'exprime cette fois-ci au moyen de "collages" évocateurs. Le "collage", plus qu'aucune autre création, quand il est le produit d'un acte de lyrisme, a la rare vertu de déranger et de faire sourire tous ceux qui, parce qu'ils n'en voient pas l'origine, le considèrent comme une chose facile ou bien pleine de mauvaises intentions. C'est pour cette raison que cette collection de dessins a déçu certains de ceux qui, malgré le fait qu'ils soient des admirateurs de ces productions, ont toujours un faible pour l'habileté picturale, l'expression mécanique normale, le "métier", plus que pour les papiers collés, les objets mutilés, etc., qui leur causent toujours une sensation d'étrangeté et d'incompréhension [13]. »

Depuis sa première exposition chez Dalmau, en 1918, Miró était considéré comme l'une des personnalités les plus mar-

quantes de l'avant-garde internationale dont l'œuvre était célébrée dans les grandes revues d'art européennes. Et pourtant, malgré son incontestable prestige, toutes les polémiques autour du surréalisme en Catalogne – et plus généralement en Espagne – furent essentiellement centrées, à partir de 1929, autour de la peinture et de la personnalité de Salvador Dalí, des scandales qu'il commençait à multiplier. Et ce fut effectivement du côté du modèle dalinien que s'orientèrent la plupart des jeunes artistes associés à ADLAN, en partie pour cette raison que l'œuvre et les gestes du peintre de Port Lligat étaient plus spectaculaires, et en cela plus visibles, et qu'il connaissait à l'époque un immense succès international dont la presse catalane ne manquait pas de s'enorgueillir. À la fin de 1933, du 8 au 21 décembre, ADLAN parraina une importante exposition Dalí à la galerie Catalonia, la première en Espagne depuis 1928. À cette occasion, le célèbre galeriste Josep Dalmau inaugurait ses nouveaux locaux dans le sous-sol de la librairie Catalonia, au 3, Ronda Sant Pere [14]. Parmi les œuvres exposées figuraient quelques-unes des peintures les plus importantes de Dalí, comme *L'Énigme de Guillaume Tell* (1933), et une série d'eaux-fortes illustrant *Les Chants de Maldoror* de Lautréamont, montrées pour la première fois (ces gravures commandées à Dalí par Albert Skira seront ensuite exposées à la galerie Julien Levy de New York et à la librairie des Quatre-Chemins, à Paris, respectivement en avril et mai 1934).

Le soir de l'inauguration, Joan Prats fit l'éloge du vieux galeriste et J.V. Foix lut « La Complanta dels gossos », un extrait des *Chants de Maldoror* qu'il avait traduit quelques années plus tôt dans *L'Amic de les Arts* (n° 16, 31 juillet 1927). Magí A. Cassanyes prononça à la suite une conférence dans laquelle il comparait Dalí à « un marquis de Sade de la peinture » : « Si les rêves et les aspirations inavouables sont, comme nous en sommes pleinement convaincus, ce qu'il y a de plus réel, de plus pur et de plus évident chez l'homme, il n'y a rien de surprenant au fait qu'aujourd'hui, alors que la médiocrité satisfaite d'elle-même découvre chaque jour avec plus de persévérance sa totale nullité, ce chemin vers un nouveau monde de surprises, de révélations et de divagations qu'est le Surréalisme attire de façon exclusive notre intérêt et notre attention, un chemin par ailleurs très vaste. Existe-t-il quelque chose de plus éloigné et opposé du monde viscéral et diabolique dans lequel plonge Dalí que le monde sidéral et chaleureux dans lequel déambule, léger, Joan Miró ? Mais dans la rude nuit dalinienne que peuplent, désarmés par la fièvre des désirs fourvoyés et insatiables, les éternels incubes et succubes de notre subjectivité qui est devenue objet grâce à l'art fort, cruel et précis de Salvador Dalí ; dans cette nuit, il ne fait aucun doute que la folie en constitue le fonds obscur, implacable et sans espoir, comme cela a lieu dans cette œuvre mythique et magnifiquement absurde, *L'Énigme de Guillaume Tell* [15]. »

Si l'exposition obtint un immense succès public, le premier véritable succès que remportait ADLAN – «Tout Barcelone y est allé» –, elle fut aussi à l'origine de vives polémiques dans la presse autour de «la légitimité du surréalisme dans les arts plastiques». Citons les articles laudatifs de Martí Font, en réponse aux multiples attaques du critique Joan Sacs pour qui le surréalisme ne pouvait être autre chose qu'«une honte pour notre génération, une dégénération que nos descendants nous reprocheront sans pitié [16]». Il est vrai que Sacs avait été malmené par Dalí et ses amis dès 1928, dans le «Manifest Groc», et que Gasch l'avait présenté un an plus tard dans *Hèlix*, la revue de Vilafranca del Penedès, comme un obscurantiste de la pire espèce, «ce pauvre bougre qui se sert du nom de Joan Sacs pour signer des articles déplorables et du nom de Feliu Elias pour signer des tableaux détestables [17]».

L'année suivante, du 2 au 4 octobre, la galerie Catalonia accueillit une deuxième exposition Dalí, beaucoup plus réduite toutefois. Cinq tableaux y étaient présentés, véritables miniatures destinées à l'exposition de la galerie Julien Levy de New York (du 21 novembre au 10 décembre 1934): *El Desnonament del moble-aliment*; *Cadernera-Cadernera*; *Imatge mediumnique-paranoïaque*; *Materializacio de la tardor (...a les set ja es foc)*; *Imatge hipnagogica de Gala*. Le catalogue de vingt pages au format inhabituel mentionne une conférence, ayant pour thème «Le mystère surréaliste et phénoménal de la table de nuit», que devait prononcer Dalí le 5 octobre.

Mais celle-ci fut suspendue devant la grève générale et le début de ce qu'on appelle les «événements d'octobre»: le soulèvement du gouvernement autonome et la proclamation, par le président Lluís Companys, de la République fédérale [18]. Il existe toutefois un document irremplaçable qui donne un aperçu de ce que pouvait être ce «Mystère surréaliste et phénoménal de la table de nuit»: une interview du peintre par Just Cabot publiée le 18 octobre dans *Mirador*: «Et le vendredi même, le soir, Dalí me lisait cette conférence qui aurait grandement surpris le public, j'en suis sûr, quand bien même ce dernier y serait allé avec l'envie d'être surpris. Mais alors que le public se serait certainement attendu à une théorisation psychanalytique – ce qui peut signifier pour lui pornographique – de la table de nuit, au lieu de cela il se serait trouvé face à un poème lyrique – surréaliste, cela va sans dire – dont la fin est une explication de la table de nuit au moyen de l'évolution de l'idée de l'espace dans la physique, d'Euclide à Einstein en passant par Newton. Naturellement, l'explication était parsemée de quelques inso-

lences et de quelques allusions scatologiques. C'est la moindre des choses pour une conférence surréaliste. » Dalí évoque ensuite divers projets cinématographiques et la publication prochaine d'«un livre sur son interprétation de *L'Angélus* de Millet, une œuvre apparemment insignifiante, banale et banalisée par des milliers de reproductions, mais qui est une véritable pourriture ».

D'autres projets que le peintre conçut en collaboration avec ADLAN ne virent jamais le jour, comme cette conférence annoncée dans *La Publicidad* le 10 mai 1935 sous le titre «L'importance philosophique des montres molles» et une étude sur «La peinture surréaliste à travers les âges».

À la fin du mois de décembre 1934 était publié un numéro extraordinaire dirigé par José Luis Sert et Joan Prats (GATCPAC et ADLAN) de la revue trimestrielle *D'Ací i d'Allà* qui contribua pour beaucoup à la renommée de l'association catalane dans les milieux artistiques internationaux. Ce numéro exceptionnel, qui eut aussi un impact décisif sur les jeunes générations d'artistes de l'après-guerre, offre un panorama complet des grandes tendances de l'art moderne. Non seulement tous les écrivains catalans apparentés à ADLAN y collaborèrent, Josep Vicenç Foix, Carles Sindreu, Magí A. Cassanyes et Sebastià Gasch, mais aussi plusieurs critiques étrangers, notamment Carl Einstein et Christian Zervos. La revue est illustrée d'une grande quantité de reproductions en noir et blanc et en couleurs d'une surprenante qualité: *Le Grand Verre* de Marcel Duchamp, des collages de Max Ernst, des reliefs de Hans Arp (dont on avait également traduit deux poèmes), des sculptures de Raoul Hausmann, Alberto Giacometti, Julio González, Angel Ferrant, des photographies de Man Ray, des tableaux de Salvador Dalí, Joan Miró, Giorgio De Chirico, Pablo Picasso, Georges Braque, Vassily Kandinsky, Piet Mondrian, Fernand Léger, Gino Severini, des œuvres de Naum Gabo et Antoine Pevsner présentées à côté d'extraits de leur manifeste constructiviste. Miró réalisa un pochoir spécialement pour ce numéro extraordinaire dont il dessina également la couverture. Cette ouverture internationale ne représentait pourtant pas pour ADLAN une nouvelle direction. Déjà, dans ses premiers mois d'existence, le groupe avait présenté à Barcelone et à Montroig le *One-Man-Circus* d'un des amis de Miró, le sculpteur Alexandre Calder. Une première représentation de ce spectacle déjà célèbre à travers l'Europe eut lieu dans les locaux du GATCPAC, Passeig de Gracia, et fut saluée par Foix comme la plus merveilleuse des leçons de mécanique céleste: « M. Calder. Quand l'autre jour – mardi dernier – apparurent sur le "Passeig de Gràcia" se dirigeant vers le GATCPAC et chevauchant de petits chevaux de carton M. et Mᵐᵉ Calder il ne fallut ni faire fuir les ombres qui

rences, radio, etc. » (à René Char) ; «Tout se passe très bien. Je parle cet après-midi à la radio. Demain, conférence, le soir radiodiffusée aussi. Lundi, conférence sur la poésie et le surréalisme. Partons mardi pour Madrid. Puis probablement Bilbao [...]. L'exposition crée une grande agitation [32]» (à Valentine Hugo). Le 16 janvier, la photographie d'Éluard et une interview par le poète Luis Góngora furent publiées dans le quotidien *La Noche*, sous le titre «La esencia del Surrealismo» («L'essence du surréalisme). Le vendredi 17, Éluard prononça une première conférence sur Picasso à la Sala Esteve [33]. Un long compte-rendu, intitulé «Picasso segons Eluard, segons Breton i segons ell mateix» («Picasso selon Éluard, selon Breton et selon lui-même»), parut le lendemain dans *La Publicidad*. Le lundi 20, Éluard fut invité par le groupe «Amics de la Poesia» à lire ses poèmes à la librairie Catalonia. Enfin, les 23 et 24 janvier, il donna deux conférences sur le surréalisme, successivement à l'Ateneo enciclopedico popular et à la Sala Esteve, insistant sur les positions sociales et politiques adoptées par le groupe depuis plusieurs années : «Avec des textes de Breton auxquels Éluard souscrivit, ce dernier affirma que les surréalistes ne refusaient pas l'héritage "magnifique et accablant de la culture", mais dans le seul but de l'orienter contre la société capitaliste. Le surréalisme, qui d'après Éluard, est un état d'esprit et un instrument de connaissance, unit son destin à la cause de la libération de l'homme, incarnée, selon lui, par le prolétariat révolutionnaire. Non pas que les surréalistes acceptent la soumission de l'art et de la poésie à la politique prolétarienne, mais parce qu'en réalisant le surréalisme, leur révolution artistique et littéraire contribue, avec ses propres moyens, à cette subversion qui doit, selon eux, redonner intégralement les droits à l'individu tout en participant à l'émancipation collective. Faisant allusion à ceux qui accusent de snobs les organisateurs qui ont préféré le Picasso surréaliste dans le choix des peintures exposées actuellement à Barcelone, il les a comparées à ceux qui persécutèrent Voltaire, Rousseau, Sade, etc., tout en confirmant la permanence du "surréalisme" qui s'est manifesté de diverses manières d'Héraclite à Miró et Dalí en passant par Llull. Il a insisté sur le surréalisme de certains artistes catalans et il a observé l'architecture de Gaudí – Sagrada Familia et Casa Milà – qu'il considère d'un surréalisme intégral [34].»

Le séjour de Paul Éluard en Espagne revêtit une importance essentielle pour quelques-uns des jeunes artistes liés à ADLAN qui, à la faveur de cette rencontre, exprimèrent le désir de se constituer en «groupe surréaliste». En témoigne par exemple la correspondance du peintre Antoni G. Lamolla avec Eduardo Westerdahl, le directeur de la *Gaceta de Arte* de Ténérife : «Je ne sais pas si tu as appris qu'à la suite de la visite de Paul Éluard à Barcelone, nous avons formé un groupe surréaliste. Nous allons nous présenter devant le public avec une exposition collective à Barcelone,

Madrid et Bilbao. Dans cette exposition, il y aura des œuvres de Miró, Dalí, Fernández, Remedios, Vallmitjana, Lamolla, Cristòfol, Ismael, Planells, etc. [35].»

L'exposition évoquée par Lamolla fut annoncée un mois plus tard dans la presse barcelonaise comme une exposition surréaliste internationale, la «Primera Exposició del Grup logicofobista» («Première exposition du groupe logicophobiste») à laquelle, jusqu'au dernier moment, devaient effectivement participer Miró, Dalí et Oscar Domínguez [36]. Elle eut lieu du 4 au 15 mai 1936 à la galerie Catalonia. Au total étaient exposées trente-neuf œuvres de quatorze artistes qui se définissaient comme le «groupe surréaliste inscrit à ADLAN» : Artur Carbonell, Leandre Cristòfol, Angel Ferrant, Esteve Francés, Antoni G. Lamolla, Ramón Marinel.lo, A. Gamboa-Rothwoos, Joan Massanet, Maruja Mallo, Angel Planells, Jaume Sans, Nadia Sokalova, Remedios Varo et Juan Ismael, le peintre canarien établi à Madrid. La préface du catalogue était signée par Magí A. Cassanyes, un ancien collaborateur de *L'Amic de les Arts*, une des figures les plus prestigieuses des milieux avant-gardistes catalans de l'entre-deux-guerres [37], qui tentait assez confusément de justifier le nouveau néologisme. Une note signée J. Viola Gamon rappelait précisément à la suite un des principes fondateurs du surréalisme : l'expression du fonctionnement réel de la pensée en dehors de toute préoccupation esthétique. Mais il s'agit d'un texte d'intentionnalité différente qui marque une adhésion sans réserve au mouvement surréaliste. José Viola était l'un des principaux rédacteurs de la revue *Art* de Lérida (dix numéros entre 1933 et 1934), la moins connue des revues avant-gardistes de l'époque à cause de son éloignement provincial, la seule pourtant qui se réfère explicitement à Breton dans son premier éditorial. Durant ses deux années d'existence, *Art* publia les premiers textes surréalistes de Viola et des poèmes de Foix, Éluard, Breton, Tzara, Dalí, accompagnés d'illustrations de Tanguy, Miró, Chirico, Arp, Masson, Ernst, Seligmann, etc. [38]. L'exposition eut quelques échos favorables dans la presse de Barcelone, de Lérida et de Madrid, mais la plupart des commentaires s'accordèrent à regretter l'influence prédominante de Salvador Dalí et l'extravagance des titres. Ainsi pour le critique de *La Vanguardia*, Alejandro Plana, dans sa chronique du 15 mai : «Les œuvres exposées sont, dans leur grande majorité, une imitation plus ou moins réussie du style de Salvador Dalí. Les sujets sont rendus plus compréhensibles par les titres que par leur exécution plastique.»

Ce qui est mis en doute, même dans les articles plutôt favorables aux «logicophobistes», c'est l'authenticité des spéculations freudiennes et symboliques et les surenchères oniriques de plus ou moins bon aloi : «L'exposition des logicophobistes ? Un peu incohérente, inégale mais très intéressante. Son empreinte est puissante, le sens de la nouveauté pénétrant. J'aurais voulu y noter moins

Affiche pour l'exposition Adlan,
Barcelone, janvier 1936,
(avec une photographie
de Picasso par Man Ray)
Paris, Musée Picasso

cette obsession freudienne qui n'est pas bien à sa place dans le climat artistique de ce pays [39]. » Le reproche n'est pas nouveau. En Catalogne, dès 1929, un critique de *La Nova Revista* remarquait ce phénomène, qu'il fut le premier à désigner sous le terme de « dalinisme » : « Ce qui est tragique dans cette affaire, c'est l'influence que Salvador Dalí commence à exercer, non seulement sur lui-même, mais également sur d'autres jeunes gens. Il y a aujourd'hui des garçons qui souffrent de dalinisme et jouent au surréalisme [40]. »

L'objection était tout particulièrement fondée dans le cas d'Angel Planells, un peintre originaire de Cadaqués que Dalí avait aidé très tôt de ses conseils. Planells est un dalinien, et même, historiquement, le premier des daliniens ; « il est dalinien, abusivement dalinien », remarquait Foix à propos de son exposition en juin 1932, à la galerie Syra [41]. À chacune de ses expositions, il est présenté comme un simple imitateur, ou au mieux comme un jeune disciple. Planells emprunte à Dalí non seulement sa facture illusionniste et ses procédés de déformation – l'anamorphose, les images doubles, les formes molles, la liquéfaction des êtres et des choses –, mais il se sert aussi des mêmes objets obsessionnels : le pain, la harpe, le piano à queue, l'âne pourri, les crânes, les insectes, le paysage aux roches abruptes et découpées, si particulier des côtes de l'Ampurdàn. La même critique de « plagiat » pourrait être formulée à l'égard de Joan

Massanet, un peintre autodidacte lui aussi originaire de l'Ampurdàn, chez qui l'on retrouve les mêmes allusions à des mythes typiquement daliniens *Apparition de Vermeer de Delf dans le golfe de Rosas*, 1935-1936. Le reproche pourrait être répété à propos des titres de García Lamolla : *Le Spectre des trois Grâces dans le zéphyr subtil, Tubercule non-cubique attendant l'heure sèche,…Étreinte aéro-plastique sans périphrase….*

Mais bientôt, moins de deux mois après l'Exposition logicophobiste, le déclenchement de la guerre allait mettre fin à des projets d'expositions surréalistes qu'ADLAN devait organiser dans les principales villes de la péninsule [42], et à un Congrès international des artistes créateurs, préparé par Joan Prats. Certains s'engagèrent corps et biens dans la tourmente, avant de s'exiler définitivement. D'autres furent réduits au silence, pour longtemps.

Notes

1 Guillermo Díaz-Plaja, *Memorias de una generacion destruida. 1930-1936*, Delos-Aymá, Barcelone, 1966, p. 73-74. Joan Prats (1891-1970) avait d'abord proposé d'appeler la nouvelle association «Club de les esnobs». L'acronyme ADLAN fut sans doute choisi en référence à l'association «Amics de l'Art Vell», créée en 1929 avec pour objectif «la conservation du patrimoine artistique de notre pays».

2 Le GATCPAC (Groupe d'architectes et techniciens catalans pour le progrès de l'architecture contemporaine) fut fondé en 1929 par José Luis Sert, Josep Torres Clavé, German Rodríguez Arias, Antoni Bonet et Sixte Yllescas.

3 «ADLAN en la Radio», note anonyme publiée le 7 mai 1936 dans *La Publicidad*.

4 GER, «Miscel·lània literària», *La Publicidad*, 6 janvier 1936. GER est, avec Focius et Ramón N. Giralt, l'un des pseudonymes utilisés par Foix pour signer diverses chroniques qu'il publiait régulièrement dans *La Publicidad* : «Miscel·lània literària», «El Correu d'avui», «Els Lloms transparents», «Itineraris» et surtout «Meridians».

5 «Man Ray, le photographe surréaliste, est à Barcelone. Il est venu photographier, avant qu'ils ne disparaissent, les édifices de l'époque "moderniste". Il est allé avant au cap de Creus, où il a pris des photos du style géologique caractéristique de la côte de Cadaqués. Ces photos vont illustrer un article qui sera publié dans l'importante revue *Minotaure* de Paris» («El Correu d'avui», *La Publicidad*, 23 septembre 1933).

6 Le 25 juin 1934, Carles Sindreu avait lui aussi présenté les «Sabores essencies retrospectives del 1900», rassemblées dans un «Album-Salon». La «Projecció de postals de la col·lecció de Joaquim Gomis» fut commentée dans *Mirador* (28 novembre et 5 décembre 1934) et dans *Diari de Vilanova i la Geltrú* (27 novembre et 3 décembre 1934).

7 Robert Gerhard avait été l'élève d'Arnold Schoenberg à Vienne. C'est par son intermédiaire qu'ADLAN créa l'«Associació Pro Música Discofils» qui fit connaître à Barcelone le répertoire contemporain d'Alban Berg, Anton von Webern, Béla Bartok, etc.

8 Cité par Ana Vázquez de Parga, «Sobre Angel Ferrant: vida y obra», *Angel Ferrant*, Palacio de Cristal, Madrid, mai-juillet 1983, p. 34.

9 Joan Sacs, «La generació que ve de l'hort» («La génération qui vient du potager»), *Mirador*, Barcelone, 17 août 1933.

10 Sebastià Gasch, «A.D.L.A.N. actua. Objectes d'Angel Ferrant», *La Publicidad*, 1er février 1933 ; Magí A. Cassanyes, «Els llibres nous. Angel Ferrant, per S. Gasch», *La Publicidad*, 8 avril 1934.

11 Angel Ferrant, «Per les regions de la plàstica. Els objectes, l'escultura i l'amistat», *La Publicidad*, 23 novembre 1932.

12 Guillermo Díaz-Plaja, «Notes a un catàleg inexistent. Joan Miró a les Catacumbres», *Mirador*, 24 novembre 1932 ; Sebastià Gasch, «Amics de l'Art Nou», *La Publicidad*, 30 novembre 1932.

13 Martí Font, «Posicions. La Darrera etapa Miró», *La Publicidad*, 11 mars 1934.

14 Josep Dalmau i Rafel (1867-1937) avait dû cesser ses activités en 1930 à la suite de graves difficultés économiques. Les nouveaux locaux de la galerie Catalonia furent mis à sa disposition en décembre 1933 par Antonio López Llausas (1888-1979). Libraire et éditeur, celui-ci avait fondé en 1924 la librairie Catalonia. En 1936, il émigra à Paris puis à Buenos Aires où il fonda les éditions Sudamericana. Un portrait de Dalmau par Max Jacob est reproduit dans l'article de Josep Maria Sucre, «Vides exemplares : Josep Dalmau», *Mirador*, 28 novembre 1929.

15 Magí A. Cassanyes, «Pintors d'avui. Dalí o l'antiqualitat», *La Publicidad*, 22 décembre 1933.

16 Joan Sacs, «Tendències. Bizantinismes», *La Publicidad*, 12 janvier 1934. Joan Sacs, pseudonyme de Feliu Elias i Bracons (Barcelone, 1878-1948), peintre, poète, dessinateur humoristique et critique d'art, consacra deux autres articles à cette exposition de Dalí : «El lirisme en les arts plastiques», *La Publicidad*, 26 janvier 1934 ; «De la decadència a la degeneració de l'art», *L'Appel catalan*, Genève, n° 3, janvier 1934. De Martí Font, on signalera deux articles publiés dans *La Publicidad* : «Després de l'exposició Dalí. Paisatges interiors» (5 janvier 1934) et «Tendències. Dos Fronts» (19 janvier 1934).

17 Sebastià Gasch, «In-fighting», *Hèlix*, n° 6, octobre 1929.

18 Les «événements d'octobre» motivèrent également la suspension du journal *La Publicidad*, lequel, après une brève réapparition les 9, 10, et 11 octobre, parut de nouveau sous le titre *Mirador-Diari* du 4 novembre au 1er juin 1935.

19 Focius, «Meridians. El llenguatge de la nit», *La Publicidad*, 24 septembre 1932.

20 Sebastià Gasch, «Alexandre Calder, escultor», *La Publicidad*, 19 février 1933.

21 «El Correu d'avui», *La Publicidad*, 12 mars 1933.

22 Hans Arp avait également séjourné en 1932 à Barcelone. Voir Sebastià Gasch, «Hans Arp a Barcelona», *Mirador*, 1er septembre 1932.

23 J. M. P., «Comentari. L'Art», *La Publicidad*, 25 mars 1935.

24 Luis Góngora, «La primera exposición Picasso, en España», *La Noche*, 10 janvier 1936.

25 «Inaugural de l'exposició Picasso», *La Veu de Catalunya*, 14 janvier 1936.

26 *Mirador*, 23 janvier 1936.

27 La présence de Paul Éluard à Barcelone durant l'été 1927 est signalée par *La Nova Revista* (n° 9, septembre 1927) et par *L'Amic de les Arts* (n° 17, 31 août 1927). En septembre 1929, Éluard fut invité par Dalí à Cadaqués, séjour au cours duquel il rencontra le poète J.V. Foix. Voir Josep Vicenç Foix, «Els dos extrems a Cadaqués», *Mirador*, 15 septembre 1929.

28 «Une collection au tirage très limité a permis de faire connaître des œuvres peu accessibles, d'un point de vue littéraire, à tout le public : c'est la collection des éditions de "L'Amic de les Arts" où ont été publiés *Gertrudis* et *KRTU*, de J.V. Foix, et *Darrera el vidre*, de Carles Sindreu. C'est dans cette collection que sortira bientôt une *Antologia del Superrealisme*, avec des illustrations

LEANDRE CRISTÓFOL
Nuit de lune, 1935
Barcelone, Museu Nacional
d'Art de Catalunya

inédites, un recueil de poèmes de Sebastià Sánchez-Juan et *Telegrames* de J.V. Foix.» (*La Publicidad*, 16 février 1934). Les deux derniers livres mentionnés restèrent également à l'état de projet. L'*Anthologie du surréalisme* avait déjà été annoncée dans *La Publicidad* du 11 octobre 1933.

29 Josep Vicenç Foix, «Notes i simulacres. Un dibuix que té vuit dies», *La Publicidad*, 17 janvier 1936.

30 Un fac-similé de cette lettre de recommandation est reproduit par Rafael Santos Torroella, *Salvador Dalí corresponsal de J.V. Foix, 1932-1936*, Barcelone, Editorial Mediterrània, 1986.

31 Le 12 janvier, *La Publicidad* donnait la nouvelle que le poète «arrivera dans notre cité aujourd'hui dimanche». Le 15, le même journal faisait savoir qu'Éluard était arrivé la veille par l'express de Paris.

32 R. D. Valette, *Éluard, livre d'identité*, Paris, Tchou, 1967, p. 139-140.

33 Le texte de cette conférence est paru sous le titre «Je parle de ce qui est bien», avec en note «Fragment d'une conférence prononcée à Barcelone, Madrid et Bilbao à l'occasion de la première exposition Picasso en Espagne», *Cahiers d'art*, n° 7-10, 1935, p. 165-166.

34 «Ahir vespre a l'Enciclopèdic. Què és el surrealisme?», *La Publicidad*, 24 janvier 1936. Présentée et traduite en catalan par Sert, cette conférence était illustrée de vingt-six diapositives d'œuvres de Dalí, Miró, Tanguy, Ernst, Magritte, Duchamp, Valentine Hugo, Domínguez, Giacometti, Bellmer, Arp et Breton.

35 Lettre d'Antoni G. Lamolla à Eduardo Westerdahl datée du 19 mars 1936, archives E. Westerdahl, Santa Cruz de Tenerife.

36 «Il faut que je te dise qu'on prépare une exposition surréaliste qui comptera tous les surréalistes de la péninsule et quelques-uns de l'étranger.» (Jordi Jou, «Una conversa amb M. A. Cassanyes», *La Humanitat*, 29 avril 1936).

37 Magí A. Cassanyes (Sitges, 1893 - Barcelone, 1956), critique d'art, collaborateur à Sitges des revues *Terramar* (1919-1920), *Monitor* (1921-1923) et *L'Amic de les Arts* (1926-1929). Il avait rencontré Breton en 1922 et publié un long compte-rendu de la conférence de ce dernier à l'Ateneo («Sobre l'exposició Picabia i la conferència de Breton», *La Publicidad*, 22 novembre 1922.) Cet article est traduit en français dans *Littérature*, nouvelle série, n° 9, février-mars 1922, p. 22-24.

38 Voir Manuel Viola, *Escritos surrealistas*, introduction et édition d'Emmanuel Guigon, Museo de Teruel, collection «La Edad de Oro», 1995.

39 A. de Montabert, «Parers. Art mort o art vivent?», *La Publicidad*, 17 mai 1936.

40 Article anonyme, «Dalinisme», *La Nova Revista*, volume VII, n° 28, avril 1928, p. 310.

41 Josep Vicenç Foix, «Les idees i els esdeveniments», *La Publicidad*, 21 avril 1932.

42 Voir le catalogue *Gaceta de Arte y su Epoca (1932-1936)*, Centro atlántico de Arte moderno, Las Palmas de Gran Canaria, 1997.

ARTUR CARBONELL
Paysage, 1935
Barcelone,
collection particulière
(Barcelone seulement)

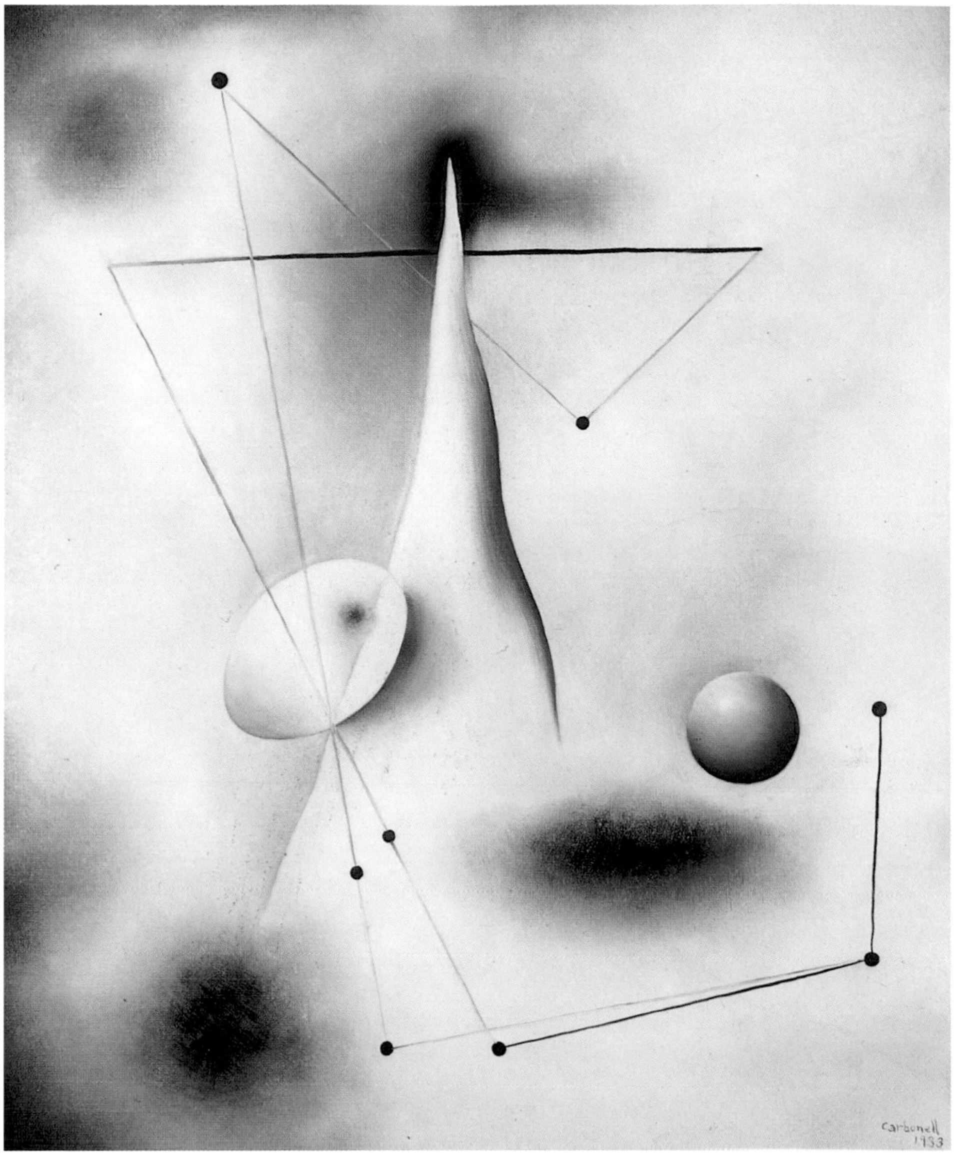

ARTUR CARBONELL
Constellation, 1933
Barcelone,
collection particulière
(Barcelone seulement)

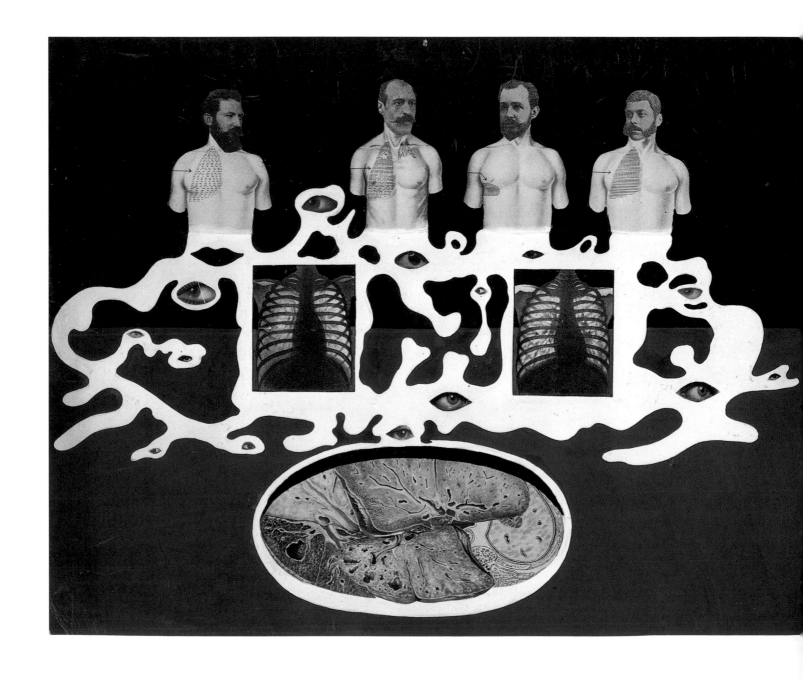

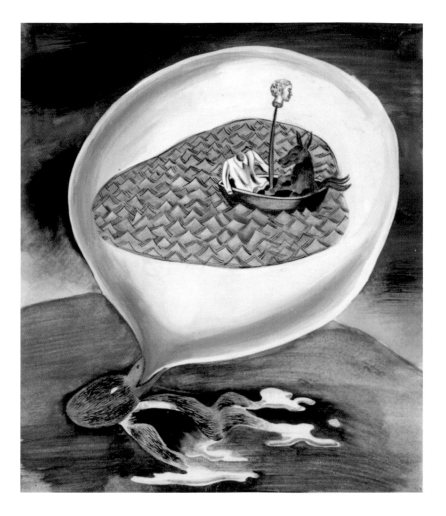

REMEDIOS VARO
Le Message, 1935
Paris, collection particulière,
avec l'aimable autorisation
de la Galerie 1900-2000

REMEDIOS VARO
Pianiste masqué, 1935
Paris, collection particulière,
avec l'aimable autorisation
de la Galerie 1900-2000

" PETITE AUBE

DE PLEIN ÉTÉ SUR BARCELONE ”

BRIGITTE LÉAL

« Petite aube de plein été sur Barcelone 1 »

Alertée par «la montée des périls» – l'avènement d'Hitler au pouvoir en 1933, les émeutes de février 1934 à Paris, l'invasion de l'Éthiopie par Mussolini en 1935 –, la gauche intellectuelle française, fille des Lumières, de la Révolution et de l'affaire Dreyfus, va se mobiliser en bloc autour de la guerre d'Espagne. Immédiatement perçue – le *Journal* de Michel Leiris en fait foi (« 1936 : année cruciale ? année de la guerre 2 ? ») – comme le sinistre prodrome de «l'étrange défaite» nationale, la guerre civile espagnole enclenche, dans la France du Front populaire mais aussi partout dans le monde, un phénomène de solidarité sans précédent, vécu dans un climat d'urgence euphorique, la fameuse «illusion lyrique» décrite par Malraux dans *L'Espoir*, hommage rendu à chaud à ceux – intellectuels, ouvriers, bourgeois – qui, comme lui-même, s'engagèrent sur le terrain pour défendre «les valeurs que nous tenions (que je tiens) pour universelles 3» : fraternité, liberté, justice.

Écrivains et poètes, compagnons de route ou militants communistes et d'extrême gauche, membres du clan NRF comme du sérail surréaliste, issus de l'Association des écrivains et artistes révolutionnaires, fondée en mars 1932, ou du Comité de vigilance des intellectuels antifascistes, créé en mars 1934, portés par les grandes figures emblématiques et morales de la vieille garde de la gauche française – les Henri Barbusse, Romain Rolland, André Gide, Paul Signac, Élie Faure, etc. (et les étoiles montantes André Malraux et Louis Aragon) – ou le souffle libertaire d'André Breton et de Benjamin Péret retrouvant, pour la circonstance, les accents de Robespierre («Il n'y a pas de liberté pour les ennemis de la liberté. Arrêtez Gil Robles 4 !») : tous répondent unanimement présents, au pied levé parfois, au «formidable élan d'un peuple révolté dans sa passion de la liberté 5» loué par le président du comité France-Espagne, Jean Cassou.

Dès son arrivée au pouvoir en France, en mai 1936, le gouvernement de Léon Blum tient à marquer sa solidarité avec le *Frente popular* voisin, élu en février 1936 : une délégation, forte de Malraux et de Cassou, amorce des contacts à Madrid et à

Barcelone, sous couvert de l'Association culturelle des écrivains français pour la défense de la paix. En juillet, à peine le coup d'État déclaré, Malraux, prenant les devants, saute dans le dernier avion pour Barcelone, rencontre Bergamín, voit le président Azaña à Madrid et ficelle son plan de soutien militaire à la République ; l'homme d'action a pris le pas sur l'intellectuel : l'escadrille España était née [6].

Sur «le délicieux marché de fleurs et d'oiseaux [7]» des Ramblas, on ne compte plus les intellectuels français qui viennent observer, témoigner ou se battre. La liste serait longue de ceux ou celles qui, comme les philosophes Simone Weil et Denis de Rougement, les poètes Benjamin Péret et Achille Chavée, le peintre et futur écrivain Claude Simon (*Le Palace*) rejoignirent directement le front – non sans en rapporter notes, reportages et réflexions lucides et désabusées quant aux luttes fratricides et suicidaires entre les différentes factions républicaines [8], ou amères, comme celles de la milicienne mystique Simone Weil, rejoignant le Georges Bernanos des *Grands cimetières sous la lune* dans sa condamnation sans appel de toute forme de violence («Les nôtres ont versé assez de sang. Suis moralement complice [9]»).

Pour la majorité des intellectuels, le combat restera d'ordre strictement littéraire ou journalistique. Cassou, fraîchement nommé à la tête de la revue *Europe*, l'organe intellectuel de l'antifascisme fondé par Romain Rolland et noyauté par Aragon, descend à Barcelone, flanqué de Jean-Richard Bloch et escorté du correspondant de *L'Humanité* en la personne de Paul Nizan. Si, dans sa formidable chronique «Espagne, Espagne [10]!», Bloch, le communiste, voit le conflit espagnol à travers le miroir de 1789 (il invoque Valmy et Hoche) et à l'aune d'une U.R.S.S. encore vierge du pacte germano-soviétique, le voltairien mais légitimiste collaborateur de Jean Zay est agacé, en fin hispaniste («tengo dos patrias»), par les excès de la rue révolutionnaire catalane, dénonçant les stigmates d'un tropisme national de morbidité baroque qu'il exècre jusque dans ses manifestations artistiques contemporaines, comme l'architecture de Gaudí, condamnée comme décadente et absurde.

Aragon, qui réservait son lyrisme à la gloire du camarade Staline (*Hourra l'Oural* en 1934), s'éloigne temporairement de l'écriture poétique pour la prose journalistique jugée plus efficace, en lançant avec son complice Jean-Richard Bloch, le quotidien communiste *Ce soir*, dont les photographies du bombardement de Guernica, publiées en avril 1937, seront en partie à l'origine du tableau de Picasso. Tristan Tzara, à Madrid depuis décembre 1936, joue les reporters pour la revue *Regards* (17-24 décembre 1936).

«La poésie ne serait pas ce qu'elle est, ce qu'elle n'est pas, si la guerre d'Espagne ne l'avait pas traversée comme un couteau [11]», affirmera Tzara. Reposant le problème lancinant de la responsa-bilité de l'artiste, cette guerre va élargir encore les fissures entre surréalistes. En dépit de «tous les petits enfants des miliciens d'Espagne» et d'un constant engagement à gauche, du communisme antistalinien au trotskisme [12], Breton en tient finalement, dans sa lettre en forme de plaidoyer *pro domo* à Écusette de Noireuil (sa fille Aube, née en 1935 de sa rencontre avec Jacqueline Lamba) qui clôt *L'Amour fou* [13], en 1937, pour la suprématie de l'Amour sur l'Histoire : «Grande était la tentation d'aller offrir à ceux qui, sans erreur possible et sans distinction de tendances, souhaitaient coûte que coûte en finir avec le seul ordre fondé sur le culte de cette abjecte trinité : la famille, la patrie et la religion, et pourtant vous me reteniez par ce fil qui est celui du bonheur.»

Éluard et Tzara choisissent le parti inverse, celui de la «poésie de circonstance», méprisée par Breton depuis l'affaire du poème «Front rouge» (1931) d'Aragon, considéré comme l'exemple indéfendable de «retour au sujet extérieur». Frappés par le sort tragique de leurs pairs espagnols – Lorca, connu chez Dalí, fusillé à Grenade le 19 août 1936 ; Machado, côtoyé lors du Congrès des écrivains antifascistes pour la défense de la paix tenu symboliquement à Madrid et à Valence en juillet 1937, et mort de désespoir, en exil à Collioure, le 23 février 1939 –, et jugeant que, dorénavant, «la poésie est plongée dans l'histoire jusqu'au cou», ils en font une arme de la chaîne de solidarité envers le pays frappé par le fascisme. Pour Éluard, ce sont trois poèmes – «Novembre 1936», «La Victoire de Guernica» (écrit pendant que Picasso travaillait à son tableau) et «Les vainqueurs d'hier périront», regroupés à la fin d'*Au rendez-vous allemand* – qui annoncent la poésie de la Résistance. Ceux du secrétaire du Comité de soutien aux intellectuels espagnols, Tristan Tzara – «Sur le chemin des étoiles de mer», «Chant de guerre civile», «Les poètes du monde défendent la guerre espagnole», «Matin des baies» –, ont le même caractère d'élégie académique, bien éloignée de la poésie automatique de leurs débuts, combinant chant funèbre et perspective d'avenir radieux.

À côté de cette levée en masse, spontanée et soutenue jusqu'à la fin du conflit, en 1939, alors que les démocraties occidentales avaient définitivement lâché l'Espagne [14], les artistes apparaissent d'abord plus en retrait, si l'on excepte les militants communistes, les Fougeron, Pignon, Gromaire, Lurçat, embrigadés sous la bannière du balbutiant réalisme socialiste à la française concocté par Aragon.

On trouve les surréalistes partagés entre un individualisme forcené, voire un apolitisme aristocratique (André Masson à Kahnweiler, Tossa, juin 1936 : «J'avoue que pour moi aussi l'importance inouïe que prend la politique dans le monde actuel ne correspond guère à ma manière d'être. Cependant, il est difficile de s'en désintéresser entièrement [15]»), et l'inéluctabilité

JOHN HEARTFIELD
*La liberté conduit
le peuple d'Espagne,*
Regards n°141,
24 septembre 1936
Paris, Collection François
Fontaine

de l'engagement face à une tragédie qui, pour les Espagnols, les affecte personnellement. Homme de conviction et de sensibilité philosophique nietzschéenne, partagée avec Georges Bataille – un de ses grands interlocuteurs du moment –, avec Leiris et Kahnweiler, Masson eut sur tous les surréalistes l'avantage d'avoir vécu sur place la genèse puis l'éclatement de la guerre civile. Il tente d'abord de se situer au-dessus de la mêlée, avant de fraterniser avec les milices anarchistes, gratifiées d'affiches et de bannières, probablement restées à l'état de projets.

Gros de manuscrits et de gravures, souvent liés aux livres les plus sadiens de Bataille, le cycle exceptionnel rapporté de Tossa de Mar sera réuni, à son retour, par Kahnweiler en sa galerie Simon, pour une exposition-bilan, «Espagne 1934-1936», marquant un des temps les plus forts de son œuvre. Les peintures telluriques, ramenées de ses marches don quichottesques sur les brûlants plateaux castillans ou andalous, ou souvenirs de son expérience quasi mystique vécue avec Bataille sur la montagne magique de Montserrat, se mêlaient aux dessins antifranquistes.

Contemporains de la bande dessinée de *Songe et mensonge de Franco*, ils n'en ont pas la force scabreuse et pathétique propre au vocabulaire surréaliste de Picasso, mais se rapprochent, par leurs portraits charges grand-guignolesques, où les dictateurs de l'époque (Hitler, Mussolini, Franco) sont bien reconnaissables, des caricatures politiques de Grosz, éditées sous le titre global d'*Interregnum* en 1936, et descendent incontestablement, avec leurs cortèges de monstres bestiaux (*Nones et prêtres*, *Ils s'entendent bien*) des *Caprices* et des *Désastres de la guerre* de Goya, modernisés par un trait griffé, hystérique, celui de la terreur et de la folie collective [16].

Les artistes sont aussi conscients, par les contre-exemples même de l'art des dictatures, de l'impasse du genre périmé de la peinture d'histoire, à l'instar de Miró, qui ne redoutait rien comme «de tomber dans la peinture sociale», ou de Picasso, répondant d'abord à la commande officielle du gouvernement républicain pour le pavillon de 1937 par... une scène d'atelier autour de l'un de ses thèmes leitmotiv du peintre et son modèle. Mais, convaincus de leur responsabilité (Miró en 1939 à Zervos: «Il n'y a plus de tour d'ivoire») et du poids de la propagande par l'image, ils vont se lancer dans le feu de la bataille. Ainsi, Picasso qui, dès l'annonce du bombardement de Guernica par les alliés de Franco, le 26 avril 1937, abandonne sa première proposition pour ébaucher spontanément une scène de lutte, déjà surmontée d'un bras de lumière incarnant l'Espérance.

Le pavillon [17] dressé par la République espagnole, dans le cadre ultrapolitisé de l'Exposition internationale de 1937 de Paris, allait combler leur attente. On y trouvait concentrée la fine fleur de l'avant-garde ibérique – Pablo Picasso, Joan Miró, Julio González, Luis Buñuel – jusque-là absente du

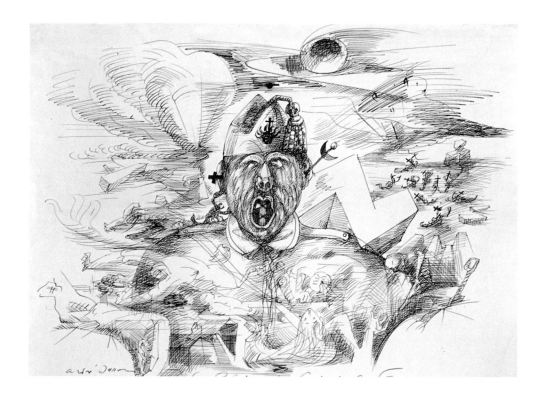

ANDRÉ MASSON
Les Fascistes, 1936-1937
Paris, collection particulière

ANDRÉ MASSON
La Gloire du général Franco,
1938
Paris, ancienne collection
André Breton

ANDRÉ MASSON
Los Regulares, 1937
Paris, collection particulière

JULIO GONZÁLEZ
Montserrat criant, nº 1,
1936-1939
Barcelone, Museu Nacional
d'Art de Catalunya

JULIO GONZÁLEZ
La Montserrat, 1936-1937
Amsterdam, Stedelijk Museum

débat politique mais opérant dans l'urgence, comme soumise aux événements. González, qui aurait souhaité y présenter sa dernière réalisation, le fer forgé de *La Femme au miroir*, purement abstrait (finalement recyclé *in extremis* dans l'exposition parallèle de « L'Art international indépendant » du Jeu de paume), fut sous la pression des commanditaires forcé de se rabattre, à la fureur de Picasso, sur une figure plus conventionnelle mais subtilement idéologique : sa formidable *Montserrat,* aux formes dures, métalliques, mais au sujet lénifiant de maternité, contrebalancé par l'emblème éminemment politique de la faucille, propagateur d'un double discours – celui de la mythologie communiste et celui, renforcé par la présence du fichu porté par la mère, de la mythologie de la jacquerie paysanne, largement exploité par les anarchistes.

L'usage fait par Joan Miró de la figure du paysan catalan remonte à un cycle constitué dans les années vingt à partir de *La Tête de paysan catalan I* (1924, Washington, National Gallery of Art), constituée d'une simple croix coiffée de la *barretina* (le bonnet phrygien rouge traditionnel en Catalogne), et terminé en septembre 1925 sur *Tête de paysan catalan IV* (Stockholm, Moderna Museet ; voir aussi *Le Catalan* du Musée national d'art moderne).

Entre la figure ascétique et onirique des années vingt – aboutissement de son exploration du signe minimal et de l'espace du vide – et celle de 1937 – au contraire, surchargée de symboles faciles (poing levé et faucille) –, l'écart est grand. Volontairement surdimensionnée (plus de cinq mètres de haut) au format des gigantesques photomontages de propagande imaginés par Josep Renau, l'artiste-commissaire du pavillon, elle fut aussi, dans le cas du pochoir jumeau, rétrécie à celui du multiple, à gros tirage et à bas prix – affichette et timbre-poste destinés, à l'instar des gravures de *Songe et mensonge de Franco* tirées par Picasso, à un public populaire. Le passage entre les deux s'est fait naturellement, au gré des événements sanglants endeuillant l'Espagne et marquant, dès 1934, l'œuvre de Miró du sceau de l'Histoire. Peintures « sauvages » des années 1934-1935, puis « peintures-verrous » et « peintures-garrots » (pour reprendre la terminologie de Dupin) renvoient aux heures les plus noires de l'Espagne, celles de l'Inquisition et de la répression anti-anarchiste. Des peintures de métamorphoses tourmentées, embrasées par des couleurs acidulées qui annoncent l'autre chef-d'œuvre de 1937, *La Nature morte au vieux soulier*, transposition intimiste de la tragédie, entreprise parallèlement au *Faucheur* géant et exposée conjointement à « L'Art international indépendant » au Jeu de paume.

On ne saurait trouver plus parfaite antithèse aux canons héroïques de la peinture d'histoire que cette humble vanité proposée par Miró en guise de manifeste pacifiste. Au morceau de

JULIO GONZÁLEZ
Tête criant, 1936-1939
Barcelone, Museu Nacional
d'Art de Catalunya

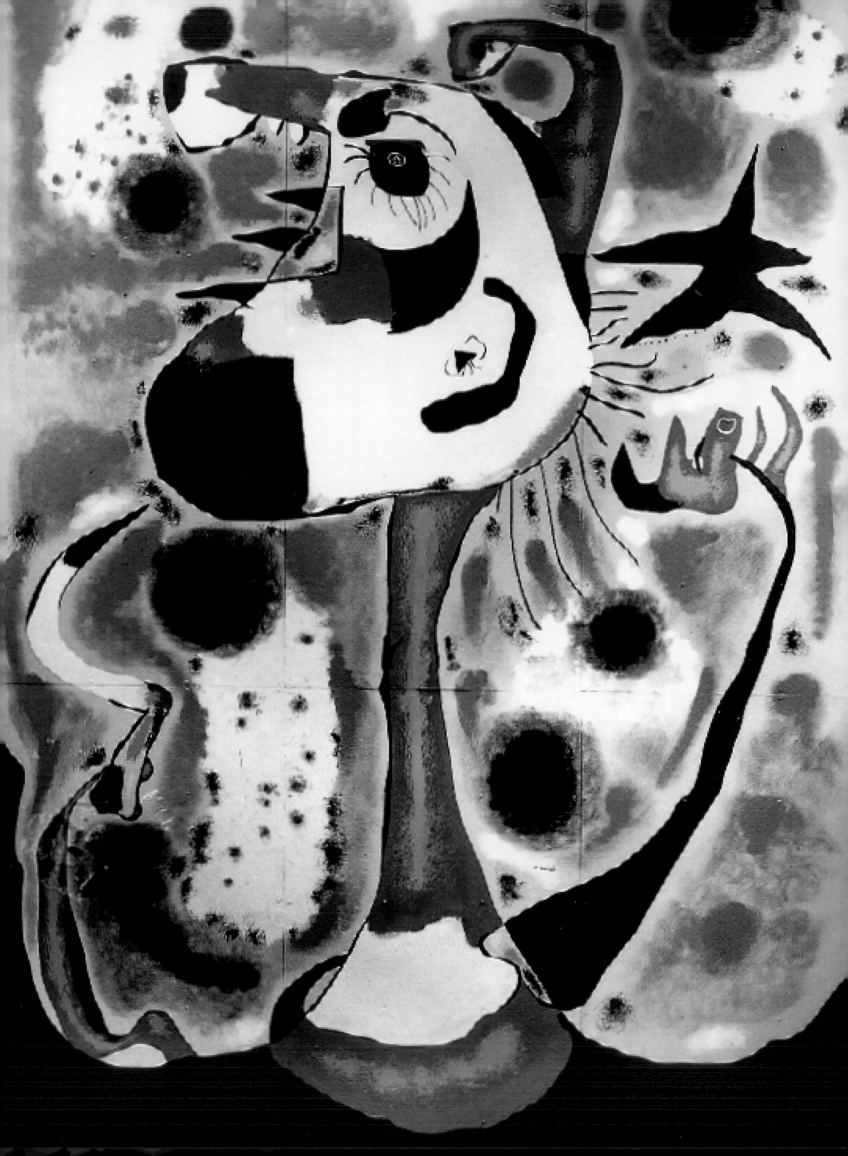

FIG. **JOAN MIRÓ**
Le Faucheur (œuvre disparue),
Exposition internationale,
Pavillon de l'Espagne, 1937,
photographie de François
Kollar
Paris, Patrimoine
photographique

JOAN MIRÓ
Aidez l'Espagne, 1937
Paris, archives Cahiers d'art

pain rustique et à la bouteille de vin, issus des sombres *bodegones* religieux de Zurbaran, ici transfigurés par des couleurs inattendues, fluorescentes, il a ajouté le signe même de l'errance moderne : un soulier aux lacets défaits, symbole de notre contemporain, déraciné du village à la ville, et du mythe baudelairien du poète, marginal et saltimbanque. De Flaubert à Van Gogh, nombreuses sont les images de souliers assimilés à la condition humaine, « à quelque chose de profondément triste et d'une mélancolie amère [18] ».

Celle-ci, derrière sa feinte modestie misérabiliste, réussit par son extraordinaire puissance formelle, à faire le poids face au morceau le plus grandiloquent de la période, le grand panorama déployé de façon spectaculaire par Picasso à la place d'honneur du Pavillon espagnol et baptisé d'un titre claquant comme un drapeau, *Guernica*, du nom même de la ville dont le martyre mobilisa immédiatement la solidarité internationale.

Plus que son iconographie (véritable « melting-pot » du vocabulaire picassien en recyclage permanent et des topoï traditionnels de la peinture d'histoire) aujourd'hui usée (à l'instar de l'effigie du Che Guevara, photographiée par Alberto Korda) par sa reproduction tous azimuts, qui a affaibli son message politique, le fonctionnement stratégique et idéologique de l'œuvre, son « instrumentalisation » dans le cadre d'un bâtiment d'« agit-prop », nous intéresse ici. En effet, le hall d'accueil, où le tableau était présenté en occupant tout le mur du fond comme un rideau de scène, avait fait l'objet d'une muséographie totalement politisée, soigneusement ciblée pour le grand public. En entrant, il recevait de plein fouet le choc de la monumentale *pala* aux figures mutilées dont la grisaille et le discret tramé le renvoyaient aux films présentés à côté par Luis Buñuel [19] (dont son *Espagne 37*), images d'une actualité brûlante justifiant par leur authenticité le récit, tempéré par l'allégorie, soutenu dans le tableau ; en face, faisant office de volet complémentaire à la peinture, l'immense photographie de Federico García Lorca, saisi en pleine jeunesse, souriant, représentait l'image même du saint martyr voué par son sacrifice à un culte prolongé.

Devant le panneau, l'hermétique *Fontaine de mercure* de Calder, recelant, telle une châsse reliquaire, le précieux métal des mines d'Almaden, enjeu d'un conflit politico-économique d'envergure, incarnait à elle seule, dans son ellipticité, tous les combats et toutes les vertus de la démocratie espagnole : la nationalisation industrielle combinée au maintien des libertés fondamentales, credo d'une république pacifique et souple, légère comme du vif-argent.

Enfin, en guise de slogan mobilisateur, affiché dans la salle, les organisateurs avaient pris soin d'écarter le célèbre « *Venceremos !* », trop attaché au renom des cosmopolites Brigades internationales, pour lui préférer l'ultranationaliste cri de guerre de Verdun « Ils ne

JOAN MIRÓ
Nature morte au vieux soulier,
1937
New York, The Museum
of Modern Art, don de James
Thrall Soby (1969)

PABLO PICASSO

La Femme qui pleure I
(6ᵉ état), 1937
Paris, musée Picasso

PABLO PICASSO

Mère à l'enfant mort (II), 1937
Madrid, Museo Nacional Centro
de Arte Reina Sofía

SALVADOR DALÍ
*Étude pour Prémonition
de la guerre civile*, 1936
Madrid, Museo Nacional Centro
de Arte Reina Sofía

Yvonne et Christian Zervos,
Roland Penrose, Pere Català
Pic…au monastère
de Pedralbes, 1936
Paris, Archives Cahiers d'art

passeront pas!» (*No pasaran!*) permettant d'identifier la défense du territoire espagnol à celle du sol français et l'armée de Franco, alliée à l'Allemagne, aux «Boches» de la guerre de 1914-1918.

D'après le témoignage laissé par «Les notes d'un touriste à l'Exposition» d'Ozenfant pour *Cahiers d'art*, en 1937, les visiteurs ne sortaient pas indemnes de leur parcours dans un espace aussi codifié, faisant appel, à la fois, à l'émotion, à la peur et à la raison. *Guernica* le dominait du haut du prestige de son auteur, qui avait de surcroît étendu son empire à l'extérieur du bâtiment en y implantant cinq sculptures sorties, pour la circonstance, de l'atelier de Boisgeloup, des têtes de femme, au sujet totalement privé, apolitique, et l'*Offrande* de 1933, faisant pièce à la *Montserrat* de González et à l'interminable mât ligneux d'Alberto (*Le peuple espagnol suit un chemin qui mène à une étoile*).

Curieuse ironie du sort que celui de trois artistes, pour le moins avares de déclarations fracassantes sur le destin de leur propre pays (on se souvient du sec: «Je me tiens strictement sur le terrain de la peinture» d'un Miró questionné par Duthuit dans le cadre des *Cahiers d'art* de 1936 dédiés à la Catalogne) mais imposant, par la présence autoritaire de leurs chefs-d'œuvre, à l'architecture exemplaire de José Luis Sert, un sens, un rayonnement, sans doute non prévu par les autorités espagnoles, qui avaient envisagé le pavillon comme une banale vitrine de propagande en faveur de sa cause, remplie, dans la grande tradition des expositions internationales, à ras bord, d'œuvres bavardes et médiocres confirmant le provincialisme d'une large part de la peinture espagnole contemporaine.

Dynamisé par les lignes pures, légères et colorées du bâtiment épigone de la tente aérienne du pavillon de l'Esprit nouveau, implanté par Le Corbusier dans l'Exposition des arts décoratifs de 1925, mais anobli par le poids d'œuvres devenues légendaires, le pavillon est entré dans l'Histoire, comme modèle accompli d'œuvre d'art totale.

Gageons que le soutien indéfectible de Zervos a contribué pour une part déterminante à entretenir la mémoire du *tempietto* détruit et de ses œuvres (*Le Faucheur*, la colonne d'Alberto) disparues. Dès l'été 1936, Yvonne et Christian Zervos rejoignent, en Catalogne, Penrose, Vildrac, Tzara et Ehrenbourg, pour participer, du côté républicain, au sauvetage du patrimoine artistique catalan, menacé par la guerre et les persécutions antireligieuses, dont le récolement alimentera l'exposition d'art catalan ouverte en mars 1937 au musée du Jeu de paume [20]. Face au silence déroutant de *Minotaure*, ils vont transformer *Cahiers d'art* en machine de guerre antifranquiste, culminant dans les fameux numéros de 1937, tournant à l'apothéose de l'artiste maison, Pablo Picasso. Son *Guernica* est célébré par toute une polyphonie de moyens: dossier complet de sa genèse, de son histoire et de sa

ANDRÉ MASSON
Projet de fanion pour
les Brigades internationales,
Thaelmann Centurie,
1936
Paris, collection particulière

ANDRÉ MASSON
Projet de fanion pour
les Brigades
internationales, *British
Centurie*, 1936
Paris, collection particulière

Notes

1 André Malraux, *L'Espoir*, début du chapitre II de la première partie «L'Illusion lyrique», Paris, Librairie Gallimard, 1937, p. 2.

2 Michel Leiris, *Journal, 1922-1989*, Paris, Gallimard, p. 296.

3 Gaétan Picon, *Malraux par lui-même*, Paris, Éditions du Seuil, 1953.

4 Titre donné au tract collectif contre le fasciste Gil Robles réfugié en France, daté du 20 juillet 1936, rédigé par Benjamin Péret, Léo Malet et Henri Pastoureau, et signé, entre autres, par Breton, Éluard, Claude Cahun, Hugnet, Marcel Jean, Dora Maar et Yves Tanguy.

5 Jean Cassou, *Une vie pour la liberté*, Paris, Éditions Robert Laffont, 1981, p. 111.

6 Sur cet épisode déterminant de la vie de Malraux, voir l'étude complète de Robert S. Thornberry, *André Malraux et l'Espagne*, Genève, Librairie Droz, 1977.

7 Jean Cassou, *op. cit.*, 1981, p. 111.

8 Voir surtout les lettres de Péret à Breton envoyées du front entre août et octobre 1936 où Péret, proche du Poum puis engagé dans la colonne Durruti, décrit avec enthousiasme les églises incendiées dans Barcelone, Claude Courtot, *Introduction à la lecture de Benjamin Péret*, Paris, Le Terrain vague, 1965.

9 Luis Mercier Vega, «Simone Weil sur le front d'Aragon» dans la remarquable anthologie, *Les Écrivains et la Guerre d'Espagne*, Paris, Les Dossiers H, n.d., p. 275-279.

10 Jean-Richard Bloch, «Espagne, Espagne!» réédité par Le Temps des cerises, avec une préface de Carlos Serrano, Paris, 1987.

11 Dans une conférence sur le surréalisme et l'après-guerre, citée par Henri Béhar dans ses notes aux poèmes de la guerre espagnole, *Tristan Tzara. Œuvres complètes*, tome III, 1934-1946, Paris, Flammarion, 1979.

12 Breton avait été exclu du parti communiste en 1933 suite à sa dénonciation de la «crétinisation soufflant sur l'URSS» et la correction infligée à Ehrenbourg. Les procès de Moscou sonneront le glas définitif de ses relations avec les communistes, scellé par son rapprochement et sa rencontre historique avec Trotski, au Mexique, dont sortira le manifeste «Pour un art révolutionnaire indépendant» du 25 juillet 1938.

13 André Breton, *L'Amour fou*, chapitre VII, Paris, Gallimard, Collection Folio, 1989, p. 174.

14 La politique de soi-disant «neutralité» des chancelleries française et anglaise avait indigné l'ensemble des intellectuels et particulièrement les surréalistes qui y répondirent par le manifeste «Neutralité, absurde! Crime et trahison!» du 20 août 1936.

15 André Masson, *Correspondance. Les années surréalistes, 1916-1942*, Paris, La Manufacture, 1990, p. 323.

16 Masson réalisa aussi les décors et les costumes de *Numance* d'après Cervantès, pour Jean-Louis Barrault, au Théâtre Antoine (22 avril-6 mai 1937), souvent considéré comme un acte de solidarité avec l'Espagne; voir sur le sujet l'article de Georges Sebbag dans le remarquable catalogue dirigé par Emmanuel Guigon, *El surrealismo y la guerra civil espanolã*, musée de Teruel, 30 octobre-13 décembre 1998.

17 Sur le pavillon et son contenu, voir le catalogue de référence de Josefina Alix Trueba, *Pabellón español 1937*, Madrid, Centro de Arte Reina Sofia, 1987.

18 Gustave Flaubert, *Correspondance*, Éditions Jean Bruneau, volume I, 1830-1850, Paris, Bibliothèque de la Pléiade, 1973, p. 418.

19 Luis Buñuel, nommé en 1936 responsable de la propagande au service de l'information de l'ambassade républicaine à Paris, avait réalisé en 1933 *Las Hurdes* (titre français: *Terre sans pain*) sur l'extrême misère des campagnes espagnoles.

20 L'exposition «L'Art catalan du Xe au XIe siècle» au musée du Jeu de paume fut accompagnée d'un ouvrage édité par Zervos et présentée par lui-même dans un article de *Cahiers d'art* (n° 8-10, 1936) intitulé «À l'ombre de la guerre civile», vigoureuse défense de la politique culturelle de la République contre les accusations de vandalisme et de pillage portées par la droite catholique.

21 André Malraux, *La Tête d'obsidienne*, Paris, Gallimard, Collection Folio, p. 327.

22 André Malraux, *L'Espoir, op. cit.*, 1937, p. 36.

23 Voir aussi le film de Joris Ivens, *Terre d'Espagne*, 1937, sur un commentaire écrit et dit par Ernest Hemingway.

L'APRÈS-GUERRE

ET L'INSTITUT FRANÇAIS

le directeur, sut faire sentir et faire remarquer la présence de la chaleur et de la culture françaises dans notre pays en ces années de solitude et de véritable désespoir. M. Deffontaines, géographe universitaire, fils du premier général tombé au champ d'honneur lors de la Première Guerre mondiale, arriva à Barcelone le 6 octobre 1939, avec le titre de directeur de l'Institut français à Barcelone, qui avait été créé en 1922 par le ministère des Affaires étrangères de France. Dans ces circonstances de fermeture et d'isolement du régime franquiste, récemment instauré et déjà en mesure d'être accepté politiquement, arriver à ce moment-là en « apportant » une autre culture n'était pas pour plaire outre mesure aux autorités. Mais la qualité du personnage ne pouvait trop déplaire au gouverneur civil de Barcelone, eu égard à la situation sociale et familiale du nouveau venu. D'autre part, le maire de la ville, Miquel Mateu, homme de confiance du régime et futur ambassadeur franquiste à Paris, voyait d'un bon œil, en tant que Catalan, tout ce qui pouvait venir de la ville rêvée, capitale culturelle du monde. M. Deffontaines ne se heurta pas non plus à l'hostilité du recteur de l'université. Une fois installé à Barcelone, donc, il exerça sagement sa tâche et perçut tout de suite que, dans ces circonstances, l'Institut français devait être la consolation et le soulagement des sentiments culturels les plus profonds et les plus catalans. Il ne balança pas et, dès le début, après les difficultés inhérentes à la responsabilité qu'il assumait et à sa rupture avec le régime français de Vichy, avec la création au nouveau siège de l'Institut, sur l'avenue qui portait alors le nom de José Antonio, d'une institution camouflage d'enseignement de langues étrangères, cette maison allait devenir le lieu et le local où l'on pouvait aller respirer liberté et culture, surtout à partir de la Libération, en 1944.

À l'Institut français, il y avait une bibliothèque où l'on pouvait consulter des livres en français, alors impossibles à trouver nulle part, et comme il va sans dire, la production française du moment. Était offerte, en outre, la possibilité de lire quelques journaux du jour, et aussi quelques revues. Les artistes et les intellectuels des différentes branches de la connaissance, en particulier, allaient s'y abreuver spirituellement, reprendre courage pour continuer à subsister et à lutter sur le front de la culture. Tout cela se structura peu à peu, de manière informelle, en groupes d'affinités qui surgissaient du « carrefour » – des lieux de réunions. On profitait de cette rencontre pour parler des sujets et des questions qui intéressaient chacun, et l'on faisait aussi quelques excursions, généralement à partir de préférences culturelles. Il ne faut pas oublier que M. Deffontaines était géographe ; son travail de terrain parmi nous était toujours enrichissant, tant par les explications qu'il apportait sur le milieu physique que par celles qui concernaient la structure et l'orga-

nisation humaine et, par conséquent, culturelle et artistique. Ce n'est pas pour rien qu'il disait que c'est le paysan qui fait le paysage, et que c'est à partir de ce paysage qu'on doit étudier la nature. C'est précisément en discutant avec Alfred Figueras, un artiste catalan qui avait vécu longtemps en France et à Alger, ces questions de perception authentique de l'environnement et du milieu, que le géographe choisit d'abandonner en bonne partie la photographie panoramique pour en venir à traduire personnellement, par le dessin, son impression visuelle directe du paysage qu'il étudiait. Grâce à quelques-unes de ces sorties, pour lesquelles il fallait obtenir une permission spéciale du gouvernement, l'étude de notre art roman prit un nouvel essor, et ces visites directes, de nouvelles mesures et des plans de levé permirent d'élaborer de nouveaux procédés de restauration.

Du carrefour surgirent les « cercles », qui étaient des regroupements fondés sur des sympathies intellectuelles, professionnelles ou artistiques. Il faut dire d'emblée que les cercles n'eurent jamais de structure ; ce fut toujours des rapprochements spontanés par affinités (peinture, art plastique, cinéma, médecine, droit, philosophie…) qui s'organisaient et fonctionnaient sous la responsabilité d'une personne, que les groupes eux-mêmes élisaient comme responsable, avec le titre de président. C'est cette personne qui, avec l'aide du secrétariat de l'Institut, élaborait les listes des membres de chaque cercle, établissait la périodicité des convocations et les sujets des réunions, qui selon une coutume immuable avaient toujours lieu dans le grand salon aux miroirs, à la décoration néobaroque, du siège de l'Institut. Dans cette partie de la maison, on avait l'impression d'échapper à l'étouffement culturel environnant et chacun pouvait y dire ou y entendre ce que bon lui semblait. M. Deffontaines, très discret, hormis les jours ou les occasions où avait lieu quelque acte officiel ou solennel, se contentait à un moment ou à un autre, au cours de la réunion des membres du cercle, de passer la tête pour saluer les personnes présentes.

L'Institut français de Barcelone, par exemple pour ce qui concerne le cercle Maillol ou les autres cercles, ne fut pas à l'origine de l'introduction de l'art informel, ni d'aucune autre des tendances qui se manifestaient à l'époque, mais il préserva la créativité et entretint l'ouverture d'esprit. Et c'était le cas tant pour les arts plastiques que pour la musique, la littérature et le cinéma, ou dans les autres cercles plus spécialisés, comme le médical, le géographique, etc. M. Deffontaines lui-même était idéologiquement très conservateur, mais il laissait faire et admirait les personnes passionnées, comme en témoigne son étroite amitié avec Josep Maria de Sucre, homme malchanceux dans la vie, mais plein de ce qu'on appelle en catalan *rauxa*, cet élan de passion à la manière de Ramon Llull, Antoni Gaudí ou Joan

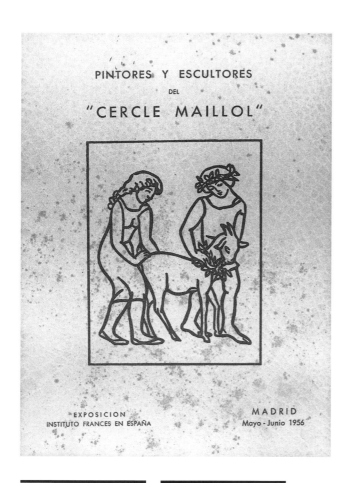

FIG. Catalogue d'exposition, *Cercle Maillol*, Institut français de Barcelone, 1953

FIG. Couverture du catalogue de l'exposition *Convergencias entre el pensamiento y la plástica actuales*, Cercle Maillol, Institut français de Barcelone, décembre 1965 Photographie de X. Miserachs

Miró, qui consiste à se laisser aller, mais sans s'égarer : le directeur de l'Institut français lui garda toujours ouvertes les portes de l'institution et le laissa faire dans le domaine des arts plastiques ce que bon lui semblait. Dans les années cinquante, cependant, M. Deffontaines eut un adjoint, M. Jacques Mettra, qui inspira et conseilla au directeur des ouvertures plus risquées, mais sans que cela n'impliquât jamais, toutefois, un impératif pour ceux qui entraient dans cette maison.

Mais cela avait des résultats ou des conséquences, outre l'organisation des actes et des séances, et la publication, d'une manière ou d'une autre, par impression ou cyclostyle (ronéo), des documents ou des communiqués – jamais de manifestes expressément politiques, même s'il pouvait s'agir de déclarations d'intentions ou de projets : ces résultats prenaient la forme de possibilités de se rendre en France à titre de boursier, durant un certain temps. Ce n'était certes pas dans ce but

que l'on assistait aux séances des cercles, mais, comme on l'a dit, afin de jouir un moment de la joie de la liberté d'expression, d'exposition, d'exécution et de vision. De surcroît, cependant, pour ceux qui en avaient besoin et qui étaient proposés par les autres membres du groupe, il y avait la possibilité de traverser la frontière avec un certificat – la bourse – d'accueil officiel de l'autre côté. À cette époque, la police espagnole ne fournissait à personne le passeport nécessaire pour quitter le pays s'il n'avait pas les papiers garantissant que quelqu'un, personne ou institution, accueillait officiellement son titulaire et lui assurait les moyens économiques d'y demeurer un temps donné. En ce sens, les bourses de l'Institut français étaient mythiques. Elles résolvaient l'impossible. Elles étaient la porte de la liberté.

L'Institut français ne délivrait pas ces documents. La seule chose qu'il faisait – après que les responsables des cercles avaient indiqué quelqu'un – était d'établir un document qui accréditait le boursier devant les autorités françaises ; la personne accréditée devait se présenter au Bureau d'accueil des étudiants étrangers, situé à Paris – au 96, boulevard Raspail –, tout près de l'extraordinaire monument de Rodin à Balzac – l'union parfaite de l'esprit et de la forme au temps de la modernité. Un vrai symbole pour qui arrivait d'un monde où la culture n'était qu'éléments sclérosés, sans une étincelle de créativité. Signalons à titre de curiosité que dans la salle des miroirs où nous nous réunissions à l'Institut, à Barcelone, il y avait une autre sculpture d'Auguste Rodin, avec cette créativité formelle où s'unissaient la matière et les intentions. À partir de l'arrivée en France, les problèmes étaient réglés et le gouvernement de l'État français assumait toutes les responsabilités et facilitait les possibilités de séjour et d'accès aux institutions culturelles.

La réalité des circonstances amena progressivement la création des cercles de regroupement des amis de l'Institut. Les premiers furent celui de musique, qui fut appelé cercle Manuel de Falla, ce par quoi on marquait bien l'orientation de la nouvelle manière d'entendre la musique, et le cercle Maillol, nom qui désignait un moderne et idyllique méditerranéisme plastique, sans excentricité, où se réunissaient les artistes. Après le cercle des Géographes, qui reprenait beaucoup d'éléments de l'humanisme, le Cercle médical, qui rapprocha la recherche des médecins catalans de celle de leurs collègues français, suivit le cercle Lumière, où se regroupèrent les passionnés de cinéma, d'autant plus qu'ils pouvaient voir des films impossibles à visionner ailleurs qu'à l'Institut. À partir d'un moment donné commença à fonctionner le Cercle littéraire, par où passèrent les grands noms des lettres catalanes pour y exposer leurs idées, et parfois pour y montrer ce qu'ils écrivaient, étant donné qu'alors la littérature catalane était forcément clandestine, indépendamment de son contenu. On créa aussi un cercle d'Études européennes, où étaient débattues les idées générales d'un monde et de rapports humains nouveaux, dans des conversations et des propos impossibles à tenir, publiquement, dans d'autres endroits que l'Institut. D'autres cercles plus éphémères en vinrent aussi à fonctionner, comme le cercle Descartes pour les questions de philosophie. Ils se partageaient tous l'espace rococo de la salle des miroirs dont on a parlé et le secrétariat de l'entité, services dont ils disposaient un jour de la semaine ou du mois. Il va de soi que dans tous ces cercles, outre les préoccupations des assistants concernant leurs propres problèmes culturels, on débattait les problématiques de la pensée, de la littérature et de l'art français, comme il convenait à une institution expressément créée dans ce but, mais qui, en la personne de son directeur et de la majorité de ses professeurs, était sensible à la réalité culturelle du lieu où elle se trouvait installée. Cela a été son grand rôle et c'est en cela que consiste la mission éminente qu'a remplie pour la culture catalane l'Institut français de Barcelone. Un grand nombre des personnalités qui se sont illustrées des années plus tard dans le domaine de la science, de la culture et des arts s'honorent de la distinction d'avoir été boursiers du gouvernement français à travers son institution barcelonaise.

Pour ce qui est du cercle Maillol, dont l'influence est peut-être la plus notable, il faut dire qu'il fonctionna dans un environnement social imposé des plus affligeants, éloigné de tout ce qui pouvait signifier créativité ou innovation. Officiellement, il y avait l'« Exposition nationale des beaux-arts », dont l'un des représentants les plus éminents était le jeune Ramon Rogent, qui commençait alors à pratiquer un débordement de la couleur par rapport au contour des formes. À Madrid eut lieu une tentative de récupération d'Isidre Nonell de la part d'Ors et sous l'égide d'une « Petite Académie de l'art », créée en 1941, avec l'objectif d'« orienter et de diffuser l'art moderne ». Mais en mai-juin de cette même année, on présenta à Barcelone une exposition, organisée par l'Institut français, de « Gravure française moderne de Manet à nos jours ». Elle n'allait pas au-delà de Georges Rouault, mais c'était tout un symbole. C'est aussi à Barcelone qu'exposaient Angel Ferrant et Manolo Hugué, alors qu'à la biennale de Venise, la représentation de l'État espagnol était confiée à l'académique Julio Moisés et au sculpteur Josep Clarà, et que l'ancien défenseur de la créativité contemporaine, Josep Maria Junoy, publiait un *Éloge de l'art espagnol* où il prêchait le retour à la peinture métaphysique espagnole conservée au musée du Prado. Pour renforcer ces perspectives et insister dans cette direction, au début de 1943, parut la *Revista de ideas estéticas* où il était dit que « ressusciter les ismes était de nos jours un exemple négatif d'anachronisme ». Tout cela prétendait agir comme des chants de sirène pour ramener l'art au transcendantalisme qu'il avait perdu, croyait-on, avec l'impressionnisme ou le luminisme. L'académie orsienne se maintenait dans cette ambivalence tout en cherchant la bataille à travers les « Salons des Onze » (le premier, en 1943), qui « n'étaient pas venus apporter la paix mais la guerre ». Mais à la galerie Reig, à Barcelone, en novembre, exposaient – entre fauvisme et cézannisme – outre Rogent déjà nommé, Vilató et J. Fin (neveux de Picasso). En 1944, une exposition de gravure italienne, organisée par l'Institut de culture italienne de Barcelone, nous présenta Giorgio Morandi, tandis que dans la même ville, mais sans que personne ne le sache, excepté Joan Prats, ami et éditeur de Miró, et Enric Tormo, graveur, étaient imprimées les cinquante lithographies de la série *Barcelone*.

L'année suivante, dans une tentative de faire évoluer la situation et particulièrement la poésie, tout en reprenant l'idée qu'il fallait dépasser les «ismes», mais dans un sens positif, apparaît le «postisme», qui plaide pour l'imagination à travers la reconnaissance de l'inconscient. C'est aussi en 1945 qu'a lieu à Madrid et à Barcelone l'exposition, organisée par le gouvernement récemment constitué de la République française, d'«Artistes français contemporains», comprenant, à partir de Pierre Bonnard, Jean Bazaine, Maurice Estève ou Édouard Pignon, du groupe Forces nouvelles, et pour ce qui est des cubistes, Georges Braque ou André Lothe, mais pas Pablo Picasso. Le catalogue est présenté par le professeur Philippe Rebeyrol, qui jouera un grand rôle dans la future question des boursiers catalans. Josep Hortuna et Enric Planasdurà développent leurs imaginations personnelles dans le domaine de la recherche plastique, en travaillant la ligne indépendamment de la couleur, ou en conférant à l'un de ces éléments une valeur déterminante à la surface du tableau. C'est à la fin de 1945 que se constitue le cercle Maillol. Ce fut un regroupement d'amis désireux de s'entretenir de l'art contemporain et de le faire avec la liberté qui n'était possible qu'à l'Institut français; on pouvait y voir en même temps des reproductions des œuvres contemporaines. Assistaient à ses séances, réunions et expositions – qui avaient lieu dans un vaste espace du rez-de-chaussée – les artistes d'âge mûr les plus ouverts du moment, comme Josep Mompou, Humbert, Capdevila, Bosch Roger, Sandalinas, Alfred Figueras déjà nommé, Sanjuan, Josep Maria de Sucre ou Charles Collet, un sculpteur suisse résidant à Barcelone depuis de nombreuses années et qui devait devenir le premier président du cercle, à qui succéda ensuite Josep Hortuna. Après un certain temps, la présidence fut assumée par Sucre, une personnalité impressionnante, forte, pleine de poésie, de fougue et de créativité, qui devait diriger le cercle jusqu'en 1964, où allait lui succéder l'auteur de ces lignes.

Les activités commencèrent par une exposition de sculpture, avec des œuvres d'artistes reconnus et la participation de quelques jeunes gens. Puis continuèrent toutes sortes de manifestations, monographiques, thématiques ou collectives, avec l'apport des œuvres de ses membres.

Les bourses commencèrent à fonctionner dès 1946 et les premières furent pour les frères Vilató (Fin et Xavier) et Gabino Rey; ce dernier n'ayant pu obtenir son passeport, sa bourse fut délivrée à Albert Fabra, qui avait la nationalité argentine. La seconde série fut accordée à Ignasi Mundó et à Francesc Fornells-Pla, dont le passage de la frontière donna lieu à des péripéties savoureuses. Celle de 1947 échut à August Puig, qui était à cette époque une véritable révélation d'abstraction imaginative et expressionniste. Celle de 1948 fut

pour Jordi Mercadé, qu'accompagna Francesc Boadella avec des papiers de pure circonstance. En 1949, Xavier Valls bénéficia d'une bourse d'un mois, qui lui permit de rester à Paris pour toujours. Dans la pratique, ces premières bourses étaient octroyées, avec le concours du directeur, par les professeurs de l'Institut, MM. Pierre Vilar, Maurice Matet et Paul Guinard. À partir de 1950, ceux-ci furent progressivement remplacés par une commission composée de membres du cercle et de quelques personnalités de la culture de la ville. Les boursiers les plus éminents ont été : en 1950, Maria Girona, Albert Ràfols Casamada, Josep Maria Garcia Llort; en 1950-1951, Antoni Tàpies, avec des attestations, également, pour Modest Cuixart; en 1951, Josep Maria Subirachs, Riu Serra; en 1952-1953, Josep Guinovart; en 1952, Leandre Cristòfol; en 1953-1954, Esther Boix, Francesc Todó; en 1953, J. J. Tharrats; en 1954, Francesc Torres Montsó; en 1954-1955, Jordi Curós, Josep Roca Sastre; en 1955, Jordi Fornas, Antoni Guansé; en 1955-1956, Leonci Quera; en 1960, Pere Falcó; en 1963, Fernando Lerín; en 1965, Daniel Argimon; en 1966, Moisés Villèlia; en 1968, Josep Grau Garriga.

À partir de cette période, le sens de «protection culturelle» des bourses ayant pratiquement disparu, et l'orientation de la politique culturelle du gouvernement français ayant changé, l'Institut devint une institution strictement consacrée à la culture officielle. Cela devint manifeste avec les obstacles auxquels se heurta l'exposition qu'organisa en 1965 le président du cercle Maillol, consacrée à une confrontation entre art plastique et littérature, et intitulée «Hommage à Sartre», désignation que l'on dut changer pour celle de «Convergences entre la pensée et l'art plastique actuels», sur les directives de l'ambassade de France à Madrid.

Le cercle Maillol et ses activités consacrées à l'art furent très bénéfiques pour la culture plastique catalane et c'est là que vécurent des moments intenses, dans des colloques et des conférences, presque chaque mardi, des artistes de la qualité d'Armand Torrandell, dont certains ne purent accepter des bourses. Mais tous ensemble forgèrent la possibilité inédite de faire un art nouveau en Catalogne.

C'est à l'Institut français que, sous la désignation «Un aspect de la jeune peinture», fut présentée en 1949, en même temps que le numéro correspondant de *Dau al set*, l'exposition Tàpies, Ponç, Cuixart, les artistes plastiques du groupe. Un enchantement, mais aussi un exemple d'autonomie, de collaboration et de compréhension.

(traduit du catalan par Denise Boyer)

1888/1937 chronologie

1888

Mai

1er mai : inauguration du Salon
de la Société des artistes français à Paris.
Auguste Rodin expose le buste de
Mme M.V. (*Madame Vicunha*) et le Catalan
Santiago Rusiñol participe pour la
première fois.
À la galerie Durand-Ruel, exposition
de « Nocturnes, esquisses et dessins »
de Whistler.
Samuel Bing publie le n° 1 du *Japon
artistique* qui paraîtra jusqu'en avril 1891.
20 mai : inauguration de l'Exposition
universelle à Barcelone qui
se tient dans l'ancienne citadelle
aménagée selon les plans de Josep
Fontserè. Première manifestation officielle
du modernisme.
Un tableau d'Hermen Anglada-Camarasa
et trois de Rusiñol y figurent. Plusieurs
constructions sont réalisées à cette
occasion : l'Arc de triomphe
de Barcelone, le palais des Beaux-Arts,
l'Hôtel international par Lluis Domènech
i Montaner. L'Exposition universelle
fermera ses portes le 31 décembre après
une prolongation due à son succès.
La *Gazette des beaux-arts* (1er septembre)
en rendra compte dans son article
« Correspondance de Barcelone :
exposition universelle ».
Ouverture du « Castell dels Tres
Dragons », atelier d'artisans créé
par Domènech i Montaner dans un
bâtiment construit pour l'Exposition
universelle.
La famille de Pablo Gargallo (né en 1881
près de Saragosse) s'installe à Barcelone,
Calle Sadurni.
Le sculpteur Miquel Blay i Fabrega
devient l'élève de Chapu à l'académie
Julian à Paris jusqu'en 1890.

1889

Ouverture du cabaret de l'Âne-Rouge
(1889-1897) par Gabriel Salis, frère
de Rodolphe Salis fondateur du Chat
Noir, sur l'emplacement de La Grande
Pinte (décors de Willette).
Nouvelle parution, sous la direction
de Raimon Casellas, du journal
littéraire et artistique *L'Avenç*, créé
à Barcelone en 1881, organe
de l'écriture moderniste, qui introduit
en Catalogne l'avant-garde européenne
à travers les écrits de Baudelaire,
Leconte de Lisle, Nietzsche. Il cessera
de paraître en 1893.

Mars

31 mars : inauguration de la tour Eiffel
par le président de la République
Sadi Carnot.

1

Mai

Au Salon de la Société des artistes
français, succès de l'académisme :
Rusiñol envoie *Le Vélocipédiste* qui reçoit
une mention honorable.
5 mai : inauguration de l'Exposition
universelle à Paris commémorant
le centenaire de la Révolution française.
Le critique catalan Raimon Casellas
visite l'exposition.
12 mai-15 octobre : parallèlement, dans
un local de magasin, rue du Faubourg-
Poissonnière, se tient l'Exposition
universelle des Arts incohérents, créés
en 1882, issus de l'ancien club
des Hydropathes.
Toulouse-Lautrec peint *Au bal
du Moulin de la Galette* qui sera exposé
au Salon des indépendants au mois
de septembre.

2

Juin

Exposition de soixante-dix toiles de
Monet et trente sculptures de Rodin
à la galerie Georges Petit.

Juillet

Exposition centennale de l'art français
au palais des Beaux-Arts, au Champ-de-
Mars, dans le cadre de l'Exposition
universelle : des toiles de Manet,
Monet, Pissarro, Cézanne y sont aussi
présentées grâce à l'appui de Roger
Marx et d'Antonin Proust.
Forte présence du symbolisme. Rusiñol
reçoit une mention honorifique
pour son tableau *Paysage de mon pays*.

Août

Inauguration de la nouvelle Sorbonne
avec le grand amphithéâtre décoré
par Puvis de Chavannes qui remporte
un vif succès.

Septembre

Premier séjour à Paris de Santiago Rusiñol
i Prats : il s'installe à l'hôtel de Bruxelles,
85, rue de Clichy, au pied de la butte
Montmartre, visite l'Exposition universelle,
puis partagera, dès le mois de décembre,
une maison située 14 bis, rue de l'Orient,
avec Miquel Utrillo — correspondant
culturel comme lui de *La Vanguardia* —,
Ramón Canudas, Enric Clarasó.

3

Octobre

Ouverture du cabaret Le Moulin-Rouge, place Blanche : dans le foyer, au-dessus du bar, sont accrochés *Le Dressage des nouvelles par Valentin le Désossé* à côté de *Au cirque Fernando, l'écuyère* de Toulouse-Lautrec et de *La Danseuse* de Willette.

4

5

1890

Antoni Gaudí achève la construction du palais Güell, commencée en 1885.

Mai

15 mai : ouverture au palais du Champ-de-Mars de la première exposition de la Société nationale des beaux-arts, société dissidente de la Société des artistes français créée au mois de février par Meissonier, Puvis de Chavannes, Gervex, Carolus-Duran… Rusiñol y expose deux toiles et Casas un portrait. Miquel Utrillo publiera un article dans *La Vanguardia* (7 juillet) sur les peintres espagnols au salon de Paris.

Octobre

16 octobre : ouverture à la Sala Parés à Barcelone de la première exposition d'œuvres de Rusiñol, Casas et Clarasó récemment exécutées à Paris et influencées par Whistler et Degas : point de départ du modernisme en peinture.
À Paris, Rusiñol et Casas – arrivé dès 1881 pour suivre les cours de Carolus-Duran – emménagent dans un appartement situé au premier étage du Moulin-de-la-Galette. Rusiñol s'inscrit aux cours de l'académie de la Palette, dont il obtiendra le second prix, académie où enseignent Humbert, Gervex, Puvis de Chavannes, Eugène Carrière, et réalise, à l'instar de ses compagnons, de nombreuses scènes inspirées de la vie parisienne. Il fréquente les cafés et cabarets de Montmartre dont celui de Bruant, le Chat Noir, la Cigale… comme en témoignera son article publié le 15 février 1891 dans *La Vanguardia* intitulé « Montmartre por la noche ». Utrillo présente à Rusiñol et Casas le compositeur Erik Satie, défenseur des théories du Sâr Péladan, qu'il a rencontré au Chat Noir. Casas peint *La Danse au Moulin-de-la-Galette* avec au fond de la scène la toile de Toulouse-Lautrec.

6

Décembre

Début de la publication de la chronique parisienne de Rusiñol, « Desde el molino », dans *La Vanguardia* dont le dernier article paraîtra le 7 mai 1892 : chroniques rassemblées en un volume *Desde el molino impresiones de arte* publié à Barcelone en 1894 et à Paris en 1903. 31 décembre : grande fête organisée pour le réveillon au Moulin-de-la-Galette. Rusiñol en donnera un compte-rendu dans *La Vanguardia* (18 janvier 1891).

1891

Julio González, né à Barcelone en 1876, commence à travailler dans l'atelier de ferronnerie et d'orfèvrerie de son père, situé Rambla de Catalunya. Première Exposition internationale des beaux-arts et industries artistiques au palais des Beaux-Arts de Barcelone. Isidre Nonell y présente pour la première fois ses œuvres. Rusiñol et Casas rencontrent le modèle professionnel Madeleine de Boisguillaume. Dans leur atelier, Satie

donne une conférence, accompagnée
au piano, «La musique appliquée à la
bicyclette». Première publication des poèmes
modernistes de Joan Maragall, journaliste
et critique d'art des nouveaux mouvements
artistiques.

Janvier

Reconnaissance par Miquel Utrillo du fils
de son amie peintre Suzanne Valadon,
Maurice Valadon-Utrillo, né le 27 janvier.

Mars

Fondation à Barcelone de l'Orfeó català.
Première participation de Rusiñol
et Casas au Salon des indépendants :
le premier envoie huit toiles, le second cinq.

Mai

Au Salon de la Société nationale des
beaux-arts, Rusiñol expose quatre
peintures et Casas deux dont le *Portrait
d'Erik Satie*.

Novembre

Deuxième exposition Rusiñol, Casas
et Claraso à la Sala Parés de Barcelone,
accueillie plus favorablement.
L'État français achète *La Mère de l'artiste*
de Whistler pour le musée du
Luxembourg, grâce à l'intervention
de Mallarmé, Duret et Roger Marx.

1892

Joaquim Torres-García et sa famille
– son père est d'origine catalane – s'installent
à Barcelone. Il s'inscrit à l'École des beaux-
arts de La Llotja où il fera la connaissance
de Nonell, Canals et Sunyer. Il fréquentera
le Cercle artistique de Sant Lluc qui
sera fondé l'année suivante et rencontrera
Josep Pijoan, Luis de Zulueta et Eduardo
Marquina.
Utrillo crée un théâtre d'ombres dans la
cave de l'auberge du Clou où travaille Satie.
Ce dernier compose deux morceaux pour
accompagner les ombres animées par Utrillo.
Sous l'influence de Satie, Rusiñol
se rapproche du symbolisme.

Janvier

Rusiñol et Casas, de retour à Paris,
s'installent à nouveau au Moulin-
de-la-Galette.

Février

Première exposition Isidre Nonell et d'autres
artistes catalans à la Sala Parés.

Mars

Envoi de huit toiles de Rusiñol et sept
de Casas au Salon des indépendants.
25-27 mars : assemblée de l'Unió
Catalanista (créée en 1891) à l'hôtel de
ville de Manresa (près de Barcelone).
Vicens Vives déclare à propos de l'Unió :
«Le fait est que le catalanisme incorporait
la Catalogne à l'Europe d'une manière
totale et irréversible. Si avec Mane i
Flaquer le régionalisme était la "révolution
des pères de famille", avec les jeunes de
1892, ce fut la révolution de l'esprit.
Avec elle pénétraient à Barcelone
l'impressionnisme, la musique de Wagner,
les drames d'Ibsen, la philosophie de
Nietzsche, l'esthétique moderniste…»
Retour à Barcelone de Canudas et Casas,
malades, accompagnés de Claraso.
Rusiñol les rejoint quelques semaines
plus tard.

Mai

Rusiñol présente une toile à la deuxième
Exposition des peintres impressionnistes et
symbolistes chez Le Barc de Boutteville et
participe de nouveau au Salon de la Société
nationale des beaux-arts avec cinq tableaux.
Casas en expose un seul.

Août

Première manifestation (il y en aura cinq)
des Fêtes modernistes de Sitges, organisée
par Santiago Rusiñol qui fait l'acquisition
d'une maison ancienne transformée
en atelier, «Cau Ferrat» : les événements
artistiques et littéraires qui s'y donneront
auront une grande importance dans le
déploiement du modernisme. Dans la presse,
on parlera de Sitges comme «La Mecque
du Modernisme».
Julio González et son frère Joan obtiennent
la médaille d'or à l'Exposition internationale

des arts appliqués de Barcelone. Tous deux
suivent les cours du soir de dessin à l'École
des beaux-arts de La Llotja.

Septembre

L'exposition organisée dans les
salons de la revue *La Vanguardia*
à Barcelone est entièrement consacrée
au thème de Montmartre et de la Butte.
Mort de Ramón Canudas.

1893

Installation à Paris du sculpteur catalan
Carlos Mani i Roig jusqu'en 1906, année
de son retour à Barcelone pour travailler
aux sculptures de la Sagrada Familia.

Février

Constitution du groupe postmoderniste
«La Colla del Safrà» («La Bande du safran»,
en raison de la prédominance de cette couleur
dans leurs compositions) avec Isidre Nonell,
Ramon Pichot, Joaquim Mir, Adria Gual…
Fondation à Barcelone du Cercle artistique
de Sant Lluc, association d'artistes créée
en réaction à l'ouverture proposée par le
modernisme.
À la Sala Parés, troisième exposition

d'œuvres de Rusiñol, Casas et Claraso, «des peintres excellents, dont le tempérament personnel, le brillant parcours et l'esprit d'indépendance […] ont adhéré avec enthousiasme au mouvement innovateur tout en diffusant les tendances de cette peinture moderniste […] qui ont considérablement contribué à la culture artistique de notre capitale», écrit Casellas dans *La Vanguardia* le 16 février.

Avril

20 avril : naissance de Joan Miró à Barcelone, 4, Passatge del Credit.

Mai

Raimon Casellas s'installe à Paris, visite les salons et envoie cinq articles à *La Vanguardia* sur Puvis de Chavannes, Rodin, Carrière, Whistler et Raffaëlli.
Au Salon de la Société nationale des beaux-arts, Rusiñol expose sept toiles, Casas quatre dont *Après-midi*.
Édition de l'affiche de Toulouse-Lautrec *Jane Avril au Jardin de Paris* commandée à l'artiste par le célèbre cabaret situé près des Champs-Élysées où les noctambules se rendent après la fermeture du Moulin-Rouge.

AUTOMNE

Représentation de *L'Intruse* de Maeterlinck à l'occasion de la seconde édition des Fêtes modernistes de Sitges – la pièce avait été créée au Théâtre d'art à Paris le 20 mai 1891. Rusiñol est chargé de l'introduction et de la mise en scène.
Nonell s'inscrit à l'École des beaux-arts de La Llotja à Barcelone où il fait la connaissance de Mir, Sunyer, Canals, Torres-García…
Octobre : Ambroise Vollard ouvre sa première «boutique» au 37, rue Laffitte, non loin de la galerie Durand-Ruel située au n° 16.
Début novembre : retour de Rusiñol à Paris où il loue un appartement dans l'île Saint-Louis, 53, quai Bourbon, qu'il partagera avec le critique J. M. Jordà, Pablo Uranga et Ignacio de Zuloaga. Il rencontre fréquemment le critique Arsène Alexandre, visite l'atelier de Félicien Rops qu'il admire et, chaque dimanche, se rend au musée du Louvre.

1894

Fondation à Barcelone d'un Centro de artes decoratives afin de développer les arts appliqués.
Premier séjour à Paris de l'artiste catalan Hermen Anglada-Camarasa. Il suit les cours des académies Julian et Colarossi où il travaille avec René Prinet. Mort des peintres catalans Ramon Marti i Alcina et Joaquim Vayreda i Vila qui, tous deux, avaient fait un voyage à Paris : le premier marqué par Courbet, le second par l'école de Barbizon et les premiers impressionnistes.
Cézanne commence à peindre *Les Grandes Baigneuses* (Londres, National Gallery) qu'il achèvera en 1905.

8

Mars

Rusiñol présente un tableau à la sixième Exposition des peintres impressionnistes et symbolistes à la galerie Le Barc de Boutteville.

Avril

Première exposition personnelle de l'œuvre dessiné et peint de Steinlen au théâtre La Bodinière, rue Saint-Lazare.
Participation de Rusiñol et Casas au dixième Salon des indépendants où exposent également Maurice Denis, Pissarro, Signac, Toulouse-Lautrec…

Novembre

Troisième édition des Fêtes modernistes de Sitges au cours desquelles Rusiñol montre les deux tableaux de saints, œuvres du Greco, qu'il vient d'acquérir à Paris. Expositions de dessins de Manet à la galerie Vollard et d'Ibels au Théâtre d'application.

Décembre

De retour à Paris, Rusiñol recueille dans son appartement du quai Bourbon, qu'il partage maintenant avec Miquel Utrillo, deux jeunes sculpteurs de Tarragone, Carlos Mani et Pere Ferran.

1895

Pablo Gargallo travaille comme apprenti chez le sculpteur Eusebi Arnau et suit des cours du soir de dessin.
Lluis Domènech i Montaner commence la construction d'habitations et d'ateliers «Casa Thomas» qui sera achevée en 1898.
À la Société catalane de concerts, le compositeur Vincent d'Indy donne une série de récitals.
Le peintre catalan Claudi Castelucho se fixe définitivement à Paris où il devient massier de l'atelier de Whistler. Plus tard, il reprendra avec le sculpteur Bourdelle l'académie de la Grande Chaumière à Montparnasse.
Toulouse-Lautrec découvre May Belford au café-concert des Décadents, 16 bis, rue Fontaine, où se produit également Jane Avril. Il réalise une affiche pour la chanteuse anglaise May Milton qui apparaîtra au fond du tableau de Picasso *La Chambre bleue*, 1901 (Washington, The Phillips Collection).

Février

Publication dans *La Vanguardia* d'un article de Rusiñol en faveur du symbolisme.

Avril

Au Salon de la Société nationale des beaux-arts, Rusiñol expose cinq œuvres dont deux plafonds, *La Peinture* et *La Poésie*, destinés au

Cau Ferrat, et *La Rieuse* posée par Suzanne Valadon. Casas présente trois toiles. Déménagement de la galerie Vollard au 39, rue Laffitte.

9

Mai

10 mai-10 juin : exposition de peintures, pastels et aquarelles modernes à la galerie Laffitte où sont présentées notamment les affiches de Bonnard *France Champagne* et *La Revue blanche*.
Le sculpteur Miquel Blay i Fabrega obtient une mention honorable au Salon de la Société des artistes français où il expose deux œuvres.

É T É

Premier séjour de Ramon Pichot à Paris.
Voyage d'Hector Guimard en Belgique où il rencontre Victor Horta.

Septembre

Nommé professeur à l'École des beaux-arts de Barcelone depuis le mois de mars, le père de Pablo Ruiz Picasso installe sa famille 3, rue Cristina, près de La Llotja. Picasso entre à l'École des beaux-arts de La Llotja où il se lie d'amitié avec Manuel Pallarès dont il exécutera plusieurs portraits.

Octobre

Début de la construction du Castel Béranger, 14, rue La Fontaine à Paris, un immeuble d'habitations commandé l'année précédente à Hector Guimard : manifeste monumental de l'art nouveau

qui sera achevé en 1898 et remportera le concours des Façades de la Ville de Paris en 1899.

Novembre

Première exposition importante d'œuvres de Cézanne à la galerie Vollard qui remporte un vif succès auprès des artistes.

Décembre

Premier Salon de l'Art nouveau dans l'hôtel Bing, 22, rue de Provence, où sont présentés Rodin, Lalique, du mobilier d'Henry van de Velde et des affiches de Beardsley, Bradley…
28 décembre : première projection publique de films d'Auguste et Louis Lumière au Grand Café de Paris.
Un an plus tard : ouverture du cinéma Lumière à Barcelone.

1896

Février

10

Deuxième Salon de l'Art nouveau et exposition Constantin Meunier chez Samuel Bing à la galerie de l'Art nouveau.
La revue *La Construction moderne* (1er et 15 février, 28 mars) publie des dessins du palais Güell construit par Gaudí : « L'hôtel dont nos planches et nos gravures donnent des vues intérieures, se distingue par une grande originalité. La distribution

des pièces comme leur décoration se ressentent de la fantaisie du propriétaire, M. Eusebio G., qui a trouvé en M. Gaudi un architecte digne de la comprendre. »

Avril

18 avril-18 mai : exposition de cinquante œuvres d'Eugène Carrière à la galerie de l'Art nouveau.
Participation de Picasso à la troisième Exposition internationale des beaux-arts et de l'industrie de Barcelone (23 avril-26 juillet) où il montre *La Première Communion*.
Rusiñol présente neuf toiles au Salon de la Société nationale des beaux-arts avec des œuvres de Puvis de Chavannes, Gustave Moreau, Maurice Denis, Carrière, Maillol…

Mai

Miquel Blay obtient une médaille de troisième classe au Salon de la Société des artistes français où il expose deux groupes en plâtre.

É T É

Picasso partage son premier atelier avec Pallarès au 4, Calle de La Plata.
Isidre Nonell réalise à Caldas de Bohi, dans les Pyrénées, une série d'études de « crétins » aux visages déformés qu'il montrera dans les salons de *La Vanguardia* à l'automne.

A U T O M N E

Premier voyage de Joaquim Sunyer à Paris où il résidera pendant dix-huit ans. Il se lie à Steinlen, illustre des livres d'Henry Fèvre, Gustave Geffroy.
Octobre : Steinlen réalise l'affiche et le carton d'invitation pour la réouverture du Chat Noir.

Décembre

À la Sala Parés, inauguration d'une exposition d'affiches d'artistes étrangers tels que Mucha, Grasset, Forain, Toulouse-Lautrec, Steinlen qui impressionne vivement Torres-García et d'autres jeunes artistes.

1897

Février

Premier voyage à Paris d'Isidre Nonell et Ricard Canals. Ils s'installent au 85, rue de Clichy, à l'hôtel de Bruxelles où Rusiñol était descendu à l'automne 1889.
Ils retrouvent Sunyer qui commence à collaborer au *Cri de Paris*. Nonell se lie avec des artistes catalans de Paris et des intellectuels anarchistes liés à la revue *L'Avenç,* fréquente l'académie Colarossi, visite le musée du Louvre et s'intéresse à Whistler et Puvis de Chavannes.

11

Mars

17 mars : fermeture du Chat Noir à Paris. À Barcelone, Picasso assiste aux expériences de Miquel Utrillo destinées aux *sombras*, ces figures de théâtre d'ombres exécutées en carton ou en tôle qui seront montrées sur un décor translucide au cabaret Els Quatre Gats.
Torres-García réalise des illustrations pour le *Barcelona Comica* jusqu'en 1899.

Avril

Au Salon de la Société nationale des beaux-arts, Rusiñol et Casas exposent peintures et dessins, tandis que Nonell veut présenter douze dessins de la série des « crétins » ; le jury n'en accepte que six pour des raisons d'espace.

Mai

Miquel Blay i Fabrega expose deux bustes au Salon de la Société des artistes français.

Juin

12 juin : inauguration à la Casa Martí de Puig i Cadafalch du cabaret artistique de Pere Romeu, Els Quatre Gats, soutenu par les artistes Miquel Utrillo, Santiago Rusiñol, Ramon Casas et inspiré du Chat Noir parisien ouvert en 1881. Il réunira la jeunesse intellectuelle et artistique moderniste et postmoderniste catalane. Dès le mois de juillet est présentée une exposition de soixante-quatre peintures d'artistes d'avant-garde. Le café fermera ses portes le 26 juin 1903.

Novembre

Premier des treize numéros de la revue littéraire et artistique *Luz* : participation de Ricard Canals, Adria Gual, Joan Maragall, Josep Pijoan, Santiago Rusiñol… Le dernier numéro sortira en janvier 1899.

Décembre

Nonell et Canals présentent chacun deux toiles à la quinzième Exposition des peintres impressionnistes et symbolistes à la galerie Le Barc de Boutteville.

1898

Janvier

5 janvier-5 février : exposition Canals-Nonell à la galerie Le Barc de Boutteville, présentant trente et une œuvres pour le premier, cinquante-sept pour le second, accompagnée d'un catalogue. Frantz Jourdain, Gustave Geffroy et Arsène Alexandre les rapprochent de Goya, d'autres les désignent comme « deux artistes impressionnistes espagnols ». La série des « crétins » de Nonell est remarquée par la critique.
À Paris, Nonell prend la défense de Dreyfus, après la fameuse lettre de Zola « J'accuse » (*L'Aurore*, 13 janvier). Il admire les œuvres de Manet, Monet, Degas et les dessins de Toulouse-Lautrec et Daumier comme il l'écrira le 28 février à son ami catalan Casellas. Création de la revue littéraire *Catalonia* par Jaume Massó i Torrents et J. Casas-Carbo. Elle prend la succession de *L'Avenç* jusqu'au 24 mars 1900. Nonell en fera un commentaire dans *La Vie moderne* en février.

12

Mai

Au Salon de la Société nationale des beaux-arts, participation de Rusiñol (cinq tableaux), Casas, Anglada-Camarasa, Nonell (huit dessins sur le thème des gitans), Miquel Blay i Fabrega (un plâtre et un bronze). Rodin y expose le plâtre du *Balzac* et le marbre du *Baiser*. La Société des gens de lettres, commanditaire du *Balzac*, refuse la statue. Pétition en faveur de Rodin signée par de nombreux artistes et personnalités.
9 mai-10 juin : deuxième exposition Cézanne à la galerie Vollard rassemblant une soixantaine de tableaux.

ÉTÉ

Picasso part chez son ami Manuel Pallarès à Horta de Ebro où il peint et dessine.

Octobre

Premier numéro de *L'Art décoratif* consacré à Henry Van de Velde.

Décembre

Puvis de Chavannes (mort le 24 novembre) fait l'objet d'un article de Rusiñol dans la revue *Luz*, ainsi que d'une séance spéciale au Cercle artistique de Sant Lluc.
Fin de l'empire colonial espagnol.
4-20 décembre : exposition de quatre-vingts dessins de Nonell à Els Quatre Gats. Ils seront présentés l'année suivante à la galerie Vollard sous le titre « L'Espagne après une guerre ».

1899

Janvier

1er janvier : premier numéro de *La Veu de Catalunya*, quotidien de la Lliga regionalista catalane, dont Raimon Casellas est le rédacteur en chef. Création également de la revue luxueuse *Hispania* qui paraîtra jusqu'en décembre 1902.

Premier séjour à Paris de José Maria Sert et deuxième séjour de Nonell qui loue un appartement à Montmartre, 49, rue Gabrielle, fréquente les peintres catalans Canals, Sunyer, Joan Osso, ainsi qu'Alexandre Cortada et Jaume Brossa, sympathisants anarchistes liés au groupe des intellectuels de *L'Avenç*.

Février

13

Exposition de peintures et dessins de Ramon Pichot à Els Quatre Gats, montrés par la suite à Paris.

Au cabaret Els Quatre Gats, Picasso rencontre les peintres catalans Junyer-Vidal, Nonell, Sunyer, Casagemas, le sculpteur Manolo Hugué, dit Manolo, les frères Fernandez de Soto, l'écrivain Ramon Reventos et le poète Jaime Sabartés qui deviendra son secrétaire en 1935. Il fait également connaissance du critique Eugeni d'Ors, du peintre et écrivain Santiago Rusiñol et de Ramon Casas qui lui fait

découvrir l'art de Steinlen et de Toulouse-Lautrec. Picasso installe son nouvel atelier 2, rue des Escudillers-Blancs. Jaime Sabartés le décrit : « Il travaille dans une pièce de l'appartement occupé par le frère du sculpteur Cardona [...] Quand je fais la connaissance de Picasso, il est en train de peindre un tableau pour lequel Mateo (Fernandez de Soto) lui sert de modèle. » Picasso fréquente alors le Cercle artistique où il exécute des dessins académiques. Premier numéro de la revue *Quatre Gats* dirigée par Pere Romeu avec une couverture illustrée par Ramon Casas. Le quinzième et dernier numéro paraîtra au mois de mai. Rusiñol suit une cure de désintoxication à Boulogne-sur-Seine, dans la clinique du docteur Paul Soulier où il rencontre Léon Daudet.

Avril

14

Nonell expose dans l'entresol de la galerie Vollard, rue Laffitte, « une petite pièce mal éclairée, difficile d'accès », écrit-il à son ami Casellas. L'exposition n'est visitée que par ses amis et par quelques clients de Vollard qui a organisé l'exposition « de mauvais gré » : achats de Vollard, Berthe Weill et Durand-Ruel. María Pidelassera s'installe à Paris avec deux amis, Pere Ysern et le sculpteur Emili Fontbona. Il devient un ami proche d'Anglada-Camarasa, occupe un atelier rue Bonaparte, fréquente l'académie Colarossi et demeure à Paris jusqu'en 1901.

Mai

Casas, Canals, Anglada-Camarasa participent au Salon de la Société nationale des beaux-arts. Casas adhère à la Société internationale des peintres comme Whistler. Miquel Blay y Fabrega expose deux plâtres au Salon de la Société des artistes français.

Juin

Première livraison de la revue *Pèl & Ploma* (cent numéros jusqu'en décembre 1903) créée par Miquel Utrillo et Ramon Casas. Importante exposition consacrée à Puvis de Chavannes à la galerie Durand-Ruel : cent trois tableaux, esquisses et dessins.

Juillet

Première et unique exposition personnelle de Josep Dalmau à Els Quatre Gats.

Septembre-octobre

Après un été passé en Espagne, Rusiñol rentre à Paris fin septembre pour préparer une exposition à la galerie de l'Art nouveau : « Jardins d'Espagne ». Compte-rendu d'A. Fontainas dans *Mercure de France* de décembre : « Il les a reproduits avec une conscience de photographe, trop sûrement, il les a vus tels qu'il les a peints et s'il a ressenti à les hanter quelque tristesse ou quelque émotion il s'est avec grand soin appliqué à ne jamais nous en avertir. Rien de lui ne passe en nous, il nous laisse indifférents comme il semble l'avoir été lui-même. » À la Sala Parés, première exposition individuelle de Ramon Casas, organisée par *Pèl & Ploma*, montrant deux cent vingt-trois œuvres dont cent trente-quatre portraits au fusain d'artistes et d'intellectuels catalans. Premier séjour de Julio González à Paris où il se consacrera à la peinture. Le père de Julio et de Joan étant décédé en 1896, la famille González s'installera à Paris – 22, avenue du Maine près de Montparnasse – l'année suivante après avoir vendu les ateliers barcelonais. Succès de l'exposition Whistler à la galerie Georges Petit.

1900

Au début de l'année, Picasso partage
un nouvel atelier avec Carles Casagemas
situé au 17, Riera de San Juan, sur les
hauteurs de la vieille ville. Participation
de Picasso avec un *Pierrot* à un concours
d'affiches pour le Carnaval de 1900 dont
les épreuves sont présentées à Els Quatre
Gats. Gargallo fréquente le cabaret
Els Quatre Gats où il rencontre Picasso,
Nonell, Canals, Sabartés et suit des cours
à l'École des beaux-arts de La Llotja.
Il participe à l'exposition « Art Patria ».
Création du Théâtre lyrique catalan
par le compositeur Morera i Viura
qui organisera la première saison d'œuvres
lyriques catalanes au théâtre Tivoli à
Barcelone au début de l'année suivante.
À Paris, Rusiñol entre en contact avec
les amis de Léon Daudet (Debussy,
Proust, Forain) qui se réunissent au café
Weber, rue Royale, que fréquentent
également Anglada-Camarasa et le
décorateur José Maria Sert. Ce groupe,
de tendance nationaliste, donnera
naissance à L'Action française.

Janvier

Exposition des dessins de Puvis
de Chavannes donnés par la famille
de l'artiste au musée du Luxembourg.

Février

Première exposition individuelle de
Picasso à Els Quatre Gats : cent cinquante
dessins environ au fusain, pour la plupart
des portraits de ses amis catalans.
Comptes-rendus dans *Diario de Barcelona*
et dans *La Vanguardia* dont l'article
précise : « Toutes les œuvres qu'il expose
témoignent d'une extraordinaire aisance
dans le maniement du crayon et du
pinceau ; leur caractère dominant
est l'élégance du trait […] Beaucoup de
ces portraits ont du caractère, ce qui
n'est pas peu, et que certains sont d'une
très estimable sobriété ».
À la galerie Hessel, rue Laffitte,
exposition de « Peintures, dessins, pastels

de Ramon Pichot, Sunyer, Nonell, Ricard
Canals, Rusiñol, Durrio le céramiste… »
commentée par Félicien Fagus dans
La Revue blanche (15 février) : « L'Espagne
se revit dans une poignée d'artistes
énergiquement racés. Ramon Pichot
en est fièrement. »

Avril

Miquel Blay i Fabrega expose un buste
au Salon de la Société des artistes
français où le portrait de Pere Ysern
par María Pidelassera est refusé.
14 avril : inauguration de l'Exposition
universelle à Paris où triomphe
l'art nouveau. José Maria Sert réalise
une fresque pour l'intérieur du pavillon
Bing, rencontre Jacques-Émile Blanche
et se lie avec les nabis. Participation
de Picasso avec une œuvre intitulée
Les Derniers Moments. Blay présente sept
sculptures et reçoit l'un des grands prix
de l'exposition.
À la demande de Pere Romeu,
Picasso dessine le menu de la saison
d'Els Quatre Gats.
À la fin du mois, la Sala Parés
expose la dernière production parisienne
d'Hermen Anglada-Camarasa.

ÉTÉ

15

La revue hebdomadaire politique et
culturelle *Juventut*, créée en février
sous la direction artistique d'Alexandre de
Riquer, publie deux dessins de Picasso.
Il en est de même pour *Catalunya artistica*.
Exposition Rodin au pavillon de l'Alma :
cent trente-cinq sculptures et dessins.
Compte-rendu par Ramon Casas dans la
revue qu'il dirige avec Miquel Utrillo,
Pèl & Ploma (n° 57, 1er août).

Un portrait de Rodin par Picasso apparaît
sur une page d'un carnet de l'artiste.
De nouveau, Josep Dalmau montre
quelques œuvres de Picasso dans sa galerie
en juillet.
Premier voyage de Dalmau à Paris.
19 juillet : mise en service de la ligne n° 1
du métro parisien, Porte Maillot-Porte
de Vincennes. Hector Guimard en
conçoit les édicules d'accès dont ceux
des stations Bastille et Étoile.

Septembre-octobre

Fin septembre, Picasso quitte Barcelone
avec Casagemas pour Paris où il visite
l'Exposition universelle et notamment
le pavillon consacré à Rodin. Il occupe
alors l'atelier laissé vacant par Nonell,
rue Gabrielle à Montmartre, et retrouve
ses amis d'Els Quatre Gats : Pichot,
Pompeu Gener, Casanovas, Alexandre
Riera… Le groupe fréquente la brasserie
Ponset où se rend aussi Utrillo.
Casagemas énumère à son ami Ramon
Reventos les cabarets du boulevard de
Clichy où ils se rendent : Le Néant, Le
Ciel, L'Enfer, La Fin du monde, Les 4
z'arts, le cabaret des Arts, le cabaret de
Bruant. Pere Manach, marchand catalan,
lui achète quelques œuvres et s'engage à
lui verser 150 francs par mois,
le présente à Berthe Weill qui choisit trois
pastels de corridas. Berthe Weill raconte :
« Cette année d'exposition universelle
voit déferler sur la Capitale un flot, de
jour en jour grossissant, d'étrangers,
d'artistes de tous pays, mais l'Espagne est
particulièrement prolifique […] Manach
s'occupe sans relâche de ses compatriotes
[…] Le jeune Picasso, avec Manolo,
frais débarqués tous deux partagent
un atelier avec Manach qui se démène
avec leurs œuvres. Il réussit mieux avec
celles de Picasso qui dessine, la plupart
du temps, le soir au café […] Picasso
commence à vendre : un petit pastel
"Espagnoles" a preneur à 50 francs !!
mieux encore quatre peintures
225 francs ! »
González rencontre des amis de Picasso :
Paco Durrio et Pablo Gargallo, deux
sculpteurs qui travaillent le métal.

16

Novembre

Josep Clarà s'installe à Paris, travaille dans l'atelier d'Ernest Barrias à l'École des beaux-arts – qu'il fréquentera jusqu'à la fin de l'année 1902 –, et fait la connaissance de Rodin et Bourdelle par l'intermédiaire de Maillol.

Décembre

20 décembre : Guimard reçoit une nouvelle commande pour les édicules d'accès de la station Porte Dauphine de la ligne n° 2 du métro parisien Porte Dauphine-Étoile. Picasso retourne à Barcelone.

1901

17

Paco Durrio s'installe à Montmartre, 13, rue Ravignan, jusqu'en 1904. Le parti de la bourgeoisie catalane, la Lliga regionalista, obtient un grand succès aux élections.

Janvier

Le *Buste de Falguière* par Rodin est exposé au Cercle artistique de Sant Lluc à Barcelone. Publication d'un article sur Rodin par Cabot y Rovira dans *Pèl & Ploma* du 15 janvier avec le *Buste de femme* (*Madame Vicunha*) en couverture.

Février

Première visite de Manolo Martinez i Hugué, dit Manolo, à Paris où il séjournera jusqu'en 1910.
17 février : le suicide de Casagemas à Paris, en présence de Manolo, au café L'Hippodrome,

boulevard de Clichy, bouleverse Picasso qui se trouve à Madrid et fait un portrait de son ami pour le journal *Catalunya artistica*. Picasso rencontre l'écrivain catalan Francisco de Asís Soler avec lequel il fonde la revue *Arte Joven* qui comptera quatre numéros (le premier paraîtra le 31 mars). Collaborent à cette revue : Pio Baroja, Ramón de Godoy y Sola, Ramón Reventós, Santiago Rusiñol, Miguel de Unamuno, avec des illustrations de Picasso, Baroja, Nonell.

Avril-mai

Avril : première grande exposition posthume consacrée à Honoré Daumier à l'École des beaux-arts de Paris.

Anglada-Camarasa expose quatre tableaux au Salon de la Société nationale des beaux-arts et Miquel Blay un buste au Salon de la Société des artistes français.

Juin

À la Sala Parés à Barcelone, exposition de dessins de Casas, complétée de pastels de Picasso. Miquel Utrillo écrit la préface du catalogue, publiée dans *Pèl & Ploma*, attirant l'attention sur l'extraordinaire talent de Picasso.

Retour de Picasso à Paris avec Jaime Andreu Bonsoms pour préparer sa première exposition parisienne à la galerie Vollard. Il s'installe au 130 ter, boulevard de Clichy, dans l'atelier de Casagemas. Début de sa période bleue. Il peint *French Cancan*, qui doit beaucoup à l'affiche de Toulouse-Lautrec *Troupe de Mademoiselle Églantine* (1896). Picasso rencontre le sculpteur Carlos Mani i Roig.

24 juin : inauguration, à la galerie Vollard, de l'exposition « Iturrino et Picasso », montée par Pere Manach, avec un catalogue préfacé par le critique Gustave Coquiot. Picasso présente soixante-quatre peintures et dessins : portraits (*Yo Picasso*), scènes de cabarets, paysages, natures mortes. Coquiot écrit : « A considérer cette manière, ce style preste et hâtif, on se rend vite compte que Picasso veut tout voir, veut tout exprimer. On imagine aisément que la journée n'est pas assez durable pour ce frénétique amant de la vie moderne. » Dans *La Revue blanche*, le 15 juillet, Félicien Fagus en donnera un compte-rendu élogieux et parlera d'« invasion espagnole ». Plus tard, Vollard racontera : « Vers 1901, je reçus la visite d'un jeune Espagnol, vêtu avec recherche et qui m'était amené par un de ses compatriotes que je connaissais quelque peu. Celui-ci portait un nom comme Manache. C'était un industriel de Barcelone […] Le compagnon de "Manache" n'était autre

que le peintre Pablo Picasso qui, âgé seulement de dix-neuf à vingt ans, n'en avait pas moins fait une centaine de toiles qu'il m'apportait en vue d'une exposition. Cette exposition n'eut aucun succès et, de longtemps, Picasso ne devait pas trouver meilleur accueil auprès du public. » En dépit de ce qu'écrit Vollard, quinze œuvres de Picasso sont vendues avant l'ouverture de l'exposition.

À cette occasion, Picasso rencontre Max Jacob : « J'étais critique d'art à l'époque ; j'exprimais mon admiration et je reçus une invitation d'un certain M. Manach qui savait le français et s'occupait de toutes les affaires de cet enfant de dix-huit ans. J'allais les voir Manach et lui : je passais une journée à voir des piles et des piles de Tableaux ! […] Cela se passait dans un grand atelier, place Clichy, où des Espagnols assis par terre mangeaient et bavardaient gaiement […] Ils vinrent le lendemain tous chez moi et Picasso peignit sur une grande toile, perdue ou recouverte depuis, mon portrait assis à terre, au milieu de mes livres et devant un grand feu. » (Max Jacob, *Cahiers d'art*, 1927). Chez Max Jacob, 13, quai aux Fleurs, Picasso admire sa collection d'images d'Épinal et ses lithographies de Daumier.

Septembre

Des dessins de Picasso sont publiés dans la revue *Frou-Frou* (n° 48, 14 septembre). Jaime Sabartés rejoint Picasso à l'automne.

Octobre

Nomination de Lluis Domènech i Montaner à la direction de l'École d'architecture de Barcelone. Première exposition individuelle importante de Joaquim Mir i Trinxet à la Sala Parés.

Décembre

Berthe Weill ouvre une galerie au 25, rue Victor-Massé, vend trois œuvres de Picasso au collectionneur parisien André Level, futur fondateur de l'association La Peau de l'Ours. L'exposition proposée à l'ouverture de la galerie est organisée par Manach et montre des bijoux de Paco Durrio et de Bocquet, des œuvres de Girieud, Launay…

1902

Janvier

Picasso rompt son engagement avec Manach et retourne à Barcelone où il trouve un atelier au 6, Calle Nueva (aujourd'hui Calle Conde del Asalto). L'artiste poursuit sa période bleue dominée par des sentiments de misère et de solitude, des scènes de maternité, modèle sa première sculpture, *Femme assise*. À son retour à Barcelone au printemps, Sabartés rendra visite à Picasso dans son atelier près de la Rambla : « La pièce qui ouvre sur la terrasse est la seule […] Roquerol peint dans un coin et Picasso dessine dans l'autre […] Je vois dans l'atelier beaucoup de dessins et plusieurs tableaux […] Après le déjeuner, nous nous retrouvons aux 4 Gats d'où je l'accompagne à l'atelier. Dorénavant, tous les jours s'écouleront de la même façon. » Picasso retrouve Julio González, ses premiers essais de sculpture sont marqués par Rodin.
5-17 janvier : exposition Nonell à la Sala Parés, « quatorze ou quinze tableaux représentant divers types de gitans ou de gitanes qui vivent dans les faubourgs de Barcelone » (*La Veu de Catalunya*, 6 janvier).

Avril

1er-15 avril : exposition organisée par Manach à la galerie Berthe Weill, présentant quinze tableaux et pastels de Picasso et des œuvres de Louis-Bernard Lemaire. Adrien Farge, dans la préface du catalogue, écrit : « Picasso, lui, est tout neuf, tout verbe et toute fougue. C'est à véhéments coups de pinceau, jetés sur la toile avec une rapidité qui s'efforce à suivre le vol de la conception qu'il édifie ses œuvres rutilantes et solides dont se régalent les yeux épris de peinture éclatante, aux tons tantôt crûment brutaux, tantôt savamment rares. Parfois, c'est chez lui la passion de la couleur qui l'emporte […] Puis c'est de l'obscurité intense […] »
12 avril : l'architecte d'origine toulousaine Léon Jaussely remporte le premier prix Chenavard pour sa « Place du peuple ».
20 avril-30 juin : au Salon de la Société nationale des beaux-arts, où l'on assiste au triomphe de l'art décoratif art nouveau, Anglada-Camarasa présente quatre tableaux et Nonell deux.

Mai

14-31 mai : rétrospective Toulouse-Lautrec (mort le 9 septembre 1901) chez Durand-Ruel, réunissant cent treize peintures, vingt-cinq dessins, cinquante-neuf lithographies.

Juin

15-30 juin : première exposition particulière d'Aristide Maillol chez Vollard.

Juillet

De Barcelone, Picasso sollicite Max Jacob pour un article destiné à *Pèl & Ploma*. Collaboration de Picasso au *Gil Blas illustré*. Plusieurs de ses dessins sont publiés dans *Le Journal pour tous* (n°s 28-29-30).

Octobre

19 octobre : retour de Picasso à Paris, pour trois mois, accompagné de Josep Rocarol et du sculpteur Julio González dont il vient de réaliser un portrait à l'aquarelle. Picasso habite à l'hôtel Champollion, puis à l'hôtel du Maroc rue de Seine, avec le sculpteur Agero, et enfin partagera avec Max Jacob une chambre boulevard Voltaire.
Nombreux artistes catalans à Montmartre : Sunyer, Pichot, Torent, Gosé, Canals, Manolo, Casanovas, Cardona…

Novembre

15 novembre-15 décembre : Picasso expose avec Pichot, Girieud et Launay chez Berthe Weill (huit tableaux de la période bleue). Commentaire de Charles Morice dans *Mercure de France* du 15 décembre : « Au rez-de-chaussée d'un étroit magasin, quatre artistes – deux Français, deux Espagnols – ont réuni leurs plus récentes œuvres […] Elle est extraordinaire, la tristesse stérile qui pèse sur l'œuvre entière de ce très jeune homme […] Les centaines de visages qu'il a peints grimacent ; pas un sourire. »

1903

Constitution à Barcelone du Foment de les Arts decoratives destiné à organiser des expositions d'art industriel.
José Maria Sert ouvre son propre atelier avec Sixte Yllescas.

Janvier

Picasso réalise un croquis d'un détail de *La Vie de sainte Geneviève*, décor de Puvis de Chavannes au Panthéon, et une série de dessins d'après *Le Pauvre Pêcheur* et *Doux pays*.
Mi-janvier : de retour à Barcelone, Picasso reprend l'atelier de la Riera de San Juan, qu'il avait partagé avec Casagemas en 1900, avant de déménager à la fin de l'année dans l'ancien atelier du sculpteur Pablo Gargallo.

PRINTEMPS

Nonell envoie huit toiles au Salon des indépendants à Paris. Le marchand de tableaux Georges Thomas achète *Esmeralda*.
Mars : exposition d'artistes nommés «Negres» comprenant Casanovas, Manuel Ainaud i Claudi Grau à Els Quatre Gats, avant sa fermeture définitive le 26 juin.
Fin mars : Hector Guimard dépose une demande de permis de construire pour un immeuble, 142, avenue de Versailles, qui sera accordé en février 1904.
Par les ondulations de sa façade, cet immeuble Jassedé préfigure celles de la Pedrera de Gaudí.
Rusiñol, Casas et Anglada-Camarasa participent de nouveau au Salon de la Société nationale des beaux-arts.
Casas devient sociétaire du Salon et peut ainsi exposer sans passer par le jury.
Charles Morice, dans *Mercure de France*, évoque le «paradis de réalité rêvée...» de Rusiñol : «Cela est riche et d'une magnifique ordonnance.»

Mai

Séjour de Rusiñol à Paris où il fréquente le café Weber et visite l'atelier de José Maria Sert.

Une mention honorifique est décernée au sculpteur Josep Clarà pour sa statue en plâtre *Extase* présentée au Salon de la Société des artistes français.
Picasso commence à peindre *La Célestine*, une entremetteuse borgne, d'après la pièce de Fernando de Rojas.
Une étude au crayon représente son ami Sebastià Junyer-Vidal dans le rôle d'un client.

Août

Dans le journal de Barcelone *El Liberal*, le critique Carles Junyer-Vidal publie un commentaire sur le livre de Rodriguez Codolas *La Pintura en la Exposicion universal de Paris de 1900*, illustré d'œuvres de Rodin et Puvis de Chavannes : «C'est en France que vit pour l'honneur et pour la gloire de l'art universel Auguste Rodin, le grand sculpteur». Dans le même journal daté du 10 août, il écrit un article intitulé «La pintura y la escultura allende los Pirineos», illustré par Picasso d'après *Le Buste de Dalou* par Rodin.

Octobre

Ayant obtenu, l'année précédente à la Llotja, une bourse pour étudier à Paris, Gargallo s'installe à Montparnasse pour six mois. Il fait la connaissance de Max Jacob et étudie tout particulièrement l'œuvre de Rodin.
Picasso réalise une série de toiles «maniéristes» proches de la manière du Greco.
31 octobre-6 décembre : premier Salon d'automne au Petit Palais sous l'impulsion de l'architecte Frantz Jourdain, avec une rétrospective de l'œuvre de Gauguin qui vient de mourir aux Marquises (8 mai).

Novembre

À la demande de Josep Puig i Cadafalch, la mairie de Barcelone organise un concours d'avant-projets de raccordement de l'ancien faubourg de la ville avec les villages annexés et l'extension de la ville de Sarrià : *La Construction moderne* (13 février 1904) en fera l'annonce. Le concours sera remporté par Léon Jaussely en 1905.
Josep Llimona réalise *Desconsol*, paradigme de la sculpture moderniste catalane, fortement inspiré de la *Danaïde* de Rodin.

1904

Arrivée à Paris de Josep Maria Junoy. Il s'installe à Montmartre, travaille à la librairie Conard, boulevard des Capucines, réalise des caricatures et des dessins pour la revue *Le Rire*, envoie des chroniques sur les spectacles parisiens au journal *La Publicidad*.
Début des achats de Durand-Ruel à Junyer.

Janvier

Au Cercle artistique de Sant Lluc à Barcelone, exposition d'œuvres de tendance classique de Torres-García et Iu Pascual, qui ont travaillé avec Gaudí à la cathédrale de Palma quelques mois auparavant. Cette nouvelle tendance est baptisée «noucentisme» par le critique Eugeni d'Ors.
Picasso s'installe dans un atelier au 28, Carrer Comerç, prêté par Gargallo.
Le sculpteur Enric Casanovas s'établit à Paris où il restera jusqu'en 1913 avec des séjours à Barcelone et Céret.

Février

Première livraison de la revue *Forma*, sous la direction de Miquel Utrillo et financée par Ramon Casas, avec la collaboration de Casas, Domènech, Feliu Elias, Gual, Nonell, Pijoan... Le dernier numéro paraîtra en mars 1908.
Nonell envoie six tableaux au Salon des indépendants.

Mars

Lettre de Julio González à Picasso pour lui préciser la nouvelle adresse de son atelier au 3, rue Vercingétorix (atelier de Gargallo).
Joan et Julio González rencontrent le poète Max Jacob, le critique Maurice Raynal et, plus régulièrement, les sculpteurs Manolo et Gargallo. Ce dernier rentre à Barcelone où il récupère son atelier occupé par Picasso en son absence.

Avril

12 avril : Picasso revient à Paris en compagnie de son ami le peintre Sebastià Junyer-Vidal. Il s'installe au Bateau-Lavoir, 13, rue Ravignan (aujourd'hui place Émile-

Goudeau) à Montmartre, dans un atelier libéré par Paco Durrio qu'il partage quelque temps avec Junyer-Vidal et qu'il occupera jusqu'en 1909. Picasso retrouve Canals – qui lui fera découvrir la technique de l'eau-forte – à partir de l'automne, Manolo, Pichot.

Au Salon de la Société nationale des beaux-arts, Rusiñol expose six tableaux, Nonell un, Anglada-Camarasa six.

Clarà présente deux sculptures au Salon de la Société des artistes français qui lui décerne une médaille de deuxième classe pour son œuvre *Jesus*. Le directeur du *Figaro illustré* charge également Clarà de réaliser les portraits d'acteurs de la Comédie-Française qui seront publiés dans la revue.

18 avril : à l'Ateneo de Barcelone, Gabriel Alomar donne une conférence sur une nouvelle définition du modernisme intitulée « El Futurisme », publiée l'année suivante par *L'Avenç*. Le terme sera repris par Filippo Marinetti qui pourrait l'avoir découvert dans un compte-rendu de la brochure paru dans *Mercure de France* en 1905.

Mai

Naissance de Salvador Dalí à Figueras. Il passera son enfance entre Figueras, Barcelone et Cadaqués.

Juin

L'Architecture du 11 juin donne ce commentaire sur un recueil de l'architecte Puig i Cadafalch publié à l'occasion du sixième congrès international qui vient de se tenir à Madrid : « L'œuvre que nous offre notre confrère catalan est très intéressante, d'une saveur très particulière, ingénieuse et soutenue [...] Dans les rares cas où il sacrifie aux formes de l'art nouveau, notre confrère ne me paraît plus avoir la même aisance, la sereine grâce de ses autres et nombreuses compositions ; tant est tyrannique l'idée mère de ce système : la proscription étroite de formes qui se sont imposées par l'observation et la logique qui cependant ne peuvent être modifiées que par une observation nouvelle et plus pénétrante et par une logique plus serrée dans la conception des choses de la vie. »

Août

Querelle entre Picasso et Julio González à propos d'une disparition mystérieuse de dessins confiés à Picasso qui entraînera la rupture de leurs relations pendant quelques années.

Pendant l'été, on relève dans les agendas de Vollard plusieurs tractations concernant les artistes catalans : achat d'un tableau et d'un pastel de Nonell à Manach, ainsi que d'une œuvre de Picasso, *Femme assise sur une chaise longue*, acquise 20 francs.

Picasso rencontre Fernande Olivier qui devient sa compagne.

Octobre

24 octobre : chez Berthe Weill, ouverture d'une exposition d'aquarelles, pastels et dessins de Dufy, Picasso, Girieud, Picabia et Thiesson. Picasso présente une douzaine d'œuvres.

Au Salon d'automne, Ramon Pichot expose quatre tableaux, une salle entière est consacrée à Cézanne et des expositions particulières à Puvis de Chavannes, Odilon Redon, Toulouse-Lautrec.

Novembre

Création de l'hebdomadaire littéraire et culturel *El Poble català* qui exprime les opinions du nouveau Centre nationaliste républicain en opposition à *La Veu de Catalunya*. Y collaborent Pompeu Fabra, Joan Maragall, Eugeni d'Ors. À partir de 1906, la revue deviendra quotidienne, puis disparaîtra en 1918.

Début de la construction du Palau Quadras et de la Casa Terrades (« Casa de les Punxes ») par Puig i Cadafalch, ainsi que du monument au docteur Robert par Lluis Domènech avec la participation du sculpteur Josep Llimona.

1905

C'est probablement au cours de cette année que José González, né en 1887 à Madrid, adopte son pseudonyme de Juan Gris.

Créations de la revue moderniste *Occitània*, sous l'impulsion de Josep Maria Sucre,

et de la revue d'information littéraire et artistique *Fulles d'art* dirigée par Antoni Fonts (deux numéros).

Picasso fait la connaissance du critique d'art André Salmon emmené au Bateau-Lavoir par le sculpteur Manolo. Début de sa période rose.

Février

25 février-6 mars : à la galerie Serrurier, 37, boulevard Haussmann, Picasso expose trente-quatre œuvres, dont huit *Saltimbanques*, avec Albert Trachsel et Auguste Gérardin. Préface du catalogue par le critique Charles Morice. C'est peut-être à cette occasion que Picasso rencontre pour la première fois Guillaume Apollinaire, comme pourraient en témoigner les articles du poète dans *La Revue immoraliste* d'avril et dans *La Plume* du 15 mai où il conclut : « Plus que tous les poètes, les sculpteurs et les autres peintres, cet Espagnol nous meurtrit comme un froid bref. Ses méditations se dénudent dans le silence. » Dans *Mercure de France* du 15 mars, Charles Morice écrira : « Les œuvres nouvelles qu'il expose dans la galerie Serrurier annoncent une transformation heureuse de son talent [...] Les attitudes se simplifient, les unités se regroupent moins minablement, la toile s'éclaire. »

Mars

La Construction moderne du 25 mars annonce : « La ville de Barcelone mettait au concours, il y a un an, les avant-projets de raccordement de l'ancien faubourg avec les villages annexés et la ville de Sarrià. Nous apprenons que le premier prix, 35 000 pesetas, vient d'être décerné à M. Jaussely, pensionnaire de la villa Médicis depuis deux ans. »

Nonell envoie huit tableaux au Salon des indépendants où sont organisées des rétrospectives Seurat et Van Gogh.

Avril

À Barcelone, Domènech i Montaner commence la construction du palais de la Musique catalane. Les plus grands spécialistes du modernisme y participeront : Arnau, Gargallo, Blay... Achevé en 1908, il deviendra le siège de l'Orfeó català.

Gaudí entreprend la construction

et la décoration (terminées en 1906) de la Casa Battló. Rusiñol envoie quatre tableaux au Salon de la Société nationale des beaux-arts. Il se rend pour l'occasion à Paris avec sa famille. Casas, Anglada-Camarasa et Canals y exposent chacun une œuvre.

Mai

Rétrospective James Mc Neill Whistler (quatre cent quarante œuvres) à l'École des beaux-arts de Paris.
Au Salon de la Société des artistes français, Josep Clarà expose deux bustes et Miquel Blay un groupe en plâtre pour lequel il obtient une médaille de seconde classe.
Henri Matisse se rend à Collioure où il travaillera tout l'été, fait la connaissance d'Aristide Maillol et persuade André Derain de le rejoindre : une nouvelle conception de la lumière les conduit à produire les toiles « fauves » qu'ils montreront au prochain Salon d'automne.

Juin

À l'incitation de son ami le peintre basque Zuloaga, Rodin visite l'Espagne : Madrid, Tolède, l'Andalousie. Son projet de séjour à Barcelone ne se réalisera pas faute de temps.

Octobre

Au Salon d'automne à Paris, Ramon Pichot, ami de jeunesse de Picasso à Barcelone, expose cinq tableaux dans la fameuse salle dite « cage aux fauves » avec Matisse, Derain, Camoin, Valtat, Marquet.
À ce même Salon sont organisées une exposition Manet (trente et une œuvres) et une exposition Ingres (soixante-huit œuvres) qui fascineront le public et Picasso en particulier.
Premier voyage à Paris du critique catalan Eugeni d'Ors.

1906

Ses études de restauration terminées, Josep Dalmau achète un local à Barcelone, au 10, Carrer del Pi, destiné à un commerce d'antiquités plus spécialement

orienté entre la France et l'Espagne.
Pose de la première pierre de la Casa Milá (la Pedrera) de Gaudí à Barcelone, avec l'aide de Josep Maria Jujol qui travaille également sur le projet du parc Güell. L'immeuble sera achevé en 1910.
Fondation de l'École d'art de Francesc d'A. Galí qui aura comme élèves Josep Aragay, Jaume Mercadé, Joan Miró, Enric Cristófol Ricart…
Publication de *La Nacionalitat catalana* par Enric Prat de la Riba, chef de la Lliga regionalista, qui propose un état catalan dans une fédération espagnole. Prat de la Riba en sera le premier président en 1914.

Janvier

Sous le pseudonyme de Xénius, Eugeni d'Ors commence la publication de son « Glosari » – point de départ du noucentisme – dans *La Veu de Catalunya* dont il devient le nouveau correspondant artistique à Paris.

Février

Première exposition individuelle de Gargallo à la Sala Parés qui lui vaut une commande de la part de l'architecte Lluís Domènech i Montaner pour la décoration extérieure et intérieure de l'hôpital Sant Pau à Barcelone.

Mars

Le marchand Ambroise Vollard visite l'atelier de Picasso et veut lui acheter la plupart de ses toiles roses. Picasso fait la connaissance d'Henri Matisse puis d'André Derain.
Julio González prend, pour quelques mois, un atelier au 11, impasse Ronsin, impasse où s'installera son ami le sculpteur roumain Constantin Brancusi dix ans plus tard. Il rencontre aussi un « jeune musicien très sympathique, Edgar Varèse ».

Mai

Eugeni d'Ors présente Puvis de Chavannes, Courbet, Manet, Cézanne, Rodin dans *La Veu de Catalunya*.
Ambroise Vollard verse 2 000 francs-or à Picasso (archives Vollard, agendas de la

galerie), ce qui permet à l'artiste de partir, le 21 mai, avec son amie Fernande Olivier pour Barcelone. Sur les conseils du sculpteur Enric Casanovas, ils s'installent dans un village perdu de haute Catalogne, Gósol, où Picasso semble inspiré par la monochromie à dominante ocre des paysages. Il y réalise le *Carnet catalan* dans lequel il transcrit un poème de Joan Maragall accompagné d'un dessin de sculpture. Picasso est également fasciné par une Vierge à l'enfant romane présente dans l'église de Gósol, dont les traits des visages sont remarquables par leur stylisation. Il rentrera à Paris mi-août, chassé par une épidémie de typhoïde.

19

Juin

L'exposition de peintures de paysages de Rusiñol, organisée à la galerie Georges Petit à Paris, remporte un grand succès.

ÉTÉ

Le jeune galeriste Daniel-Henry Kahnweiler, récemment installé à Paris, visite l'atelier de Picasso rentré de Gósol en août.
À Collioure, Sunyer rencontre Matisse qui y séjourne en août et septembre.

AUTOMNE

23 octobre : mort de Cézanne.
Dix tableaux seront exposés au Salon d'automne à titre d'hommage.
Depuis son retour à Paris mi-août, Picasso reprend le portrait de Gertrude Stein dont le visage stylisé et simplifié s'apparente aux sculptures ibériques.
Au Salon d'automne, il est impressionné par la rétrospective Gauguin (deux cent quarante peintures, sculptures et gravures) et commence à dessiner les premiers essais du bordel pour marins de Barcelone

dans un carnet daté de la fin de cette année. Le 16 novembre, Vollard lui verse 1 000 francs pour six tableaux (archives Vollard, agendas de la galerie).
Arrivée de Juan Gris à Paris, accueilli à Montmartre par son ami le peintre Daniel Vasquez Díaz qui lui fait connaître Picasso. Un an plus tard, il s'installera au Bateau-Lavoir et réalisera régulièrement des dessins pour les revues *L'Assiette au beurre* et *Le Rire*.

1907

Joan Miró suit les cours de l'École des beaux-arts de La Llotja à Barcelone (jusqu'en 1910). Il rencontre Joan Prats.

Janvier
À Barcelone, première livraison de la revue *Empori*, sous la direction de Francesc de P. Maspons et Josep Carner, qui fait connaître les poètes noucentistes (dix-huit numéros paraîtront jusqu'en 1908).

Mars
Picasso achète deux têtes ibériques en pierre à Géry Pieret, sans doute par l'intermédiaire de Guillaume Apollinaire, sculptures en réalité volées au musée du Louvre comme le découvrira Picasso en 1911.
González présente plusieurs œuvres au Salon des indépendants, à Paris. À ce même salon, Picasso découvre aussi *Nu bleu* (*Souvenir de Biskra*) de Matisse et *Baigneuses* de Derain, œuvres déterminantes pour la genèse des *Demoiselles d'Avignon* (titre évoquant le Carrer d'Avinyo à Barcelone) exécutées par Picasso entre mars et juillet. Il fait également la connaissance de Georges Braque.
Cinquième Exposition internationale des beaux-arts et industries artistiques au palais des Beaux-Arts de Barcelone, avec l'aide du marchand et collectionneur Durand-Ruel : participation des impressionnistes et postimpressionnistes tels que Bourdelle, Maurice Denis, Mary Cassatt, James Ensor, Manet, Monet, Berthe Morisot, Renoir,

Pissarro, Puvis de Chavannes, Sisley, Rodin, les avant-gardistes Picabia et Balla, les Catalans Casas, Clarà, Claraso, Canals, Junoy, Mompou, Mir, Nonell, Pichot, Rusiñol et les Castillans Zuloaga, Regoyos, Gargallo. La ville de Barcelone fera l'acquisition de la sculpture de Rodin *L'Âge d'airain*.

Mai
Exposition individuelle de Torres-García dans le salon de *La Publicidad*. Cet artiste théoricien vient de publier dans la revue *Empori* (avril) un texte soulignant l'appartenance de la Catalogne à la tradition méditerranéenne.
Nouveau séjour de Matisse à Collioure jusqu'à mi-juillet.

Juin
Parution du premier numéro de la revue barcelonaise *Futurisme* (trois numéros seront publiés), terme qui sera repris par Marinetti deux ans plus tard. Y collaborent noucentistes et modernistes comme Gabriel Alomar et Angel Guimera.
Picasso travaille sa grande toile des *Demoiselles d'Avignon*, visite le musée d'Ethnographie du Trocadéro et modifie trois personnages de la toile qui sera terminée probablement dès le mois suivant.

AUTOMNE
Pablo Gargallo reçoit une commande pour la décoration extérieure du Teatro Bosque : quatre bas-reliefs représentant Picasso, Nonell, Reventos et lui-même. Puis il repart pour Paris, s'installe rue de Sèvres, travaille pour le sculpteur Wlérick, réalise son premier masque en métal.
Échange de tableaux entre Matisse et Picasso : le premier choisit *Cruche, bol et citron*, réalisé durant l'été, Picasso retient un *Portrait de Marguerite*, peint l'hiver précédent. Rétrospective Cézanne au Salon d'automne et importante exposition à la galerie Bernheim-Jeune : expositions vues par les artistes catalans présents à Paris qui les amèneront à modifier leur manière de peindre.

1908

Janvier
La première exposition d'art moderne à la galerie Dalmau est consacrée à Josep Mompou.
Revenu à Barcelone, Gargallo commence les décors pour l'intérieur du palais de la Musique catalane, à la demande de Lluis Domènech i Montaner. Il y travaillera jusqu'en janvier 1910.

Février
15 février : inauguration du palais de la Musique catalane construit par Domènech i Montaner.

PRINTEMPS
Sebastià Junyer-Vidal pose devant *Trois femmes* dans l'atelier de Picasso au Bateau-Lavoir comme André Salmon et la fille de Van Dongen.
Jusqu'en 1914, Sunyer partage son temps entre Sitges (l'été) et Paris.
Commande auprès de Torres-García de tentures murales pour l'église de San Agustin à Barcelone, avec la collaboration de Joan González.
31 mars : mort de Joan González à Barcelone. Son frère Julio, très affecté, repart seul à Paris, abandonne provisoirement la peinture pour travailler avec son compatriote Paco Durrio.

20

Juillet

Le galeriste parisien Henri Barbazanges
offre à Sunyer un voyage à Madrid,
fortement impressionné par les œuvres
du Greco, de Velázquez et Goya.

Novembre

Création de la revue satirique *Papitu*, dirigée
par Feliu Elias jusqu'en 1911, à laquelle
collaborent notamment J. M. Junoy, Nogués,
Nonell, Gargallo et Juan Gris à partir du
mois de décembre jusqu'en juillet 1912.

1909

Sur commande de l'architecte Falqués,
González travaille avec Paco Durrio
à la conception d'une fontaine en fonte
et fer forgé destinée au square de San Pere
de las Puelles à Barcelone, qui sera réalisée
en 1910. Voyage de Gargallo à Paris où
il habite à Montmartre.
Ramon Casas donne au Musée national
d'art de Catalogne, à Barcelone, un dessin en
pied de Rodin reproduit dans *Pèl & Ploma* le
15 janvier 1901.

Mars

Ouverture de la galerie Faianç Català à
Barcelone, par le marchand d'art Santiago
Segura, où seront exposés les artistes les plus
représentatifs du noucentisme. Dès le 9 mars,
dans *El Poble català*, l'écrivain Gabriel Alomar
publie le manifeste futuriste de Marinetti –
paru dans *Le Figaro* du 20 février – dans son
article intitulé «El futurisme à Paris».

Mai

Voyage de Picasso et Fernande Olivier
à Barcelone où l'artiste peint le *Portrait
de Pallarès*.

Juin

Début juin-début septembre : Picasso
séjourne à Horta de Ebro avec Fernande
Olivier. Paysages, portraits de Fernande,
natures mortes marquent le début du
cubisme analytique. Max Jacob lui rendra
visite. Daniel-Henry Kahnweiler, qui avait
envisagé de le rejoindre fin août, renoncera

à ce projet, retenu par l'édition de
L'Enchanteur pourrissant d'Apollinaire,
illustré par des gravures de Derain.

Juillet

«Semaine tragique» de manifestations
sociales à Barcelone, initiée par les
opposants à l'intervention militaire au Maroc
et aux conditions de vie à Barcelone, fortes
répercussions anticléricales.

Septembre

Parution de l'unique numéro de la revue
Arte Joven, deuxième série,
sous la direction de Francisco de Asís
Soler, avec des illustrations de Gargallo,
Picasso et Torres-García.
Retour de Picasso à Paris où il s'installe
11, boulevard de Clichy.
Manolo Hugué, dit Manolo, fuit l'été
pluvieux parisien pour les Pyrénées
orientales, en compagnie de son ami
Déodat de Séverac, et s'installe à Céret où il
vivra, avec des interruptions, jusqu'en 1927.
Le marchand et galeriste Kahnweiler
commence à lui acheter des sculptures
puis des dessins.

21

Octobre

Dans l'atelier de son ami Manolo, Picasso
réalise une *Tête de femme (Fernande)* en bois
de hêtre, d'après les portraits à facettes
qu'il a peints durant l'été à Horta de Ebro.

Décembre

23 décembre : création de la page artistique
du quotidien *La Veu de Catalunya* par Raimon
Casellas, critique d'art du modernisme
et rédacteur en chef de la revue depuis 1899.
Inaugurations des sculptures *Manelic*
de Josep Montserrat dans les jardins de
Montjuïc et *Maria Aguilo* d'Eusebi Arnau
au parc de la Citadelle.

1910

González réalise ses premiers masques
en métal repoussé à Paris.
Il se rend à Barcelone chaque année.
Arrivée de Pierre Reverdy à Paris :
il s'installe à Montmartre, rue Ravignan,
près du Bateau-Lavoir. Puis, d'avril
1912 à février 1913, il occupera un atelier
face à celui de Juan Gris.
Au parc de la Citadelle, à Barcelone,
construction du monument à Victor
Balaguer par Puig i Cadafalch
et inauguration de la sculpture *Lleo
Fontova* de Gargallo.
Exposition de «Portraits et dessins antiques
et modernes» organisée par la mairie
de Barcelone, avec des œuvres de Clarà,
Smith, Gargallo, Togores, Miró
(première apparition publique), Renoir,
Toulouse-Lautrec.

Janvier

Arrivée à Céret du sculpteur Manolo
Hugué, dit Manolo, avec sa femme.
Ils y resteront jusqu'en 1914. Au cours
de l'année, Céret accueille Frank Burty
Haviland, le compositeur Déodat
de Séverac, déjà familier de la région, Sunyer,
Junoy. Le 27 mars, Manolo écrira à son ami
Enric Casanovas à Paris : «Nous sommes
tous très contents de notre séjour ici. Nous
avons fait beaucoup de travail et les gens
du pays sont très sympathiques, de sorte que
je serai heureux de revenir ici quand je
n'aurai plus rien à faire à Paris. Mais j'espère
que cette fois c'est avec vous que je viendrai,
car vous nous manquez.»
15 janvier-13 février : première exposition
Nonell à la Faianç Català à Barcelone.
Le musée des Beaux-Arts lui achète *Meditant*
(Barcelone, Musée national d'art catalan).
Torres-García découvre les fresques de Puvis
de Chavannes au Panthéon à l'occasion de
sa première visite à Paris.

Mars

19-29 mars : exposition de cinquante-huit
œuvres de Sunyer à la galerie Barbazanges
à Paris. Compte-rendu de Josep Maria
Junoy dans *La Publicidad* sous le titre «Joaquim

Sunyer : peintre de la Méditerranée ».
Les critiques André Salmon et
Louis Vauxcelles visitent l'exposition
et lui consacrent quelques lignes.

Avril

15 avril-30 juin : vingtième Salon de la
Société nationale des beaux-arts au
Grand Palais à Paris. Financé par le comte
Güell, Antoni Gaudí occupe une salle
entière dans laquelle il expose les maquettes
de la façade de la Sagrada Familia
polychromée par Jujol, de la Casa Milá
et des arcades de la galerie du palais Güell,
ainsi que des photos et des dessins.
La présentation est remarquée, les réactions
sont abondantes et mitigées. Apollinaire
dans *L'Intransigeant* (19 avril) écrit :
« À l'architecture, on a organisé
une exposition d'ensemble de l'architecte
catalan Gaudi. Puissent nos architectes
ne pas s'inspirer de ses fantaisies ! » Dans *La
Construction moderne* du 16 juillet, A. Gelbert
livrera ce commentaire : « M. Antoni Gaudé
(sic) est ce confrère que l'Espagne nous
envoya pour nous étonner. Il nous étonne
effectivement, par le nombre de ses
envois, par la variété de ses conceptions
et par la fantaisie de son style, mais il nous
laisse sceptiques sur ses combinaisons
constructives du temple de la Sagrada
Familia, son envoi capital, qui ne peut
apparemment impressionner qu'un public
qui aime le fantasque, le surprenant
et l'imprévu. A côté de cette maquette
phénoménale, on voit plusieurs grandes
photographies, des modèles en plâtre,
des études décoratives, des panneaux peints,
un kaléidoscope déroulant ses innombrables
images, mais aucun plan, aucune coupe,
ni aucune élévation en géométral de nature
à permettre à un technicien de former
son jugement sur la valeur architectonique
de l'œuvre. Quoi qu'il en soit, il faut
reconnaître que M. Gaudé possède une
fertile et riche imagination qui, disciplinée
et tant soit peu assagie, pourrait donner les
plus appréciables résultats. » Important
article de Marius-Ary Leblond consacré à
« Gaudí et l'architecture méditerranéenne »,
dans *L'Art et les Artistes*. L'auteur s'est rendu à
Barcelone pour voir les œuvres de Gaudí :

« Cet architecte a vu en *peintre* la maison
et en *coloriste* qui peint pour la lumière
de son pays. »
30 avril : inauguration à la Faianç Català
de la première exposition de l'association
Les Arts i els Artistes rassemblant
noucentistes et postmodernistes, dont
l'un des objectifs est la création d'un
musée d'art contemporain. En réalité,
elle se limitera à une série d'expositions
de fréquence irrégulière jusqu'en 1936, à
des conférences et à la publication de livres.
Y collaborent Enric Casanovas, Ricard
Canals, Josep Clarà, Feliu Elias, Sebastià
Junyer-Vidal, Joaquim Mir, Isidre Nonell,
Pablo Gargallo, les frères Oslé… Joaquim
Folch explique dans la page artistique
de *La Veu de Catalunya* que cette association
marque la fin d'une période de
« tâtonnements et divagations appelée
modernisme ».

Mai

À la galerie Notre-Dame-des-Champs,
exposition des œuvres récentes de 1908-
1909 de Picasso. L'artiste peint les portraits
d'Ambroise Vollard et de Wilhelm Uhde.

22

Juillet

Retour de Picasso et Fernande Olivier à
Barcelone avec Ramon Pichot. Ils passent
l'été à Cadaqués où les rejoignent Derain et
sa femme. Picasso y retrouve aussi Eugeni
d'Ors et commence à travailler sur les eaux-
fortes destinées à l'illustration de *Saint*

Matorel de Max Jacob, qui sera publié par
Daniel-Henry Kahnweiler l'année suivante.
Dans la première livraison de la revue de
Gérone *Lectura* paraît un article de Maurice
Denis sur Aristide Maillol.

Septembre

Picasso revient à Paris et peint le *Portrait
de Kahnweiler* (Chicago, Art Institute).

Octobre

À la galerie Moleux à Paris, exposition
Ramon Pichot dont un compte-rendu
d'Apollinaire paraîtra dans *L'Intransigeant*
daté du 11 novembre : « M. Ramon Pichot
fait partie de cette pléiade de peintres
espagnols qui continuent à Paris la
tradition de Goya, voire de Velasquez ; il en
est même qui, ainsi que Pablo Picasso,
servis par une haute et forte culture, ont
appliqué leur génie au sublime plastique,
produisant des œuvres dont l'influence ira
grandissant dans le monde entier. »
Clarà expose dix sculptures et trente
dessins au Cercle international des arts
à Paris. L'État français fait l'acquisition
d'un bronze intitulé *Crépuscule* pour le
musée du Luxembourg (Paris, Musée
national d'art moderne).

Novembre

2 novembre : suicide de Raimon Casellas.
Joaquim Folch i Torres lui succède à la
direction de *La Veu de Catalunya*.
Feliu Elias s'installe pour deux ans à Paris,
rue Lamarck dans le quartier de
Montmartre. Il signe ses critiques
« Joan Sacs » et ses caricatures « Apa » dans
les revues catalanes telles que *La Vanguardia*,
Papitu, *La Veu de Catalunya*, *Iberia*. Il suit
des cours à la Sorbonne et fréquente le
musée du Louvre.

1911

Début de la collaboration de Josep Maria
Junoy au journal *La Publicidad* sous le
pseudonyme de Héctor Bielsa. Il sera
l'un des premiers à commenter l'éclosion
du cubisme.

Publication à Paris d'un numéro spécial de *L'Art et les Artistes* dans lequel Paul Gsell résume la pensée esthétique de Rodin.

Février

11 février : Isidre Nonell, chef de file de la nouvelle peinture catalane, meurt du typhus.
25 février-12 mars : à la Faïanç Català à Barcelone, deuxième exposition de l'association catalane Les Arts i els Artistes présentant quatorze œuvres de Nonell choisies par l'artiste.

Avril

11-30 avril : première exposition Sunyer à la Faianç Català avec soixante peintures et dessins. Elle sera défendue dans la revue *Museum* de juillet par le poète Joan Maragall qui décédera dans le courant de l'année.
À cette exposition figure *La Pastorale* (1910-1911), paradigme de la peinture noucentiste catalane. Dans le catalogue, Miquel Utrillo, rencontré à Sitges l'été précédent, évoque les premières années de Sunyer à Montmartre.

Mai

Dans *El Poble català*, Junoy défend la peinture de Sunyer et la sculpture de Casanovas : « Il est en sculpture ce que Sunyer est pour la peinture. »

Juin

Dans *La Veu de Catalunya* du 3 juin, Eugeni d'Ors présente un projet d'exposition d'artistes noucentistes à Paris qui ne se réalisera pas.
El Poble català annonce une exposition sur la jeune peinture française à la Faïanç Català, à l'initiative de Junoy : le projet n'aboutira pas non plus.
20 juin : inauguration de « La VIe Exposición internacional de arte » organisée par l'Ayuntamiento de Barcelone (la dernière jusqu'en 1917) : présence de Regoyos, Mir, Pichot, Torres-García, Clarà, Canals, Miró, Togores, Gargallo, Bonnard, Vuillard… Torres-García y participe avec une peinture allégorique essentielle pour le noucentisme, inspirée par Puvis de Chavannes, que l'artiste donnera à l'Institut d'Estudis Catalans.
La galerie Dalmau s'installe 18, rue de la Portaferrissa, près des Ramblas à Barcelone.

Juillet

Miró passe l'été à Montroig, près de Tarragone, où ses parents viennent d'acquérir une ferme.
À la demande d'Eugeni d'Ors, Torres-García collabore à la réhabilitation du Palau de la Generalitat de Barcelone.
8 juillet : à l'invitation de son compatriote Manolo, Picasso se rend seul à Céret. Il y sera rejoint mi-août par Braque et Max Jacob. Dans la presse catalane, on annonce la visite de Braque à Barcelone et la parution du livre de Max Jacob *Saint Matorel*, illustré par Picasso (*La Publicidad*).

Août

Braque arrive à Céret après le 15 août, comme en témoigne une lettre datée du 17 de Picasso à Kahnweiler : « Braque est très content d'être ici je crois. Je lui ai montré déjà tout le pays et il a déjà des tas de sujets dans la tête. » Une étroite collaboration s'établit alors entre Braque et Picasso qui s'inspirent des paysages cérétans, des instruments de musique ou d'objets quotidiens propres à la région.
Le journal local pyrénéen *L'Indépendant* rend compte du vol de *La Joconde* au musée du Louvre.

Septembre

23

4 septembre : retour précipité de Picasso à Paris pour rendre à *Paris-Journal* les fameuses statuettes ibériques achetées à Géry Pieret en 1907.
Voyage de Josep Dalmau à Paris pour prendre contact avec des artistes d'avant-garde. Il a été élu membre du comité organisateur de l'Exposition d'artistes catalans, comme Eugeni d'Ors, Josep Maria Junoy, Santiago Segura, Joaquim Folch i Torres, qui se tiendra au Cercle international des arts en novembre

(*La Veu de Catalunya*, 7 septembre). De Céret, Manolo écrit au sculpteur Casanovas : « Novas, viens aussi vite que tu pourras, jamais tu ne m'auras fait autant plaisir […] A Céret il y a Braque, c'est un très gentil garçon et il t'attend. » Au même destinataire, Frank Haviland écrit quelques jours plus tard : « Je regrette que vous ne soyez pas venu nous voir, mais j'espère que vous viendrez l'année prochaine […] Nous avons passé ici un été charmant. Braque est ici avec sa femme. Nous avons eu aussi Picasso et Fernande, Pichot et Germaine. Tout Paris et tout Montmartre. »
11 septembre : Braque écrit de Céret à Kahnweiler : « Maintenant que Picasso est parti, j'ai trois ateliers à ma disposition. J'ai visité Figueras et dimanche je dois aller à Collioure à pied. » Quelques jours plus tard, s'adressant au même, Braque ajoute : « Je travaille très tranquillement. J'ai fait quelques natures mortes et une liseuse. Il me manque la collaboration de Boischaud pour faire les papiers peints. Je suis allé à Collioure […] A peine arrivé je suis tombé sur Matisse qui m'a montré ses dernières toiles. »
Dans un article de *La Publicidad* (22 septembre) intitulé « El renacimiento del Mediterraneo », Junoy défend la position prédominante de la France.

Octobre

Retour de Junoy d'un voyage en Europe. Séjour parisien durant lequel il prend connaissance du courant cubiste au Salon d'automne. Le critique sollicite Jean Metzinger pour un article-manifeste sur le cubisme qu'il traduit pour *La Publicidad* (24 octobre). Il y présente Metzinger comme le plus représentatif du cubisme après Picasso ! Eugeni d'Ors avait déjà commenté le cubisme, à l'honneur au Salon d'automne, le 9 octobre dans *La Veu de Catalunya*, comme il le fera de nouveau en février et avril de l'année suivante. Kahnweiler, qui avait déjà rencontré Gris au Bateau-Lavoir, voit ses premières peintures acquises par Clovis Sagot. Il reçoit des nouvelles de Braque de Céret : « Je suis tous les jours aux prises avec les Cérétans qui veulent voir du cubisme […] Le travail marche assez bien et si je persiste dans mes projets je resterai ici

longtemps. » Braque rentrera à Paris vers la mi-janvier 1912.
Première exposition individuelle de sculptures de Casanovas à la Faianç Català à Barcelone.

Novembre

Exposition d'artistes catalans à Paris, au Cercle international des arts, présentant des œuvres de Clarà, Anglada-Camarasa, Torres-García, Sunyer, Canals, Mir, Nogués, Maillol, Pidelassera, González, Casanovas, Picasso, J. M. Sert. Le catalogue donne une étude critique sur les idées et orientations des jeunes artistes de Catalogne.
Publication de l'*Almanach dels Noucentistes*, sorte de manifeste du noucentisme promu par Eugeni d'Ors et dirigé par Josep Aragay où l'on perçoit un grand éclectisme dans le choix des artistes reproduits : Clarà, Canals, Gargallo, Mir, Nogués, Picasso, Pijoan, Torres-García…

24

1912

Miró étudie pendant trois ans à l'École d'art de Francesc d'A. Galí à Barcelone, institution privée ouverte aux idées de l'avant-garde européenne en peinture, musique et poésie, où il rencontre Jaume Mercadé, Josef Francesc Ràfols, Enric Cristófol Ricart, Joan Prats, Josep Llorens i Artigas qui resteront des amis fidèles.

Janvier

Expositions de dessins et peintures de Torres-García à la galerie Dalmau, avec un catalogue préfacé par Eugeni d'Ors, et de Juan Gris chez Clovis Sagot à Paris.
Gargallo s'installe au 45, rue Blomet. Picasso ou Juan Gris lui présente le collectionneur André Level auquel il vend son premier masque en cuivre repoussé, réalisé à Paris à la fin de l'année 1907.

Février

À la galerie Dalmau, exposition de dessins de Picasso, de la période bleue. Compte-rendu dans *La Veu de Catalunya* : « Les artistes et les amateurs barcelonais ont défilé ces jours-ci dans la galerie Dalmau pour les dessins de Picasso […] forte personnalité de l'artiste qui a conquis un nom enviable dans la capitale française. »
Dans la page artistique de *La Veu de Catalunya* du 1er février, d'Ors-Xènius publie l'article « Del cubisme a l'estructuralisme » qui provoque des polémiques et des réponses variées, dont celle de Torres-García intitulée « Considérations sur le cubisme et le structuralisme pictural ». Ces débats suscitent l'exposition cubiste qui sera montée par Dalmau en avril.
Première livraison de la revue humoristique *Picarol*, sous l'impulsion de Santiago Segura et sous la direction de Josep Aragay : six numéros paraîtront, donnant des comptes-rendus sur l'exposition futuriste à la galerie Bernheim-Jeune à Paris, un article élogieux sur les œuvres de Picasso présentées chez Dalmau, le récit de voyage du galeriste à Paris pour préparer l'exposition d'art cubiste dans sa galerie en avril… Commentaires dans *Paris-Journal* daté du 12 mars : « *Picarol*, de Barcelone, est certainement l'une des meilleures revues d'art de l'époque […] Les articles, très bien faits, sont consacrés à la littérature et au mouvement artistique, très important en Catalogne », et dans *Le Radical* : « Un illustré de Barcelone, *Picarol*, nous révèle des caricaturistes adroits tels que F. X. Nogués, Marian Andreu, Aragay, etc. Et l'on est un peu surpris qu'il soit des humoristes locaux quand les périodiques satiriques français font une telle consommation de talents étrangers.

Ces Espagnols doivent être des Français naturalisés, chassés de leur patrie par la concurrence internationale. »

Mars

La Veu de Catalunya (11 mars) mentionne l'envoi d'une lettre « spirituelle et élogieuse » par Félix Fénéon, directeur artistique de la galerie Bernheim-Jeune, à Josep Maria Junoy qui publie, le 15 mars, *Arte y Artistas*, présentant à la fois les artistes postmodernistes (Nonell, Mir), méditerranéistes (Clarà, Casanovas, Torres-García) et cubistes (Picasso). Réception de l'ouvrage très positive à Paris, comme en témoignent le compte-rendu de Marcel Robin dans *Mercure de France* et celui d'André Salmon, sous le pseudonyme de La Palette, dans *Paris-Journal* du 25 mars : « Nous recevons une intéressante étude de l'écrivain d'art espagnol José Junoy, *Arte et artistas*. Il y étudie l'œuvre de ses compatriotes placés à l'école des modernes hardiesses françaises. Au cours de l'ouvrage, hommage est rendu à des peintres tels que Cézanne, Bonnard, Degas, Lhote, Gleizes, Laurencin, Puy, Seurat, Vuillard… » Séjour à Paris du galeriste Josep Dalmau pour la préparation de son exposition consacrée au cubisme.

Avril

20 avril-10 mai : première manifestation officielle du cubisme à Barcelone, à la galerie Dalmau. L'« Exposició d'art cubista » montre des œuvres d'August Agero, Marcel Duchamp, Albert Gleizes, Juan Gris, Marie Laurencin, Fernand Léger, Henri Le Fauconnier, Jean Metzinger. Présence emblématique du *Nu descendant un escalier* de Duchamp. Le texte du catalogue de Jacques Nayral est traduit et publié dans *La Veu de Catalunya* du 18 avril, illustré par des œuvres de Gris, Agero, Léger, Gleizes, Metzinger. Aucune œuvre ne sera vendue à un collectionneur local. Max Jacob donne un texte court, un peu narquois, sur le cubisme, « Petit guide pratique de l'amateur de cubisme », paru en français dans *La Publicidad* du 25 avril : « Considérez

la peinture comme on regarde une pierre taillée. Appréciez les facettes, l'originalité de la taille, sa lutte avec la lumière, la disposition de la ligne et des couleurs (M. Juan Gris a cubé la lumière, M. Gleizes se bat contre ses puissantes sensations jusqu'à réduire l'univers aux charmes d'une tapisserie) [...] » et, en note : « Regrettez l'absence de MM. Georges Braque et André Derain sans parler de l'autre, notre bien-aimé Maître ». *La Veu de Catalunya* du 29 avril publie un article de Joaquim Folch i Torres intitulé « Le cubisme ».
Dans *La Publicidad*, article sur Juan Gris – le premier à lui être entièrement consacré –, par Junoy qui achète deux tableaux de l'artiste. Dans le journal *Le Sourire*, critique du Salon des indépendants et notamment de l'*Hommage à Picasso* présenté par Juan Gris, parodié par un croquis.

25

Mai

Au Salon de la Société des artistes français, au Grand Palais, dans la section architecture, André Gaillardin présente un *Projet d'exposition universelle pour la ville de Barcelone en 1911*, pour lequel il reçoit la médaille d'honneur.
20 mai-20 juin : Picasso et sa nouvelle compagne, Eva Gouel, sont contraints de fuir la région de Céret, craignant l'arrivée de Fernande avec Pichot. Ils se réfugient à Sorgues près d'Avignon où les rejoindront Braque et sa femme.

La Publicidad du 29 mai donne cette information : « Joaquin Sunyer, le distingué et admirable auteur de *La Pastorale* arrive de Céret [...] En compagnie de Picasso, de Séverac, de Maillol, de Casanovas, de Manolo et d'autres artistes, ils ont formé une sorte de phalanstère. Ils vivent ensemble dans une vieille maison de haute noblesse. » Cohabitation d'artistes noucentistes et cubistes. À Céret, Sunyer peint un portrait de la femme de Manolo, surnommée Totote.

Juin

1er juin : Picasso écrit à Kahnweiler : « J'ai bien besoin de mes affaires de peinture. Manolo m'a bien donné quelques couleurs, mais je ne travaille qu'avec du vert composé de violet de cobalt, de noir de vigne, de brun momie et de cadmium pâle et je n'ai pas de palette. Terrus m'a prêté un chevalet. » Premiers papiers collés à la fin de l'été et premières constructions en carton puis en tôle de *Guitare* par Picasso.
2 juin : inauguration, au Cercle artistique de Sant Lluc à Barcelone, de la « Primera Exposición internacional de evoluciones ultimas del arte » présentant cinquante-quatre œuvres, essentiellement postimpressionnistes, pointillistes et fauves.

Septembre

Pablo Picasso quitte Montmartre et installe son nouvel atelier – que lui procure Daniel-Henry Kahnweiler – au 242, boulevard Raspail.
14 septembre-16 octobre : parution de trois numéros du *Correo de las Letras y de las Artes*, supplément littéraire hebdomadaire du quotidien *La Publicidad*, sous la direction de Josep Maria Junoy. Y cohabitent noucentisme et avant-garde avec des illustrations de Sunyer, Picasso et de futuristes. Un double feuillet mensuel, intitulé *Correo*, destiné à tisser des liens entre Paris et Barcelone, et vendu à Paris, sera publié entre octobre 1912 et janvier 1913.

Octobre

Salon de la Section d'or à Paris, galerie La Boétie, présentant des œuvres de Duchamp (*Nu descendant un escalier* refusé au Salon des indépendants), Gris, Gleizes, Léger, Lhote, Marcoussis, Picabia, Villon. Catalogue préfacé par René Blum. Participation de Gris au Salon d'automne à Paris avec son *Portrait de Picasso*.

Décembre

Publication, aux éditions Figuière, de l'ouvrage d'Albert Gleizes et Jean Metzinger *Du cubisme*, quelques semaines après la parution de *La Jeune Peinture française* d'André Salmon dont certains fragments paraîtront dans *Vell i Nou* en 1917.
18 décembre : lettre contrat pour trois ans, signée entre Kahnweiler et Picasso, qui deviendra caduque à la déclaration de guerre en août 1914.
Autour du 20, Picasso part pour Céret où il retrouve Manolo et Totote, puis se rend pour Noël à Barcelone où il séjournera jusqu'au début du mois de mars avec Eva.

1913

Julio González prend un atelier au 1, rue Leclerc, à Paris, qu'il occupera jusqu'en 1920.
Voyage à Paris d'Angel Ferrant, fortement impressionné par les futuristes.

Janvier

De retour à Paris depuis l'automne 1912, Gargallo s'installe, au début du mois, au 45, rue Blomet : période difficile pour l'artiste au cours de laquelle il est soutenu par ses amis Picasso, Manolo, Juan Gris, Soler Casabon, Max Jacob. Il fait la connaissance de Maurice Raynal, Pierre Reverdy, puis de Léonce Rosenberg.

Février

Parution de l'ouvrage d'Apollinaire *Les Peintres cubistes, méditations esthétiques* chez Eugène Figuière.
Gris introduit des papiers collés dans

ses peintures. Le 13 février, il signe
son premier contrat avec Daniel-Henry
Kahnweiler.

Mars

7-25 mars : exposition d'œuvres de Darío de
Regoyos à la galerie Dalmau. L'artiste
mourra à Barcelone dans le courant de
l'année.

10 mars-20 juin : Picasso repart pour Céret
où il réalise une nouvelle série de papiers
collés en introduisant des coupures de
journaux publiés à Paris ou Céret. Max
Jacob l'y rejoindra en avril. À la fin du mois
de mars, Picasso se rend à Barcelone pendant
quelques jours ; un papier collé intitulé
Guitare comporte un fragment de journal
barcelonais daté du 31 mars.

Dans la revue *Montjoie* (n° 3, 14 mars),
Apollinaire publie un texte intitulé « Pablo
Picasso » rédigé en 1912, évoquant les
dernières créations de l'artiste.

Avril

Publication d'*Alcools, poèmes 1898-1913*
de Guillaume Apollinaire avec un portrait
de l'auteur par Picasso.

Mai-juin

À Barcelone, Picasso revoit son père qui
meurt le 3 juin. Il est très affecté
par cette disparition. Le mois suivant,
il assiste aux corridas de Céret et
de Figueras. Les 12 et 14 juin, il envoie
des cartes postales à Apollinaire de
Gérone et Figueras.

Juillet

Torres-García commence l'exécution
de la première fresque intitulée *La Catalunya
ideal* pour le Saló Sant Jordi, fresque critiquée
dans l'*Actualidad* mais défendue dans *La Veu
de Catalunya*. Parallèlement, le jeune Togores
exécute quatre fresques – d'un classicisme
proche de Maurice Denis – sur la vie de
sainte Anne, commande de la riche mécène
Anna Girona, qu'il exposera Sala Parés.

Août

Picasso s'installe au 5 bis, rue Schoelcher
à Paris à la mi-août, puis passe dix jours
à Céret où Gris séjournera jusqu'à la fin

du mois d'octobre. Il peint des paysages,
Le Toréro, des natures mortes avec guitare
et rencontre souvent Manolo, Frank
Burty Haviland. Premier séjour d'Auguste
Herbin à Céret ; il y reviendra à l'automne
1918 pour deux ans, puis de nouveau
en 1920, et une dernière fois en 1923.
Le Courrier de Céret du 17 août donne
ce commentaire : « La petite ville de
Céret est en liesse. Pour y prendre un
peu de repos bien gagné, le maître
cubiste est arrivé. Maints disciples
respectueux l'escortent […] ils sont
connus à Céret tout comme à Montmartre
[…] Avec Picasso, des peintres comme
Herbin, Braque, Kissling, Hascher, Gris ; des
sculpteurs : Manolo et Davidson ; des poètes :
Gazagnon, Sicart […] jouissent à Céret
de l'estime générale et c'est justice […]
Nous sommes certains que la bonté
de notre climat, la beauté de nos sites et
l'aménité des habitants […] contribueront
à prolonger leur séjour dans cette Mecque
des artistes qu'est notre coquette ville
de Céret. »

Octobre

Miró suit les classes de dessin au Cercle
artistique de Sant Lluc à Barcelone,
étudiant tout particulièrement la figure
humaine ; il y exposera trois tableaux
au mois de décembre. Il retrouve Joan Prats
et fait la connaissance de l'architecte
Antoni Gaudí.

Novembre

Participation de González au Salon
d'automne avec une peinture et une
vitrine contenant des pièces de bijouterie.
Dans le premier numéro de la
nouvelle série des *Soirées de Paris* publié
le 15 novembre, Apollinaire reproduit les
dernières constructions de Picasso
photographiées par Kahnweiler.
L'Ayuntamiento de Barcelone accorde
une bourse à Josep de Togores, qui lui
permet de visiter les musées, les galeries,
les fresques de Puvis de Chavannes.
La déclaration de guerre l'obligera à
rentrer l'année suivante à Barcelone
où « Sunyer demeurait seul représentant
du mouvement anti-impressionniste ».

1914

Salle Pleyel à Paris, grand succès remporté
par les *Goyescas*, pièces pour piano de
Granados, jouées à Barcelone en 1911.

Janvier

10 janvier : parution de l'unique numéro
de la revue barcelonaise *La Cantonada*,
financée par Santiago Segura.

Mars

Au Salon des indépendants, Julio González
envoie des peintures, un masque et des
bijoux.

1er mars : sortie d'un numéro préliminaire
de la revue avant-gardiste *Revista Nova*,
éditée par le marchand de tableaux
Santiago Segura, sous la direction artistique
de Francesc Pujols et Feliu Elias (ou Joan
Sacs), destinée à couvrir l'art actuel,
« analyser et faire connaître les tendances
artistiques de dernière heure » de tous les
arts – peinture, sculpture, musique,
littérature, arts appliqués et architecture.
Le premier numéro, daté du 11 avril,
justifiera en ces termes sa parution :
« *Revista Nova* est née pour qu'à partir
d'aujourd'hui l'art nouveau et la pensée
qu'il engendre tiennent une tribune d'où
notre public sera informé de ce qui
conquiert l'Europe et de la possible
collaboration de la Catalogne à ce geste
prometteur. » Pujols se consacre à
l'esthétique et à l'art catalan ; Nogués, chargé
de l'illustration, dédie chaque numéro à un
artiste : Canals, Casanovas, Cézanne, Gargallo,
Gaudí, Lhote, Maillol, Marquet, Nonell,
Regoyos ; Elias traite de l'art français dans sa
série d'articles « El geni francès en pintura ».
Pierre Reverdy deviendra le correspondant
parisien de la revue à partir du n° 5, daté du
9 mai, et publiera des « Chroniques de Paris »
dont l'article « Cubisme i Futurisme ».
Revista Nova disparaîtra après trente
et une livraisons le 5 novembre 1914,
puis quinze numéros sortiront de nouveau
entre mai et décembre 1916.

2 mars : vente de La Peau de l'ours,
association de collectionneurs fondée par
André Level en 1904, dont les enchères

sont élevées, notamment pour *La Famille de saltimbanques* de Picasso.

De mars à juillet, Sunyer s'établit à Banyuls auprès de Maillol. Dans son ouvrage *Cubistes, futuristes et passéistes*, paru cette même année, Gustave Coquiot consacre un chapitre à Sunyer qu'il considère comme «l'un des peintres les plus remarquables du moment».

Juin

Arrivée à Barcelone de Rafael Barradas, venant d'Italie et de Paris, proche des milieux futuristes.

Fin juin: Josette et Juan Gris s'installent à Collioure jusqu'à fin octobre.

Août

Mobilisation générale en France: Braque, Derain, Apollinaire… sont mobilisés, alors que Gris et Picasso, espagnols, échappent au front.

Installation à Barcelone du peintre russe Serge Charchoune et de sa compagne sculpteur Hélène Grunhoff, pour trois ans.

AUTOMNE

Miró partage un atelier avec Ricart, situé Carrer Arc de Jonqueres, dans lequel vient aussi travailler le peintre Josef Francesc Ràfols.

Le masque en bronze de González montré au Salon d'automne lui vaut d'être nommé sociétaire. González conservera son atelier rue Leclerc à Paris jusqu'en 1920 tandis que sa famille retourne à Barcelone pour quelques mois.

Situation difficile pour Gris qui rencontre fréquemment Matisse, arrivé à Collioure le 10 septembre, et Marquet. Gris s'installe à Céret, mi-octobre, en compagnie de Marquet, puis rentrera à Paris début novembre, avec l'aide de Matisse.

À son retour à Barcelone, Togores suit les cours de peinture du Cercle artistique de Sant Lluc où il fait la connaissance de Joan Miró, Hélène Grunhoff et Serge Charchoune.

Décembre

Parution de l'unique numéro, daté du 28 décembre, de la revue *El Noucentista*, sous la direction de Ramon Miquel i Planas.

1915

Au Cercle artistique de Sant Lluc, Miró suit des cours de modelage et dessine d'après des modèles. L'influence de Cézanne le conduit à une structuration de la composition dans ses natures mortes. Il fréquente aussi l'École d'art de Francesc d'A. Galí jusqu'à sa fermeture définitive au milieu de l'année.

Les sœurs de Julio González ouvrent un commerce au 136, boulevard Raspail à Paris, près du café La Rotonde, où se vendent aussi les bijoux et objets d'artisanat de leur frère qui fréquente Picasso, Manolo, Gargallo, Torres-García.

La ville de Barcelone fait appel au conservateur des parcs de Paris, Jean-Claude Nicolas Forestier, pour l'élaboration des jardins de Montjuïc, face à la ville: le «jardin méditerranéen» proposé par Forestier comprend des terrasses, des canaux, des fontaines et déterminera la réalisation des parcs de Barcelone effectués par son disciple Nicolau Rubió i Tudurí.

Février-mars

Gertrude Stein et Alice Toklas séjournent à Barcelone.

De mars à juillet, Sunyer réside chez Maillol à Banyuls.

13 mars: création de la revue *Vell i Nou* («Ancien et Nouveau») dirigée par Joaquim Folch i Torres, éditée par Santiago Segura, consacrée à la fois à l'art moderne et à l'art classique. Interrompue après la mort de Segura en 1918, la parution de *Vell i Nou* reprendra en avril 1920 (dix numéros jusqu'en septembre 1921) dans une impression luxueuse par La Librairie d'art Bayés de Barcelone.

Avril

Premier numéro de *La Revista*, organe principal du noucentisme, dirigée jusqu'en février 1919 par le poète Josep Maria López-Picó et Joaquim Folguera, curieux de la pensée et des écrits contemporains. La revue paraîtra jusqu'en 1936 avec des traductions de Reverdy, Dermée, Marinetti, Apollinaire, Éluard et Aragon, et des illustrations de

Manolo, Miró, Picasso, Ricart, Sunyer, Togores, Torres-García.

Première livraison de la revue *Iberia* avec des textes en catalan, castillan, portugais et français, dirigée par Claudi Ametlla: cent cinquante-sept numéros sortiront jusqu'en 1918 avec des collaborations de Feliu Elias, Apollinaire, Canals, Junoy, Nogués, Miguel de Unamuno, Ynglada…

Mai

Dans le numéro d'*Iberia* du 22 mai, un texte non signé (peut-être de Junoy?), intitulé «Por Francia: la relacion espiritual artistica entre Paris y Barcelona», cherche à démontrer la complicité entre Paris et Barcelone.

Juin

29 juin: parution à Vilanova i la Geltrù du premier des dix-huit numéros de la revue *Themis* fondée par Damia Torrents et dirigée par Rafael Sala.

Août

La Faianç Català – 615 de la Gran Via –, devenue un lieu d'exposition du noucentisme grâce au mécène Santiago Segura, neveu du fondateur du célèbre établissement de céramiques, s'étend au 613 et devient le siège des fameuses Galeries Laietanes. À l'inauguration, deux salles sont consacrées à Sunyer. Au sous-sol se trouvent une cave décorée par Xavier Nogués et une librairie-imprimerie dirigée par le poète Joan Salvat-Papasseit où l'on peut consulter les revues d'avant-garde européennes comme *Nord-Sud* ou *Valori Plastici*.

Inauguration de l'exposition «Art nou català» au Centre catalan de Sabadell, à l'initiative de Joaquim Folguera, accompagnée d'un cycle de conférences. Y participent des membres du groupe Les Arts i els Artistes et Feliu Elias, d'Ors, Torres-García…

Octobre

Miró effectue une première période de trois mois pour son service militaire qu'il accomplira sur trois ans en trois périodes. Il continue à peindre dans son atelier de Barcelone.

Publication de *Poèmes en prose* de Pierre Reverdy avec dix dessins de Juan Gris. Matisse effectue plusieurs dessins de Josette afin d'aider Gris.

Décembre

14 décembre : mort d'Eva Gouel, la compagne de Picasso. Gris écrit au critique Maurice Raynal : « La femme de Picasso est morte ces jours derniers. L'enterrement auquel nous assistons sept ou huit amis a bien été triste, à part bien entendu les quelques saillies de Max […] Picasso est assez frappé de ça. »
26 décembre : inauguration d'une exposition Kees van Dongen à la galerie Dalmau. Il semble que l'artiste ait séjourné à Barcelone venant de Majorque.

1916

Torres-García fait la connaissance de son compatriote uruguayen Rafael Barradas : tous deux lancent un nouveau mouvement d'avant-garde qui devrait rassembler cubisme et futurisme, exprimé dans les peintures « vibrationnistes » de Torres-García des années 1916-1917, montrées à la galerie Dalmau en décembre 1917.

Janvier

Miró rencontre Josep Dalmau dont il fréquente régulièrement la galerie.
Arrivée à Barcelone du poète, artiste, amateur de boxe Arthur Cravan, frère d'Otho Lloyd et éditeur de la revue *Maintenant* (1912-1915). Le rejoindront dans le courant de l'année : Marie Laurencin avec son mari Otto von Wagen en mars, Ricciotto Canudo, Albert Gleizes et Juliette Roche au mois de mai avant leur départ pour New York en décembre (comme Marie Laurencin), Francis Picabia et Gabrielle Buffet au mois d'août venant de New York.
Première livraison de la revue *SIC* (Sons, Idées, Couleurs, Formes), mensuelle puis bimensuelle pour l'année 1919, fondée par Pierre Albert-Birot : cinquante-quatre numéros paraîtront jusqu'en décembre 1919. Grande place au futurisme, aux poèmes

d'Apollinaire, Soupault, Reverdy, Tzara ou Pérez-Jorba dont la relation avec Albert-Birot semble commencer dès la fin de l'année 1917. Pérez-Jorba, domicilié à Paris dans le 14e arrondissement, deviendra alors le correspondant de *SIC* pour Barcelone.

Artistes russos
Charchoune - Grunhoff

26

Mars

Sonia Delaunay propose à Dalmau une exposition d'œuvres simultanéistes incluant son propre travail et celui de Robert Delaunay, dont la mère est installée à Barcelone : le projet n'aboutira pas.
23 mars : dans *La Veu de Catalunya*, une pétition signée de nombreux artistes demande aux autorités municipales d'organiser une exposition d'art français, les salons d'art officiels étant suspendus en France à cause de la guerre.

Avril

12 et 23 avril : Plaza de Toros à Barcelone, combat de boxe entre le poète et artiste Arthur Cravan et le champion américain Jack Johnson. La presse de Barcelone en rend largement compte, *La Vanguardia* et *La Veu de Catalunya* (24 avril) comme *El Poble català* (25 avril).
Vell i Nou consacre un long article et sa couverture aux peintures de Marie Laurencin arrivée à Barcelone en mars.
29 avril-14 mai : exposition Serge Charchoune et Hélène Grunhoff, ancienne élève de Bourdelle et d'Archipenko, à la galerie Dalmau. Charchoune pratique un « cubisme ornemental, obéissant à une

tendance innée et spécifiquement russe vers la peinture ornementale à deux dimensions ignorée du cubisme français », explique l'artiste. Un compte-rendu de l'exposition sera donné dans *Vell i Nou* du 15 mai.

Mai

Par l'intermédiaire de Jean Cocteau, Picasso fait la connaissance de Serge de Diaghilev, directeur des Ballets russes, qui lui propose de travailler pour le ballet *Parade*, musique de Satie, livret de Cocteau.
Dans le n° 33 de *Revista Nova*, Joan Sacs critique « cette branche supposée de l'art qui est née à Barcelone et qui sous le pseudonyme d'École méditerranéenne pastiche Puvis de Chavannes et l'art gréco-romain avec plus de scrupules qu'un bon pompier ».
Sunyer présente des paysages de Céret à l'exposition du Salo de les Arts i les Artistes à Barcelone. Un commentaire non signé, dans *Vell i Nou* (15 mai), présente Sunyer comme le fils spirituel de Matisse.

ÉTÉ

27

Francis Picabia et Gabrielle Buffet, Otho Lloyd et Olga Sacharoff, Arthur Cravan, Juliette Roche et Albert Gleizes, Chana Orloff, Ricciotto Canudo, Nicole Groult (sœur de Paul Poiret), Valentine de Saint-Point… se retrouvent à Tossa de Mar.
30 juin-30 septembre : *Revista Nova* livre une exploration critique du cubisme en une

suite d'articles de Joan Sacs (Feliu Elias), qui seront réunis dans l'ouvrage *La Pintura francesa moderna fins als cubisme* publié à Barcelone, avec une introduction de Joaquim Folguera, pendant l'exposition d'art français au printemps 1917.

Novembre-décembre

29 novembre-12 décembre : exposition d'une trentaine d'œuvres d'Albert Gleizes de 1915 et 1916 à la galerie Dalmau. Article de Josep Dalmau sur «L'art d'Albert Gleizes» dans *La Veu de Catalunya* (11 décembre) : «Un art idéal à la recherche de l'essentiel par l'épuration de l'anecdotique.» À l'occasion de la venue de membres du gouvernement français à Barcelone, Feliu Elias (Joan Sacs) organise une petite exposition de peinture catalane, dont Sunyer, à la rédaction de *La Publicidad*. Elias est invité avec d'autres Catalans à se rendre sur le front, à l'initiative du gouvernement français.

Pablo Gargallo présente à la galerie Valenti, pour la première fois, son travail sur plaque de métal.

:: EXPOSICIÓ ::
ALBERT GLEIZES
DEL 29 NOVEMBRE
AL 12 DESEMBRE 1916
GALERÍES DALMAU
18, PORTAFERRISSA, 18 - BARCELONA

28

1917

Janvier

Avec l'aide de Josep Dalmau qui lui offre un local rue Portaferrisa, Picabia publie le premier numéro de la revue *391*, organe du dadaïsme européen, sur le modèle de la revue américaine *291*. Les quatre numéros parus à Barcelone entre le 25 janvier et le 25 mars 1917 portent en couverture une illustration de Picabia. L'imprimeur Oliva de Vilanova

expérimente à cette occasion la publication de calligrammes et de mots en liberté avec des textes de Guillaume Apollinaire, Georges Ribemont-Dessaignes, Max Jacob, .Y collaborent aussi Louis Aragon, Céline Arnauld, Georges Auric, Pierre Albert-Birot, André Breton, Jean Cocteau, Robert Desnos, Marcel Duchamp, Paul Éluard, Albert Gleizes, Max Jacob…

Le principal illustrateur de ces numéros est Picabia avec quelques participations des émigrés barcelonais tels Marie Laurencin, Otho Lloyd (le frère d'Arthur Cravan), Olga Sacharoff.

20 janvier-12 février : exposition de peintures et dessins de Joaquim Torres-García à la galerie Dalmau. L'artiste donne une conférence qui est publiée dans *La Veu de Catalunya*.

Première exposition individuelle d'Enric Cristófol Ricart chez Dalmau.

Mars

Par l'intermédiaire de ses amis et poètes catalans Josep Maria Junoy et Josep Vicenç Foix, Miró découvre les nouvelles revues d'avant-garde catalanes et françaises : *Un enemic del poble*, publié de mars 1917 à mai 1919 (dix-huit numéros), sous la direction du poète responsable de la librairie des Galeries Laietanes, Joan Salvat-Papasseit – revue de l'avant-garde catalane à laquelle collaborent régulièrement Torres-García, Cassanyes, Gargallo, Lagar, Sunyer… ; *SIC* de Pierre Albert-Birot ; *Nord-Sud,* créé le 15 mars par Pierre Reverdy en collaboration avec Paul Dermée (seize numéros paraîtront jusqu'en octobre 1918) – la revue est représentée dans un tableau de l'artiste. Dans le premier numéro de *Nord-Sud*, Reverdy livre un essai intitulé «Sur le cubisme» dans lequel il exprime ses appréciations sur le mouvement, différentes de ses prédécesseurs Apollinaire, Raynal ou Salmon.

Avril

Publication dans *Vell i Nou* de traductions catalanes de poèmes de Drieu La Rochelle, Apollinaire et Albert-Birot. Folguera sollicite Apollinaire pour une

préface à une anthologie de poètes catalans modernes.

Première exposition individuelle de Togores dans les locaux de *La Publicidad*, préface du catalogue par Junoy. Togores fait alors la connaissance des artistes réfugiés à Barcelone.

6-20 avril : exposition «Art ornemental» de Serge Charchoune, à la galerie Dalmau.

23 avril-5 juillet : «Exposició d'art francès» (1 458 œuvres) au palais des Beaux-Arts à Barcelone, organisée par un groupe d'artistes catalans, avec l'appui du gouvernement français et des autorités politiques de la ville de Barcelone. L'exposition regroupe le Salon de la Société des artistes français, le Salon de la Société nationale des beaux-arts, le Salon d'automne, interrompus à Paris à cause de la guerre : œuvres de Bonnard, Degas, La Fresnaye, Friesz, Matisse, Monet, Redon, Cézanne, Courbet, Puvis de Chavannes, Gauguin, Seurat, Toulouse-Lautrec, etc. Forte impression sur Miró, Torres-García et d'autres artistes catalans. Nombreux échos dans la presse catalane : *Vell i Nou*, *La Revista*, *La Veu de Catalunya* par Joaquim Folch i Torres. Le 30 avril dans *Vell i Nou*, Joan Sacs-Feliu Elias écrit : « C'est la première fois que Barcelone peut contempler une collection d'art français. C'est la première fois que les artistes et "amateurs" qui jugeaient seulement de cet art à travers les reproductions et les comptes-rendus des revues et des livres pourront en prendre connaissance directement et l'apprécier dans toute sa grandeur. »

Mai

Ambroise Vollard prononce deux conférences, l'une sur Renoir, la seconde sur Picasso dont Folch i Torres rend compte le 28 mai dans *La Veu de Catalunya*.

18 mai : première représentation de *Parade*, au théâtre du Châtelet, livret de Jean Cocteau, chorégraphie de Léonide Massine, musique d'Erik Satie. Les décors de Picasso font scandale. Gris écrit son enthousiasme à son nouveau marchand Léonce Rosenberg.

L'HORLOGE DE DEMAIN

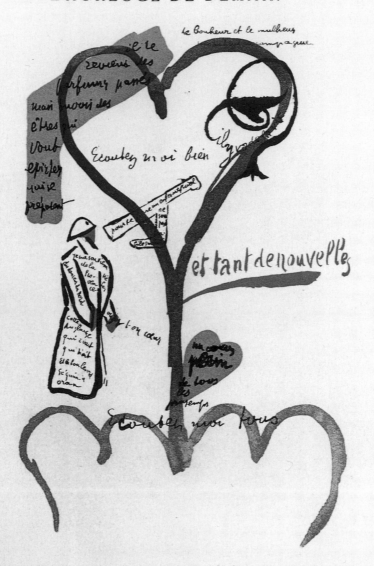

Guillaume Apollinaire.

PABLO PICASSO

Voyez ce peintre il prend les choses avec leur ombre aussi et d'un coup d'œil sublimatoire
Il se déchire en accords profonds   et agréables à respirer tel l'orgue que j'aime entendre
Des Arlequines jouent dans le   rose et bleus d'un beau-ciel   Ce souvenir revit
les rêves   et les actives mains   Orient plein de glaciers   L'hiver est rigoureux
Lustres   or toile irisée or   loi des stries de feu   fond en murmurant.
Bleu   flamme légère   argent des ondes   bleues après le grand cri
Tout   en restant   elles touchent   cette sirène violon
Faons   lourdes ailes   l'incandesce   quelques brasses encore
Bourdons   femmes striées   éclat de   plongeon-diamant
Arlequins   semblables à Dieu   en variété   Aussi distingués qu'un lac
Fleurs   brillant comme deux   perles   monstres qui palpitent
Lys   cerclés d'or,   je n'étais pas seul!   fais onduler les remords
        Nouveau monde très matinal   montant de l'énorme mer
        L'aventure de ce vieux cheval   en Amérique
        Au soir de la pêche merveilleuse   l'œil du masque
        Air de petits violons au fond des   anges rangés
        Dans le couchant puis au bout de   l'an des dieux
        Regarde la tête géante et immense   la main verte
        L'argent sera vite remplacé par   tout notre or
        Morte pendue à l'hameçon... c'est   la danse bleue
        L'humide voix des acrobates   des maisons
        Grimace parmi les assauts du vent   qui s'assoupit
        Ouis les vagues et le fracas d'une   femme bleue
        Enfin la grotte à l'atmosphère dorée   par la vertu
        Ce saphir veiné   il faut rire!
        Rois de phosphore   sous les arbres les bottines entre des plumes bleues
        La danse des   dix mouches lui fait face quand il songe à toi
        Le cadre bleu   tandis que   l'air agile s'ouvrait aussi
                Au milieu des   regrets dans une vaste grotte.
            Prends les araignées roses   à la nage
            Regrets d'invisibles pièges
Paisible se souleva mais sur le clavier   l'air
Guitare-tempête   musiques
O gai trémolo   ô gai trémolo
Il ne rit pas   ô gai trémolo
Ton pauvre   l'artiste-peintre
L'ombre agile   étincellement pâle
Immense désir   d'un soir d'été qui meurt
Je vis nos yeux   et l'aube émerge des eaux si lumineuses
J'entendis sa voix   diamants enfermer le reflet du ciel vert et
                qui dorait les forêts tandis que vous pleuriez
L'acrobate à cheval le poète à moustaches un oiseau mort et tant d'enfants sans larmes
Choses cassées des livres déchirés des couches de poussière et des aurores déferlant!
                Guillaume APOLLINAIRE

31   *32*   *33*   *34*

35

Juin

Amoureux de la danseuse des Ballets
russes Olga Kokhlova, Picasso se rend
à Barcelone pour rejoindre la troupe
de Diaghilev qui présente un programme
du 23 au 30 juin au Teatre du Liceu :
Le Prince Igor, *Schéhérazade*. Picasso peint
Le Balcon (musée Picasso, Barcelone)
où figure le monument à Christophe
Colomb, remplit un carnet de dessins
et ne rentrera à Paris qu'à la fin du mois
de novembre. Robert Delaunay,
de passage à Barcelone, rencontre Picasso
comme il l'écrit à Albert Gleizes.
Un banquet en l'honneur de Picasso
est organisé en juin par les Galeries
Laietanes rassemblant tous les acteurs
de l'avant-garde locale, banquet
qui sera suivi d'un hommage au
Lion d'or le 12 juillet.

Juillet

Les deux livraisons de juillet de *Vell i Nou*
sont consacrées à Picasso : des critiques
élogieuses sur l'artiste et des extraits de livres
de Josep Maria Junoy (*Arte y Artistas*, 1912),
André Salmon (*La Jeune Peinture française*,
1912), Gustave Coquiot (*Cubistes, futuristes
et passéistes*, 1914).

Août

2 août : mort de Prat de la Riba, président de
la Mancomunitat de Catalogne depuis 1907.
La situation sociale et politique de plus
en plus fragile en Espagne aboutit
à une grève générale à Barcelone dans
le courant du mois.

Septembre

Après un séjour de cinq mois à New
York, Picabia revient pendant quelques
semaines à Barcelone où il reprend
contact avec son imprimeur de *391*
qui publie son premier recueil de
poèmes, *Cinquante-deux miroirs*, textes
écrits entre 1914 et 1917 en écriture
automatique.
À la suite de la publication, au mois
de mars, d'un fascicule intitulé *Troços*
comportant des poèmes et des textes
critiques de Josep Maria Junoy, ce dernier
lance la première livraison de la revue
catalane du même titre, diffusée par la
galerie Dalmau, orientée vers le cubisme
français et l'alliance franco-catalane
annoncée dès le premier numéro en ces
termes : « Profession de foi préliminaire :
Vive la France ! ». Cinq numéros
paraîtront dont les deux derniers de
mars et avril 1918 sous la responsabilité
de Josep Vicenç Foix qui modifiera
l'orthographe du titre en *Trossos*.
Collaborations de Pierre Albert-Birot,
Albert Gleizes, Joan Miró, Pierre
Reverdy, Philippe Soupault, Joaquim
Torres-García, Tristan Tzara,
Pere Ynglada… Plusieurs emprunts de
textes aux revues françaises *SIC* et *Nord-
Sud* susciteront des critiques.

Octobre

La revue mensuelle parisienne d'art et de
littérature *Soi-Même*, créée le 1er février
1917 (vingt-quatre numéros jusqu'en
février 1919) sous la direction de Joseph
Rivière, introduit dans son n° 9 d'octobre
une page intitulée « Pour nos amis
catalans » : « Notre ami Ferdinand
Canyameras, le jeune écrivain catalan,
nous a exprimé le désir de voir *Soi-même*
consacrer une ou deux de ses pages
à une œuvre de fraternisation littéraire
entre les jeunes écrivains catalans et les
jeunes écrivains français de notre époque.
Cette nouvelle rubrique comprendrait
des traductions de la jeune littérature
catalane et pour nos amis de Catalogne
des traductions de la jeune littérature
française. » Cette rubrique sera présente
seulement dans les livraisons de
novembre 1917 et janvier 1918.
La revue signalera la prochaine parution
d'une nouvelle publication franco-
catalane d'art et de littérature, *Plançons*,
sous la direction du Catalan Ferran
Canyameras, dont l'unique numéro, daté
de mars 1918, proclamera : « Nous nous
présentons animés d'un même amour
pour la France et la Catalogne : voilà
le principal motif qui a inspiré la création
de cette revue », et contiendra des textes
en français et en catalan de Guillaume
Apollinaire, Joan Pérez-Jorba, Marcel
Sauvage, Joseph Rivière.
Dans la revue *Iberia* du 6 octobre paraît
un calligramme nécrologique de Junoy
concernant l'aviateur français Guynemer,
disparu le 27 septembre 1917.
Devant le succès de cet hommage, Junoy

décide de le traduire en français
et d'éditer une plaquette qui paraîtra
en février 1918 sous le titre *Guynemer*
avec le calligramme « Ciel de France ».
Feliu Elias expose à Paris ses caricatures
réalisées pour la revue *Iberia*.

Novembre

Miró assiste à l'une des représentations
de *Parade*. Il accomplit la dernière
période de trois mois de son service
militaire (commencé en 1915) à Barcelone.
Il travaille de temps en temps
dans l'atelier de son ami Ricart, lit
Apollinaire, Reverdy…
Séjour de Robert et Sonia Delaunay
à Barcelone jusqu'en février 1918 avant
de repartir pour Madrid sans avoir
pu exposer leurs œuvres chez Dalmau
comme ils le souhaitaient. Ils assistent
à une représentation de *Parade* que
Robert qualifie « d'histoire de fou, aucun
succès ici même de curiosité devant cette
chose hystérique ».
Première exposition individuelle
de Manolo Hugué aux Galeries Laietanes,
à Barcelone.
À la galerie Dalmau, exposition d'œuvres
réalisées à Céret par Frank Burty
Haviland.
Dans la revue *Un enemic del poble*,
parution de l'article-manifeste
« Art-Evolucio » de Joaquim Torres-García
qui délaisse son inspiration classique
gréco-latine pour se tourner vers un art
d'avant-garde proche du constructivisme.
17 novembre : mort d'Auguste Rodin,
qui fait l'objet d'un article de Folch i
Torres dans *La Veu de Catalunya* du 19
sous le titre « La mort d'Auguste Rodin ».

Décembre

Joaquim Torres-García et Rafael
Barradas exposent ensemble à la galerie
Dalmau. Début d'une campagne
importante de promotion de l'art
d'avant-garde.
L'article « Simultanisme de Monsieur
et Madame Delaunay » est publié dans
Vell i Nou, accompagné de trois lettres
sévères envers le cubisme de Robert
Delaunay à Joan Sacs, critique et artiste,

directeur du journal.
La revue *Iberia* (n° 142) contient
des croquis pris sur le front français
par l'artiste Pere Ynglada.
27 décembre : Pierre Albert-Birot
écrit à Pérez-Jorba : « Je vous adresse
les 22 n° de *Sic* et mon livre
dont il me reste seulement quelques
exemplaires […] »
Gargallo réalise la couverture
en métal repoussé et découpé
(œuvre de commande) pour l'album
rassemblant signatures, dessins
et aquarelles d'artistes catalans,
dont Elias, Clarà, Llimona, Canals,
Nogués…, en hommage au maréchal
Joffre, originaire de Rivesaltes près
de Perpignan, qui sera remis
à Joffre lors de son invitation aux
Jeux floraux de Barcelone en mai 1920.

1918

Le projet du statut d'autonomie
de la Catalogne est présenté au Parlement
espagnol.
Fondation du Groupe des Six à Paris
réunissant Georges Auric, Arthur Honegger,
Darius Milhaud, Francis Poulenc, Louis
Durey et Germaine Taillefer, qui auront une
grande influence sur la musique catalane.

Janvier

36

Création de nouvelles associations
d'artistes catalans – l'Agrupació de Artistas
catalanes, les Evolucionistes – annoncée
dans *La Publicidad* du 7 janvier.
Premier numéro de la revue
El Cami (six numéros jusqu'en juin),
avec la collaboration de Carbonell,
Albert-Birot, Cassanyes, Huidobro, Josep
Pla, Reverdy… Publication en langue
française de poèmes de Reverdy, Albert-
Birot et Huidobro sur la tour Eiffel.
10 janvier : première livraison de la revue
mensuelle *D'Ací i d'Allà*, éditée par
Antoni Lopez Llausàs (cent quatre-vingt-
cinq numéros jusqu'en 1936). Elle sera
dirigée par Folch i Torres jusqu'en 1924
puis par Carles Soldevila. Collaborations
de Rafael Benet, Josep Carner, Elias i
Juncosa, Fàbregas, J.V. Foix, Sebastià
Gasch, Josep Grau i Casas, Junoy, Maseras,
Miró, Montanyà, Nogués, d'Ors, Ràfols,
Sert, Zervos… Une place importante
est donnée à la photographie : Artigas,
Casas, Bill Brandt, Lipnitzki, Man Ray,
Massana, Sanchez Català…
23 janvier-15 février : Paul Guillaume
présente des œuvres de Matisse et
de Picasso dans sa galerie. *La Veu de
Catalunya* en donne un compte-rendu :
« On fait peu de cas de Matisse
en Catalogne, mais il est considéré parmi
les éléments intelligents "d'avant-garde"
du monde entier comme le rénovateur le
plus audacieux depuis l'impressionnisme.
Quant à Pablo Picasso, chacun sait

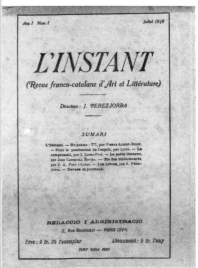

37

qu'en dépit des apparences les plus déconcertantes de ses spéculations abstraites, il est aujourd'hui celui qui a noué le plus de relations intimes avec les Classiques tant espagnols qu'italiens. Cette exposition a donc son importance et il est dommage qu'elle ne puisse venir chez nous. »

Février

Fondation de l'Agrupació Courbet, anciens disciples du Cercle artistique de Sant Lluc, annoncée dans *La Publicidad* du 28 février, avec la participation d'Artigas, Miró, Ràfols, Ricart, Sala, Francesc Domingo, Togores, Torres-García. Le groupe sera dissous à la fin de 1919.
16 février-3 mars : première et unique exposition personnelle de Miró à la galerie Dalmau, montrant soixante-quatre peintures et dessins de 1914 à 1917, assez mal reçus par le public mais défendus par Llorens i Artigas dans *La Veu de Catalunya* (25 février). Dans le catalogue de l'exposition figure un poème-calligramme de J. M. Junoy. Dalmau acquiert la totalité de l'exposition en échange d'une exposition à Paris et Miró apparaît comme le chef de file de l'Agrupació Courbet.
Publication de l'unique numéro de la revue de poésie dirigée par Joan Salvat-Papasseit, *Arc-Voltaic*, avec un dessin de Miró en couverture et le manifeste de Torres-García « Art-Evolució » en langue française. On y remarque une note sur la revue littéraire parisienne *Soi-Même* à laquelle ont déjà collaboré des Catalans, revue qui disparaîtra avec le n° 24-25 de janvier-février 1919.

Mars

À la galerie Dalmau, première exposition du groupe des Evolucionistes, grands admirateurs de Cézanne.

Avril

2 avril : Apollinaire répond à J. M. Junoy : « Je n'ai reçu votre beau calligramme Guynemer qu'avec un grand retard car j'étais à l'hôpital [...] Je me suis félicité d'avoir imaginé cette plastique poétique,

à laquelle vous fournissez son premier chef-d'œuvre. Je m'en félicite doublement comme poète et comme Français puisqu'elle permet à l'amitié catalane de s'exprimer si lyriquement, si finement et si délicatement. »
Exposition de peintures récentes de Miró, Ricart et autres artistes à la galerie Dalmau.
21 avril : inauguration Plaza de la Igualdad, du monument dédié à l'acteur Iscle Soler intégralement réalisé par Gargallo.

Mai

11 mai : inauguration d'une « Exposició de arte » au palais des Beaux-Arts de Barcelone, présentant seize œuvres de Robert Delaunay, trois de Miró dont *Portrait de Sunyer*. Dans *Vell i Nou* du 15 mai, Torres-García publie un article, « El public i les noves tendencies d'art », concluant qu'à Barcelone, il n'y a pas de marché d'art d'avant-garde
– l'art d'avant-garde doit se développer à l'extérieur – et dans *Un enemic del poble*, il livre un texte intitulé « Plasticisme » dans lequel il prend la défense de la géométrie : « L'art actuel, éminemment plastique, veut porter la sensibilité de l'homme évolué du XXe siècle jusqu'à la géométrie. »
L'association Les Arts i les Artistes, qui sollicita Robert Delaunay, désire étendre son choix à d'autres artistes internationaux tels que Matisse, Derain, Maillol, mais l'état de guerre empêchera la circulation des œuvres. Article de Llorens i Artigas sur les peintures de Delaunay dans *La Veu de Catalunya* (3 juin).
Un texte de Junoy paru dans *Iberia* du 22 mai insiste sur la complicité entre Paris et Barcelone.

Juin

Dans le mensuel *SIC* de Pierre Albert-Birot sont donnés quelques comptes-rendus de revues catalanes. « *La Revista* Je reçois régulièrement cette docte revue qui s'est occupée maintes fois de *Sic* intelligemment. Un très sympathique confrère catalan qui va devenir mon collaborateur régulier et s'occupera ici du mouvement de Barcelone [...]

Trossos Cette revue fondée par J. M. Junoy est maintenant dirigée par J. V. Foix. C'est à la vérité une parente de *Sic* [...] qui se doit de dire ici que c'est à Barcelone, la ville vivante, qu'il a trouvé le plus d'amis [...]
El Cami Encore une preuve de la brillante activité catalane [...] »

38

ÉTÉ

González travaille comme soudeur dans un atelier de chaudronnerie implanté aux usines Renault de Boulogne où il apprend la soudure autogène ou oxyacétylénique.
Juillet : à l'initiative de Joan Pérez-Jorba, apparaît la revue mensuelle *L'Instant*, avec le sous-titre « Revue franco-catalane d'art et de littérature » pour les huit premiers numéros édités à Paris (jusqu'en février 1919) ; les cinq derniers reprendront à Barcelone (d'août à octobre 1919). Établi à Paris depuis 1901, Pérez-Jorba s'attache à publier des poèmes de Pierre Albert-Birot, Guillaume Apollinaire, Pierre Reverdy, Louis Aragon, Philippe Soupault, Tristan Tzara et à commenter les ouvrages de Blaise Cendrars ou de Paul Dermée. Présence importante de textes d'Eugeni d'Ors, J. M. Junoy, Josep Carner, Alfons Maseras, Llorens i Artigas, Pujols, Joan Salvat-Papasseit. Illustrations de Picasso, Ràfols, Ricart, Sunyer, Torres-García. Dans la première livraison, Pérez-Jorba présente sa revue : « Nous souhaitons en effet qu'un

lien aussi étroit que durable s'établisse entre la pensée française et la pensée catalane […] la haute expérience de la France sera sans doute profitable à l'ardeur nouvelle de la Catalogne […]»Un texte en français de Pérez-Jorba sur le poète catalan Josep Carner commence ainsi : «Josep Carner est un poète ayant pour la Catalogne la même importance que La Fontaine pour la France» (*L'Instant*, n° 3, août). Dans le même numéro paraissent un poème-calligramme de Pierre Albert-Birot et un texte en catalan de Roma Planas, écrit à Paris en avril 1918, intitulé «Una nit d'ara fa poc a Paris».

14 juillet : Pérez-Jorba s'entretient avec Apollinaire sur la guerre et son influence sur la politique internationale. L'entretien sera publié dans *La Publicidad* du 24 juillet.

Août : fête de la poésie à Sitges regroupant les noucentistes et les membres de l'atelier de Sunyer.

15 août : de Montroig, Miró écrit à Dalmau : «Il est chaque jour plus nécessaire de faire un voyage à Paris. VIVE LA France !»

Premier voyage à Paris de Llorens i Artigas pour étudier la céramique égyptienne.

39

Novembre

Picasso fait la connaissance d'André Breton à Paris.

9 novembre : mort de Guillaume Apollinaire à Paris. Picasso assiste à son enterrement le 13.

Fin de la Première Guerre mondiale, à laquelle ont participé dix mille Catalans volontaires aux côtés de la France. L'armistice est signé le 11 novembre.

Voyage à Paris de Sunyer qui trouve le panorama artistique considérablement modifié.

Décembre

Exposition de jouets d'art de Torres-García à la galerie Dalmau, avec un catalogue et un texte de l'artiste, protestation contre l'incompréhension de sa peinture.

L'association Les Amis de les Arts, récemment créée, organise le «Primer Salon de Tardor» dans le but de retenir des œuvres pour un musée national d'art moderne, un musée de peinture contemporaine catalane. Un deuxième salon se tiendra en 1920 et un troisième en 1921.

La troisième livraison de la revue *Les Arts à Paris*, dirigée par Paul Guillaume, mentionne que «la revue *L'Instant* groupe de jeunes poètes et écrivains catalans et se tient en contact avec les plus modernes des auteurs français». Pérez-Jorba présente Eugeni d'Ors comme «l'esprit aux idées les plus hautes et aux vues les plus surprenantes de la Catalogne» dans le numéro de *L'Instant* qui consacre également plusieurs textes en hommage à Apollinaire de la main de Blaise Cendrars, Louis de Gonzague-Frick, Joan Pérez-Jorba.

Le gouvernement français attribue la croix de la Légion d'honneur à Feliu Elias pour son support à la cause alliée.

40

1919

Conflit entre Eugeni d'Ors et Josep Puig i Cadafalch : d'Ors quitte la Catalogne pour Paris puis Madrid où il s'installera en 1923.

Janvier

À Figueras, premier des six numéros de la revue *Studium* dirigée par Jaon Xirau. Dalí et Miravitlles y collaborent.

La revue *SIC* (nos 37-38-39) est consacrée à Apollinaire, avec la collaboration d'Aragon, Albert-Birot, Cendrars, Cocteau, Dermée, Junoy, Foix, Max Jacob, Pérez-Jorba, Picabia, Reverdy, Salmon, Tzara…

41

Février

1er-15 février : première exposition publique de l'Agrupació de Artistas catalanes à la galerie Dalmau.

Dans *L'Intransigeant* du 28 février, J. G. Lemoine écrit : «J. M. Junoy écrivain d'art catalan s'associe avec Paul Guillaume et dirigera avec lui sa galerie d'art moderne.» La collaboration durera peu de temps.

Mars

Le groupe Nou Ambient présente ses œuvres à la galerie Dalmau : Ramon Soler, Emili Marquès, Camps…

28 mars : inauguration de l'«Exposició de Primavera», regroupant des noucentistes comme Clarà, des postmodernistes, cinq œuvres de Miró, plusieurs toiles de Picasso réalisées à Barcelone. Miró commentera sa visite à son ami Ràfols dans une lettre du 19 juillet : «J'ai visité en détail l'Exposition (tu sais que j'ai beaucoup de mal à me faire une opinion sur les choses). Dans les Arts les seuls qui m'intéressent sont Picasso, Humbert (délicieux et sensuel), Manolo

(d'une plasticité et d'un sens de la sculpture formidables) et Casanovas. »

À la suite du compte-rendu de son ouvrage *Spirales* dans *L'Instant* (octobre-novembre 1918), Paul Dermée écrit à Pérez-Jorba : « Voilà longtemps que je voulais vous écrire pour vous remercier de l'envoi de votre revue et de l'appréciation intelligente que vous y avez publiée sur *Spirales* […] »

Pérez-Jorba annonce la mort de Joaquim Folguera à Pierre Albert-Birot dans une lettre datée du 30 mars : « […] Folguera qui s'intéressait si vivement à l'art d'avant-garde. C'est une grosse perte pour la littérature catalane […] co-directeur de *La Revista* où Foix le remplace. Foix vient justement de m'écrire qu'il ne reçoit plus *SIC*. »

Avril

5-30 avril : première exposition Juan Gris à la galerie de l'Effort moderne. À cette occasion, l'artiste offre à Léonce Rosenberg une huile sur toile intitulée *La Table devant le bâtiment* datant de janvier 1919.

Dans le n° 44 de *SIC*, Joan Pérez-Jorba donne un compte-rendu humoristique et ironique de la séance de lecture, le 27 avril, du *Cap de Bonne-Espérance* de Cocteau, par l'auteur, dans le cadre de l'exposition Gris.

Mai

Joan Miró participe à une exposition de dessins aux Galeries Laietanes, à Barcelone. Il commence *Nu au miroir*. La revue de Paul Guillaume *Les Arts à Paris* donne ce commentaire : « *Vell i Nou*, de Barcelone, mérite d'être consulté à cause des belles reproductions dont il est orné, faute de pouvoir lire le texte écrit en catalan. »

Dans une lettre du 13 mai à Pierre Albert-Birot, Joan Pérez-Jorba demande sa collaboration pour le projet de Foix de faire revivre la revue *Trossos* ; le projet n'aboutira pas. Quelques jours plus tard, Pérez-Jorba écrit au même : « Si vous connaissez quelqu'un possédant *Alcools* d'Apollinaire et qui veuille s'en débarrasser j'achèterais le volume 15 francs s'il est en bon état. »

Juin

12 juin : à l'Ateneo de Barcelone, conférence de Junoy intitulée « Du présent et de l'avenir catalan spécialement dans les lettres et les arts », manifestation du méditerranéisme au cours de laquelle le critique déclare : « L'influence de la France sur la Catalogne fut et est encore exclusivement moderne. »

Retour de Togores à Paris, muni de lettres de recommandation de Feliu Elias pour Picasso et Reverdy. Ce dernier le présentera à Gris : début d'une profonde amitié. À son arrivée, Togores travaille quatre mois chez l'antiquaire Demotte, ami de Dalmau, mais dès octobre, il se consacrera à la peinture. Elias le nommera correspondant de la revue *Vell i Nou* dans laquelle il écrira l'article « La vie à Paris : cubisme et décoration » (n° 98, 1er septembre), qui connaîtra un grand retentissement dans les milieux catalans.

Juillet

Premier numéro de la revue noucentiste *Terramar*, à Sitges, sous la direction de Josep Carbonell : y collaborent Carner, Foix, Junoy, Pérez-Jorba, Albert-Birot, Breton, Dermée, Raynal, Reverdy, Ribemont-Dessaignes, Soupault, Tzara… vingt-quatre numéros démontrant une complicité entre noucentisme et avant-garde.

Août

Nouvelle parution de la revue *L'Instant* de Pérez-Jorba, avec deux rédactions différentes pour Paris et Barcelone : celle de Paris reste sous la direction de Pérez-Jorba et celle de Barcelone revient à plusieurs Catalans dont Joan Capdevila, Salvat-Papasseit, Llorens i Artigas, Millàs Raurell étant le rédacteur en chef. Les couvertures sont illustrées de dessins ou peintures de Nogués, Picasso, Ricart, Sunyer, Torres-García. Le numéro du 15 août présente le poème « Heure » de Reverdy et « Une heure ou deux » de Soupault. Publication des *Divagacions sobre art d'avanguarda* de Pérez-Jorba, manifeste d'avant-garde.

Septembre

Miró écrit à son ami Enric Cristófol Ricart : « Je t'envoie une copie […] d'une lettre reçue de Paris […] Ici à Paris, le mouvement artistique est considérable et important, car outre les expositions officielles, il y a une multitude de galeries et d'expositions publiques, de marchands, d'experts, etc. […] Moi, je suis tout à fait décidé à aller à Paris cet hiver, à condition que là-bas il y ait un mouvement artistique […] De toutes façons je préfère mille fois – je le dis avec une sincérité absolue – échouer absolument, mortellement, à Paris, plutôt que de flotter sur les eaux viles et puantes de Bîarcelone. »

Dans une lettre adressée à Pérez-Jorba, le 3 septembre, Pierre Albert-Birot commente : « J'ai reçu *L'Instant* […] Il me semble qu'elle est un peu moins Paris-Barcelone, enfin pour tout dire d'un mot un peu moins Pérez-Jorba. » Pérez-Jorba lui répond le 28 septembre : « En effet *L'Instant* a perdu beaucoup de l'esprit qui présida à sa fondation, mais je ne peux le faire revenir sur le sentier […] Au numéro prochain il y aura je crois un article de Salmon sur Léger, avec des dessins de ce dernier. »

Octobre

Sous le pseudonyme de Joan Sacs, Feliu Elias publie dans *Vell i Nou* (1er octobre) une étude sur « Henri Matisse et la critique », avec des extraits de textes de Gustave Coquiot, Jean Puy, André Gide, Roger Fry. Au Petit Palais, à Paris, exposition de peinture espagnole moderne à laquelle participe Josep Clarà. L'État français lui achète une œuvre.

Novembre

Publication du premier livre de poésie de Joan Salvat-Papasseit, *Poèmes en ondes hertziennes,* illustré de dessins de Joaquim Torres-García et d'un portrait de Salvat par Rafael Barradas. L'ouvrage débute par cet aphorisme de Pierre Albert-Birot : « L'art commence où finit l'imitation. »

Décembre

Dans *Vell i Nou* (n° 103-105), Togores rend compte de l'exposition récente de dessins de Picasso à la galerie Paul Rosenberg : « Cette exposition a fait courir tout Paris […] car ce peintre a ce rare pouvoir d'attraction et ce prestige exceptionnel qui font qu'il attire vers son art même les plus réfractaires. »

1920

Parution de l'ouvrage *El Nacionalisme de l'art* de Josep Aragay, un des principaux protagonistes du noucentisme, qui contient un chapitre consacré aux avant-gardes de l'art pour lesquelles il manifeste une opposition assez radicale.
Angel Ferrant s'établit à Barcelone pour quatorze ans, enseigne à l'École des beaux-arts de La Llotja et défend les mouvements artistiques d'avant-garde.
Arrivée à Paris de Pere Pruna, né à Barcelone en 1904, ami de Picasso qui le présente à ses amis.

Février

Installation d'Enric Cristòfol Ricart à Paris pour quatre années. Il fréquentera l'académie de la Grande Chaumière, illustrera *Carmen* de Mérimée à la demande de Félix Fénéon.

Mars

Miró rejoint son ami Ricart à Paris jusqu'au mois de juin, rend visite à Picasso, porteur d'un gâteau de la part de sa mère ! mais ressent une « distance de respect » vis-à-vis de son compatriote très entouré qui lui avoue : « Si vous voulez être peintre, ne bougez pas de Paris. »
Miró est bouleversé à son arrivée à Paris et racontera quarante ans plus tard : « Quand je suis arrivé, j'étais désaxé, paralysé. Pendant trois ou quatre mois, je n'ai pas été capable de peindre. Mes compagnons se sont mis à travailler tout naturellement. Moi, au fond, j'étais content de mon incapacité : elle prouvait que j'avais reçu une secousse. »

Dans une lettre à son ami Josef Francesc Ràfols, Miró raconte ses visites de musées et d'expositions « des modernes » :
« Picasso, très fin, très sensible, très peintre. Une visite que nous avons faite à son atelier, l'esprit retombe. Tout est fait pour le marchand, pour l'argent […] La jeune peinture catalane est infiniment supérieure à la française […] Quand la Catalogne permettra-t-elle aux artistes purs de gagner suffisamment pour manger et peindre ? Les Français (et Picasso) sont perdus parce qu'ils marchent sur un terrain plat et ils peignent pour vendre. »

Avril

Miró écrit de Paris à Josep Dalmau le 12 avril : « Je vais retourner chez Picasso, j'ai vu aussi avec Mompou la collection Durand-Ruel. Stupéfiante. Demain j'ai un rendez-vous pour visiter la collection Pellerin (70 ou 80 Cézanne). Ici j'ai à peine travaillé, ce n'est pas possible. »
15 avril-30 juin : « Exposició municipal de Primavera » à Barcelone, à laquelle la présence d'André Lhote est signalée.

Mai

Déçu par l'incompréhension de ses propos publiés dans les revues catalanes, Torres-García et sa famille quittent Barcelone pour Paris, où les attend Miró. Il visite Picasso, Arp et des marchands avant de s'embarquer début juin pour New York.
La couverture du programme des Ballets russes de Diaghilev reproduit un croquis de deux costumes pour l'opéra-ballet *L'Astuce féminine* d'après Cimarosa.
Les costumes, ainsi que le rideau et les décors, ont été confiés à José Maria Sert (création le 27 mai à l'Opéra de Paris).
Dans le même programme figurent les décors et costumes réalisés par Picasso pour *Pulcinella* et quelques costumes de *Parade*.

Juin

De Barcelone, Miró écrit à Picasso :
« L'effet après avoir vécu à Paris, est stupéfiant. La vie intellectuelle a 50 ans de retard et les artistes font l'effet d'amateurs […] D'accord avec vous,

que pour être peintre il faut rester à Paris […] »
Publication du livre de Junoy *Poemes & Cal·ligrames* édité par Salvat-Papasseit.
Dans *Vell i Nou*, André Salmon livre ses souvenirs sur la vie artistique et littéraire à Montmartre entre 1906 et 1920 autour de Picasso, Max Jacob, Reverdy.
Togores fait la connaissance de Max Jacob à Paris : début d'une forte amitié exprimée dans une correspondance abondante.

Juillet

Dans une lettre adressée à Enric Cristòfol Ricart, de Montroig, Miró déclare :
« Avant de venir ici j'ai passé à Barcelone 12 jours de terrible supplice ! […] Décidément, *plus jamais Barcelone*. Paris et la campagne, *et cela jusqu'à la mort* […]
Il faut être un *Catalan international*, un *Catalan national*, n'a, ni aura, aucune valeur dans le monde. »
À Josef Francesc Ràfols, Miró écrit :
« Je travaille beaucoup pour aller vers un art de *concept*, qui prend la nature comme point de départ, jamais comme point d'arrêt. Je suis convaincu que l'art doit être cela : *concept*, ou *David et Raphaël*, pas Ingres (*qui est un grand révolutionnaire*). *Agilité de panthère* (phrase admirable de Josep de Togores) ; passer de l'abstraction à *Raphaël et David*. Cette panthère c'est Pablo Picasso, *absolument pas compris ni assimilé* par les gens de chez nous. Josep de Togores et Pablo Picasso sont les deux seuls avec qui *en parlant nous nous sommes compris* maintenant à Paris, ce qui revient à dire dans la *vie*. »
À son retour de Paris, Miró envoie à Dalmau, qui prépare une exposition d'art français pour l'automne et envisage donc un voyage parisien, une liste de livres et revues à connaître, les adresses de galeries d'art, de collectionneurs, d'artistes et de poètes tels que Picasso, Reverdy, Pérez-Jorba.
Joan Salvat-Papasseit publie *Contra els poetes amb minúscula. Primer manifest català futurista.*

Septembre

Maurice Raynal fait paraître aux éditions de l'Effort moderne une monographie sur Juan Gris.

Octobre

26 octobre-15 novembre : « Exposició d'art francès d'avantguarda » à la galerie Dalmau, organisée avec l'aide des pouvoirs publics, présentant des œuvres de Maria Blanchard, Braque, Cross, Dufy, Derain, Friesz, Gleizes, Gris, Herbin, Léger, Lhote, Lipchitz, Marquet, Matisse, Metzinger, Miró, Zarate, Picasso, Rivera, Severini, Sunyer, Valtat, Van Dongen, Vlaminck. Miró y présente trois peintures et rencontre Maurice Raynal, auteur de la préface du catalogue, qui donne une conférence à l'Ateneo de Barcelone. La sélection des œuvres, provenant en majeure partie des marchands Léonce Rosenberg et Georges Bernheim, a été faite par le jeune poète français Fernand Fleuret. Deux textes critiques de Joan Sacs sur l'exposition paraîtront dans *La Publicidad* (2 et 6 novembre).

Au Salon d'automne à Paris est présentée une section importante d'artistes catalans – à titre de réciprocité de l'« Exposició d'art francès » organisée au palais des Beaux-Arts de Barcelone en 1917 – dans laquelle figurent deux tableaux de Miró, des sculptures et peintures de González, des œuvres de Gargallo, Elias, Ricart, Sunyer, Togores. Dans *L'Amour de l'art*, Louis Vauxcelles écrit : « [...] Barcelone fut, depuis un demi-siècle, le foyer d'ardentes recherches picturales. MM. Hermen Anglada, José Maria Sert et Pablo Picasso sont catalans. Aussi faut-il se réjouir que les paysages, les portraits, les nus et les intérieurs de Casas, Urgell, Anton de Farater, Feliu Elias, Rusiñol, Joaquim Sunyer soient venus en notre cité ; on les étudiera avec sympathie. » Dans le n° 7 (novembre) de la même revue, Josep Pla déclarera : « Les Catalans regardent vers l'extérieur. Ils suivent la tradition moderne française, se tournent vers l'impressionnisme. La génération précédente de Rusiñol, Casas, Utrillo était marquée par l'"anecdote" mais elle avait éveillé la curiosité des jeunes et suscité un désir de s'identifier au mouvement artistique français. » L'auteur cite ceux qui sont revenus de Paris, qui y sont encore, qui vont y aller.

Gargallo est nommé professeur de sculpture de la Mancomunitat de Catalogne, pour une durée de cinq ans,

à l'École supérieure des beaux-arts où il se lie d'amitié avec Artigas, Corbero, Solanic, Miró. Il expose ses œuvres régulièrement au Salon d'automne à Paris. Dans le n° 6 du *Bulletin Dada* figurent les noms de Dalmau et de Junoy parmi les présidents du mouvement Dada.

Fondation de *L'Esprit nouveau*, revue internationale d'esthétique, mensuelle, dirigée par Paul Dermée (vingt-huit numéros jusqu'en janvier 1925). À partir du n° 17 (juin 1922), Ozenfant et Jeanneret assureront la direction de la revue à laquelle ils collaboraient de façon régulière. Dans la première livraison figurent un article d'André Salmon sur Picasso, rédigé en mai, richement illustré, et un commentaire élogieux de Georges Ribemont-Dessaignes sur l'exposition Picabia qui vient de se tenir Au Sans Pareil à Paris.

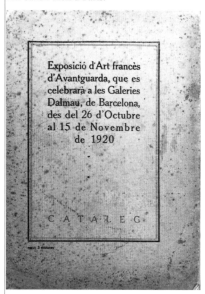

42

Novembre

De Barcelone, Miró écrit à Ràfols : « Dans la France actuelle, je ne vénère que Picasso, Derain, Matisse et Braque, les autres je m'en fiche. » Dans *Vell i Nou*, présentation d'André Derain par Adolphe Basler et de l'œuvre de Rafael Barradas, marqué par le cubisme et le futurisme, par Manuel Abril. Dans *L'Amour de l'art*, Josep Pla étudie l'histoire de l'influence française sur les peintres et sculpteurs catalans (présentés dans le cadre de la rétrospective au Salon d'automne), évoquant l'exode vers Paris

au début du siècle avec Manolo Hugué, Picasso, Sunyer, Canals, Casanovas, Anglada-Camarasa, etc. et aujourd'hui Ricart, Miró, Togores, Sala... « Exode qui continue toujours et dont on ne prévoit pas la fin [...] Ce qui prouve que les doctrines artistiques de Paris trouvent en Catalogne l'écho d'une compréhension cordiale et fraternelle. »

Joaquim Folch i Torres est nommé directeur du musée d'Art et d'Archéologie de Barcelone.

Le marchand parisien Zborowski achète quelques toiles à Togores qui présente des peintures à la Chambre de commerce de Paris.

1921

À Lisbonne, Feliu Elias donne une conférence sur le parallélisme entre l'art catalan et l'art français.

Janvier

Publication de la nouvelle revue *Proa* dirigée par Joan Salvat-Papasseit. Le deuxième et dernier numéro paraîtra au mois de décembre. Illustrations de Casanovas, Manolo Hugué, Torres-García. À Sitges, publication de *Monitor : Gaseta nacional de politica, art i literatura* sous la direction de Josep Carbonell et Josep Vicenç Foix (huit numéros jusqu'à la fin de 1923). Dans une lettre adressée le 21 janvier à son ami Nogués, Togores écrit : « Mon ami Max Jacob est venu à l'atelier [...] Quelques jours plus tard, mon père s'emparait des toiles et partait visiter des marchands. En premier, Kahnweiler [...] Dès que mon père me nomma, le marchand lui dit que Max Jacob lui en avait parlé la veille : résultat, toutes mes toiles vendues. »

43

Février

Miró quitte Barcelone pour Paris où il séjournera jusqu'en juin à l'hôtel Innova (boulevard Pasteur). Picasso lui rend visite, puis le marchand Paul Rosenberg lui écrit qu'il a beaucoup parlé de lui avec Picasso et qu'il souhaite voir son travail. Daniel-Henry Kahnweiler prend également contact avec Miró, sur les conseils de Maurice Raynal, comme il l'écrira le 20 mars à Dalmau avec lequel il est lié par un contrat. Il le presse de montrer ses œuvres à Paris dès ce printemps. Miró commence à travailler dans l'atelier du sculpteur Gargallo (qui enseigne durant les mois d'hiver à l'École des arts et métiers de Barcelone), situé au 45, rue Blomet. Par l'intermédiaire de Max Jacob, il fait bientôt la connaissance de son voisin d'atelier, André Masson. Maurice Raynal le présente à Pierre Reverdy.
2 février : Togores signe un contrat d'exclusivité avec Kahnweiler, qui sera renouvelé jusqu'en 1931.

Mars

Mort du compositeur Déodat de Séverac à Céret. Les habitants lancent une souscription publique pour ériger un monument à sa mémoire. Manolo réalisera *La Catalane assise* qui sera inaugurée le 27 avril 1924.
Décidé à montrer ses œuvres au public parisien, Miró prend lui-même contact avec la galerie La Licorne rue La Boétie,

dirigée par le docteur Girardin, collectionneur renommé, et Maurice Raynal qu'il convainc d'écrire une préface.

Avril

Josep Dalmau arrive à Paris pour présenter la première exposition personnelle parisienne de Miró (vingt-neuf peintures et quinze dessins de 1915 à 1920) à la galerie La Licorne, du 29 avril au 14 mai, avec un catalogue préfacé par Maurice Raynal. « Le vernissage fut un succès auprès des gens du monde de l'art », écrira Miró à Dalmau. Paul Guillaume, Paul et Léonce Rosenberg, Max Jacob, les directeurs de revues telles *L'Action*, *L'Esprit nouveau*, *La Revue de l'époque* demandent des photos d'œuvres pour parler de l'exposition, André Salmon l'évoquera dans *Europe nouvelle* le 4 juin. Dalmau avait déjà offert à Picasso l'*Autoportrait* de 1919 dont Miró avait envoyé la photographie à Picasso en juin de l'année précédente avec cette mention : « A Pablo Picasso. Sinceramente. Joan Miró Junio 1920 », peinture qui restera dans la collection personnelle de Picasso jusqu'à sa mort. « Je vendis quelques œuvres mais tout le bénéfice alla à Dalmau car je lui avais cédé les droits de mon travail en échange de son appui. Dalmau était un vieux parisien, ami de Reverdy, de Max Jacob, de tous les écrivains de la génération moderne », racontera l'artiste en 1931 à Francisco Melgar pour la revue *Ahora*. Miró regagne Barcelone fin juin. Première monographie sur Picasso par Maurice Raynal parue à Munich, aux éditions Delphin, l'année suivante en français aux éditions Crès. Publication du deuxième livre de poèmes de Joan Salvat-Papasseit.

44

Mai

Le Comité des amis d'Apollinaire commande à Picasso un monument pour la tombe du poète, commande qui sera renouvelée officiellement en 1927. Représentation de *Cuadro flamenco*, ballet de Diaghilev qui avait d'abord sollicité Gris pour le décor. Picasso réalise finalement les costumes et le décor.
23 mai-11 juin : exposition de trente neuf peintures, dessins et pastels récents de Picasso à la galerie Paul Rosenberg, commentée par Bissière dans *L'Amour de l'art* (6 juin) : « Je crois que le désir de Picasso ne va ni vers l'esprit de sa race, ni vers celui de la nôtre. Il vise autre chose, il voudrait agglomérer deux âmes et deux races, et les pétrir assez fortement pour leur donner un visage unique et nouveau. Son angoisse et ses tourments viennent de ce qu'il n'y réussit point selon son désir et qu'après chaque effort il reconnaît dans l'œuvre nouvelle ou le visage de l'Espagne ou celui de la France. » Autre commentaire dans la même livraison, celui de Maurice Raynal intitulé « Picasso et l'impressionnisme » : divergence réelle entre les impres-sionnistes et Picasso qui ne retient que « ce qui est, ce qui demeure, c'est-à-dire la forme, la ligne des objets ». À la vente de la collection Uhde, treize œuvres de Picasso dont le portrait du marchand sont proposées.

Juin

À la première vente de la collection
de la galerie Kahnweiler, à l'hôtel Drouot,
aucune œuvre de Picasso sur les
trente-six proposées n'a pu être rachetée
par Kahnweiler et son syndic Grassat.
En revanche, huit peintures sur neuf
de Gris le sont, de même que l'ensemble
des sculptures originales de Manolo,
comme l'écrit Kahnweiler le 25 juin :
« La première vente de mes choses de la rue
Vignon a eu lieu les 13 et 14 juin.
Elle contenait toutes vos sculptures.
Nous avons racheté toutes les pierres, tous
les modèles et presque tous les bronzes.
Nous vous avons bien défendu [...] »
Au palais de la Musique catalane, concert
donné par Jacques Thibaud et Georges
de Lausany dans le cadre du programme
organisé par l'association musicale
Da Camera de Barcelone.
Au début de l'été, Togores s'installe
à Banyuls où il fait la connaissance
du sculpteur Maillol qui le prend
en grande estime. Leur amitié durera
jusqu'à la mort de celui-ci en 1944.
À son retour à Paris, à la fin octobre,
Kahnweiler lui trouvera un nouveau
domicile à Issy-les-Moulineaux, proche
du sien et de celui de Gris.

Juillet

Arrivée de Man Ray au Havre puis
à Paris à la mi-juillet.

Août

Présentation de deux panneaux décoratifs
de José Maria Sert, récemment montrés
à Paris au Salon d'automne et à la galerie
Seligmann place Vendôme, signalée dans
L'Amour de l'art et dans *La Renaissance*.

Septembre

Dernier numéro de la revue *Vell i Nou*.

Novembre

À la deuxième vente Kahnweiler
sont dispersés des sculptures de Manolo,
quarante-six numéros de Picasso dont
cinq exemplaires du *Verre d'absinthe*
et des bronzes polychromés.
Publication par les éditions de la galerie

Simon d'un recueil de poèmes de Pierre
Reverdy, *Cœur de chêne*, illustrés de huit
gravures sur bois de Manolo.

Décembre

À son ami Xavier Nogués, Togores écrit
le 2 décembre : « Je suis resté cinq mois
à Banyuls, j'ai peint trente toiles et fait
cinquante dessins. Je suis à Paris depuis
le début novembre et me suis reposé
pendant tout ce mois-ci. J'étais épuisé.
Mon marchand de tableaux m'organise
une exposition au mois de février. »

1922

Création d'un Institut français à Barcelone par
le ministère des Affaires étrangères avec une
bibliothèque où l'on peut consulter journaux,
quotidiens, revues et livres en langue
française.

45

Janvier

À l'exposition de l'Association
d'étudiants catalans, à la galerie Dalmau,
Salvador Dalí présente huit œuvres
influencées à la fois par Bonnard,
le cubisme, les futuristes italiens.

Février

6-18 février : première exposition
Josep de Togores à Paris, à la galerie
Simon, où sont présentés vingt-sept
toiles et treize dessins réalisés à Banyuls,
catalogue préfacé par Max Jacob.
« Énorme succès de vente », écrit
le marchand à Manolo. Le collectionneur
catalan L. Piandura achète plusieurs
œuvres, de même que l'architecte
et sculpteur André Bloc. Compte-rendu
de Maurice Raynal dans *L'Intransigeant*
du 10 février.

Mars

Première exposition personnelle parisienne
de González à la galerie Povolovsky, 13,
 rue Bonaparte, présentant peintures, dessins,
sculptures, bijoux et objets d'art divers.
La préface du catalogue est signée par
le critique Alexandre Mercereau. Le 11 mars
est organisée à la galerie une soirée de
poésie catalane précédée d'une
conférence « sur le grand artiste catalan
Julio González ».
Gris s'installe à Boulogne dans la même
rue que les Kahnweiler, leur intimité
se resserre encore.

Avril

Picabia se rend à Barcelone – pour la
première fois depuis 1917 – et prend
contact avec le marchand Josep Dalmau.
Miró retrouve l'atelier de la rue Blomet
à Paris où il s'installe. Il continue à travailler
à sa toile *La Ferme* (représentation de la
ferme de ses parents à Montroig où il passe
chaque été) qu'il montre et confie
au marchand Léonce Rosenberg avant
son retour en Espagne, dans le but de
la présenter au Salon d'automne, comme
il l'écrira au début du mois de septembre :
« Je crois qu'il est convenable de faire
connaître cet ouvrage qui représente un si
grand effort. Comme je ne pourrai pas me
rendre à Paris jusqu'à la clôture de ce
Salon, j'espère que vous aurez l'obligeance
de rédiger la notice en y faisant constater
que c'est à vous à qui l'on doit
s'adresser, soit pour la vente, demande
de reproductions, etc. enfin en vous
nommant mon représentant. L'intérêt
que vous avez démontré pour ce tableau
me fait espérer que vous ferez de tout
votre mieux pour son admission au Salon
en le recommandant aux Membres du Jury.
J'ose même vous prier de faire enquadrer
ce tableau à votre goût et de le faire
vernir avant son accrochage. » Suivent
des indications pour la notice à rédiger.

Juin

Représentations à Paris par les Ballets russes
de l'opéra-ballet de Cimarosa *L'Astuce
féminine* dont les décors et costumes sont
l'œuvre de José Maria Sert.

À Josef Francesc Ràfols, Miró écrit
de Barcelone : « Plus convaincu que jamais
de mes idées esthétiques et amour
croissant immensément pour la catalanité
artistique c'est-à-dire contre la fausse
francisation des Catalans. »
Nouveau séjour de Sunyer à Paris dans
l'atelier du peintre Manuel Humbert.

Juillet

Dans le n° 18 de *L'Esprit nouveau*,
Christophe de Domenech présente
la nouvelle poésie catalane : « Nous devons
signaler l'ardeur de Pérez-Jorba et
ses hardiesses d'idées et de forme, ainsi
que la modernité de Josep M. Junoy, Solé
de Sojo, J.V. Foix et de Salvat Papasseit
[…] C'est à Maragall qu'appartient
la première place parmi les poètes catalans
contemporains […] »

Octobre

De Montroig, Miró écrit le 4 octobre à
Léonce Rosenberg : « Je vous remercie bien
sincèrement de tout ce que vous avez fait
auprès de mon tableau (*La Ferme*) et j'espère
que nous viendrons à bout de tout cela et
que je pourrai voir mon tableau exposé au
Salon. Je suis très heureux de voir
la nouvelle puissance que vos Galeries de
l'Effort moderne prennent. J'ai toujours
éprouvé une très vive sympathie pour
ce qu'elle *(sic)* représentent. Je voudriez
que vous ne voyez en cela une simple
flatterie mais un sincère hommage à tout
cet heroisme rénovateur et vivificateur que
vos belles galeries ont abrité.
J'ai lu attentivement les conditions que
vous me faites pour exposer à l'Effort
Moderne. A ma rentrée à Paris j'aurai
l'occasion de vous en causer. »
Une lettre de Rosenberg, datée
du 10 octobre, confirme l'acceptation
du tableau *La Ferme* par le jury du Salon
d'automne. Miró lui adresse une nouvelle
demande le 16 octobre : « J'ose de nouveau
vous prier de faire de votre mieux pour
faire paraître ce tableau "La Ferme"
à quelque part. Je voudrais bien à *L'Esprit
nouveau* et à *L'Amour de l'art* enfin où vous
croyez convenable, dans des revues bien
répandues. » Ayant écrit à l'*Argus de la*

presse, Miró confirme à Léonce
Rosenberg : « Mrs les critiques d'art de la
Revue Moderne et de la *Revue du Vrai et
du Beau* m'ont écrit en me demandant
toute sorte de notes sur moi : biographie,
méthodes de travail, préférences, etc.
Je leur ai déjà répondu. »
La Publicidad se transforme en quotidien
écrit en catalan et devient
progressivement le porte-parole de
la modernité artistique et culturelle,
au détriment de *La Veu de Catalunya*.

Novembre

André et Simone Breton, Francis Picabia
et Germaine Everling quittent Paris
pour Barcelone, en passant par Marseille,
pour assister au vernissage de l'exposition
consacrée à Picabia à la galerie Dalmau.
La veille de l'ouverture de l'exposition,
le 17 novembre, Breton donne une
conférence à l'Ateneo barcelonès intitulée
« Caractères de l'évolution moderne et ce
qui en participe »– en peinture et en
poésie –, qui sera publiée en 1924 dans
son ouvrage *Les Pas perdus*. Le catalogue
de l'exposition, imprimé en langue
française, préfacé par André Breton, donne
une liste de quarante-sept œuvres sur papier
ou carton, essentiellement des aquarelles
mécanomorphiques (quatre proviennent de
la collection Jacques Doucet, une appartient
à André Breton).
Quelques *Espagnoles* et toréadors figurent
aussi dans l'accrochage, mais aucune œuvre
ne semble avoir été acquise : indifférence
ou hostilité de la part du public ?
La seule réaction favorable vient de Magí
Cassanyes dans *La Publicidad*
du 22 novembre qui parle d'œuvres
« post-concrètes » ;
l'article sera également publié dans le n° 9
de *Littérature* (février-mars 1923).
Durant son séjour à Barcelone,
André Breton découvre les premières
toiles de Miró, habite à la pension
Nowe où il écrit l'essentiel de son poème
« Le Volubilis et je sais l'hypothénuse ».
Le 2 novembre, il envoie une carte
postale à Picasso représentant la Sagrada
Familia de Gaudí : « Connaissez-vous
cette merveille ? […] Ici je vous cherche

un peu sans vous trouver […] »
Publication par Llorens i Artigas
d'une étude sur la céramique et les émaux
bleus de l'ancienne Égypte, à la suite d'une
bourse accordée par la municipalité
de Barcelone pour étudier ce domaine
dans les musées parisiens, dans le but
d'un renouveau de la céramique. À cette
occasion, il fait la connaissance de Raoul
Dufy par l'intermédiaire du sculpteur Paco
Durrio. En 1924, Artigas commencera
à travailler avec Dufy jusqu'en 1930, puis
il reprendra en 1937 jusqu'à la déclaration
de guerre.

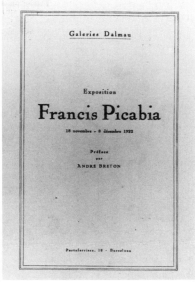

46

1923

Janvier

1er-15 janvier : exposition González
(peintures, sculptures, dessins et bijoux)
à la galerie du Caméléon, 146, boulevard
du Montparnasse. Un article de Gustave
Kahn dans *Mercure de France* du 1er février en
fera l'éloge. L'artiste participe au premier
Salon du Montparnasse chez Mme Figuière,
puis à une autre exposition organisée par la
revue *Montparnasse* à la galerie La Licorne.

Mars

Retour de Miró à Paris où, par
l'intermédiaire d'André Masson, il fait la
connaissance de Michel Leiris. Poètes et
écrivains – le «groupe de la rue Blomet» –
se réunissent dans l'atelier de Masson,
voisin de celui de Miró : Georges Bataille,
Robert Desnos, Paul Éluard, Georges
Limbour, Raymond Queneau, Michel
Leiris, désireux d'inventer un nouveau
langage poétique. Miró rentrera
en Catalogne pour l'été et ne reviendra
à Paris qu'au début de l'année suivante.
Expositions de sculptures et dessins de
Manolo, puis de Juan Gris avec un catalogue
préfacé par Maurice Raynal, à la galerie
Simon (associé de Kahnweiler) à Paris.
Installation de Llorens i Artigas
à Charenton-le-Pont, près de Paris.
Il fréquente Gargallo et Miró.

Avril

Léonce Rosenberg ne se décidant
pas à présenter le travail de Miró dans
sa galerie, l'artiste lui écrit le 7 avril :
« Je me permettrai de venir chercher ma
toile *La Ferme* le lundi 9 avril. Je dois
l'exposer ce jour-ci au Caméléon
(146, bld Montparnasse) à propos de
la conférence que M. Schneeberger doit
donner à 9 h du soir sur la littérature
catalane. »
À l'«Exposició municipal de Primavera»
à Barcelone, présence de deux nouvelles
sections : l'une consacrée aux
Evolucionistes, la seconde aux artistes
catalans résidant à Paris dont González,
Pruna, Andreu…

Mai

Picabia, qui vient de présenter trois
œuvres au Salon des indépendants,
expose des portraits et peintures
espagnols à la galerie Danthon, 29, rue
La Boétie. Pour le catalogue, l'artiste
rédige un «Manifeste du bon goût».

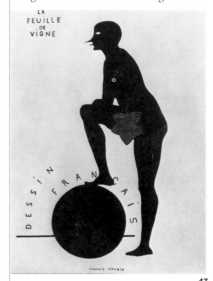

47

Juin

Miró confie à Léonce Rosenberg six toiles
intitulées *Nature morte*. Six mois plus tard,
Rosenberg écrira à l'artiste : «J'ai montré les
quelques tableaux que je possède de vous
en dépôt ici à divers amateurs qui les ont
sincèrement admirés mais qui attendent
pour se prononcer définitivement de
voir des œuvres plus abouties, c'est-à-dire
d'expérience plus mûre.»
Naissance du «Grup de Sabadell»
composé d'intellectuels avant-gardistes
tels que Francesc Trabal, Joan Oliver,
Joan Prats, en liaison avec Jean Cocteau
et des musiciens français d'avant-garde,
initiateurs de manifestations de provocation.
16-30 juin : exposition Maurice
Utrillo et Suzanne Valadon à la galerie
Bernheim-Jeune.

Septembre

13 septembre : le coup d'État du général
Primo de Rivera instaure une dictature
militaire jusqu'en 1929.

Décembre

La galerie Dalmau déménage
au 62, Passeig de Gracia jusqu'à
sa fermeture définitive en 1930 :
nouvelle étape dans l'activité de la
galerie qui cherchera à atteindre
un public plus vaste.

1924

Janvier

Début de la publication de la revue
barcelonaise *Art Novell* sous la direction
de Lluyis Palli.

Mars

Premier numéro de la revue *Gaseta de les
Arts*, dirigée jusqu'à la fin de 1927 par
Joaquim Folch i Torres, dédiée exclusivement
à l'art catalan à partir de 1928 sous
la direction de Rafael Benet et Màrius
Gifreda. Y collaborent Dalí, Cassanyes,
Gasch, Junoy, Llorens i Artigas, Pijoan,
J. L. Sert, Torres-García, Zervos.
Le dernier numéro sortira en 1930.
Le compositeur Igor Stravinski est invité
à donner des concerts au Gran Teatre
du Liceu de Barcelone.
Exposition, à la galerie Percier à Paris,
d'œuvres de Pere Pruna et de sculptures
de Fenosa. Max Jacob rédige la préface
du catalogue.
28 mars-17 avril : à la galerie Paul
Rosenberg, exposition «Œuvres nouvelles
de Picasso», suivie d'une présentation
de «Cent dessins de Picasso» au mois d'avril.

Mai

Signataire d'un écrit collectif publié
dans *La Publicidad*, Gargallo est destitué
de ses charges de professeur et regagne
Paris et son atelier de la rue Blomet,
occupé par Miró en son absence.
Il travaille de façon intense et retrouve
ses amis Maurice Raynal, Pierre Reverdy,
André Warnod, Waldemar George et
les marchands Rosenberg et Level.

48

Juin

Miró assiste avec enthousiasme à l'une des représentations du ballet *Mercure*, au théâtre de la Cigale à Paris : décors et rideau de Picasso, musique de Satie et chorégraphie de Léonide Massine. André Breton, qui vient d'assister à la représentation de ce ballet le 15 juin, écrit à sa femme Simone : « Jamais rien de si beau, de si absolument génial que ces décors. Aragon et moi nous sommes fait expulser avant-hier, ayant crié trop fort pour Picasso et contre Satie. Je vais sans doute retourner ce soir avec Desnos et Vitrac et tâcher d'être plus sage. » Le 18 juin, Breton écrit à Jacques Doucet : « Je tiens la collaboration de Picasso à *Mercure* pour l'événement artistique le plus important de ces dernières années, et pour un acte de génie qui n'est surprenant de sa part que parce qu'il vient après tant d'autres […] J'en parle comme des *Demoiselles d'Avignon* exactement. *Mercure* en 1924 est aussi étonnant, aussi admirable dans le temps que la grande toile de 1906. »

Juillet

Carles Soldevilla prend la direction de la revue *D'Ací i d'Allà*. Il lui donnera un caractère plus avant-gardiste et davantage ouvert sur l'extérieur.

Août

7 août : mort de Joan Salvat-Papasseit à Barcelone.

Octobre

Parution du *Manifeste du surréalisme* d'André Breton aux éditions du Sagittaire, qui sera annoncée dans *La Revista* de Barcelone au mois de décembre.
Publication du livre de poèmes *Fluid* de Sebastià Sànchez-Juan, auteur du « Second manifeste catalan futuriste » en 1922.
Six œuvres de Sunyer sont exposées au Salon d'automne à Paris.

Novembre

Première livraison de la revue *La Mà Trencada*, fondée par l'éditeur d'art Joan Merli, Llorens i Artigas étant le correspondant parisien (six numéros, le dernier daté du 31 janvier 1925). Chacun des numéros sera illustré par un artiste : Casanovas, Gargallo, Picasso…

Décembre

Premier numéro de la revue *La Révolution surréaliste*, dirigée par Pierre Naville et Benjamin Péret jusqu'au n° 3 (juillet 1925). Acquisition par le couturier et collectionneur Jacques Doucet du tableau de Picasso *Les Demoiselles d'Avignon*, négocié par André Breton qui lui écrit le 1er décembre : « Combien je me réjouis de revoir ces *Demoiselles* […] Ce que vous me dites de l'impression qu'elles vous ont causée ne m'étonne guère […] On ne songe jamais assez que Picasso est le seul génie authentique de notre époque, et un artiste comme il n'en a jamais existé, sinon peut-être dans l'antiquité. »
Puig i Cadafalch, architecte et homme politique, entame une série de conférences sur l'art catalan, à la Sorbonne.

1925

Janvier

Création à Barcelone de la revue d'architecture *La Ciutat i la Casa* sous la direction de Rafael Benet.
Selon son habitude, Miró revient travailler 45, rue Blomet jusqu'à l'été.

Il arrive avec une soixantaine de peintures et dessins dont la série des *Têtes de paysan catalan*, reçoit les visites de Louis Aragon, Paul Éluard, Pierre Naville et probablement celle du couturier et collectionneur Jacques Doucet qui lui achètera des toiles. André Breton est impatient de voir ses tableaux et de rencontrer Miró qu'il ne connaît pas encore : « Je n'ai toujours pas vu les 60 tableaux qu'a rapportés d'Espagne cet autre peintre nommé Miró qui est au 45, rue Blomet le voisin de Masson et qui passent pour assez extraordinaires. Aragon, Éluard, Naville qui les ont vus sont incapables de formuler une opinion décisive à leur sujet », écrira-t-il à Simone Breton le 10 février. Lors de sa visite, il lui achètera deux peintures : *Paysage catalan (Le Chasseur)* et *Le Gentleman*. Breton notera en 1941 : « L'entrée tumultueuse de Miró, en 1924, marque une étape importante dans le développement de l'art surréaliste. Miró, qui laisse alors derrière lui une œuvre d'un esprit moins évolué mais qui témoigne de qualités plastiques de premier ordre, franchit d'un bond les derniers barrages qui pouvaient encore faire obstacle à la totale spontanéité de l'expression. » Luis Buñuel s'installe à Paris.
La revue *La Révolution surréaliste* montre des dessins de Picasso faits de lignes et de points, considérés comme automatiques par Breton.

49

Février

28 février-14 mars : nouvelle exposition
Pere Pruna à la galerie Percier.
« Ce jeune Catalan révélé par Max
Jacob », écrit la presse, « un des rares
peintres à conserver sa catalanité »,
déclare Waldemar George.
Marian Andreu expose quelques œuvres,
avec Chana Orloff, à la galerie
Le Portique.
Il montre son travail au Salon
des Tuileries, comme Gargallo, González,
Sala, Pichot, etc... également présents
aux Salons des indépendants et d'automne.

Mars

Le n° 20 de la *Gaseta de les Arts* (1er mars)
est entièrement illustré par des œuvres
récentes de Picasso.
Premier festival Stravinski à Barcelone.
Mort de Ramon Pichot à Paris, ami proche
de Picasso et de Dalí, qui partageait son
temps entre Cadaqués et Paris où il montrait
régulièrement son travail aux Salons.

Avril

Ouverture de l'Exposition internationale
des arts décoratifs et industriels
modernes au Grand Palais à Paris,
avec une importante section espagnole,
et plus particulièrement catalane :
des éléments d'architecture de Gaudí,
l'Institut catalan des arts du livre, mobilier,
textile et bijoux catalans. Artigas
et Dufy reçoivent un prix pour leur travail
en commun : une fontaine monumentale
en céramique est exposée dans le pavillon
de la revue *La Renaissance*. Le sculpteur
Clarà présente son *Monument aux volontaires
catalans*, œuvre commandée par le maire de
Barcelone en 1918. Le Corbusier applique
ses conceptions puristes dans le pavillon
de l'Esprit nouveau, véritable manifeste
architectural, qui sera inauguré seulement
le 10 juillet : la chronique de Rafael Benet
sur cette réalisation, dans *La Veu de
Catalunya* du 2 août, parlera de principe
de standardisation et d'éléments industriels.
5-11 avril : premier séjour de Federico
García Lorca à Cadaqués et Figueras.
À Barcelone, Joan Maragall prend la
direction de la Sala Parés.

Portrait de Dalí par Lorca.

50

Mai

Retour provisoire (jusqu'en 1928)
de Rafael Barradas à l'Hospitalet, près
de Barcelone, où il réunit le dimanche
dans l'Ateneillo del Hospitalet
des écrivains et artistes avant-gardistes
comme Gasch, Dalí, Gómez de la Serna,
García Lorca...
Au troisième Salon des Tuileries,
Gargallo expose sa première grande
sculpture en métal, *Arlequin à la mandoline*
(fer et plomb), qui sera aussitôt acquise
pour le compte du baron de Rothschild.

51

Juin

12-27 juin : exposition Miró à la galerie
Pierre, rue Bonaparte, montrant
quinze dessins et seize peintures dont
Le Chasseur et *Le Gentleman* prêtés
par André Breton. Le catalogue est
préfacé par Benjamin Péret, le carton
d'invitation porte les signatures du groupe
surréaliste. Pierre Loeb ne cessera de
promouvoir l'œuvre de Miró dans
sa galerie, chez Georges Bernheim
en 1928 et 1933, chez Christian Zervos
en 1934.

Juillet

Dans le n° 4 de *La Révolution surréaliste*,
dirigée par André Breton, premières
reproductions d'œuvres de Miró dont
les deux peintures de sa collection.
Deux autres figureront dans la livraison
suivante ainsi que, pour la première fois,
une photographie – demandée par Breton
à Jacques Doucet – des *Demoiselles
d'Avignon* de Picasso. Dans son article
« Le surréalisme et la peinture »,
Breton exprime clairement la dette
surréaliste envers l'œuvre
« révolutionnaire » de Picasso et de
Braque.
Séjour du peintre, critique et publiciste
Rafael Benet à Paris jusqu'en octobre :
il donne des comptes-rendus sur
l'Exposition internationale des arts
décoratifs dans *La Veu de Catalunya*,
présente le pavillon du Tourisme construit
par Mallet-Stevens, celui de l'Esprit
nouveau par Le Corbusier et Jeanneret.

Novembre

14-27 novembre : première exposition
personnelle de Dalí à la galerie Dalmau,
montrant quinze peintures et
cinq dessins qui attirent l'attention de
Picasso et de Miró. Une toile est dédiée
à Salvat-Papasseit, *Vénus et le marin*.
Dans *La Veu de Catalunya*, Rafael Benet
reproche le manque de lyrisme,
qualifie son œuvre d'intellectuelle
et cérébrale, pas suffisamment
artistique. Dans une lettre à Federico
García Lorca, Dalí se déclare satisfait
de la critique et des ventes liées à son
exposition.
En cadeau d'anniversaire pour sa femme,
Ernest Hemingway achète *La Ferme*
de Miró, acquise auparavant par Evan
Shipman, écrivain américain très
proche d'Hemingway.
14-25 novembre : « La peinture
surréaliste », première exposition
internationale surréaliste, à la galerie
Pierre. Le catalogue est préfacé
par Breton et Desnos. Miró,
représenté par *Carnaval d'Arlequin*
et *Dialogue d'insectes*, Torres-García,
Picasso et González y participent.

52

Décembre

Dans la *Gaseta de les Arts* du 15 décembre,
premier article de Sebastià Gasch sur Miró
intitulé « Els pintors d'avantguarda :
Joan Miró », situant son travail aussitôt
après celui de Picasso. Cet article marque
le début d'une longue contribution
du critique d'art dans la presse catalane
sur les avant-gardes.

1926

Publication d'un ouvrage de Feliu Elias
sur *La Sculpture moderne catalane*.
Premier voyage à Paris de José Luis Sert,
étudiant à l'École d'architecture
de Barcelone, au cours duquel il se procure
des ouvrages de Le Corbusier.
Des relations commerciales s'établissent
entre la galerie Simon et les Établissements
Maragall de Barcelone (Sala Parés) ;
ceux-ci obtiennent la représentation
exclusive de l'œuvre de Togores.

Janvier

Premier numéro de *Cahiers d'art*, revue
mensuelle d'actualité artistique fondée
par Christian Zervos. Le dernier numéro
sortira en 1960.
20 janvier-15 février : exposition
de « Gravures, dessins et peintures de
Georges Braque, Juan Gris, André Masson »
présentée par Jeanne Bucher à la
boutique de Pierre Chareau. Maurice
Raynal en rendra compte dans
L'Intransigeant (14 février) et Tériade
dans le n° 2 de *Cahiers d'art* (février).

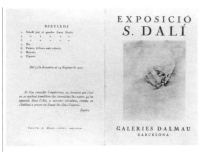

53

Février

Miró s'installe rue Tourlaque, près de Max
Ernst et Hans Arp, dans un atelier loué
par Jacques Viot, gérant de la galerie Pierre.
Picasso suggère à Diaghilev de visiter
les ateliers d'Ernst et Miró pour les décors
du futur ballet *Roméo et Juliette* des Ballets
russes. Miró poursuit sa série de peintures
liées au rêve. Ambroise Vollard demande
à Picasso des gravures pour illustrer *Le Chef-
d'Œuvre inconnu* de Balzac. L'ouvrage paraîtra
en 1931.

Mars

Publication de la première monographie
sur l'œuvre de Torres-García par Josef
Francesc Ràfols, à Barcelone, aux éditions
Quatre Coses de Joan Merli.
Au Salon des indépendants à Paris est
présentée une exposition rétrospective
du travail de González.
À la galerie Dalmau, exposition de peintures
et dessins proches de l'expressionnisme
de Rafael Barradas.

Avril

11-28 avril : premier voyage de Dalí
à Paris. Un ami de Lorca, Manuel Angeles
Ortiz, l'introduit auprès de Picasso
auquel il montre deux toiles. En compagnie
de Buñuel, Dalí visite le musée du Louvre,
Versailles, l'atelier de Millet à Fontainebleau,
des galeries, rencontre des peintres espagnols
au café La Rotonde.
26 avril : publication, à Sitges, du premier
numéro de *L'Amic de les Arts*, revue la plus
importante de l'avant-garde catalane, dirigée
par Josep Carbonell, avec des illustrations
d'œuvres de Barradas, Chagall, Dalí, Ernst,
Gleizes, Granyer, Klee, Léger, Lhote, Miró,
Nonell, Picasso, Ricart, Sunyer, Togores…
(trente et un numéros jusqu'en mars 1929).

Mai

18 mai : première représentation à Paris
du ballet *Roméo et Juliette* avec des décors
de Miró et Max Ernst. Protestation
de la part des surréalistes au sujet de la
participation de Miró aux Ballets russes,
réputés trop bourgeois.

Juin

Mort de l'architecte Antoni Gaudí
à Barcelone. Miró retourne à Barcelone
pour la mort de son père et commence
à travailler ses « paysages imaginaires ».
Exposition Torres-García à la galerie Dalmau
(12-25 juin) et première exposition
individuelle à Paris, à la galerie Fabre.
Dalí illustre le roman de J. Puig Pujades
L'Oncle Vicents publié à Barcelone.
23 juin-7 juillet : la galerie Percier montre
les œuvres récentes de Francisco Borès.
La galerie Paul Rosenberg expose
cinquante-huit œuvres de 1918 à 1926
de Picasso qui donnent lieu à deux
articles largement illustrés de Christian
Zervos dans *Cahiers d'art*, n° 5.

Juillet

Publication à Paris du premier des deux
numéros de la revue *Favorables Paris Poema*
dirigée par Juan Larrea et César Vallejo,
à laquelle collaborent Appel les Fenosa, Juan
Gris, Vicente Huidobro, Pierre Reverdy,
Georges Ribemont-Dessaignes… Le second
numéro paraîtra en octobre.
Dans *L'Art vivant* comme dans *L'Amour
de l'art* sont commentés les décors muraux
de José Maria Sert, destinés à la cathédrale
de Vich aux environs de Barcelone, exposés
au musée du Jeu de paume à Paris.

Septembre

Arrivée de Torres-García à Paris qui s'installe
provisoirement dans l'atelier de Jean Hélion,
présente des œuvres au Salon d'automne,
rencontre Edgar Varèse, Julio González
et Luis Fernandez.

Octobre

À Barcelone, participations de Dalí au
« Primer Salo de Tardor » (9-29 octobre)
à la Sala Parés, avec des artistes noucentistes,
et à l'« Exposicio de Modernisme pictoric

català confrontada amb una seleccio
d'obres d'artistes d'avantguarda estrangers »
à la galerie Dalmau, présentant la peinture
moderniste catalane et une sélection
d'œuvres d'artistes étrangers d'avant-garde :
Robert Delaunay, Raoul Dufy, Albert
Gleizes, Francis Picabia, Rafael Barradas,
Joan Miró, Manolo Hugué, Ramon Pichot,
Enric Cristófol Ricart, Joaquim Sunyer,
Joaquim Torres-García…
Bref séjour de Picasso à Barcelone : Angel
Ferrant publie un entretien avec l'artiste
dans *La Publicidad*.

Décembre

31 décembre-14 janvier : deuxième
exposition personnelle de Dalí à la galerie
Dalmau avec des œuvres influencées
par le cubisme. Vingt et une peintures
et sept dessins sont remarqués par Paul
Rosenberg, le marchand de Picasso.
Sebastià Gasch en donnera une critique
dans *L'Amic de les Arts* du 28 février.
Clarà achève le torse *Estatica* en terre
cuite qui sera acquis par l'État français pour
le musée du Jeu de paume à Paris.

1927

Janvier

Premier numéro de la revue *La Nova
Revista*, sous la direction de Josep Maria
Junoy, avec des contributions de Barradas,
Dalí, Gargallo, Foix, Maseras, Sunyer,
Togores, Torres-García, Éluard, Cocteau…
Dernière livraison en août 1929.
À son arrivée à Paris, Miró s'installe dans
l'ancien atelier de Hans Arp, rue Tourlaque,
qu'il occupera pendant deux ans, et
poursuit son cycle des « peintures de rêve ».

PRINTEMPS

7-22 mars : exposition d'œuvres récentes
de Miró à la galerie Pierre à Paris. 12 mars :
au Teatre Intim de Barcelone, représentation
de la pièce *La Famille d'Arlequin*, écrite
par Adrià Gual– l'un des principaux
réformateurs du théâtre catalan –, avec
des décors de Dalí.
Dans *Cahiers d'art* (n° 2), Jean Cassou

présente les derniers dessins de Picasso avec
de nombreuses illustrations. Dans la livraison
suivante, Tériade commentera les peintures
récentes de Francisco Borès : « Les valeurs
contrastées de sa palette espagnole (terres,
gris, ocres, blanc et noir) alternant avec
des gammes modulées, des dégradés nuancés
qu'il doit à son éducation parisienne. »
Dans *La Nova Revista* qui paraît en mai,
Gasch se fait l'écho d'une exposition
consacrée aux fauves à la galerie Bing,
à Paris.
11 mai : mort de Juan Gris à Boulogne.
À l'enterrement, « le deuil était conduit
par son fils Georges, par Lipchitz,
Picasso, Raynal et moi (Kahnweiler) ».
Salvador Dalí travaille aux décors
de *Mariana Pineda*, pièce de son ami
Federico García Lorca qui sera présentée
au théâtre Goya, à Barcelone, le 24 juin,
veille de l'ouverture de l'exposition
de dessins de Lorca à la galerie Dalmau.
Dans la livraison de septembre de *La Nova
Revista* éditée à Barcelone, Dalí insistera
sur l'influence orientale de ces dessins.
Pablo Gargallo déménage son atelier
au 107, avenue du Maine, près de
Montparnasse, où il travaillera jusqu'en 1931.
Il peut réaliser de grandes pièces
en métal. González lui suggère d'utiliser
la soudure autogène.

54

La présence de Paul Éluard est
signalée à Barcelone au cours de l'été
(*La Nova Revista*).
4-23 juillet : à la galerie Bernheim-Jeune
à Paris, exposition de « Jardins de salons »
par Raoul Dufy, Llorens i Artigas.
Juillet : début de la collaboration de Dalí,
jusqu'en février 1929, à la revue
L'Amic de les Arts, support de l'avant-
garde, avec la publication de son article
« Sant Sebastia » dans lequel il expose
sa relation avec Lorca.
Miró réalise ses premières illustrations
de livres pour celui du poète catalan J.V.
Foix, *Gertrudis*.

Septembre

Miró rend visite à Dalí à Figueras
avec son marchand Pierre Loeb.

Octobre

24 octobre-5 novembre : exposition
Picabia à la galerie Van Leer.

Novembre

Premières sculptures en fer forgé de Julio
González.
Dans le n° 6 de *Cahiers d'art*, Christian
Zervos présente les dernières œuvres
de Picasso, article suivi des « Souvenirs
sur Picasso contés par Max Jacob ».

Décembre

1er-31 décembre : exposition Picasso à la
galerie Pierre, montrant essentiellement
des tableaux anciens. Christian Zervos lui
consacrera une étude, largement illustrée,
dans *Cahiers d'art* nos 5-6 (1928).
Des œuvres de Gargallo sont présentées
chez Georges Bernheim à Paris dans le
cadre d'une exposition d'un groupe de
sculpteurs.

1928

La ville de Barcelone commande à Gargallo des statues pour la place de Catalogne et des cavaliers et chevaux destinés à décorer le stade olympique de Montjuïc pour l'Exposition universelle de l'année suivante.

Février

Parution de l'ouvrage d'André Breton *Le Surréalisme et la Peinture* avec ses premiers commentaires sur Miró, Arp et Tanguy.
De retour à Paris, Miró réalise ses premières peintures-objets et des collages intitulés *Danseuse espagnole*.
Au théâtre Novedades à Barcelone, Marinetti donne une conférence, « El futurisme mondial », à l'occasion de sa première visite dans la ville.
Une exposition lui est consacrée à la galerie Dalmau, à laquelle participent Barradas, Burty, Dalí, Gleizes, Miró, Picabia, Ricart… Marinetti considère Sànchez-Juan, Cassanyes et Dalí comme ses disciples. Il reviendra à Barcelone en 1929 pour l'Exposition universelle, et en 1935.

Mars

« Manifest Groc », manifeste anti-artistique catalan, signé par Salvador Dalí, Lluis Montanyà et Sebastià Gasch, qui remet en cause la culture catalane traditionnelle : « Dans le présent manifeste, nous avons éliminé toute forme de courtoisie dans nos attitudes. Toutes les discussions avec les représentants de la culture catalane contemporaine, négative d'un point de vue artistique, bien qu'efficace dans d'autres domaines, se sont révélées inutiles. »
Ils dénoncent « la fausse architecture d'une époque », « l'art décoratif qui ne suit pas la standardisation », « la crainte d'événements et de mots nouveaux et la peur de prendre le risque de devenir fou ».
La conclusion du texte cite « les grands artistes d'aujourd'hui » comme Picasso, Gris, Ozenfant, Miró, Lipchitz, Brancusi, Le Corbusier, Reverdy, Tzara, Éluard, Aragon, Desnos, Cocteau, Stravinski, Zervos, Breton…

Ce manifeste, qui provoquera des réactions hostiles, sera suivi, le 13 mai, d'une conférence à Sitges organisée par *L'Amic de les Arts* où s'exprimeront Carbonell, Foix, Gasch et Dalí, ce dernier proposant la démolition du quartier gothique de Barcelone, l'abolition de la danse catalane – la sardane – et toute autre référence régionale.
González reprend contact avec Picasso. Les deux artistes collaboreront à divers projets de sculptures en métal, dont celles d'un monument à Apollinaire.

Avril

24 avril : conférence de Junoy à l'Ateneo de Barcelone intitulée « Modernitat i avantguardisme » au cours de laquelle il cite Apollinaire et condamne toute forme liée au dadaïsme. Sebastià Gasch réagira dans la *Gaseta de les Arts* de juillet réclamant l'ouverture artistique de la Catalogne vers de nouveaux horizons.

Mai

1er-15 mai : exposition Miró – quarante et une œuvres dont les *Paysages imaginaires* – à la galerie Georges Bernheim et Cie, 109, rue du Faubourg-Saint-Honoré à Paris, organisée par Pierre Loeb. Succès critique et commercial. Le critique Waldemar George écrit dans *Presse* (16 mai) : « Il ne fait aucun doute que les origines de Miró et de Pablo Picasso présentent certains points communs […] Tous deux ont réagi contre le naturalisme. Il est évident que Picasso a attendu pendant de longues années avant de parvenir à imposer un art qui contrastait avec les habitudes acquises et qui arrêtait le cours d'une tradition homogène avec tout. En revanche, Miró s'est retrouvé sur un chemin défriché et un public prêt à admettre toutes les investigations et toutes les tentatives […] Miró abandonne le plan de la peinture, fin en soi, image ou bien équivalence de l'univers. Le monde dans lequel il évolue désormais est celui de la magie. »
13 mai : à l'Ateneo Le Centaure à Sitges, manifestation « Els 7 davant El Centaure » : série de conférences sur les tendances

littéraires et artistiques les plus modernes, animées par Carbonell, Foix, Dalí, Gasch, Montanyà, Cassanyes et Sànchez-Juan, publiées dans *L'Amic de les Arts*. Gasch commente le « véritable sens de l'avant-gardisme » en ces termes : « Plus que l'appellation d'art moderne, d'art d'avant-gardiste, il faudrait choisir celle d'art pur, qui est celle qui convient véritablement à l'art d'aujourd'hui » (*L'Amic de les Arts*, 31 mai).
15-16 mai : invité sans doute par Rafael Benet et le jeune étudiant en architecture José Luis Sert, Le Corbusier en provenance de Madrid donne deux conférences à la Sala Mozart à Barcelone – la première, « Architecture, mobilier et œuvre d'art » ; la seconde, « Une maison, un palais ». Le Corbusier racontera plus tard : « J'ai reçu à Madrid un télégramme signé José Luis Sert (que je ne connaissais pas à l'époque) qui me donnait rendez-vous à dix heures du soir à la gare de Barcelone afin que j'aille sans perdre une minute donner une conférence dans quelque endroit de cette ville. A la gare, j'ai été reçu par cinq ou six jeunes gens tous de petite taille mais pleins de fougue et d'énergie. » Ces conférences, très suivies, connaissent un grand retentissement dans la presse barcelonaise : *La Publicidad* (18 mai) et *La Veu de Catalunya* (19 et 23 mai).
Le Corbusier déclare : « Dans cette ville magnifique de Barcelone pleine de puissance de vie, prête à un grand essor, il faut savoir tout envisager avec sérénité, puissance, foi et science. Le passé nous apprend qu'il faut tout abandonner, aller de l'avant. C'est donc une thèse anti conservatrice, anti académique et j'en conclus l'académie est l'ennemie, l'académie est la mort, l'académie prétend arrêter le temps, le temps renversant les académies passe et l'événement s'accomplit. Il me plaît d'exposer cette thèse en Espagne. » Josep Torres i Clavé et José Luis Sert commenteront les conférences de Le Corbusier dans la *Gaseta de les Arts* de juin.
Parallèlement, un Comité international pour la résolution des problèmes de l'architecture moderne – le CIRPAC – est fondé à Barcelone.

55

Juin

4-16 juin : exposition rétrospective
Juan Gris à la galerie Simon, présentant
soixante-six peintures de 1911 à 1927,
œuvres sur papier et livres illustrés.
Au Salon des Tuileries, le sculpteur
catalan Josep Clarà montre ses figures
destinées au monument de la place
de Catalogne à Barcelone.
Publication d'*El Romancero gitano* de
Lorca qui entraînera la rupture avec Dalí.
Première exposition individuelle
à Paris de Llorens i Artigas à la galerie
A. M. Reitlinger.

56

Juillet

Dans *La Gaceta literaria*, parution d'une
première interview de Miró, suivie
d'une autre, réalisée en juin par le
journaliste Francesc Trabal à Barcelone,
plus importante, publiée dans
La Publicidad dans laquelle l'artiste
évoque ses premières années à Paris,
son évolution artistique. « Je crois que
parmi les peintres de ce pays, je suis

celui qui est le plus proche
de la Catalogne, même si je passe
de longs moments à l'étranger […]
Je peux vous assurer que c'est en
Catalogne que je suis le plus heureux,
à Montroig, à mon avis l'endroit
le plus catalan qui soit […] Mon œuvre
entière est conçue à Montroig et tout
ce que j'ai fait à Paris avait été conçu
à Montroig, sans jamais penser à Paris,
que je déteste. »
Lettre de Pierre Loeb à Miró qui
l'informe de l'acquisition de *Danseuse
espagnole* par Aragon et Breton.
Article de Dalí sur Joan Miró dans le
n° 26 de *L'Amic de les Arts*.

Octobre

6 octobre : ouverture du « Tercer Salo
de Tardor » à la Sala Parés, manifestation
liée au noucentisme. Seul élément
d'avant-garde : deux toiles de Dalí dont
l'une sera retirée par la direction.
Dix jours plus tard, Dalí prononce une
conférence polémique – qui sera
retranscrite dans les colonnes de
La Publicidad – sur « L'art català actual
relacionat amb el mès recent
de la jove intel·ligencia », au cours
de laquelle il s'attaque à l'art catalan
actuel anachronique, proche
de l'impressionnisme, et fait l'éloge
de Picasso et Miró.
Picasso travaille dans l'atelier de
González, rue Médéah à Paris, sur
un groupe de quatre sculptures linéaires
en fil de fer ; l'une d'entre elles sera
publiée dans la revue *Cahiers d'art* de
janvier 1929. González réalise les
premières maquettes pour le monument
à Apollinaire d'après les dessins réalisés
par Picasso à Dinard durant l'été.
Deux maquettes seront présentées
le 10 novembre au Comité
des amis d'Apollinaire qui les refusera,
les jugeant trop radicales.
La galerie Georges Bernheim montre
des œuvres de Gargallo (compte-rendu
de Carles Capdevila dans la *Gaseta de les
Arts*). Son travail est inclus dans l'étude
d'Adolphe Basler, *La Sculpture moderne en
France*, publiée aux éditions Crès.

Novembre

Les éditions Jeanne Bucher publient
l'ouvrage de Lise Hirtz, égérie du groupe
surréaliste, *Il était une petite pie*, avec des
illustrations au pochoir de Miró. Jean Hélion
organise une exposition des œuvres refusées
au Salon d'automne, à la galerie Marck,
avec une grande publicité.

Décembre

Préface de Waldemar George pour le
catalogue de l'exposition Torres-García,
à la galerie Zak. Ses jouets sont vendus
au Printemps.
Des dessins de Clarà illustrent
un ouvrage de Georges Denis consacré
à Isadora Duncan, récemment décédée.

1929

Présentation à la galerie Zak du premier
numéro de la revue *Art contemporain*
dirigée par Jan Brzekowski, à laquelle
collabore Torres-García qui a rejoint
le groupe d'artistes réunis par l'abstraction
géométrique.
Édition française de deux ouvrages
du critique Eugeni d'Ors : *Vie de Goya*
et *Coupole et monarchie*.
Publication de deux études sur Picasso :
une monographie par le galeriste et
collectionneur André Level, aux éditions
Crès, et *Picasso et la tradition française* par
Wilhelm Uhde, aux éditions des
Quatre-Chemins. Dans chaque livraison
de *Cahiers d'art* paraît une étude de
Christian Zervos, richement illustrée, sur
le travail récent de Picasso.
Parution à Barcelone de la première
monographie sur Gaudí.

Janvier

31 janvier : premier numéro de la revue
Mirador : agenda de littérature, d'art et de politique,
fondée par Amadeu et Victor Hurtado.
Parmi les collaborateurs figurent Aragon,
Català Pic, André Cayatte, Dalí, Ehrenburg,
Feliu Elias, Gasch, Paul Morand, Pere Quart,
Josep Sala, Soupault, Supervielle, Teixidor,
Tzara (quatre cent quatre numéros).

Février

La *Gaseta de les Arts* publie un article de Dalí sur la photographie dadaïste. Exposition de bronzes et terres cuites de Manolo à la galerie Simon, préface du catalogue par Daniel-Henry Kahnweiler. La livraison d'octobre de *L'Amour de l'art* commentera l'exposition en ces termes : « Les volumes d'une plénitude équilibrée [qui] rend encore plus curieuse la figure de cet espagnol qui crée suivant la norme française. »

Création de la revue *Hèlix* (le dixième et dernier numéro paraîtra en 1930) à Vilafranca del Penedès, particulièrement attentive au cinéma et à la musique.

Au palais de la Musique catalane est donné un concert de jazz par les pianistes français Jean Wiéner et Clément Doucet, point de départ de l'extension du jazz à Barcelone.

58

Mars

Le dernier numéro de *L'Amic de les Arts* (n° 31, 31 mars) est conçu par Dalí qui l'utilise pour livrer sa profession de foi surréaliste et présenter les « objets superréalistes, les objets oniriques ».

Avril

Deuxième voyage de Dalí à Paris, à l'occasion du tournage d'*Un chien andalou* de son ami Luis Buñuel, dont il a peint le portrait en 1924, le scénario ayant été écrit à Figueras en janvier. Aussitôt, il est introduit par Miró auprès de Tristan Tzara et du groupe surréaliste autour d'André Breton. Il fait aussi la connaissance du poète et marchand d'art belge Camille Goemans qui le présente à Paul Éluard. Dalí les invite à lui rendre visite dès l'été suivant à Cadaquès : Éluard et sa femme Gala – qui ne devait plus se séparer de Dalí –, le peintre Magritte, Goemans, Buñuel. Début de la publication d'une série de six articles de Dalí dans le journal de Barcelone *La Publicidad*, concernant les nouveautés parisiennes en art, littérature, musique, photographie, mode, cafés. Il présente ainsi ses amis Benjamin Péret, Miró, Magritte, Man Ray, Cocteau, Picasso, Goemans, Desnos, René Clair… Dans l'atelier de González, Picasso commence à travailler à *La Femme au jardin*, à l'origine destinée au fameux monument à Guillaume Apollinaire. Cette sculpture en fer soudé et peint, précédée de nombreuses études, sera terminée l'année suivante. José Luis Sert et ses amis montrent leur nouvelle conception de l'architecture en Catalogne à la galerie Dalmau. Sert envoie un compte-rendu à Le Corbusier : « Notre exposition a eu plus de succès que je n'osais l'espérer, surtout après les jeunes. Vos conférences de l'année dernière ont, vous le voyez, porté leur fruit ; on en a beaucoup parlé pendant l'exposition. »

Mai

18 mai : ouverture de l'Exposition universelle à Barcelone, apothéose du noucentisme et du monumentalisme. Mies van der Rohe réalise le Pavillon allemand pour lequel il dessine également le mobilier, emblème du rationalisme. Gargallo expose *La Danseuse* dans le pavillon des Artistes de style art décoratif, avec d'autres artistes catalans comme Llorens i Artigas, Ferrant i Granyer, Anglada-Camarasa. Un numéro spécial de *D'Aci i d'Allà* est consacré à l'exposition. La presse française se livre également à des études dont celle d'Arsène Alexandre dans *La Renaissance* sur la collection Piandura présentée à cette occasion à Barcelone, évoquant « le va-et-vient des Catalans avec Paris. On trouve les premiers arrivants, sur un quai de l'île Saint-Louis, où se trouvait l'atelier de Rusiñol. Son rôle fut immense dans le mouvement de la pensée et de l'art catalans. Le groupe de l'île Saint-Louis influença les nouveaux venus, Sunyer, Casas, Canals, Nonell tous animés d'une grande originalité de vision et d'une acuité dans le dessin […] C'est grâce à un collectionneur comme Piandura qui acheta leurs œuvres que la Catalogne put bénéficier de cet apport et profiter de son enrichissement. »

À Paris, la galerie Druet montre des œuvres du Catalan Marian Andreu qui expose régulièrement aux Salons d'automne et des Tuileries.

Juin

12 juin : projection privée du film *Un chien andalou*, de Luis Buñuel et Salvador Dalí, devant les surréalistes, au studio des Ursulines.

Septembre

Invité par Dalí à Cadaqués, Éluard rencontre le poète et critique J.V. Foix avec lequel il devait publier une *Anthologie bilingue du surréalisme*, annoncée à plusieurs reprises aux éditions de L'Amic de les Arts.

Octobre

Le n° 5 de la revue *Documents* présente un texte de Michel Leiris sur Joan Miró. Celui-ci s'installe avec sa femme Pilar Juncosa au 3, rue François-Mouthon jusqu'en 1932.

La projection d'*Un chien andalou* de Buñuel et Dalí chez les Noailles en septembre, pour Breton, Picasso, Zervos, Aragon, Le Corbusier, Goemans…, avant sa sortie officielle au Studio 28 le 1er octobre (projeté durant huit mois) fait sensation, alors que Dalí travaille déjà sur un autre film de Buñuel, *L'Âge d'or*, pour lequel sa participation sera réduite. González expose pour la première fois des sculptures en fer forgé au Salon d'automne.

Sert commence à travailler dans le bureau d'étude de Le Corbusier à Paris. 31 octobre-15 novembre : « Exposicion de arte moderno nacional i extranjero » à la galerie Dalmau, présentant cent cinquante-cinq œuvres de cinquante-cinq artistes. Torres-García joue le rôle de coordinateur à Paris, préface du catalogue par Magi A. Cassanyes avec des œuvres de Hans Arp, Serge Charchoune, Theo van Doesburg, Otto Freundlich, Luis Fernandez, Jean Hélion, Albert Lhote, Piet Mondrian, Vantongerloo, Josep Carbonell, Casanova, A. Ferrer, Grau Sala, Joaquim Torres-García…

Novembre

Article de Gasch dans *La Publicidad* sur les récents collages de Miró.
20 novembre-5 décembre : première exposition personnelle de Dalí à Paris, à la galerie Goemans, présentant onze peintures dont *Le Jeu lugubre*, acquis par Charles de Noailles, *Les Plaisirs illuminés* et des dessins, avec un catalogue préfacé par Breton qui déclare : « C'est peut-être, avec Dalí, la première fois que s'ouvrent toutes grandes les fenêtres mentales […] » L'artiste n'assiste pas à l'inauguration. Tériade en donne un compte-rendu sévère dans *L'Intransigeant* daté du 25 novembre.
Dans *Mirador* du 28 novembre, Josep Maria Sucre consacre un article à Josep Dalmau, illustré par un portrait du galeriste par Max Jacob.

DU 20 NOVEMBRE AU 5 DÉCEMBRE 1929

1 Le jeu lugubre - 1929 (coll. Comte de Noailles)
2 Les accommodations des désirs - 1929 (collect. A. Breton)
3 Les plaisirs illuminés - 1929
4 Le sacré-cœur - 1929
5 L'image du désir - 1929
6 Visage du Grand Masturbateur - 1929
7 Les premiers jours du printemps - 1929
8 Homme d'une complexion malsaine écoutant le bruit de la mer - 1929
9 Portrait de Paul Eluard - 1929
10 Les efforts stériles - 1926
11 Appareil et main - 1926 (coll. Paul Eluard)

Graphiques.

A LA GALERIE GOEMANS
49, RUE DE SEINE, PARIS (VIᵉ)
TÉLÉPHONE DANTON 65.21

59

Décembre

Dalí et Buñuel publient le scénario d'*Un chien andalou* dans le n° 12 de *La Révolution surréaliste*. Plusieurs tableaux importants de Dalí y sont reproduits. Dans le même numéro paraît la première version du *Second Manifeste du surréalisme* de Breton.
En note, dans la première livraison de la revue *Formes*, éditée par les Quatre-Chemins, Waldemar George signale : « Nous avons le plaisir d'informer nos lecteurs, qu'à partir de janvier, *Formes* publiera tous les mois une chronique d'Eugeni d'Ors. » En dépit de l'annonce d'un essai sur Picasso par Eugeni d'Ors, il semble que celui-ci ait rapidement abandonné cette collaboration.

1930

Janvier

À l'initiative de Gasch, Diaz-Plaja et Montanyà, la suite du « Manifest Groc » paraît dans l'unique numéro des fameux *Fulls Grocs*.

PROGRAMME

PARIS-BESTIAUX
film de D. ABRIC et M. GOREL.

UN FILM COMIQUE
Au Village
film de montage
de Leonid MOGUY.

UN DESSIN ANIMÉ SONORE
et
L'AGE D'OR
film parlant surréaliste
de Luis BUNUEL
Scénario de Luis BUNUEL & DALI
interprété par
GASTON MODOT
LYA LYS
Caridad de LABERDESQUE   Lionel SALEM
Max ERNST   Madame NOIZET
Liorens ARTRYAS   DUCHANGE
IBANEZ

11

60

Février

González expose ses sculptures en fer à la galerie de France, qui le prend sous contrat. Préface du catalogue par Louis Vauxcelles.
Dans *La Renaissance*, le critique Paul Sentenac souligne l'originalité de la conception et du matériau utilisé : le fer. Albert Marquet séjourne à Barcelone.

Mars

Premier numéro de la revue *Cercle et Carré* publiée par Michel Seuphor, avec un article de Torres-García : « Vouloir construire ».
7-14 mars : exposition personnelle de Miró à la galerie Pierre, où sont montrés les *Intérieurs hollandais* et les *Portraits imaginaires*, la série de *La Reine de Prusse*. Puis, du 15 au 22 mars, Pierre Loeb expose les peintures-collages réalisées par l'artiste durant l'été 1929.
À la galerie Goemans, exposition de collages intitulée « La peinture au défi », avec un texte-préface de Louis Aragon : œuvres de Dalí, Duchamp, Ernst, Gris, Miró (représenté par trois œuvres, reçoit la visite d'Alberto Giacometti, de Robert Desnos), Picabia, Picasso, Tanguy…
Acquisition par le vicomte de Noailles d'une toile de Dalí, *La Vieillesse de Guillaume Tell*, qui permet à l'artiste d'acheter une maison à Port Lligat près de Cadaqués.
22 mars : à l'Ateneo de Barcelone, Dalí déclare lors d'une conférence intitulée « Position morale du surréalisme » : « La révolution surréaliste est avant tout une révolution d'ordre moral. Nous tenons à contribuer à la destruction et au discrédit du monde sensible et intellectuel […] Nous devons salir tout ce qui ressemble à de bons sentiments, à des sentiments humanitaires. » Dalí cite en exemple l'une de ses œuvres les plus scandaleuses, *Parfois je crache avec plaisir sur le portrait de ma mère*. Le texte sera publié dans la revue *Hèlix* du 10 mai.

61

Avril

18 avril-1er mai : première exposition internationale, à la Galerie 23 à Paris, du groupe Cercle et Carré. Torres-García prononce une conférence pour encourager la réunion du cubisme, du néoplasticisme et du surréalisme.
Rencontre de Torres-García et Picasso dans l'atelier de Julio González. Ce dernier s'associe au groupe constructiviste sans jamais participer à leurs expositions.
Exposition d'architectes nationalistes autour de José Luis Sert à la galerie Dalmau.
Le numéro de la revue *Documents* est consacré à Picasso.

Mai

10 mai : à la Sala Mozart à Barcelone, Theo van Doesburg, auteur du manifeste « Art concret », publié en avril, prononce une conférence dans laquelle il s'oppose aux théories architecturales de Le Corbusier.

Juin

Dalí signe un contrat avec Pierre Colle, recommandé par Noailles.
25 juin : parution aux éditions Kra du *Second Manifeste du surréalisme* avec un frontispice de Dalí pour les éditions de luxe.
Picasso achète le château de Boisgeloup, près de Gisors dans l'Oise. Il y installera un atelier de sculpture l'année suivante.

Juillet

Publication de deux textes importants de Dalí : « L'âne pourri », dans le premier numéro du *Surréalisme au service de la révolution*, dans lequel l'auteur décrit le caractère paranoïaque et actif de la pensée, et *L'Amour et la Mémoire* aux Éditions Surréalistes. Ce dernier ouvrage est salué avec admiration par André Breton.
18 juillet : José Luis Sert adresse une lettre à Le Corbusier qui projette un voyage en Espagne avec son frère Albert, son cousin Pierre Jeanneret et Fernand Léger. Sert leur établit un circuit de visite passant par Barcelone. Léger écrira : « Dans ce pays du baroque, Gaudí est empereur. Je connais trois manifestations étonnantes de l'esprit humain : les Pyramides, la Tour Eiffel et l'église de la Sainte Famille de Barcelone. »

Et lorsque l'on songe que cette fantaisie cyclopéenne n'a pu naître que grâce aux subsides des habitants qui ont fait offrande et confiance à leur "Fou national", c'est admirable. Cet homme est l'incarnation du génie espagnol moderne. Il est le seul à avoir conçu "vertical", à avoir défié le soleil [...] On se demande comment cela tient. Le Corbusier me dit *Cela tient et tiendra longtemps* » (*L'Intransigeant*, 3 novembre 1930). Durant l'été, Miró réalise ses premières constructions en bois, fer et objets.

Août

Le jeune poète René Char s'embarque à Marseille avec Paul Éluard – qui écrit durant la traversée « À toute épreuve » – et Nusch (Maria Benz) pour Barcelone. De là, ils se rendront à Cadaqués chez Dalí.

Automne

À la demande du jeune éditeur Albert Skira, Picasso grave une trentaine d'eaux-fortes destinées à illustrer *Les Métamorphoses* d'Ovide, qui seront publiées l'année suivante, et commence la *Suite Vollard*, commande du marchand Ambroise Vollard. Picasso et González travaillent ensemble dans l'atelier du sculpteur sur des œuvres en fer assemblé et soudé. Picasso introduit des objets trouvés dans ses sculptures.

62

Novembre

Publications aux Éditions Surréalistes de *L'Immaculée Conception* d'André Breton et Paul Éluard, avec une couverture et un frontispice illustrés par Dalí, suivi le mois suivant de *La Femme visible* de Dalí.
28 novembre-3 décembre : projection du film de Buñuel et Dalí *L'Âge d'or* au Studio 28 à Paris. À cette occasion, trois collages de Miró sont présentés dans le foyer avec des œuvres de Dalí, Arp, Ernst, Man Ray, Tanguy qui seront endommagées

le dernier jour par une manifestation antisémite de la Ligue des patriotes.
Fondation du GATCPAC (Groupe d'architectes et techniciens catalans pour le progrès de l'architecture contemporaine), section catalane du GATEPAC (Groupe d'architectes espagnols pour l'architecture moderne) créé à la fin du mois d'octobre, par José Luis Sert et Josep Torres i Clavé, épigones de Le Corbusier. Le GATCPAC partagera son local d'exposition permanente, 99, Passeig de Gracia, avec le groupe ADLAN à la fin de l'année 1932.
Cessation des activités de la galerie Dalmau qui retrouvera un local au sous-sol de la librairie Catalonia en décembre 1933.
Le peintre Angel Planells, originaire de Cadaqués et proche de Dalí, édite un pamphlet, *Critics infal·libles*, proche du « Manifest Groc », prenant la défense des œuvres de Miró et Dalí soutenus par son ami Sebastià Gasch et s'opposant aux idées de Joan Sacs et Rafael Benet.

Décembre

À la galerie de Léonce Rosenberg, exposition Francis Picabia présentant une soixantaine d'œuvres.
Les éditions de la Montagne publient l'ouvrage de Tristan Tzara *L'Arbre des voyageurs*, illustré de quatre lithographies de Joan Miró.

1931

Janvier-février

30 janvier-14 février : exposition « Peintures de Torres-García » à la galerie Jeanne Bucher, visitée par Miró qui travaille sur des peintures-objets. Paul Sentenac écrira : « Torres Garcia mérite d'avoir à Paris le succès qu'il a déjà obtenu dans les autres capitales latines et du Nouveau Monde » (*La Renaissance*, février).
Dans la revue *Cahiers d'art*, un article de Tériade commente le développement de l'œuvre de Francisco Borès.
À Barcelone, création de la revue *A.C., Documentos de actividad contemporánea*

(vingt-cinq numéros jusqu'en 1937),
à laquelle collaboreront Cassanyes,
Gasch, Sert, Le Corbusier, Mies van der
Rohe, Neutra…
À Paris, fondation du groupe Abstraction-
Création avec Arp, Gleizes, Herbin,
Hélion, Van Doesburg, qui lanceront la
revue du même nom l'année suivante.

Avril

14 avril : chute du gouvernement
de Primo de Rivera. À la suite des élections
municipales, l'autonomie de la Catalogne
est proclamée. Francesc Macià forme un
gouvernement provisoire.

Juin

3-15 juin : importante exposition Dalí
à la galerie Pierre Colle, où sont présentés
Le Jeu lugubre, *Guillaume Tell* (collection
André Breton), *La Profanation de l'hostie*…
26 juin-9 juillet : à la galerie Billiet
de Pierre Worms, au 30, rue La Boétie,
le Foyer catalan dirigé par Pau Planas
présente des œuvres d'une trentaine
d'artistes catalans, parmi lesquels
Casanellas, Clarà, Fenosa, Gargallo,
Julio González, Joan Junyer, Manolo,
Maragall, Miró, Picasso, J. M. Sert,
Togores, M. Tusquellas, Joan Vidiella,
Torres-García…
Dans le n° 3 de *Cahiers d'art*,
une étude de Giedion sur l'architecture
contemporaine en Espagne donne
un commentaire particulier sur
la « maison de rapport » construite par
José Luis Sert à Barcelone en 1930,
accompagné de plans et de
photographies.
La galerie de France expose dix-sept
œuvres de González.
À la galerie Georges Bernheim
est présentée une exposition Francisco
Borès – installé à Paris depuis 1924 –,
montrant des peintures de 1927 à 1931.

Juillet

Deux expositions sont consacrées
à Picasso : peintures, pastels, dessins, à la
galerie Percier ; les œuvres de grandes
dimensions, à la galerie
Paul Rosenberg (1er-21 juillet).

Septembre

18 septembre : à la Sala Capsir à
Barcelone est organisée une série
de conférences autour des relations entre
marxisme et surréalisme, à laquelle
participent Salvador Dalí, René Crevel
(en séjour à Port Lligat), Miravitlles,
poète ami d'enfance de Dalí…
René Crevel écrit à Marie-Laure de
Noailles : « Enfin, je connais Cadaquès,
j'y habite, j'y travaille. Dalí peint, écrit
et nous surprend à chaque minute. Il écrit
un poème sur Guillaume Tell et travaille
à *L'Homme invisible*, un très grand grand
tableau intérieur qui sera pour vous. »
Le séjour de Crevel à Cadaquès, puis
les journées de Barcelone, constitueront
le matériel de base pour la rédaction
de l'ouvrage-pamphlet *Dalí ou l'anti-
obscurantisme*, rédigé peu de temps après
à Vernet-les-Bains, dans lequel l'auteur
évoque sa visite de Barcelone avec Dalí.

63

64

Octobre

Installation de Remedios Varo à Paris.
La galerie Percier montre les toiles récentes de
Sunyer et la galerie Georges Petit présente des
œuvres de Dalí, Masson, Miró, Torres-García…
Dans le n° 7-8 de *Cahiers d'art*, Folch i Torres
présente « Les miniatures des commentaires
aux Apocalypses de Gerona et de Seu
d'Urgell », et Georges Hugnet, dans son article
« Joan Miró ou l'enfance de l'art », analyse
les sculptures-objets de Miró présentées
à la galerie Pierre : « Miró est espagnol,
catalan surtout, et sa peinture ressemble
à son hérédité. En elle transparaît tout ce qui
l'a toujours entouré depuis sa jeunesse […]
Son inspiration, inconsciemment, s'apparente
à celle des objets populaires stylisés
des Catalans : animaux, sifflets, vases coloriés
de couleurs crues. »

Novembre

Daniel-Henry Kahnweiler se sépare
de Manolo et de Togores : « J'ai pris
Togorès sans le sou et inconnu, il y a onze
ans. Je le quitte, mais avec de l'argent
et connu », écrit-il alors à Max Jacob.
12-17 novembre : la galerie Jeanne Bucher
expose les aquarelles originales que Francis
Picabia a composées pour illustrer *Le Peseur
d'âmes* d'André Maurois pour les éditions
Antoine Roche.

Décembre

18 décembre-8 janvier : exposition
« Sculptures-objets » de Joan Miró à la
galerie Pierre. *Cahiers d'art* en donne
ce commentaire : « Miró confirme ce que le
génie de Picasso nous avait déjà démontré,
qu'au regard de l'art tous les objets sont
égaux. » Le chorégraphe Léonide Massine
lui commande les décors et costumes de
Jeux d'enfants pour les Ballets russes, qui sera
présenté l'année suivante à Monte-Carlo
et Paris.
À la galerie Percier, présentation d'œuvres
de Torres-García.
Une place importante est réservée à Dalí
dans les nos 3 et 4 du *Surréalisme au service
de la révolution*, avec les textes célèbres
« Objets surréalistes » et « Rêverie ».
L'artiste est vivement critiqué par le parti
communiste mais soutenu par Breton.

1932

Au cours de l'année, Miró est introduit auprès de l'architecte catalan José Luis Sert par l'intermédiaire de Joan Prats.
Dans la revue *A.C.*, Luis Fernandez écrit sur González : « L'œuvre de González est un des éléments les plus solides et les plus beaux de l'édifice de l'avenir que construit actuellement une jeunesse que l'Espagne ne connaît pas, alors qu'elle sait tout de ses imitateurs. »

65

Janvier

Miró s'installe dans la maison de ses parents, Passatge del Credit à Barcelone, pour des raisons financières :
« La pièce qui désormais me servira d'atelier est la même chambre où j'ai vu le jour. Ceci, après une vie mouvementée et d'avoir plus ou moins réussi, me paraît fort curieux et digne de vous le faire connaître », écrit-il à Zervos. Peu à peu, il s'éloigne du groupe surréaliste.
Première exposition de céramiques de Llorens i Artigas à la Sala Parés à Barcelone.

Février-mars

À l'Institut d'art et d'archéologie à Paris, Feliu Elias prononce deux conférences sur les artistes catalans : le 27 février, il présente « Le naturalisme : Lluis Rigalt, Marti Alsina, Joaquim Vayreda », et le 2 mars, « Le réalisme et l'académisme : Antoni Caba, Simo Gomez ».

Exposition personnelle de Torres-García à la galerie Pierre, la dernière avant son départ – causé par la crise économique – pour Madrid avec Luis Fernandez, puis Montevideo en 1934.
29-31 mars : réunion du CIRPAC à Barcelone chargé de préparer le prochain CIAM (Congrès international d'architecture moderne) qui doit se tenir l'année suivante à Athènes. Délégués espagnols : Mercadal et Sert ; délégué français : Le Corbusier. Ce dernier donne deux conférences, dont l'une au Salon de Ciento devant le président de la Generalitat, Francesc Macià, expose ses conceptions d'urbanisme faisant référence aux projets de la ville de Barcelone et rencontre Macià qui accepte ses propositions. Le Corbusier commence à dessiner des projets d'urbanisme pour la ville qui le conduiront au fameux Plan Macià destiné à l'expansion de Barcelone et à la restructuration du vieux centre. José Luis Sert servira d'intermédiaire entre Le Corbusier et Barcelone. La formulation définitive du Plan Macià sera présentée en 1934 à Barcelone et publiée en 1935 par Le Corbusier dans son ouvrage *La Ville radieuse*.
Projection du film russe *Le Chemin de la vie* à Barcelone.
De Cadaqués, Dalí écrit à Breton : « À Barcelone les films soviétiques arrachent l'enthousiasme délirant du public le plus bourgeois, des artistes les plus catholiques et conservateurs, ils disent qu'il s'agit de l'apologie de tout ce qui est sain. »
Invité par Maillol, Togores s'installe quelque temps à Banyuls.

Avril

À la galerie Percier, présentation de sculptures et aquarelles de Julio González.
Maurice Raynal, auteur de la préface du catalogue, écrira dans *L'Intransigeant* (8 mai) : « Le sculpteur catalan montre toutes les ressources de cette technique du fer qui lui a permis de créer des ensembles d'une étonnante poésie plastique. »

Dans *La Publicidad* du 5 avril, Sebastià Gasch explique les raisons de sa rupture avec Dalí.
Premier séjour de la photographe autrichienne Margaret Michaelis à Barcelone, où elle réalise un reportage sur le Barrio Chino publié dans la revue *A.C.*

Mai

26 mai-17 juin : exposition Dalí à la galerie Pierre Colle à Paris, peintures et premiers objets surréalistes.
Le poème d'Éluard intitulé « Salvador Dalí » constitue la préface du catalogue.

Juin

Miró assiste à la première de *Jeux d'enfants* au théâtre des Champs-Élysées.
Il écrit à son ami Josep Vicenç Foix : « Mon ballet *Jeux d'enfants* fut un grand succès. Je pense qu'ils seront à Barcelone à la fin de septembre. Je pense qu'il serait intéressant de connaître les activités catalanes ici pendant le mois de juin : exposition Dalí, *Jeux d'enfants*, exposition Picasso (250 peintures). Activités Catalanes qui font bonne impression. »
16 juin-30 juillet : première rétrospective Picasso à la galerie Georges Petit. L'artiste sélectionne deux cent trente-six œuvres réalisées entre 1901 et 1932.
Cahiers d'art lui consacre un numéro spécial avec des textes d'Apollinaire, Salmon, Stravinski, Zervos…

Juillet

Publication à Paris du scénario de *Babaouo*, film surréaliste, dans lequel Dalí expose sa conception du cinéma. Breton, admiratif, se rendra chez Dalí à Cadaqués fin août.
Hans Arp visite Barcelone pour la première fois.

Septembre

La Catalogne bénéficie d'un statut d'autonomie avec la création de la Généralité de Catalogne. Ce statut sera suspendu au printemps 1934.

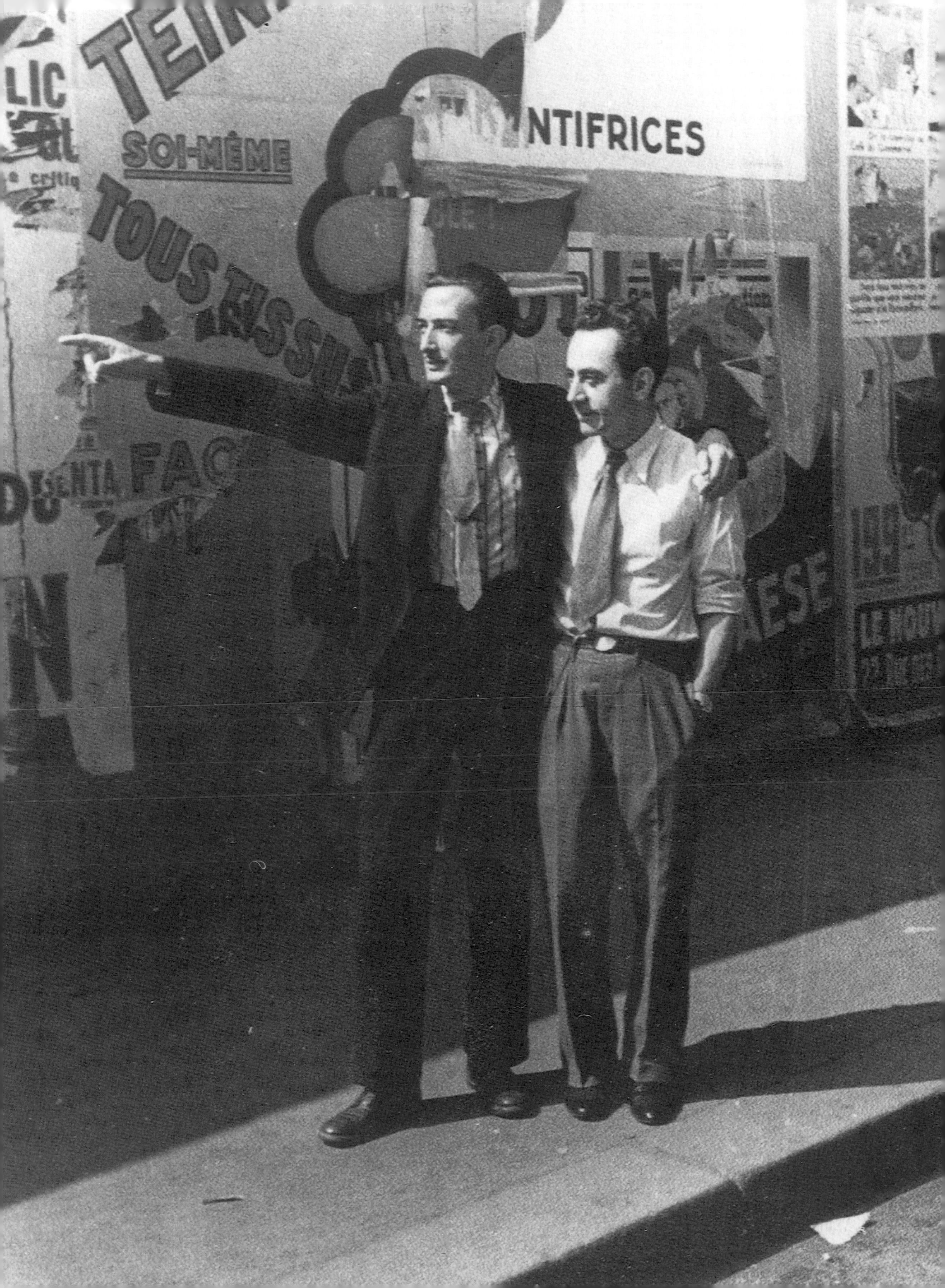
TEIN
SOI-MÊME
TOUS TISSUS
NTIFRICES

Octobre

Publication du premier volume
du catalogue raisonné de l'œuvre
de Picasso par Christian Zervos
aux éditions Cahiers d'art.
23 octobre : création, à Barcelone,
de l'association ADLAN
(Amics de l'Art Nou) – «groupe d'amis
ouvert à toutes les nouvelles inquiétudes
spirituelles», comme il est spécifié
dans leur manifeste. Le premier comité
directeur comprend Joan Prats,
Eduard Montenys et Daniel Planes,
qui sera remplacé par José Luis Sert,
et les membres fondateurs regroupant
des critiques tels J.V. Foix, Sebastia Gàsch,
Lluis Montanyà, Magi Cassanyes,
des artistes comme Joan Miró, Salvador
Dalí, Angel Ferrant, des galeristes
et la plupart des architectes du GATCPAC.
Le Gran Café Colon de la place
de Catalogne abritera leurs réunions,
fortement marquées par l'esprit surréaliste
de Breton. L'association publiera
l'ouvrage *KRTU* de Foix avec des
illustrations de Miró.

Novembre

À la galerie Syra à Barcelone,
exposition des œuvres récentes
de Miró, organisée par le groupe
ADLAN : petites constructions
à partir d'objets trouvés en bois brûlé,
fil de fer rouillé, os, pierres polies.
Dans *La Publicidad* du 30 novembre,
Sebastià Gasch écrit : «Grâce à l'ADLAN,
les œuvres les plus récentes
du Miró actuel, totalement inconnu
à Barcelone, ont été présentées
en privé dans notre ville, deux jours
avant d'être emballées et acheminées
à Paris où elles seront exposées dans
l'une des galeries les plus importantes.»
L'exposition concernée est celle qui
se tiendra à la galerie
Pierre Colle, rue Cambacérès à Paris,
au mois de décembre, montrant peintures
et objets récents.
Première présentation de l'artiste
chez Pierre Matisse à New York
par les interventions de Pierre Loeb
et Christian Zervos.

1933

Février

À l'occasion de la présentation,
à la galerie Syra, du «plus petit
cirque du monde» d'Alexander Calder,
l'artiste se rend à Barcelone.

Mars

23 mars : visite de Breton accompagné
d'Éluard chez Picasso, probablement
en vue de l'article qu'il prépare pour la
nouvelle revue *Minotaure*, éditée par
Albert Skira et dirigée par Tériade, dont
les deux premiers numéros paraîtront
en juin avec un texte important de Breton,
«Picasso dans son élément», illustré
de photographies prises par Brassaï dans
l'atelier de la rue La Boétie en
décembre 1932, et un texte de Dalí
sur *L'Angélus* de Millet intitulé
«Interprétation paranoïaque-critique
de l'image obsédante». La couverture
sera composée et illustrée d'un collage
réalisé par Picasso.
À Lérida, la revue *Art : revista internacional
de les arts* émet son premier numéro
(sur les dix publiés jusqu'en 1934), sous
la direction d'Enric Crous Vidal.
Des traductions de Cocteau, Éluard
et Tzara y seront publiées.

Mai

Présentation du ballet *Jeux d'enfants*
au Liceu de Barcelone.

Juin

Sous l'égide de l'ADLAN, Miró expose
à Barcelone, dans la maison de Sert,
ses récents collages, qu'il montrera
à la galerie Georges Bernheim à Paris
en novembre, avec l'aide de Pierre Loeb.
Il participe également avec quatre
objets à l'«Exposition surréaliste» chez
Pierre Colle, où une place importante
est donnée aux «objets» surréalistes au
sein des peintures, dessins et collages :
œuvres de Dalí, Duchamp, Ernst, Hugo,
Magritte, Picasso, Man Ray, Tanguy,
Giacometti.
13-25 juin : exposition de six dessins
d'André Masson à la galerie Jeanne
Bucher, dont cinq esquisses pour
Sacrifices, album d'eaux-fortes
avec le texte de Georges Bataille,
à paraître aux éditions Jeanne Bucher
(mention portée sur le carton
d'invitation ; en réalité, l'ouvrage
paraîtra en 1936 aux éditions GLM,
Guy Levis-Mano).
Publication dans *Cahiers d'art*
(vol. 8, n° 5-6) d'extraits du livre
de Kahnweiler sur Gris, paru en
allemand en 1929.
Premier numéro de la revue catalane
Art de la Llum consacrée à la
photographie.

ÉTÉ

Marcel Duchamp se rend à Cadaqués
avec Mary Reynolds et invite
le sculpteur Constantin Brancusi à venir
les retrouver : «Nous avons loué une
maison pour un mois et si tu viens
nous pourrions te loger […]», écrit-il à
Brancusi, qui ne peut les rejoindre
car son visa pour l'Espagne lui a été
refusé. Visite de Barcelone par Duchamp :
il propose à Man Ray de venir
photographier les maisons modernistes
de la ville. Ces photographies des
réalisations de Gaudí à Barcelone seront
publiées dans le n° 3 de la revue
Minotaure au mois de décembre,
en illustration de l'article demandé
à Dalí par Breton et Éluard,
«De la beauté terrifiante et comestible
de l'architecture modern'style», dans
lequel l'artiste fait l'éloge de Gaudí
et de la Sagrada Familia.
Jean Metzinger s'installe à Tossa
de Mar pour quelques mois.
Fin août : Picasso séjourne à Barcelone
avec Olga et leur fils Paulo, visite
le musée public de Sitges inauguré
le 16 avril.
Invité par le Conference Club,
association culturelle barcelonaise
fondée en 1929, chargée de
promouvoir la culture, Paul Valéry
se rend à Barcelone, de même
que le musicien Edgar Varèse qui
rencontre Miró.

Septembre

18 septembre : René Crevel
donne une conférence intitulée
« Esprit contre raison »,
à la Sala Capsir à Barcelone.
Publication des mémoires de Fernande
Olivier, *Picasso et ses amis*, dont Picasso
avait tenté d'empêcher la parution.

Octobre

La Publicidad annonce la parution
en catalan d'une *Anthologie du surréalisme*
sous la direction de Paul Éluard, illustrée
par Ernst, Dalí, Miró, Tanguy, Giacometti :
l'ouvrage ne sera finalement jamais publié.

Novembre

24 novembre-4 décembre :
Sert retourne à Paris
pour travailler avec Le Corbusier
sur le plan de Barcelone.

Décembre

Dans le n° 3-4 de la revue *Minotaure*,
neuf dessins de Miró sont représentés
sous le titre « La légende du Minotaure
par Joan Miró », réponse à une enquête
auprès d'artistes de la jeune génération
tels que Borès, Miró, Dalí à la suite
de l'essai de Tériade sur « L'émancipation
de la peinture » orientée vers le hasard,
la spontanéité.
8-21 décembre : sous le parrainage
de l'association ADLAN, Dalí présente
ses œuvres récentes à la galerie-librairie
Catalonia (nouveau lieu d'exposition
de Josep Dalmau), dont *L'Énigme de
Guillaume Tell*, ainsi que les photographies
prises par Man Ray d'une série
d'eaux-fortes commandées par l'éditeur
Albert Skira pour illustrer *Les Chants
de Maldoror* de Lautréamont.
Man Ray expose lui-même six
photographies. Le grand succès public
de l'exposition provoque une polémique
dans la presse autour de la « légitimité
du surréalisme dans les arts plastiques ».
Picasso et Manolo se retrouvent à Barcelone.
Dans la revue internationale des arts
plastiques *Formes*, n° 32, Jean Cassou
publie une étude consacrée à « Gaudí
et le baroque ».

1934

Dans le but de réaliser un reportage, Dora
Maar se rend à Barcelone et photographie
des façades de maisons, celle de la Sagrada
Familia de Gaudí, le parc Güell, des scènes
de rues, puis à Tossa de Mar.

Janvier

À Barcelone, Miró travaille depuis
deux années au 4, Passatge del Credit,
effectuant de brefs séjours à Paris
à l'occasion de ses expositions.

Février

Exclusion de Dalí du groupe surréaliste
par André Breton et ses disciples, « coupable
à diverses reprises d'actes contre-
révolutionnaires tendant à la glorification
du fascisme hitlérien ». Dalí veut persuader
les surréalistes que l'hitlérisme est un
phénomène paranoïaque et écrit à Breton :
« Les bruits de ma conversion à l'hitlérisme
ayant arrivé jusqu'aux milieux
révolutionnaires et intellectuels de
Barcelone je profite l'invitation de faire
une conférence à "l'Ateneo popular"
pour défaire publiquement le malentendu
et en même temps faire la propagande
surréaliste. »

Mars

André Masson et Rose Maklès visitent
pour la première fois l'Espagne, durant
trois semaines.
25 mars : Miró écrit à Christian Zervos
pour le remercier de la parution prochaine
du numéro spécial de *Cahiers d'art* et
ajoute : « Bien entendu je n'ai nullement
l'intention de me fixer à Paris plus jamais.
En ces moments de dépression
le pessimisme que l'on y respire anéantit
maintes activités […] » Miró ne reviendra
vivre à Paris qu'en octobre 1936,
trois mois après le début de la guerre civile.
Installation à Barcelone de Margaret
Michaelis qui collabore avec les architectes
du GATCPAC. Son travail est publié
régulièrement dans la revue *A.C.*
Elle quittera la ville au cours de l'année
1937 pour Paris puis Londres.

Avril

Le collectionneur André Level, qui acquit
un *Arlequin* (ou Pierrot) de González lors
de la vente de la collection des
Cahiers d'art un an auparavant, expose
dans sa galerie Percier des sculptures et des
aquarelles de l'artiste, avec un catalogue
préfacé par Maurice Raynal qui le
surnomme « le plasticien du vide ».
5 avril : conférence de Dalí à Barcelone
sur le surréalisme, dans le cadre d'un cycle
organisé par l'Ateneo enciclopedico
popular de la ville. Pour la prochaine
livraison, le mois suivant, de la revue
Minotaure, Dalí envoie à Breton son texte
« Les nouvelles couleurs du sex-appeal
spectral » qui sera accompagné
de photographies de Man Ray prises
à Cadaqués, dont *L'Énigme de Guillaume Tell*.
Dans le même numéro paraîtra un article
de Tériade sur la création plastique
actuelle, illustré de sculptures de Gargallo.
Dans la livraison de *L'Amour de l'art*
consacré à l'histoire de l'art contemporain,
Jean Cassou et René Huyghe commentent
la participation des artistes catalans :
Dalí, Miró, Picasso, Sunyer, Nonell, Gaudí,
Sert…

Mai

Albert Skira publie *Les Chants de Maldoror*
de Lautréamont avec quarante-deux eaux-
fortes originales de Dalí. Parallèlement,
celles-ci sont présentées à la galerie
des Quatre-Chemins à Paris, ainsi que
trente dessins, accompagnés d'un texte
de Dalí sur *L'Angélus* de Millet.
À la bijouterie Roca, à Barcelone,
le groupe ADLAN présente une collection
de cent quarante et une cartes postales
modern style, à la fois naïves et perverses.
Début de la construction à Castelldefels
de la « Ville de repos et de vacances »
du GATCPAC, partie intégrante du Plan
Macià. Elle sera interrompue en 1937.

Juin

Un numéro spécial de la revue *Cahiers d'art*
(vol. 9, n° 1-4) est consacré à Miró : deux
lithographies en couleurs, de nombreuses
reproductions illustrent les textes de
Christian Zervos, Robert Desnos, Ernest

Hemingway, Georges Antheil, Vicente
Huidobro, Léonide Massine, Josep Vicenç
Foix, Jacques Viot (premier directeur
de la galerie Pierre), René Gaffé, Maurice
Raynal… Parallèlement, une exposition
de ses œuvres est présentée rue du Dragon,
au siège de la revue.
20 juin-30 juillet : la galerie Jacques
Bonjean présente des œuvres de Dalí.
Retour d'André Masson et
Rose Maklès en Catalogne. Ils louent
une maison à Tossa de Mar : « Je me suis
exilé en Espagne après les troubles
fascistes de février 1934. Mais cela fait
partie des ironies de la vie :
j'ai fui le fascisme pour me réfugier
dans un pays qui allait être fasciste »,
écrira Masson.

ÉTÉ

Le GATCPAC expose le plan
de Barcelone dans le sous-sol de la place
de Catalogne à Barcelone.
André Masson écrit à Daniel-Henry
Kahnweiler le 26 juillet :
« Je suis heureux de vous écrire
que Tossa est favorable à mon travail.
La campagne qui l'entoure est belle,
vraiment pastorale et c'est ce que nous
souhaitons pour quelques mois au moins.
La couleur de mes tableaux
est différente des derniers faits à Paris,
quant à leur esprit j'espère
qu'ils montrent un contact plus intime,
plus profond avec la nature
(je n'ose pas écrire l'Univers),
donc un grand pas en avant.
» Premier séjour des Leiris chez Masson.
Il rencontre Chagall, aussi en vacances
à Tossa. Fin septembre, Masson écrira
à son marchand : « Je désire rester à Tossa
le plus longtemps possible parce que
j'aime ce pays et qu'il est très favorable
à ma peinture. »
Miró réalise un collage en hommage
à Joan Prats, son ami de jeunesse et son
premier collectionneur.
À l'occasion d'un voyage en Espagne,
Picasso se rend à Barcelone, visite
le musée d'Art catalan où des peintures
romanes d'églises viennent d'être
transférées.

67

Octobre

6 octobre : proclamation
de la République catalane
par le président de la Généralité.
Émeutes à Barcelone suivies
de nombreuses arrestations.
André Masson, venu à Barcelone
raccompagner Laurence Bataille,
nièce de sa femme, est surpris
par l'atmosphère d'insurrection
qui règne dans la ville et se réfugie
chez le peintre Pere Pruna.
Seconde exposition Dalí à la galerie
Catalonia, réduite à cinq peintures.
L'artiste devait prononcer
une conférence sur « Le mystère
surréaliste et phénoménal de la table
de nuit ». Elle est annulée en
raison de la grève générale mais
en partie publiée sous forme
d'interview dans *Mirador* daté du
18 octobre. Dans la revue barcelonaise
Art, article de Rafael Benet, peintre
et critique d'art de *La Veu de
Catalunya*, intitulé « Tossa, Babel
de les arts », illustré notamment
de peintures de Masson et de
photographies avec Georges Duthuit.
Benet y présente les poètes, critiques
d'art, peintres, philosophes qui
viennent passer l'été à Tossa de Mar.
Duthuit quittera Tossa le 10 novembre
pour Barcelone où il compte
séjourner un mois, écrit Masson
à Kahnweiler.

Novembre

Une exposition des sculptures
de González est organisée par Yvonne
Zervos à la galerie Cahiers d'art.

68

Décembre

André Masson et Rose Maklès
se perdent une nuit dans les montagnes
de Montserrat. Cette expérience donnera
naissance à plusieurs poèmes et peintures
dont *Aube à Montserrat*. « Pour quelques
jours à Montserrat – paysage prodigieux
que vous devez connaître […] j'en
rapporterai des dessins », écrit Masson
à Kahnweiler le 28 novembre, puis le
23 décembre : « Dans l'ensemble je suis
content de mon travail à Tossa. Je crois
que la plupart de ces tableaux sont
poussés plus loin que ceux du
commencement de l'année. » Joan Miró
et Georges Duthuit sont témoins du
mariage d'André Masson et de Rose
Maklès, célébré fin décembre à Barcelone.
7-21 décembre : exposition Pablo
Gargallo à la Sala Parés qui aura une
grande répercussion. L'artiste meurt
quelques jours plus tard, le 28 décembre,
à Reus et sera enterré sur la colline
de Montjuïc.
Le numéro spécial de *D'Ací i d'Allà*

réalisé par les associations GATCPAC et ADLAN, sous la direction de José Luis Sert et Joan Prats, présente de façon synthétique les tendances de l'art moderne largement illustrées : fauvisme, cubisme, néoplasticisme, constructivisme, surréalisme, architecture et urbanisme, les Ballets russes. Contribution de Christian Zervos, pochoir de Miró qui réalise également la couverture. Ce numéro permet une diffusion internationale du groupe catalan.

69

1935

70

Janvier

Georges Limbour, en séjour à Tossa de Mar chez André Masson, regagne Paris avec treize toiles et dix dessins et

aquarelles pour Kahnweiler, dont les études pour *Aube à Montserrat*.

Février

La galerie Pierre à Paris expose une série de papiers collés de Picasso datés de 1912 à 1914, avec un catalogue préfacé par Tristan Tzara.

Aristide Maillol se rend à Barcelone pour l'inauguration de l'exposition Togores à la Sala Parés. Après un passage marqué par le surréalisme, Togores revient au réalisme approuvé par Feliu Elias.

Mars

9-14 mars : dans les nouveaux locaux de la joaillerie Roca dessinés par Sert, l'association ADLAN organise une exposition des œuvres de Hans Arp, déjà représenté par un relief dans l'« Exposicion de arte moderno nacional i extranjero » à la galerie Dalmau en 1929. À la fin du mois, les jeunes sculpteurs,

membres d'ADLAN, Ramon Marinel.lo, Jaume Sans et Eudald Serra présentent leur travail imprégné de surréalisme à la galerie Catalonia.

71

72

Mai

A la Cité universitaire boulevard Jourdan, le collège d'Espagne organise une exposition d'artistes espagnols montrant des œuvres de Dalí, Gargallo, La Serna, Gris, Junyer, Maria Blanchard, Miró, Picasso, Vinès, González…

8-30 mai : Bataille séjourne à Tossa chez Masson. Celui-ci écrit à Kahnweiler : « Georges Bataille est enchanté par la Catalogne. » Masson et Bataille se rendent à Montserrat. Bataille écrit alors son journal *Les Présages* et achève *Bleu du ciel*, roman inspiré par l'insurrection de Barcelone – vécue par Masson quelques mois auparavant – et dans lequel il met en parallèle le soleil, la vie, le sacrifice et la mort.

29 mai-3 juin : exposition Man Ray organisée par ADLAN à la joaillerie Roca, présentant des peintures et des photographies. Cette manifestation donnera lieu à un article de Pere Català Pic dans *Revista Ford*.

Juin

La couverture du n° 7 de la revue *Minotaure* est conçue par Miró qui revient à Paris quelques jours, rencontre Breton dont il se rapproche à nouveau. Il montrera ses œuvres récentes à la galerie Pierre en juillet : série de peintures sur carton avec des cordes.

À Paris, la galerie des Quatre-Chemins organise une exposition de dessins surréalistes à laquelle participent Oscar Domínguez, Arp, Dalí, Picasso…

Le premier numéro de la revue littéraire *Quaderns de Poesia* présente des poèmes inédits de Paul Éluard.

Juillet

Kandinsky fait le projet de visiter Barcelone avant de se rendre aux Baléares. Miró lui envoie les adresses de José Luis Sert et de Joan Prats, mais le voyage sera annulé. André Masson est sollicité par Rafael Benet afin de donner une œuvre pour le futur musée de Tossa. Le 14 août, Masson écrira à son marchand D.-H. Kahnweiler : « Pour le musée de Tossa c'est fait je leur ai dit le plus aimablement possible que les

Musées n'étaient pas faits pour les artistes vivants, j'ai ajouté d'autres arguments plus ou moins agréables pour eux ; enfin il y a peu de chances pour que je trouve un jour la gloire en Catalogne », et dans la même lettre : « Je suis content de ce que Picasso a dit au sujet de ma vie en Espagne. » Picasso avait en effet déclaré à Kahnweiler, à propos de Masson, que son séjour en Espagne, et tout ce qui s'ensuit, était pour lui un sujet de contentement : « [...] en somme moi j'ai bien vécu en France, pourquoi est-ce que Masson ne vivrait pas en Espagne ? [...] »

La galerie Pierre accueille une exposition d'œuvres récentes de Miró.

Oscar Domínguez, Remedios Varo, Marcel Jean, Esteban Francés sont à Barcelone où ils réalisent une série de *Cadavres exquis*.

Automne

Séjour des Leiris à Tossa de Mar. Ils rentrent à Paris avec des tableaux de Masson dont le fameux *Aube à Montserrat*.

Nouvelle visite de Breton chez Picasso en vue de son prochain article « Picasso poète » pour le numéro spécial « Picasso 1930-1935 » de *Cahiers d'art* qui paraîtra l'année suivante.

Jaime Sabartés devient le secrétaire particulier de Picasso.

Au Salon d'automne, à Paris, est montrée une rétrospective de l'œuvre de Gargallo. À la fin de l'année, les Éditions Surréalistes publient *La Conquête de l'irrationnel* de Dalí. Une exposition de photographies de Man Ray est présentée à la joaillerie Roca à Barcelone.

1936

Janvier

Exposition individuelle de Picasso à la Sala Esteve à Barcelone (la première dans cette ville depuis 1912), organisée par le groupe ADLAN : une sélection effectuée par Jaime Sabartés, André Breton, Paul Éluard et Christian Zervos montre vingt-quatre œuvres dont seize peintures des périodes bleue, rose et néo-classique, accompagnée d'un catalogue richement documenté et illustré. Le jour de l'inauguration, le 13 janvier, sont lus des textes de Julio González, Salvador Dalí, Luis Fernandez, et des écrits de Picasso par Miró et Sabartés. Le 17 janvier, Éluard, accueilli avec Nush par Miró et Sert à leur arrivée à Barcelone, donne une conférence à la Sala Esteve sur Picasso, « Picasso selon Éluard, selon Breton et aussi selon lui-même », puis deux conférences à l'Ateneo enciclopedico popular sur les positions sociales et politiques du surréalisme, notifiant la surréalité d'artistes catalans tels que Gaudí. Nombreux commentaires dans la presse dont le numéro spécial de *Cahiers d'art* (vol. 10, n° 7-10) consacré à « Picasso 1930-1935 », avec des textes de Breton, Dalí, Éluard, Fernandez, González, Miró, Man Ray, Sabartés, Zervos. González souligne la primauté de la sculpture dans l'œuvre de Picasso depuis les premières sculptures cubistes de 1908 : « Il voit tout en sculpteur », déclare-t-il.

À cette occasion, le critique J.V. Foix publie, dans *La Publicidad*, un article présentant les activités d'ADLAN, illustré d'un portrait d'Éluard par Picasso réalisé le 8 janvier.

Avant le départ d'Éluard pour Barcelone, Dalí lui précise : « Les Catalans sont surréalistes dans l'anarchie et dans le réalisme » et lui recommande de rencontrer García Lorca, « poète très important, il a fait des choses tout à fait surréalistes et sensationnelles ».

Masson réalise une série de dessins sur les corridas.

Dans *L'Amour de l'art*, publication de la traduction d'un texte d'Eugeni d'Ors, « Pour une science des formes ».

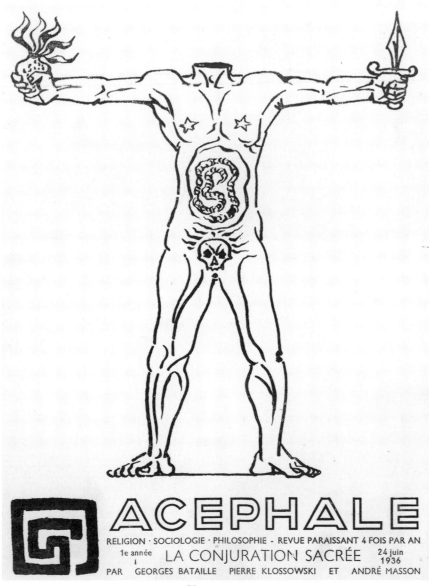

73

Février

Exposition «L'Art espagnol contemporain» (peinture et sculpture) au musée du Jeu de paume à Paris, organisée par la Société des artistes ibériques, placée sous le patronage du comité France-Espagne. Un texte de Jean Cassou présente la peinture espagnole en ces termes: «Les Espagnols sont nés pour peindre [...] Cette passion organıque, cette violence, cet emportement de tout l'être penché sur sa toile, sur ses outils, sur ses matières, sur le mouvement qui s'imprime à des figures excessives, à des ciels agités, à des objets plus durs, plus crus, plus pesants que ceux dont on use ou auxquels on se heurte dans la réalité, tout cela, on le retrouvera chez la plupart des peintres de cette exposition, à quelque école et à quelque temps qu'ils appartiennent.» Sont présentées plus de trois cents toiles et cent sculptures de cent vingt artistes dont Dalí, Gris (cinq peintures), Miró, Picasso (huit peintures et deux gouaches), Togores, et une vingtaine de sculpteurs dont Gargallo (treize sculptures), Julio González (six), Mateo Hernandez, Manolo (neuf)… « *Autre chose est de voir, autre chose est de peindre*, ce mot recueilli de la bouche du peintre espagnol Picasso nous fait découvrir toute la différence qu'il peut y avoir entre un art de contemplation et un art d'expression. Les Espagnols triomphent en ce dernier domaine. Picasso tout le premier le prouve

[…] Compagnon des plus hardis poètes et artistes de son temps, Pablo Ruiz Picasso a joué un tel rôle dans nos mouvements d'idées, nos innovations et nos modes qu'on en vient presque à oublier sa qualité d'espagnol […] On retrouvera également ici les jeunes espagnols qui à notre Surréalisme ont apporté leur note originale, en particulier Salvador Dalí, peintre mental, interprète des songes, catalan agile et paradoxal et introducteur chez nous du génie insolite de ce Gaudí qui, dernier des Baroques, fait errer notre imagination au-delà des confins du bon goût» (Jean Cassou).

Mars

Exposition des œuvres de 1934-1935 de Picasso à la galerie Paul Rosenberg. Signature du contrat chez l'éditeur Guy Levis-Mano entre Georges Bataille et André Masson pour le projet éditorial de *Sacrifices*.

Avril

Picasso commence une série de dessins, aquarelles et gouaches sur le thème du Minotaure.
Nouveau séjour de Georges Bataille chez André Masson à Tossa. Tous deux projettent la revue *Acéphale* pour laquelle Bataille écrit alors «La conjuration sacrée» qui paraîtra le 24 juin dans le premier numéro consacré à Nietzsche avec trois illustrations de Masson, auteur du dessin de la figure emblématique de l'acéphale retenu pour la couverture de la revue. Comme l'écrira Bataille dans «Propositions» (*Acéphale*, n° 2, janvier 1937), «la dualité ou la multiplicité des têtes tend à réaliser dans un même mouvement le caractère acéphale de l'existence, car le principe même de la tête est réduction à l'unité, réduction du monde à Dieu».
À Kahnweiler, Masson écrit: «Georges Bataille rapportera avec lui deux petites toiles inspirées par les corridas. Je les aime assez […] Pour s'en tenir aux corridas, les deux

74

grands tableaux *Corrida au soleil* et *Ayudado por Bajo* (c'est le nom espagnol d'une passe classique ; et la plus belle quand elle est réussie) sont autrement importants par leur esprit et leur réalisation qui m'a demandé beaucoup de temps […] J'ai eu aussi deux fois la visite P. J. Jouve, fixé à Barcelone pour quelque temps. »

Mai

Exposition Julio González à la galerie Pierre.
4-15 mai : première « Exposicio Logicofobista » à la galerie Catalonia, sous l'égide d'ADLAN, où figurent trente-neuf œuvres de quatorze artistes constituant le groupe surréaliste inscrit à ADLAN, dont Artur Carbonell, Leandre Cristofol, Esteve Francès, Ramon Marinel.lo, Jaume Sans, Remedios Varo… La préface du catalogue revient à Magi A. Cassanyes, critique d'art du *Monitor* et de *L'Amic de les Arts* qui avait rencontré Breton dès 1922 lors de sa conférence donnée à Barcelone. L'influence prédominante de Dalí dans les œuvres présentées fait l'objet de commentaires abondants dans la presse. La guerre, deux mois plus tard, interrompra les projets d'expositions surréalistes.
22-29 mai : à la galerie Charles Ratton, 14, rue de Marignan, « Exposition surréaliste d'objets » conçue par André Breton, qui réunit objets mathématiques, objets primitifs, objets trouvés et objets surréalistes. Picasso, Dalí avec son célèbre veston aphrodisiaque brodé de gobelets en cristal, Miró, Ferrant, Marinel.lo y sont présents. Un numéro spécial de *Cahiers d'art* est consacré à cette manifestation, abondamment illustré des œuvres exposées et comprenant des textes de Breton et Dalí.

Juin

Dalí compose la couverture du n° 8 de *Minotaure*, dans lequel paraît son article intitulé « Le surréalisme spectral de l'éternel féminin préraphaélite », ainsi que la reproduction de son tableau *Prémonition de la guerre civile* dans l'article de Tériade sur la peinture surréaliste. Dans cette même livraison figurent le texte de Georges Bataille *Bleu du ciel*, le poème d'André Masson « Du haut de Montserrat », écrit en

1934 et illustré par deux de ses œuvres dont *Aube à Montserrat*. Masson quittera l'Espagne et rentrera en France en septembre.
Naissance du Front populaire en France : gouvernement de Léon Blum, grèves importantes.

75

Juillet

À la galerie Cahiers d'art sont présentées des œuvres récentes de Picasso, González, Fernandez, Miró. Des sculptures de González et de Picasso sont en partie reproduites dans le n° 6-7 de la revue *Cahiers d'art*, ces dernières accompagnées d'un article de Julio González intitulé « Picasso sculpteur ».
Début de la guerre civile en Espagne : rébellion de la garnison de Barcelone le 19 juillet. Deux jours plus tard, formation d'équipes bénévoles destinées au sauvetage des œuvres d'art. Yvonne Zervos rejoint ces équipes et coopère au rassemblement dans le musée d'Art de Catalogne des objets appartenant aux églises de la province de Barcelone.
Arrivée à Madrid d'André Malraux qui offre ses services aux défenseurs de la République : il crée l'escadrille España. Malraux avait fait partie avec Jean Cassou de la délégation d'écrivains venus au mois de mai visiter l'Espagne et avait prononcé une conférence à l'Ateneo de Madrid sur la solidarité des démocrates.
Président du GATEPAC, José Luis Sert se trouve contraint à l'exil et va travailler à Paris avec Le Corbusier jusqu'en 1939, date à

laquelle il partira pour les États-Unis.
31 juillet : création du Syndicat des architectes de Catalogne (SAC), dirigé par Josep Torres i Clavé.
Visite de Jacques Baron à Tossa de Mar chez les Masson.

Août

17 août : mort de Federico García Lorca près de Grenade, assassiné par la garde civile.

Septembre

Nouveau séjour de Bataille à Tossa et naissance du second fils de Masson.

Novembre

Miró quitte Barcelone précipitamment pour Paris où sa famille le rejoindra en décembre. Ils resteront en France jusqu'en 1940. Pierre Loeb lui prête un local dans sa galerie afin de lui permettre de continuer à travailler. En réalité, Miró commence à remplir les pages d'un grand bloc à dessin de poèmes, écrits en français, langue poétique de l'artiste, avec quelques notes en catalan dans la marge. Il a alors l'idée de réaliser un livre illustré de ses peintures et lithographies.

Décembre

7-19 décembre : l'exposition « André Masson, Espagne 1934-1936 », à la galerie Simon, montre ce que « Le peintre a vu dans l'Espagne en révolution » (titre de l'article de Gaston Poulain dans *Comœdia* du 8 décembre). « Les peintures et les dessins que j'ai faits de la guerre d'Espagne ne sont pas du tout obscurs. Je voulais faire un timbre-lutte : clouer ouvertement au pilori des dictateurs que je considérais comme malfaisants », déclarera l'artiste. « L'exposition continue à attirer beaucoup de monde. En fait plus de monde qu'aucune exposition de la galerie depuis qu'elle existe. Aragon exultait, des gens de l'Ambassade d'Espagne, Besson, les peintres sont venus ces jours-ci », écrit Kahnweiler à Masson. Article élogieux de Michel Leiris dans *La Nouvelle Revue française* datée du 1er janvier 1937.

76

77

1937

Janvier

Gravures de Picasso *Sueno y mentira de Franco* (*Songe et mensonge de Franco*), exécutées dans son nouvel atelier du 7, rue des Grands-Augustins. Commande du gouvernement de la République espagnole d'une fresque pour le Pavillon espagnol de l'Exposition internationale de Paris.

André Masson travaille intensément sur le thème de la tauromachie : l'ouvrage *Tauromachies* sera publié en août par Guy Levis-Mano avec des poèmes de Michel Leiris. En février, Masson écrira à Kahnweiler : « En ce moment (depuis 15 jours j'y travaille) j'achève un autre "monstre" : c'est mon premier tableau inspiré par la guerre civile espagnole (suite logique des dessins) et je ne sais pas encore quoi en penser. J'espère le finir avant de partir à Paris ainsi qu'une petite toile commencée à Tossa (*Paysage de Montserrat*). »

Mars

Miró s'installe au 98, boulevard Auguste-Blanqui dans le même immeuble que l'architecte Paul Nelson. À la demande de Christian Zervos, il réalise un timbre au pochoir en faveur de l'Espagne républicaine – *Aidez l'Espagne*.

Avril

26 avril : bombardement par l'aviation allemande de Guernica. Des photographies sont publiées dans *Ce soir* et *L'Humanité*. Sollicités par le gouvernement républicain pour le Pavillon espagnol de l'Exposition internationale construit par Luis Lacasa et José Luis Sert, Miró peindra *Le Faucheur* (en hommage à l'hymne nationaliste catalan) – toile aujourd'hui disparue –, Picasso réalisera *Guernica* et prêtera plusieurs sculptures, dont *Tête de femme* (1931) et *La Femme au vase* (1933), œuvre monumentale de plus de deux mètres de hauteur, Julio González sera représenté par *La Montserrat* installée près de l'entrée du pavillon avec la *Tête* de Picasso. Reportage photographique sur le Pavillon espagnol par François Kollar, hongrois exilé en France depuis 1924. 22 avril-6 mai : au théâtre Antoine à Paris, Jean-Louis Barrault présente *Numance* de Cervantès avec des décors et costumes d'André Masson.

Mai

Picasso réalise ses premières études pour *Guernica* et commence la composition sur toile. Dora Maar photographie l'œuvre en cours de réalisation. Le tableau sera installé dans le Pavillon espagnol à la mi-juin. 28 mai-15 juin : exposition « Joan Miró : peintures 1915-1922 » à la galerie Pierre à Paris. La toile intitulée *Portrait d'une*

danseuse espagnole (1921) porte la mention « collection Picasso », ce dernier l'ayant reçue, semble-t-il, de Pierre Loeb. Exposition personnelle de González à la galerie Pierre à Paris.

78

79

Juin

Exposition « Les Maîtres de l'art indépendant 1895-1937 » au Petit Palais : présence importante de Maillol avec soixante œuvres dont les plâtres des monuments aux morts de Banyuls et de Céret, trente-six toiles de Maurice Utrillo, trente-deux œuvres de Picasso, vingt-quatre de Gris, cinq sculptures de Manolo, trente-trois de Gargallo…

Juillet

12 juillet : inauguration du Pavillon espagnol à l'Exposition internationale de Paris. 30 juillet-31 octobre : exposition « Origines et développement de l'art international indépendant », organisée par le musée du Jeu de paume avec

le concours d'un comité composé
de Braque, Cassou, Marie Cuttoli, Éluard,
Léger, Matisse, Picasso, Zervos…,
consacrée aux artistes des Écoles
étrangères. À l'entrée, *Tête de femme*
(1937), sculpture en ciment de Picasso
(représenté par douze œuvres),
neuf peintures de Miró dont *Intérieur,
Nature morte au vieux soulier*,
une sculpture de González, huit œuvres
de Gris et huit de Picabia.

Septembre

22 septembre : mort de Josep Dalmau.
Le lendemain a lieu une soirée
en hommage à Federico García Lorca,
organisée par le commissaire général
du gouvernement espagnol
à l'Exposition internationale.
Un texte de Jean Cassou précède
le programme de la soirée.
Picasso achève la *Suite Vollard*, cent
eaux-fortes commencées en 1930.
Publication par les éditions Gallimard
de *L'Espoir* d'André Malraux avec
des lithographies d'André Masson.

Décembre

Miró pose avec sa fille pour le peintre
Balthus. Nouvelle exposition personnelle
de l'artiste, à la galerie Pierre à Paris.
Le numéro spécial de *Cahiers d'art*
(n° 4-5) est consacré à Picasso :
une présentation de *Guernica* est faite
par Zervos avec les photographies
des différentes étapes de la toile prises
par Dora Maar, des poèmes de Pierre
Mabille et Paul Éluard, des textes
de Michel Leiris et José Bergamín.

LÉGENDES DE LA CHRONOLOGIE

1
Vue de la tour Eiffel au Champ
de Mars, Paris, 1889

2
Jules Chéret,
Affiche de l'*Exposition
Universelle des Arts incohérents*,
Paris, 1889

3
Santiago Rusiñol dans
son atelier parisien,
14 bis rue de l'Orient, 1889

4
Henri de Toulouse-Lautrec,
*Dressage des nouvelles
par Valentin le Désossé*
(Moulin Rouge), Paris,
1889-1890, Philadelphia Museum
of Art, The Henry P. Mc Illeny fund

5
Le Moulin Rouge, Paris, 1890

6
Ramon Casas, *Etude pour
le Bohème (Portrait d'Erik Satie)*,
Paris, 1891.
Barcelone, Museu nacional d'art
de Catalunya

7
Henri de Toulouse-Lautrec,
Lithographie de *Jane Avril
au Jardin de Paris*, 1893

8
Santiago Rusiñol avec Miquel
Utrillo, Carlos Mami et Pere
Ferran, quai Bourbon, Paris, 1894

9
Hector Guimard, *Le Castel
Béranger*, 14 rue La Fontaine,
Paris, 1895-1896

10
A. T. Steinlen,
Affiche de la réouverture
du *Chat Noir*, Paris, 1896

11
Le cabaret des *Quatre Gats*,
Casa Marti, Barcelone, vers
1900

12
*Isidre Nonell à son arrivée
à Paris*, vers 1897

13
Couverture de la revue *Quatre
Gats* illustrée par Ramon Casas,
n° 1, Barcelone, 1899

14
Autocaricature
de Ramon Casas, 1900
Barcelone, Museu nacional d'art
de Catalunya

15
Hector Guimard,
Entrée du Métropolitain,
Place de la Bastille, Paris, 1900

16
Pablo Picasso, étude
pour le menu des *Quatre Gats*,
Barcelone, 1899-1900,
Barcelone, Museu Picasso

17
Couverture de la revue
Pèl & Ploma reproduisant
Madame Vicuña de Rodin,
Barcelone, n° 1, 15 janvier 1901

18
Pablo Picasso, *Picasso
et ses amis arrivant à l'Exposition
Universelle de Paris*, 1900
Paris, collection particulière

19
Pablo Picasso, *Dessins
du Carnet catalan*, Gosol, 1906
Barcelone, Museu Picasso

20
Couverture de la revue *Papitu*
illustrée par APA (Feliu Elias),
Barcelone, n° 1, 28 avril 1909

21
Couverture de la revue *Arte
Joven*, illustrée par Pablo
Picasso, Barcelone, n° 1,
septembre 1909

22
Pablo Picasso, *Portrait
d'Ambroise Vollard*, Paris, 1910
Moscou, musée Pouchkine

23
Le grand café de Céret sur une
carte postale envoyée par Pablo
Picasso à D. H. Kahnweiler de
Céret, le 22 août 1911

24
Page de titre de l'*Almanach
dels Noucentistes*, Barcelone,
novembre 1911

25
Catalogue de l'*Exposition d'art
cubiste*, Galerie Dalmau,
Barcelone, avril-mai 1912

26
Page de la revue *Vell i Nou* avec
le compte rendu de l'exposition
Charchoune-Grunhoff, galerie
Dalmau, Barcelone, 15 mai 1916

27
Couverture de *Revista Nova*,
illustrée par Pablo Gargallo,
Barcelone, n° 45, 31 décembre
1916

28
Carton d'invitation
de l'exposition *Albert Gleizes*,
galerie Dalmau, Barcelone,
novembre-décembre 1916

29
Guillaume Apollinaire, " L'Horloge
de demain ", *391*, Barcelone,
n° 4, 25 mars 1917

30
Guillaume Apollinaire,
" Pablo Picasso ", *Sic*, Paris,
n° 17, mai 1917

31
Joan Sacs, *La pintura francesa
fins al cubisme*, Barcelone,
La Revista, 1917

32
Couverture de la revue *Troços*,
Barcelone, n° 1, septembre 1917

33
J. M. Junoy, Profession
de foi préliminaire *Vive la France*,
Troços, septembre 1917

34
J. Salvat-Papasseit, *Un Enemic
del poble*, Barcelone, n° 9,
décembre 1917

35
Picasso et l'avant-garde catalane,
galerie Laietanes, Barcelone,
juin 1917

36
Couverture de la revue
D'Aci i d'allà, Barcelone, n° 1,
janvier 1918

37
Couverture de *l'Instant*,
Paris, n° 1, juillet 1918

38
Couverture de *La Revista*,
Barcelone, juin 1918

39
Joan Miró,
La maison du palmier, 1918
Madrid, Museo nacional Centro
de Arte Reina Sofia

40
Pablo Picasso, *Portrait
de Guillaume Apollinaire
en uniforme*, Paris, 1916
collection particulière

41
Texte de J. M. Junoy
dédicacé à G. Apollinaire, *Sic*,
Paris, nos 37-39, 1919

42
Catalogue de *L'exposition
d'art français d'avant-garde*,
galerie Dalmau, Barcelone,
octobre-novembre 1920

43
Couverture de la revue *Proa*,
Barcelone, n° 1, janvier 1920

44
Catalogue de l'exposition *Joan
Miró*, galerie La Licorne, Paris,
avril-mai 1921

45
Vue de l'exposition *Francis
Picabia*, galerie Dalmau,
Barcelone, novembre 1922

46
Catalogue de l'exposition *Francis
Picabia*, préfacé par André
Breton, galerie Dalmau,
Barcelone, novembre 1922

47
Francis Picabia,
La Feuille de vigne, 1922
Londres, Tate Gallery

48
Page de la revue *Gaseta
de les arts*, Barcelone, n° 1,
janvier 1924

49
Couverture de la revue
La Mà Trencadà, illustrée par
Pablo Picasso, Barcelone,
novembre 1924

50
Federico García Lorca, *Portrait
de Slavdor Adil*,
(Salvador Dali), 1925
Madrid, Fundación Federico
García Lorca

51
Catalogue de l'exposition
Joan Miró, Galerie Pierre,
Paris, juin 1925

52
Salvador Dali,
Femme à la fenêtre, 1926
Figueras, Fundació
Gala-Salvador Dalí

53
Catalogue de l'exposition
Salvador Dalí, galerie Dalmau,
Barcelone, novembre 1925

54
*Federico García Lorca et
Salvador Dalí à Figueras*, 1927
Figueras, Archives, Fundació
Gala-Salvador Dalí

55
Couverture de *l'Amic de les arts*
reproduisant *l'Autoportrait* de
Joan Miró de 1919, Sitges, n° 1,
avril 1926

56
Vue de l'exposition
Juan Gris, galerie Simon
(D. H. Kahnweiler), Paris,
juin 1928

57
*Gala et Salvador Dalí avec les
Goemans*, Cadaquès, été 1929
Figueras, Archives, Fundació
Gala-Salvador Dalí

58
Page de la revue *Hélix*
reproduisant *Chien aboyant
à la lune*, 1926 de Joan Miró,
Barcelone, n° 1, février 1930

59
Catalogue de l'exposition
Salvador Dalí, galerie Goemans,
Paris, novembre-décembre 1929

60
Programme du film
de Luis Buñuel et Salvador Dalí,
L'Age d'or, Paris, 1930
Paris, documentation du Musée
national d'art moderne

61
Salvador Dalí et Charles
de Noailles, Paris, vers 1930

62
Photogramme du tournage
de *L'Age d'or* avec Max Ernst au
premier plan, Cadaquès, 1930

63
*Salvador Dalí et René Crevel
à Cadaquès*, été 1931
Figueras, Archives, Fundació
Gala-Salvador Dalí

64
*Gala et Salvador Dalí avec René
Crevel sur les Ramblas
de Barcelone*, 1931
Figueras, Archives, Fundació
Gala-Salvador Dalí

65
Couverture de *Babaouo*,
film surréaliste de Salvador Dalí,
Paris, éditions des Cahiers
libres, 1932

66
*Salvador Dalí et Man Ray
à Montparnasse*, Paris, 1934
Photographie de Carl van
Vechten
Figueras, Archives, Fundació
Gala-Salvador Dalí

67
Vue de l'exposition *Pablo
Gargallo*, Sala Parès, Barcelone,
décembre 1934

68
André Masson et Rose Maklés
à Tossa de Mar, 1934
Collection Particulière

69
Page de la revue *Art* avec
l'article de Rafael Benet,
"Tossa Babel de les arts",
Barcelone, octobre 1934

70
Article sur "architecture
et urbanisme" dans la revue
D'Aci i d'allà, Barcelone, n° 179,
hiver 1934

71
José Luis Sert, *la joaillerie
Roca* à Barcelone, (en ht, à g),
photographie publiée dans la
revue *A. C*, Barcelone, n° 17,
1935

72
Couverture de la revue
D'Aci i d'allà, illustrée par Joan
Miró, Barcelone, 1934, n° 179,
hiver 1934

73
Catalogue de l'exposition
Pablo Picasso, organisée
par ADLAN, Galerie Esteve,
Barcelone, janvier 1936

74
Couverture de la revue *Acéphale*,
illustrée par A. Masson, Paris,
n° 1, avril 1936

75
" Du Haut de Montserrat ",
1934, poème d'André Masson
illustrée par *Aube à Montserrat*,
dans la revue *Minotaure*, Paris,
n° 8, juin 1936

76
Catalogue de l'exposition
*André Masson Espagne
1934-1936*, galerie Simon,
Paris, décembre 1936

77
Pochoir de Joan Miró,
Aidez l'Espagne, 1937
Paris, Galerie Cahiers d'art

78
Guernica dans l'atelier
de Pablo Picasso, rue des
Grands-Augustins, Paris, 1937,
photographie de Dora Maar

79
Pablo Picasso, *L'Offrande,
(La Femme au vase)*, 1933
dont un exemplaire était
exposé devant le Pavillon
espagnol à Paris, 1937

LISTE D'ŒUVRES

Anonyme
Monument à Colomb, vue panoramique depuis les chantiers navals, n. d.
Photographie sur carte postale. 56,5 X 12 cm
Barcelone, Arxiu històric de la Ciutat de Barcelona, nº 51

Anonyme
Plaza Real avec le lampadaire de Gaudí, n. d.
Photographie sur carte postale. 58 X 9,4 cm
Barcelone, Arxiu històric de la Ciutat de Barcelona, nº 66

Anonyme
Vue panoramique du Paseo de Gracia, n. d.
Photographie sur carte postale. 58 X 9,4 cm
Barcelone, Arxiu històric de la Ciutat de Barcelona, nº 57

Anglada i Camarasa, Hermen (1872-1959)
Le Paon blanc, 1904
Huile sur toile. 78,5 X 99,5 cm
Madrid, Fundación Colección Thyssen-Bornemisza, inv. CTB (1999-21)

Arnau, Eusebi (1863-1933)
Baiser de mère, 1896
Marbre blanc sur piédestal en bois.
65 X 82 X 63 cm
Barcelone, collection « La Caixa », inv. 200.320
(Barcelone seulement)

Assís Galí, Francesc d' (1880-1965), et Bracons, Lluís (1892-1961)
Panneau décoratif « Naissance de Vénus », 1926
Bois et incrustations d'ivoire et perles.
134 X 100 cm
Barcelone, Joieria Palou
(Barcelone seulement)

Atget, Eugène (1857-1927)
Le Moulin de la Galette, vers 1900
Photographie. 21,7 X 17,5 cm
Paris, musée Carnavalet, inv. PH 8519
(Paris seulement)

Atget, Eugène
Rue du Chevalier de la Barre, vers 1914
Photographie. 20,7 X 17,5 cm
Paris, musée Carnavalet, inv. PH 8535
(Paris seulement)

Atget, Eugène
Le Moulin de la Galette, 1922
Photographie. 21,7 X 17,5 cm
Paris, musée Carnavalet, inv. PH 4596
(Barcelone seulement)

Atget, Eugène
Rue du Chevalier de la Barre, 1923
Photographie. 20,7 X 17,5 cm
Paris, musée Carnavalet, inv. PH 3809
(Barcelone seulement)

Barradas, Rafael (1890-1928)
Barcelone 1918, 1918
Gouache sur papier. 48,5 X 44,5 cm
L'Hospitalet de Llobregat, Museu d'història de L'Hospitalet, Ajuntament de L'Hospitalet, inv. H-248

Batlles, Ramon (1901-1983)
Rouge à lèvres, 1933-1935
Épreuve gélatino-argentique
Barcelone, Fondo Artístico Myrurgia
(Barcelone seulement)

Batlles, Ramon
Nature morte, papier d'emballage du savon « Maderas de Oriente », 1933-1935
Épreuve gélatino-argentique. 15 X 11,5 cm
Barcelone, Fondo Artístico Myrurgia
(Barcelone seulement)

Batlles, Ramon
Portrait de la danseuse russe Anna Liontewa et rouge à lèvres, 1933-1935
Épreuve gélatino-argentique. 11 X 8 cm
Barcelone, Fondo Artístico Myrurgia
(Barcelone seulement)

Baudot, Anatole de (1834-1915)
Construction en ciment armé, projet des fêtes pour l'Exposition universelle de 1900, perspective intérieure, 1894
Encre, aquarelle, crayon, rehauts de gouache sur papier contrecollé. 65,6 X 98,5 cm
Paris, médiathèque de l'Architecture et du Patrimoine, inv. nº 26748

Baudot, Anatole de
Voûtes anglaises ; projet critique pour la galerie des machines de l'Exposition universelle de 1889, perspective intérieure, vers 1890
Encre et lavis, rehauts de gouache sur papier.
29 X 37 cm
Paris, médiathèque de l'Architecture et du Patrimoine, inv. nº 26745

Baudot, Anatole de
Salle de concert, coupe, n. d.
Encre, aquarelle, crayon sur papier.
24 X 44,5 cm
Paris, médiathèque de l'Architecture et du Patrimoine, inv. nº 26814

Baudot, Anatole de
Projet pour une grande salle des fêtes et expositions, plan, vue perspective, élévation et coupes, mars 1910
Crayon, encre noire, aquarelle et lavis sur papier. 52 X 84 cm
Paris, médiathèque de l'Architecture et du Patrimoine, inv. nº 26798

Bernard, Joseph (1866-1931)
Effort vers la nature, 1906
Pierre de Lens. 52 X 29 X 31,5 cm
Paris, musée d'Orsay, don de Jean Bernard (1980), inv. RF 3513

Bernard, Joseph
Jeune fille à la cruche, 1912
Bronze. 178 X 62 X 92 cm
Cambrai, musée municipal, inv. SC 24
(Barcelone seulement)

Blay, Miquel (1866-1936)
La Poursuite de l'illusion, Paris, 1903
Marbre et bronze. 75 X 65 X 45 cm
Barcelone, Museu Nacional d'Art de Catalunya, inv. MNAC/MAM 153429

Blay, Miquel
Rêverie, vers 1905
Marbre. 50 X 58 X 38 cm
Barcelone, Sala Artur Ramon
(Barcelone seulement)

Boileau, Louis-Auguste (1812-1896)
Bâtiment à système de voussures imbriquées, 1860
Plume et rehauts de blanc. 47,9 X 62,9 cm
Paris, École nationale supérieure des beaux-arts, inv. EBA 3287

Boileau, Louis-Auguste
Projet d'église, 1871
Photographie, estampe et manuscrits.
65,4 X 90 cm
Paris, École nationale supérieure des beaux-arts, inv. EBA 3285

Boileau, Louis-Auguste
Bâtiment à système de voussures imbriquées, perspective intérieure, n. d.
Plume et lavis gris, rehauts de blanc.
62,1 X 72,3 cm
Paris, École nationale supérieure des beaux-arts, inv. EBA 3297

Braque, Georges (1882-1963)
Nature morte au violon, Céret, 1911
Huile sur toile. 130 X 89 cm
Paris, Centre Georges Pompidou, Musée national d'art moderne, donation de Mme Georges Braque (1965), inv. AM 4299 P
(Paris seulement)

Braque, Georges
Bougeoir, Céret, août 1911
Huile sur toile. 46 X 38 cm
Édimbourg, Scottish National Gallery of Modern Art
(Barcelone seulement)

Brassaï (Halàsz, Gyula, dit) [1899-1984]
Portrait de Gala, 1931-1932
Photographie. 22,7 X 14,8 cm
Figueras, Fundació Gala-Salvador Dalí, inv. nº 473

Brassaï
Métro Bastille, 1931-1933
Épreuve aux sels d'argent. 27 X 23,3 cm
Paris, collection particulière en dépôt au Centre Georges Pompidou, Paris, Musée national d'art moderne, inv. AM 2000 DEP1 (254)

Brassaï
Métro, 1931-1933
Épreuve aux sels d'argent. 30 X 23,4 cm
Paris, Centre Georges Pompidou, Musée national d'art moderne, inv. AM 2000 DEP1 (253)

Brassaï
Détail de l'entrée du métropolitain de Paris d'Hector Guimard, 1933
Photographie. 23,6 x 16,8 cm
Figueras, Fundació Gala-Salvador Dalí, inv. nº 2426

Brassaï
Le Phénomène de l'extase, vers 1933
Épreuve aux sels d'argent, contact.
29,5 X 23 cm et 6 X 8 cm (contact)
Paris, collection particulière, en dépôt au Centre Georges Pompidou, Paris, Musée national d'art moderne, inv. AM 2000 DEP1 (72) et AM 2000 DEP1 (70)

Buïgas, Josep, et Crespo, Ricard
Jarre, 1930
Verre émaillé. 25 X 10 cm
Barcelone, collection particulière
(Barcelone seulement)

Busquets, Joan (1874-1949)
Chaise, 1900
Bois doré. 110 X 45 X 48 cm
Paris, collection Kiki et Pedro Uhart
(Barcelone seulement)

Busquets, Joan
Banquette double, Barcelone, 1902
Chêne. 100,5 X 158 X 42,5 cm
Vic, collection Coromina Rodriguez

Canals, Ricard (1876-1931)
Intérieur de music-hall, 1900
Pastel et fusain. 43,5 X 53,5 cm
Barcelone, Museu Nacional d'Art de Catalunya, inv. 16097

Canals, Ricard
Café-Concert, vers 1900
Huile sur toile. 50 X 65,8 cm
Barcelone, Museu Nacional d'Art de Catalunya
(Barcelone seulement)

Capdevila, Manuel (né en 1910), et Sarsanedas, Ramon (1896-1987)
Broche Iris, 1937
Argent, laque japonaise et perles.
3,2 X 3,1 X 1 cm
Barcelone, Museu Nacional d'Art de Catalunya, donation de l'auteur en 1993, MNAC/MAM 200453
(Barcelone seulement)

Capdevila, Manuel, et Sarsanedas, Ramon
Broche Rythmes, vers 1937
Argent et laque japonaise. 4 X 4,5 X 2 cm
Barcelone, Museu Nacional d'Art de Catalunya, donation de l'auteur en 1993, MNAC/MAM 200456
(Barcelone seulement)

Capdevila, Manuel, et Sarsanedas, Ramon
Broche Aquarium, 1937
Argent et laque japonaise. 4,3 X 4,3 X 1,1 cm
Barcelone, Museu Nacional d'Art de Catalunya, donation de l'auteur en 1993, MNAC/MAM 200454
(Barcelone seulement)

Capdevila, Manuel, et Sarsanedas, Ramon
Broche Poisson, 1937
Argent et laque japonaise. 4,5 X 4,5 X 2,5 cm
Barcelone, Museu Nacional d'Art de Catalunya, donation de l'auteur en 1993, MNAC/MAM 200458
(Barcelone seulement)

Capdevila, Manuel, et Sarsanedas, Ramon
Broche L'Espagne en repli, 1937
Argent, laque japonaise et coquille d'œuf.
4,4 X 4,1 X 1,3 cm
Barcelone, Museu Nacional d'Art de Catalunya, donation de l'auteur en 1993, MNAC/MAM 200459
(Barcelone seulement)

Capdevila, Manuel, et Sarsanedas, Ramon
Broche Guitare, 1937
Argent, laque japonaise et perles.
4,6 X 2,9 X 1,3 cm
Barcelone, Museu Nacional d'Art de Catalunya, donation de l'auteur en 1993, MNAC/MAM 200455
(Barcelone seulement)

Capdevila, Manuel, et Sarsanedas, Ramon
Broche Cétacé, 1937
Argent, laque japonaise et brillant.
3 X 4,5 X 1 cm

Barcelone, Museu Nacional d'Art de Catalunya,
donation de l'auteur en 1993,
MNAC/MAM 200457
(Barcelone seulement)

Carbonell, Artur (1906-1963)
Constellation, 1933
Huile sur toile. 69 X 60 cm
Barcelone, María Dolors Bertran Carbonell
(Barcelone seulement)

Carbonell, Artur
Paysage, 1935
Huile sur toile. 48 X 72 cm
Barcelone, collection particulière
(Barcelone seulement)

Casanovas, Enric (1882-1948)
La Jeunesse et l'Amour, vers 1914
Marbre. 66 X 58 X 17 cm
Barcelone, Museu Nacional d'Art de Catalunya,
inv. MNAC/MAM 114754

Casas, Ramon (1866-1932)
Bal du Moulin de la Galette, Paris, 1890
Huile sur toile. 131 X 134 cm
Sitges, Museu Cau Ferrat, MCFS32.032

Casas, Ramon
Plein air, vers 1890-1891
Huile sur toile. 51 X 66 cm
Barcelone, Museu Nacional d'Art de Catalunya,
inv. MNAC/MAM 10901

Casas, Ramon
La Madeleine, 1892
Huile sur toile. 117 X 90 cm
Montserrat, Museu de Montserrat,
donation J. Sala, inv. 200.397

Casas, Ramon
*Ramon Casas et Pere Romeu
sur un tandem*, 1897
Huile sur toile. 191 X 215 cm
Barcelone, Museu Nacional d'Art de Catalunya,
inv. MNAC/MAM 69806

Casas, Ramon
Portrait de Pere Romeu, Barcelone,
vers 1897-1898
Fusain et aquarelle sur papier. 64 X 30 cm
Barcelone, Museu Nacional
d'Art de Catalunya,
inv. MNAC/GDG 27276/D

Casas, Ramon
Portrait d'Isidre Nonell, Barcelone,
vers 1897-1899
Fusain sur papier. 64 X 30 cm
Barcelone, Museu Nacional d'Art de Catalunya,
inv. MNAC/GDG 27322/D

Casas, Ramon
*Portrait de Manuel Martínez Hugué,
« Manolo »*, Barcelone, vers 1897-1899
Fusain sur papier. 62,2 X 29,5 cm
Barcelone, Museu Nacional d'Art de Catalunya,
inv. MNAC/GDG 27274/D

Casas, Ramon
Portrait de Ramon Pichot, vers 1897-1899
Fusain, pastel et aquarelle. 64 X 30 cm
Barcelone, Museu Nacional d'Art de Catalunya
(Barcelone seulement)

Casas, Ramon
Portrait de Pablo Picasso, Paris, vers 1900
Fusain et crayon sur papier. 69 X 44,5 cm
Barcelone, Museu Nacional d'Art de Catalunya,
inv. MNAC/GDG 27264/D

Casas, Ramon
Portrait d'Auguste Rodin, Paris, 1900
Fusain et pastel sur papier. 60 X 48 cm
Barcelone, Museu Nacional d'Art de Catalunya,
Cabinet des dessins,
inv. MNAC/GDG 27307/D

Català Pic, Pere (1889-1971)
Écrou, 1929
Photographie originale, tirage bromure.
13,1 X 9,4 cm
Valence, Instituto Valenciano de Arte Moderno,
Generalitat Valenciana, 1992.013

Català Pic, Pere
Balance, vers 1931
Photographie. 12,2 X 9,7 cm
Valence, Instituto Valenciano de Arte Moderno,
Generalitat Valenciana, dépôt Colección
Ordóñez-Falcón (San Sebastián),
D.T.600.1999 (8.005)

Català Pic, Pere
Désir de vol, 1931
Photographie, reprint de 1969 par Pere Català
Roca. 37 X 27,2 cm
Valence, Instituto Valenciano de Arte Moderno,
Generalitat Valenciana, 1992.012

Català Pic, Pere
Sans-titre, 1932
Carte publicitaire. 11,4 X 7,9 cm
Valence, Instituto Valenciano de Arte Moderno,
Generalitat Valenciana, 1992.014

Català Pic, Pere
Chocolat Juncosa, vers 1932
Photographie. 12,6 X 9 cm
Barcelone, collection Kowasa Gallery,
KG180

Català Pic, Pere
Billy, 1935-1936
Photographie, bromure. 29 X 19,5 cm
Barcelone, Museu Nacional d'Art de Catalunya,
inv. MNAC 205166

Català Pic, Pere
*Cantin Factories, photomontage
d'une imprimerie*, vers 1940
Photographie. 45 X 60 cm
Barcelone, Museu Nacional d'Art de Catalunya,
inv. MNAC.205169

Cézanne, Paul (1839-1906)
Portrait de Mᵐᵉ Cézanne, 1885
Huile sur toile. 47 X 39 cm
Paris, musée d'Orsay, acquis par dation
(1991), inv. RF 1991-22
(Barcelone seulement)

Cézanne, Paul
Baigneurs, vers 1890-1892
Huile sur toile. 60 X 82 cm
Paris, musée d'Orsay, donation de la baronne
Eva Gebhard-Gourgaud (1965),
inv. RF 1965-3

Charchoune, Serge (1888-1975)
Ornemental nᵒ 1, 1916
Gouache sur papier marouflé sur toile.
20 X 26,5 cm
Paris, collection Raymond Creuze

Charchoune, Serge
Grenade, 1916
Huile sur toile. 33 X 26 cm
Paris, collection Raymond Creuze

Charchoune, Serge
*Mi madre me vendió
(« Ma mère m'a vendu »)*, 1917
Huile sur toile. 46 X 35 cm
Paris, collection Raymond Creuze

Charpentier, Alexandre (1856-1909)
Pupitre à musique, 1901
Charme ciré. 122 X 44,5 X 44 cm
Paris, musée des Arts décoratifs, inv. 13064 B
(Paris seulement)

Clapès, Aleix (1850-1920)
Vitrine aux paons, n. d.
Bois doré et verre
Barcelone, Casa-Museu Gaudí
(Paris seulement)

Clarà, Josep (1878-1958)
Extase, 1903
Marbre. 26 X 28 X 20 cm
Barcelone, collection particulière

Clarà, Josep
Le Père Rodin, vers 1912
Crayon sur papier. 13,5 X 10 cm
Barcelone, Museu Nacional d'Art de Catalunya,
Cabinet des dessins, inv. 90731/D

Clarà, Josep
Rodin, vers 1912
Crayon sur papier. 12,5 X 7,5 cm
Barcelone, Museu Nacional d'Art de Catalunya,
Cabinet des dessins, inv. 91329/D

Clarà, Josep
Torse de jeune fille (Estatica), 1931
Terre cuite. 84 X 33 X 24 cm
Paris, Centre Georges Pompidou, Musée
national d'art moderne, en dépôt au musée
Goya de Castres, inv. JP 76 S
(Barcelone seulement)

Cristófol, Leandre (né en 1908)
Nuit de lune, 1935
Bois et bois peint. 71 X 42 x 22cm
Barcelone, Museu Nacional d'Art de Catalunya,
inv. MNAC/MAM 200034

Dalí, Salvador (1904-1989)
Autoportrait avec L'Humanité, 1923
Huile sur gouache et collage sur carton.
104,7 X 75,4 cm
Figueras, Fundació Gala-Salvador Dalí,
inv. 0014

Dalí, Salvador
Port Alguer, 1924
Huile sur toile. 100 X 98,7 cm
Figueras, Fundació Gala-Salvador Dalí,
inv. 0019

Dalí, Salvador
Portrait de Luis Buñuel, 1924
Huile sur toile. 68,5 X 58,5 cm
Madrid, Museo Nacional Centro de Arte Reina
Sofía, inv. AS10530

Dalí, Salvador
Portrait du père de l'artiste, 1925
Huile sur toile. 104,5 X 104,5 cm
Barcelone, Museu Nacional d'Art de Catalunya,
inv. MNAC/MAM 68839

Dalí, Salvador
Portrait de ma sœur, Cadaquès, vers 1925
Huile sur toile. 92 X 65 cm
Figueras, Fundació Gala-Salvador Dalí,
inv. 0209

Dalí, Salvador
Appareil et main, 1927
Huile sur bois. 62 X 47,5 cm
Saint Petersburg (Floride), Salvador Dalí
Museum, inv. Dali 1991.1

Dalí, Salvador
La Vache spectrale, 1928
Huile sur contreplaqué. 50 X 64,5 cm
Paris, Centre Georges Pompidou, Musée
national d'art moderne, inv. AM 1974-14
(Paris seulement)

Dalí, Salvador
La Vache spectrale, 1928
Huile sur toile. 48,3 X 63,5 cm
Saint Petersburg (Floride),
Salvador Dali Museum
(Barcelone seulement)

Dalí, Salvador
L'Âne pourri, 1928
Huile, sable, gravier sur bois. 61 X 50 cm
Paris, Centre Georges Pompidou, Musée
national d'art moderne, Paris, dation en 1999,
inv. AM 1999-22

Dalí, Salvador
*Homme d'une complexion malsaine
écoutant le bruit de la mer*, 1929
Huile sur bois. 23,5 X 34,5 cm
Rio de Janeiro, Museus Castro Maya /
IPHAN-MinC, inv. MCC 430

Dalí, Salvador
*Parfois je crache par plaisir
sur le portrait de ma mère*, 1929
Encre de Chine sur toile de linon gris collée
sur carton. 68,3 X 50,1 cm
Paris, Centre Georges Pompidou, Musée
national d'art moderne, inv. AM 1989-5

Dalí, Salvador
Lion, cheval, dormeuse invisibles, 1930
Huile sur toile. 50,2 X 65,2 cm
Paris, Centre Georges Pompidou, Musée
national d'art moderne, don de l'Association
Bourdon (Paris, 1993), inv. AM 1993-26
(Paris seulement)

Dalí, Salvador
Souvenir de la femme-enfant, 1932
Huile sur toile. 99 X 119,4 cm
Saint Petersburg (Floride),
Salvador Dalí Museum
(Barcelone seulement)

**Dalí, Salvador et Gala, Breton,
André, et Hugo, Valentine**
Cadavre exquis, mars 1932
Mine de plomb sur carte postale. 14 X 8,7 cm
Collection particulière, avec l'aimable
autorisation de la Galerie 1900-2000

**Dalí, Salvador et Gala, Breton, André,
et Hugo, Valentine**
Cadavre exquis, vers 1932
Crayon sur papier. 26 X 19 cm
Paris, collection particulière, avec l'aimable
autorisation de la Galerie 1900-2000

Dalí, Salvador
*Étude pour Prémonition
de la guerre civile*, 1936
Fusain sur papier. 105 X 80 cm
Madrid, Museo Nacional Centro
de Arte Reina Sofia, inv. DE00048

Dampt, Jean (1853-1946)
Le Baiser de l'aïeule, 1892
Marbre et bois. 53 X 36 X 54 cm
Paris, musée d'Orsay, inv. RF 962
(Barcelone seulement)

Degas, Edgar (1884-1917)
Au café, dit L'Absinthe, 1876
Huile sur toile. 92 X 68 cm
Paris, musée d'Orsay,
legs du comte Isaac de Camondo (1911),
inv. RF 1984

Degas, Edgar
Le Tub, 1886
Pastel sur carton. 60 X 83 cm
Paris, musée d'Orsay,
legs du comte Isaac de Camondo (1908),
inv. RF 4046

Derain, André (1880-1954)
La Vallée du Lot à Vers, 1912
Huile sur toile. 73,3 X 92,1 cm
New York, The Museum of Modern Art
(Abby Aldrich Rockefeller Fund, 1939)

Derain, André
Nu à la cruche, vers 1925-1930
Huile sur toile. 170 X 131 cm
Paris, musée de l'Orangerie,
inv. RF 1960-42, (Paris seulement)

**Domènech i Montaner,
Lluís (1850-1923), et Vilaseca i
Casanovas, Josep (1848-1910)**
*Concours pour le bâtiment des Institutions
provinciales, façade principale*, 1877-1882
Encre sur papier sur toile. 72,5 X 250,5 cm
Barcelone, Arxiu històric
del Col·legi d'Arquitectes de Catalunya
(Barcelone seulement)

**Domènech i Montaner, Lluís,
et Vilaseca i Casanovas, Josep**
*Concours pour le bâtiment des Institutions
provinciales, façade arrière*, 1877-1882
Encre sur papier marouflée sur toile.
72,5 X 250,5 cm
Barcelone, Arxiu històric del Col·legi
d'Arquitectes de Catalunya
(Barcelone seulement)

Domènech i Montaner, Lluís
*Maison d'édition Muntaner i Simón,
détail du dessin de la partie haute
de la façade*, 1879-1885
Crayon sur papier. 44,5 X 22 cm
Barcelone, Arxiu històric del Col·legi
d'Arquitectes de Catalunya, H 117B/2/13.3
(Barcelone seulement)

Domènech i Montaner, Lluís
*Projet de café-restaurant pour l'Exposition
universelle de Barcelone*, 1888
Technique mixte sur papier. 22 X 28,5 cm
Barcelone, Arxiu històric del Col·legi
d'Arquitectes de Catalunya

Domènech i Montaner, Lluís
Cimetière à Comillas, perspective, 1890
Encre et aquarelle sur papier. 40,5 X 55,5 cm
Barcelone, Arxiu històric del Col·legi
d'Arquitectes de Catalunya, H 117C/2/30.1
(Barcelone seulement)

Domènech i Montaner, Lluís
*Maison Navàs de Reus, dessin du panneau
céramique pour l'arrière-cour*, 1901-1907
Crayon, encre et aquarelle sur papier.
88, 5 X 98,5 cm
Barcelone, Arxiu històric del Col·legi
d'Arquitectes de Catalunya, H 117D/1/30.1
(Barcelone seulement)

Domènech i Montaner, Lluís
Casa Lleó Morera, élévation de la façade,
1903-1905
Plan, encres noire et rouge. 107 X 90 cm
Barcelone, Ajuntament de Barcelona,
Arxiu Municipal Administratiu, inv. A-1.3/22

Domènech i Montaner, Lluís
Palais de la Musique catalane, 1905-1908
Technique mixte sur papier. 101,5 X 69 cm
Barcelone, Arxiu històric del Col·legi
d'Arquitectes de Catalunya

Domènech i Montaner, Lluís
Palais de la Musique catalane, 1905-1908
Encre et crayon sur papier. 80,5 X 63,5 cm
Barcelone, Arxiu històric del Col·legi
d'Arquitectes de Catalunya, H 117A/3/19.7
(Barcelone seulement)

Domènech i Montaner, Lluís
*Palais de la Musique catalane,
détail de l'escalier*, 1905-1908
Crayon sur papier. 43,5 X 32 cm
Barcelone, Arxiu històric
del Col.legi d'Arquitectes de Catalunya,
H 117 A/3/19.8
(Barcelone seulement)

Domènech i Montaner, Lluís
*Palais de la Musique catalane,
étude de la bouche de scène*, 1905-1908
Crayon et encre sur papier. 41 X 43,5 cm
Barcelone, Arxiu històric del Col·legi
d'Arquitectes de Catalunya, H 117A/3/19.9
(Barcelone seulement)

Domènech i Montaner, Lluís
*Palais de la Musique catalane,
étude de la bouche de scène*, 1905-1908
Encre sur papier. 34 X 45 cm
Barcelone, Arxiu històric del Col·legi
d'Arquitectes de Catalunya, H 117A/3/19.10
(Barcelone seulement)

Domènech i Montaner, Lluís
*Palais de la Musique catalane,
étude de la bouche de scène*, 1905-1908
Crayon sur papier. 99 X 57 cm
Barcelone, Arxiu històric del Col·legi
d'Arquitectes de Catalunya, H 117A/3/19.11
(Barcelone seulement)

Domènech i Montaner, Lluís
Palais de la Musique catalane, élévation
Maquette moderne, plastique et plâtre
Canet de Mar, Casa-Museu Lluis Domènech
i Montaner
(Paris seulement)

Domènech i Montaner, Lluís
Hôpital de Sant Pau et de la Santa Creu,
1902-1910
Encre et aquarelle sur papier. 41 X 65,5 cm
Barcelone, Arxiu històric del Col·legi
d'Arquitectes de Catalunya, H 117D/2/34.12
(Barcelone seulement)

Domènech i Montaner, Lluís
*Projet de rénovation
de la muraille romaine*, 1914
Crayon de couleur sur papier. 48 X 63 cm
Barcelone, Arxiu històric del Col·legi
d'Arquitectes de Catalunya, H 117B/2/32.1
(Barcelone seulement)

Domènech i Montaner, Lluís
*Proposition de rénovation
de la place Santa Maria del Mar*, 1914
Encre et crayon sur papier. 48 X 63 cm
Barcelone, Arxiu històric del Col·legi
d'Arquitectes de Catalunya, H 117B/2/32.2
(Barcelone seulement)

**Dominguez, Oscar, Varo, Remedios,
et Francés, Esteban**
Cadavre exquis, 1932
Mine de plomb sur papier. 27,5 X 21 cm
Paris, collection particulière, avec l'aimable
autorisation de la Galerie 1900-2000

Durandelle, Louis-Émile (1839-1917)
La Galerie des Machines, 1889
Tirage photographique sur papier albuminé.
30 X 40 cm
Paris, bibliothèque des Arts décoratifs,
inv. Réserve Maciet 77.21
et Réserve Maciet 77.22

Durandelle, Louis-Émile
*Station Avenue-Parmentier.
Entourage de l'accès*, 5 juin 1903
Photographie. 34 X 26 cm
Paris, archives de la RATP (Saint-Michel),
inv. 3N446

Durandelle, Louis-Émile
Station Quai de Grenelle, 24 juillet 1906
Photographie, tirage d'époque. 34 X 26 cm
Paris, archives de la RATP (Saint-Michel),
inv. 3N429

Escaler, Lambert (1874-1957)
Hiver, vers 1903
Terre cuite. Diam. 40 cm
Barcelone, Museu Nacional d'Art de Catalunya
(Barcelone seulement)

Esplugas, Antoni
Vue du monument à Colomb, vers 1888
Épreuve photographique, tirage albuminé.
21,2 X 16,2 cm
Barcelone, Arxiu històric de la Ciutat
de Barcelona

Esplugas, Antoni
*Vue du Gran Hotel de Domènech
i Montaner*, 1888
Épreuve photographique, tirage albuminé.
16,2 X 21,4 cm
Barcelone, Arxiu històric de la Ciutat
de Barcelona

Esplugas, Antoni, et Zerkowitz
Parc de la Ciutadella et ses pavillons, 1888
Épreuve photographique, tirage albuminé.
18,2 X 12 cm
Barcelone, Arxiu històric de la Ciutat
de Barcelona

Esplugas, Antoni, et Zerkowitz
Casa Güell (finca de les Corts), 1926
Photographie. 57,5 X 43 cm
Barcelone, Arxiu històric del Col·legi
d'Arquitectes de Catalunya, Cote H112

Esplugas, Antoni, et Zerkowitz
Palais Güell, intérieur, 1926
Photographie. 38,9 X 54,4 cm
Barcelone, Arxiu històric del Col·legi
d'Arquitectes de Catalunya,
Cote H112G/8/13

Esplugas, Antoni, et Zerkowitz
Casa Milà (La Pedrera), 1926
Photographie. 54 X 39,6 cm
Barcelone, Arxiu històric del Col·legi
d'Arquitectes de Catalunya,
Cote H112G/10/1

Esplugas, Antoni, et Zerkowitz
Casa Milà (La Pedrera), 1926
Photographie. 29,1 X 39,1 cm
Barcelone, Arxiu històric del Col·legi
d'Arquitectes de Catalunya,
Cote H112G/10/2

Esplugas, Antoni, et Zerkowitz
*Maison Lleó Morera de Lluis Domènech
i Montaner*, 1926
Photographie
Barcelone, Arxiu Històric del Col·legi
d'Arquitectes de Catalunya
(Barcelone seulement)

Esplugas, Antoni, et Zerkowitz
Parc Güell, 1926
Photographie. 52,2 X 39,8 cm
Barcelone, Arxiu històric del Col·legi
d'Arquitectes de Catalunya,
Cote H112/G/9/8

Esplugas, Antoni, et Zerkowitz
Casa Batlló, 1926
Photographie. 52,9 X 29,5 cm
Barcelone, Arxiu històric del Col·legi
d'Arquitectes de Catalunya,
Cote H112G/10/4

Esplugas, Antoni, et Zerkowitz
Casa Batlló, 1926
Photographie. 37,9 X 53,7 cm
Barcelone, Arxiu històric del Col·legi
d'Arquitectes de Catalunya,
Cote H112G/10/6

Esplugas, Antoni, et Zerkowitz
*Temple de la Sagrada Familia,
portail de la nativité*, 1926
Photographie. 54 X 35 cm
Barcelone, Arxiu històric del Col·legi
d'Arquitectes de Catalunya,
Cote H112G/10/20

Esplugas, Antoni, et Zerkowitz
Couvent des Thérésiennes, 1926
Photographie. 54,4 X 39,1 cm
Barcelone, Arxiu històric del Col·legi
d'Arquitectes de Catalunya,
Cote H112G/10/11

Esplugas, Antoni, et Zerkowitz
Parc Güell, 1926
Photographie. 55 X 39,8 cm
Barcelone, Arxiu històric del Col·legi
d'Arquitectes de Catalunya,
Cote H112G/9/2

Esplugas, Antoni, et Zerkowitz
Casa Güell (finca de les Corts), 1926
Photographie. 52,2 X 39 cm
Barcelone, Arxiu històric del Col·legi
d'Arquitectes de Catalunya,
Fotografia i Arxiu Mas,
Cote H112G/8/2

Esplugas, Antoni, et Zerkowitz
Palais Güell, 1926
Photographie. 38,8 X 51,9 cm
Barcelone, Arxiu històric del Col·legi
d'Arquitectes de Catalunya,
Cote H112G/8/9

Esplugas, Antoni, et Zerkowitz
*Temple de la Sagrada Familia,
pinacles de l'abside*, 1926
Photographie. 49,4 X 37,6 cm
Barcelone, Arxiu històric del Col·legi
d'Arquitectes de Catalunya,
Cote H112G/10/15

Extrait de *Maderas de Oriente*
(« Bois d'Orient »), 1918
Flacon de verre, étui de bois et laine
Barcelone, Fondo Artístico Myrurgia
(Barcelone seulement)

Extrait de *Orgía* (« Orgie »), 1918
Flacon de verre et étui de velours
Barcelone, Fondo Artístico Myrurgia
(Barcelone seulement)

Extrait de *Bésame* (« Embrasse-moi »), 1922
Verre, fil de soie et étui de carton
avec silhouette orientale
Barcelone, Fondo Artístico Myrurgia
(Barcelone seulement)

Extrait de *Suspiro de Granada*
(« Soupir de Grenade »), vers 1924
Flacon de verre, ficelle, papier lithographié,
bakélite et laine
Barcelone, Fondo Artístico Myrurgia
(Barcelone seulement)

Ferrant, Àngel (1891-1961)
Automobile « primitive »
Encre de Chine, plâtre et collage sur papier.
62 X 47 cm
Barcelone, Fundació Joan Miró
(Barcelone seulement)

Feure, Georges de (1868-1943)
*Étude pour des chaises et un canapé,
mobilier créé pour le pavillon Bing
à l'Exposition universelle de 1900*, 1895-1903
Crayon et aquarelle sur papier. 17,8 X 35,6 cm
Paris, Union centrale des arts décoratifs,
inv. CD2673

Feure, Georges de
Console d'angle, 1900
Bois doré et marbre. 99 X 67 X 41 cm
Paris, Union centrale des arts décoratifs,
inv. 21493

Feure, Georges de
Paravent, 1900-1901
Bois et tissu. 165 X 55 cm
Paris, collection particulière

Fouquet, Georges
Pendentif Cascade, 1900 ou 1910
Or, opale, diamant, émaux et perles baroques.
12,2 X 1,5 cm
Paris, Petit Palais, musée des Beaux-Arts
de la Ville de Paris, PPO03570
(Barcelone seulement)

Gallé, Émile (1846-1904)
Table aux libellules, 1897
Noyer et divers bois de placage.
75 X 81 X 58 cm
Nancy, musée de l'École de Nancy

Gargallo, Pablo (1881-1934)
La Bête humaine, 1904
Bronze. 45,8 X 62 X 18 cm
Issy-les-Moulineaux, Succession Gargallo,
inv. cat. n° 13a

Gargallo, Pablo
Torse de femme, 1915
Cuivre. 29,5 X 17,5 X 16,5 cm
Issy-les-Moulineaux, collection Jean Anguera,
inv. n° 30

Gargallo, Pablo
Couverture de l'Album en hommage
au maréchal Joffre, 1917
Cuir avec plaque de métal repoussé.
50 X 30 cm
Rivesaltes, musée de la maison
natale du maréchal Joffre

Gargallo, Pablo
Grande danseuse, 1929
Fer découpé. 123 X 70 X 50 cm
Barcelone, Museu Nacional
d'Art de Catalunya,
inv. MNAC/MAM 108413

Gargallo, Pablo
Arlequin à la flûte, 1931
Fer. 98 X 42,5 X 41 cm
Paris, Centre Georges Pompidou,
Musée national d'art moderne,
en dépôt au musée des Années 30
(Boulogne-Billancourt),
inv. JP113S

Gargallo, Pablo
Torse de jeune fille, 1933
Marbre rose. 84,5 X 24,3 X 20,5 cm
Issy-les-Moulineaux,
collection Jean Anguera, inv. n° 204

GATCPAC
Urbanisme et logement
(Maison Bloc), 1933-1937
Crayon et aquarelle sur carton.
100 X 100 cm
Barcelone, Arxiu històric del Col·legi
d'Arquitectes de Catalunya

GATCPAC
Urbanisme et logement (Maison Bloc),
1933-1937
Crayon et aquarelle sue carton. 100 X 100 cm
Barcelone, Arxiu històric del Col·legi
d'Arquitectes de Catalunya

GATCPAC
Urbanisme et logement, 1933-1937
Crayon et aquarelle sur papier. 100 X 100 cm
Barcelone, Arxiu històric del Col·legi
d'Arquitectes de Catalunya

Gaudí, Antoni (1852-1926)
Coiffeuse du palais Güell, vers 1889
Bois, fer, verre. 120 X 130 X 65 cm
Barcelone, famille Güell

Gaudí, Antoni
Vitrine, 1898
Bois doré et verre gravé. 193 X 144 cm
Barcelone, Casa-Museu Gaudí
(Paris seulement)

Gaudí, Antoni
*Perspective intérieure de l'église
de la Colonia Güell*, vers 1910
Sérigraphie, gouache sur photographie.
59,5 X 46 cm
Barcelone, collection particulière

Gaudí, Antoni
*Perspective extérieure de l'église
de la Colonia Güell*, vers 1910
Sérigraphie, gouache sur photographie.
61 X 47,5 cm
Barcelone, collection particulière

Gaudí, Antoni
Candélabre, n. d.
Fer forgé. 50 X 175 X 100 cm
Barcelone, Junta constructora temple
Sagrada Familia
(Paris seulement)

Gaudí, Antoni
Grille de la Casa Vicens, vers 1883-1885
Fer forgé et coloré. 233,5 X 126 X 19,5 cm
Barcelone, Museu Nacional d'Art de Catalunya,
inv. 153204

Gaudí, Antoni
Grande jardinière en fer forgé
du palais Güell, 1889
Fer forgé. 174 X 54 X 65 cm
Paris, collection Kiki et Pedro Uhart
(Paris seulement)

Gaudí, Antoni
Banc de la Casa Calvet, 1903
Chêne. 102 X 118 X 57 cm
Paris, collection Kiki et Pedro Uhart
(Paris seulement)

Gaudí, Antoni
Fauteuil de la Casa Calvet, 1903
Chêne. 96 X 66 X 57 cm
Paris, collection Kiki et Pedro Uhart
(Paris seulement)

Gaudí, Antoni
*Casa Batlló, plans 2e, 3e, 4e, 5e étages, coupe
et élévation de la façade*, 26 octobre 1904
Crayon sur toile. 48 X 98 cm
Barcelone, Ajuntament de Barcelona,
Arxiu Municipal Administratiu, inv. A-1.2/33

Gaudí, Antoni
Vitrine d'angle de la salle à manger
de la Casa Batlló, 1905
Chêne et verre biseauté. 232 X 82 X 63 cm
Paris, collection Kiki et Pedro Uhart
(Paris seulement)

Gaudí, Antoni
Fauteuil double de la Casa Batlló, 1905
Chêne. 120 X 164 X 79 cm
Paris, collection Kiki et Pedro Uhart
(Paris seulement)

Gaudí, Antoni
Banquette de la Casa Batlló, vers 1905-1907
Bois de frêne. 103 X 170 X 81 cm
Barcelone, Museu Nacional d'Art de Catalunya,
dépôt de la Casa-Museu Gaudí
(Barcelone seulement)

Gaudí, Antoni
Paire de jardinières de la Casa Batlló, 1905
Ciment, céramique, miroir.
21 X 21 X 19 cm chacune
Paris, collection Kiki et Pedro Uhart
(Paris seulement)

Gaudí, Antoni
Chaise, salle à manger de la Casa Batlló, 1905
Chêne. 75 X 53 X 48 cm
Paris, collection Kiki et Pedro Uhart
(Paris seulement)

Gaudí, Antoni
Ensemble de poignées, Casa Batlló
et Casa Milà, 1905-1909
Laiton
Paris, collection Kiki et Pedro Uhart
(Paris seulement)

Gaudí, Antoni
Casa Milà, façade, 1906
Encre sur toile. 50,5 X 94 cm
Barcelone, Real Cátedra Gaudí

Gaudí, Antoni
Casa Milà, plan du rez-de-chaussée, 1906
Crayon sur toile. 46 X 83 cm
Barcelone, Ajuntament de Barcelona,
Arxiu Municipal Administratiu, inv. A-1.2/44

Gaudí, Antoni
Casa Milà, plan du 3e étage, 1906
Crayon sur papier. 46 X 83 cm
Barcelone, Ajuntament de Barcelona,
Arxiu Municipal Administratiu, inv. A-1.2/46

Gaudí, Antoni
Banc de la crypte de la Colonie Güell,
vers 1908-1914
Bois de chêne. 84 X 256,5 X 70 cm
Sant Feliu de Llobregat,
Consorci Colonia Güell
(Barcelone seulement)

Gaudí, Antoni
Paravent double de la Casa Milà, 1909
Chêne et verre cathédrale. 196 X 400 cm
Paris, collection Kiki et Pedro Uhart
(Paris seulement)

Gaudí, Antoni
Pavés de sol de la Casa Milà, 1909
Terrazzo. 25 X 25 cm chacun
Paris, collection Kiki et Pedro Uhart
(Paris seulement)

Gaudí, Antoni
Miroir de la Casa Milà, 1909
Bois sculpté doré et verre. 75 X 65 X 12 cm
Paris, collection Kiki et Pedro Uhart
(Paris seulement)

Gaudí, Antoni
Maquette moderne de la Sagrada Familia
(façade de la Nativité), dont l'original
a été présenté à Paris en 1910
Plâtre. 265 X 211 X 65,2 cm
Barcelone, Junta constructora temple
Sagrada Familia, inv. R.028
(Paris seulement)

Gaudí, Antoni
Structure de la Sagrada Familia
Maquette moderne, corde et plomb.
92 X 61 X 30 cm et 70 X 65 X 30 cm,
et 2 cloches : 98,5 X 80 X 66 chacune
Barcelone, collection Espai Gaudí,
Fondació Caixa Catalunya
(Paris seulement)

Gleizes, Albert (1881-1953)
Acrobates, 1916
Huile sur carton. 74 X 62 cm
Montargis, musée Girodet, inv. 78.3

Godes, Emili (1895-1970)
Tête de mouche, vers 1930
Photographie. bromure. 17,5 X 23,5 cm
Barcelone, Museu Nacional d'Art de Catalunya,
inv. MNAC 202117

Godes, Emili
Sans titre (*Ciseaux*), vers 1930
Photographie, bromure. 24 X 18 cm
Barcelone, Museu Nacional d'Art de Catalunya,
inv. MNAC 202129

Godes, Emili
Paysage à travers des ailes de libellule,
vers 1930
Photographie, bromure. 44 X 26,5 cm
Barcelone, Museu Nacional d'Art de Catalunya,
inv. MNAC 202116

Godes, Emili
Riz, vers 1930
Photographie, bromure. 27 X 39 cm
Barcelone, Museu Nacional d'Art de Catalunya,
inv. MNAC 202123

Godes, Emili
Cactus étoile, vers 1930
Photographie, bromure. 22 X 28 cm
Barcelone, Museu Nacional d'Art de Catalunya,
inv. MNAC 202137

Gol, Josep María (1897-1980)
Assiette, 1925
Verre émaillé. 14 cm
Barcelone, collection particulière
(Barcelone seulement)

González, Julio (1876-1942)
Jeune fille endormie sur la plage, 1914
Huile sur toile. 82 X 76 cm
Barcelone, Museu Nacional d'Art de Catalunya,
inv. MNAC/MAM 113504

González, Julio
Deux femmes, 1920
Huile sur toile. 61 X 46,5 cm
Madrid, Museo Nacional
Centro de Arte Reina Sofia
(Barcelone seulement)

González, Julio
Femme se coiffant I, vers 1931
Fer forgé, soudé. 168,5 X 54 X 27 cm
Paris, Centre Georges Pompidou,
Musée national d'art moderne,
don de Roberta González (1953),
inv. AM951S
(Paris seulement)

González, Julio
Femme à la corbeille, vers 1934
Fer forgé, soudé. 180 X 63 X 63 cm
Paris, Centre Georges Pompidou,
Musée national d'art moderne,
legs Roberta González (1979),
inv. AM 1979-418

González, Julio
La Montserrat, 1936-1937
Fer forgé, soudé. 163 X 60,5 X 45,5 cm
Amsterdam, Stedelijk Museum, inv. BA109

González, Julio
Montserrat criant, n° 1, 1936-1939
Huile sur toile. 46 X 33 cm
Barcelone, Museu Nacional d'Art de Catalunya,
inv. MNAC/MAM 113514

González, Julio
Tête criant, 1936-1939
Huile sur toile. 46 X 33 cm
Barcelone, Museu Nacional d'Art de Catalunya,
inv. MNAC/MAM 113516

Gossin, E.
*Traversée de la Seine au Châtelet :
ensemble des trois caissons, fonçage
des deux premiers, montage du troisième*,
8 octobre 1906
Photographie. 50 X 40 cm
Paris, archives de la RATP (Saint-Michel),
inv. 3N479

Gris, Juan (1887-1927)
Le Fumeur, 1913
Huile sur toile. 60 X 72 cm
Madrid, Fundación Colección
Thyssen-Bornemisza,
inv. 567 (1978-19)

Gris, Juan
Paysage à Céret, 1913
Huile sur toile. 92 X 60 cm
Stockholm, Moderna Museet,
inv. NM4898

Guimard, Hector (1867-1942)
Poignée de porte palière, 1896-1898
Cuivre. 9,8 X 10 cm
Paris, musée d'Orsay, don de M. Bruno
Foucart par l'intermédiaire de la Société
des amis du musée d'Orsay (1980),
inv. OAO 514

Guimard, Hector
Éléments de crémones, 1896-1898
Fonte de fer et laiton.
18 X 5 cm ; 4 X 5 cm ; 8 X 5 cm
Paris, musée d'Orsay, inv. OAO 1234 (1-5)

Guimard, Hector
Banquette de fumoir, 1897
Jarrah, métal ciselé, garniture moderne.
260 X 262 X 66 cm
Paris, musée d'Orsay, inv. OAO 340

Guimard, Hector
Bouton de porte, 1897-1898
Porcelaine bleue. 4,5 X 6,5 X 6,5 cm
Paris, musée d'Orsay, don de MM. Alain
Blondel et Yves Plantin (1979), inv. OAO 474

Guimard, Hector
Hourdis de plafond, 1899-1900
Plâtre moulé et peint à l'huile. 71,5 X 32 cm
deux éléments montés ensemble
Paris, musée d'Orsay, don de MM. Alain
Blondel et Yves Plantin (1979), inv. OAO 585

Guimard, Hector
Consoles, 1899-1900
Plâtre patiné marron. 27 X 20 X 22 cm
et 31,5 X 10,5 X 30,5 cm
Paris, musée d'Orsay, don de MM. Alain
Blondel et Yves Plantin (1979),
inv. OAO 579 (1) et OAO 580

Guimard, Hector
Parfumerie Millot, meuble du salon, 1900
Mine de plomb et fusain avec rehauts de craie
blanche et d'aquarelle rouge. 330 X 150 cm
Paris, musée d'Orsay, don de l'Association
d'étude et de défense de l'architecture
et des arts décoratifs du xxe siècle (1995),
GP2087

Guimard, Hector
Propriété Nozal, plan du 1er étage, 1er projet,
vers 1902
Crayon, crayon bleu et rehauts d'aquarelle
brune sur calque. 61 X 55,5 cm
Paris, musée d'Orsay, don de l'Association
d'étude et de défense de l'architecture et des
arts décoratifs du xxe siècle (1995), GP60

Guimard, Hector
Propriété Nozal, plan du rez-de-chaussée,
vers 1903
Crayon, encres noire et rouge sur calque.
39 X 59 cm
Paris, musée d'Orsay, don de l'Association
d'étude et de défense de l'architecture
et des arts décoratifs du xxe siècle (1995),
GP56

Guimard, Hector
Fauteuil du Castel Val, 1903
Poirier et cuir repoussé et ciselé.
106 X 76 X 56 cm
Paris, musée d'Orsay, inv. OAO 1202

Guimard, Hector
*Hôtel Jassédé, détail de la console
du 4e étage*, 1904
Crayon bleu avec rehauts de crayon rouge
et mine de plomb sur calque. 260 X 145 cm
Paris, musée d'Orsay, don de l'Association
d'étude et de défense de l'architecture
et des arts décoratifs du xxe siècle (1995),
GP1983

Guimard, Hector
Propriété Nozal, détail de la façade, 1905
Tirage sur papier bleu. 51,8 X 75 cm
Paris, musée d'Orsay, don de l'Association
d'étude et de défense de l'architecture
et des arts décoratifs du xxe siècle (1995),
GP771

Guimard, Hector
Pieds de banc, 1905-1907
Fonte. 87 X 56 cm chacun
Paris, musée d'Orsay, don de Mme de Ménil
(1981), inv. OAO 624 (1-2)

Guimard, Hector
Balcon de croisée, 1905-1907
Fonte de fer. 56 X 116 cm
Paris, musée d'Orsay,
don de Mme de Ménil (1981),
inv. OAO 653

Guimard, Hector
Vase et socle, 1905-1907
Fonte de fer. 135,5 X 59 X 45 cm
Paris, musée d'Orsay,
don de Mme de Ménil (1981),
inv. OAO 622 (1-2)

Guimard, Hector
Cadre de glace de cheminée, vers 1910
Bois doré et verre. 134 X 88 cm
Paris, musée d'Orsay,
inv. OAO 1209

Guimard, Hector
Projet de fauteuil pour Louis Coilliot, Lille, n. d.
Mine de plomb et fusain sur calque.
115 X 74,4 cm
Paris, musée d'Orsay, don de l'Association
d'étude et de défense de l'architecture
et des arts décoratifs du xxe siècle (1995),
GP864

Guimard, Hector
Vitrine d'angle, n. d.
Poirier. 225 X 75 X 69 cm
Paris, collection particulière

Herbin, Auguste (1882-1960)
Paysage à Céret, 1913
Huile sur toile. 94 X 91,5 cm
Céret, musée d'Art moderne,
inv. MAMC P 1991 0465

Hoentschel, Georges (1855-1915)
Fauteuil pour le pavillon de l'UCAD
à l'Exposition universelle de 1900
Platane, peau de truie.102 X 55 X 65 cm
Paris, Union centrale des arts décoratifs,
inv. 9405A

Homar, Gaspar (1870-1955)
*Projet de décoration pour le salon
de la Casa Navàs de Reus*, 1905
Crayon, plume et aquarelle sur papier.
55,3 X 46, 3 cm
Barcelone, Museu Nacional d'Art de Catalunya,
inv. MNAC/GDG 107469/D

Homar, Gaspar
Lustre aux libellules, vers 1905
Cuivre et verre. 180 X 72 cm
Barcelone, Museu Nacional d'Art de Catalunya,
inv. MNAC/MAM 71796

Jujol, Josep (1879-1949)
Lampe du Santísimo, 1918
Fer forgé, carton, bois. 120 cm
Tarragone, Iglesia del Sagrado Corazón
de Vistabella

Kollar, François (1904-1979)
Pavillon espagnol, vue extérieure, façade,
Exposition internationale de Paris, 1937
Photographie, tirage moderne
Paris, Mission du Patrimoine photographique,
KLL 13624 NNR1

Kollar, François
Pavillon espagnol, vue extérieure latérale,
Exposition internationale de Paris, 1937
Photographie, tirage moderne
Paris, Mission du Patrimoine photographique,
KLL 13621 N

Kollar, François
*Pavillon espagnol, La Montserrat
de Julio Gonzalez*, Exposition internationale
de Paris, 1937
Photographie, tirage moderne
Paris, Mission du Patrimoine photographique,
KLL 13623 NNR1

Kollar, François
Pavillon espagnol, Guernica de Picasso,
Exposition internationale de Paris, 1937
Photographie, tirage moderne
Paris, Mission du Patrimoine photographique,
KLL 13631 N

Kollar, François
*Pavillon espagnol, Intérieur, paysans avec
famille*, Exposition internationale de Paris, 1937
Photographie, tirage moderne
Paris, Mission du Patrimoine photographique,
KLL 13555 NNR1

Kollar, François
Pavillon espagnol, Femmes, Exposition
internationale de Paris, 1937
Photographie, tirage moderne
Paris, Mission du Patrimoine photographique,
KLL 13602 N

Kollar, François
*Pavillon espagnol, Milicien, sauvegarde
des monuments*, Exposition internationale
de Paris, 1937
Photographie, tirage moderne
Paris, Mission du Patrimoine photographique,
KLL13547 N

Kollar, François
*Pavillon espagnol, Portrait de Federico García
Lorca*, Exposition internationale de Paris, 1937
Photographie, tirage moderne
Paris, Mission du Patrimoine photographique,
KLL 13578 N

Lalique, René (1800-1945)
Pendentif, vers 1898-1900
Ivoire, or, émaux, perles baroques.
8,8 X 4,9 X 2,7 cm
Lisbonne, musée Calouste Gulbenkian,
inv. 1147
(Barcelone seulement)

Lalique, René
Pendentif, vers 1899-1901
Vitre, émaux, or, diamants. 7,9 X 5,5 cm
Lisbonne, musée Calouste Gulbenkian,
inv. 1139
(Barcelone seulement)

Lalique, René
Pendentif, 1899-1900
Ivoire, or, émaux, agate. 7,5 X 4,7 cm
Lisbonne, musée Calouste Gulbenkian,
inv. 1146
(Barcelone seulement)

Lalique, René
Pendentif, 1901
Vitre, émaux et ivoire. 7,2 X 5,3 cm
Lisbonne, musée Calouste Gulbenkian,
inv. 1140
(Barcelone seulement)

Lalique, René
Diadème, vers 1902-1903
Or, émaux. 8,4 X 16,8 cm
Lisbonne, musée Calouste Gulbenkian,
inv. 1194
(Barcelone seulement)

Lansiaux, Charles (1855-?)
23, rue de Messine par Jules Lavirotte, 1906
Photographie. 22,3 X 17,3 cm
Paris, musée Carnavalet, inv. PH 20325

Lansiaux, Charles
12, rue Sédillot par Jules Lavirotte,
22 août 1918
Photographie. 23,5 X 6,5 cm
Paris, musée Carnavalet, inv. PH 20322

Lansiaux, Charles
29, avenue Rapp par Jules Lavirotte,
22 août 1918
Photographie. 23 X 17 cm
Paris, musée Carnavalet, inv. PH 20320

**Le Corbusier (Jeanneret, Charles
Édouard, dit) [1887-1965]**
Plan Macia, vue en perspective sur pavillons,
Barcelone, 1932
Calque cuir, encre de Chine. 52 X 105 cm
Paris, Fondation Le Corbusier, FLC B257
Le Corbusier
*Plan Macia, plan schématique de cité
pavillonnaire*, Barcelone, 1932
Calque d'étude, crayons noir et couleur,
encre bleue. 38 X 54 cm
Paris, Fondation Le Corbusier, FLC 13218

Le Corbusier
Plan Macia, plan d'urbanisme sur le port,
Barcelone, 1932
Tirage gélatine sur papier Canson. 47 X 67 cm
Paris, Fondation Le Corbusier, FLC 13191

Le Corbusier
*Plan Macia, vue en plan d'implantation
des bâtiments*, Barcelone, 1932
Calque d'étude, encre de Chine, crayons noir
et couleur. 47 X 78 cm
Paris, Fondation Le Corbusier, FLC 13187

Le Corbusier
*Pavillon des Temps nouveaux,
panneau mural « habiter »*, 1937
Collage, papier découpé et encre de Chine
sur papier. 21 X 31 cm
Paris, Centre Georges Pompidou, Musée
national d'art moderne, inv. AM 1999-2-73

Le Corbusier
La Chute de Barcelone, 1939
Huile sur toile. 81 X 99,5 cm
Madrid, Museo Nacional Centro
de Arte Reina Sofía, inv. AS10603

Llimona, Josep (1864-1934)
Tristesse, vers 1907
Marbre. 67 X 76 X 80 cm
Barcelone, Museu Nacional d'Art de Catalunya,
inv. MNAC/MAM 10861

**Llimona, Josep, et Masriera, Lluís (1872-
1958)**
Broche, 1901
Or, brillants, rubis et perles. 7 X 6,4 X 0,6 cm
Barcelone, collection particulière
(Barcelone seulement)

Llorens i Artigas, Josep (1892-1980)
Clair de lune, Paris, 1927
Grès émaillé et cuit en atmosphère réductrice.
25,5 X 15,3 cm
Barcelone, Museu de Ceràmica
(Barcelone seulement)

Llorens i Artigas, Josep, et Dufy, Raoul (1877-1953)
Jardin d'appartement, 1927
Céramique. 20 X 43 X 43 cm
Paris, Centre Georges Pompidou,
Musée national d'art moderne,
inv. AM 1104 (AP-O)
(Barcelone seulement)

Loppé, Gabriel
Illumination de la tour Eiffel, vers 1890
Photographie. 17,8 X 12,9 cm
Paris, musée d'Orsay, don de la Société
des amis du musée d'Orsay (1989),
PHO 1989-5-14

Loppé, Gabriel
La Tour Eiffel foudroyée, vers 1890
Photographie. 12,8 X 17,8 cm
Paris, musée d'Orsay, don de la Société
des amis du musée d'Orsay (1989),
PHO 1989-5-12

Maar, Dora (1907-1997)
Mendiant écroulé sur un pliant,
Barcelone, 1934
Photographie. 29,3 X 30,3 cm
Barcelone, collection Kowasa Gallery, KG152

Maar, Dora
Villa au bord de la mer, 1934
Tirage aux sels d'argent. 27, 3 X 23 cm
New York, collection particulière, avec l'aimable
autorisation de la Galerie 1900-2000

Maar, Dora
Barcelone (façade avec mannequin), 1934
Épreuve aux sels d'argent. 26 X 23,2 cm
Paris, Centre Georges Pompidou, Musée
national d'art moderne, don de la Collection
anonyme (1991), inv. AM 1991-205

Maar, Dora
Dans la boucherie, Barcelone, 1934
Tirage original aux sels d'argent, sur papier
brillant. 24 X 30 cm
Paris, collection Galerie 1900-2000,
Marcel et David Fleiss

Maillol, Aristide (1861-1944)
Méditerranée, 1923
Marbre. 110 X 117 X 68 cm
Paris, musée d'Orsay, inv. RF 3248

Manet, Édouard (1832-1883)
La Prune, vers 1877-1878
Huile sur toile. 73,6 X 50,2 cm
Washington, National Gallery of Art
(collection de M. et Mme Paul Mellon),
inv. 1971.85.1

Manet, Édouard
Étude pour Bar aux Folies-Bergère, 1886
Huile sur toile. 47 X 56 cm
Londres, collection particulière
(Barcelone seulement)

Manolo (Martínez Hugué, Manuel, *dit*) [1872-1945]
Bague « Œil », vers 1903-1907
Or et émaux. Diam. 2 cm
Thermalia, Museu de Caldes de Montbui
(Barcelone seulement)

Manolo
Boucle de ceinture, vers 1903-1907
Argent doré. 7 X 7 X 0,3 cm
Barcelone, Museu Nacional d'Art de Catalunya
(Barcelone seulement)

Manolo
Pendentif, vers 1903-1907
Argent. 4,6 X 6,9 cm
Barcelone, Museu Nacional d'Art de Catalunya
(Barcelone seulement)

Manolo
Femme assise, 1913
Pierre. 43 X 42 X 26 cm
Paris, Centre Georges Pompidou, Musée
national d'art moderne, donation de Louise et
Michel Leiris (1979), inv. AM 1984-594

Manolo
Torse de femme, Céret, 1922
Relief en pierre. 54,5 X 62 X 17 cm
Paris, galerie Louise Leiris

Man Ray (Radnitsky, Emanuel, *dit*) [1890-1976]
Portrait de Salvador Dalí, 1929
Contact. 8,9 X 6,1 cm
Paris, collection Lucien Treillard

Man Ray
Portrait de Salvador Dalí, 1929
Contact. 9 X 5,7 cm
Paris, collection Lucien Treillard

Man Ray
Portrait de Salvador Dalí, Les yeux, 1929
Contact. 5,6 X 7,9 cm
Paris, collection Lucien Treillard

Man Ray
Portrait de Luis Buñuel, 1929
Contact. 8,6 X 6 cm
Paris, collection Lucien Treillard

Man Ray
Portrait de Luis Buñuel, 1929
Contact. 8 X 6,1 cm
Paris, collection Lucien Treillard

Man Ray
Joan Miró, 1930
Épreuve aux sels d'argent. 23 X 17,2 cm
Paris, Centre Georges Pompidou, Musée
national d'art moderne, inv. AM 1987-893

Man Ray
Parc Güell, 1932-1933
Photographie. 22,7 X 14,8 cm
Figueras, Fondació Gala-Salvador Dalí,
inv. n° 2021

Man Ray
Parc Güell, 1932-1933
Photographie. 23,2 X 15,4 cm
Figueras, Fondació Gala-Salvador Dalí,
inv. n° 2023

Man Ray
Parc Güell, 1932-1933
Photographie. 14,8 X 22,8 cm
Figueras, Fondació Gala-Salvador Dalí,
inv. n° 2024

Man Ray
Parc Güell, 1933
Tirage original. 23 X 18 cm
Paris, collection Lucien Treillard

Man Ray
Pablo Picasso, 1933
Épreuve aux sels d'argent. 30 X 24 cm
Paris, Centre Georges Pompidou, Musée
national d'art moderne, inv. AM 1982-174

Man Ray
Dalí à Cadaquès avec chaussure, 1933
Photographie originale. 23 X 18,2 cm
Figueras, Fondació Gala-Salvador Dalí,
inv. Ph 2428

Man Ray
Dalí drapé, 1933
Épreuve aux sels d'argent. 8,5 X 6 cm
Paris, Centre Georges Pompidou, Musée
national d'art moderne, dation en 1994,
inv. AM 1994-394 (4386)

Man Ray
Dalí drapé, 1933
Épreuve aux sels d'argent. 8,5 X 6 cm
Paris, Centre Georges Pompidou, Musée
national d'art moderne, dation en 1994,
inv. AM 1994-394 (4389)

Man Ray
Dalí, tête renversée, 1933
Épreuve aux sels d'argent. 8,8 X 5,4 cm
Paris, Centre Georges Pompidou, Musée
national d'art moderne, dation en 1994,
inv. AM 1994-394 (4392)

Man Ray
Vitrine de Barcelone, 1933
Épreuve aux sels d'argent. 8,7 X 4,5 cm
Paris, Centre Georges Pompidou, Musée
national d'art moderne, dation en 1994,
inv. AM 1994-394 (4477)

Man Ray
Architecture de Gaudí à Barcelone, 1933
Épreuve aux sels d'argent. 6,8 X 4,7 cm
Paris, Centre Georges Pompidou, Musée
national d'art moderne, dation en 1994,
inv. AM 1994-394 (4440)

Man Ray
Architecture de Gaudí à Barcelone, 1933
Épreuve aux sels d'argent. 8,8 X 5,7 cm
Paris, Centre Georges Pompidou, Musée
national d'art moderne, dation en 1994,
inv. AM 1994-394 (4464)

Man Ray
Architecture de Gaudí à Barcelone, 1933
Épreuve aux sels d'argent. 8,8 X 5,4 cm
Paris, Centre Georges Pompidou,
Musée national d'art moderne,
inv. AM 1994-394 (4457)

Man Ray
Architecture de Gaudí à Barcelone, 1933
Épreuve aux sels d'argent. 8,9 X 5,4 cm
Paris, Centre Georges Pompidou, Musée
national d'art moderne, dation en 1994,
inv. AM 1994-394 (4455)

Man Ray
Parc Güell, 1933
Tirage original. 23 X 18 cm
Paris, collection Lucien Treillard

Man Ray
Casa Milà (« La Pedrera »), 1933
Tirage original. 23 X 18 cm
Paris, collection Lucien Treillard

Man Ray
Le Groupe surréaliste, n. d.
Contact, tirage original. 8,1 X 11,4 cm
Paris, collection Lucien Treillard

Marco, Santiago (1885-1949)
Secrétaire, 1925
Bois, marqueterie, ivoire et argent.
110 X 83 X 42 cm
Barcelone, collection Montserrat Mainar
(Barcelone seulement)

Marinot, Maurice
*Vase, décor de rinceaux et de grappes de
raisin*, 1919
Verre incolore émaillé rouge et bleu. 27 cm
Bruxelles, Musées royaux d'art et d'histoire
(Barcelone seulement)

Martorell i Montells, Joan (1833-1906)
*Nouvelle façade de la cathédrale de Barcelone,
projet de concours*, 1882
Barcelone, Arxiu històric del Col·legi
d'Arquitectes de Catalunya

Masana, Josep (1894-1979)
Roue de voiture, 1933
Photographie, bromure. 28,3 X 22,6 cm
Barcelone, Museu Nacional d'Art de Catalunya,
MNAC 205401

Masana, Josep
Cocaïne, n. d. [1933-1935]
Photographie, bromure. 29,5 X 12,5 cm
Barcelone, Museu Nacional d'Art de Catalunya,
MNAC 201983

Masana, Josep
Radiateurs, n. d. [1933-1935]
Photographie. 69,5 X 58,5 cm
Barcelone, Museu Nacional d'Art de Catalunya,
MNAC 205398

Masana, Josep
Rolls, n. d. [1933-1935]
Photographie, bromure. 28,5 X 20,5 cm
Barcelone, Museu Nacional d'Art de Catalunya,
201987

Masriera, Lluís (1872-1958)
Collier avec pendentif de saint Georges, vers
1901-1902
Or, émaux, diamants et rubis. 4,5 X 3,6 cm
Barcelone, Museu Nacional d'Art de Catalunya
(Barcelone seulement)

Masriera, Lluís
Broche grue, vers 1902
Or, émaux translucides, rubis et diamants.
2,7 X 9 cm
Barcelone, collection Bagués-Masriera
(Barcelone seulement)

Masriera, Lluís
Pendentif femme insecte, vers 1902
Or, diamants et émaux. 6,5 X 7 cm
Barcelone, collection Bagués-Masriera
(Barcelone seulement)

Masriera, Lluís
Broche oiseau, vers 1903
Or, émaux et pierres précieuses. 8 X 10 cm
Collection particulière
(Barcelone seulement)

Masriera, Lluís
Broche libellule, vers 1904
Or, émaux translucides, diamants et perles.
8,5 X 9 cm
Collection particulière
(Barcelone seulement)

Masriera, Lluís
Broche « Les libellules », 1908
Or, diamants, rubis, perles,
ivoire et émaux. 8,7 cm
Barcelone, collection Bagués-Masriera
(Barcelone seulement)

Masson, André (1896-1987)
Divertissement d'été, 1934
Huile sur toile. 91,7 X 73,2 cm
Paris, Centre Georges Pompidou, Musée
national d'art moderne, donation de Louise
et Michel Leiris (Paris, 1981),
inv. AM 1981-593

Masson, André
Aube à Montserrat, 1935
Huile sur toile. 51 X 65 cm
Paris, collection particulière

Masson, André
L'Homme solaire, 1935
Huile sur toile. 89 X 117 cm
Genève, collection particulière

Masson, André
Les Moissonneurs andalous, 1935
Huile sur toile.89 x 116 cm
Paris, galerie Louise Leiris

Masson, André
Rêve des ecclésiastiques, 1935-1936
Huile sur toile. 75 X 132 cm
Paris, collection particulière,
avec l'aimable autorisation de la galerie
Cazeau-La Béraudière

Masson, André
Les Insectes matadors, 1936
Huile sur toile. 90 X 117 cm
Paris, collection particulière,
avec l'aimable autorisation de la galerie
Cazeau-La Béraudière

Masson, André
Mithra, 1936
Crayon sur papier calque. 34 X 25 cm
Paris, collection particulière

Masson, André
Projet de fanion pour les Brigades
internationales, *Thaelmann Centurie*, 1936
Gouache sur papier. 34 X 42 cm
Paris, collection particulière

Masson, André
Projet de fanion pour les Brigades
internationales, *British Centurie*, 1936
Crayon et pastel sur papier de boucherie.
38 X 45 cm
Paris, collection particulière

Masson, André
Les Fascistes, 1936-1937
Encre sur papier. 65 X 50 cm
Paris, collection particulière

Masson, André
Acéphale, 1936
Encre sur papier. 40,5 X 31,7 cm
Paris, collection particulière

Masson, André
Étude pour Numance, 1937
Encre de Chine sur papier. 29 X 24 cm
Paris, collection particulière,

Masson, André
Étude pour Numance (toile de fond), 1937
Gouache sur papier. 44 X 58 cm
Paris, collection particulière

Masson, André
Portrait de Georges Bataille, 1937
Crayon gras sur papier. 30 X 25,5 cm
Paris, collection particulière

Masson, André
Los Regulares, 1937
Encre sur papier. 49 X 67 cm
Paris, collection particulière

Masson, André
La Gloire du général Franco, 1938
Plume et encre de Chine sur papier.
48 X 63,5 cm
Paris, ancienne collection André Breton

Ménauteau, Émile
Hôtel Carpeaux par Hector Guimard,
février 1914
Photographie. 22,4 X 16,6 cm
Paris, musée Carnavalet, inv. PH 20319

Mercadé i Queralt, Jaume (1887-1967)
Pendentif, vers 1925
Or et aigue-marine. 7 X 3 cm
Barcelone, collection Jaume Mercadé
(Barcelone seulement)

Mercadé i Queralt, Jaume
Bijou, vers 1930
Argent et cabochon. 8 X 14 X 6,5 cm
Barcelone, collection particulière
(Barcelone seulement)

Meunier, Constantin (1831-1905)
Industrie, 1896
Bronze, haut-relief. 68 X 91 X 36 cm
Paris, musée d'Orsay, inv. RF 3254

Michaelis, Margaret (1902-1985)
Escalier de l'immeuble de la rue Rosselló,
1928-1929
Photographie. 17x 24 cm
Barcelone, Arxiu històric del Col·legi
d'Arquitectes de Catalunya, inv. GATCPAC
C28/177/2

Michaelis, Margaret
Immeuble, rue Muntaner à Barcelone, 1931
Photographie. 18 X 12 cm
Barcelone, Arxiu històric del Col·legi
d'Arquitectes de Catalunya, inv. GATCPAC
C29/179

Michaelis, Margaret
Immeuble, rue de Paris à Barcelone
(architecte : G. Rodriguez Arias), 1934
Photographie. 17 X 12,4 cm
Barcelone, Arxiu històric del Col·legi
d'Arquitectes de Catalunya

Michaelis, Margaret
Intérieur de l'atelier de José Luís Sert,
Barcelone, 1934
Photographie. 16,4 X 22,6 cm
Barcelone, Arxiu històric del Col·legi
d'Arquitectes de Catalunya

Michaelis, Margaret
Maisons de week-end à Garraf, 1934
Photographies. 17,5 X 23,5 cm ; 17,5 X 22 cm ;
23 X 17 cm et 22,5 X 17 cm
Barcelone, Arxiu històric del Col·legi
d'Arquitectes de Catalunya, inv. GATCPAC
C28/178/1

Michaelis, Margaret
Immeuble, rue Balmes, Barcelone, 1934-1935
Photographies. 17,5 X 23,5 cm et 14 X 24 cm
Barcelone, Arxiu històric del Col·legi
d'Arquitectes de Catalunya, inv. GATCPAC
C28/176

Miró, Joan (1893-1983)
Le Balcon, 1917
Huile sur toile. 40 X 25 cm
Paris, collection Paule et Adrien Maeght,
inv. Bac 2241

Miró, Joan
Nord-Sud, 1917
Huile sur toile. 62 X 70 cm
Paris, collection Paule et Adrien Maeght,
inv. Bac 4120

Miró, Joan
Autoportrait, 1919
Huile sur toile.73 x 60 cm
Paris, musée Picasso, inv. RF 1973-79

Miró, Joan
Aviat l'Instant, 1919
Huile sur carton. 107 X 76 cm
Valence, Instituto Valenciano de Arte Moderno,
Generalitat Valenciana, 1996.019 (4.971)

Miró, Joan
Cheval, pipe et fleur rouge, 1920
Huile sur toile. 82,5 X 75 cm
Philadelphie, Philadelphia Museum of Art
(don de M. et Mme C. Miller),
inv. 1986-097-001
(Paris seulement)

Miró, Joan
La Ferme, 1921-1922
Huile sur toile. 132 X 147 cm
Washington, National Gallery of Art
(don de Mary Hemingway), inv. 1987.18.1

Miró, Joan
Intérieur, juillet 1922-printemps 1923
Huile sur toile. 81 X 65,5 cm
Paris, Centre Georges Pompidou, Musée
national d'art moderne, dation en 1997, inv. AM
1997-99

Miró, Joan
Terre labourée, 1923-1924
Huile sur toile. 66 X 92,7 cm
New York, Solomon R. Guggenheim Museum,
inv. 72.2020

Miró, Joan
Baigneuse, hiver 1924
Huile sur toile. 72,5 X 92 cm
Paris, Centre Georges Pompidou, Musée
national d'art moderne, donation
de Louise et Michel Leiris, 1984,
inv. AM 1984-618

Miró, Joan
Le Catalan, printemps 1925
Huile sur toile. 100 X 81cm
Paris, Centre Georges Pompidou,
Musée national d'art moderne, inv. AM 4323 P

Miró, Joan
Bonheur d'aimer ma brune, 1925
Huile sur toile. 72 X 92 cm
Paris, galerie Alain Tarica

Miró, Joan
L'Objet du couchant, été 1935-mars 1936
Assemblage tronc de caroubier peint,
ressort de sommier, brûleur de gaz, chaîne,
manille, ficelle. 68 X 44 X 26 cm
Paris, Centre Georges Pompidou,
Musée national d'art moderne,
inv. AM 1975-56

Miró, Joan
Aidez l'Espagne, 1937
Pochoir sur papier. 32 X 25 cm
Paris, archives *Cahiers d'art*

Miró, Joan
Nature morte au vieux soulier, 1937
Huile sur toile. 81,3 X 116,8 cm
New York, The Museum of Modern Art
(don de James Thrall Soby, 1969)

Monet, Claude (1840-1926)
La Seine à Vétheuil, 1879-1880
Huile sur toile. 43,5 X 70,5 cm
Paris, musée d'Orsay, don du D^r et de
Mme Albert Charpentier (1937), inv. RF1937-3

Neurdein, Étienne et Antonin
*Palais de l'Électricité, vue prise de la tour
Eiffel*, 1900
Photographie collée sur carton. 36,5 X 27 cm
Paris, École nationale supérieure
des beaux-arts, Ph 7628
(Barcelone seulement)

Neurdein, Étienne et Antonin
*Parc et palais du Champ-de-Mars
(palais de l'Électricité et grande roue, vue
prise de la tour Eiffel)*, 1900
Photographie collée sur carton. 36,5 X 27 cm
Paris, École nationale supérieure
des beaux-arts, Ph 7624

Neurdein, Étienne et Antonin
*Perspective de l'avenue Nicolas II,
vue prise des Champs-Élysées
(Grand Palais et Petit Palais)*, 1900
Photographie collée sur carton. 36,5 X 27 cm
Paris, École nationale supérieure
des beaux-arts, Ph 7616
(Barcelone seulement)

Neurdein, Étienne et Antonin
*Perspective sur la Seine, vue prise du pont
Alexandre III et les pavillons*, 1900
Photographie collée sur carton. 36,5 X 27 cm
Paris, École nationale supérieure
des beaux-arts, Ph 7594
(Barcelone seulement)

Neurdein, Étienne et Antonin
*Perspective sur le palais des Nations prise
de la rive droite de la Seine*, 1900
Photographie collée sur carton. 36,5 X 27 cm
Paris, École nationale supérieure
des beaux-arts, Ph 7590
(Barcelone seulement)

Neurdein, Étienne et Antonin
*Plate-forme mobile, carrefour de l'École
militaire*, 1900
Photographie collée sur carton. 27 X 36,5 cm
Paris, École nationale supérieure
des beaux-arts, Ph 7605
(Paris seulement)

Neurdein, Étienne et Antonin
*Pont Alexandre III et palais de l'esplanade
des Invalides*, 1900
Photographie collée sur carton. 36,5 X 27 cm
Paris, École nationale supérieure
des beaux-arts, Ph 7592
(Paris seulement)

Neurdein, Étienne et Antonin
*La tour Eiffel, la mappemonde
et les pavillons*, 1900
Photographie collée sur carton. 36,5 X 27 cm
Paris, École nationale supérieure
des beaux-arts, Ph 7597
(Paris seulement)

**Nogués Xavier (1873-1941),
et Crespo, Ricard (1891-1949)**
Jarre « Jeunes filles jouant à colin-maillard »,
vers 1925
Verre émaillé. 10 X 10 cm
Barcelone, collection Ana Rosa Llongueres
(Barcelone seulement)

Nogués Xavier, et Crespo, Ricard
Verre avec figures de cirque, vers 1925
Verre émaillé. 9 X 7 X 6 cm
Barcelone, collection Ana Rosa Llongueres
(Barcelone seulement)

Nonell, Isidre (1873-1911)
Figure, 1901
Huile sur toile. 73,5 X 54 cm
Barcelone, collection particulière

Nonell, Isidre
Deux gitanes, 1903
Huile sur toile. 136 X 136 cm
Barcelone, Museu Nacional d'Art de Catalunya,
inv. MNAC/MAM 4650

**Paula Villar i Lozano, Francesc de
(1828-1910)**
Chœur de la basilique de Montserrat, 1880
Crayon et encre sur papier.95,5 X 64 cm
Barcelone, Arxiu històric del Col·legi
d'Arquitectes de Catalunya, H 101E/3/202
(Barcelone seulement)

Paula Villar i Lozano, Francesc de
Chœur de la basilique de Montserrat, élévation
et coupe, 1880
Crayon et encre sur papier. 52 X 120 cm
Barcelone, Arxiu històric del Col·legi
d'Arquitectes de Catalunya, H 101E/3/204
(Barcelone seulement)

Picabia, Francis (1879-1953)
Portrait de Marie Laurencin, vers 1916-1917
Encre de Chine, crayon, gouache, aquarelle sur
carton. 56 X 45,5 cm
Paris, Centre Georges Pompidou, Musée
national d'art moderne, don de Juan Álvarez
de Toledo (Paris, 1990), inv. AM 1990-258

Picabia, Francis
Cible, maquette pour l'affiche de l'exposition
Picabia, galerie Dalmau, Barcelone, 1922
Encre de Chine et gouache sur carton.
22 X 22 cm
Barcelone, collection Rafael Santos Torroella

Picabia, Francis
Brouette, 1922
Gouache et encre de Chine sur carton.
78,2 X 54 cm
Madrid, Museo Nacional Centro
de Arte Reina Sofia, inv. AD00296

Picabia, Francis
Conversation I, 1922
Aquarelle et crayon sur carton. 59,5 X 72,4 cm
Londres, The Tate Gallery, T00305

Picabia, Francis
Hache-paille, 1922
Aquarelle et gouache sur papier.
55,9 X 76,2 cm
Valence, Instituto Valenciano de Arte Moderno,
Generalitat Valenciana, 1995.067 (3.057)

Picabia, Francis
Pompe, vers 1922
Aquarelle et gouache sur carton. 76 X 56,5 cm
Paris, Centre Georges Pompidou, Musée
national d'art moderne, inv. AM 1999-124
(Barcelone seulement)

Picabia, Francis
Toréador, 1922
Encre et aquarelle sur papier. 53 X 47 cm
Paris, collection particulière

Picabia, Francis
Chariot, 1922-1923
Encre et crayon sur papier. 60 X 70 cm
Londres, collection particulière, inv. B25549

Picabia, Francis
Volucelle II, 1922-1923
Ripolin sur toile. 200 X 250 cm
Paris, collection particulière

Picabia, Francis
Lampe, 1923
Aquarelle et crayon sur papier. 62,2 X 47 cm
Londres, collection particulière, inv. B14900

Picabia, Francis
Espagnole, n. d.
Aquarelle sur papier. 72 X 51 cm
Challes-les-Eaux, collection particulière

Picabia, Francis
Espagnole à la mantille, n. d.
Aquarelle sur papier. 63 X 46 cm
Menton, musée des Beaux-Arts, inv. DE 625

Picasso, Pablo (1881-1973)
Portrait d'Angel Fernandez de Soto, 1900
Crayon et aquarelle sur papier. 47 X 31 cm
Paris, collection particulière

Picasso, Pablo
Caricature de Rodin et autres croquis, 1900
Plume sur papier. 26 X 20,8 cm
Barcelone, Museu Picasso, inv. MPB 110.513r

Picasso, Pablo
*Pere Romeu caricaturé en Boer
sur un projet de menu pour Els Quatre Gats*,
Barcelone, 1900
Crayon sur papier. 21,8 X 32,8 cm
Barcelone, Museu Picasso, inv. MPB 110.813

Picasso, Pablo
Poète décadent, Barcelone, 1900
Aquarelle et fusain sur papier. 48 X 32 cm
Barcelone, Museu Picasso, inv. MPB 70.232

Picasso, Pablo
Portrait de Carles Casagemas,
Barcelone, 1900
Fusain et aquarelle sur papier. 40,5 X 28 cm
Barcelone, collection particulière

Picasso, Pablo
Portrait de Francesc Bernareggi,
Barcelone, 1900
Fusain et aquarelle sur papier. 38 X 32 cm
Paris, collection particulière

Picasso, Pablo
Portrait de Santiago Rusiñol, Barcelone, 1900
Fusain et aquarelle. 33 X 23 cm
Barcelone, collection particulière

Picasso, Pablo
Le Tailleur Benet Soler, Barcelone, 1900
Fusain et aquarelle sur papier. 49 X 35 cm
Paris, collection particulière

Picasso, Pablo
Le Moulin de la Galette, Paris, automne 1900
Huile sur toile. 88,2 X 115,5 cm
New York, Solomon R. Guggenheim Museum
(don de Justin K. Thannhauser, 1978),
inv. 78.2514T34

Picasso, Pablo
Autoportrait, 1901
Huile sur toile. 81 X 60 cm
Paris, musée Picasso, inv. MP 4

Picasso, Pablo
La Danseuse naine, Paris, 1901
Huile sur carton. 102 X 60 cm
Barcelone, Museu Picasso, inv. MPB 4.274

Picasso, Pablo
La Femme au bonnet, Paris, 1901
Huile sur toile. 41 X 33 cm
Barcelone, Museu Picasso, inv. MPB 112.750

Picasso, Pablo
La Fin du numéro, Paris, 1901
Pastel sur toile. 72 X 46 cm
Barcelone, Museu Picasso, inv. MPB 4.270

Picasso, Pablo
Les Toits bleus, été 1901
Huile sur carton. 40 X 57,5 cm
Oxford, Ashmolean Museum

Picasso, Pablo
Le Tub (La Chambre bleue), 1901
Huile sur toile. 50,4 X 61,5 cm
Washington, The Phillips Collection, acc. 1554
(Paris seulement)

Picasso, Pablo
Les Toits de Barcelone, 1902-1903
Huile sur toile. 69 X 108,5 cm
Barcelone, Museu Picasso, inv. MPB 112.943

Picasso, Pablo
*Étude d'après Sainte Geneviève nourrissant
Paris, de Puvis de Chavannes au Panthéon*,
Paris, 1903
Plume sur papier. 14,6 X 18, 1 cm
Barcelone, Museu Picasso, inv. MPB 110.468

Picasso, Pablo
Maternité sur le quai, janvier 1903
Plume sur papier.15 X 23 cm
Barcelone, Museu Picasso, inv. MPB 110.492

Picasso, Pablo
Picasso et Sebastiá Junyer Vidal, Paris,
avril 1904
Série de cinq dessins, encre et crayon sur
papier. 22 X 16 cm chacun
Barcelone, Museu Picasso, inv. MPB 70.803,
804, 805, 806, 807

Picasso, Pablo
Nu sur fond rouge, 1906
Huile sur toile. 81 X 54 cm
Paris, musée de l'Orangerie, inv. RF 1963-74

Picasso, Pablo
Paysage de Céret, été 1911
Huile sur toile. 65,1 X 50,3 cm
New York, Solomon R. Guggenheim Museum
(don de Solomon R. Guggenheim, 1937),
inv. 37.538

Picasso, Pablo
Buste de Cérétane, Céret, été 1911
Plume et encre brune sur papier à en-tête
du Grand Café Michel Justrafé
26,8 X 21,4 cm
Paris, musée Picasso, inv. MP 653

Picasso, Pablo
Nature morte espagnole, Céret, printemps 1912
Huile et ripolin sur toile. 46 X 33 cm
Villeneuve-d'Ascq, musée d'Art moderne
de Lille-Métropole, don de Geneviève
et Jean Masurel
(Paris seulement)

Picasso, Pablo
Paysage de Céret, printemps 1913
Papiers vergés de couleurs et papiers peints
épinglés, craie blanche et fusain
sur papier mauve. 38 X 38 cm
Paris, musée Picasso, inv. MP 374

Picasso, Pablo
Paysage de Céret, printemps 1913
Papiers vergés de couleurs collés et épinglés,
pastel et fusain sur papier vergé bleu.
47,8 X 62,5 cm
Paris, musée Picasso, inv. MP 375

Picasso, Pablo
Le Paseo de Colón, Barcelone, 1917
Huile sur toile. 40,1 X 32 cm
Barcelone, Museu Picasso, inv. MPB 110.028

Picasso, Pablo
Grande baigneuse, 1921
Huile sur toile. 182 X 101,5 cm
Paris, musée de l'Orangerie, inv. RF 1963-77
(Paris seulement)

Picasso, Pablo
Grand nu à la draperie, 1921-1923
Huile sur toile. 160 X 95 cm
Paris, musée de l'Orangerie, inv. RF 1960-33
(Barcelone seulement)

Picasso, Pablo
Tête d'homme, 1930
Fer, laiton et bronze. 83,5 X 40,5 X 36 cm
Paris, musée Picasso, inv. MP 269

Picasso, Pablo
Portrait de Paul Eluard, 8 janvier 1936
Crayon graphite sur papier vergé.
25 X 16,2 cm
Saint-Denis, musée d'Art et d'Histoire,
inv. Na 3947

Picasso, Pablo
La Femme qui pleure I (6e état), 1937
Pointe sèche, aquatinte, eau-forte et grattoir
sur cuivre. 24 X 25 cm
Paris, musée Picasso, inv. MP 2747

Picasso, Pablo
Mère à l'enfant mort (II), 1937
Huile sur toile. 130 X 195 cm
Madrid, Museo Nacional Centro de Arte Reina
Sofia, inv. DE00104

Picasso, Pablo
Tête de cheval, 1937
Huile sur toile. 65 X 92 cm
Madrid, Museo Nacional Centro de Arte Reina
Sofia, inv. DE00119

Picasso, Pablo
Tête de femme (Dora Maar), 1941
Bronze. 80 X 40 X 55 cm
Paris, collection particulière, S.94

Pidelaserra, Marià (1877-1946)
Les Bains verts, 1900-1901
Huile sur toile. 81 X 120 cm
Barcelone, collection particulière

**Poussielgue-Rusand, Placide,
d'après Viollet-le-Duc, Eugène Emmanuel**
Chandelier du cierge pascal
Bronze doré. 250 X 84 cm
Paris, cathédrale Notre-Dame
(Paris seulement)

Puig i Cadafalch Josep (1867-1957)
Casa Marti, « Els Quatre Gats », 1895-1896
Aquarelle, encre et crayon sur papier.
49,5 X 32 cm
Barcelone, collection particulière

Puig i Cadafalch Josep
Casa Amatller, façade principale, 1898-1900
Encre et aquarelle sur carton. 42 X 31 cm
Barcelone, collection particulière

Puig i Cadafalch Josep
*Casa Macaya, perspective de la façade
principale*, 1898-1900
Aquarelle, crayon sur papier. 40 X 25 cm
Barcelone, collection particulière

Puig i Cadafalch, Josep, et Homar, Gaspar
Vitrine, 1898-1900
Bois, verre, métal. 159,5 X 46 X 45,5 cm
Barcelone, Institut Amatller d'art hispànic,
inv. IAAH 56-58

Puvis de Chavannes, Pierre (1824-1898)
Jeunes filles au bord de la mer, 1879
Huile sur toile. 61 X 47 cm
Paris, musée d'Orsay, legs du comte Isaac
de Camondo (1911), inv. RF 2015

Puvis de Chavannes, Pierre
Le Pauvre Pêcheur, 1881
Huile sur toile. 88 X 68 cm
Paris, musée d'Orsay, inv. RF 506

Rivière, Henri (1864-1951)
*Les coulisses du Chat Noir, manœuvre
d'un décor, vue du premier cintre*, 1887-1894
Cyanotype. 11,5 X 8,5 cm
Paris, musée d'Orsay, PHO 1986-122-7

Rivière, Henri
*Les coulisses du Chat Noir, manœuvre
d'un décor, vue du second cintre*, 1887-1894
Épreuve sur papier argentique. 11,5 X 8,5 cm
Paris, musée d'Orsay, 1986-122-52

Rivière, Henri
*Les coulisses du Chat Noir, manœuvre
d'un décor, vue en plongée*, 1887-1894
Cyanotype. 11,5 X 8,5 cm
Paris, musée d'Orsay, 1986-122-50

Rivière, Henri
*Les coulisses du Chat Noir, manœuvre
d'un châssis de décor, le carnaval de Venise*,
1887-1894
Cyanotype. 11,5 X 8,5 cm
Paris, musée d'Orsay, 1986-122-54

Rivière, Henri
*La tour Eiffel, entretoises au niveau
du troisième étage*, 1889
Épreuve sur papier argentique. 11,6 X 8,5 cm
Paris, musée d'Orsay, don de Mme Bernard
Granet et ses enfants, et de Mlle Solange
Granet (1981), PHO 1981 124-7

Rivière, Henri
*La tour Eiffel, escalier en spirale entre
le deuxième et le troisième étage,
vue en contre-plongée*, 1889
Épreuve sur papier argentique. 8,5 X 11,7 cm
Paris, musée d'Orsay, don de Mme Bernard
Granet et ses enfants, et de Mlle Solange
Granet (1981), PHO 1981 124-19

Rivière, Henri
*La tour Eiffel, peintre sur une corde à nœuds
le long d'une poutre verticale, au dessus
d'un assemblage de poutres*, 1889
Épreuve sur papier argentique. 8,6 X 11,6 cm
Paris, musée d'Orsay, don de Mme Bernard
Granet et ses enfants, et de Mlle Solange
Granet (1981), PHO 1981 124-20

Rivière, Henri
*La tour Eiffel, trois ouvriers sur l'échafaudage
d'un peintre en arc de « campanile »*, 1889
Épreuve sur papier argentique. 8,4 X 11,6 cm
Paris, musée d'Orsay, don de Mme Bernard
Granet et ses enfants, et de Mlle Solange
Granet (1981), PHO 1981 124-26

Roche, Juliette
Le Porro à trois becs, 1916
Huile sur toile. 116 X 82 cm
Paris, Fondation Albert Gleizes, inv. 169

Rodin, Auguste (1840-1917)
Fugit amor, 1881
Bronze. 38,8 X 46 X 33,5 cm
Paris, musée d'Orsay, legs Cosson (1926),
inv. RF 2241

Rodin, Auguste
La Danaïde, 1885
Bronze, fonte Alexis Rudier. 21 X 39 X 25 cm
Paris, musée Rodin, S.606
(Barcelone seulement)

Rodin, Auguste
Madame Morla Vicuña, 1888
Marbre. 56,9 X 49,9 X 37 cm
Paris, musée d'Orsay, inv. RF 793

Rodin, Auguste
La Danaïde, 1889-1890
Marbre exécuté par le praticien Escoula.
36 X 70 X 54 cm
Paris, musée Rodin, S.1155
(Paris seulement)

Rodin, Auguste
Le Sommeil, vers 1894
Marbre taillé par Victor Peter.
48,4 X 56 X 47,5 cm
Paris, musée Rodin, S.1004

Roisin, Lucien
Paseo de San Juan et Arc de Triomphe,
vers 1909
Photographie sur carte postale. 9,3 X 56,9 cm
Sant Cugat del Vallès, Arxiu Nacional de
Catalunya, inv. 4

Roisin, Lucien
Barcelone. Place Urquinaona, vers 1914
Photographie sur carte postale. 9,3 X 57,7 cm
Sant Cugat del Valles, Arxiu Nacional de
Catalunya, inv. 22

Roisin, Lucien
Place de Catalogne, 1910-1915.
Photographie sur carte postale. 9,1 X 57 cm
Sant Cugat del Vallès, Arxiu Nacional de
Catalunya, inv. 1

Rusiñol, Santiago (1861-1931)
Café de Montmartre, 1890
Huile sur toile. 80 X 116 cm
Montserrat, Museu de Montserrat,
donation J. Sala, inv. 200.532

Rusiñol, Santiago
Portrait de Miquel Utrillo, 1890-1891
Huile sur toile. 222,5 X 151 cm
Barcelone, Museu Nacional d'Art de Catalunya,
inv. MNAC/MAM 11384

Rusiñol, Santiago
Grand bal, Paris, 1891
Huile sur toile. 71,5 X 59,5 cm
Oviedo, collection Masaveu, inv. F/M.391

Sala, Josep (1896-1962)
Sans titre (publicité pour les montres Patek),
vers 1930
Photographie. 23,4 X 17,4 cm
Valence, Instituto Valenciano de Arte Moderno
Generalitat Valenciana, dépôt Colección
Ordóñez-Falcón (San Sebastián), D.T.597.1999

Sala, Josep
Sans titre (boucles d'oreilles), 1933
Photographie. 22,3 X 16,5 cm
Barcelone, collection Kowasa Gallery, KG301

Sala, Josep
Sans titre (verres), vers 1935
Photographie. 23,4 X 17,4 cm
Valence, Instituto Valenciano de Arte Moderno,
Generalitat Valenciana, dépôt Colección
Ordóñez-Falcón (San Sebastián),
D.T.596.1999

Sala, Josep
La Maison Bloc, 1936
Photographie. 29 X 23 cm
Barcelone, collection Juan Naranjo

**Serra, Antoni (1869-1932), et Pey,
Josep (1875-1956)**
Vase, vers 1901-1907
Porcelaine. Diam. 14,5 X 6,5 cm
Barcelone, Museu Nacional d'Art de Catalunya
(Barcelone seulement)

Serrurier-Bovy, Gustave (1858-1910)
Coiffeuse, 1800
Acajou ciré, laiton. 118 X 137 X 57 cm
Paris, musée d'Orsay, inv. OAO 975

Sert, José Luis (1900-1983)
Chaise de la bijouterie Roca
de Barcelone, 1934
Bois et tapisserie. 78 X 57 X 60 cm
Barcelone, collection particulière J. Roca
(Barcelone seulement)

Sert, José Luis et Lacasa, Lluis
Maquette du pavillon de la République
espagnole de l'Exposition internationale
de Paris, 1937, reconstitution de 1978
Bois et plastique. 140 X 230 X 201 cm
Madrid, Museo Nacional Centro
de Arte Reina Sofía, inv. AS11702

**Store, Emili (1899-1963), et Benigani,
Enriqueta Pascual de (1905-1969)**
Pendule, 1925
Laque, coquille d'œuf, bois et métal.
48 X 36 X 19 cm
Valldoreix, collection Colàs-Orús
(Barcelone seulement)

Sunyer, Joaquim (1874-1956)
Pastorale, 1910-1911
Huile sur toile. 106 X 152 cm
Barcelone, Arxiu Joan Maragall Generalitat
de Catalunya,

Sunyer, Joaquim
La Riera de Ribès, 1913
Huile sur toile. 98 X 119 cm
Madrid, collection particulière

Sunyer, Joaquim
Le Printemps, 1915
Huile sur toile. 125 X 150 cm
Collection particulière
(Barcelone seulement)

Sunyer, Joaquim
La Flèche, vers 1915-1916
Huile sur toile. 80 X 60 cm
Barcelone, collection particulière
(Barcelone seulement)

Sunyer, Ramon (1889-1963)
Broche, vers 1925
Or, argent, émaux et diamants. 1 X 6 X 4 cm
Barcelone, Joieria Sunyer
(Barcelone seulement)

Sunyer, Ramon
Shaker, vers 1928
Argent et cristal. 25 X 8 cm
Barcelone, Joieria Sunyer
(Barcelone seulement)

Togores, Josep de (1893-1970)
Jeunes filles catalanes, 1921
Huile sur toile. 130 X 81 cm
Barcelone, Museu Nacional d'Art de Catalunya,
inv. MNAC/MAM 4666

Torres García, Joaquim (1874-1949)
Les Villageoises, 1911
Huile sur toile. 74 X 100 cm
Barcelone, Museu Nacional d'Art de Catalunya,
inv. MNAC/MAM 202509

Torres García, Joaquim
(1874-1949)
Temple des nymphes, vers 1911
Huile sur toile. 57 X 90 cm
Barcelone, collection Julia Coromines
(Barcelone seulement)

Torres García, Joaquim
Scène de rue, Barcelone, 1917
Huile sur toile. 61,6 X 72,4 cm
Barcelone, collection particulière

Toulouse-Lautrec, Henri de (1864-1901)
La Buveuse ou Gueule de bois, 1889
Encre noire, crayon bleu
et crayon Conté sur papier. 49,3 X 63,2 cm
Albi, musée Toulouse-Lautrec, inv. MTL D88
(Barcelone seulement)

Toulouse-Lautrec, Henri de
*Moulin Rouge. La Goulue et Valentin
le Désossé*, 1891
Fusain avec rehauts de gouache, papier
marouflé sur toile. 154 X 118 cm
Albi, musée Toulouse-Lautrec, inv. MTL 138
(Paris seulement)

Toulouse-Lautrec, Henri de
May Milton, 1895
Lithographie couleur sur papier. 86 X 67 cm
Paris, musée de la Publicité, inv. 12536

Ubac, Raoul (1910-1985)
*Exposition internationale du surréalisme
à la galerie des Beaux-Arts, mannequins
de Max Ernst et Joan Miró, Paris*, 1938
Photographie. 22,3 X 16,5 cm
Paris, musée d'Art moderne de la Ville de Paris
(MAM), inv. AMPH 2282

Ubac, Raoul
*Exposition internationale du surréalisme
à la galerie des Beaux-Arts, le mannequin
d'Oscar Dominguez, Paris*, 1938
Photographie. 23,4 X 14,4 cm
Paris, musée d'Art moderne de la Ville de Paris
(MAM), inv. AMPH 2323

Valadon, Suzanne (1865-1938)
Portrait d'Erik Satie, 1892-1893
Huile sur toile. 41 X 22cm
Paris, Centre Georges Pompidou, Musée
national d'art moderne, legs du Dr Robert
Le Masle, 1974, inv. AM 1974-11

Van Gogh, Vincent (1853-1890)
Tête de femme, 1884-1885
Huile sur toile. 41 X 34,5 cm
Amsterdam, Van Gogh Museum (Vincent Van
Gogh Foundation), s 62 V/1962 (F80a)
(Barcelone seulement)

Varo, Remedios (1908-1963)
La Leçon d'anatomie, 1935
Collage. 24 X 32 cm
Paris, collection particulière, avec l'aimable
autorisation de la Galerie 1900-2000

Varo, Remedios
Le Message, 1935
Collage. 26,5 X 17,5 cm
Paris, collection particulière, avec l'aimable
autorisation de la Galerie 1900-2000

Varo, Remedios
Pianiste masqué, 1935
Collage. 15,2 X 13 cm
Paris, collection particulière, avec l'aimable
autorisation de la Galerie 1900-2000

Varo, Remedios
La Traversée, 1935
Collage et tempera sur papier. 23,5 X 19,5 cm
Paris, collection particulière, avec l'aimable
autorisation de la Galerie 1900-2000

Varo, Remedios
Remedios Varo et Benjamin Péret, 1942
Photographie. 13 X 9 cm
Valence, collection particulière

Maison Vever
Pendentif naïade, vers 1900
Corne, or repoussé, émail cloisonné
translucide. 16 X 8 cm
Paris, Petit Palais, musée des Beaux-Arts
de la Ville de Paris, OGAL00496
(Barcelone seulement)

**Viollet-le-Duc, Eugène Emmanuel
(1814-1879)**
*Modèle d'un panneau en fonte pour le train
impérial : balustrade du balcon plate-forme*,
1856
Lavis d'encres noire et brune, gouache
blanche. 70,2 X 37 cm
Paris, musée d'Orsay, inv. RF 3989*bis*

Viollet-le-Duc, Eugène Emmanuel
Maçonnerie (marché couvert), planche XXI
des *Entretiens sur l'architecture*, 1865
Mine de plomb, plume et lavis. 240 X 332 cm
Neuilly-sur-Seine, fonds Viollet-le Duc,
inv. BBA.50016

Viollet-le-Duc, Eugène Emmanuel
Maçonnerie (salle de 20 mètres d'ouverture),
planche XXII des *Entretiens sur l'architecture*,
1865
Mine de plomb, plume et lavis. 220 X 324 cm
Neuilly-sur-Seine, fonds Viollet-le-Duc,
inv. BBA.517

Viollet-le-Duc, Eugène Emmanuel
Voûtes de fer, planche XXVI des *Entretiens
sur l'architecture*, 1868
Mine de plomb, plume et lavis
Neuilly-sur-Seine, fonds Viollet-le-Duc,
inv. BBA.50015

Viollet-le-Duc, Eugène Emmanuel
*Maison à pans de fer et revêtement de
faïence, aquarelle pour la planche XXXVI
des Entretiens sur l'architecture*, 1871
Plume, mine de plomb et aquarelle.
33 X 21 cm
Paris, collection particulière

Viollet-le-Duc, Eugène Emmanuel
Dessin pour le cierge pascal de Notre-Dame de Paris
Crayon, encre, lavis sur papier. 98 X 65 cm
Paris, médiathèque de l'Architecture et du Patrimoine, inv. n° 43210
(Paris, seulement)

Viollet-le-Duc, Eugène Emmanuel
Projet de fauteuil
Mine de plomb et aquarelle. 345 X 260 cm
Neuilly-sur-Seine, fonds Viollet-le-Duc, inv. BBA.50011

AFFICHES

Català Pic, Pere
Aixafem el feixisme (« Écrasons le fascisme »), 1936
Affiche, reprint de 1971 par Pere Català Roca.
96,5 X 67,7 cm
Valence, Instituto Valenciano de Arte Moderno, Generalitat Valenciana, 1992.015 (638)

Fontseré, Carlos
Libertat! – F.A.I., 1936-1939
Affiche. 31,9 X 25 cm
Valence, Instituto Valenciano de Arte Moderno, Generalitat Valenciana, 1998.080 (7.030)

Mail, Pierre
Pyrénées, n. d.
Affiche. 85 X 61,5 cm
Paris, musée d'Histoire contemporaine-BDIC, inv. Aff. 315.66

Renau Berenguer, Josep (1907-1982)
Industria de guerra
(« Industrie de guerre »), 1932
Affiche, photomontage. 47,5 X 33,5 cm
Valence, Instituto Valenciano
de Arte Moderno Generalitat Valenciana, dépôt Fundación Renau, D.T.012.070.1989 (5.987)

Renau Berenguer, Josep
El Comisario, nervio de nuestro ejército popular (« Le commissaire,
nerf de notre armée populaire »), 1936
Lithographie. 35,1 X 51,7 cm
Valence, Instituto Valenciano de Arte Moderno, Generalitat Valenciana, donation
collection particulière, 1995.164 (4.028)

Anonyme
Combat de boxe entre Jack Johnson et Arthur Cravan, Barcelone, 23 avril 1916
Affiche. 180 X 80 cm
Paris, Bibliothèque littéraire Jacques Doucet

Anonyme
Trois sculpteurs présentent ADLAN : Ramón Marinel.lo, Jaume Sans, Eudald Serra,
Barcelone, 27-30 mars 1935
Affiche de l'exposition aux Galeries d'art Catalonia. 50 X 36 cm
Collection particulière

Anonyme
Statistiques de répartition des terres, 1936
Affiche. 100 X 70 cm
Paris, musée d'Histoire contemporaine-BDIC

Anonyme
Picasso présenté par ADLAN, Barcelone,
janvier 1936 (avec une photographie
de Picasso par Man Ray)
Affiche de l'exposition à la Sala Estève
Paris, archives du musée Picasso

Anonyme
Exposicion Logicofobista, Barcelone,
mai 1936
Affiche de l'exposition logicophobiste
aux galerias Catalonia
Collection particulière

Anonyme
Olympiade populaire, Barcelone, 1936-1937
Affiche marouflée sur toile. 76 X 55 cm
Paris, musée d'Histoire contemporaine-BDIC, inv. Aff. 315.67

Anonyme
Assassins, UGT, Barcelone, 1937
Affiche. 100 X 70 cm
Paris, musée d'Histoire contemporaine-BDIC, inv. Aff. 315.6

Anonyme
PSU : Homes forts, al front !
(« PSU : Hommes forts, au front ! »), 1937
Affiche. 99,5 X 69,5 cm
Paris, musée d'Histoire contemporaine-BDIC, inv. Aff. 315.4

OUVRAGES

Almanach dels noucentistes, Barcelone,
impr. J. Horta, 1911
Barcelone, Museu Picasso

Bataille, Georges
L'Anus solaire, illustrations d'André Masson, ex. n° 86, Paris, galerie Simon, 1931
Paris, galerie Louise Leiris

Crevel, René
Dalí ou l'anti-obscurantisme, Paris,
José Corti, 1931
Paris, Documentation du Musée national d'art moderne, Centre Georges Pompidou

Dalí, Salvador
Babaouo, Paris, éditions des Cahiers libres, 1932
Paris, Documentation du Musée national d'art moderne, Centre Georges Pompidou

Dalí, Salvador
La Femme visible, Paris, éditions Surréalistes, 1930
Paris, Documentation du Musée national d'art moderne, Centre Georges Pompidou

Foix, J. V.
Krtu, illustrations de Joan Miró, Barcelone, L'Amic de les arts, 1932
Barcelone, Fundació Foix

Folguera, Joaquim
Traduccions i fragments, Barcelone,
La Revista, 1921
Barcelone, Biblioteca de Catalunya

Hertz, Henri
Le Guignol horizontal, lithographies
de Togorès, Paris, galerie Simon, 1923
Paris, Documentation du Musée national d'art moderne, Centre Georges Pompidou

Huidobro, Vicente
Horizon carré, Paris, 1917
Paris, Bibliothèque historique de la Ville de Paris, Fonds Apollinaire

Junoy, Josep María
Arte et Artistas, Barcelone, L'Avenç, 1912
Paris, Bibliothèque historique de la Ville de Paris

Junoy, Josep María
Guynemer, Barcelone, Libreria Antonio Lopez, 1918
Barcelone, Biblioteca de Catalunya

Junoy, Josep María
Poemes & Cal-ligrames, Barcelone, Libreria nacional catalana, 1920
Barcelone, Biblioteca de Catalunya

Malraux, André
L'Espoir, illustrations d'André Masson, Paris, Gallimard, 1936
Paris, collection particulière

Ors, Eugenio d'
Glosari, ex. 13/40, Barcelone, Libreria de Francesc Puig, 1907
Barcelone, Biblioteca de Catalunya

Ors, Eugenio d'
La Ben Plantada, Barcelone, Llibreria d'Àlvar Verdaguer, 1911
Barcelone, Biblioteca de Catalunya

Picabia, Francis
Cinquante-deux miroirs, Barcelone,
impr. Vilanova, 1917
Paris, bibliothèque littéraire Jacques Doucet

Pérez-Jorba, Joan
Poèmes, Barcelone, Masso, 1913, dédicace
à Guillaume Apollinaire (« Au grand poète,
hommage de son admirateur J. Pérez-Jorba »)
Paris, Bibliothèque historique de la Ville de Paris

Reverdy, Pierre
Cœur de chêne, gravures sur bois de Manolo.
Paris, galerie Simon, 1921, ex. n° 86 signé
îpar Reverdy et Manolo
Paris, galerie Louise Leiris

Rivière, Henri
La Tentation de saint Antoine, Paris, Plon, 1887
Paris, archives Erik Satie

Rusiñol, Santiago
Desde el molino, illustrations de Ramon Casas, Barcelone, L' Avenç, 1894
Paris, archives Erik Satie

Sacs, Joan
La Pintura francesa fins al cubisme,
Barcelone, La Revista, 1917
Barcelone, Museu Picasso

CATALOGUES D'EXPOSITIONS

Torres García, dibujos y pinturas, préface
d'Eugenio d'Ors, Barcelone, galerie Dalmau,
janvier-11 février 1926
Barcelone, Biblioteca de Catalunya

Exposició d'art cubista, préface
de Jacques Nayral, Barcelone, galerie Dalmau,
20 avril-10 mai 1912
Barcelone, collection Rafael Santos Torroella

Exposició d'art cubista, préface
de Jacques Nayral, Barcelone, galerie Dalmau,
20 avril-10 mai 1912
Paris, Documentation du Musée national
d'art moderne, Centre Georges Pompidou

Albert Gleizes, Barcelone, galerie Dalmau,
29 novembre-12 décembre 1916
Paris, Documentation du Musée national
d'art moderne, Centre Georges Pompidou

Exposition d'Art français, Barcelone,
palais des Beaux-Arts, 1917
Paris, bibliothèque centrale des Musées
nationaux

Joan Miró, poème de J. M. Junoy, Barcelone,
galerie Dalmau, 16 février-3 mars 1918
Barcelone, Biblioteca de Catalunya

Exposició d'art francès d'avantguarda, préface
de Maurice Raynal, Barcelone, galerie Dalmau,
25 octobre-15 novembre 1920
Paris, Documentation du Musée national
d'art moderne, Centre Georges Pompidou

Miró : peintures et dessins, préface
de Maurice Raynal, Paris, galerie La Licorne,
29 avril-14 mai 1921
Paris, Documentation du Musée national d'art
moderne, Centre Georges Pompidou

Togorès, préface de Max Jacob, Paris,
galerie Simon, février 1922
Paris, galerie Louise Leiris

Francis Picabia, préface d'André Breton,
Barcelone, galerie Dalmau,
18 novembre-8 décembre 1922
Paris, Documentation du Musée national
d'art moderne, Centre Georges Pompidou

Joan Miró, préface de Benjamin Péret, Paris,
galerie Pierre, 12-27 juin 1925
Paris, Documentation du Musée national d'art
moderne, Centre Georges Pompidou

Dalí, Barcelone, galerie Dalmau,
14-28 novembre 1925
Barcelone, Arxiu històric de la Ciutat
de Barcelona

Dalí, Barcelone, galerie Dalmau,
31 décembre 1926-14 janvier 1927
Figueras, Fundació Gala-Salvador Dalí

Arte moderno nacional y extranjero,
préface de M. A. Cassanyes, Barcelone,
galerie Dalmau, 31 octobre-15 novembre 1929
Paris, Documentation du Musée national
d'art moderne, Centre Georges Pompidou

Dalí, préface d'André Breton, Paris, galerie
Goemans, 1929
Paris, Documentation du Musée national
d'art moderne, Centre Georges Pompidou

Exposition internationale de Barcelone, 1929
Paris, bibliothèque centrale des Musées
nationaux

Miró, Paris, galerie Pierre, 7-14 mars
et 15-22 mars 1930
Barcelone, Fundació Joan Miró

Dalí, Paris, galerie Pierre Colle,
26 mai-17 juin 1932
Figueras, Fundació Gala-Salvador Dalí

Dalí, Paris, galerie Pierre Colle, 1933
Paris, Documentation du Musée national
d'art moderne, Centre Georges Pompidou

André Masson, Espagne 1934-1936, Paris,
galerie Simon, décembre 1936
Paris, galerie Louise Leiris

Picasso, Barcelone, Sala Esteve, janvier 1936
Barcelone, Museu Picasso

*L'Art espagnol contemporain : peinture
et sculpture*, Paris, Jeu de Paume des Tuileries,
12 février-mars 1936
Paris, archives *Cahiers d'art*

Exposició Logicofobista, Barcelone, galeria
de la Libreria Catalonia, 4-15 mai 1936
Collection particulière

L'Art en Catalogne de la seconde moitié du IXe à la fin du XVe siècle, texte de Christian Zervos, Paris, Jeu de Paume des Tuileries, octobre-décembre 1936
Paris, archives *Cahiers d'art*

Exposition internationale de 1937, texte de Pierre Verger, Paris, Arts et métiers graphiques,
Paris, collection particulière

L'Art catalan du Xe au XVe siècle, Paris, Jeu de Paume, mars-avril 1937
Paris, archives *Cahiers d'art*

REVUES

A. C., n° 4, 4e trimestre 1931 ; n° 5, 1er trimestre 1932 ; n° 6, 2e trimestre 1932 ; n° 7, 3e trimestre 1932 ; n° 8, 4e trimestre 1932 ; n° 9, 1er trimestre 1933 ; n° 10, 2e trimestre 1933 ; n° 11, 3e trimestre 1933 ; n° 12, 4e trimestre 1933 ; n° 13, 1er trimestre 1934 ; n° 14, 2e trimestre 1934 ; n° 15, 3e trimestre 1934 ; n° 17, 1er trimestre 1935 ; n° 18, 2e trimestre 1935 ; n° 19, 3e trimestre 1935 ; n° 25, juillet 1937
Barcelone, Arxiu històric del Col·legi d'Arquitectes de Catalunya

Acéphale, illustrations d'André Masson, n° 1, juin 1936 ; n°s 3-4, juillet 1937 (numéro spécial Dionysos)
Paris, Documentation du Musée national d'art moderne, Centre Georges Pompidou

Agence Républicaine, 31 mars 1917 (« L'exposition de Barcelone »)
Paris, archives du musée Rodin

L'Amic de les arts, n° 26, 30 juin 1928
Barcelone, Museu Picasso

Arc voltaïc, n° 1, février 1918
Barcelone, Arxiu històric de la Ciutat de Barcelona

Art (Barcelone), n° 1, t. II, octobre 1934
Barcelone, Museu Picasso

Art de la Llum, n° 20, janvier 1935
Barcelone, collection Juan Naranjo

Arts et métiers graphiques, numéro spécial sur les Expositions internationales de 1937 (Paris) et 1939 (New York), 1939
Paris, collection particulière

Cahiers d'art, 1934, n°s 1-4 ; 1937, n°s 1-3 ; 1937, n°s 4-5
Paris, Documentation du Musée national d'art moderne, Centre Georges Pompidou

Cahiers d'art, 1937, n°s 8-10
Paris, archives *Cahiers d'art*

El Correo de las artes y de las letras, n° 2, décembre 1912
Barcelone, Arxiu històric de la Ciutat de Barcelona

D'Aci i d'Allà, n° 179, décembre 1934, numéro spécial consacré à l'art du XXe siècle
Paris, Documentation du Musée national d'art moderne, Centre Georges Pompidou

La Dépêche de Toulouse, 7 mai 1907
Paris, archives du musée Rodin

Documents, n° 7, décembre 1929
Paris, Documentation du Musée national d'art moderne, Centre Georges Pompidou

Échos de Barcelone, Le Carnet de la semaine
Paris, archives du musée Rodin

Un enemic del poble, n° 13, mai 1918
Barcelone, Museu Picasso

Ford, n° 36, août 1935
Barcelone, collection Juan Naranjo

Helix, n° 1, février 1929
Barcelone, Museu Picasso

L'Instant, 2e année, n° 1, 15 août 1919
Barcelone, Museu Picasso

Messidor, 1er février 1918
Paris, Fonds Albert Birot

Minotaure, n° 1, juin 1933 ; n°s 3-4, décembre 1933 ; n° 7, juin 1935, couverture illustrée par Miró ; n° 8, 15 juin 1936, couverture de Dalí
Paris, Documentation du Musée national d'art moderne, Centre Georges Pompidou

Nord-Sud, n° 1, 15 mars 1917
Paris, Documentation du Musée national d'art moderne, Centre Georges Pompidou

Pèl & Ploma, n° 68, 15 janvier 1901
Barcelone, Museu Picasso

Plançons, revue franco-catalane, n° 1, mars 1918
Paris, Fonds Albert Birot

Quatre Gats, n° 1, février 1899, couverture illustrée par Ramon Casas
Barcelone, Biblioteca de Catalunya

Regards, n° 255, 1er décembre 1938
Paris, musée d'Histoire contemporaine-BDIC

La Révolution surréaliste, n° 12, 1929
Paris, Documentation du Musée national d'art moderne, Centre Georges Pompidou

SIC, n° 17, mai 1917
Paris, Documentation du Musée national d'art moderne, Centre Georges Pompidou

Le Surréalisme au service de la révolution, n° 1, juillet 1930 ; n° 2, octobre 1930
Paris, Documentation du Musée national d'art moderne, Centre Georges Pompidou

Troços, n° 1, septembre 1917
Paris, Documentation du Musée national d'art moderne, Centre Georges Pompidou

Troços, n° 4, mars 1918
Barcelone, Fundació Foix

391, n° 1, 25 janvier 1917 ; n° 2, 10 février 1917 ; n° 3, 1 mars 1917 ; n° 4, 25 mars 1917, exemplaires de luxe rehaussés à la main notamment par Francis Picabia
Paris, bibliothèque littéraire Jacques Doucet

391, n° 4, 25 mars 1917
Paris, Documentation du Musée national d'art moderne, Centre Georges Pompidou

Vu, n° 435, « Catalogne 1936 », 8 juillet 1936
Collection particulière

MANUSCRITS

Bataille, Georges
Bleu du ciel, 1935
Orléans, bibliothèque municipale

Bellissen-Bénac
Lettre à Rodin, Barcelone, 5 janvier 1907
Paris, archives du musée Rodin

Breton, André
Carte postale (la Sagrada Familia) adressée à Picasso, Barcelone, novembre 1922
Paris, archives du musée Picasso

Breton, André, et Eluard, Paul
Prière d'insérer et avis de publication de *La Femme visible* de Dalí, 1930
Paris, Documentation du Musée national d'art moderne, Centre Georges Pompidou

Conférence d'André Breton, Ateneo, Barcelone, novembre 1922
Publicité
Barcelone, collection Rafael Santos Torroella

Dalí, Salvador
Lettre à Charles de Noailles, 6 décembre 1930
Paris, Documentation du Musée national d'art moderne, Centre Georges Pompidou

Eluard, Paul
Je parle de ce qui est bien, conférence sur Picasso, Barcelone, 24 janvier 1936
Saint-Denis, musée d'Art et d'Histoire

Mairie de Barcelone
Lettre à Rodin, Barcelone, 10 juillet 1907, proposition d'acquisition de *L'Âge d'airain*
Paris, archives du musée Rodin

Manifeste ADLAN, Barcelone, 1932
Barcelone, collection Rafael Santos Torroella

Manifest Groc, mars 1928
Figueras, Fundació Gala-Salvador Dalí

Masriera, Lluís, et Campins
Lettre à Rodin, Barcelone, 12 février 1901
Paris, archives du musée Rodin

Masson, André
Du haut de Montserrat, décembre 1934
Paris, collection particulière

Masson, André
Une nuit à Montserrat, Montserrat, décembre 1934
Paris, collection particulière

Masson, André
Goutte d'eau dans la vallée, Tossa de Mar, avril 1935
Paris, collection particulière

Masson, André
Rêve d'un futur désert, Tossa de Mar, avril 1935
Paris, collection particulière

Miró, Joan
Lettre à Pablo Picasso, 27 juin 1920
Paris, archives du musée Picasso

Papier à en-tête de Josep Dalmau, Portaferrissa 18
Barcelone, collection Rafael Santos Torroella

Vasquez-Diaz, Daniel
Lettre à Rodin, 15 février 1913
Paris, archives du musée Rodin

PROGRAMMES

Programme de *La Marche à l'Étoile* pour le théâtre d'ombres du Chat Noir, illustrations de Georges Auriol, Paris, impr. Charles Blot, 1890
Paris, archives Erik Satie

Programme de la première représentation du ballet *Parade*, théâtre du Châtelet, Paris, 18 mai 1917
Paris, Bibliothèque nationale de France, Département des arts du spectacle

Programme de *Parade*, Ballets russes, Grand Théâtre du Liceu, 10 novembre 1917
Barcelone, Institut del Teatre

Programme du gala en l'honneur de l'illustre maréchal Joffre, Grand Théâtre du Liceu, Barcelone, 15 mai 1920
Barcelone, Arxiu històric de la Ciutat de Barcelona

Programme de *L'Âge d'or*, Paris, 1930
Paris, Documentation du Musée national d'art moderne, Centre Georges Pompidou

PHOTOGRAPHIES

Guillaume Apollinaire dans l'atelier de Picasso, 11, boulevard de Clichy, automne 1910
Tirage moderne
Paris, archives du musée Picasso

Ricard Canals, Paris, 1904
Paris, archives du musée Picasso

Arthur Cravan
Paris, bibliothèque littéraire Jacques Doucet

Salvador Dalí et Federico García Lorca, 3 mars 1922
Madrid, Fundación Federico García Lorca

Dalí debout sur une table avec chemise illustrée de *L'Angelus* de Millet
Figueras, Fundació Gala-Salvador Dalí.

Dalí, Gala, René Char à Port Lligat, été 1930
Figueras, Fundació Gala-Salvador Dalí

Josep Dalmau, vers 1910
Barcelone, collection Rafael Santos Torroella

Masson et Bataille à Tossa de Mar
Paris, collection particulière

Yvonne et Christian Zervos, Roland Penrose, Pere Catala Pic au monastère de Pedralbes, 1936
Paris, archives *Cahiers d'art*

Eugenio d'Ors
Sant Cugat del Vallès, Arxiu nacional de Catalunya

Ramon Pichot dans l'atelier de Picasso, 11, boulevard de Clichy, hiver 1910
Paris, archives du musée Picasso

BIBLIOGRAPHIE SÉLECTIVE

ÉTUDES GÉNÉRALES

Ouvrages et articles

AINAUD DE LASARTE, Joan, *La Pintura catalana, del segle XIX al sorprenent segle XX*, Barcelone, Skira, 1991.

APOLLINAIRE, Guillaume, *Chroniques et paroles sur l'art. Œuvres en prose complètes, II*, textes établis, présentés et annotés par P. Caizergues et M. Décaudin, Paris, Gallimard, 1991.

Barcelone, 1888-1929, sous la dir. de A. Sanchez, Paris, Autrement, 16, 1992.

BOHIGAS TARRAGÓ, Pere, « Apuntes para la historia de las Exposiciones oficiales de arte de Barcelona », *Anales y boletín de los museos de arte de Barcelona*, (III) 1, janvier 1945, p. 22-42 ; (III) 2, avril 1945, p. 95-112 ; (III) 4, octobre 1945, p. 259-300.

BOZAL, Valeriano, *Pintura y escultura españolas del siglo XX (1900-1939)*, Madrid, Espasa Calpe, 1992.

CALVO SERRALLER, Francisco (éd.), *Enciclopedia del arte español del siglo XX*, Madrid, Mondadori, 1991, t. I.

CHEVREFILS DESBIOLLES, Yvan, *Les Revues d'art à Paris, 1905-1940*, Paris, Ent'revues, 1993.

ELIAS, Feliu, *L'Escultura catalana moderna*, Barcelone, Seix Barral, 1981.

FERRATER, Gabriel, *Sobre pintura*, Barcelone, Seix Barral, 1981.

FLAQUER, S., et PAGÈS, M. T., *Inventari d'artistes catalans que participaren als Salons de París fins a l'any 1914*, Barcelone, Diputació de Barcelona, 1986.

FONTBONA, Francesc, et MIRALLES, Francesc, *Del Modernisme al Noucentisme, 1888-1917*, dans *Història de l'art català*, Barcelone, Edicions 62, 1985, t. VII.

GABRIEL, Pere (éd.), *Història de la cutura catalana* ; t. VI, *El Modernisme, 1890-1906* ; t. VII, *El Noucentisme, 1906-1918* ; t. VIII, *Primeres avantguardes, 1918-1930*, Barcelone, Edicions 62, 1997.

GASCH, Sebastià, *La Pintura catalana contemporània*, Barcelone, Comissariat de Propaganda de la Generalitat de Catalunya, 1937.

GAZIEL [pseud. d'Agustí CALVET], *Un estudiant a París i d'altres estudis*, Barcelone, Selecta, 1963.

HUERTAS, J. M., et GELI, C., *« Mirador », la Catalunya impossible*, Barcelone, Proa, 2000.

HUGHES, Robert, *Barcelone, la ville des merveilles*, Paris, Albin Michel, 1992.

LASSAIGNE, Jacques, « Hommage à la Catalogne. Peintres de Catalogne », dans *Panorama des arts*, Paris, Somogy, 1947.

McCULLY Marilyn, *Homage to Barcelona, the city and its art, 1888-1936*, Londres, Thames and Hudson, 1986.

MARAGALL, Joan, *Historia de la Sala Parès*, Barcelone, Editorial Selecta, 1975.

MONTMANY, Antònia, NAVARRO, Montserrat, et TORT, Marta, *Repertori d'exposicions individuals d'art a Catalunya (fins a l'any 1938)*, Barcelone, Institut d'Estudis Catalas, 1999.

ORS, Eugeni d', *Obra completa. Glosari 1906-1910*, Barcelone, Selecta, 1950.

ID., *Glosari 1915*, éd. J. Murgades, Barcelone, Quaderns Crema, 1990.

ID., *Glosari 1916*, éd. J. Murgades, Barcelone, Quaderns Crema, 1991.

ID., *Glosari 1917*, éd. J. Murgades, Barcelone, Quaderns Crema, 1992.

PLA, Josep, *Obra completa*,

Barcelone, Destino, 1980.

RICART, Enric Cristòfol, *Memòries*, éd. R. Mas Peinado, Barcelone, Parsifal, 1995.

TRESSERRAS, Joan Manuel, *« D'Ací i d'Allà », aparador de la modernitat (1918-1936)*, Barcelone, Llibres de l'Index, 1993.

Catalogues de musées et d'expositions

Cinquante ans d'art espagnol, 1880-1936, Bordeaux, galerie des Beaux-arts, 11 mai-1er septembre 1984, dir. G. Martin-Méry.

Les Noces catalanes. Barcelone-Paris, 1870-1970, Paris, Artcurial, mai-juillet 1985, introduction de H.-F. Rey.

Catàleg de pintura segles XIX i XX, fons del Museu d'Art Modern, Barcelone, Ajuntament de Barcelona, 1987.

Cinq siècles d'art espagnol, Paris, musée d'art moderne de la Ville de Paris, 10 octobre 1987-3 janvier 1988, Paris-Musées, 2 vol.

Avantguardes a Catalunya, 1906-1939, Barcelone, Fundació Caixa de Catalunya, 16 juillet-30 septembre 1992, dir. D. Giralt Miracle.

Arte moderno y revistas españolas, 1898-1936, Madrid, Ministerio de Educación y Cultura, Museo Nacional Centro de Arte Reina Sofía, 29 octobre 1996-9 janvier 1997 ; Bilbao, Museo de Bellas Artes, 23 janvier-16 mai 1997.

De Picasso a Dalí. Las raíces de la vanguardia española, 1907-1936, Madrid, pavillon espagnol de l'Expo' 98, 1998, dir. J. Manuel Bonet.

Avantguardas fotogràfiques a España, 1925-1945, Barcelone, Centre Cultural de la Fundació La Caixa de Catalunya ; Lérida, Centre Cultural de la Fundació La Caixa, 3 décembre 1997-25 janvier 1998 ; Palma de Majorque, 12 février-12 avril 1998 ; Gérone, 28 avril-31 mai 1998.

Españoles en París : Blanchard, Dalí, Gargallo, González, Gris, Miró, Picasso, Fondos del Museo Nacional Centro de Arte Reina Sofía, Santander, Fundación Marcelino Botín, 27 juillet-12 septembre 1999, dir. M. J. Salazar.

Sintonías y Distancias, Madrid, Circulo de Bellas Artes, 3 mars-10 mai 1998 ; Barcelone, Centro de Cultura Contemporánea de Barcelona, 22 septembre 1998-18 janvier 1999.

Painters in Paris, 1895-1950, New York, The Metropolitan Museum of Art, 2000, dir. W. S. Lieberman.

L'École de Paris, 1904-1929. La part de l'autre, Paris, musée d'art moderne de la Ville de Paris, Paris-Musées, 30 novembre 2000-11 mars 2001, dir. J. L. Andral et S. Krebs.

PARIS ET BARCELONE AU TOURNANT DU SIÈCLE

Ouvrages et articles

[ANONYME], « Esquellots », *La Esquella de la Torratxa* (Barcelone), 18 octobre 1890.

[ID.], « Crónica general », *La Publicidad* (Barcelone), 19 octobre 1890.

[ID.], « Barcelona », *Diario de Barcelona* (Barcelone), 12 novembre 1891.

[ID.], « Exposición Rusiñol, Casas y Clarassó », *Barcelona cómica* (Barcelone), 18 novembre 1891.

[ID.], « Exposition de MM. Ricardo-Canals et Nonell-Monturiol », *Le Moniteur des arts* (Paris), 14 janvier 1898.

[ID.], « L'Exposició universal de Paris », *Pèl & Ploma* (Barcelone), 48-49, 5 mai

1900, p. 2-3.

[ID.], « Les noves cases de Barcelona », *Pèl & Ploma* (Barcelone), 60, 15 septembre 1900.

[ID.], « Noticies » [Les idees d'en Renoir], *Vell i Nou* (Barcelone), 10, 1er octobre 1915, p. 13-14.

[ID.], « Els artistes catalans en el Saló de Tardor de Paris », *La Veu de Catalunya* (Barcelone), 13 avril 1921.

BALSA DE LA VEGA, « Los Burgueses de Calais », *La Ilustración artística* (Barcelone), 753, 1er juin 1896.

B[ASSEGODA], B., « Saló Parés », *La Renaixensa* (Barcelone), 19 février 1893, p. 2101-2102.

BATLLE, Esteve, « La Exposición de bellas artes. XXV. Sala belga ; Sala francesa », *El Diluvio* (Barcelone), 7 juin 1907.

B[ELETA], P., « Bellas Artes. Exposición Casas, Rusiñol y Clarasó », *El Correo Catalán* (Barcelone), 13 novembre 1891, p. 3-4.

ID., « Crónica artistica. Exposición Casas, Rusiñol y Clarasó », *El Correo Catalán* (Barcelone), 17 février 1893, p. 4-5.

BÉNÉDITE, Léonce, « Whistler », *Gaseta de les arts* (Barcelone), 63, 15 décembre 1926, p. 1-3

BENET, Rafael, *Los « Quatre Gats » y su época*, Barcelone, Barna, 1954.

BESNARD, O. A., « Rodin », *Pèl & Ploma* (Barcelone), 86, mars 1902.

BOHIGAS, Oriol, *Reseña y catálogo de la arquitectura modernista*, Barcelone, Lumen, 1973 ; 2e éd. 1983.

BOU I GIBERT, Lluís-Emili, « Les anades de Nonell a Paris », *D'Art, revista del Departament d'història de l'art de la UB* (Barcelone), 2, mai 1973, p. 1.

BRULL, Joan, « Notes d'art », *Joventut* (Barcelone), 50, 24 janvier 1901, p. 75-77.

ID., « Notes d'art. Recorts de la Exposició de Paris », *Joventut* (Barcelone), 82, 5 septembre 1901, p. 593-595.

CABOT I ROVIRA, Joaquim, « August Rodin », *Pèl & Ploma* (Barcelone), 68, 15 janvier 1901.

CAPMANY, Aureli, « Barcelona abans de l'Exposició de 1888 », *D'Ací i d'Allà* (Barcelone), décembre 1929, p. 51-57 (numéro spécial consacré à l'Exposition internationale de Barcelone).

CASACUBERTA, Margarida, *Santiago Rusiñol, vida, literatura i mite*, Barcelone, Universitat Autònoma de Barcelona, 1993 (thèse de doctorat).

CASAS, Ramon, « *Pèl & Ploma* a Paris. L'Exposició universal », *Pèl & Ploma* (Barcelone), 55, 1er juillet 1900 ; 56, 15 juillet 1900 ; 57, 1er août 1900.

CASAS, Ramon, RUSIÑOL, Santiago, et UTRILLO, Miguel, *Viatge a París*, Barcelone, La Magrana, 1980.

CASAS, Ramon, et UTRILLO, Miguel, « *Pèl & Ploma* a Paris », *Pèl & Ploma* (Barcelone), 54, 14 juin 1900.

CASELLAS, Raimon, « Exposició de pintures. Rusiñol-Casas », *L'Avenç* (Barcelone), 30 novembre 1891.

ID., « Bellas artes. Exposición Rusiñol, Casas y Clarassó », *La Vanguardia* (Barcelone), 16 février 1893.

ID., « Paris Artístico IV : Augusto Rodin », *La Vanguardia* (Barcelone), 21 mai 1893.

ID., « Los Ciudadanos de Calais », *La Vanguardia* (Barcelone), 17 juin 1895.

[ID.], « Artistas catalanes en Paris », *La Vanguardia* (Barcelone), 5 janvier 1898.

ID., « En Ramon Casas se n'ha anat a Paris », *Pèl & Ploma* (Barcelone), 40, 3 mars 1900.

ID., « Dibuixos de Paris », *Pèl & Ploma* (Barcelone), 43, 24 mars 1900.
ID., « August Rodin », *La Veu de Catalunya* (Barcelone), 2 novembre 1911.
ID., *Etapes estètiques*, Barcelone, Societat Catalana d'Edicions, 1916, 2 vol.
CASSOU, Jean, « Gaudí et le baroque », *Formes* (Paris), 32, 1933, p. 364-366
CASTELLANOS, Jordi, *Raimon Casellas i el Modernisme*, Barcelone, Curial, Publicacions de l'Abadia de Montserrat, 1983, 2 vol.
CIRICI PELLICER, Alexandre, *El Arte modernista catalán*, Barcelone, Aymà, 1951.
ID., « La arquitectura de Puig i Cadafalch », *Cuadernos de arquitectura* (Barcelone), 63, 1966.
CLARASSÓ, Enric, « La escultura en la Exposición de 1900 », *Joventut* (Barcelone) 29, 30 août 1900.
COLL, Isabel, *Santiago Rusiñol*, Sabadell, Ausa, 1992.
ID., *Ramon Casas. Una vida dedicada a l'art. Catàleg raonat de l'obra pictòrica*, Barcelone, El Centaure Groc, 1999.
COLL, P., « Exposició universal de Paris », *Pèll & Ploma* (Barcelone), 46-47, 21 avril 1900.
C[ABOT I] R[OVIRA], J., « Revista artística. Novembre. Exposició Russinyol, Casas i Clarassó », *La Veu de Catalunya* (Barcelone), 6 décembre 1891.
ID., « Notas artísticas. Exposició Russinyol, Casas i Clarassó », *La Veu de Catalunya* (Barcelone), 6 décembre 1891.
ID., « Notes d'art. En Nonell-Monturiolm i en Ricart Canals a París », *La Veu de Catalunya* (Barcelone), 19 février 1898.
DESDEVISES DU DÉZERT, G., « L'obre d'en Gaudí, judicada per un estranger », *Pèl & Ploma* (Barcelone), 90, février 1903, p. 53-55.
Dr FRANCH [pseud. de J. CABOT I ROVIRA], « Saló Parés. Exposicio Rusinyol, Casas i Clarassó », *La Renaixensa* (Barcelone), 26 octobre 1890.
Exposició universal de Barcelona. Llibre del Centenari, Barcelone, L'Avenç, 1988.
Exposición universal de Barcelona 1888. Catálogo general oficial, Barcelone, Imp. Sucesores de N. Ramírez, 1888.
FLAMA [pseud. de J. FOLCH I TORRES], « Claude Monet », *Gaseta de les arts* (Barcelone), 64, 1er janvier 1927, p. 4-5.
FLORES, Carlos, *Gaudí, Jujol y el Modernismo catalán*, Madrid, Aguilar, 1982.
FOLCH I TORRES, Joaquim, « L'arquitecte Gaudí », *Gaseta de les arts* (Barcelone), 56, 1er juillet 1926, p. 1-7.
ID., « Puig i Cadafalch doctor *honoris causa* de la Universitat de París », *La Veu de Catalunya* (Barcelone), 23 mars 1933.
ID., « L'Exposició d'art francés. Rodin », *La Veu de Catalunya* (Barcelone), 28 mai 1917.
ID., « La mort d'Auguste Rodin », *La Veu de Catalunya* (Barcelone), 19 novembre 1919.
FONDEVILA, Mariàngels, « Lluis Masriera joier », dans *Els Masriera*, Barcelone, MNAC et Proa, 1996, p. 82-145.
FONTBONA, Francesc, « Sebastià Junyent, 1865-1908, artista y teórico », *Estudios pro arte* (Barcelone), 3, juillet-septembre 1975, p. 45-80.
FONTBONA, Francesc, et MIRALLES, Francesc, *Anglada-Camarasa*, Barcelone, Polígrafa, 1981.
FOUDRAINE, Nathalie, *Mobilier urbain et « catalanisme » à Barcelone*, mémoire de maîtrise sous la dir. de F.-X. Guerra, Centre de recherche d'histoire de l'Amérique latine et du monde ibérique, université Paris I.
FREIXA, Mireia, *El Modernismo en España*, Madrid, Cátedra, 1986.
GARCÍA ESPUCHE, A., *El Quadrat d'or, centre de la Barcelona modernista*, Barcelone, Lunwerg, 1990.
GARCÍA LLANSÓ, A., « Pintura y escultura. Santiago Rusiñol, Ramón Casas y Enrique Clarassó », *La Ilustración, revista hispano americana* (Barcelone), 520, p. 686-687.
GASCH, Sebastià, « Cop d'ull sobre l'evolució de l'Art Modern », *L'Amic de les arts* (Barcelone), II (18), 30 août 1927, p. 91-93.
GEOFFROY, Gustave, « Technique et expression. Nonell Monturiol, Ricardo Canals », *Le Journal des artistes* (Paris), 23 janvier 1898.
HEREU, P. (éd.), *Arquitectura i ciutat a l'Exposició universal de Barcelona*, Barcelone, Universitat Politècnica de Catalunya, 1988.
JARDÍ, Enric, *Nonell*, Barcelone, Polígrafa, [1969] ; 2e éd. 1984.
ID., *Història dels Quatre Gats*, Barcelone, Aedos, 1972.
ID., *Joaquim Mir*, Barcelone, Polígrafa, 1975 ; 2e éd. 1989.
ID., *Puig i Cadafalch, arquitecte, polític i historiador*, Barcelone, Ariel, 1975.
ID., *Història del Cercle artístic de Sant Lluc*, Barcelone, Destino, 1976.
JORDÀ, J. M., *Ramon Casas pintor*, Barcelone, Llibreria Catalònia, 1931.
JUNYENT, Albert, « Homenatge a Renoir (1841-1919) », *Mirador* (Barcelone), 236, 10 août 1933.
ID., « Gauguin o l'ambició exaltada. De París extant », *Mirador* (Barcelone), 276, 17 mai 1934.
JUNYENT, Sebastià, « Un Rodin a Barcelone », *Joventut* (Barcelone), 50, 24 janvier 1901.
LAHUERTA, Juan José, *Antoni Gaudí. Architecture, idéologie et politique*, trad. de C. de Montclos, Milan, Electa et Paris, Gallimard, 1992.
LAPLANA, Josep de C., *Santiago Rusiñol. El pintor, l'home, l'obra*, Barcelone, Publicacions de l'Abadia de Montserrat, 1996.
LEBLOND, Marius-Ary, « Gaudí et l'architecture méditerranéenne », *L'Art et les artistes* (Paris), 61, avril 1910, p. 69-76.
LE CORBUSIER, *Gaudí*, éd, RM, Barcelone, 1958.
LOGE, « Exposició Rusiñol a casa en Bing », *La Veu de Catalunya* (Barcelone), 28 novembre 1899.
LOYER, François, *L'Art nouveau en Catalogne, 1888-1929*, Genève, La Bibliothèque des arts ; rééd. Taschen, 1997
MCCULLY, Marilyn, *Els Quatre Gats. Art in Barcelona around 1900*, Princeton, Princeton University Press, 1978.
MARFANY, J. L., *Aspectes del Modernisme*, Barcelone, Curial, 1975.
MENDOZA, Cristina, *Ramon Casas, retrats al carbó, col·lecció del Gabinet de dibuixos i gravats del Museu Nacional d'Art de Catalunya*, Barcelone, MNAC et Ausa, 1995.
MENDOZA, Cristina et Eduardo, *Barcelona modernista*, Barcelone, Planeta, 1989.
« Nonell », numéro monographique de la revue *Art* (Barcelone), I (10), juillet 1934, p. 289-350.
OPISSO, A., « Exposición Casas », *La Vanguardia* (Barcelone), 31 octobre 1899.
ORS, Eugeni d', « Glosari. Rodin », *La Veu de Catalunya* (Barcelone), 20 avril 1906.
ID., « Glosari. L'Art de les cerimònies », *La Veu de Catalunya* (Barcelone), 24 avril 1906.
ID., « Cròniques de Paris. L'home qui marxa », *La Veu de Catalunya* (Barcelone), 9 mai 1907.
P. DEL O. [pseud. de J. ROCA Y ROCA], « Crónica. A ca'n Parés », *La Esquella de la Torratxa* (Barcelone), 25 octobre 1890.
ID., « Crónica », *La Esquella de la Torratxa* (Barcelone), 21 novembre 1891, p. 738.
PANYELLA, Vinyet, *Epistolari del Cau Ferrat, 1889-1930*, Sitges, Grup d'Estudis Sitgetans, 1981.
PERMANYER, Lluís, *El Gaudí de Barcelona*, photographies de Melba Levick, Barcelone, Polígrafa, 1996.
PINCELL [pseud. de Miquel UTRILLO], « Henri de Toulouse-Lautrec », *Pèl & Ploma* (Barcelone), 82, novembre 1901, p. 178-179.
PINXIT, « Ricardo Canals et Nonell-Monturiol », *La Vie moderne* (Paris), 13 janvier 1898.
PLANA, A. (éd.), *L'Obra d'Isidre Nonell*, Barcelone, Publicaciones de La Revista, 1917.
PLANES, Ramon, *El Modernisme a Sitges*, Barcelone, Selecta, 1969.
RÀFOLS, Josep F., *Antoni Gaudí*, Barcelone, Canosa, 1929.
ID., *Modernismo y modernistas*, Barcelone, Destino, 1949.
RAHOLA, F., « Exposición Parés. Rusiñol, Casas, Clarasó », *La Vanguardia* (Barcelone), 17 octobre 1890, p. 1 et 5-6.
ROCA Y ROCA, J., « La semana en Barcelona. La exposició Russinyol, Casas i Clarassó », *La Vanguardia* (Barcelone), 18 juillet 1907.
RODIN, Auguste, « Com deixem morir les nostres Catedrals », *La Veu de Catalunya* (Barcelone), 2 mars 1910.
RODRÍGUEZ CODOLÀ, M., « V Exposición internacional de arte. Los impresionistas franceses », *La Vanguardia* (Barcelone), 5 juillet 1907, p. 6-7.
ID., « V Exposición internacional de arte. Joaquín Mir », *La Vanguardia* (Barcelone), 18 juillet 1907.
RUSIÑOL, Santiago, *Desde el molino*, illustrations de Ramon Casas, Barcelone, L'Avenç, 1894 ; 2e éd. Parsifal, 1999.
SACS, Joan [pseud. de F. ELIAS], « En Gaudí creador », *Revista nova* (Barcelone), 7, 23 mai 1914.
ID., « L'obre de August Rodin », *Vell i Nou* (Barcelone), 56, 1er décembre 1917.
ID., « Édouard Manet », *Mirador* (Barcelone), 162, 10 mars 1932.
ID., « Degas el malvat », *Mirador* (Barcelone), 175, 9 juin 1932.
ID., « La tristesa de Degas », *Mirador* (Barcelone), 176, 16 juin 1932.
ID., « L'època i l'art modernistes », *Mirador* (Barcelone), 270, 5 avril 1934.
SALA, Teresa M., *Junyent*, Barcelone, Nou Art Thor, 1988.
SALA, Teresa M., et BUSQUETS, Joan, *Busquets*, Barcelone, Nou Art Thor, 1988.
SATIE Erik, *Écrits*, réunis, établis et annotés par O. Volta, Paris, Champ Libre, 1970.
SAUNIER, Charles, « Santiago Rusiñol », *La Revue blanche* (Paris), 20, 1899, p. 482.
SCHMUTZLER, Robert, *El Modernismo*, trad. espagnole de F. Ramírez Carro, révisée par A. Álvarez, Madrid, Alianza Editorial, 1980.
SERT, José Luis, et SWEENEY, James Johnson, *Antoni Gaudí*, New York, F. A. Praeger, 1960.
SOLÀ MORALES, Ignasi de, *Jujol*, photographies de Melba Levick, trad. de R. Marrast, Paris, Albin Michel, 1990.
SUCRE, José María de, *Memorias I*, Barcelone, Barna, 1963.
THÉO, « Arte y artistas. Nonell-Monturiol y Ricardo Canales », *Correo de París* (Paris), 19 janvier 1898.
THIÉBAULT-LISSON, « Exposition Nonell et Canals », *Le Temps* (Paris), janvier 1898.
TODA, E., « Els catalans al Camp de Març », *La Renaixensa* (Barcelone), 19 mai 1896.
TRENC BALLESTER, Eliseu, *Las Artes graficas de la época modernista en Barcelona*, trad. de R. Planas, Barcelone, Gremio de Industrias Gráficas de Barcelona, 1977.
ID., *Alexandre de Riquer*, Barcelone, Lunwerg, 2000.
TUDURI, María, et RUBIO, Nicolás, « À propos de Gaudí » (réponse à la note de lecture d'un ouvrage sur Gaudí), *Cahiers d'art* (Paris), 7, 1929, p. XXI
UTRILLO, Miquel, « Los pintores españoles en el Salón de Paris », *La Vanguardia* (Barcelone), 7 juillet 1890.
[ID.], « L'exposició d'en Ramon Casas », *Pèl & Ploma* (Barcelone), 28 mai 1900.
ID., « *Pèl & Ploma* a París », *Pèl & Ploma* (Barcelone) 53, 1er juin 1900.
ID., « La obra de Casas », *Forma* (Barcelone) 8, septembre 1904, p. 310-325.
ID., « V Exposición de Bellas Artes, celebrada en Barcelona », *Forma* (Barcelone), 20, septembre 1907, p. 281-324.
ID., « La pintura en la V Exposición Internacional d'art de Barcelona », *Forma* (Barcelone), 21, octobre 1907, p. 325-361.
ID., *Història anecdòtica del Cau Ferrat*, Sitges, Grup d'Estudis Sitgetans, 1989.
VALENTÍ, E., *El Primer Modernismo literario catalán y sus fundamentos ideológicos*, Barcelone, Ariel, 1973.
VALLÈS, Edmon, *Història gràfica de la Catalunya contemporánea, 1888-1931*, Barcelone, Edicions 62, 1974 ; t. I, *De l'Exposició universal a Solidaritat Catalana*.
VEGA I MARCH, Manuel, « La Exposición internacional de arte. XVI : Secciones extranjeras », *Diario de Barcelona* (Barcelone), 10 juillet 1907.
VILAREGUT, Salvador, « Un cop d'ull a la Exposició. Paris, agost de 1900 », *Joventut* (Barcelone), 29, 30 août 1900, p. 458-460.
XÈNIUS [pseud. de E. d'ORS], « Glosa nova sobre August Rodin », *La Veu de Catalunya* (Barcelone), 19 juin 1910.
ZAMACOIS, E., « Celebridades contemporáneas. Rodin », *La Ilustración artística* (Barcelone), 1184, 5 septembre 1904.
ID., « La famosa escultura », *La Ilustración artística* (Barcelone), 1199, 19 décembre 1904.

Catalogues d'expositions

Antoni Gaudí (1852-1926), Nîmes, musée des Beaux-Arts, 18 décembre 1985-28 février 1986, dir. J. Bassegoda.
Miquel Blay, l'escultura del sentiment, Gérone, Fundació Caixa de Girona, Museu Comarcal de la Garrotxa, 1987, dir. P. Ferrés.
Josep Puig i Cadafalch, la arquitectura entre la casa y la ciudad, Barcelone, Fundación Caja de Pensiones, Colegio de Arquitectos de Catalunya, 1989, dir. I. Rohrer et I. de Solà Morales.
Lluís Domènech i Muntaner i el director d'orquestra, Barcelone, Fundació Caixa de Barcelona, 1989.
Toulouse-Lautrec, Londres, Hayward Gallery, 10 octobre 1991-19 janvier 1992, Paris, Galeries nationales du Grand Palais, 18 février-1er juin 1992.
El Modernismo, Barcelone, MAM, MNAC, 10 octobre 1991-13 janvier 1992, 2 vol., dir. C. Mendoza.
Le Chat Noir, 1881-1897, Paris, musée d'Orsay, RMN, 25 février-31 mai 1992, dir. M. Oberthür.
Guimard, Paris, musée d'Orsay, RMN, 13 avril-26 juillet 1992, dir. P. Thiébaut.
Erik Satie, Del Chat Noir a Dada, Valence, IVAM, Centre Julio González, 19 septembre-10 novembre 1996, dir. J.-M. Bonet et O. Volta.
Auguste Rodin i la seva relacio amb Espanya, Saragosse, La Lonja et Museo Pablo Gargallo, 19 septembre-3 novembre 1996 ; Palma de Majorque, 20 novembre 1996-17 janvier 1997.
Santiago Rusiñol, 1831-1931, Barcelone, MAM, MNAC, octobre 1997-janvier 1998, Madrid, Fundación Cultural Mapfre Vida, janvier-mars 1998, dir. C. Mendoza et M. Doñate.
Gaspar Homar, mobilista i dissenyador del modernisme, Barcelone, MNAC, Fundació « La Caixa », 2 octobre-29 novembre 1998, dir. M. Fondevila.
Isidre Nonell, 1872-1911, Barcelone, MNAC, Madrid, Fundación Mapfre Vida, 2000, dir. C. Mendoza et M. Doñate.
Ramon Casas, el pintor del Modernisme, Barcelone, MNAC, 31 janvier-31 avril 2001 ;

Madrid, Fundación Cultural Mapfre Vida, 11 avril-17 juin 2001, dir. C. Mendoza et M. Doñate.

Picasso

Ouvrages et articles

[Anonyme], « Els Quatre Gats. Exposición Ruiz Picasso », *La Vanguardia* (Barcelone), 3 février 1900.

Blunt, Anthony, et Pool, Phoebe, *Picasso. The Formative Years : A Study of His Sources*, Greenwich, New York Graphic Society, 1962.

Cate, Philip Dennis, et Shaw, Mary, *The Spirit of Montmartre. Cabarets, Humor and the Avant-Garde, 1895-1905*, New Jersey, Rutgers, 1996.

Cirici Pellicer, Alexandre, *Picasso avant Picasso*, Genève, P. Cailler, 1950.

Cirlot, Juan Eduardo, *Pablo Picasso. Naissance d'un génie*, Paris, Albin Michel, 1972.

Coquiot, Gustave, « L'art d'en Picasso », *Vell i Nou* (Barcelone), 46, 1er juillet 1917, p. 456-457.

Daix, Pierre, Boudaille, Georges, et Rosselet, Joan, *Picasso, 1900-1906. Catalogue raisonné de l'œuvre peint*, Neuchâtel, Ides et Calendes, 1966 ; rééd. 1989.

Fagus, Félicien, « L'invasion espagnole. Picasso », *La Revue blanche* (Paris), XVII, 15 juillet 1901, p. 464-465, repris dans *Cahiers d'art* (Paris), juin 1932, p. 12.

Folch i Torres, Joaquim, « Dibuixos d'en Picasso a la col·lecció Junyent », *Gaseta de les arts* (Barcelone), 8, septembre 1924, p. 1-3.

Id., « Picasso en Barcelona y el arte de Picasso », *Destino* (Barcelone), 31 août 1957.

Fontbona, Francesc, « Picasso, aspectes desconeguts de la seva jovienne », *Serra d'or* (Barcelone), 262-263, juillet 1981, p. 51-56.

Gómez Carrillo, E., « Paris, pintores españoles », *El Liberal* (Barcelone), 8 septembre 1902.

Jacob, Max, « Souvenirs sur Picasso contés par Max Jacob », *Cahiers d'art* (Paris), 6, 1927, p. 199-203.

Id., *Chronique des temps héroïques*, Paris, L. Broder, 1956.

Juñer Vidal, Carlos, « Crónicas de arte. Picasso y su obra », *El Liberal* (Barcelone), 24 mars 1904.

Junyent, Sebastià, « Els artistes joves », *Joventut* (Barcelone) 204, 7 janvier 1904, p. 7-10.

Kaplan, Temma, *Red City, Blue Period, Social Movements in Picasso's Barcelone*, Berkeley, University of California Press, 1992.

Lafuente Ferrari, Enrique, « Para una revisión de Picasso. La personalidad, los años de formación », *Revista de Occidente* (Madrid), 135-136, juin-juillet 1974, p. 241-345.

Leighten, Patricia, *Reordening the Universe. Picasso and Anarchism, 1897-1914*, Princeton, Princeton University Press, 1989.

McCully, Marilyn (éd.), *A Picasso Anthology. Documents, Criticism, Reminiscences*, Londres, The Arts Council of Great Britain, Thames & Hudson, 1981.

Merli, Joan, *Picasso, el artista y la obra de nuestro tiempo*, Buenos Aires, Poseidón, 1948.

Ocaña, Maria Teresa, *Picasso, Viatge a Paris*, Barcelone, Gustavo Gili, 1979.

Id., *Picasso, la formacio d'un géni*, 1890-1904, Barcelone, Museu Picasso, Lunwerg, 1997.

Olivier, Fernande, *Picasso et ses amis*, préface de Paul Léautaud, Paris, Stock, 1933 ; 3e éd. Paris, Pygmalion, G. Watelet, 2001.

Ors, Eugenio d', *Pablo Picasso*, Paris, Chroniques du jour, 1930.

Palau i Fabre, Josep, *Picasso i els seus amics catalans*, Barcelone, Aedos, 1971.

Id., *Picasso en Catalogne*, trad. de R. Marrast, Paris, Société française du Livre, 1979.

Id., *Picasso vivant, 1881-1907. Enfance et première jeunesse d'un démiurge*, trad. de R. Marrast, Paris, Albin Michel, 1982.

Id., *Picasso cubisme (1907-1917)*, trad. de R. Marrast, Paris, Albin Michel, 1983.

Id., *Picasso. Des ballets au drame (1918-1926)*, trad. de R. Marrast, Cologne, Könemann, 1999.

Picasso, [Pablo], et Apollinaire, [Guillaume], *Correspondance*, éd. P. Caizergues et H. Seckel, introduction de P. Caizergues, Paris, Gallimard et RMN, 1992.

Pool, Phoebe, « Sources and background of Picasso's art, 1900-1906 », *The Burlington Magazine* (Londres), 101, 1959, p. 176-182.

Pujuló y Vallés, « Crónica de arte », *Las Noticias* (Barcelone), 23 juillet 1900.

Reventós i Conti, Jacint, *Picasso i els Reventósi*, Barcelone, G. Gili, 1973.

Richardson, John, et McCully, Marilyn, *Vie de Picasso*, Paris, Le Chêne, 1992-1996, 2 vol.

Rodríguez-Aguilera, Cesáreo, *Picasso de Barcelone*, trad. de R. Marrast, Paris, Cercle d'art, 1975.

Sabartés, Jaime, *Picasso, portraits et souvenirs*, trad. de P.-M. Grand et A. Chastel, Paris, L. Carré et M. Vox, 1946 ; Madrid, A. Aguado, 1953.

Id., *Picasso, les bleus de Barcelone*, Paris, Au vent d'Arles, 1963.

Salmon, André, *Souvenirs sans fin. Première époque, 1903-1908*, Paris, Gallimard, 1955.

Stein, Gertrude, *Picasso*, Paris, Floury, 1938 ; rééd. Paris, Bourgeois, 1978.

Torres-Garcia, Joaquim, « Impresiones », *Pèl & Ploma* (Barcelone) 78, juillet 1901, p. 34-35.

Uhde, Wilhelm, *Picasso et la tradition française. Notes sur la peinture actuelle*, trad. fr. Paris, Quatre Chemins, 1928.

Vollard, Ambroise, *Souvenirs d'un marchand de tableaux*, éd. revue et augmentée, Paris, Albin Michel, 1984.

Whisky, « El arte español en París », *El Liberal* (Barcelone), 21 juin 1901.

Catalogues de musées et d'expositions

Bozo, Dominique, Besnard-Bernadac, Marie-Laure, Richet, Michèle, *et al.*, *Musée Picasso. Catalogue sommaire des collections. Peintures, papiers collés, tableaux-reliefs, sculptures, céramiques*, Paris, RMN, 1985.

Ocaña, Maria Teresa, *Museu Picasso, catalogo de pintura y dibujo*, Barcelone, 1985.

Richet, Michèle, *Musée Picasso. Dessins, Catalogue sommaire des collections*, Paris, RMN, 1987.

Jeunesse et genèse, dessins, 1893-1905, Paris, RMN, 1991, dir. B. Léal.

Picasso, 1905-1906, Barcelone, Museu Picasso, 5 févrer-19 avril 1992 ; Berne, Kunstmuseum, 8 mai-26 juillet 1992, Electa, dir. M. T. Ocaña et H. C. von Tavel.

Picasso i Els Quatre Gats. La clau de la modernidad, Barcelone, Museu Picasso, 1995, dir. M. T. Ocaña.

Léal, Brigitte, *Musée Picasso. Carnets. Catalogue des dessins*, Paris, RMN, 1996, 2 vol.

Picasso. The Early Years, 1892-1906, Washington, The National Gallery of Art, 30 mars-27 juillet 1997 ; Boston, The Museum of Fine Arts, 10 septembre 1997-4 janvier 1998, dir. M. McCully.

Picasso, paisatge interior i exterior, Barcelone, Museu Picasso, 1999, dir. M. T. Ocaña.

Le cubisme

Ouvrages et articles

[Anonyme], « Manolo Hugué i l'escola de Céret », *Vell i Nou* (Barcelone), III (56), 1er décembre 1917.

[Id.], « Notes ou conversations de Manolo », *La Revue de Catalogne* (Marseille), 2, 2 avril 1929.

Apollinaire, Guillaume, *Les Peintres cubistes*, Paris, E. Figuière, 1913 ; nouvelle éd., texte présenté et annoté par L.-C. Breunig et J.-Cl. Chevalier, Paris, Hermann, 1965.

Benet, Rafael, *El Escultor Manolo Hugué*, Barcelone, Argos, 1942.

Blanch, Montserrat, *Manolo. Sculptures, peintures, dessins*, trad. de R. Marrast, Paris, Cercle d'art, 1974.

Cooper, Douglas, *Picasso, le Carnet catalan* (fac-sim.), Paris, Berggruen, 1958.

Coquiot, Gustave, *Cubistes, futuristes, passéistes*, Paris, Librairie Ollendorff, 1914.

Crastre, Victor, *Manolo*, Marseille, Les Cahiers du Sud, 1933.

Daix, Pierre, et Rosselet, Joan, *Picasso. Catalogue raisonné du cubisme 1907-1916*, Neuchâtel, Ides et Calendes, 1979.

Derouet, Christian, *Juan Gris, correspondance avec Léonce Rosenberg, 1915-1927*, Cahiers du MNAM, Paris, Centre Georges Pompidou, 1999.

Foix, J. V., « El Cubisme », *Trossos* (Barcelone), 5, avril 1918.

Folch i Torres, Joaquim, « Del Cubisme i del Estructuralisme pictorich », *La Veu de Catalunya* (Barcelone), février 1912.

Id., « Els cubistes a can Dalmau », *La Veu de Catalunya* (Barcelone), 18 avril 1912.

Fry, Edward, *Le Cubisme*, Bruxelles, La Connaissance, 1966.

Gasch, Sebastià, « Georges Braque », *L'Amic de les arts* (Barcelone), II (13), 30 avril 1927, p. 31-32.

George, Waldemar, *Juan Gris*, Paris, Gallimard, 1931.

Green, Christopher, « L'idée de Juan Gris », *Juan Gris, peintures et dessins, 1887-1927*, Marseille, musée Cantini, 1998.

Jori, Romà, « Escultura catalana. Manuel Hugué », *Vell i Nou* (Barcelone), II (28), 30 juin 1916.

Kahnweiler, Daniel-Henry, *Les Années héroïques du cubisme*, Paris, Braun, 1950.

Id., *Mes galeries et mes peintres*, entretiens avec Francis Crémieux, Paris, Gallimard, 1961 ; rééd. 1982.

Id., *Juan Gris. Sa vie, son œuvre, ses écrits*, Paris, Gallimard, 1969.

Lafargue, Marc, « Manolo », *L'Amour de l'art* (Paris), 9, septembre 1922.

Lubar, Robert S., « Cubism, classicism and idéology : the 1912 Exposicio d'art cubista in Barcelona and French cubism criticism », *On Classic Ground*, Londres, The Tate Gallery, 1990, p. 309-323.

Martinie, A. H., « Manolo », *L'Amour de l'art* (Paris), 10, 6 octobre 1929.

Paulhan, Jean, *La Peinture cubiste*, Paris, Denoël et Gonthier, 1971.

Pia, Pascal, *Sculpteurs nouveaux. Manolo*, Paris, Gallimard, 1930.

Picasso, [Pablo], *Les Demoiselles d'Avignon. Carnet de dessins*, présentation par B. Léal, Paris, RMN et Adam Biro, 1988.

Pla, Josep, *Vida de Manolo contada per ell mateix*, Sabadell, J. Sallent impr., 1928.

Raynal, Maurice, *Juan Gris*, Paris, L'Effort moderne, 1920.

Read, Peter, *Picasso et Apollinaire. Les métamorphoses de la mémoire 1905-1973*, Paris, J.-M. Place, 1995.

Rubin, William, *Picasso et Braque. L'invention du cubisme*, Paris, Flammarion, 1990.

Sacs, Joan, *La Pintura francesa moderna fins al cubisme*, Barcelone, Joan Sacs, 1917.

Salmon, André, « L'obra d'en Pau Picasso. Histoire anecdotique du cubisme », *Vell i Nou* (Barcelone), 47, 15 juillet 1917, p. 478-480 ; 48, 1er août 1917, p. 499-503.

Id., *Souvenirs sans fin. Deuxième époque, 1908-1920*, Paris, Gallimard, 1956.

Torre, Guillermo de, « Apología del cubismo y Picasso », *Gaceta de Arte*, (Tenerife), 37, mars 1936, p. 31-57 (numéro monographique Picasso).

Id., *Apollinaire y las teorías del cubismo*, Barcelone, EDHASA, 1967.

Vallcorba Plana, Jaume, « Pintors i poetes cubistes i futuristes. Una teoria de la primera avanguarda », *Boletín de la Real Academia de Buenas Letras de Barcelona* (Barcelone), XL, 1985-1986, p. 49-95.

Vidal, Mercè, *1912. L'Exposició d'art cubista de les galerias Dalmau*, Barcelone, 1996, Universitat de Barcelona.

Zervos, « Georges Braque », *L'Instant* (Paris), mai 1929, p. 126-128.

Catalogues d'expositions

L'École de Céret. La découverte de Céret par Manolo, Céret, musée d'Art moderne, 1954, dir. P. Brune.

Daniel-Henry Kahnweiler, marchand, éditeur, écrivain, Paris, Centre Georges Pompidou, Musée national d'art moderne, 22 novembre 1984-28 janvier 1985, dir. I. Monod-Fontaine.

Donation Louise et Michel Leiris, collection Kahnweiler, Paris, Centre Georges Pompidou, 22 novembre 1984-28 janvier 1985, dir. I. Monod-Fontaine.

Les Demoiselles d'Avignon, Paris, musée Picasso, 26 janvier-18 avril 1988, Barcelone, Museu Picasso, dir. H. Seckel.

Manolo Hugué, Barcelone, MAM, Ajuntament de Barcelona, Fundació Caixa de Catalunya, 16 février-15 avril 1990, dir. M. Doñate.

Max Jacob et Picasso, Quimper, musée des Beaux-Arts, 21 juin-4 septembre 1994 ; Paris, musée Picasso, 4 octobre-12 décembre 1994, dir. H. Seckel.

Picasso. Dessins et papiers collés. Céret, 1911-1913, Céret, musée d'Art moderne, 29 juin-14 septembre 1997, dir. J. Matamoros.

Picasso, papiers collés, Paris, RMN, 1er avril-29 juin 1998, dir. B. Léal.

Juan Gris. Peintures et dessins, 1887-1927, Marseille, musée Cantini, 17 septembre 1998-3 janvier 1999, dir. V. Serrano et N. Cendo.

Les avant-gardes

Ouvrages et articles

[Anonyme], « La Exposició d'art francés », *El Poble Català* (Barcelone), 23, avril 1917.

[Id.], « La Exposició d'art francés », *La Revista* (Barcelone), 42, juin 1917, p. 234-237.

[Id.], « Exposició d'artistes francesos », *Iberia* (Barcelone), 49, 11 mars 1917.

[Id.], « L'exposició d'obres de Picasso ca'n Dalmau », *Picarol* (Barcelone), 5, 1912.

[Id.], « La Exposición de artistas franceses. Los que protestan y los que afirman », *Iberia* (Barcelone), 60, 27 mai 1916, p. 3-4.

Arthur Cravan, poète et boxeur, Paris, Terrain vague et Galerie 1900-2000, 1992, dir. R. Lloyd Conover.

Bonet, Juan Manuel, *Diccionario de las Vanguardias en España, 1907-1936*, Madrid, Alianza, 1995.

Borràs, Maria Lluïsa, *Picabia*, trad. de R. Marrast, Paris, Albin Michel, 1985.

Id., *Cravan, une stratégie du scandale*, Paris, J.-M. Place, 1996.

Bosch, Gloria, et Grandas, Teresa, *André Masson et Georges Bataille*, Tossa de Mar, Vic, Eumo Editorial, 1994.

Brihuega, Jaime, *Manifiestos, proclamas, panfletos y textos doctrinales (Las vanguardias artísticas en España : 1910-1931)*, Madrid, Cátedra, 1979 ; 2e éd. 1982.

Id., *Las Vanguardias artísticas en España, 1909-1936*, Madrid, Istmo, 1981.

Id., *La Vanguardia y la República*, Madrid, Cátedra, 1982.

Camfield, William, *Francis Picabia, His Art, Life and Time*, Princeton, New Jersey, Princeton University Press, 1979.

Creuze, Raymond, *Serge Charchoune*, Paris, galerie Raymond Creuze, 1975, 2 vol.

Dalmau, Josep, « L'art d'Albert Gleizes I », *La Veu de Catalunya* (Barcelone), 11 décembre 1916.

Id., « L'art d'Albert Gleizes II », *La Veu de Catalunya* (Barcelone), 18 décembre 1916.

Dorival, Bernard, « Les séjours de Sonia et Robert Delaunay en Espagne, 1914-1922 », *Le Serment des Horaces* (Paris), 1990, p. 105-120.

Flama [pseud. de J. Folch i Torres], « L'Exposició dels artistes francesos a Barcelona », *La Veu de Catalunya* (Barcelone), 24 juillet 1916.

Folch i Torres, Joaquim, « Per la nostra internacionalitat artística. Els Salons de Paris a Barcelona », *La Veu de Catalunya* (Barcelone), 26 mars 1917.

Id., « Després d'una visita a l'Exposició d'art francès », *La Veu de Catalunya* (Barcelone), 7 mai 1917.

Id., « L'Exposició d'art francès. El punt culminant de la pintura moderna », *La Veu de Catalunya* (Barcelone), 14 mai 1917.

Id., « L'Exposició d'art francès. Les Arts decoratives », *La Veu de Catalunya* (Barcelone), 10 juin 1917.

Fontbona, Francesc, « Sobre l'exposició Van Dongen a Barcelona (1915) », *Butlletí de la Reial Acadèmia Catalana de Belles Arts de Sant Jordi* (Barcelone), IV-V, 1990-1991, p. 37-43.

Francés, José, « La Exposición de arte francés en Barcelona », dans *El Año artístico 1917*, Madrid, Mundo Latino, 1918, p. 132-161.

Id., *Barradas el vibracionista*, Madrid, Añar, 1919.

Gasch, Sebastià, « Comentaris. Guerra a l'Avantguardisme ! », *L'Amic de les Arts* (Sitges), 17, août 1927.

Id., *Expansió de l'art català al món*, Barcelone, Impr. Clarasó, 1953.

Gasch, Sebastià, et Minguet i Batllori, Joan M. (éd.), *Escrits d'art i d'avantguarda, 1925-1938*, Barcelone, Mall, 1987.

Gual, Adrià, « Serge de Diaghilev », *La Veu de Catalunya* (Barcelone), 8 juillet 1917.

Jardí, Enric, *Els Moviments d'avantguarda a Barcelona*, Barcelone, Cotal, 1983.

Jori, Romà, « Marie Laurencin », *Vell i Nou* (Barcelone), 23, 15 avril 1916, p. 10-13.

Id., « Les noves estètiques d'en Torres Garcia », *Vell i Nou* (Barcelone), 31, 15 août 1916, p. 158-160.

Julian, Immaculada, *Les Avantguardas pictòriques a Catalunya*, Barcelone, Els Llibres de la Frontera, 1986.

Junoy, Josep Maria, *Arte y artistas. Primera serie*, Barcelone, Librería de l'Avenç, 1912.

Id., « Poème dédié à Hélène Grunhoff », *Revista nova* (Barcelone), 31 décembre 1916.

Id., « L'art d'en Picasso », *Vell i Nou* (Barcelone), 46, 1er juillet 1917, p. 452-455.

Id., « 391 », *Iberia* (Barcelone), 132, 20 octobre 1917.

Id., « Les idees i les imatges », *La Veu de Catalunya* (Barcelone), 28 novembre 1922.

Id., *Obra poética*, éd. J. Vallcorbana Plana, Barcelone, Quaderns Crema, 1984.

LahueRta, Juan José, *Decir Anti es decir Pro. Escenas de la vanguardia en España*, Teruel, Museo de Teruel, 1999.

Llorens i Artigas, Josep, « Les pintures d'en Delaunay », *La Veu de Catalunya* (Barcelone), 3 juin 1918.

Martinie, A. H., « Manolo », *L'Amour de l'art* (Paris), octobre 1929, p. 351-358.

Matisse, Henri, « Modernisme i tradició », *Mirador* (Barcelone), 328, 30 mai 1935.

Miralles, Francesc, *L'Época de les avantguardes, 1917-1970*, Barcelone, Edicions 62, 1983 (*Història de l'art català*, t. VIII).

Morató i Grau, J., « Barcelona capital de l'art. L'Exposició d'art francès », *La Veu de Catalunya* (Barcelone), 23 et 30 avril 1917.

Nommick, Yvan, et Alvarez Camibasso, Antonio, *Les Ballets russes de Diaghilev y Espana*, Grenade, Fundación Manuel de Falla, 2000.

Oliver, Pere, « Exposicions [première exposition de Joan Miró à la Galería Dalmau] », *Vell i Nou* (Barcelone), 62, 1er mars 1918, p. 89.

Pujols, Francesc, « L'influencia francesa en la pintura catalana d'avui », *Revista nova* (Barcelone), 8, 30 mai 1914, p. 5-6.

Ràfols, Josep F., « Dibuixos de Derain », *Gaseta de les arts* (Barcelone), 22, 1er avril 1925, p. 3-4.

Id., « Josep Dalmau », *Butlletí dels museus d'art de Barcelona* (Barcelone), VII (79), décembre 1937, p. 385.

Rodríguez Codolá, M., « Exposición de arte francés », *Museum* (Barcelone), V (4) 1916-1917, p. 127-164.

Rousseau, Pascal, *La Aventura simultánea. Sonia y Robert Delaunay en Barcelona*, Barcelone, 1995, Universitat de Barcelona.

Id., « Les revues d'art catalanes pendant la Première Guerre mondiale », *La Revue des revues* (Paris), 20, 1995, p. 19-42.

Sacs, Joan [pseud. de F. Elias], « El simultaneisme del senyor y la senyora Delaunay », *Vell i Nou* (Barcelone), 57, 15 décembre 1917, p. 672-679.

Id., « La pintura d'en Picasso », *Vell i Nou* (Barcelone), 72, 1er août 1918, p. 287-293 ; 73, 15 août 1918, p. 307-310.

Solé de Sojo, V., « Comentaris entorn de l'exposició Sergi Charchoune », *El Poble Català* (Barcelone), 25 mai 1916.

Suárez, Alicia, *Un estudi sobre Rafael Benet*, Barcelone, Fundació Rafael Benet, 1991.

Sucre, Josep M., « Vides exemplars. Josep Dalmau », *Mirador* (Barcelone), 44, 28 novembre 1929.

Torres-Garcia, Joaquim, « La nostra ordenació i el nostre camí », *Empori* (Barcelone), 4, avril 1907, p. 188-191.

Id., « Una conversa amb Georges Braque », *Mirador* (Barcelone), 56, 20 février 1930.

Id., *Escrits sobre art*, éd. F. Fontbona, Barcelone, Edicions 62, La Caixa, 1980.

Id., *Universalismo constructivo*, Madrid, Alianza, 1984.

Id., *Historia de mi vida*, illustrations de l'auteur, Barcelone, Buenos Aires et Mexico, Paidós, 1990.

Vidal i Olivares, Jaume, *Josep Dalmau, l'aventura per l'art modern*, Manresa, Fundacio Caixa de Manresa, 1998.

Xènius [pseud. de E. d'Ors], « Pel cubisme a l'estructuralisme », *La Veu de Catalunya* (Barcelone), 1er février 1912.

Catalogues d'expositions

Serge Charchoune, Paris, CNAC, 7 mai-21 juin 1971, dir. P. Waldberg.

Francis Picabia, Paris, Galeries nationales du Grand Palais, 23 janvier-29 mars 1976, dir. J.-H. Martin et H. Seckel.

Idas y caos. Aspectos de las vanguardias fotográficas en España, Madrid, Ministerio de Cultura, Dirección general de Bellas Artes y Archivos, 1984, dir. J. Fontcoberta.

Feliu Elias, «Apa», Barcelone, Museu d'Art Modern, 28 mai-20 juillet 1986, dir. C. Mendoza.

Barradas, exposición antológica, 1890-1929, Saragosse, Sala de la Corona, 5 octobre-7 janvier 1993.

Francis Picabia. Galerie Dalmau, 1922, Paris, Centre Georges Pompidou, 7 mai-1er juillet 1996, dir. A. Angliviel de La Beaumelle.

Àngel Ferrant, Madrid, Museo Nacional Centro de Arte Reina Sofía, 1999, dir. J. Arnaldo et C. Bernárdez.

Robert y Sonia Delaunay, Barcelone, Museu Picasso y Museu textil i d'indumentaria, 20 octobre 2000-21 janvier 2001, dir. B. Léal et M. T. Ocaña.

Albert Gleizes. Le cubisme en majesté, Barcelone, Museu Picasso, 28 mars-5 août 2001 ; Lyon, musée des Beaux-Arts, 7 septembre-10 décembre 2001, dir. C. Briend.

Le classicisme méditerranéen et le retour à l'ordre

Ouvrages et articles

Ainaud de Lasarte, Joan, *Eugeni d'Ors i els artistes catalans*, Barcelone, Reial Acadèmia Catalana de Belles Artes de Sant Jordi, 1981.

Almanach dels noucentistes, Barcelone, J. Horta, 1911 ; éd. fac-similé, Barcelone, J. J. de Olañeta, 1980.

Benet, Rafael, *Sunyer*, Barcelone, Polígrafa, 1975.

Berger, Ursel, et Zutter, Jorg (éd.), *Aristide Maillol*, Paris, Flammarion, 1996.

Bertrana, Prudenci, « Aristides Maillol », *La Pàtria* (Barcelone), 4, 12 juin 1914.

Bissière, « L'exposition Picasso », *L'Amour de l'art* (Paris), 6 juin 1921, p. 209-212.

Camps, M. T., *Enric Casanovas*, Barcelone, Ajuntament de Barcelona, 1984.

Carles, D., « A propòsit de Cézanne », *Gaseta de les arts* (Barcelone), 53, 15 juillet 1926, p. 1-2.

Id., « Els estrangers de Paris », *Gaseta de les arts* (Barcelone), 53, 15 juillet 1926, p. 2-5.

Casamartina, Josep, et Debray, Cécile, *Togores. Du réalisme magique au surréalisme*, Paris, Diagonales, 1998.

Cocteau, Jean, *Le Rappel à l'ordre*, Paris, Stock, 1926.

Denis, G. A., « Les œuvres actuelles de José Clarà », *Tous les arts* (Paris), 26 février 1911, p. 26-27.

Denis, Maurice, « Aristide Maillol », *Lectura* (Gérone), 1, 1er juillet 1910, p. 13-16.

Denis-Rault, G., « José Clarà sculpteur », *Art et décoration* (Paris), avril 1914, p. 109-114.

Doñate, Mercè, *Clarà. Catàleg del fons d'escultura*, Barcelone, Museu Nacional d'Art de Catalunya, 1997.

Fàbregas i Barri, Esteve, *Josep de Togores, l'home, l'obra, l'època* Barcelone, Aedos, 1970.

Flama [pseud. de J. Folch i Torres], « Els artistes catalans a Paris », *La Veu de Catalunya* (Barcelone), 22 octobre 1920.

Folch i Torres, Joaquim, « L'art d'en Josep Clarà », *La Veu de catalunya* (Barcelone), 1er décembre 1910.

Id., « Al començar l'història dels noucentistes. A propòsit de l'*Almanach* », *La Veu de Catalunya* (Barcelone), février 1911.

Id., « Les pintures d'en Sunyer », *La Veu de Catalunya* (Barcelone), 14 avril 1911.

Id., « Les escultures d'en Josep Clarà », *La Veu de Catalunya* (Barcelone), 11 mai 1911.

Id., « L'exposició Casanovas », *La Veu de Catalunya* (Barcelone), 2 novembre 1911.

Id., « Un novell decorador. Pintures murals d'en Josep Togores », *La Veu de Catalunya* (Barcelone), juillet 1913.

Id., « Davant l'obra de Puvis de Chavannes », *La Veu de Catalunya* (Barcelone), 23 octobre 1913

Id., « L'escultor Enric Casanovas », *Gaseta de les arts* (Barcelone), 28, 1er juillet 1925.

Id., « Lletra oberta a Josep Togores », *Gaseta de les arts* (Barcelone), 64, 1er janvier 1927, p. 4

Fontainas, André, « José Clarà », *L'Amour de l'art* (Paris), 8, août 1927, p. 4.

Gasch, Sebastià, « La pintura de Josep de Togores », *Gaseta de les arts* (Barcelone), 50, 1er juin 1926.

Id., « La tragèdia cézanniana », *L'Amic de les arts* (Barcelone), I (6), septembre 1926, p. 4.

George, Waldemar, *Maillol et l'âme de la sculpture*, Neuchâtel, Ides et Calendes, 1964.

Hutin, M., « Une visite à l'atelier de José Clarà statuaire », *Journal des arts* (Paris), 18 décembre 1926.

Jacob Max, *Lettres à Togores*, introduction d'Hélène Henry, éd. J. Casamartina, Sabadell, La Mirada, 1998

Jardí, Enric, *Eugeni d'Ors. Vida y obra*, Barcelone, Aymà, 1967.

Jean, René, [« Commentaire de l'exposition Togores à la galerie Simon de Paris »], *Potins de Paris* (Paris), 23 février 1922.

Jori, Romà, « Enric Casanovas », *Vell i Nou* (Barcelone), 6, 17 avril 1915, p. 1.

Id., *Josep Clarà*, Barcelone, [1921].

Id., « L'última evolució de les obres de l'escultor Josep Clarà », *Vell i Nou* (Barcelone), 2e époque, 17, août 1921, p. 139-142.

Junoy, Josep Maria, *Joaquim Sunyer*, Barcelone, Quatre Coses, 1926.

Id., « Josep de Togores », *Gaseta de les arts* (Barcelone), 50, 1er juin 1926.

Longon, Henri, « Chronique des arts. Deux sculpteurs catalans, Josep Clarà et Enric Casanovas. Le modelage et la sculpture. La taille directe », *L'Action française* (Paris), 3 avril 1923.

Lorquin, Bertrand, *Aristide Maillol*, Genève, Skira, 1994.

Maragall, Joan, « Impresión de la exposición Sunyer. *A un amigo* », *Museum* (Barcelone), I (7), juillet 1911, p. 251-260.

Ors, Eugeni d', « Cròniques de Paris. Les tardes y les vetlles de l'Octavi Romeu », *La Veu de Catalunya* (Barcelone), 11 novembre 1908.

Id., « El notable escultor catalán José Clarà y algunas de sus principales obras », *La Ilustración artística* (Barcelone), 11 avril 1910.

Id., *La Ben Plantada*, Barcelone, Joaquin Horta, 1912.

Id., « Suzanne Valadon, Marie Laurencin, Leonor Fini », *Revista* (Barcelone), 27 août-2 septembre 1953, p. 3.

Peran, Martí, « Noucentisme i Cézanne. Història d'un dissortat magisteri », *D'Art, revista del departamento d'Història de l'art de la UB* (Barcelone), 17-18, 1992, p. 189-203.

Id., « Notes sobre la recepció de Cézanne a Catalunya », *Serra d'or* (Barcelone), 444, décembre 1996, p. 81-83.

Pérez-Jorba, J., « Un haut esprit philosophique, Eugeni d'Ors », *L'Instant* (Paris), 6, décembre 1918, p. 6-12.

Pla, Josep, *L'Enric Casanovas*, Barcelone, Publicacions de la Revista, 1920.

Pujols, Francesc, « L'Enric Casanovas », *Revista nova* (Barcelone), 1, 11 avril 1914.

R.B. [Rafael Benet], « Claude Monet », *La Veu de Catalunya* (Barcelone), 11 décembre 1926.

Raynal, Maurice, « Exposition Togores à la galerie Simon », *L'Intransigeant* (Paris), 10 février 1922.

Sacs, Joan [pseud. de F. Elias], « Les pintures d'en Sunyer », *El Poble Català* (Barcelone), 18 avril 1911.

Id., « Josep de Togores », *D'Ací i d'Allà* (Barcelone), 99, mars 1928.

Id., « Aristide Maillol », *Mirador* (Barcelone), 21 février 1935.

Salmon, André, « Exposition Sunyer », *Paris-Journal* (Paris), mars 1910.

Schnerb, J.-F., « Exposition Le Goût-Gérard, Degallaix et Sunyer, galeries Georges Petit et Barbazanges », *La Chronique des arts et des curiosités* (Paris), 26 mars 1910, p. 99.

Silver, Kenneth E., *Vers le retour à l'ordre. L'avant-garde parisienne et le retour à l'ordre*, Paris, Flammarion, 1991.

Togores, Josep de, [Déclaration à propos de l'Exposició d'art francés à Barcelone], *La Revista* (Barcelone), 16 juin 1917.

Id., « El viure de París », *Vell i Nou* (Barcelone), 95, 15 juillet 1919.

Id., « El viure de París. Cubisme i decoració », *Vell i Nou* (Barcelone), 98, 1er septembre 1919.

Id., « El viure de París. Els impressionistes són al Louvre », *Vell i Nou* (Barcelone), 102, 1er novembre 1919.

Id., « El viure de París. Exposicions (Picasso, Kisling, Coubine) », *Vell i Nou* (Barcelone), 103-105, 15 décembre 1919.

Vallcorba Plana, Jaume, *Noucentisme, mediterranisme i classicisme. Apunts per a la història d'una estética*, Barcelone, Quaderns Crema, 1944.

Vauxcelles, L., « Exposition Sunyer », *Gil Blas* (Paris), mars 1910.

Vidal i Jansà, Mercè, *Teoría i crítica en el Noucentisme. Joaquim Folch i Torres*, Barcelone, Institut d'Estudis Catalas, Publicacions de l'Abadia de Montserrat, 1991.

Wattenmaker, Richard J., *Puvis de Chavannes ant the Modern Tradition*, Ontario, The Art Gallery of Ontario, 1975.

Xènius [pseud. de E. d'Ors], « Enric Casanovas, noucentista », *La Veu de Catalunya* (Barcelone), 30 octobre 1911.

Catalogues d'expositions

Maillol, 1861-1944, Barcelone, Caixa de Pensions, 1979, dir. M. Ll. Borràs.

Joaquim Sunyer, 1874-1956, Barcelone, Centre Cultural de la Caixa de Pensions, octobre-novembre 1983, dir. Ll. Hernández et D. Capdevila.

Les Réalismes, 1919-1939, les réalismes entre révolution et réaction, 17 décembre 1980 – 20 avril 1981, Paris, Centre Georges Pompidou, dir. J. Clair.

Maillol. La Méditerranée, Paris, musée d'Orsay, RMN, 1986, dir. A. Le Normand-Romain.

On Classic Ground. Picasso, Léger, de Chirico and the New Classicism, 1910-1930, Londres, The Tate Gallery, 6 juin-2 septembre 1990, dir. E. Cowling et J. Mundy.

El Noucentisme. Un project de modernitat, Barcelone, Centre de Cultura Contemporania, 22 décembre 1994-12 mars 1995, dir. M. Peran, A. Suarez et M. Vidal.

Togores, classicisme i renovació. Obra de 1914 a 1931, Barcelone, MAM, MNAC ; Madrid, Museo Nacional Centro de Arte Reina Sofía, 1997 ; Chateauroux, juin-septembre, 1998, dir. J. Casamartina.

Josep Pla et le cahier gris, Paris, Centre d'études catalanes, 15 janvier-2 février 1998.

Joaquim Sunyer, la construcció d'una mirada, Barcelone, MAM, MNAC, 17 février-21 avril 1999 ; Madrid, Fundación Cultural Mapfre Vida, mai-juillet 1999.

Le surréalisme

Ouvrages et articles

Artigas, Pere, « Un film d'en Dalí », *Mirador* (Barcelone), 23 mai 1929.

Balsells, David, *Primer acte, la fotografia al Museu*, Barcelone, Museu Nacional d'Art de Catalunya, 1997.

Bataille, Georges, « Joan Miró, peintures récentes », *Documents* (Paris), 7, 1930, p. 398-403.

Id., *Le Bleu du ciel*, 1937, rééd. Paris, Jean-Jacques Pauvert, 1957.

Id., « La conjuration sacrée », Tossa, 29 avril 1936, *Œuvres complètes*, I, Paris, Gallimard, 1970, p. 446.

Benet, Rafael, « Tossa, Babel de les arts », *Art* (Barcelone), t. II, 1, octobre 1934.

Bernadac, Marie-Laure, et Piot, Christine (éd.), *Picasso, écrits*, Paris, Gallimard, 1989.

Bosch, Glòria, et Grandas, Teresa, *André Masson i Georges Bataille*, Vic, Eumo, 1994.

Brassaï, *Conversations avec Picasso*, Paris, Gallimard, 1964.

Breton, André, et Eluard, Paul, « Programme de *L'Âge d'or* », *Studio 28* (Paris), 28 novembre 1930.

Bouhours, Jean-Michel, *L'Âge d'or. Correspondance Luis Buñuel-Charles de Noailles, Lettres et documents, 1929-1976*, Paris, Centre Georges Pompidou, 1993.

Brunius, Jacques-Bernard, « *Un chien andalou*, film par Luis Buñuel », *La Revue du cinéma* (Paris), 5, 1929.

Buffet-Picabia, Gabrielle, « Sophie Taeuber Arp », *Gaceta de arte*, (Barcelone), 34, mars 1935, p. 3.

Buñuel, Luis (en collaboration avec Salvador Dalí), « Un chien andalou », *La Revue du cinéma* (Paris), 5, 1929.

Id., *Obra literaria*, Saragosse, Heraldo de Aragón, 1982.

Cabanas Bravo, Miguel, « El joven Dalí entre la tradición y la vanguardia artística. La amistad con Moreno Villa y el primer viaje a París y Bruselas », *Archivo español de arte* (Madrid), 250, avril-juin 1990, p. 171-198.

Cassanyes, Magí, « Hans Arp, o de l'art abstracte », *La Publicidad* (Barcelone), 8 mars 1935, p. 4.

Cirici, Alexandre, *Miró Mirall*, Barcelone, Polígrafa, 1977.

Combalía, Victoria, *Picasso-Miró. Miradas cruzadas*, Madrid, Electa, 1998.

Crevel René, *Dalí ou l'anti-obscurantisme*, Paris, Éditions surréalistes, 1931.

Cristofol Ricart, Enric, *Memories*, Barcelone, Parsifal, 1995.

Dalí, Salvador, « La fotografia, pura creació de l'esperit », *L'Amic de les arts* (Barcelone), 18, 30 septembre 1927, p. 90-91.

Id., « La dada fotogràfica », *Gaseta de les arts* (Barcelone), février 1929, p. 40-42.

Id., « Posició moral del surrealisme », *Hèlix* (Vilafranca del Penedès), 10, 1930.

Id., « De la beauté terrifiante et comestible de l'architecture modern style », *Minotaure* (Paris), 3-4, 1933, p. 69-76.

Id., *Journal d'un génie adolescent*, éd. F. Fanés, Monaco, Anatolia, Le Rocher, 1994.

Dalí, Salvador, García Lorca, Federico, et Santos Torroella, Rafael (éd.), *Correspondance 1925-1936*, Paris, Carrère, 1987.

Dupin, Jacques, *Miró*, Paris, Flammarion, 1961 ; Barcelone, Polígrafa, 1993.

Everling, Germaine, « Francis Picabia vist des de dalt », *D'Ací i d'Allà*, (Barcelone), 181, juin 1935, n. p.

Fanés, Fèlix, *Salvador Dalí, album de família*, Figueras, Fundació Gala-Salvador Dalí, 1998.

Fanés, Fèlix, *Salvador Dalí, la construccion de la imagen, 1925-1930*, Madrid, Electa, 1999.

Id. (éd.), *Salvador Dalí, L'alliberament dels dits. Obra catalana completa*, Barcelone, Quaderns Crema, 1995.

Fernàndez, Luis, « Hans Arp y Madame Arp », *A. C. Documentos de Actividad Contemporánea* (Barcelone), 6, 1932, p. 42-43.

Folch i Torres, Joaquim, « El pintor Salvador Dalí », *Gaseta de les arts*, (Barcelone), 60, 1er novembre 1926, p. 1.

Id., « Salvador Dalí », *Gaseta de les arts*, (Barcelone), 66, 1er février 1927, p. 1.

Garcia, José Miguel, Duran, Fina, et Oliver, Conxita, *Surrealisme a Catalunya, 1924-1936, de L'Amic de les arts al Logicofobisme*, Barcelone, Generalitat de Catalunya, Departament de Cultura, Fundació Caixa de Barcelona, 1988.

Gasch, Sebastià, « L'obra actual del pintor Joan Miró », *L'Amic de les arts* (Barcelone), I, 5, août 1926, p. 15-16.

Id., « Hans Arp a Barcelona », *Mirador* (Barcelone), 187, 1er septembre 1932, p. 7.

Id., « Salvador Dalí », *Gaseta de les arts* (Barcelone), 60, 1er novembre 1926, p. 1-2.

Id., *Joan Miró*, Barcelone, Alcides, 1963.

Guigon, Emmanuel, « ADLAN (1932-1936) et le surréalisme en Catalogne », *Époque contemporaine*, Mélanges de la Casa Velázquez, (Madrid), XXVI, 3, 1990, p. 53-80.

« Joan Miró », *L'Amic de les arts* (Sitges), 26, 30 juin 1928.

Junoy, Josep Maria, « Joan Miró », *La Veu de Catalunya* (Barcelone), 4 février 1918.

La Beaumelle, Agnès Angliviel de, *Miró. La col·lection du Centre Georges Pompidou, Musée national d'art moderne*, Paris, Centre Georges Pompidou et RMN, 1999.

Lara Peinado, Frederic, *L'Escultor Leandre Cristòfol, assaig bio-bibliogràfic*, Lérida, Institut d'Estudis Ilerdencs, 1985.

Levaillant, Françoise, *André Masson, les années surréalistes, Correspondance 1916-1942*, Paris, La Manufacture, 1990.

Lopez Torres, Domingo, « Hans Arp », *Gaceta de arte : revista internacional de cultura* (Tenerife), 44, mars 1938.

Lubar, Robert. S., *Joan Miró before The Farm, 1915-1922. Catalan nationalism and the Avant-Garde*, New York, New York University Institute of Fine Arts, 1988.

Id., *Dalí. The Salvador Dalí Museum collection*, Boston, 2000.

Malet, Rosa M., *Joan Miró*, Barcelone, Polígrafa, 1983.

Masson, André, *Entretiens avec Georges Charbonnier*, Paris, Juillard, 1958.

Miró, Joan, *Ceci est la couleur de mes rêves, entretiens avec Georges Raillard*, Paris, Seuil, 1977.

Id., *Écrits et entretiens*, présentés et annotés par M. Rowell, Paris, Daniel Lelong, 1995.

Perez Bazo, Javier, *La Vanguardia en España. Arte y literatura*, Paris, Ophrys, CRIC, 1998.

Perucho, Joan, *Joan Miró i Catalunya*, Barcelone, Polígrafa, 1970.

Perrin, Michel, « Carta a Francis Picabia », *Revista* (Barcelone), 88, 17-23 décembre 1953, p. 8.

Rodriguez Aguilera, Cesáreo, et Cirici Pellicer, A., *1924-1936, Surrealisme històric a Catalunya*, Barcelone, Bonanova, 1975.

Sanchez-Vidal, Agustín, *Buñuel, Lorca, Dalí, el enigma sin fin*, Barcelone, Planeta, 1988.

Sanouillet, Michel, *391*, Paris, Le Terrain vague, 1960-1966, 2 vol.

Santos-Torroella, Rafael, « Unas cartas de Miró a Dalmau », *Kalias, revista de arte (IVAM)*, Valence, 9, 1993.

Id., *Salvador Dalí i el Saló de Tardor. Un episodi de la vida artística barcelonina el 1928*, Barcelone, Reial Acadèmia Catalana de Belles Arts de Sant Jordi, 1985.

Id. (éd.), *Salvador Dalí corresponsal de J. V. Foix 1932-1936*, Barcelone, Mediterrània, 1986.

Sebbag, Georges, *L'Imprononçable Jour de ma naissance, 17dré 13eton*, Paris, Jean-Michel Place, 1988.

Id., *L'Imprononçable Jour de sa mort, Jacques Vaché, janvier 1919*, Paris, Jean-Michel Place, 1989.

Tharrats, J. J., « Picabia-Dalmau-Barcelona », *Revista* (Barcelone), 28 août 1952, p. 9.

Will-Levaillant, Françoise, *André Masson, le rebelle du surréalisme*, Paris, Hermann, 1976.

Catalogues d'expositions

L'Aventure de Pierre Loeb : la galerie Pierre, Paris 1924-1964, Paris, musée d'art moderne de la Ville de Paris, 7 juin-16 septembre 1979.

Salvador Dalí, rétrospective, 1920-1980, Paris, Centre Georges Pompidou, 18 décembre-14 avril 1979, dir. D. Abadie.

Picasso, Miró, Dalí : évocations d'Espagne, Charleroi, palais des Beaux-arts, 26 septembre-22 décembre 1986.

Surrealisme a Catalunya, 1924-1936, de l'Amic de les arts al logicofobisme, Barcelone, Centre d'art Santa Monica, mai-juin 1988, dir. J. M. Garcia, F. Duran et C. Oliver.

Remedios Varo, arte y literatura, Teruel, Museo de Teruel, 1991, dir. E. Guigon.

André Breton, la beauté convulsive, Paris, Centre Georges Pompidou, 25 avril-26 août 1991, dir. A. Angliviel de La Beaumelle.

André Masson a Espanya, Majorque, Fundacio Pilar et Joan Miró, 5 février-14 mars 1993, dir. M. Leiris et M. Troche.

Joan Miro, New York, The Museum of Modern Art, 17 octobre 1993-11 janvier 1994, dir.C.Lanchner.

El Surrealismo en España, Madrid, Museo Nacional Centro de Arte Reina Sofía, 18 octobre 1994-9 janvier 1995, dir. L. Garcia de Carpi.

Dalí, The Early Years, Londres, The Hayward Gallery, 3 mars-3 mai 1994 ; New York, The Metropolitan Museum of Art, 28 juin-18 septembre 1994, *Dalí joven, 1918-1930* ; Madrid, Museo Nacional Centro de Arte Reina Sofía, 18 octobre-16 janvier 1995, dir. A. Beristain.

Leandre Cristofol, Lérida, Museu d'Art Jaume Morera, 1995, dir. J. Navarro Guitart.

Masson Massacres, Berne, Kunstmuseum, 13 septembre-24 novembre 1996, dir. S. Kuthy.

Man Ray, Paris, Galeries nationales du Grand Palais, 29 avril-29 juin 1998, dir. A. Sayag.

Salvador Dalí, Album de familia, Figueras, Fundacio Gala-Salvador Dalí, 30 juin-1er novembre 1998 ; Céret, musée d'Art moderne, 19 novembre 2000-4 mars 2001, dir. F. Fanés.

Brassaï, Paris, Centre Georges Pompidou, 19 avril-25 juin 2000, dir. A. Sayag, E. de L'Ecotais.

Arts décoratifs et architecture, 1925-1937

Ouvrages et articles

A. C., GATEPAC, 1931-1937, fac-sim., Barcelone, Gustavo Gili, 1975.

Bohigas, Oriol, « Homenatge al GATCPAC », *Cuadernos de arquitectura*, (Barcelone), 40, 2e trimestre 1960.

Id., « Records barcelonins de Le Corbusier », *Serra d'or*, (Barcelone), 10, octobre 1965, p. 27-28.

Id., *Arquitectura i urbanisme durant la Republica*, Barcelone, Dopesa, 1970.

Id., « L'arquitectura a Catalunya, 1911-1939 », *L'Art català contemporani* (Barcelone), Aymà, 1972.

Borràs, Maria Lluisa, *Sert, arquitectura mediterránea*, Barcelone, Polígrafa, Paris, Cercle d'art, 1974.

Corredor-Matheos, J., et Mercadé Ciutat, Albert, *Jaume Mercadé*, Barcelone, Museu Diocesà de Barcelona, Fundació Banc Sabadell, 2001.

Courthion, Pierre, *Josep Llorens Artigas*, Barcelone, Polígrafa, 1977.

Dalmases, Núria, et Giralt-Miracle, Daniel, illustrations de Ramon Manent, *Argenters i joiers de Catalunya*, Barcelone, Destino, 1985.

« Exposició internacional de Barcelona », *D'Ací i d'Allà* (Barcelone), décembre 1929.

Freixa, Jaume, *Josep Ll. Sert*, Barcelone, G. Gili, 1979 ; rééd. 1989.

Junoy, Josep Maria, « Les Joies d'en Masriera a l'Exposició de París », *Gaseta de les arts* (Barcelone), 44, 1er mars 1926, p. 2.

Lahuerta, Juan José (dir.), *Le Corbusier y España*, Barcelone, Centre de Cultura Contemporània de Barcelona, 1996.

« Le Corbusier a Barcelona, conversa amb l'emminent arquitecte », *La Veu de Catalunya* (Barcelone), 9.971, 16 mai 1928, p. 5.

« Le Corbusier a Barcelona, la primera conferència », *La Veu de Catalunya* (Barcelone),

9.973, 19 mai 1928, p. 5.

« Le Corbusier a Barcelona, segona conferencia », *La Veu de Catalunya*, (Barcelone), 9.976, 23 mai 1928, p. 4.

LLORENS I ARTIGAS, Josep, et MAS, Ricard (éd.), *Escrits d'art*, Barcelone, Universitat de Barcelona, 1993.

MAINAR, Josep, et CATALÀ ROCA, Francesc, *El Moble Català*, Barcelone, Destino, 1976.

MAINAR, Josep, et CORREDOR-MATHEOS, Josep, *Dels bells oficis al disseny actual, FAD 80 anys*, Barcelone, Blume, 1984.

MAÑÀ, Josep, MONTMANY, Marta, et VÉLEZ, Pilar, *Arts decoratives a Barcelona, col·leccions per a un museu*, Barcelone, Ajuntament de Barcelona, 1994.

MARQUINA, Rafael, « Entorn de l'Exposició internacional de Belles Arts Mirant a Barcelona », *Mirador* (Barcelone), 15, 9 mai 1929.

MIRALLES, Francesc, LLORENS MARTY, Mariette, et SALGADO, Gabriela, *Llorens artigas, catàleg d'obra*, Barcelone, Polígrafa et Fundació Llorens Artigas, 1992.

PEREZ ROJAS, Javier, *Art déco en España*, Madrid, Cátedra, 1990.

PUIG I CADAFALCH, Josep, *La Plaça de Catalunya : comentaris, comparacions i projectes*, Barcelone, Llibreria Catalònia, 1927.

PUIG ROVIRA, Francesc X., *Els Serra i la ceràmica d'art a Catalunya*, Barcelone, Selecta, 1978.

R.B. [Rafael BENET], « Hotel en una platja. Salutació a Le Corbusier », *Gaseta de les arts* (Barcelone), 1, juin 1928, p. 16-17.

ROCA, Francesc, *El Plà Macià*, Barcelone, La Magrana, 1977.

ROVIRA, Josep M., *La Arquitectura catalana de la modernidad*, Barcelone, Universitat Politècnica Catalunya, 1987.

ID., *José Luís Sert, 1901-1983*, Madrid, Electa et Paris, Gallimard, 2000.

Catalogues d'expositions

80 anys de joieria i orfebreria catalana, 1900-1980, Barcelone, Caixa de Pensions, Obra social, 1981.

Le Corbusier i Barcelona, Barcelone, Fundació Caixa de Catalunya, 1992.

MARZÁ, Fernando (dir.), *Moble català*, Barcelone, Generalitat de Catalunya, Departament de Cultura, Electa, 1994.

J. L. Sert y el Mediterráneo, Barcelone, Col·legi Oficial d'Arquitectes de Catalunya, 1998, dir. J. Freixa et A. Pizza.

LA SCULPTURE DE FER, GARGALLO, GONZÁLEZ, PICASSO

Ouvrages et articles

AGUILERA CERNI, Vicente, *Julio, Joan, Roberta González, Itinerario de una dinastía*, Barcelone, Polígrafa, 1973.

ANGUERA, Jean, *Gargallo*, Paris, Carmen Martinez, 1979.

CASSOU, Jean, « Julio González », *Cahiers d'art* (Paris), 1947, XXII.

CIRICI, Alexandre, *Gargallo i Barcelona*, Barcelone, Ariel, Fundació Picasso-Reventós, 1975.

COURTHION, Pierre, « Pablo Gargallo », *Art et décoration* (Paris), 1er septembre 1930.

ID., *Gargallo*, Paris, Skira, 1937.

COURTHION, Pierre, et ANGUERA GARGALLO, Pierrette, *Pablo Gargallo*, Paris, Vingtième Siècle, 1973.

FERNANDEZ, Luís, « El escultor González », *A. C.* (Barcelone), 5, 1er trimestre 1932.

Gargallo, 1881-1981, Exposició del Centenari, Barcelone, Ajuntament de Barcelona, 1981.

GARGALLO-ANGUERA, Pierrette, *Pablo Gargallo. Catalogue raisonné*, Paris, L'Amateur, 1998.

GUAL, Enric F., « Pau Gargallo, catalans a París », *Mirador* (Barcelone), 290, 23 août 1934.

KAHNWEILER, Daniel-Henry, illustrations de BRASSAÏ, *Les Sculptures de Picasso*, Paris, Le Chêne, 1948.

LLORENS, Tomàs, *Julio González. Las colec-ciones del IVAM*, Valence, IVAM, Centre Julio González, 1989.

MERKERT, *Julio González. Catalogue raisonné des sculptures*, Milan, Electa, 1987.

ORDOÑEZ, R., *Catálogo del museo Pablo Gargallo*, Zaragosse, Ayuntamiento de Zaragoza, 1988.

SOLANA, Guillermo, *Julio González en la colección del IVAM*, Valence, Generalitat Valenciana, 2001.

SPIES, Werner, et PIOT, Christine, *Picasso sculpteur. Catalogue raisonné des sculptures*, Paris, Centre Georges Pompidou, 2000.

TÉRIADE, E., « Pablo Gargallo », *L'Art d'aujourd'hui* (Paris), 12, hiver 1926.

ID., « Pablo Gargallo », *Cahiers d'art* (Paris), 7-8, 1927.

ID., « Esculturas metàl·liques de Pau Gargallo », *Gaseta de les Arts* (Barcelone), 7, mars 1929.

WITHERS, Josephine., *Julio González. Sculpture in Iron*, New York, New York University Press, 1978.

ZERVOS, Christian, « Notes sur la sculpture contemporaine. À propos de la récente Exposition internationale de sculpture », *Cahiers d'art* (Paris), 10, 1929.

Catalogues d'expositions

Julio González. A Retrospective, New York, The Solomon R. Guggenheim Museum, 1983, dir. M. Rowell.

Picasso and the Age of Iron, New York, The Solomon R. Guggenheim Museum, 19 mars-16 mai 1993, dir. C. Gimenez.

Picasso : Sculptor/Painter, Londres, The Tate Gallery, 16 février-8 mai 1994, dir. E. Cowling et J. Golding.

Gonzalez-Picasso. Dialogue, Toulouse, couvent des Jacobins, 1er mai-20 septembre 1999, dir. M. Tabard.

Pablo Gargallo. Sculptures, Paris, Hôtel de la Monnaie, 3 avril-10 juin 2001, dir. L. Courbet-Viron.

1937

Ouvrages et articles

[ANONYME], « Le pavillon de l'Espagne, architectes, Luis Lacasa et José Luis Sert », *Architecture d'aujourd'hui* (Paris), 8 août 1937, p. 22-23.

[ID.], « Le pavillon de l'Espagne à l'Exposition de 1937 », *Cahiers d'art* (Paris), 8-10, 1937, p. 283-289.

BAZIN, Germain, « L'Exposition d'art catalan », *L'Amour de l'art* (Paris), 2e trimestre 1937.

BLANTON FREEDBERG, Catherine, *The Spanish Pavillion at the Paris World's Fair*, New York et Londres, Garland, 1986, 2 vol.

BORRÀS, Maria Lluïsa, *Joan Miró, sèrie Barcelona*, Barcelone, Ajuntament, 1986.

BRIHUEGA, Jaime, *La Vanguardia y la República*, Madrid, Cátedra, 1982.

CAPA, Robert, *Cuadernos de guerra en Espana (1936-1939)*, éd. C. Serrano, Valence, Alfaces El Magnanin, 1987.

CHIPP, Herschel, et TUSELL, Javier, *Guernica. Histoire, élaboration, signification*, trad. de R. Marrast, Paris, Cercle d'art, 1992.

Les Écrivains et la guerre d'Espagne, dir. M. Hanrez, Paris, Les Dossiers H, 1975.

FONTAINE, François, *La Guerre d'Espagne à travers la presse française illustrée*, Paris, université Paris IV, thèse de doctorat, 2000.

GABRIEL, Pere (éd.), *Història de la cultura catalana, IX : República, autogovern i guerra, 1931-1939*, Barcelone, Edicions 62, 1998.

LARREA, Juan, *Guernica, Pablo Picasso*, New York, C. Valentin, 1947 ; Madrid, Cuadernos para el diálogo, 1977.

MALRAUX, André, *L'Espoir*, Paris, Gallimard, 1936.

ID., *Espoir. Sierra de Teruel*, scénario du film, Paris, Gallimard, 1996.

MARION, Denis, *Le Cinéma selon André Malraux*, textes et préface d'André Malraux, points de vue critique et témoignages, Paris, Les Cahiers du cinéma, 1997.

MARTÍN MARTÍN, Fernando, *El Pabellón español en la Exposición universal de París en 1937*, Séville, Universidad de Sevilla, 1982.

RENAU, Josep, *Arte en peligro. 1936-1939*, Valence, Ayuntamiento de Valencia, 1980.

THORNBERRY, Robert. S., *André Malraux et l'Espagne*, Genève, Droz, 1977.

Catalogues d'expositions

Origines et développement de l'art international indépendant, Paris, musée du Jeu de paume, 30 juillet-31 octobre 1937.

Guernica. Legado Picasso, Madrid, Museo del Prado, Cason del Buen Retiro, Ministerio de Cultura, octobre 1981 (textes de J. Miró, J. Renau, J. L. Sert, J. Tusell, H. Chipp).

Art contra la guerra, Barcelone, MAM, MNAC, Ajuntament de Barcelona, 1986, dir. M. Arenas, et P. Azara.

Cartells de la Republica i de la guerra civil, Barcelone, Arxiu Nacional de Catalunya, 1986, dir. M. A. Balsells.

Pabellón español, Exposición internacional de París, 1937, Madrid, Museo Nacional Centre de Arte Reina Sofia, Ministerio de Cultura, 25 juin-15 septembre 1987, dir. J. Alix Trueba.

André Malraux y España, Paris, Casa de Espana, Centre culturel espagnol, 11 décembre-17 février 1989.

Dora Maar fotògrafa, Valence, Bancaixa Fondacion, 1995, dir. V. Combalia.

Jean Cassou, 1897-1986 : un musée imaginé, Paris, BNF, galerie Mansart, 15 mars-18 juin 1995 ; Toulouse, réfectoire des Jacobins, mars-mai 1996, dir. P. Georgel.

Face à l'histoire, Paris, Centre Georges Pompidou, 18 décembre 1996-7 avril 1997, dir. J.-P. Ameline.

Francesc Catala Roca, Barcelone, Generalitat de Catalunya, 1998, dir. D. Balsells.

El Surrealismo y la guerra civil española, Teruel, Museo de Teruel, 30 octobre-13 décembre 1998, dir. E. Guigon.

Capa : cara a cara. Fotografias de Robert Capa sobre la guerra civil espanola de la coleccion del Museo Nacional Centro de Arte Reina Sofía, Madrid, Centro Nacional de arte Reina Sofia, 1999.

Francesc Catala Roca. Una nova mirada, Barcelone, Fundacio Joan Miró, 2000, dir. L. Revenga.

La Guerre civile espagnole. Des photographies pour l'histoire, Paris, hôtel de Sully, 22 juin-2 septembre 2001 ; Barcelone, Museu Nacional d'Art de Catalunya, 1er octobre 2001-13 janvier 2002, dir. D. Balsells.

Alberto, 1895-1962, Madrid, Museo Nacional de Arte Reina Sofia, 26 juin-17 septembre 2001 ; Tolède, Museo de Santa Cruz, 4 octobre-9 décembre 2001 ; Barcelone, Museu Nacional d'Art de Catalunya, 8 janvier-1er avril 2002, dir. J. Brihuega et C. Lomba.

Publication du département de l'Edition
dirigé par Béatrice Foulon

Coordination éditoriale
Bernadette Caille, assistée de Caroline Loock

Relecture
Sylvie Bellu

Recherche iconographique
Evelyne David
Sophie Fiblec
Frédérique Kartouby
Caroline de Lambertye

Traductions
Mathilde Benssoussan
Denise Boyer
Marie-France Eslin
Robert Marrast
Brice Mathieussent
François Niubo
Eliseu Trenc

**Suivi de l'exposition
et du catalogue à Barcelone**
Montse Torras
Sonia Villegas

Relations Presse
Florence Le Moing

Conception graphique
Compagnie Bernard Baissait, Brigitte Monnier,
assistée de Sarah Gérard

Fabrication
Jacques Venelli

Photogravure
Bussières, Paris

Impression
MAME, Tours, en septembre 2001.

Dépôt légal : octobre 2001